资治通鉴

全本全注全译

第十三册

齐纪

[宋]司马光　编著
张大可　韩兆琦　等　注译

浙江人民出版社

浙江省版权局
著作权合同登记章
图字:11-2023-344号

图书在版编目（CIP）数据

资治通鉴全本全注全译. 第十三册 / （宋）司马光编著 ; 张大可等注译. -- 杭州 : 浙江人民出版社, 2024.10（2025. 6重印）. -- ISBN 978-7-213-11678-0

Ⅰ. K204. 3

中国国家版本馆CIP数据核字第20248DN392号

资治通鉴全本全注全译　第十三册

ZIZHI TONGJIAN QUANBEN QUANZHU QUANYI

［宋］司马光　编著　　张大可　韩兆琦　等　注译

出版发行：浙江人民出版社（杭州市环城北路 177 号　邮编　310006）
市场部电话：（0571）85061682　85176516
选题策划：胡俊生
项目统筹：潘海林　魏　力
责任编辑：潘海林　王子佳
营销编辑：张紫懿
责任校对：姚建国　马　玉
责任印务：程　琳　幸天骄
封面设计：北京之江文化传媒有限公司
电脑制版：北京之江文化传媒有限公司
印　　刷：浙江新华数码印务有限公司
开　　本：710 毫米 ×1000 毫米　1/16　　印　　张：39.5
字　　数：770 千字　　插　　页：4
版　　次：2024 年 10 月第 1 版　　印　　次：2025 年 6 月第 2 次印刷
书　　号：ISBN 978-7-213-11678-0
定　　价：124.00 元

目　录

卷第一百三十五　齐纪一

起屠维协洽（己未，公元四七九年），尽昭阳大渊献（癸亥，公元四八三年），凡五年。

【题解】

本卷写齐高帝萧道成建元元年（公元四七九年）至齐武帝萧赜永明元年（公元四八三年）共五年间的刘宋、南齐与北魏等国的大事。主要写了宋国萧道成拉拢谢朏，企图让谢朏带头劝进，谢朏不干，萧道成只好改用王俭以行其事；萧道成进行篡位的典礼，十三岁的宋顺帝被吓得战战兢兢，东藏西躲，以及宋臣谢朏、王琨在大庭广众中表现出的正直与哀戚；宋臣裴颛因斥责萧道成而被杀，谢朏因不附萧道成而被废弃；萧道成杀死宋顺帝刘凖，并对刘氏皇族无少长皆诛之。写了魏主派拓跋嘉、薛虎子等四路攻齐，以纳宋之逃魏宗室刘昶；南齐将领崔文仲破魏军于钟离，垣崇祖巧用淝水破魏军于寿春，魏将刘昶见情势不好只得请求回军；魏主又派郎大檀、白吐头、元泰等五路南下攻齐，而南齐朐山守将玄元度，青、冀二州刺史卢绍之等破魏军于朐山，当时淮北四郡之民不乐属魏，故所在民变蜂起，桓标之等聚众占据五固以抗魏；南齐将领李安民、周盘龙大破魏军于淮北，桓康又破魏军于淮阳，垣崇祖又破魏军于淮西，南齐的军事形势一片

【原文】

太祖高皇帝①

建元元年（己未，公元四七九年）

春，正月甲辰②，以江州刺史萧嶷③为都督荆、湘等八州诸军事，荆州刺史，尚书左仆射王延之为江州刺史，安南长史萧子良④为督会稽等五郡诸军事、会稽太守⑤。

初，沈攸之欲聚众⑥，开民相告⑦，士民坐执役⑧者甚众。嶷至镇⑨，一日罢遣⑩三千余人。府州仪物⑪，务存俭约⑫，轻刑薄敛，所部⑬大悦。

大好。写了南齐太子萧赜以年长功大，多不守制度，齐臣荀伯玉向萧道成告发萧赜，致使萧氏父子矛盾尖锐，多亏萧赜诸弟与大臣王敬则的大力团和，方得化险为夷；荀伯玉因受萧道成的宠信而炙手可热，遭到其他大臣的忌恨；萧赜与南齐名将垣崇祖一向不和，又见荀伯玉奉命与垣崇祖来往而疑忌加深；齐高帝萧道成死，齐武帝萧赜即位后，迅即强加罪名杀了垣崇祖、荀伯玉，又杀了创建南齐的元勋车骑将军张敬儿，又杀了为人倨傲、愤世嫉俗的谢超宗，禁锢了袁彖。写了魏将薛虎子建议在徐州开展屯田，所论极为中肯，魏主从之；魏将李崇镇守荆州、兖州，皆有治绩，边民安之；魏国的齐州刺史韩麒麟为政宽和，深得民意；魏国的秦州刺史尉洛侯刑法酷苛，官逼民反，魏主杀之以安百姓。此外还写了出卖刘宋政权以媚南齐新主的褚渊、王俭为助成萧道成篡位而大受赏赐，宋臣何点、刘祥借端以嘲讽褚渊，以及褚渊死后，其子褚贲也心感羞耻而不继承其父之爵位，不仕于南齐，退而屏居于墓下等。

【语译】

太祖高皇帝

建元元年（己未，公元四七九年）

春季，正月初二日甲辰，宋国朝廷任命担任江州刺史的萧嶷为都督荆、湘等八州诸军事、荆州刺史，任命担任尚书左仆射的王延之为江州刺史，任命担任安南将军王延之长史的萧子良为都督会稽等五郡诸军事、会稽太守。

当初，担任荆州刺史的沈攸之为了扩充自己的军队，便发动百姓互相检举告发，士民因被诬而获罪被罚去服兵役、服劳役的很多。萧嶷到达任所之后，一天之内就免去了三千多人的罪名并且将其遣返。萧嶷要求都督府与州刺史府的各种排场用物，务必坚持简单节约的原则，同时又减轻刑罚，减少各种赋税和劳役，所辖区域内的百姓都非常高兴。

辛亥⑭，以竟陵世子赜⑮为尚书仆射，进号中军大将军⑯、开府仪同三司。

太傅道成以谢朏有重名⑰，必欲引参佐命⑱，以为左长史⑲。尝置酒与论魏、晋故事⑳，因曰：“石苞㉑不早劝晋文㉒，死方恸哭㉓，方之冯异㉔，非知机㉕也。”朏曰：“晋文世事魏室㉖，必将身终北面㉗。借使魏依唐、虞故事㉘，亦当三让弥高㉙。”道成不悦。甲寅㉚，以朏为侍中，更以王俭为左长史㉛。

丙辰㉜，以给事黄门侍郎萧长懋㉝为雍州刺史㉞。

二月丙子㉟，邵陵殇王友㊱卒。

辛巳㊲，魏太皇太后及魏主㊳如代郡温泉。

甲午㊴，诏申前命㊵，命太傅赞拜不名。

己亥㊶，魏太皇太后及魏主如西宫㊷。

三月癸卯朔㊸，日有食之。

甲辰㊹，以太傅为相国㊺，总百揆㊻，封十郡㊼，为齐公㊽，加九锡㊾；其骠骑大将军、扬州牧、南徐州刺史如故。乙巳㊿[1]，诏齐国官爵礼仪，并仿天朝(51)。丙午(52)，以世子赜领南豫州刺史(53)。

杨运长去宣城郡(54)还家，齐公遣人杀之。凌源令(55)潘智与运长厚善，临川王绰(56)，义庆(57)之孙也，绰遣腹心陈赞说智曰：“君先帝旧人，身(58)是宗室近属，如此形势，岂得久全？若招合内外，计(59)多有从者。台城内人常有此心，正[2]苦无人建意(60)耳。”智即以告齐公。庚戌(61)，诛绰兄弟及其党与(62)。

甲寅(63)，齐公受策命(64)，赦其境内，以石头(65)为世子宫，一如东

正月初九日辛亥，宋国朝廷任命竟陵郡公萧道成的嫡长子萧赜为尚书仆射，加封中军大将军、开府仪同三司。

宋国担任太傅的萧道成因为担任骠骑长史的谢朏声望很高，所以一心要拉他参与到辅佐自己创立称帝的班子里来，于是任命谢朏做自己手下的左长史。萧道成曾经摆设酒宴宴请谢朏，在酒席宴上与谢朏一起谈论起当初曹氏篡汉建立魏国、司马氏篡魏建立晋朝的过程与手续，萧道成趁机说："石苞没有趁晋文帝司马昭在世时及早地劝说他篡位称帝，所以司马昭死后石苞恸哭不已，石苞和东汉时期的冯异比较起来，就显得有些抓不住苗头，不能见机而作。"谢朏说："晋文帝司马昭一连几代都在曹魏皇帝手下称臣，所以他必然到死不会改变自己做臣子的节操，不忍心做出对不起主子的事情来。假使您想要仿效曹魏以唐尧、虞舜的禅让方式取得了汉王朝政权，您也应该像曹丕那样做出一种汉献帝三与、曹丕三让的姿态，这样才能显出您的德行之高。"萧道成听了谢朏的这番话，心里感到很不高兴。正月十二日甲寅，改任谢朏为侍中，任命王俭为左长史。

正月十四日丙辰，萧道成任命担任给事黄门侍郎的萧长懋为雍州刺史。

二月初四日丙子，宋国的邵陵殇王刘友去世。

初九日辛巳，魏国的太皇太后冯氏和魏孝文帝拓跋宏前往代郡的温泉。

二十二日甲午，宋顺帝刘準重申昇明二年九月丙午的诏令，特别赐予太傅萧道成享受上朝参拜皇帝的时候，司仪不唱名字的优待。

二十七日己亥，魏国的太皇太后和魏孝文帝前往西宫。

三月初一日癸卯，发生日食。

三月初二日甲辰，宋国朝廷任命担任太傅的萧道成为相国，总领满朝文武百官，将十个郡封赠给萧道成，封他为齐公，此外又赏赐给他车马、衣服、斧钺等九种物品；萧道成原来所担任的骠骑大将军、扬州牧、南徐州刺史的职务仍然予以保留。初三日乙巳，宋顺帝刘準下诏，特许齐王萧道成在自己封国之内的官爵礼仪，可以和宋朝的建制相同。初四日丙午，萧道成任命世子萧赜兼任南豫州刺史。

担任宣城郡太守的杨运长离开宣城任所返回自己老家，齐公萧道成派人将他杀死。担任凌源县县令的潘智与杨运长感情深厚关系密切，临川王刘绰是刘义庆的孙子，刘绰派遣自己的心腹陈赞劝说潘智说："您是先帝的旧臣，我刘绰是皇室的近支子孙，在当前的这种形势下，我们岂能保得住自己长久平安？如果我们召集朝廷内外起来反抗，一定会有很多人响应。朝廷内部的官员经常有这样的想法，正苦于没有人敢带头提出罢了。"不料潘智却立即把陈赞的话报告了齐公萧道成。三月初八日庚戌，萧道成诛杀了刘绰兄弟以及他们的党羽。

三月十二日甲寅，齐公萧道成按照宋顺帝特许他在自己的封国之内自行除官授爵的诏命，赦免了齐国境内的罪犯，把石头城划归自己的世子萧赜作为建造世子官

宫[66]。褚渊引何曾自魏司徒为晋丞相[67]故事，求为齐官[68]，齐公不许。以王俭为齐尚书右仆射，领吏部[69]。俭时年二十八。

夏，四月壬申朔[70]，进齐公爵为王，增封十郡[71]。

甲戌[72]，武陵王赞[73]卒，非疾也[74]。

丙戌[75]，加齐王殊礼，进世子为太子[76]。

辛卯[77]，宋顺帝下诏禅位于齐。壬辰[78]，帝当临轩[79]，不肯出，逃于佛盖[80]之下。王敬则勒兵[81]殿庭，以板舆[82]入迎帝。太后惧，自帅阉人索得之[83]，敬则启譬令出[84]，引令升车[85]。帝收泪谓敬则曰："欲见杀乎[86]？"敬则曰："出居别宫耳。官先[87]取司马家[88]亦如此。"帝泣而弹指[89]曰："愿后身[90]世世勿复生天王家[91]！"宫中皆哭。帝拍敬则手曰："必无过虑[92]，当饷辅国[93]十万钱。"是日，百僚陪位[94]。侍中谢朏在直[95]，当解玺绶[96]，阳[97]为不知，曰："有何公事？"传诏[98]云："解玺绶授齐王。"朏曰："齐自应有侍中[99]。"乃引枕卧[100]。传诏惧，使朏称疾[101]，欲取兼人[102]。朏曰："我无疾，何所道？"遂朝服步出东掖门[103]，仍登车还宅[104]。乃以王俭为侍中，解玺绶[105]。礼毕，帝乘画轮车[106]，出东掖门就东邸[107]。问："今日何不奏鼓吹[108]？"左右莫有应者。右光禄大夫王琨[109]，华之从父弟[110]也，在晋世已为郎中[111]，至是，攀车獭尾[112]恸哭曰："人以寿为欢，老臣以寿为戚[113]。既不能先驱蝼蚁[114]，乃复频见此事[115]！"呜咽不自胜[116]，百官雨泣[117]。

司空兼太保褚渊等奉玺绶[118]，帅百官诣齐宫劝进[119]，王辞让未受。

之所，一切排场与加兵护卫的程度都与萧道成自己所占据的东府完全相同。褚渊援引何曾在司马炎袭其父爵为晋王之后，辞去了曹魏的司徒，到晋王司马炎的属下当丞相的故事，请求萧道成允许自己到齐国的朝廷做官，齐公萧道成没有同意。萧道成任命王俭为齐国的尚书右仆射，兼任吏部尚书。王俭当时只有二十八岁。

夏季，四月初一日壬申，宋顺帝晋封齐公萧道成为齐王，又给他增加了十个郡的封地。

初三日甲戌，宋国的武陵王刘赞去世，不是病死的。

十五日丙戌，宋顺帝加封齐王萧道成享受特殊的礼遇，晋封齐世子萧赜为王太子。

四月二十日辛卯，宋顺帝下诏把皇位禅让给齐王萧道成。二十一日壬辰，宋顺帝应当到殿前的平台上接见群臣，但他不肯出来，竟然逃到宫中佛像的宝盖下躲藏起来。担任辅国将军的王敬则把兵丁布置在殿庭之内，让人带着木板车进宫迎接宋顺帝刘準。皇太后非常恐惧，就亲自率领宦官们四处搜索，终于从佛盖下面找到了顺帝刘準，王敬则百般启发开导，让刘準出去面见萧道成，王敬则拉着刘準，强行让他上了木板车。刘準收住眼泪对王敬则说:“你们想杀死我吗?”王敬则说:“只是让你离开皇宫居住到别的宫殿里去。你家先人夺取司马氏政权的时候也是这样。”刘準一面哭泣一面弹击着手指说:“但愿我下辈子转世，世世代代都不要托生在帝王之家!”宫中的人都哭了。刘準拍着王敬则的手说:“如果我肯定不出意外的话，我一定会奖赏给你这个辅国将军十万钱。”这一天，满朝的文武百官全都在一旁陪侍。担任侍中的谢朏正在宋顺帝的身旁值勤，应该由他上去把顺帝身上所佩戴的皇帝印玺摘下来呈交给齐王萧道成，而谢朏却假装不知道地问:“有什么公事吗?”负责传达诏命的官员说:“命你解下刘準身上的皇帝印玺授予齐王。”谢朏说:“齐王想做的事情自然应该由齐国的侍中来做。”说完随手拉过一个枕头来躺下了。负责传达诏命的官员非常恐惧，就让谢朏假装有病，想让谢朏另找个适合于做这种事的人。谢朏说:“我没有病，你在说什么呢?”于是就穿着官服走出皇宫的东侧门，登上车子回家了。萧道成遂临时任命王俭为侍中，王俭上去从刘準的身上把皇帝印玺摘了下来。禅让典礼完了以后，刘準乘坐着一辆车轮上画有彩色纹饰的车子，出了皇宫的东侧门回到东边他未做皇帝以前的府邸。他突然发问:“今天出行为什么不演奏音乐?”左右的人谁也没有回答他的问题。担任右光禄大夫的王琨，是王华的堂弟，在宋武帝永初年间就已经担任郎中，到现在，他拉着刘準车子上用来避尘的獭尾，恸哭着说:“人们都为自己长寿而感到高兴，而老臣我却因为自己活得年岁大而感到可悲。既不能像蝼蚁一样及早地死去，又接二连三地看到这种权臣作乱的事情!”呜咽恸哭，伤感之情无法控制，文武百官也都泪如雨下。

担任司空兼太保的褚渊等人捧着皇帝玺绶，率领文武百官来到齐王宫劝说齐王萧道成即皇帝位，齐王萧道成假意进行了辞让，没有立即接受。褚渊的堂弟前任成

渊从弟前成安[3]太守炤[120]谓渊子贲[121]曰："司空今日何在？"贲曰："奉玺绶在齐大司马门[122]。"炤曰："不知汝家司空将一家物与一家[123]，亦复何谓[124]？"甲午[125]，王即皇帝位于南郊[126]。还宫，大赦，改元[127]。奉[128]宋顺帝为汝阴王[129]，优崇之礼[130]，皆仿宋初[131]。筑宫丹杨[132]，置兵守卫之。宋神主[133]迁汝阴庙[134]，诸王[135]皆降为公。自非宣力齐室[136]，余皆除国[137]，独置[138]南康、华容、萍乡[139]三国，以奉刘穆之、王弘、何无忌之后[140]，除国[141]者凡百二十人。二台官僚[142]，依任摄职[143]，名号不同、员限盈长[144]者，别更详议。

以褚渊为司徒，宾客贺者满座。褚炤[145]叹曰："彦回少立名行[146]，何意披猖至此[147]？门户不幸，乃复有[148]今日之拜[149]。使彦回作中书郎而死[150]，不当为一名士邪[151]？名德不昌[152]，乃复有期颐之寿[153]！"渊固辞不拜。

奉朝请河东裴颉[154]上表，数帝过恶[155]，挂冠径去[156]，帝怒，杀之。太子赜请杀谢朏，帝曰："杀之遂成其名[157]，正应容之度外[158]耳。"久之，因事废于家。

帝问为政于前抚军行参军沛国刘瓛[159]，对曰："政在《孝经》[160]。凡宋氏所以亡，陛下所以得者，皆是也[161]。陛下若戒前车之失[162]，加之以宽厚，虽危可安；若循其覆辙[163]，虽安必危矣。"帝叹曰："儒者之言，可宝万世[164]！"

丙申[165]，魏主如崞山[166]。

丁酉[167]，以太子詹事张绪[168]为中书令，齐国左卫将军陈显达[169]为中护军[170]，右卫将军李安民[171]为中领军[172]。绪，岱[173]之兄子也。

戊戌[174]，以荆州刺史嶷为尚书令、骠骑大将军、开府仪同三司、

安太守褚炤对褚渊的儿子褚贲说："司空今天在什么地方？"褚贲说："正捧着皇帝玺绶站在齐王的大司马门前。"褚炤说："不知道你家司空将一家的东西送给另一家，其内心是什么感受？"四月二十三日甲午，齐王萧道成在建康城南郊的祭天坛台上即皇帝位。萧道成回到皇宫，大赦天下，改年号为建元元年。加封宋顺帝刘凖为汝阴王，为感谢他把皇位让给自己的恩德而给予刘凖的种种优待条件，都像当年宋武帝刘裕对待晋恭帝司马德文一样。萧道成在丹杨修建宫殿，部署士兵守卫。刘宋历代皇帝的灵牌全都被迁到汝阴王刘凖的家庙中，刘姓子弟在宋王朝存在时被封为王爵的全都被降为公爵。除了为齐王朝的建立尽过力的刘姓诸公爵以外，其他的一律废除所封的公爵、所占有的封地，只留下了南康、华容、萍乡三个公爵的封号与封地名，让宋武帝刘裕的功臣南康公刘穆之、宋文帝刘义隆的大臣王弘以及萍乡公何无忌这三个人继续享受公爵的祭祀，让他们三人的后代继续享有公爵的待遇与特权，被罢去王国、公国、侯国的总计有一百二十人。原来的宋王朝与萧氏所建的齐王朝的两套办事机构，各就各位，照常管理各自的事情，关于名号不同以及编制以外的人员等，另行详细商议解决。

齐高帝萧道成任命担任司空的褚渊为司徒，前来道贺褚渊的宾朋都坐满了。褚炤叹息着说："褚渊年少的时候还注意修养自己的名节和操守，谁会想到他后来竟然任意胡来到这种程度？这是家门不幸，竟然有今天这样的加官进爵。如果褚渊在刘宋王朝担任中书郎的时候就一病死去，岂不是落得一个名士的美誉吗？现在他的名声越来越坏，却偏偏能够活得这么长久！"褚渊坚决推辞，没有接受萧道成的任命。

担任奉朝请的河东郡人裴颉上表，一条一条地列数了齐高帝的罪状，然后扔下官帽和官服，连招呼也不打就走了，齐高帝大怒，立即将裴颉杀死。齐太子萧赜请求杀掉谢朏，高帝说："杀了他就更提高了他的声望，现在我们应该格外地宽容他。"过了很久，萧道成还是找了个事由把谢朏免官，让他回家。

齐高帝向担任前抚军行参军的沛国人刘瓛询问治理国家的办法，刘瓛回答说："治国的办法全都写在《孝经》这部书中。刘宋王朝为什么会灭亡，陛下为什么能得天下，其原因都在于是否奉行孝道。陛下如果能够吸取刘宋时期的父子之间、兄弟之间残酷杀戮而导致国家败亡的历史教训，再加上能够执行宽松仁厚的治国方针，国家即使遇到危险也能够转危为安；如果还是沿着刘宋覆亡的老路继续走下去，国家即使现在很安定也一定会走向灭亡。"萧道成感叹地说："儒者说的话，确实是至理名言，可为万世之宝！"

四月二十五日丙申，魏国孝文帝前往崞山。

二十六日丁酉，齐高帝任命担任太子詹事的张绪为中书令，任命齐国担任左卫将军的陈显达为中护军，任命担任右卫将军的李安民为中领军。张绪，是张岱的侄子。

二十七日戊戌，齐高帝任命担任荆州刺史的萧嶷为尚书令、骠骑大将军、开府

扬州刺史，南兖州刺史映为荆州刺史。

帝命群臣各言得失。淮南、宣城[175]二郡太守刘善明[176]请除宋氏大明、泰始[177]以来诸苛政细制，以崇简易。又以为："交州[178]险远，宋末政苛，遂至怨叛[179]，今大化创始[180]，宜怀以恩德[181]。且彼土所出，唯有珠宝，实非圣朝所须之急，讨伐之事，谓宜且停[182]。"给事黄门郎[183]清河崔祖思[184]亦上言，以为："人不学则不知道[185]，此悖逆祸乱所由生也。今无员之官[186]，空受禄力[187]，雕耗民财。宜开文武二学，课[188]台、府、州、国限外之人[189]各从所乐[190]，依方习业[191]。若有废惰[192]者，遣还故郡[193]；经艺优殊[194]者，待以不次[195]。又，今陛下虽躬履节俭[196]，而群下犹安习侈靡[197]。宜褒进[198]朝士之约素清修[199]者，贬退其骄奢荒淫者，则风俗可移[200]矣。"宋元嘉之世[201]，凡事皆责成郡县[202]。世祖[203]征求急速，以郡县迟缓[204]，始遣台使督之[205]。自是使者所在旁午[206]，竞作威福[207]，营私纳赂，公私劳扰。会稽太守闻喜公子良[208]上表极陈其弊，以为："台有求须[209]，但明下诏敕[210]，为之期会[211]，则人思自竭[212]。若有稽迟[213]，自依纠坐之科[214]。今虽台使盈凑[215]，会取正属所办[216]，徒相疑愤，反更淹懈[217]，宜悉停台使[218]。"员外散骑郎刘思效上言："宋自大明以来，渐见凋弊，征赋有加而天府尤贫[219]。小民嗷嗷[220]，殆无生意[221]，而贵族富室，以侈丽相高[222]，乃至山泽之民，不敢采食其水草。陛下宜一新王度[223]，革正其失[224]。"上皆加褒赏，或以表付外，使有司详择所宜，奏行之[225]。

仪同三司、扬州刺史，改任担任南兖州刺史的萧映为荆州刺史。

齐高帝令属下群臣对朝廷的得失提出批评建议。担任淮南、宣城二郡太守的刘善明请求废除刘宋王朝从孝武帝刘骏大明年间、宋明帝刘彧泰始年间以来所制定的各种苛刻的法令和烦琐的规章，使国家的政令法规简明易行。刘善明还认为："交州距离京师建康路途险峻、遥远，宋国末年由于政令苛酷，遂使交州百姓对朝廷心怀不满与怨恨而引发了叛乱，如今齐国的政权刚刚建立，应该用恩德来感化他们、吸引他们。况且那里的物产只有珠宝，实在不是圣朝所急需的东西，关于出兵讨伐交州叛乱之事，我认为应当暂且停止。"担任给事黄门郎的清河郡人崔祖思也上书给萧道成，他在奏章中说："人如果不学习就不懂得道义，就不知道什么该做什么不该做，这就是悖逆祸乱产生的根源。如今不在正式编制之内的官员，白拿着国家的俸禄，白受人供养，空耗民力和国家的钱财。应当开设文武两种学科，规定朝廷各部门、各将军的办事机构、地方上的各州各郡政府中的编外人员各自根据自己的兴趣，按照自己选择的方向去学习一门技术或技艺。如果有人因为懒惰而不好好学习，就打发他们回老家去；对于那些学习儒学学得好、学习技艺学得精的人，就可以破格提拔任用。再有，如今陛下虽然亲自带头躬行节俭，而下面的人依然故我地奢侈浪费。对那些简约朴素、淡泊修省的官员应该给予奖励和提拔，对那些骄慢奢侈、荒淫卑劣的官员就应该将其贬官或辞退，只有这样风俗习惯才可以得到改变。"宋文帝刘义隆在位的时候，各种事情都要求各郡各县的政府官员发挥自己的能动性独立自主地处理问题。宋世祖刘骏在位期间，要求各郡县的政府官员要雷厉风行，什么事情都求急求快，因为各郡县不能按期限完成任务，朝廷开始派使者到各郡县进行督促催讨。从那以后，到处都是朝廷派的使者，这些使者相互竞赛一样地作威作福起来，他们营私舞弊，收受贿赂，公私混乱。担任会稽太守的闻喜公萧子良上表给朝廷，极力指陈乱派使者的弊端，他认为："朝廷部门有什么需要，只要皇帝公开地下达诏命，给下面规定完成的期限，那么下面的人就会想办法竭尽全力去完成。如果有所耽搁，朝廷自然可以依照处罚的规定进行处理。如今虽然朝廷派的使者到处都是，最后还不是该谁办的就让谁去办，这样的结果不仅白白地造成猜疑与怨愤，还会因为派的使者多了造成互相扯皮而使事情办得更加迟缓甚至延误，应当全面停止朝廷派员外出督办的做法。"担任员外散骑郎的刘思效上书说："刘宋王朝自从宋孝武帝大明年间以来，国家经济状况日渐衰落，弊端丛生，征收的赋税有增无减，而朝廷的国库反而越来越匮乏。平民百姓嗷嗷待哺，几乎看不到可以活下去的希望，而那些贵族富户，却以奢侈华丽互相攀比，加上兼并土地，致使生活在川泽湖泊旁边的百姓，连当地的水草也不敢采食。陛下应该让国家的制度来个焕然一新，把前朝的一切失误全都改正过来。"齐高帝对他们积极进言献策都给予褒奖和赏赐，有些奏章就直接交付给有关部门，让他们详细地进行选择，将合宜的上奏给皇帝，而后付诸实行。

己亥[226]，诏："二宫诸王[227]，悉不得营立屯邸[228]，封略山湖[229]。"

魏主还平城[230]。

魏秦州刺史尉洛侯、雍州刺史宜都王目辰[231]、长安镇将陈提等皆坐贪残不法，洛侯、目辰伏诛，提徙边[232]。

又诏以"候官[233]千数，重罪受赇不列[234]，轻罪吹毛发举[235]，宜悉罢之[236]"。更置谨直[237]者数百人，使防逻街术[238]，执喧斗者[239]而已。自是吏民始得安业。

自泰始以来，内外多虞[240]，将帅各募部曲[241]，屯聚建康。李安民上表，以为"自非淮北[242]常备外，余军悉皆输遣[243]。若亲近宜立随身[244]者，听限人数[245]"。上从之。五月辛亥[246]，诏断众募[247]。

壬子[248]，上赏佐命之功[249]，褚渊、王俭等进爵、增户各有差[250]。处士何点[251]谓人曰："我作《齐书》已竟[252]，赞云[253]：'渊既世族[254]，俭亦国华[255]，不赖舅氏[256]，遑恤国家[257]？'"点，尚之之[4]孙也。渊母宋始安公主[258]，继母吴郡公主[259]，又尚巴西公主[260]。俭母武康公主[261]，又尚阳羡公主[262]。故点云然[263]。

己未[264]，或走马[265]过汝阴王之门[266]，卫士恐。有为乱者奔入杀王，而以疾闻[267]，上不罪而赏之。辛酉[268]，杀宋宗室阴安公燮等，无少长皆死。前豫州刺史刘澄之，遵考[269]之子也，与褚渊善，渊为之固请曰："澄之兄弟不武[270]，且于刘宗又疏[271]。"故遵考之族独得免。

丙寅[272]，追尊皇考[273]曰宣皇帝[274]，皇妣[275]陈氏曰孝皇后。

四月二十八日己亥，齐高帝下诏："住在皇宫和东宫里的皇子、皇孙，在他们被封王之前，都不得提前建立宫室，更不允许强取豪夺，把山川江湖据为己有。"

魏国的孝文帝从崞山回到平城。

魏国担任秦州刺史的尉洛侯、担任雍州刺史的宜都王拓跋目辰、担任长安镇将的陈提等人都因为贪婪残暴，违法乱纪而被判罪，尉洛侯、拓跋目辰被杀，陈提被流放到边疆戴罪效力。

魏孝文帝又下诏说"专门负责伺察朝廷内外官员、检举不法的候官有上千人，他们对犯有重罪的人因为接受了贿赂而不检举上报，对犯有轻微过失的人因为得不到贿赂，就吹毛求疵地予以揭发检举，所以将所有的候官一律罢免"。又重新挑选了几百名谨慎正直的人，让他们在京城的大街小巷巡逻防备，只是逮捕那些喧哗斗殴的人而已。从此以后官吏和百姓才得以安居乐业。

自从宋明帝刘彧泰始年间以来，朝廷内外可忧虑的事情太多，将帅各自都招募了一些私家的武装势力，屯驻在京师建康。中领军李安民上表给齐高帝，李安民认为："除非是驻军于淮北边防前线的将军，其他非边防守将的私人武装一律全部遣散。将领们如果需要一些适合当贴身护卫的人，可以允许他们留下一些，但要限定人数。"萧道成采纳了李安民的建议。五月初十日辛亥，高皇帝萧道成下令让那些驻军在京城的诸将裁减下来的私人武装，一律就地落户为民。

五月十一日壬子，齐高帝奖赏那些辅佐他夺取皇位的功臣，担任司徒的褚渊、担任侍中的王俭等人有的提高了爵位，有的增加了领地的户数，按照功劳的大小，赏赐的等级各有不同。隐士何点对别人说："我的《齐书》已经撰写完了，我在篇后的赞语中说：'褚渊出身于世代显贵的家族，王俭也是国家的精英，然而他们如果不是靠着他们的舅父，他们的功名富贵从哪里来？可是你看他们今天那副卖主求荣的样子，哪里还有工夫去想到生他、养他的刘宋王朝呢？'"何点，是何尚之的孙子。褚渊的母亲是始安公主，他的继母是吴郡公主，褚渊自己又娶了巴西公主为妻。王俭的母亲是武康公主，王俭自己又娶了阳羡公主为妻。所以何点这样说。

五月十八日己未，有人骑马飞快地来到已经退位并被封为汝阴王的宋顺帝刘凖的门前，卫士们都很恐惧。有人作乱趁机冲进汝阴王的府中杀死了宋顺帝刘凖，却以刘凖生病而死上报朝廷，齐高帝对杀死刘凖的人不仅没有降罪反而奖赏了他。二十日辛酉，杀死了刘宋宗室阴安公刘燮等人，无论老少全部被杀死。曾经担任豫州刺史的刘澄之，是刘遵考的儿子，他与褚渊关系友善，褚渊一再为刘澄之向萧道成求情说："刘澄之兄弟不会带兵打仗，没有造反的能力，况且他们与刘氏皇室的血缘关系又很疏远。"所以只有刘遵考一支免于被杀。

五月二十五日丙寅，齐高帝追尊自己的亡父萧承之为宣皇帝，追尊自己的亡母陈氏为孝皇后。

丁卯㉗⑥，封皇子钧㉗⑦为衡阳王㉗⑧。

上谓兖州刺史垣崇祖㉗⑨曰："吾新得天下，索虏㉘⓪必以纳刘昶为辞㉘①，侵犯边鄙㉘②。寿阳㉘③当虏之冲㉘④，非卿无以制此虏也。"乃徙崇祖为豫州刺史㉘⑤。

六月丙子㉘⑥，诛游击将军姚道和㉘⑦，以其贰于沈攸之㉘⑧也。

甲申㉘⑨[5]，立王太子赜为皇太子，皇子嶷为豫章王，映为临川王，晃为长沙王，晔㉙⓪为武陵王㉙①，暠㉙②为安成王㉙③，锵㉙④为鄱阳王㉙⑤，铄㉙⑥为桂阳王㉙⑦，鉴㉙⑧为广陵王㉙⑨，皇孙长懋㉚⓪为南郡王㉚①。

乙酉㉚②，葬宋顺帝于遂宁陵㉚③。

帝以建康居民舛杂㉚④，多奸盗，欲立符伍㉚⑤以相检括㉚⑥，右仆射王俭谏曰："京师之地，四方辐凑㉚⑦，必也持符，于事既烦，理成不旷㉚⑧，谢安㉚⑨所谓'不尔何以为京师㉛⓪'也。"乃止。

初，交州刺史李长仁卒㉛①，从弟叔献代领州事㉛②，以号令未行㉛③，遣使求刺史于宋㉛④。宋以南海㉛⑤太守沈焕为交州刺史，以叔献为焕宁远司马㉛⑥，武平、新昌㉛⑦二郡太守。叔献既得朝命，人情服从㉛⑧，遂发兵守险，不纳焕㉛⑨。焕停郁林㉜⓪，病卒。

秋，七月丁未㉜①，诏曰："交趾、比景㉜②独隔书朔㉜③，斯乃前运方季㉜④，因迷遂往㉜⑤。宜曲赦交州㉜⑥，即以叔献为刺史，抚安南土㉜⑦。"

魏葭芦㉜⑧镇主杨广香请降㉜⑨，丙辰㉝⓪，以广香为沙州㉝①刺史。

八月乙亥㉝②，魏主如方山㉝③。丁丑㉝④，还宫。

上闻魏将入寇，九月乙巳㉝⑤，以豫章王嶷为荆、湘二州刺史，都督如故。以临川王映为扬州刺史。

丙午㉝⑥，以司空褚渊领㉝⑦尚书令。

壬子㉝⑧，魏以侍中、司徒、东阳王丕㉝⑨为太尉，侍中、尚书右仆射

二十六日丁卯，齐高帝封自己的第十一个儿子萧钧为衡阳王。

齐高帝对担任兖州刺史的垣崇祖说："我刚刚得到天下，北方的拓跋氏一定会以送刘昶回南方作为进攻齐国的借口，进犯我国的边境。寿阳是胡虏进犯南朝的必经之地，除去你以外没有人能制服胡虏。"于是改任垣崇祖为豫州刺史。

六月初六日丙子，齐高帝诛杀了担任游击将军的姚道和，因为姚道和当初曾经在萧道成与沈攸之之间左右观望，脚踩两条船。

十四日甲申，齐高帝册立王太子萧赜为皇太子，封皇子萧嶷为豫章王，萧映为临川王，萧晃为长沙王，萧晔为武陵王，萧暠为安成王，萧锵为鄱阳王，萧铄为桂阳王，萧鉴为广陵王，封皇孙萧长懋为南郡王。

十五日乙酉，齐国将宋顺帝刘準安葬在遂宁陵。

齐高帝因为建康城内的居民成分错杂，邪恶的人与盗贼很多，所以就准备使用通行证，建立以五家为一个组相互监督的户籍管理制度，以便互相监督检查，担任右仆射的王俭劝阻说："京师这个地方，从四面八方向它聚集的人多得就像辐条归向车毂一样，如果一定要携带通行证才能往来于京师，不但实行起来十分烦琐，而且情理上也难以持久，就像东晋时期的谢安所说的那样'不如此的话怎么能称其为京师'呢。"萧道成这才打消了念头。

当初，自称交州刺史的李长仁去世，他的堂弟李叔献便接替他代管交州刺史的职务，因为他的号令没有人听，于是就派使者到宋王朝请求任命他为交州刺史。宋王朝任命当时担任南海太守的沈焕为交州刺史，任命李叔献在宁远将军沈焕手下担任宁远司马和武平、新昌二郡太守。李叔献得到朝廷的任命之后，交州地区的百姓开始拥护他，接受他的管辖，于是李叔献派兵据守险要，不让交州刺史沈焕进入交州上任。沈焕只得停留在郁林郡，不久就生病死去了。

秋季，七月初七日丁未，齐高帝下诏说："只有交趾县、比景县不用朝廷颁布的历法，这是因为遇到前一个朝代的末年，朝廷无暇顾及，遂使你们一时迷惑而做了错事。应当格外地宽恕交州的过失，立即任命李叔献为交州刺史，安抚南方的州郡。"

魏国境内葭芦军事据点的首领杨广香向齐国请求投降，七月十六日丙辰，齐国任命杨广香为沙州刺史。

八月初六日乙亥，魏国的孝文帝前往方山一带巡视。初八日丁丑，从方山回到平城的皇宫。

齐高帝听说魏国将要进犯边境，九月初六日乙巳，任命豫章王萧嶷为荆、湘二州刺史，都督荆、湘等八州诸军事的职位保留不变。任命临川王萧映为扬州刺史。

初七日丙午，齐高帝任命担任司空的褚渊兼任尚书令。

十三日壬子，魏国朝廷任命担任侍中、司徒的东阳王拓跋丕为太尉，任命担任

陈建㉞为司徒，侍中、尚书代人苟颓㉞为司空。

己未㉞，魏安乐厉王长乐㉞谋反，赐死。

庚申㉞，魏陇西宣王源贺㉞卒。

冬，十月己巳朔㉞，魏大赦。

辛巳㉞[6]，汝阴太妃王氏㉞卒，谥曰宋恭皇后㉞。

初，晋寿㉟民李乌奴与白水氐㉟杨成等寇梁州㉟，梁州刺史范柏年㉟说降乌奴，击成等[7]，破之。及沈攸之事起㉟，柏年遣兵出魏兴㉟，声云入援㉟，实候望形势㉟。事平，朝廷遣王玄邈㉟代之。诏柏年与乌奴俱下㉟，乌奴劝柏年不受代㊱。柏年计未决，玄邈已至，柏年乃留乌奴于汉中，还至魏兴，盘桓不进㊱。左卫率㊱豫章胡谐之尝就柏年求马㊱，柏年曰："马非狗也，安能应无已之求㊱？"待使者甚薄。使者还，语谐之曰："柏年云：'胡谐之何物狗㊱？所求无厌！'"谐之恨之，谮于上㊱曰："柏年恃险聚众，欲专据一州。"上使雍州刺史南郡王长懋诱柏年㊱，启为府长史㊱。柏年至襄阳，上欲不问，谐之曰："见虎格得㊱，而纵上山乎？"甲午㊲，赐柏年死。李乌奴叛入氐，依杨文弘㊲，引氐兵千余人寇梁州，陷白马戍㊲。王玄邈使人诈降诱乌奴，乌奴轻兵袭州城，玄邈伏兵邀击㊲，大破之，乌奴挺身㊲复走入氐。

初，玄邈为青州㊲刺史，上㊲在淮阴，为宋太宗㊲所疑，欲北附魏，遣书㊲结玄邈。玄邈长史清河房叔安曰："将军居方州㊲之重，无故举忠孝而弃之，三齐之士㊳，宁蹈东海而死㊳耳，不敢随将军也。"玄邈乃不答上书㊳。及罢州还㊳，至淮阴，严军直过㊳。至建康，启太宗，称上有异志。及上为骠骑㊳，引为司马㊳，玄邈甚惧，而上待之如初。

侍中、尚书右仆射的陈建为司徒，任命担任侍中、尚书的代郡人苟颓为司空。

二十日己未，魏国的安乐厉王拓跋长乐起兵谋反，魏国孝文帝令他自尽而死。

二十一日庚申，魏国的陇西宣王源贺去世。

冬季，十月初一日己巳，魏国实行大赦。

十三日辛巳，宋顺帝刘凖的生母汝阴太妃王氏去世，给她的谥号为宋恭皇后。

当初，晋寿郡的百姓李乌奴与生活在白水流域的氐族人杨成等劫掠宋国的梁州，宋国担任梁州刺史的范柏年劝降了李乌奴，然后进攻杨成等，把杨成打败。等到沈攸之起兵讨伐萧道成的战事掀起，范柏年派兵从魏兴郡出发，声称要入援朝廷帮助萧道成，而实际上是在观察形势的变化。沈攸之兵变被平息后，朝廷派遣王玄邈代替范柏年担任梁州刺史。朝廷下诏令范柏年与李乌奴一起顺流而下到建康来，李乌奴劝说范柏年不要接受王玄邈的接替。范柏年还在犹豫不决的时候，王玄邈已经到达梁州，范柏年便把李乌奴留在汉中，自己回到魏兴郡，在魏兴徘徊不前，不肯进京。担任左卫率的豫章郡人胡谐之曾经派使者到范柏年那里索要马匹，范柏年回复说："马不是狗，岂能应付没有限度的讨要?"对待胡谐之的使者也非常冷淡。使者回去之后就向胡谐之汇报说："范柏年对我说：'胡谐之是什么狗东西？竟然没完没了地向我讨要!'"胡谐之因此对范柏年恨之入骨，于是就在齐高帝面前说范柏年的坏话，他说："范柏年依仗魏兴地形险要，聚集民众，想要独自霸占一州。"齐高帝让担任雍州刺史的南郡王萧长懋引诱、欺骗范柏年，请求朝廷任命范柏年担任南郡王府的长史。范柏年到达襄阳，萧道成本来不打算再对范柏年进行追究，胡谐之说："看见老虎已经被捕获，岂能再纵虎归山呢?"十月二十六日甲午，萧道成令范柏年自尽。李乌奴得到范柏年被杀的消息，立即背叛了齐国，逃往氐族人聚居区，投靠了杨文弘，然后率领一千多名氐族人骚扰齐国的梁州，攻陷了阳平关。梁州刺史王玄邈派人行使诈降计，诱骗李乌奴上当，李乌奴遂率领轻装前进的士兵前往袭击梁州城，王玄邈在半路伏击了李乌奴，把李乌奴打得大败，李乌奴独自脱身逃走，再次逃往氐族人聚居区。

当初，王玄邈担任青州刺史的时候，萧道成率军驻守淮阴，因为遭到宋太宗刘彧的猜忌，遂准备叛逃，去依附于北方的魏国，他写信给王玄邈，约请王玄邈一同投降魏国。在王玄邈手下担任长史的清河郡人房叔安说："将军身为一方诸侯的州刺史，肩负重任，无缘无故地就准备把忠孝抛在脑后，齐国地面上的头面人物，宁可跳到东海里淹死，也不愿意跟随将军去投降魏国。"王玄邈因而没有答复萧道成的邀请。等到王玄邈青州刺史任满返回朝廷，在经过淮阴的时候，列队整齐的军队径直开过，对萧道成没有表达任何通融之情。到达建康后，王玄邈便向宋太宗刘彧报告，说萧道成有野心。等到萧道成升任骠骑大将军，独揽刘宋朝廷大权的时候，萧道成又拉王玄邈给自己当司马，王玄邈非常恐惧，而萧道成对待王玄邈依然和过去一样。

及破乌奴，上曰:“玄邈果不负吾意遇[387]也。”叔安为宁蜀[388]太守，上赏其忠正，欲用为梁州[389]，会病卒。

十一月辛亥[390]，立皇太子妃裴氏[391]。

癸丑[392]，魏遣假梁郡王嘉[393]督二将出淮阴[394]，陇西公琛[395]督三将出广陵，河东公薛虎子[396]督三将出寿阳，奉丹杨王刘昶[397]入寇。许昶以克复旧业[398]，世胙江南[399]，称藩于魏[400]。蛮酋桓诞[401]请为前驱，以诞为南征西道大都督[402]。义阳[403]民谢天盖自称司州[404]刺史，欲以州附魏，魏乐陵[405]镇将韦珍引兵渡淮应接。豫章王嶷遣中兵参军萧惠朗[406]将二千人助司州刺史萧景先[407]讨天盖，韦珍略七千余户而去。景先，上之从子也。南兖州刺史王敬则[408]闻魏将济淮，委镇[409]还建康，士民惊散，既而魏竟不至[410]。上以其功臣，不问。

上之辅宋[411]也，遣骁骑将军王洪范使柔然[412]，约与共攻魏。洪范自蜀出吐谷浑[413]历西域[414]乃得达。至是[415]，柔然十余万骑寇魏，至塞上[416]而还。

是岁，魏诏中书监高允[417]议定律令。允虽笃老[418]，而志识不衰[419]。诏以允家贫养薄，令乐部丝竹十人[420]五日一诣允[421]以娱其志，朝晡给膳[422]，朔望致牛酒[423]，月[424]给衣服绵绢。入见[425]则备几杖[426]，问以政治[427]。

契丹莫贺弗勿干[428]帅部落万余口入附于魏[429]，居白狼水[430]东。

等到王玄邈在梁州刺史任上打败了李乌奴之后，齐高帝萧道成说："王玄邈果然没有辜负我对他的希望与厚待之情。"房叔安担任宁蜀郡太守，萧道成很赏识房叔安的忠诚正直，遂准备任命房叔安担任梁州刺史，却赶上房叔安生病死了。

十一月十三日辛亥，齐高帝立裴氏为皇太子妃。

十一月十五日癸丑，魏国朝廷派遣暂时被封为梁郡王的拓跋嘉率领二位将领进兵淮阴，派陇西公拓跋琛率领三位将领进兵广陵，派河东公薛虎子率领三位将领进兵寿阳，打着护送刘宋丹杨王刘昶回南朝为王的旗号入侵齐国。魏国朝廷许诺帮助刘昶恢复刘宋王朝政权，世代在江南称王，刘昶承认自己是魏国属下的诸侯国。担任大阳蛮酋长的桓诞请求担任入侵齐国的前锋，魏国遂任命桓诞为南征西道大都督。义阳郡的百姓谢天盖自称司州刺史，想把司州献给魏国，魏国乐陵军镇的将领韦珍率军渡过淮河来接应谢天盖。齐国的豫章王萧嶷派遣担任中兵参军的萧惠朗率领二千人协助司州刺史萧景先讨伐谢天盖，魏将韦珍劫掠了七千多户居民而后离去。萧景先，是齐高帝的侄子。担任南兖州刺史的王敬则听说魏将渡过淮河，便丢下军镇，离开了刺史府驻地跑回了建康，南兖州的士民百姓惊慌逃散，而魏军根本就没有进入南兖州境内。齐高帝因为王敬则对自己是个有功之臣，所以就没有追究他擅离职守的责任。

齐高帝萧道成在辅佐刘宋王朝的时候，曾经派遣担任骁骑将军的王洪范出使柔然国，与柔然国约定共同出兵攻打魏国。王洪范从蜀郡出发经过吐谷浑，又穿过西域才到达了柔然国。等到此时魏国以送丹杨王刘昶回国为由而发动南侵的时候，柔然出动了十多万骑兵入侵魏国，一直到达塞上才撤军而回。

这一年，魏国孝文帝下诏给担任中书监的高允，令他负责商议修订法律条令。高允此时虽然老迈，然而他的头脑清晰，记忆力依然很强。因为高允家境贫穷，用来奉养的东西很少，所以孝文帝下诏，命令音乐机关所管辖的一支十个人的小乐队每隔五天就要到高允的家里为高允演奏，让高允享受耳目之娱，每天上午、下午给高允送两次饭，每逢初一、十五都给高允送去牛肉、美酒，每个月都赏赐给高允衣服、丝绵、绸缎。高允入朝拜见孝文帝的时候，孝文帝都为他准备小几和手杖，然后向他咨询治国平天下的大事。

契丹人的首领勿干率领自己部落的一万多人进入魏国境内归附了魏国，定居在白狼水以东。

【段旨】

以上为第一段，写齐高帝萧道成建元元年（公元四七九年）一年间的大事。主要写萧道成拉拢谢朏，企图让谢朏带头劝进，谢朏故意不合作，萧道成只好改用王俭以行其事；宋顺帝二次赐萧道成加九锡，使萧道成齐王府的官制、礼仪皆与刘宋王朝同；萧道成进行篡位的典礼，十三岁的宋顺帝被吓得战战兢兢，东藏西躲。写宋臣谢朏、王琨在大庭广众中表现出的直正与哀戚；宋臣裴颢因斥责萧道成而被杀，谢朏因不附萧道成而被废弃；王俭、褚渊为助成萧道成之篡位所表现的无耻之尤；萧道成为奖励佐命功，大赏褚渊、王俭，何点假称著《齐书》以讽刺之，而褚渊的堂弟褚炤以褚渊未能早死为遗憾；萧道成杀宋顺帝刘凖，并对刘氏皇族无少长皆诛之。写萧道成向群臣征求意见，刘善明、崔祖思、萧子良、刘思效上言请废止刘宋之苛政，萧道成亦下令不得为皇子皇孙预建官室，不得封略山湖；萧道成任垣崇祖为兖州刺史，镇寿阳，以防北寇入侵。写魏主派拓跋嘉、拓跋琛、薛虎子等四路攻齐，以纳宋之逃魏宗室刘昶。此外还写了萧道成与柔然相互结盟，柔然见魏攻齐，乃出兵于魏之北境，以示牵制等。

【注释】

① 太祖高皇帝：太祖是萧道成的庙号，高字是其死后的谥。萧道成字绍伯，小字斗将。原籍东海郡之兰陵县，其父萧承之，为刘裕与刘义隆时代的名将。② 正月甲辰：正月初二。③ 萧嶷：萧道成的第二子，被封为豫章王。传见《南齐书》卷二十二。④ 萧子良：萧道成之孙，齐武帝萧赜的第二子，此时任安南将军王延之的长史。传见《南齐书》卷四十。⑤ 会稽太守：会稽郡的郡治即今浙江绍兴。胡三省曰："去年已命萧映、萧晃分镇兖、豫矣。嶷，道成次子也；子良，道成之孙也。江左之势，莫重于上流；莫富于东土，故又颁子孙以居之。"⑥ 聚众：扩充军队。⑦ 开民相告：发动百姓相互检举告发。开，启、发动。⑧ 坐执役：因此被诬为犯罪，被罚去服兵役、服劳役。坐，因、因此。执，充当、执行。⑨ 至镇：到达荆、湘等八州都督的指挥部。⑩ 罢遣：免去其罪而遣返之。罢，免除。⑪ 府州仪物：都督府与州刺史的各种排场用物。仪物，表示长官身份的仪仗队与其他各种器物。⑫ 务存俭约：一切都力求简单节省。务存，力求，⑬ 所部：所管辖的地区。⑭ 辛亥：正月初九。⑮ 竟陵世子赜：竟陵公萧道成的世子萧赜。〖按〗萧道成已于宋顺帝昇明元年（公元四七七年）七月被封为竟陵郡公，所以其长子萧赜随即成为竟陵公的世子。世子，义同太子，皇帝与王公的嫡长子，未来的接班人。⑯ 中军大将军：统领宫廷卫戍部队的最高军事长官，位居一品。⑰ 重名：大名；高名。⑱ 必欲引参佐命：一定要把他弄到拥戴萧道成称帝的班子里来。引参，吸引他成为。佐命，辅佐自己成为应天受命的皇帝。⑲ 以为左长史：当时萧道成的官称是太尉、骠骑大将军、录

尚书、都督中外诸军事，属下设有左右长史、左右司马、左右从事中郎等职。长史是其主管手下的诸史之长，位高权重。⑳ 魏、晋故事：当初曹氏篡汉建魏与司马氏篡魏建晋的过程与手续。故事，旧例。㉑ 石苞：原是曹魏政权下的大臣，后来成为司马昭的亲信，司马炎篡位后，累官大司马，加侍中，封乐陵郡公。传见《晋书》卷三十三。㉒ 不早劝晋文：没有及早地劝司马昭在世时篡位称帝，致使司马昭没能过上皇帝瘾，直到死后，才被他篡了位的儿子司马炎追封为晋文王。㉓ 死方恸哭：司马昭虽然生前已完全控制曹魏的一切权力，也像本书所写的萧道成一样到了人臣无二的境地，但他毕竟没能实现篡位登基。故而司马昭死后，他的亲信石苞赶到丧前，恸哭地说："您的功业都到了这一步，怎么还闹了个以臣子的身份而死呢?"意思是这未免太遗憾了。㉔ 方之冯异：和东汉初期的冯异比起来。冯异是东汉光武帝刘秀的部将，为人谦逊，从不居功，但他却能不失时机地劝刘秀及早称帝。事见《后汉书》卷十七。方，与……相比。㉕ 非知机：不能抓住苗头；不能见机而作。机，苗头、征兆。胡三省曰："道成言石苞不能早劝晋文为禅代之事，比之冯异劝汉光，苞非知机者也。欲以此言感动谢朏耳。"㉖ 世事魏室：一连几代在曹魏皇帝手下称臣。司马昭的父亲司马懿、哥哥司马师，以及司马昭本人都是先后在曹操、曹丕、曹叡的属下为将为臣。㉗ 身终北面：意即到死不改臣子之节，不忍心做对不起主上的事情。㉘ 借使魏依唐、虞故事：此句的实际意思是即使您想效仿曹魏篡汉的做法。魏依唐、虞，曹魏仿照尧、舜禅让从汉王朝接过政权。㉙ 亦当三让弥高：您也应该像曹丕那样做出一种汉帝三与、曹丕三让的姿态，这样才显出您的德行之高。㉚ 甲寅：正月十二。㉛ 以王俭为左长史：王俭是最早公开投靠萧道成、帮着萧道成篡宋称帝的名门望族人物，但萧道成以为王俭的身价还是差点，故而极力想招致谢朏，让谢朏来带头劝进。但谢朏不干，故萧道成无奈只好降而求其次了。㉜ 丙辰：正月十四。㉝ 萧长懋：萧赜之子，萧道成的嫡长孙。传见《南齐书》卷二十一。㉞ 为雍州刺史：时张敬儿被征入朝为护军将军，侍中如故，故又以萧氏子孙为雍州刺史。㉟ 二月丙子：二月初四。㊱ 邵陵殇王友：刘友，刘彧的第七子，被封为邵陵王，殇字是其死后的谥。㊲ 辛巳：二月初九。㊳ 魏主：即孝文帝拓跋宏。㊴ 甲午：二月二十二。㊵ 申前命：重申宋顺帝昇明二年（公元四七八年）九月丙午的诏令，特赐萧道成"剑履上殿，入朝不趋，赞拜不名"等。㊶ 己亥：二月二十七。㊷ 西宫：宫殿名。胡三省曰："魏太祖天赐元年（公元四〇四年）所筑。"㊸ 三月癸卯朔：三月初一是癸卯日。㊹ 甲辰：三月初二。㊺ 相国：相国与丞相职务相同，但相国位尊而权专，丞相常有左右二人，相国则只一人。晋宋以来设有尚书令，即丞相之职，今任萧道成为相国，则尚书令即使不废，亦无权矣。㊻ 总百揆：统领满朝百官。总，统领。百揆，百官。㊼ 十郡：胡三省曰，"青州之齐郡，徐州之梁郡，南徐州之兰陵、鲁郡、琅邪、东海、晋陵、义兴，扬州之吴郡、会稽"。㊽ 为齐公：胡三省曰，"按:《齐书·崔祖思传》：宋朝初议封太祖为梁公，祖思启太祖曰：'谶书云：金刀利刃齐刘之。今宜称齐，实应天命。'太祖从之，遂以齐建国"。㊾ 加九锡：古

代帝王赐给有大功或有权势的诸侯大臣九种物品，有车马、衣服、斧钺等。魏晋南北朝的权臣篡位之前，都经过赐九锡这一步。㊿ 乙巳：三月初三。51 并仿天朝：和刘宋王朝的建制相同。天朝，与其所分封的诸王国、诸侯国相对而言。52 丙午：三月初四。53 领南豫州刺史：兼任南豫州刺史。领，兼管。南豫州的州治即今安徽当涂。54 去宣城郡：离开宣城郡任所。杨运长离开朝廷为宣城郡守，见上卷昇明元年。55 凌源令：凌源县令。凌源即当时的凌县，属临淮郡。56 临川王绰：刘绰，临川王刘义庆之孙，曾任步兵校尉，袭其父祖为临川王。传见《宋书》卷五十一。57 义庆：刘裕之弟刘道规之子，曾任荆州刺史、南兖州刺史，袭其父爵为临川王。爱好文义，编有《世说新语》。传见《宋书》卷五十一。58 身：犹今所谓“我”，以称自己。59 计：估计；一定。60 建意：犹言倡议，带头提出。61 庚戌：三月初八。62 诛绰兄弟及其党与：妄加罪名，诛除刘氏宗室唯恐不尽，汉末、晋末早已如此。63 甲寅：三月十二。64 受策命：按照宋顺帝所授予的命令。65 石头：即石头城，在建康城西侧，靠近秦淮河，离长江不远，是当时拱卫建康城的军事要地。萧道成今乃划归其子为宫，真是会挑地方。66 一如东宫：一切排场与加兵护卫的程度都与萧道成自己占据的东府完全相同。东宫，即东府，也有城墙环绕，在建康城的东侧。67 何曾自魏司徒为晋丞相：何曾是三国时曹魏的司徒，职同丞相。咸熙二年司马炎袭其父爵为晋王，何曾遂辞去曹魏的司徒，到晋王的属下当丞相，以便更好地为司马氏谋划篡夺曹魏政权的问题。事见《晋书》卷三十三。68 求为齐官：到齐国的朝廷上为官。69 领吏部：兼任吏部尚书，主管任命官吏的大权。70 四月壬申朔：四月初一是壬申日。71 增封十郡：胡三省曰，“时又增徐州之南梁、陈、颍川、陈留，南兖州之盱眙、山阳、秦、广陵、海陵、南沛等十郡”。72 甲戌：四月初三。73 武陵王赞：刘赞，刘彧之子，被封为武陵王。74 非疾也：不是病死的。明确指出是被萧道成所杀，年不足十岁。75 丙戌：四月十五。76 进世子为太子：改原来的称谓世子为太子，以示其父与皇帝已无区别。77 辛卯：四月二十。78 壬辰：四月二十一。79 临轩：葛晓音曰，“古时皇帝不坐正殿而在殿前的平台上接见群臣叫‘临轩’”。80 佛盖：胡三省曰，“自晋以来，宫中有佛屋，以严事佛像。上为宝盖以覆之，宋帝逃于其下”。81 勒兵：布置兵丁。82 板舆：木板车。83 索得之：从佛盖下找出了宋顺帝。84 启譬令出：劝说他，让他出去见萧道成。85 引令升车：拉着他，让他上木板车。86 欲见杀乎：你们是想杀我吗。87 官先：你们家先人，指刘宋的开国皇帝刘裕。官，当时对皇帝的敬称。88 取司马家：夺取司马氏的政权。元熙二年（公元四二〇年）宋王刘裕密令傅亮逼晋恭帝司马德文禅位。司马德文被迫下诏后，退居于琅邪王第。89 弹指：葛晓音曰，“一种表示愤怒、悲痛、叹惜等意思的动作”。90 后身：犹今所谓下辈子。91 天王家：皇帝的家庭。天王是与其他的诸侯王相对而言。92 必无过虑：假如肯定不出意外的问题，指被杀害。93 当饷辅国：我一定要赏赐你。饷，赏赐、给予。辅国，指王敬则，时任辅国将军。94 百僚陪位：满朝文武百官都在一旁陪侍。95 在直：在宋顺帝身旁值勤。直，通“值”，值日、值勤。谢朏官任侍中，其任务就是在皇帝身边值勤。⑯ 当解玺绶：应该过去把宋顺帝身上所佩的皇帝印玺摘下来。玺绶，玉玺和绶带，这里即指印玺。⑰ 阳：通“佯”，假装。⑱ 传诏：官名，出入传达旨意的人，属中书省。⑲ 齐自应有侍中：意即齐王想做的事情应该让齐国的侍中做，我管不着。⑳ 引枕卧：拉过一个枕头来躺下了。〖按〗就此情节看，当时的“陪位”“在直”，都是在席上坐着。⑩ 使朏称疾：让谢朏假装有病。⑫ 欲取兼人：想让谢朏找个别的适合于做这件事的人。⑬ 东掖门：皇宫的东侧门。⑭ 仍登车还宅：于是登上车子回家了。仍，意思同“乃”。⑮ 解玺绶：意即把皇帝的印玺从宋顺帝身上解下来，给萧道成佩戴上。⑯ 画轮车：胡三省曰，“画轮车者，车轮施文画也。《晋志》云：‘画轮车，上开四望，绿油幢，朱丝络，两箱里饰以金锦，黄金涂，五采。’萧子显曰：‘漆画轮车，金涂校饰，如辇，微有减降’”。意即比皇帝通常乘坐的车子低一等。⑰ 就东邸：回到他未为皇帝以前的府第里住。胡三省曰：“宋永初元年受晋禅，岁在庚申，八主，六十年而亡。”⑱ 奏鼓吹：通常在皇帝出行时都要演奏音乐。鼓吹，乐曲的分类名，据郭茂倩《乐府诗集》，当时的乐曲分类有“鼓吹”“横吹”“相和”“清商”等。鼓吹是用于出行、行军的乐曲。⑲ 王琨：仕宋曾任右光禄大夫，入齐后，加侍中。传见《南齐书》卷三十二。⑳ 华之从父弟：王华的堂弟。王华是宋文帝刘义隆时代的名臣，与王昙首、殷景仁等齐名，历官侍中、右卫将军、护军将军。传见《宋书》卷六十三。⑪ 在晋世已为郎中：葛晓音曰，“据《南齐书·王琨传》载：‘宋永初中，武帝以其娶桓修女，除郎中。’据此，此‘晋世’当为‘永初中’”。⑫ 獭尾：胡三省曰，“獭毛可以辟尘，故悬之于车”。⑬ 以寿为戚：以活得年岁大而感到可悲，因为看到了这种令人惨不忍睹的景象。⑭ 先驱蝼蚁：像蝼蚁一样地及早死去。⑮ 频见此事：接二连三地见到这种弑君作乱的事情，指营阳王刘义符被徐羡之等所杀，前废帝刘子业被阮佃夫等所杀，苍梧王刘昱被杨玉夫等所杀，今宋顺帝刘凖又被萧道成所废。⑯ 不自胜：控制不住。⑰ 雨泣：泪下如雨。⑱ 奉玺绶：捧着皇帝的玉玺。奉，捧。⑲ 劝进：劝萧道成即皇帝位。⑳ 成安太守炤：褚炤，此时任成安太守。褚炤对褚渊的卖宋媚萧很不满，事见《南史》卷二十八。成安，郡名，郡治即今江西安福。㉑ 渊子贲：褚贲，对其父褚渊卖宋以媚萧道成的表现终身感到愧恨，从此托病不仕。事见《南齐书》卷二十三。㉒ 齐大司马门：齐王萧道成的王府南门。大司马门，帝王宫殿门前的门名，文武官员到此下车下马。㉓ 与一家：意即送给另一家。㉔ 亦复何谓：其内心是什么感受。㉕ 甲午：四月二十三。㉖ 南郊：建康南郊的祭天之坛台。㉗ 改元：废止宋顺帝的年号元徽，改曰建元元年（公元四七九年）。㉘ 奉：加封。㉙ 汝阴王：封地汝阴郡，郡治即今安徽阜阳。但实际并未让刘凖前去封地，而是将其囚禁在丹阳县内。㉚ 优崇之礼：为感谢他让位给自己的恩情，而给予他的种种优待条件。㉛ 皆仿宋初：都像当年刘裕给予晋恭帝的做法一样。㉜ 丹杨：建康城所在的郡名，郡治在建康城南。㉝ 宋神主：刘宋历代皇帝的灵牌。㉞ 汝阴庙：汝阴王的家庙。㉟ 诸王：刘姓子弟在宋王朝存在时被封为王的。㊱ 自非宣力齐室：除了为齐王朝的建立尽过力量的刘姓诸公爵。自非，如果不是、除了……而外。宣力，出力、效力。⑬⑦皆除国：一律废除其所封的公爵、所据有的领地。当时公爵的领地通常为一个县。⑬⑧独置：只留下。⑬⑨南康、华容、萍乡：三个公爵的封号与封地名。南康公是刘裕功臣刘穆之的封号，封地即今江西赣州市南康区。华容公是刘义隆的大臣王弘的封号，封地华容县，在今湖北监利北。萍乡公是刘裕功臣何无忌的封号，封地萍乡县，在今江西萍乡东。⑭⓪以奉刘穆之、王弘、何无忌之后：让刘穆之等三人继续享受公爵的祭祀，让他们三人的后代继续享有公爵的待遇与特权。刘穆之是刘裕的开国元勋，是辅佐刘裕建立刘宋王朝最大功臣。传见《宋书》卷四十二。王弘是宋文帝刘义隆的宠臣之一。传见《宋书》卷四十二。王弘的年辈略晚，其所以能与刘穆之、何无忌并享如此待遇，关键在于其侄孙王俭是帮萧道成篡位称帝的急先锋。何无忌是刘裕的开国元勋，为辅佐刘裕建立刘宋王朝而战死。传见《晋书》卷八十五。⑭①除国：指被罢去王国、公国、侯国。⑭②二台官僚：指原来的宋王朝与萧氏齐王朝的两套办事机构。台，也称“省”，指朝廷的办事机构，如尚书省、中书省、御史台等。⑭③依任摄职：各就各位，照常管理各自的事情。⑭④员限盈长：多余的官员，编制以外的人员。⑭⑤褚炤：褚渊的堂弟。传见《南史》卷二十八。⑭⑥少立名行：年少时还注意修养自己的名节和操守。《南齐书》本传称：“褚渊少有世誉，父湛之卒，唯取书数千卷，其他家产物品均推与弟。”⑭⑦何意披猖至此：谁想到后来竟任意胡来到这种程度。何意，谁想到。披猖，不讲道德、不讲原则、肆意妄为。⑭⑧乃复有：竟然有。⑭⑨今日之拜：这种样子的加官晋爵，指升任司徒。拜，任命、授职。⑮⓪使彦回作中书郎而死：如果褚渊在刘宋王朝任中书郎的时候就死去。褚渊在宋孝武帝时代曾任中书郎，当时的声誉极高。事见《南齐书》卷二十三。⑮①不当为一名士邪：岂不落一个名士的美誉吗。⑮②名德不昌：名声越来越坏。昌，兴盛。⑮③乃复有期颐之寿：偏偏能活得这么长。期颐之寿，胡三省引《曲礼》曰：“人生百年曰期颐。”此处是遗憾其没有早死。其实褚渊后来死时也只四十八岁。⑮④奉朝请河东裴颉：奉朝请是官名，多用以安置德高望重的老臣，意思是不让他处理繁忙的公务，只在举行典礼时，进宫拜见皇帝。春曰朝，秋曰请。河东是郡名，郡治原在安邑，魏时改在蒲阪。裴颉的祖籍闻喜县当时属河东郡。裴颉在宋明帝时曾为刘秉的僚属，明帝末年为奉朝请。传见《南齐书》卷五十三。⑮⑤数帝过恶：指说萧道成的罪状。⑮⑥挂冠径去：扔下官帽官服，不打招呼就走了。径，直、不打招呼。⑮⑦遂成其名：更加为他提高声望。遂成，造成、成就。⑮⑧容之度外：特殊处理，姑且宽容他。度外，法度之外，不按常规。⑮⑨刘瓛：刘宋末期的儒生，曾任安成王、抚军大将军刘準的行参军。传见《南齐书》卷三十九。⑯⓪政在《孝经》：为政治国的办法都写在《孝经》上。《孝经》是儒家的经典之一。⑯①皆是也：都在于是否奉行孝道。⑯②前车之失：指刘宋时代的父子之间、兄弟之间的残酷杀戮。⑯③循其覆辙：指沿着刘宋的败政继续走下去。覆辙，已经翻过车的老路。⑯④可宝万世：可为万世之宝，意即这话是至理名言。⑯⑤丙申：四月二十五。⑯⑥崞山：在今山西浑源西北，此处有魏国帝王的陵墓。⑯⑦ 丁酉：四月二十六。⑯⑧ 张绪：刘宋末期的儒臣，通《周易》，清简寡欲，不善言辞，曾任太子詹事。传见《南齐书》卷三十三。太子詹事是管理太子宫中事务的官员。⑯⑨ 陈显达：原为宋将张永的部下，后随萧道成守建康城有功，遂成为萧氏的开国元勋。传见《南齐书》卷二十六。⑰⓪ 中护军：职同护军将军，以资历较轻者为之。统管京城以外的所有军队，与尚书令、中书监同居第三品。⑰① 李安民：刘宋时期的著名将领，先是在打败刘子勋、沈攸之的反朝廷军中有功，后又在打败刘休范的反朝廷军中有功，成为萧道成的嫡系。传见《南齐书》卷二十七。⑰② 中领军：与中护军的级别相同，区别在于中领军是统领护卫京城与宫廷的最高军事长官。⑰③ 岱：张岱，刘宋名臣张茂度之子，名将张永之弟。在宋曾为益州刺史、吏部尚书。传见《南史》卷三十一。⑰④ 戊戌：四月二十七。⑰⑤ 淮南、宣城：二郡名，淮南郡的郡治即今安徽当涂，宣城郡的郡治即今安徽宣城，当时二郡共设一个太守。⑰⑥ 刘善明：刘宋后期的将领，萧道成的忠实部下，时任淮南、宣城二郡太守。传见《南齐书》卷二十八。胡三省曰："江左侨立淮南郡于宣城郡界，故善明兼守二郡。"⑰⑦ 大明、泰始：大明是宋孝武帝刘骏的年号（公元四五七至四六四年），泰始是宋明帝刘彧的年号（公元四六五至四七一年）。⑰⑧ 交州：汉代以来的南部州名，州治在今越南河内东北的龙编，辖境为今越南的中北部地区。⑰⑨ 遂至怨叛：宋明帝泰始四年（公元四六八年），交州刺史刘牧卒，李长仁据交州发动叛乱，自称刺史。⑱⓪ 大化创始：指萧齐王朝的政权初建。大化，指王朝的统治力与感召力。⑱① 怀以恩德：以恩德感化、吸引之。⑱② 谓宜且停：我认为应该暂且停止。⑱③ 给事黄门郎：皇帝的侍从官员，以其在内廷服务而得名。⑱④ 清河崔祖思：清河郡的郡治在今河北清河县东南。崔祖思是宋、齐之交的文史之臣，初为萧道成的僚属。萧道成的国号所以称"齐"就是听从崔祖思的建议。萧道成称帝后，以之为黄门侍郎。传见《南齐书》卷二十八。⑱⑤ 不知道：不懂得道义，不懂得什么该干什么不该干。⑱⑥ 无员之官：不在正式编制之内的官员。⑱⑦ 空受禄力：白拿俸禄，白受人供养。胡三省曰："禄者，所令之禄；力者，所役之人。"⑱⑧ 课：要求；规定。⑱⑨ 台、府、州、国限外之人：台指朝廷政权的各部门，府指各将军的办公机构，州指地方上的各州各郡政府，国指各王国、公国、侯国的办事机构，限外之人即上文所说的"无员之官"，即编外人员。⑲⓪ 各从所乐：各自按照自己的兴趣。⑲① 依方习业：依照自己选定的方向而学习一门技术或伎艺。⑲② 废惰：懒惰不好好学。⑲③ 遣还故郡：打发他们回老家。⑲④ 经艺优殊：念儒书念得好与学技艺学得精的人。经艺，儒书与技艺。⑲⑤ 待以不次：破格录用。不次，不按顺序地破格提拔。⑲⑥ 躬履节俭：亲自带头躬行节俭。躬，亲自。⑲⑦ 安习侈靡：还依然故我地奢侈浪费。⑲⑧ 褒进：奖励、提拔。⑲⑨ 约素清修：简单朴素，淡泊修省。⑳⓪ 可移：可以改变。⑳① 元嘉之世：宋文帝刘义隆在位的时候。元嘉是宋文帝的年号（公元四二四至四五三年）。⑳② 责成郡县：发挥各郡各县行政长官的能动性，让他们独立自主地处理问题。责成，要求他们完成。⑳③ 世祖：指孝武帝刘骏。⑳④ 迟缓：指不能按期限完成。⑳⑤ 遣台使督之：朝廷派使者到各郡县督促催讨。㉖所在旁午：等于说到处都是。旁午，纵横交错的样子。㉗竞作威福：相互竞赛一样地作威作福。作威指刑杀，作福指庆赏。㉘闻喜公子良：闻喜公萧子良，齐武帝萧赜的次子。传见《南齐书》卷四十。闻喜县在今山西境内。㉙台有求须：朝廷部门有什么需要。须，意思同“需”。㉚但明下诏敕：只要皇帝公开下令。㉛为之期会：给他们规定完成的期限。期会，日期、期限。㉜人思自竭：下面的人们是会想办法尽力完成的。㉝稽迟：停留；耽误。㉞自依纠坐之科：可以按照处罚的规定办理。纠坐，查办、处理。科，条文。㉟盈凑：到处挤满，极言其多。㊱会取正属所办：最后还是要该谁办的让谁办。正属，应该归他管的。㊲反更淹懈：派出的人多了反而更造成扯皮延误。㊳悉停台使：全部停止朝廷派员外出督促的办法。㊴天府尤贫：国库里越来越没有东西。天府，国库。㉒嗷嗷：众声啼饥号寒的样子。㉒殆无生意：几乎看不到可以活下去的门路。㉒相高：相互竞赛。㉓一新王度：让国家政策来个焕然一新。㉔革正其失：把过去王朝的一切失误都改正过来。㉕奏行之：禀告皇帝，而后付诸实行。㉖己亥：四月二十八。㉗二宫诸王：指各个年幼的皇子、皇孙。二宫，指皇宫和东宫。皇宫里有年幼尚未封立的皇子，东宫里有年幼尚未封立的皇孙，这些都是日后的王爷。诸王，皇太子以外的亲王。㉘不得营立屯邸：在他们被封立为王前，不得提前建立宫室。屯邸，官邸与其所占有的宅地。㉙封略山湖：占领山湖以为己有。地界曰封。略，也是地界。这里都用如动词，意即占为私有。㉚还平城：(由崞山)返回平城。㉛宜都王目辰：拓跋翳槐的后代，有功于拓跋焘时期，又坚请立拓跋宏为帝。传见《魏书》卷十四。㉜徙边：发配到边疆。㉝候官：也叫“白鹭”，魏国官名。魏道武帝拓跋珪所设，负责伺察内外，检举不法。候，侦察、伺察。㉞重罪受赇不列：对犯有重罪的人因接受其贿赂而不上报。受赇，受贿。不列，不举报。㉟轻罪吹毛发举：对犯有轻罪的人因不得贿赂，反而吹毛求疵地予以揭发。㊱宜悉罢之：应该全部罢免这些候官。㊲谨直：谨慎正直。㊳防逻街术：在京城的街道上巡逻防备。术，也是街道的意思。㊴执喧斗者：抓捕那些喧哗斗殴的人。㊵内外多虞：朝廷内外可忧虑的事情众多。虞，忧虑。㊶各募部曲：各自都招募一些私家的保卫势力。部曲，部下私家武装。㊷淮北：指驻军于边防前线的将军。㊸余军悉皆输遣：其他非边防守将的私人武装全部遣散。㊹宜立随身：适合于充当贴身护卫的人。㊺听限人数：可以允许他们留下一些，但要限定人数。听，听从、接受。㊻五月辛亥：五月初十。㊼诏断众募：皇帝下令让这些京城诸将裁减下来的私人武装，一律就地落户为民。断，即土断，在当地落入户籍。㊽壬子：五月十一。㊾佐命之功：协助萧道成篡位称帝的功劳。佐命，帮着萧道成上应天命，意即称帝。㊿进爵增户各有差：有的提高爵位，有的增加领地的户数，随着功劳大小各有不同。差，等级。(251)何点：宋代大官僚何尚之之孙。传见《梁书》卷五十一。何尚之是宋文帝、宋孝武帝两朝的权要大臣。传见《宋书》卷六十六。(252)我作《齐书》已竟：我的《齐书》已经写完。〖按〗何点所说的“我作《齐书》已竟”云云，是他当时所编的一种讽刺话。其实他就是想出了用这十六个字的赞语来讽刺褚渊与王俭。㉕㉓赞云：篇后的赞语说。赞，纪传体史书人物传后的一种评断语，多用韵文，四字一句。㉕㉔世族：世代显贵的家族。㉕㉕国华：国家的英华。㉕㉖不赖舅氏：如果不靠着他们的舅舅（指刘宋的历代皇帝），他们的功名富贵从哪里来。㉕㉗遑恤国家：可是你看他们今天那种卖主求荣的样子，哪里还想到生他、养他的宋氏王朝呢。遑恤，哪里还有工夫考虑。㉕㉘始安公主：宋武帝刘裕的第七女。㉕㉙吴郡公主：宋武帝刘裕的第五女。㉖⓪又尚巴西公主：又娶巴西公主为妻。尚，上配，娶的敬称。巴西公主是宋文帝刘义隆之女。㉖①武康公主：宋武帝刘裕的长女。㉖②阳羡公主：宋明帝刘彧之女。㉖③故点云然：所以何点这样说。㉖④己未：五月十八。㉖⑤或走马：有人驰马。㉖⑥过汝阴王之门：来到已经退位的宋顺帝刘準的门前。过，这里的意思是来到。㉖⑦以疾闻：向上报告说刘準得病死了。〖按〗刘準被杀时，年十三岁。㉖⑧辛酉：五月二十。㉖⑨遵考：刘遵考，宋武帝刘裕的族弟，佐刘裕开国有功。传见《宋书》卷五十一。㉗⓪不武：不会带兵打仗，没有造反的能力。㉗①且于刘宗又疏：而且与刘氏皇室的血缘又远。㉗②丙寅：五月二十五。㉗③皇考：对亡父的敬称。皇，美好的意思。考，称去世的父亲。萧道成的父亲名叫萧承之，刘宋时期的名将。事见《南齐书》卷一。㉗④宣皇帝：宣字是谥。《谥法解》："圣善周闻曰宣。"㉗⑤皇妣：对亡母的敬称。妣，以称母。㉗⑥丁卯：五月二十六。㉗⑦皇子钧：萧钧，萧道成的第十一子。海陵王萧昭文即位，为抚军将军、侍中。传见《南齐书》卷四十五。㉗⑧衡阳王：衡阳郡王。衡阳郡的郡治湘西，在今湖南衡山县东北。㉗⑨垣崇祖：刘宋名将垣护之之侄，先随薛安都降魏，后又返回刘宋，被任为北琅邪、兰陵二郡太守，帮助萧道成打败沈攸之有大功，此时为兖州刺史。传见《南齐书》卷二十五。南齐兖州的州治即今江苏淮安市淮阴区。㉘⓪索虏：当时南朝人对北魏拓跋氏的蔑称。以其民族习惯好梳辫子，故称其为索虏。㉘①以纳刘昶为辞：以送刘昶回南方为进攻齐国的借口。刘昶是宋文帝刘义隆第九子，景和元年（公元四六五年）被前废帝刘子业逼反，兵败后北投魏国，被魏国视为奇货以居之，封之为丹杨王。事见《宋书》卷七十二。纳，武装送进。辞，借口。㉘②边鄙：边境。鄙，边方小城。㉘③寿阳：古都名，即今安徽寿县，晋宋以来为北方军事重镇。㉘④当虏之冲：是敌兵进攻南朝的必经之地。冲，要道、要地。㉘⑤豫州刺史：宋齐时代的豫州，州治就在当时的寿阳。㉘⑥丙子：六月初六。㉘⑦姚道和：后秦主姚兴之孙，降宋后任司州刺史，当沈攸之传檄讨伐萧道成时，姚道和曾与梁州刺史范柏年、湘州行事庾佩玉等持观望态度。见本书上卷昇明元年。㉘⑧贰于沈攸之：在萧道成与沈攸之之间左右观望，脚踩两条船。贰，两属、两吃。㉘⑨甲申：六月十四。㉙⓪晔：萧晔，萧道成的第五子。传见《南齐书》卷三十五。㉙①武陵王：武陵郡王。武陵郡的郡治即今湖南常德。㉙②暠：萧暠，萧道成的第六子。传见《南齐书》卷三十五。㉙③安成王：安成郡王。安成郡的郡治即今江西安福。㉙④锵：萧锵，萧道成的第七子。传见《南齐书》卷三十五。㉙⑤鄱阳王：封地鄱阳郡，郡治即今江西鄱阳。㉙⑥铄：萧铄，萧道成的第八子。传见《南齐书》卷三十五。㉙⑦桂阳王：封地桂阳郡，郡治即今湖南郴州。㉙⑧鉴：萧鉴，萧道成的第十子。传见《南齐书》卷三十五。㉙⑨广陵王：封地广陵郡，郡治即今江苏扬州。㉚⓪长懋：萧长懋，萧道成之孙，太子萧赜之子。事见《南齐书》卷三。㉚①南郡王：封地南郡，郡治即今之湖北江陵。㉚②乙酉：六月十五。㉚③遂宁陵：宋顺帝刘準的陵墓名。宋王朝的历代陵墓皆以“宁”字名，刘裕称初宁陵，刘义隆称长宁陵，刘骏称景宁陵，刘彧称高宁陵。㉚④舛杂：错杂，即好坏不分，无所不有。㉚⑤立符伍：使用通行证，建立五家一组相互监督的制度。符，证件，如今身份证、居住证之类。伍，以五家为一组相互监督的户籍管理制度。㉚⑥以相检括：相互监督检查。㉚⑦四方辐凑：四方来归，如辐条之归向车毂，极言其多。㉚⑧理成不旷：这里指情理上难以持久。㉚⑨谢安：东晋时期的名臣，字安石，官至宰相、太保。事迹见《晋书》卷七十九。㉛⓪不尔何以为京师：语见《续晋阳秋》及《世说新语·政事》，意思是这里的人口如果不多而杂，还怎么能称是京师呢。京有大之意，师有众之意，故云。㉛①李长仁卒：李长仁据交州自称刺史，在宋明帝泰始四年；其死在何年，不详。㉛②代领州事：代管交州刺史的职务。领，代理。㉛③号令未行：下命令没人听。㉛④求刺史于宋：乞请刘宋王朝向交州派出新刺史。㉛⑤南海：郡名，郡治即今广州。㉛⑥宁远司马：宁远将军沈焕的司马。司马是将军的僚属，在军中掌管司法。㉛⑦武平、新昌：二郡名，武平郡的郡治在今越南河内西北的福安县西，新昌郡的郡治在今越南河内西北。㉛⑧人情服从：交州地区的百姓开始拥护他，接受他的管辖。㉛⑨不纳焕：不让沈焕进交州上任。㉜⓪郁林：古郡名，郡治在今广西贵港南。㉜①七月丁未：七月初七。㉜②交趾、比景：都是当时交州境内的县名，交趾县在今越南河内西北，比景县在当时的日南郡内，邻近北部湾。这里用以代指交州地区。㉜③独隔书朔：独独地不用朝廷的历法。书朔，指朝廷颁布的历法。胡三省曰：“古者，天子常以季冬颁来岁十二月之朔于诸侯，诸侯受而藏之祖庙。至月朔则以特羊告庙，请而行之。”㉜④前运方季：前一个朝代的末年。前运，前朝的命运。方季，正面临结束。㉜⑤因迷遂往：因而使你们一时迷惑做了错事。㉜⑥曲赦交州：格外地宽恕交州的过失。曲赦，不应赦而赦。㉜⑦抚安南土：安抚南方的州郡。南土，即指交州。㉜⑧葭芦：魏国的军事据点名，在甘肃武都的东南方，地处白龙江的东侧。㉜⑨杨广香请降：杨广香是当时武都、仇池一带的氐族首领杨难当的族弟，先投奔北魏，元徽中，替北魏攻杀了另一受命于刘宋的氐族首领杨文庆而成为葭芦镇主。事见《南齐书》卷五十九。如今又来向齐国讨好。㉝⓪丙辰：七月十六。㉝①沙州：州治在今甘肃文县西。㉝②八月乙亥：八月初六。㉝③方山：地名，在魏国都城平城北。魏主与冯太后在这里为自己预建陵墓。㉝④丁丑：八月初八。㉝⑤九月乙巳：九月初六。㉝⑥丙午：九月初七。㉝⑦领：兼任，以高级别兼任低职务曰“领”。㉝⑧壬子：九月十三。㉝⑨东阳王丕：拓跋丕，拓跋兴都之子，拓跋提之弟。传见《魏书》卷十四。㉞⓪陈建：北魏大臣，对魏太武帝拓跋焘有救命之恩，官至司徒。传见《魏书》卷三十四。㉞①苟颓：北魏大臣，官至征北大将军，进爵河东王。传见《魏书》卷四十四。㉞②己未：九月二十。㉞③安乐厉王长

乐：拓跋长乐，拓跋濬之子，被封为安乐王，厉字是谥。传见《魏书》卷二十。㉞庚申：九月二十一。㉟陇西宣王源贺：魏国的元勋老臣，被封为陇西王，宣字是谥。传见《魏书》卷四十一。㊱十月己巳朔：十月初一是己巳日。㊲辛巳：十月十三。㊳汝阴太妃王氏：即宋明帝的王皇后，宋顺帝的生母，顺帝禅位后被封为汝阴王，太后降为太妃。传见《宋书》卷四十一。㊴恭皇后：恭字是谥，《谥法解》："敬事供上曰恭""尊贤让善曰恭"。㊵晋寿：郡名，郡治在今四川剑阁的东南方。㊶白水氐：生活在白龙江流域或白水郡的氐族人。白水郡在今甘肃文县东南，其地有白龙江，也称白水，自西北流向东南。㊷梁州：齐国的州名，州治即今陕西汉中。㊸范柏年：梓潼人，曾为梁州刺史的僚属，受欣赏于宋明帝，后任梁州刺史。传见《南史》卷四十七。㊹沈攸之事起：沈攸之讨伐萧道成的战事掀起。事见本书上卷昇明元年。㊺魏兴：当时的宋郡名，郡治在今陕西安康西。㊻声云入援：声言说是要入援朝廷，即帮助萧道成。㊼候望形势：观察形势的变化，即前文说姚道和的"贰于沈攸之"。㊽王玄邈：王玄载之弟，王玄谟的堂兄弟，早先忠于刘宋，后成为萧道成的得力将领。传见《南齐书》卷二十七。㊾俱下：一起顺流到建康朝廷。㊿不受代：不要接受王玄邈的接替，意即据州独立。(361)盘桓不进：徘徊不前，不肯进京。(362)左卫率：朝廷禁军的头领。(363)就柏年求马：向范柏年要马。就，向。求，讨要。(364)无已之求：没有限度的讨要。无已，没够、没完。(365)何物狗：是条什么样的狗。(366)谮于上：在萧道成面前说范柏年的坏话。(367)诱柏年：引诱、欺骗范柏年。当时范柏年在魏兴，萧长懋在襄阳，两地相距不远。(368)启为府长史：请求朝廷任范柏年为南郡王府的长史。(369)格得：已经捕获。(370)甲午：十月二十六。(371)依杨文弘：投靠杨文弘。杨文弘是武都、仇池一带氐族首领杨文庆之堂弟。杨文庆被杨广香袭杀后，杨文弘任白水太守。传见《南齐书》卷五十九。(372)白马戍：即阳平关。葛晓音曰："故址在今陕西勉县西白马河的入汉水处。当川、陕交通要冲，是汉中盆地西边的门户。"(373)邀击：半路伏击。(374)挺身：单身；独自。(375)青州：刘宋当时的青州州治东阳，即今山东青州。(376)上：这里指萧道成。(377)宋太宗：即宋明帝刘彧。(378)遣书：送书信。(379)方州：一方诸侯的州刺史。(380)三齐之士：齐国地面上的头面人物。三齐，即指古代的齐国大地，今山东的中东部地区。因项羽分封诸侯曾一度把齐国故地分成了齐国、胶东、济北三个国家，故后人遂习惯地称齐地为"三齐"。(381)宁蹈东海而死：极表齐地人物不屈从投敌的决心。语出《战国策》之《鲁仲连义不帝秦》。(382)不答上书：不回复萧道成的邀请。(383)罢州还：青州刺史任满返回朝廷。(384)严军直过：队列整齐的军队径直开过，对萧道成不表任何通融之情。(385)及上为骠骑：等萧道成升任骠骑大将军，独揽刘宋朝廷大权的时候，即宋顺帝在位时。(386)引为司马：援引他给自己当司马，以表现其不记旧时的嫌隙。(387)不负吾意遇：不辜负我对他的希望与厚待之情。(388)宁蜀：郡名，郡治即今四川成都市双流区。(389)欲用为梁州：想任用他为梁州刺史。(390)十一月辛亥：十一月十三。(391)立皇太子妃裴氏：即立裴氏为皇太子妃，亦即未来的皇后。(392)癸丑：十一月十五。(393)假梁郡王嘉：

临时代理梁郡王的拓跋嘉。394 出淮阴：向淮阴。出，经由，这里指“向”。395 陇西公琛：名琛，姓氏不详，被封为陇西公。396 薛虎子：薛野猪之子，魏国名将。传见《魏书》卷四十四。397 奉丹杨王刘昶：打着送刘昶回南朝为王的旗号，即前文萧道成所说的“以纳刘昶为辞”。398 克复旧业：恢复刘宋王朝的政权。399 世胙江南：世代在江南称王。胙，祭祀宗庙社稷的供肉，只有帝王才能祭祀宗庙社稷，故这里即指为王。400 称藩于魏：承认自己是魏国属下的诸侯国。诸侯是天子的屏藩。401 桓诞：东晋末年的乱臣桓玄之子，桓玄被杀后，桓诞逃入襄阳以北的大阳蛮中，因有谋略，遂成为大阳蛮的酋长。宋明帝泰豫元年被魏国打败，投降于魏。事见《魏书》卷一百一。402 南征西道大都督：向南齐王朝发动进攻的西路军总指挥。403 义阳：郡名，郡治即今河南信阳。404 司州：宋、齐时期的司州州治即今信阳。405 乐陵：军镇名，旧址在今河南唐河县境内。406 萧惠朗：刘宋名将萧思话的第三子，萧惠基之弟。传见《南齐书》卷四十六。407 萧景先：萧道成之侄，官至领军将军、丹杨尹。传见《南齐书》卷三十八。408 王敬则：萧道成篡取刘宋政权的骨干分子之一。传见《南齐书》卷二十六。409 委镇：抛弃军镇，离开刺史驻地。410 魏竟不至：魏国军队根本没来。竟，最终、根本。411 辅宋：在宋为臣。412 使柔然：出使柔然。柔然是魏国西北侧的少数民族国家，辖地约当今之蒙古国，都城即今乌兰巴托西南的和林格尔。413 出吐谷浑：经由吐谷浑。吐谷浑是当时活动在今青海地区的少数民族名，自汉代以来世居于此。刘宋时代的头领名叫拾寅，京城即今青海都兰。414 历西域：又经过今新疆。西域，西汉以来用以泛指今之玉门关以西地区。415 至是：到这魏国以送刘昶为由而发动南侵的时候。416 塞上：指当时魏国北部边境的今内蒙古呼和浩特、包头、五原等地长城一线。417 高允：魏国拓跋焘以来的具有深厚汉文化修养的老臣。传见《魏书》卷四十八。418 笃老：很老；老迈。419 志识不衰：头脑清醒，记忆力强。420 乐部丝竹十人：

【原文】

二年（庚申，公元四八〇年）

春，正月戊戌朔[431]，大赦。

以司空褚渊为司徒，尚书右仆射王俭为左仆射，渊不受[432]。

辛丑[433]，上祀南郊[434]。

魏陇西公琛等攻拔马头戍[435]，杀太守刘从[436]。乙卯[437]，诏内外纂严[438]，发兵拒魏，征南郡王长懋为中军将军[439]，镇石头[440]。

魏广川庄王略[441]卒。

音乐机关所管辖的一支十个人的小乐队。乐部，管理音乐的官署。丝竹，弦乐器与管乐器，这里指乐队、乐工。㉑诣允：去给高允（演奏）。㉒朝晡给膳：每天上午、下午给他送两次饭。朝，早晨、上午。晡，下午的三时到五时。㉓朔望致牛酒：每月初一、十五都给他送牛肉、酒。朔，初一。望，十五。㉔月：每个月。㉕入见：指高允入朝拜见魏主。㉖备几杖：给他准备小几和手杖。几是放在座位旁边，可使人依靠休息的小杌子。㉗政治：治国平天下的大事。㉘契丹莫贺弗勿干：契丹族的头领，名勿干。契丹是东北地区的少数民族名，北魏时活动在今辽宁与内蒙古邻近的辽河上游一带地区。莫贺弗，也作“莫弗”，契丹首领、部落酋长的称呼，亦犹匈奴之所谓“单于”云云。㉙入附于魏：胡三省引《隋书》曰：“契丹与库莫奚皆东胡种，为慕容氏所破，窜于松漠之间，是时为高丽所侵，求内附于魏。”㉚白狼水：即今辽宁境内的大凌河，因发源于白狼山得名。

【校记】

［1］乙巳：原作“己巳”。据章钰校，甲十一行本、乙十一行本皆作“乙巳”，张敦仁《通鉴刊本识误》同，今据改。［2］正：原无此字。据章钰校，甲十一行本、乙十一行本、孔天胤本皆有此字，今据补。［3］成安：原作“安成”。据章钰校，甲十一行本、乙十一行本、孔天胤本二字皆互乙，张敦仁《通鉴刊本识误》同，今据改。［4］之之：“之”字原不重。据章钰校，甲十一行本、乙十一行本、孔天胤本“之”字皆重，今据补。［5］甲申：原作“甲子”，今据严衍《通鉴补》改作“甲申”。［6］辛巳：原作“癸未”。严衍《通鉴补》改作“辛巳”，今据以校正。〖按〗《南史·高帝纪》作“辛巳”。［7］等：原无此字。据章钰校，甲十一行本、乙十一行本、孔天胤本皆有此字，张敦仁《通鉴刊本识误》同，今据补。

【语译】

二年（庚申，公元四八〇年）

春季，正月初一日戊戌，齐国实行大赦。

齐高帝萧道成再次任命担任司空的褚渊为司徒，任命担任尚书右仆射的王俭为左仆射，褚渊依然没有接受任命。

初四日辛丑，齐高帝在南郊举行祭天典礼。

魏国的陇西公拓跋琛等率军攻克了齐国设在马头的军事据点，杀死了马头郡太守刘从。正月十八日乙卯，齐高帝下诏，京城内外一律紧急戒严，发兵抵抗魏国的侵略，征调南郡王萧长懋回京师担任中军将军，率军驻守石头城。

魏国的广川庄王拓跋略去世。

魏师攻钟离[442]，徐州刺史崔文仲[443]击破之。文仲遣军主崔孝伯渡淮，攻魏茌眉戍主[444]龙得侯等，杀之。文仲，祖思之族人也。

群蛮依阻山谷[445]，连带荆、湘、雍、郢、司[446]五州之境，闻魏师入寇，官[447][8]尽发民丁，南襄城蛮[448]秦远乘虚寇潼阳[449]，杀县令。司州蛮引魏兵寇平昌[450]，平昌戍主苟元宾击破之。北上黄蛮[451]文勉德寇汶阳[452]，汶阳太守戴元孙[9]弃城奔江陵。豫章王嶷遣中兵参军刘伾绪将千人讨之，至当阳[453]，勉德请降，秦远遁去。

魏将薛道标[454]引兵趣寿阳[455]，上使齐郡[456]太守刘怀慰[457]作冠军将军薛渊书[458]以招道标[459]。魏人闻之，召道标还，使梁郡王嘉代之。怀慰，乘民[460]之子也。二月丁卯朔[461]，嘉与刘昶寇寿阳。将战，昶四向[462]拜将士，流涕纵横，曰："愿同戮力[463]，以雪仇耻[464]！"

魏步骑号二十万，豫州刺史垣崇祖集文武议之，欲治外城，堰淝水[465]以自固。皆曰："昔佛狸入寇[466]，南平王[467]士卒完盛，数倍于今，犹以郭大难守，退保内城。且自有淝水，未尝堰也，恐劳而无益。"崇祖曰："若弃外城，虏必据之，外修楼橹[468]，内筑长围，则坐成擒[469]矣。守郭筑堰，是吾不谏之策[470]也。"乃于城西北堰淝水，堰北筑小城，周为深堑[471]，使数千人守之，曰："虏见城小，以为一举可取，必悉力攻之，以谋破堰，吾纵水冲之，皆为流尸[472]矣。"魏人果蚁附[473]攻小城，崇祖着白纱帽，肩舆上城[474]。晡时[475]，决堰下水[476]，魏攻城之众漂坠堑中，人马溺死以千数。魏师退走。

谢天盖部曲杀天盖以降[477]。

宋自孝建[478]以来，政纲弛紊[479]，簿籍讹谬。上诏黄门郎会稽虞玩

魏国的军队进攻齐国的钟离郡，担任徐州刺史的崔文仲率军击败了魏军的进攻。崔文仲派遣担任军主的崔孝伯率领一支军队渡过淮河，攻打魏国茌眉军事据点的头领龙得侯等，崔孝伯杀死了龙得侯。崔文仲，是崔祖思的族人。

那些蛮族人以山峦河谷为依托，又与荆州、湘州、雍州、郢州、司州五州之境相接，他们听到魏国军队入侵齐国，官府已经征调民间所有的青壮年去抵抗魏军侵略的消息后，南襄城郡内的蛮族人首领秦远便乘虚率众抢掠潼阳县，杀死了潼阳县县令。司州境内的蛮族人引领魏军攻打平昌军事据点，被平昌军事据点的头领苟元宾率军打败。北上黄县境内的蛮族人文勉德率众抢掠汶阳郡，汶阳郡太守戴元孙弃城逃到了江陵。豫章王萧嶷派遣担任中兵参军的刘伾绪率领一千人前往讨伐，当他们到达当阳县时，文勉德请求投降，秦远逃走。

魏国镇南将军薛道标率领魏军杀向寿阳，齐高帝派担任齐郡太守的刘怀慰以冠军将军薛渊的名义写信给薛道标，召薛道标返回南朝。魏国人听到这个消息，立即将薛道标召回，派梁郡王拓跋嘉接替薛道标统领魏军杀向寿阳。刘怀慰，是刘乘民的儿子。二月初一日丁卯，魏国的梁郡王拓跋嘉与丹杨王刘昶一同攻打寿阳。就在双方即将开战的时候，刘昶跪下来向着四周的将士磕头，他涕泗横流地说：“我愿意和你们共同努力，以报萧道成篡夺刘宋江山的仇恨和耻辱！”

魏国入侵齐国的步兵、骑兵号称二十万，齐国担任豫州刺史的垣崇祖召集起文武官员商议对策，他想修筑外城，拦淝水筑坝来提高淝水的水位，用来加强防守。文武官员都说：“当年北魏太武帝拓跋焘率领大军南下，兵临长江，宋朝南平王刘铄的军队装备完善，士气旺盛，军队数量是我们现在的好几倍，但他仍然认为城郭太大难以防守，因而把军队全部撤到内城防守。而且自有淝水以来，从来没有人在淝水之上设坝拦水，我担心这样做劳而无益。”垣崇祖说：“如果抛弃外城，外城必然会被魏军占据，如果魏军在城外打造攻城的器械，在里面修建起长长的围障，到那时我们就只有束手就擒了。守住外城，修筑围堰，是不允许再商量的既定方针。”于是在城西北筑起堤堰拦住淝水，在堤堰的北面修筑起一座小城，在小城的周围挖出了一条深沟，安排几千人守卫这个小城，垣崇祖对他们说：“魏军看见小城很小，一定会以为他们可以一举将其攻克，所以必定竭尽全力来攻打小城，以达到破坏堤堰的目的，当我们看到他们全力前来攻城，就打开堤堰放水冲灌，魏军就都成了流尸了。”魏军果然像蚂蚁一样密集地向城上爬，企图攻克小城，垣崇祖头上戴着白纱帽，坐着滑竿来到城上。下午三四点钟的时候，垣崇祖命令掘开围堰放水下流，魏军攻城的士兵被大水一冲，纷纷坠入沟堑之中，人马被淹死了数千。魏军只好撤退。

自称司州刺史的谢天盖被自己的部下杀死，谢天盖的部众向齐军投降。

宋国自从宋孝武帝刘骏孝建年间以来，政治纲领松弛紊乱，簿籍错误百出。齐

之[480]等更加检定[481]，曰："黄籍[482]，民之大纪[483]，国之治端[484]。自顷[485]巧伪日甚，何以厘革[486]？"玩之上表，以为："元嘉[487]中，故光禄大夫傅隆[488]年出七十，犹手自书籍[489]，躬加隐校[490]。今欲求治取正，必在勤明令长[491]。愚谓宜以元嘉二十七年籍[492]为正，更立明科[493]，一听首悔[494]。迷而不返，依制必戮[495]，若有虚昧[496]，州县同科[497]。"上从之。

上以群蛮数为叛乱，分荆、益置巴州[498]以镇之。壬申[499]，以三巴校尉[500]明慧昭为巴州刺史，领巴东太守[501]。是时，齐之境内，有州二十三[502]，郡三百九十[503]，县千四百八十五。

乙酉[504]，崔文仲遣军主[505]陈靖拔魏竹邑[506]，杀戍主白仲都。崔叔延破魏睢陵[507]，杀淮阳太守梁恶。

三月丁酉朔[508]，以侍中西昌侯鸾[509]为郢州刺史。鸾，帝兄始安贞王道生[510]之子也，早孤，为帝所养，恩过诸子[511]。

魏刘昶以雨水方降，表请还师，魏人许之。丙午[512]，遣车骑大将军冯熙[513]将兵迎之。

夏，四月辛巳[514]，魏主如白登山[515]。五月丙申朔[516]，如火山[517]。壬寅[518]，还平城。

自晋以来，建康宫之外城唯设竹篱，而有六门。会有发白虎樽者[519]，言"白门三重关[520]，竹篱穿不完[521]"。上感其言，命改立都墙[522]。

李乌奴数乘间[523]出寇梁州，豫章王嶷遣中兵参军王图南将益州兵从剑阁[524]掩击[525]之。梁、南秦二州刺史崔慧景[526]发梁州兵屯白马[527]，与图南腹[10]背击[528]乌奴，大破之，乌奴走保武兴[529]。慧景，祖思之族人也。

秋，七月辛亥[530]，魏主如火山。

戊午[531]，皇太子穆妃裴氏[532]卒。

诏南郡王长懋移镇西州[533]。

高帝命担任黄门郎的会稽郡人虞玩之等重新加以检查、审定，高帝说:“户籍册，是管理黎民百姓的纲领，是治理国家的首要条件。近年来，弄虚作假日甚一日，怎样才能改变这一现状呢?”虞玩之上表说:“宋文帝元嘉年间，已故光禄大夫傅隆当时已经年过七十，仍然亲手登录户口簿籍，亲自进行核实、校对。如今要想使国家得到治理，取得正确的资料，一定要让县令、县长勤政而明察。我认为应当以元嘉二十七年的户口簿籍为正本，另外再重新制定出一套公正明白的法令条文，允许人们自首悔过。对仍然执迷不悟的人，一定要依法严办，该杀的就杀，一旦发现弄虚作假，州里的、县里的长官也要连同治罪。”齐高帝听从了虞玩之的建议。

齐高帝因为那些蛮族人多次发动叛乱，于是把荆州、益州相连接的地区独立出一部分，另立一个巴州，以便镇抚他们。二月初六日壬申，齐高帝任命担任三巴校尉的明慧昭为巴州刺史，兼任巴东太守。当时，齐国境内，一共有二十三个州，三百九十个郡，一千四百八十五个县。

二月十九日乙酉，齐国徐州刺史崔文仲派遣担任军主的陈靖率领一支部队攻克了魏国的竹邑城，杀死了魏国军事据点的头领白仲都。另一支部队的头领崔叔延率军攻占了魏国的睢陵，杀死了魏国的淮阳太守梁恶。

三月初一日丁酉，齐高帝任命担任侍中的西昌侯萧鸾为郢州刺史。萧鸾，是齐高帝的哥哥始安贞王萧道生的儿子，早年失去父母，被高帝收养，对他的宠爱程度超过了自己的亲生皇子。

流亡魏国的丹杨王刘昶认为南方的雨季就要到来，因此上表给魏国朝廷请求班师，魏国朝廷同意了刘昶的请求。三月初十日丙午，魏国朝廷派遣担任车骑大将军的冯熙率军迎接刘昶回京。

夏季，四月十六日辛巳，魏国孝文帝拓跋宏前往白登山。五月初一日丙申，拓跋宏从白登山前往火山。初七日壬寅，拓跋宏回到都城平城。

从东晋朝以来，建康皇宫的外城只设有竹篱笆，有六个门。这时有一个敢于向皇帝献直言的人，说:“建康城有许多门，像是重重叠叠防护很严的样子，其实却都是一些过不完的篱笆门。”齐高帝被他的言辞触动，于是命令在建康城外加修外城。

李乌奴屡次寻找机会攻打梁州，豫章王萧嶷派遣担任中兵参军的王图南率领益州的军队从剑门关出兵前往袭击李乌奴。担任梁、南秦二州刺史的崔慧景调集了梁州的军队屯驻在白马军事据点，与王图南一起前后夹击，把李乌奴打得大败，李乌奴逃到武兴军事据点坚守。崔慧景，是崔祖思的族人。

秋季，七月十七日辛亥，魏孝文帝前往火山。

二十四日戊午，齐国皇太子萧赜的妃子穆妃裴氏去世。

齐高帝下诏令担任中军将军的南郡王萧长懋从驻防的石头城换防到西州城。

角城[534]戍主举城[535]降魏。秋，八月丁酉[536]，魏遣徐州刺史梁郡王嘉迎之[537]。又遣平南将军郎大檀等三将出朐城[538]，将军白吐头等二将出海西[539]，将军元泰等二将出连口[540]，将军封延等三将出角城，镇南将军贺罗出下蔡[541]，同入寇。

甲辰[542]，魏主如方山。戊申[543]，游武州山[544]石窟寺。庚戌[545]，还平城。

崔慧景遣长史裴叔保攻李乌奴于武兴，为氐王杨文弘所败。

九月甲午朔[546]，日有食之。

丙午[547]，柔然遣使来聘。

汝南太守常元真、龙骧将军胡青苟降于魏。

闰月辛巳[548]，遣领军李安民循行清泗诸戍[549]以备魏。

魏梁郡王嘉帅众十万围朐山[550]，朐山戍主玄元度婴城固守[551]，青、冀二州[552]刺史范阳卢绍之遣子奂将兵助之。庚寅[553]，元度大破魏师。台[554]遣军主崔灵建等将万余人自淮入海[555]，夜至，各举两炬，魏师望见，遁去。

冬，十月，王俭固请解选职[556]，许之，加俭侍中，以太子詹事何戢[557]领选。上以戢资重[558]，欲加常侍，褚渊曰："圣旨每以蝉冕[559]不宜过多。臣与王俭既已左珥[560]，若复加戢，则八座[561]遂有三貂[562]，若帖以骁、游[563]，亦为不少[564]。"乃以戢为吏部尚书，加骁骑将军。

甲辰[565]，以沙州刺史杨广香为西秦州[566]刺史，又以其子炅为武都[567]太守。

丁未[568]，魏以昌黎王冯熙为西道都督，与征南将军桓诞出义阳[569]，镇南将军贺罗出钟离，入[11]寇。

淮北四州[570]民不乐属魏，常思归江南[571]，上多遣间谍诱之。于是徐

齐国驻守角城的军事头领将整个城池并全城的军民献给了魏国，向魏国投降。秋季，八月丁酉日，魏孝文帝派遣担任徐州刺史的梁郡王拓跋嘉前往迎接角城戍主。又派遣担任平南将军的郎大檀等三位将领率军前往攻打齐国的朐城，派将军白吐头等二位将领率军前往攻打齐国的海西县，派将军元泰等二位将领率军前往攻打齐国的连口县，派将军封延等三位将领前往进攻角城，派镇南将军贺罗率军进攻齐国的下蔡县，五路大军同时进犯齐国。

九月十一日甲辰，魏国的孝文帝从火山前往方山。十五日戊申，魏孝文帝游览了武州山的石窟寺。十七日庚戌，返回平城。

崔慧景派自己属下担任长史的裴叔保率军前往武兴军事据点攻打李乌奴，结果被氐王杨文弘打败。

九月初一日甲午，发生日食。

十三日丙午，柔然派遣使者到齐国进行友好访问。

齐国担任汝南太守的常元真、担任龙骧将军的胡青苟投降了魏国。

闰九月十八日辛巳，齐高帝派遣担任领军的李安民巡视泗水流域的齐国各军事据点，加强戒备，以防备魏军的入侵。

魏国的梁郡王拓跋嘉率领十万魏军包围了齐国的朐山军事据点，朐山军事据点的头领玄元度环绕城池布置军队防守，担任青、冀二州刺史的范阳人卢绍之派自己的儿子卢奂率军前来协助玄元度坚守朐山。闰九月二十七日庚寅，玄元度率军大败魏军。齐国朝廷派遣军主崔灵建等率领一万多人由淮河入海，沿海北上援助朐山，半夜时分到达朐山，军士每人手举两支火把，魏军望见齐军援军到来，遂全军撤退。

冬季，十月，担任左仆射的王俭坚决请求辞去吏部尚书的职务，齐高帝批准了他的请求，又加授王俭为侍中，任命担任太子詹事的何戢兼任吏部尚书职务。齐高帝因为何戢资望很高，遂准备提拔何戢为常侍，担任司空的褚渊说："陛下经常认为不应当让用金蝉装饰帽子的宫廷内侍人员太多。我与王俭既然已经分别担任了左散骑和侍中，如果再让何戢当上常侍，那么朝廷的八个执政官员中就有三位的帽子上插有貂尾金蝉了，如果给他来一个骁骑将军或游击将军的加官，何戢的官职也就不小了。"萧道成于是任命何戢为吏部尚书，加授骁骑将军。

十月十二日甲辰，齐高帝任命担任沙州刺史的杨广香为西秦州刺史，又任命杨广香的儿子杨炅为武都郡太守。

十月十五日丁未，魏国朝廷任命昌黎王冯熙为西道都督，会同征南将军桓诞一同前往进攻齐国的义阳郡，令镇南将军贺罗率军前往进攻齐国的钟离，入侵齐国。

淮河以北的青州、冀州、徐州、兖州这四个州的百姓不乐意归属魏国，常常希望能够回到长江以南的宋、齐王朝，齐高帝趁机派遣了大量的间谍前往四州诱导那

州民桓标之、兖州民徐猛子等所在蜂起[572]为寇盗，聚众保五固[573]，推司马朗之为主。魏遣淮阳王尉元[574]、平南将军薛虎子等讨之。

十一月戊寅[575]，丹杨尹王僧虔[576]上言："郡县狱相承[577]有上汤杀囚[578]，名为救疾[579]，实行冤暴[580]。岂有死生大命[581]，而潜制下邑[582]？愚谓囚病必先刺郡[583]，求职司[584]与医对共诊验[585]，远县家人省视[586]，然后处治[587]。"上从之。

戊子[588]，以杨难当之孙后起[589]为北秦州刺史、武都王，镇武兴。

十二月戊戌[590]，以司空褚渊为司徒[591]。渊入朝，以腰扇障日[592]，征虏功曹刘祥[593]从侧过，曰："作如此举止[594]，羞面见人，扇障何益？"渊曰："寒士不逊[595]！"祥曰："不能杀袁、刘[596]，安得免寒士[597]？"祥，穆之之孙也。祥好文学，而性韵刚疏[598]，撰《宋书》[599]，讥斥禅代。王俭密以闻，坐徙广州而卒[600]。

太子宴朝臣于玄圃[601]，右卫率沈文季[602]与褚渊语相失[603]，文季怒曰："渊自谓忠臣，不知死之日何面目见宋明帝[604]！"太子笑曰："沈率[605]醉矣。"

壬子[606]，以豫章王嶷为中书监、司空、扬州刺史，以临川王映为都督荆、雍等九州诸军事，荆州刺史。

是岁，魏尚书令王叡进爵中山王，加镇东大将军。置王官[607]二十二人，以中书侍郎郑羲[608]为傅[609]，郎中令[610]以下皆当时名士。又拜叡妻丁氏为妃。

三年（辛酉，公元四八一年）

春，正月，封皇子锋[611]为江夏王[612]。

魏人寇淮阳[613]，围军主成买[614]于角城[615][12]，上遣领军将军李安民为都督，与军主周盘龙[616]等救之。魏人缘淮大掠，江北民皆惊走渡江，成买力战而死。盘龙之子奉叔[617]以二百人陷陈[618]深入，魏以万余骑张

里的百姓。于是徐州的百姓桓标之、兖州的百姓徐猛子等纷纷起来反抗魏国的统治，他们聚集起来占据了五固城，推举司马朗之做他们的首领。魏国朝廷派遣淮阳王尉元、平南将军薛虎子等人率军前往五固城镇压他们。

十一月十六日戊寅，齐国担任丹杨尹的王僧虔上书给齐高帝说："有些郡县的监狱沿用古老的习俗将患有瘟疫的囚犯用蒸笼蒸死，说是为了避免瘟疫传播而达到预防疾病的目的，实际上所干的是一种残暴的冤枉杀人。岂能使生死攸关的重大问题被不声不响地掌控在下层小吏的手中呢？我认为县里的囚犯生了病，必须先向郡里报告，请求上级政府主管该项事务的官吏与医生共同检查诊断，如果是远离郡城的县囚，不能等上级职司前来检验的，可以让囚犯的家属到县里的监狱进行探视，然后再进行开方治病。"高帝批准了王僧虔的意见。

十一月二十六日戊子，齐高帝任命杨难当的孙子杨后起为北秦州刺史、武都王，镇守武兴。

十二月初七日戊戌，齐高帝第三次任命担任司空的褚渊为司徒。褚渊入朝，用折叠扇遮挡着日光，担任征虏功曹的刘祥从褚渊的身边经过，他冲着褚渊说："做出这种猪狗不如的举动，内心感到羞耻不敢露面见人，用扇子遮住管什么用？"褚渊说："下等人说话就是没礼貌！"刘祥反唇相讥说："我既然不能杀死袁粲、刘秉，我怎么能摘去这个寒士的帽子呢？"刘祥，是刘穆之的孙子。刘祥喜好文学，而性情刚直，不拘礼节，他在撰写的《宋书》中，讥讽、训斥了萧道成要求宋王朝将皇位禅让给萧道成自己的做法。王俭秘密地将此事报告给萧道成，刘祥因此获罪被流放到广州，最后死在广州。

齐国的皇太子萧赜在东宫的玄圃设宴招待朝中的大臣，担任右卫率的沈文季与担任司徒的褚渊说话中发生口角，沈文季愤怒地说："褚渊自以为是个忠臣，只是不知道死了以后有何脸面去见宋明帝刘彧！"皇太子萧赜笑着说："沈右卫率喝醉了。"

十二月二十一日壬子，齐高帝任命豫章王萧嶷为中书监、司空、扬州刺史，任命临川王萧映为都督荆、雍等九州诸军事，荆州刺史。

这一年，魏国担任尚书令的王叡被晋封为中山王，加授镇东大将军。又为中山王王叡配备了二十二名僚属，任命担任中书侍郎的郑羲为中山王的太傅，中山王王叡属下郎中令以下的官员都是当时的名士。又封中山王王叡的妻子丁氏为王妃。

三年（辛酉，公元四八一年）

春季，正月，齐高帝封自己的儿子萧锋为江夏王。

魏国军队入侵齐国的淮阳县，把齐国淮阳县守军的头领成买围困在角城，齐高帝派遣领军将军李安民为都督，与一支军队的首领周盘龙等一同率军前往角城援救。魏国的军队沿着淮河大肆劫掠，长江以北的齐国百姓全都惊慌失措地向南渡过长江逃命，成买奋力拼杀，战死沙场。周盘龙的儿子周奉叔率领着二百名勇士攻入敌阵，

左右翼围之。或告盘龙云奉叔已没⑲，盘龙驰马奋矟⑳，直突魏陈，所向披靡。奉叔已出，复入求盘龙。父子两骑萦扰㉑，魏数万之众莫敢当者。魏师遂败，杀伤㉒万计。魏师退，李安民等引兵追之，战于孙溪渚㉓，又破之。

己卯㉔，魏主南巡，司空苟颓留守。丁亥㉕，魏主至中山㉖。

二月辛卯[13]朔㉗，魏大赦。

丁酉㉘，游击将军桓康复败魏师于淮阳，进攻樊谐城㉙，拔之。

魏主自中山如信都㉚。癸卯㉛，复如中山。庚戌㉜，还，至肆州㉝。

沙门法秀㉞以妖术惑众，谋作乱于平城，苟颓帅禁兵收掩㉟，悉擒之。魏主还平城，有司囚法秀，加以笼头㊱，铁锁无故自解。魏人穿其颈骨，祝之曰㊲："若果有神，当令穿肉不入。"遂穿以徇㊳，三日乃死。议者或欲尽杀道人㊴，冯太后不可，乃止。

垣崇祖之败魏师也，恐魏复寇淮北，乃徙下蔡戍㊵于淮东。既而魏师果至，欲攻下蔡，闻其内徙，欲夷㊶其故城。己酉㊷，崇祖引兵渡淮击魏，大破之，杀获千计。

晋、宋之际，荆州刺史多不领南蛮校尉㊸，别以重人居之㊹。豫章王嶷为荆、湘二州刺史，领南蛮㊺。嶷罢㊻，更以侍中王奂为之，奂固辞，曰："西土戎烬㊼之后，痍毁难复㊽。今复割撤太府㊾，制置偏校㊿，崇望不足助强[651]，语实交能相弊[652]。且资力既分[653]，职司增广[654]，众劳

魏军调集了上万名骑兵从左右两翼把周奉叔和他的二百名勇士围困在当中。有人向周盘龙报告说周奉叔已经阵亡，周盘龙一听，立即飞马向前，手中挺起长矛，径直杀向魏军的阵地，所向披靡，勇不可当。周奉叔此时已经杀出敌阵，得知自己的父亲为救自己已经冲入敌阵，于是掉转马头又杀入敌阵寻找自己的父亲周盘龙。周盘龙父子的两匹战马在魏军阵中杀入杀出，往来盘桓，魏军虽然有数万人，竟然没有人敢于上前抵挡。魏军于是大败，被杀死杀伤的数以万计。魏军撤退，领军将军李安民等率领齐军随后追赶，在孙溪渚与魏军展开激战，齐军再次大败魏军。

正月十八日己卯，魏国孝文帝到魏国的南方巡视，担任司空的苟颓负责留守京师。二十六日丁亥，魏孝文帝到达中山郡。

二月初一日辛卯，魏国实行大赦。

初七日丁酉，齐国的游击将军桓康又在淮阳县打败魏军，并乘胜率军进攻樊谐城，将樊谐城攻克。

魏国孝文帝从中山郡前往信都郡。十三日癸卯，又回到中山郡。二十日庚戌，从中山返回，途中到达肆州。

魏国境内一个名叫法秀的和尚以妖术蛊惑民众，阴谋在魏国的京师平城作乱。负责留守平城的司空苟颓率领禁军乘其不备将法秀等谋乱分子全部逮捕。魏孝文帝回到平城，有关部门的官员将法秀囚禁起来，在他的头上套上了一个竹笼头，并用铁锁锁住，然而铁锁无缘无故地自己打开了。看守人员一面用一根铁丝穿入法秀的脖颈骨，一面替他向神灵祷告说："如果真的有神灵，就不要让铁丝穿进法秀的肉中。"铁丝还是穿透了法秀的脖颈骨，于是押着法秀到处游街示众，只三天的时间法秀就死去了。议政的官员中就有人想把所有的和尚全部杀光，因为冯太后的反对，才没有这样做。

齐国担任豫州刺史的垣崇祖打败魏军之后，担心魏军会再次来入侵淮北，于是就把下蔡城的军事据点迁到了淮水以东。不久，魏军果然又来入侵，原本想要攻打下蔡，听说下蔡的守军已经向内迁徙到淮东，于是就要铲平下蔡故城。二月十九日己酉，豫州刺史垣崇祖率领齐军渡过淮河攻打魏军，把魏军打得大败，杀死、俘虏的魏军数以千计。

东晋、刘宋时期，荆州刺史大多都不兼任南蛮校尉，朝廷都是另派有名望的人物来充任此职，而由荆州刺史管辖。齐国的豫章王萧嶷担任荆、湘二州刺史的时候，开始兼任南蛮校尉。萧嶷离开荆州刺史之任以后，又任用担任侍中的王奂为南蛮校尉，王奂坚决推辞，他说："西部的荆州地区经过沈攸之之乱以后，所造成的创伤还难以恢复。如今又削夺荆州刺史府的权力，把南蛮校尉的职责从荆州刺史的管辖中分离出来，安排一个校尉官来管理南蛮事务，而荆州刺史的崇高威望再也不能使南蛮校尉的权威增强，而实际上有可能使荆州刺史府、南蛮校尉府这两个权力机构之间互相削弱而导致无法成事。而且南蛮校尉府既然把资产、办事人员从荆州刺史府

务倍[655]，文案滋烦[656]，窃以为国计非允[657]。”癸丑[658]，罢南蛮校尉官[659]。

三月辛酉朔[660]，魏主如肆州。己巳[661]，还平城。

魏法秀之乱，事连兰台御史[662]张求等百余人，皆以反法[663]当族。尚书令王叡请诛首恶，宥[664]其余党。乃诏：“应诛五族者，降为三族[665]；三族者，门诛[666]；门诛，止其身。”所免千余人。

夏，四月己亥[667]，魏主如方山。冯太后乐其山川，曰：“他日必葬我于是，不必祔山陵[668]也。”乃为太后作寿陵[669]，又建永固石室于山上，欲以为庙。

桓标之等有众数万，寨险[670]求援，庚子[671]，诏李安民督诸将往迎之。又使兖州刺史周山图[672]自淮入清[673]，倍道应接[674]。淮北民桓磊魄破魏师于抱犊固[675]。李安民赴救迟留[676]，标之等皆为魏所灭，余众得南归者尚数千家，魏人亦掠三万余口归平城。

魏任城康王云[677]卒。

五月壬戌[678]，邓至王像舒[679]遣使入贡于魏。邓至者，羌之别种，国于宕昌[680]之南。

六月壬子[681]，大赦[682]。

甲辰[683]，魏中山宣王王叡[684]卒。叡疾病，太皇太后、魏主屡至其家视疾。及卒，赠太宰，立庙于平城南。文士为叡作哀诗及诔[685]者百余人，及葬，自称亲姻、义旧，缞绖[686]哭送者千余人。魏主以叡子中散大夫袭[687]代叡为尚书令，领吏部曹[688]。

戊午[689]，魏封皇叔简[690]为齐郡王[691]，猛[692]为安丰王[693]。

秋，七月己未朔[694]，日有食之。

分离出来，办事的部门必然增多，需要花费的劳动就会成倍地增长，文书档案必然会日益繁多，我私下里认为对于治理国家而言这样做不合适。”二月二十三日癸丑，取消南蛮校尉这一官职。

三月初一日辛酉，魏国孝文帝拓跋宏前往肆州。初九日己巳，拓跋宏从肆州返回平城。

魏国的法秀和尚阴谋作乱的事情，牵连到以兰台御史张求为首的一百多名官员，他们都以造反的罪名被判处灭族。担任尚书令的王叡请求朝廷只诛灭首恶分子，而对于他的党羽则应该采取宽大政策。孝文帝于是下诏说：“应当诛灭五族的，降为诛灭三族；应当诛灭三族的，降为只诛杀其一家老小；应当诛灭一家老小的，只诛杀犯罪者本人。”这样一来，免于被诛杀的就有一千多人。

夏季，四月初十日己亥，魏国孝文帝前往方山。冯太后非常喜欢方山优美的地理环境，她说：“将来我死了一定要把我埋葬在这里，不用合葬到先辈的皇帝陵园去。”孝文帝于是在方山为冯太后修建陵墓，又在方山之上修建永固石屋，准备作为祭祀冯太后的庙宇。

桓标之等人的手下有好几万部众，他们不愿意接受魏国的统治，于是在险固之地结寨驻扎，向齐国请求出兵援救，四月十一日庚子，齐高帝下诏令领军将军李安民率领诸将前往迎接桓标之等人。又令担任兖州刺史的周山图率军从淮河进入清水河，日夜兼程前去接应桓标之等人回归。淮北一个名叫桓磊磈的率众在抱犊固打败了魏军。领军将军李安民率领的救兵因为行动迟缓而延误了时间，遂导致桓标之等被魏军消灭，得以幸存下来并能回归南方的还有几千家，魏国人也掠夺了齐国的三万多人返回平城。

魏国的任城康王拓跋云去世。

五月初三日壬戌，邓至国的国王像舒派使者到魏国进贡。邓至，是羌族人的一个分支，其国在宕昌郡以南。

六月二十四日壬子，齐国实行大赦。

六月十六日甲辰，魏国的中山宣王王叡去世。王叡在患病期间，太皇太后冯氏、魏孝文帝拓跋宏多次到王叡的家中探视他的病情。王叡去世之后，魏国朝廷追赠他为太宰，并在平城南郊为王叡建造了一座祭庙。魏国的文人当中有一百多人为王叡敬献了哀悼的诗文和歌颂其生平功绩的诔文，等到安葬的时候，自称是王叡的亲戚、与王叡有结义之情、故旧之交，并且披麻戴孝痛哭流涕地为王叡送别的就有一千多人。魏孝文帝令王叡的儿子担任中散大夫的王袭接替王叡的职务担任了尚书令，兼任吏部尚书。

六月三十日戊午，魏国的孝文帝封自己的叔叔拓跋简为齐郡王，封拓跋猛为安丰王。

秋季，七月初一日己未，发生日食。

上使后军参军车僧朗使于魏。甲子[695]，僧朗至平城。魏主问曰："齐辅宋日浅，何故遽登大位[696]？"对曰："虞、夏登庸[697]，身陟元后[698]，魏、晋匡辅[699]，贻厥子孙[700]，时宜各异[701]耳。"

辛酉[702]，柔然别帅他稽[703]帅众降魏。

杨文弘遣使请降[704]，诏复以为北秦州刺史。先是，杨广香卒，其众半奔文弘，半奔梁州[705]。文弘遣杨后起进据白水。上虽授以官爵，而阴敕[706]晋寿[707]太守杨公则使伺便图之[708]。

宋昇明[709]中，遣使者殷灵诞、苟昭先如魏，闻上受禅，灵诞谓魏典客[710]曰："宋、魏通好，忧患是同[711]。宋今灭亡，魏不相救，何用和亲？"及刘昶入寇，灵诞请为昶司马[712]，不许[713]。九月庚午[714]，魏阅武于南郊，因宴群臣，置车僧朗于灵诞下，僧朗不肯就席，曰："灵诞昔为宋使，今为齐民。乞魏主以礼见处[715]。"灵诞遂与相忿詈[716]。刘昶赂宋降人解奉君于会刺杀僧朗，魏人收[717]奉君，诛之，厚送僧朗之丧，放灵诞等南归。及世祖即位[718]，昭先具以灵诞之语启闻[719]，灵诞坐下狱死。

辛未[720]，柔然主遣使来聘，与上书[721]，谓上为"足下"[722]，自称曰"吾"，遗上[723]师子皮裤褶[724]，约共伐魏。

魏尉元、薛虎子克五固，斩司马朗之，东南诸州[725]皆平。尉元入为侍中、都曹尚书[726]。薛虎子为彭城镇将[727]，迁徐州刺史。时州镇戍兵[728]，资绢自随[729]，不入公库[730]。虎子上表，以为："国家欲取江东[731]，先须积谷彭城。切惟在镇之兵[732]，不减数万[733]，资粮之绢[734]，人十二匹，用度无准，未及代下[735]，不免饥寒，公私损费[736]。今徐州良田十万余顷，

齐高帝派遣担任后军参军的车僧朗出使魏国。七月初六日甲子，车僧朗到达平城。魏国的孝文帝向车僧朗询问说："齐国皇帝萧道成辅佐宋朝皇室的时间很短，怎么这么快就登上皇帝宝座做了皇帝呢？"车僧朗回答说："虞舜与夏禹的接受禅让，都是他们本人当了帝王，而魏王曹操、晋王司马昭长期当宰相辅佐前朝，他们到死也没有捞到皇帝做，而是把篡夺皇位的事情留给了他们的后代子孙，各有各的时势所宜而已。"

七月初三日辛酉，柔然另一个部落的首领他稽率领他的部众投降了魏国。

杨文弘派遣使者到齐国请求投降，齐高帝下诏，又任命杨文弘为北秦州刺史。先前，杨广香去世之后，杨广香的部属有一半人投奔了杨文弘，另外一半则投奔了齐国的梁州刺史。杨文弘派遣杨后起进兵占据了白水。齐高帝虽然把官爵授予了杨文弘，而暗中却命令担任晋寿郡太守的杨公则寻找机会除掉杨文弘。

宋顺帝刘準在位的昇明年间，曾经派遣殷灵诞、苟昭先为使者到魏国进行友好访问，他们在魏国听说萧道成已经接受顺帝刘準的禅让成了齐国皇帝，殷灵诞对魏国负责接待宾客的官员说："宋国与魏国互通友好，患难与共。如今宋国已经灭亡，魏国如果不出兵前去相救，和亲还有什么用呢？"等到刘昶率领魏军南下进攻齐国的时候，殷灵诞请求担任刘昶的司马，魏国孝文帝没有同意。九月十三日庚午，魏孝文帝在平城南郊检阅部队，顺便宴请群臣，把齐高帝萧道成派遣的使者车僧朗安排在殷灵诞的下首，车僧朗因此不肯就座，他说："殷灵诞过去虽然是宋国派出的使者，但如今只是齐国的一个平民百姓。请魏国的皇帝按照应有的礼节接待我。"殷灵诞于是与车僧朗互相怒骂起来。刘昶贿赂了从宋国投降魏国的解奉君，让他在宴会上刺杀了车僧朗，魏国人拘捕了解奉君，把解奉君杀死，魏国用很高的规格把车僧朗的灵柩送回齐国，遣送殷灵诞等人返回南方的齐国。等到齐世祖萧赜继承他父亲的皇位做了皇帝之后，苟昭先就把殷灵诞在魏国所说的话详细地报告了齐武帝萧赜，殷灵诞因此被逮捕入狱，死在狱中。

九月十四日辛未，柔然国君派使者到齐国进行友好访问，在写给齐高帝的信中，称呼齐高帝为"足下"，称自己为"吾"，赠送给齐高帝一套用狮子皮制作的专门用来骑马的衣服，约请齐国与柔然一同出兵讨伐魏国。

魏国淮阳王尉元、平南将军薛虎子率军攻克了五固，杀死了司马朗之，魏国东南部的淮北四州全部平定。尉元回朝后被任命为侍中、都曹尚书。薛虎子被任命为彭城军镇的最高军事长官，又升任徐州刺史。当时各州府、各军镇的驻兵，当作钱币使用的绢帛都由自己随身携带，自行保管，而不是存放到公家的仓库。徐州刺史薛虎子上表给魏国皇帝拓跋宏，认为："国家正准备消灭建都江东的齐国，首先就要在彭城储存大量的粮食。而且光是在徐州一个军镇的驻军，就不能少于数万，用来购买粮食的绢帛，每人只有十二匹绢，日常消费又没有一个标准，等不到换防的时间，士兵的钱帛就已经花光了，免不了就要忍受饥寒，公家和私人的花费都不够用。

水陆肥沃[737]，清、汴通流[738]，足以溉灌。若以兵绢市牛[739]，可得万头，兴置屯田[740]，一岁之中，且给官食[741]。半兵芸殖[742]，余兵屯戍[743]，且耕且守，不妨捍边[744]。一年之收，过于十倍之绢，暂时之耕[745]，足充数载之食。于后兵资[746]皆贮公库，五稔[747]之后，谷帛俱溢[748]，非直[749]戍卒丰饱，亦有吞敌之势[750]。"魏人从之。虎子为政有惠爱[751]，兵民怀之[752]。会沛郡[753]太守邵安、下邳[754]太守张攀以赃污为虎子所按[755]，各遣子上书，告虎子与江南通[756]，魏主曰："虎子必不然。"推按[757]，果虚，诏安、攀皆赐死，二子各鞭一百。

吐谷浑王拾寅卒，世子度易侯[758]立。冬，十月戊子朔[759]，以度易侯为西秦、河二州刺史，河南王[760]。

魏中书令高闾[761]等更定[762]新律成，凡八百三十二章，门房之诛十有六[763]，大辟[764]二百三十五，杂刑三百七十七。

初，高昌王阚伯周[765]卒，子义成立。是岁，其从兄首归杀义成自立。高车王可至罗[766]杀首归兄弟，以敦煌张明[767]为高昌王，国人杀明，立马儒为王。

【段旨】

以上为第二段，写齐高帝萧道成建元二年（公元四八〇年）、三年共两年间的大事。主要写南齐将领崔文仲破魏军于钟离，又进取魏之竹邑、睢陵；垣崇祖巧借淝水破魏军于寿春；魏将刘昶见势不好请求回军，魏主遣冯熙、拓跋嘉将兵迎之而归。写魏主又派郎大檀、白吐头、元泰、封延、贺罗五路南下攻齐，而南齐朐山守将玄元度，青、冀二州刺史卢绍之等破魏军于朐山。写淮北四郡民不乐属魏，南齐又屡派人引诱之，故所在民变蜂起，桓标之聚众占据五固以抗魏，魏

如今徐州地区拥有十万多顷良田，水田、旱田都很肥沃，清水、汴水都在徐州境内流过，而且流量很大，完全可以用来灌溉农田。如果用驻军手里的绢帛购买耕牛，可以得到一万头牛，然后安置士兵在徐州一带开展武装屯田，一年之内，大体上就可以解决官兵的粮食供应。抽出一半士兵进行农业劳动，其余的一半士兵负责边防守卫，一边耕种，一边戍守，这样也不会妨碍守边完成任务。一年的农业收成，超过官府发给他们绢帛价值的十倍，短时间的农业劳动，就可以满足军队好几年的粮食消费。往后士兵手中用以购物的绢帛全都储存在公共的仓库中，五年之后，公共仓库里的粮食、绢帛就会满得装不下了，不只是守边的士兵可以丰衣足食，也为消灭南朝之敌创造了条件。”魏国朝廷采纳了薛虎子的建议。薛虎子执政期间给当地的兵民带来好处，深受他们的爱戴，士兵和百姓都记着他的好处。碰巧担任沛郡太守的邵安、担任下邳太守的张攀因为贪污受贿被薛虎子所查处，他们便分别派自己的儿子到朝廷上书，诬告薛虎子与江南的齐国相勾结，魏孝文帝说：“薛虎子一定不会那样做。”经过审问、调查，果然属于诬告，孝文帝于是下诏令邵安、张攀自杀，对他们派往朝廷告诬状的儿子每人责打一百皮鞭。

吐谷浑王慕容拾寅去世，世子慕容度易侯继承了王位。冬季，十月初一日戊子，齐高帝任命慕容度易侯为西秦州、河州二州刺史，河南王。

魏国担任中书令的高闾等人修订新律法的工作已经完成，新律法总共有八百三十二章，有关灭门之罪的共有十六条，有关判处死刑罪的共有二百三十五条，其他方面的各种律法有三百七十七条。

当初，高昌国王阚伯周去世之后，他的儿子阚义成继位为王。这一年，阚义成的堂兄阚首归杀死了阚义成自己称王。高车国王可至罗杀死了阚首归兄弟，任命敦煌郡人张明为高昌王，高昌国的贵族杀死了张明，拥戴马儒为高昌国王。

派名将尉元等讨之，南齐救援不及，致使桓标之等被消灭。写南齐将领李安民、周盘龙大破魏军于淮北，桓康又破魏军于淮阳，进而攻拔樊谐城；接着垣崇祖又破魏军于淮西，南齐的形势一片大好。写魏将薛虎子建议在徐州开展屯田，所论极为中肯，魏主从之。写南齐梁州刺史崔慧景与益州将领王图南之兵，夹击氐将李乌奴军，大破之。写刘宋元勋刘穆之之孙刘祥嘲讽褚渊，又著《宋书》以讥讽禅代，被王俭告密而流放。写宋末的两位使者使魏，在魏闻齐篡宋，车僧朗立即改变立场以颂扬萧氏；殷灵诞请求魏国出兵以伐萧救宋。写史者对比著之于史，以见其赞扬臣节。此外还写了魏国的名臣中山王王叡卒、任城王拓跋云卒等。

【注释】

㊶正月戊戌朔：正月初一是戊戌日。㊷渊不受：这是褚渊第二次辞让司徒不受。第一次在上年。㊸辛丑：正月初四。㊹祀南郊：在南郊举行祭天典礼。㊺马头戍：当时马头郡的郡治所在地，在今安徽蚌埠西南。当时为淮河上的重要军事据点。㊻太守刘从：马头郡的太守刘从，也称刘顺。㊼乙卯：正月十八。㊽内外纂严：京城内外一律紧急戒严。纂，收束、加紧。㊾中军将军：护卫宫廷部队的最高长官。任务与中领军相同，资历比中领军高。㊿石头：在当时建业城的西侧，离长江不远，是守卫建业的军事要地，遗址即今南京的石头城公园一带。441广川庄王略：拓跋略，文成帝拓跋濬之子，被封为广川王，庄字是谥。传见《魏书》卷二十。442钟离：齐郡名，郡治在今安徽凤阳东北。当时南齐的徐州州治就在钟离。443崔文仲：崔祖思的族人，原为薛安都的部下，后投靠萧道成，此时任徐州刺史，驻守钟离城。传见《南齐书》卷二十八。444茌眉戍主：茌眉军事据点的头领。茌眉戍在今安徽怀远西。戍，军事据点。445依阻山谷：以山峦河谷为依托。阻，凭借。446荆、湘、雍、郢、司：齐王朝的五个州名，荆州的州治即今湖北江陵，湘州的州治即今湖南长沙，雍州的州治即今湖北襄阳，郢州的州治即今武汉之汉口，司州的州治即今河南信阳。447官：官府。448南襄城蛮：南襄城郡的蛮族。南襄城郡的郡治即今湖北南漳。449潼阳：葛晓音曰，“古县名。县治在今湖北省西北聚龙山西南麓的歇马河一带”。450平昌：古关塞名，即今河南信阳西北的平昌关。451北上黄蛮：北上黄县的蛮族。北上黄县的县治在今湖北南漳东南的刘集一带。452汶阳：郡名，郡治在今湖北远安西北的旧城一带。453当阳：即当阳县，在今湖北荆门城南，与现在的当阳相距较远。454薛道标：薛安都之子。薛安都原是刘宋名将，后因反抗宋明帝刘彧而投奔北魏，被封为河东王。道标袭其父爵，此时为镇南将军。事见《魏书》卷六十一。455趣寿阳：杀向寿阳。趣，通“趋”，奔向。456齐郡：南齐的侨置郡名，郡治在今南京六合区东南的瓜步，当时为军事重镇。457刘怀慰：南齐的优秀地方官，著有《廉吏论》。传见《南齐书》卷五十三。458作冠军将军薛渊书：以薛渊的名义写信。薛渊是当年刘宋徐州刺史薛安都之侄。薛安都投奔北魏时，亲属皆跟从入北，唯薛渊南归投靠了时为淮阴太守的萧道成。此时为南齐的冠军将军。传见《南齐书》卷三十。459以招道标：招薛道标返回南朝。薛渊与薛道标是堂兄弟。460乘民：刘乘民，原为刘宋王朝的高阳、勃海二郡太守，驻兵于临济城（今山东高青东南），当刘彧政权十分孤立时，是宣告忠于朝廷的武装势力之一。事见本书卷一百三十一。461二月丁卯朔：二月初一是丁卯日。462四向：向着周围所有的人。463愿同戮力：愿和你们共同努力。戮力，合力。464以雪仇耻：以报萧道成篡夺刘宋政权的仇恨。465堰淝水：拦淝水筑坝以提高淝水的水位。淝水即今时之所谓东淝河，源出安徽合肥西北的将军岭，西北流经寿县城东，再经八公山南流入淮水。堰，障塞。466佛狸入寇：当年魏主拓跋焘大军南下，兵临长江。事见宋文帝元嘉二十七年。佛

狸是拓跋焘的小名。㊼南平王：即刘铄，宋文帝刘义隆的第四子，当时驻守寿春。事见《宋书》卷七十二。㊽外修楼橹：在城外打造攻城的器械。楼橹，类似吊车一样的攻城器械，可以送士兵上城，可以破坏城上的防御工事等。㊾坐成擒：自己把自己做成一种束手就擒的局面。坐，自己形成。成擒，现成的俘虏。㊿不谏之策：任何人都不能谏止、改变的既定计划。㉑周为深堑：在小城的周围挖出深沟。㉒皆为流尸：都将被淹死。㉓蚁附：像蚂蚁一样密集地向城上爬。㉔肩舆上城：坐着滑竿来到城上。所谓"着白纱帽"，所谓"肩舆上城"，都是故作闲暇，以麻痹敌军的姿态。㉕晡时：下午三点到五点。㉖下水：放水向下流。㉗谢天盖部曲杀天盖以降：谢天盖的部下在南齐将领萧惠朗、萧景先的攻击下，杀谢天盖投降南齐。㉘孝建：宋孝武帝刘骏的第一个年号（公元四五四至四五六年）。㉙弛紊：松弛紊乱。㉚虞玩之：刘宋孝武、明帝时的地方官吏，泛涉书史，受萧道成喜爱，此时为黄门郎。传见《南齐书》卷三十四。㉛更加检定：重新加以检查、审定。㉜黄籍：胡三省引杜佑曰："户口版籍也。"以其用黄纸写成，故称黄籍。㉝民之大纪：是管理黎民百姓的大缰绳。㉞国之治端：治理国家的首要条件。㉟自顷：近年来。㊱厘革：清理；改革。㊲元嘉：宋文帝刘义隆的年号（公元四二四至四五二年）。㊳傅隆：刘宋文帝时期的文史之臣，先后任御史中丞、义兴太守、太常等职。传见《宋书》卷五十五。㊴手自书籍：亲手登录户口簿籍。㊵躬加隐校：亲自核实、校对。躬，亲自。胡三省曰："隐者，痛核其实也。"㊶勤明令长：让县令、县长勤政而明察。㊷籍：指户籍。㊸更立明科：重新制定一套公正明白的法令条文。㊹一听首悔：允许人们自首悔过。㊺依制必戮：一定要依法严办。㊻若有虚昧：一旦发现弄虚作假。虚昧，虚报和隐瞒。㊼州县同科：州里县里的长官也要连同治罪。㊽分荆、益置巴州：把荆州、益州相连接的地区独立出来，另立一个巴州。其州治在今重庆奉节东北。㊾壬申：二月初六。㊿三巴校尉：官名。胡三省曰："宋明帝泰始三年，以三峡险隘，山蛮寇贼，议立三巴校尉以镇之，寻省。顺帝昇明二年复置。"三巴，指巴郡（郡治即今重庆市）、巴东（郡治鱼复，今重庆奉节东）、巴西（郡治即今四川绵阳）三个郡。㉑领巴东太守：同时兼任巴东郡的太守。领，兼任，以高级别兼任低职务。㉒有州二十三：即扬州、南徐州、豫州、南豫州、南兖州、北兖州、北徐州、青州、冀州、江州、广州、交州、越州、荆州、巴州、郢州、司州、雍州、湘州、梁州、秦州、益州、宁州。㉓郡三百九十：胡三省曰，"郡县之建置虽多，而名存实亡，境土蹙于宋大明之时矣"。㉔乙酉：二月十九。㉕军主：指一支部队的头领，不是固定的军官名。㉖竹邑：古城名，旧址在今安徽宿州北的符离集一带，时为军事要塞。㉗睢陵：即今江苏睢宁，当时为淮阳郡的郡治所在地。㉘三月丁酉朔：三月初一是丁酉日。㉙西昌侯鸾：萧鸾，即后来的齐明帝。萧道生之子，早孤，由萧道成抚育，初封西昌侯，此时为侍中。传见《南齐书》卷六。㉚始安贞王道生：萧道成的次兄，被封为始安王，贞字是谥。传见《南齐书》卷四十五。㉛恩过诸子：萧道成对这个侄子的宠爱程度超过他所亲生的各个儿

子。㊿⑫ 丙午：三月初十。⑬ 冯熙：冯太后之兄，此时任车骑大将军之职。传见《魏书》卷八十三上。⑭ 四月辛巳：四月十六。⑮ 白登山：山名，在今山西大同东北。⑯ 五月丙申朔：五月初一是丙申日。⑰ 火山：在今山西大同西北。胡三省引《水经注》曰："山上有火井，南北六十七步，广减尺许，源深不见底，炎势上升，常若微雷发响，以草爨之，则烟腾火发。"⑱ 壬寅：五月初七。⑲ 发白虎樽者：意即有个敢于向皇帝献直言的人。发，揭开。白虎樽，古代一种壶盖饰有虎形的酒壶。胡三省引《晋志》曰："正月元会，设白兽樽于殿庭。樽盖上饰白兽，若有能献直言者，则发此樽饮酒。"白兽即白虎，唐人避讳，改虎为兽。正月元会，即正月初一所举行朝会，有群臣向皇帝贺年，庆祝一年开始的意义。⑳ 白门三重关：白门是当时建康城的城门之一，这里用以指建康城。建康三重关，意即建康城有许多门，像是重重叠叠，防护甚严。"三"字表示数量之多。㉑ 竹篱穿不完：但却都是一些过不完的篱笆门。㉒ 改立都墙：在建康城外拆去篱笆，加修外城。㉓ 李乌奴数乘间：李乌奴屡屡地寻找机会。数，屡屡。李乌奴是当时氐族头领杨文弘的部将。㉔ 从剑阁：从剑门关出兵。剑阁即今四川北部的剑门关。当时萧嶷任荆州刺史，都督梁、益八州军事，故可遥相指挥。㉕ 掩击：突然袭击。㉖ 崔慧景：崔祖思的族人，宋末时受萧道成的赏识，此时任梁、南秦二州刺史，驻守在今汉中。传见《南齐书》卷五十一。㉗ 白马：也称白马戍，当时的军事据点名，在今陕西勉县西北。㉘ 腹背击：前后夹击。白马戍在剑阁的东北方，两地相隔不远。㉙ 武兴：军事据点名，即今陕西汉中市略阳县，当时属魏。㉚ 七月辛亥：七月十七。㉛ 戊午：七月二十四。㉜ 穆妃裴氏：太子萧赜之妃裴氏，死后谥曰穆。《谥法解》："布德执义曰穆。""中情见貌曰穆。"㉝ 西州：即西州城，旧址在今南京城的西部。㉞ 角城：古城名，在今江苏淮安市淮阴区西。㉟ 举城：以整个城池并全城的军民。㊱ 八月丁酉：此处所用历法混乱，写史者未经换算，且又排列失序。葛晓音曰："南朝萧齐八月乙丑朔，无'丁酉'日。据汪曰桢《历代长术辑要》、罗振玉《纪元以来朔闰考》等记载，北魏闰七月乙丑朔；又，司马光《通鉴》所收刘羲叟《长历》是北魏闰八月甲午朔。所以此'丁酉'当是南朝的九月'丁酉'。又《魏书·高祖本纪上》载，（太和四年）'秋七月辛亥，行幸火山……闰月丁亥，幸虎圈……八月丁酉，诏徐州刺史，假梁郡王嘉赴援之'。'丁酉'，九月初四。又，下文中的'甲辰''戊申''庚戌'也当是北魏《长历》中的八月甲子记日。"此日所记之事应列入下文的"九月甲午朔"之后。㊲ 迎之：往迎降魏的角城戍主。㊳ 出朐城：意即向着朐城。朐城的旧址在今江苏连云港市海州区西南的锦屏山侧，当时属于南齐。下四句的"出"字与此句意同。㊴ 海西：古县名，县治在今江苏东海县南，当时属南齐。㊵ 连口：古县名，即今江苏淮安市涟水县，当时为北东海郡的郡治所在地，当时属南齐。㊶ 下蔡：古县名，县治在今安徽凤阳东南。㊷ 甲辰：南朝历九月十一。㊸ 戊申：南朝历九月十五。〖按〗以上两条所记之事也应移入下文的"九月甲午朔"之后。㊹ 武州山：山名，在当时的魏都平城西北，即今之所谓"云冈石窟"，其地有许多佛教的石窟雕塑。㊺ 庚戌：

南朝历九月十七。〖按〗本条所记之事也应移入下文的“九月甲午朔”之后。546 九月甲午朔：九月初一是甲午日。547 丙午：九月十三。548 闰月辛巳：闰九月十八。549 循行清泗诸戍：巡视泗水流域的南齐的各军事据点。清泗，即指泗水，自山东境内流出，经徐州东南流，至淮阴附近入淮河。550 朐山：南齐的军事据点名，在今江苏连云港市海州区的城西南。551 婴城固守：据城坚守。婴城，环城、四面守城。552 青、冀二州：南齐的侨置郡，州治即今江苏连云港市海州区，二州同设一个刺史。553 庚寅：闰九月二十七。554 台：指南齐朝廷。555 自淮入海：经淮河出海，再沿海北上以援朐山戍。556 选职：指吏部尚书的职务。557 何戢：宋代司空何尚之之孙，孝武帝的女婿，与萧道成关系良好，入齐后为太子詹事。传见《南齐书》卷三十二。558 资重：资历高。559 蝉冕：饰有金蝉的帽子，这里代指宫廷的内侍人员，因汉代的侍从官员多以貂尾金蝉为饰物，故云。560 左珥：帽子左侧插着金蝉貂尾。当时褚渊任左散骑，王俭任侍中，故有此饰。珥，插。561 八座：朝廷的八个执政官员。指一个尚书令，两个尚书仆射，再加其下五个尚书（吏部、祠部、左民、五兵、度支）。562 三貂：三个人饰有貂蝉。563 帖以骁游：给他来一个骁骑将军或游击将军的加官。骁骑将军、游击将军都是当时禁军的六个将领之一。胡三省引沈约曰：“骁骑将军、游击将军，并汉杂号将军也，魏置为中军。及晋，以领、护、左右卫、骁、游为六军。”帖，附、加。564 亦为不少：他的官也就不小啦。少，意思同“小”。565 甲辰：十月十二。566 西秦州：即指当时的武都、仇池一带地区，在今甘肃的东南部，当时根本不属南齐，即以杨广香活动的地区封之而已，意取羁縻。567 武都：郡名，郡治雍县，在今陕西的宝鸡东北，当时属魏。568 丁未：十月十五。569 出义阳：向着义阳郡。义阳郡治即今河南信阳，当时属于南齐。下句“出钟离”，“出”字的意思相同。570 淮北四州：宋明帝泰始三年随薛安都等落入魏人之手的淮北四州，即青州、冀州、徐州、兖州。571 思归江南：希望回到长江以南的宋、齐王朝。572 所在蜂起：到处纷纷起义。573 保五固：以五固城为依据，坚持反魏。五固城的旧址在今山东滕州东北。保，依托、据守。574 尉元：魏国名将，宋明帝泰始三年，夺取刘宋淮北四郡的主要将领之一。传见《魏书》卷五十。575 十一月戊寅：十一月十六。576 王僧虔：刘宋文帝时期的名臣王昙首之子，王僧绰之弟，明帝时曾为中书令、尚书令，入齐后为丹杨尹。传见《南齐书》卷三十三。577 相承：从以往延续下来。578 上汤杀囚：一种用蒸笼蒸死犯人的做法。上汤，这里即指蒸。胡三省曰：“因囚有时行瘟疫宜汗，遂上汤以蒸杀之。”579 救疾：给病囚治病。580 实行冤暴：实际上所干的是一种残暴的冤枉杀人。581 死生大命：生死攸关的重大问题。582 潜制下邑：被不声不响地掌握在下层小吏手中。下邑，小城镇，指基层。583 囚病必先刺郡：县里的囚犯有病，必须向郡里报告。刺，报告、说明。胡三省曰：“书囚之姓名而白之。”584 职司：主管该项事务的官吏。585 对共诊验：共同检查诊断。586 远县家人省视：远离郡城的县囚，不能等上级职司前来检验的，可让囚犯的家人到县里看视。587 处治：开方治病。588 戊子：十一月二十六。589 杨难当之孙后起：杨难当的孙子名叫后起。杨难当是刘宋文帝时期的氐族头领，曾举兵侵蜀，被宋将裴方明等打败，逃死于魏。事见《宋书》卷九十八。〖按〗南齐王朝之所以立杨后起为武都王，无非是想让他与另一支氐族势力杨文弘相对立，以坐收渔人之利。590 十二月戊戌：十二月初七。591 褚渊为司徒：此萧道成第三次任褚渊为司徒。592 以腰扇障日：用折叠扇遮蔽日光。腰扇，胡三省曰："佩之于腰，今谓之折叠扇。"593 征虏功曹刘祥：刘祥是刘裕元勋刘穆之的曾孙，因对萧道成禅代不满，故愤世嫉俗，嬉笑怒骂。此时任征虏将军萧晔的功曹。传见《南齐书》卷三十六。功曹，将军的高级僚属，主管人事。594 作如此举止：做出这种猪狗不如的举动，指出卖宋室以求萧氏的恩宠。595 寒士不逊：下等人说话没礼貌。不逊，不客气、不礼貌。596 不能杀袁、刘：我既然不能杀害袁粲、刘秉。597 安得免寒士：怎么能摘去这个寒士的帽子呢。598 性韵刚疏：性情刚直，不拘礼节。韵，气质、风度。599 撰《宋书》：刘祥的《宋书》今已不存。600 坐徙广州而卒：徙广州，流放到广州。胡三省曰："刘穆之，宋朝佐命元臣，祥以是得罪于齐，可谓无忝其祖矣。"601 玄圃：园林名，六朝宫中均设有玄圃，此指东宫的玄圃。602 沈文季：刘宋名将沈庆之之子，以文雅正直著称，此时任右卫率。传见《南齐书》卷四十四。右卫率是禁军的六个将领之一。603 语相失：说话发生口角。604 何面目见宋明帝：褚渊本是宋明帝刘彧的托孤大臣，而褚渊后来竟杀掉刘彧之子以送政权与萧道成，故沈文季以此语讥讽褚渊。胡三省曰："史言褚渊失节，人得以面斥之。"605 沈率：即沈右卫率。606 壬子：十二月二十一。607 王官：中山王王叡的僚属。608 郑羲：魏国名臣，著声绩于拓跋弘、拓跋宏时代。传见《魏书》卷五十六。609 为傅：为中山王的太傅。其职略同于诸侯的丞相。610 郎中令：中山王王叡属下的郎中令，主管王府的治安保卫诸事宜。611 皇子锋：萧锋，萧道成的第十二子。传见《南齐书》卷三十五。612 江夏王：江夏郡王。江夏郡的郡治即今武汉之汉口。613 淮阳：南齐的县名，在当时淮阴城的西北方，地处淮水的北岸。当时的淮阴是南齐北兖州的州治所在地，也是南齐北部边防的军事要地。614 军主成买：淮阳县守军的头领，姓成名买。615 角城：角城挨近南齐的淮阳县，是重要的防守据点。616 周盘龙：宋齐之交的著名将领，此前刚与垣崇祖合破魏军于寿春。传见《南齐书》卷二十九。617 奉叔：盘龙之子。事迹与其父同见于《南齐书》卷二十九。618 陷陈：攻入敌阵。陈，同"阵"。619 已没：已经战死于敌阵之中。620 奋矟：挺起长矛。621 萦扰：这里指杀出杀入，往返盘桓。622 杀伤：死者与伤者。623 孙溪渚：古地名。胡三省曰："在淮阳之北，清水之滨。"葛晓音曰："在今江苏睢宁县北。"624 己卯：正月十八。625 丁亥：正月二十六。626 中山：魏郡名，郡治即今河北定州。627 二月辛卯朔：二月初一是辛卯日。628 丁酉：二月初七。629 樊谐城：古城名，在当时的角城西北方，今江苏宿迁西北。630 信都：魏郡名，郡治即今河北衡水市冀州区。631 癸卯：二月十三。632 庚戌：二月二十。633 肆州：魏州名，州治在今山西忻州西北。634 沙门法秀：一个和尚，僧号法秀。635 收掩：乘其不备而拘捕之。掩，袭捕。636 加以笼头：用一个竹笼套在他的头上，并用铁锁锁住竹笼。637 祝之曰：替他向神祷告说。⑱遂穿以徇：用铁丝穿住他的颈骨，押着他游行示众。徇，游行示众。⑲尽杀道人：杀光所有的和尚。⑳下蔡戍：下蔡城的军事据点。当时的下蔡城在今安徽寿县西北，凤台的南侧，在淮水的西岸。㉑夷：铲平。㉒己酉：二月十九。㉓不领南蛮校尉：不兼任南蛮校尉的职务。南蛮校尉是负责南方各少数民族事务的官员。领，兼任。㉔别以重人居之：另派有名望的人物充任。但通常由荆州刺史统辖。㉕领南蛮：开始兼任南蛮校尉。㉖嶷罢：萧嶷离开荆州刺史之任。㉗戎烬：战火之后。指沈攸之据荆州作乱以来。㉘痍毁难复：创伤还难以恢复。㉙割撤太府：将南蛮校尉的责任从荆州刺史的管辖中分离出来。太府，也作“大府”，这里指荆州刺史府。㉚制置偏校：安排一个校尉官来管理南蛮事务。㉛崇望不足助强：荆州刺史的崇高威望再也不能使南蛮校尉的权威增强。㉜语实交能相弊：在实际上又可能造成两个权力机构的相互削弱。㉝资力既分：南蛮校尉府既然从刺史府分出。资力，物资劳力，指办事人员。㉞职司增广：办事的部门增多。㉟众劳务倍：需要花费的劳动就会成倍地增长。㊱文案滋烦：文书档案就会日益繁多。㊲国计非允：对于治理国家而言不是一件妥当的事情。允，合适、恰当。㊳癸丑：二月二十三。㊴罢南蛮校尉官：胡三省曰，“晋武帝置南蛮校尉，至是罢”。㊵三月辛酉朔：三月初一是辛酉日。㊶己巳：三月初九。㊷兰台御史：御史府的长官。兰台，即御史府，其主官为御史中丞，主管弹劾百官。㊸反法：造反的罪名。㊹宥：宽赦。㊺三族：父族、母族、妻族。㊻门诛：诛杀其一家老小。㊼四月己亥：四月初十。㊽不必祔山陵：不用合葬到先帝的陵园中去。祔，合葬。㊾寿陵：生前预筑的陵墓。㊿寨险：结寨驻扎于险固之地。671庚子：四月十一。672周山图：刘宋的名将，曾为沈庆之的部下，又在破沈攸之的战役中立有大功，入齐后为兖州刺史，驻守淮阴。传见《南齐书》卷二十九。673自淮入清：从淮河进入清水河。674倍道应接：日夜兼程地与之呼应，前往迎接。675抱犊固：即抱犊崮，在今山东枣庄东北。676迟留：迟缓、逗留。677任城康王云：拓跋云，被封为任城王，谥曰康。678五月壬戌：五月初三。679邓至王像舒：邓至王名像舒。邓至是地名，也是当地所生活的羌族的部落名，在今四川九寨沟一带，取名于曹魏的邓艾曾经至此。680宕昌：郡名，郡治即今甘肃宕昌。681六月壬子：六月二十四。682大赦：本句的主语是南齐朝廷。683甲辰：六月十六。684中山宣王王叡：中山王是王叡的封号，宣字是谥。685诔：文体名，主要内容是为死者歌功颂德。686缞绖：古代服丧者的两种装束。用麻绳或白布带子系于腰间叫缞；用白布条系在头上叫绖。687中散大夫袭：王袭，当时任中散大夫之职。中散大夫是皇帝的侍从官员。688领吏部曹：兼任吏部尚书。689戊午：六月三十。690皇叔简：拓跋简，文成帝拓跋濬之子，时为内都大官。传见《魏书》卷二十。691齐郡王：封地齐郡，郡治即今山东淄博市临淄区。692猛：拓跋猛，文成帝拓跋濬之子，曾为营州刺史。传见《魏书》卷二十。693安丰王：封地安丰郡，郡治在今安徽寿县西南。当时尚属南齐。694七月己未朔：七月初一是己未日。695甲子：七月初六。696遽登大位：这么快就做了皇帝。遽，疾速、快捷。(697)虞、夏登庸：虞舜与夏禹的接受禅让。登庸，因有功而被提拔，这里即登上帝位。(698)身陟元后：都是本人当了帝王。陟，登、升。元后，即帝王。(699)魏、晋匡辅：曹操、司马师、司马昭长期当宰相，到死也没捞得做皇帝。(700)贻厥子孙：把篡位的事情留给他们的后代子孙来做。遗，留给。厥，其、他的。(701)时宜各异：各有各的时势所宜。(702)辛酉：七月初三。(703)柔然别帅他稽：柔然另一个部落的头领，名叫他稽。别帅，另一个部落的头领。(704)遣使请降：请求归降于南齐。(705)半奔梁州：一半人投奔了南齐的梁州刺史。梁州的州治即今陕西汉中。(706)阴敕：暗中指使。(707)晋寿：南齐郡名，郡治在今四川剑阁东北。(708)伺便图之：寻找时机将其灭掉。(709)昇明：宋顺帝的年号（公元四七七至四七九年）。(710)典客：掌管接待宾客的朝官名。(711)忧患是同：共患难；有难同当。(712)请为昶司马：向魏主请求充当刘昶的僚属。司马是将军的僚属，在军中主管司法。(713)不许：魏主没答应。(714)九月庚午：九月十三。(715)以礼见处：应该按应有的礼节接待我。(716)相忿詈：相互怒骂。(717)收：拘捕。(718)世祖即位：齐武帝萧赜继其父位为帝。事在公元四八三年。(719)启闻：报告了齐武帝萧赜。(720)辛未：九月十四。(721)与上书：给萧道成写信。(722)谓上为足下：称萧道成为“足下”，这是一种相互平等的称呼。(723)遗上：送给萧道成。(724)师子皮裤褶：用狮子皮制作的一种骑马的服装。褶，夹袄。(725)东南诸州：即前文所说的淮北四州，青州、冀州、徐州、兖州，都在魏国的东南边方。(726)都曹尚书：约同于南朝的尚书令，位同丞相。(727)彭城镇将：彭城军镇的最高军事长官。彭城即今江苏徐州。(728)州镇戍兵：各州府、各军镇的驻兵。(729)资绢自随：当钱用的绢帛都自己随身保管。魏晋以至隋唐，绢帛当作货币使用。(730)不入公库：不放到公共的仓库。(731)欲取江东：想消灭建都江东的南朝。(732)切惟在镇之兵：而且光是在徐州一个军镇的驻军。(733)不减数万：就不少于好几万。(734)资粮之绢：购买粮食用的绢帛。(735)未及代下：等不到换防的时间，钱帛就已经花光了。(736)公私损费：公家与私人的花费都不够用。(737)水陆肥沃：水田旱田都很肥沃。(738)清汴通流：清、汴二水的流量很大。当时的清水、汴水都在徐州地区流过。汴水，即秦汉时代的鸿沟，自河南古荥镇北的黄河引水东流，至今开封东南折，又经徐州一带南流入淮水。古称今徐州到淮阴的一段曰汴水。(739)以兵绢市牛：用驻军手中的绢帛购买耕牛。(740)兴置屯田：在徐州一带开展屯田。兴置，兴办、开展。(741)且给官食：大体就可以解决官兵的粮食供应。给，满足供应。(742)半兵芸殖：派出一半的士

【原文】

四年（壬戌，公元四八二年）

春，正月壬戌[768]，诏置学生[769]二百人，以中书令张绪为国子祭酒[770]。

兵进行农业劳动。芸，通“耘”。殖，种植。⑦④③余兵屯戍：其余一半负责边防守卫。⑦④④不妨捍边：不会妨碍守边的任务。⑦④⑤暂时之耕：短时间的农业劳动。⑦④⑥于后兵资：往后士兵手中的绢帛。兵资，士兵私人用以购物的绢帛。⑦④⑦五稔：五年。稔，收成。⑦④⑧谷帛俱溢：粮食与绢帛就都堆满仓库了。⑦④⑨非直：不仅；不只是。⑦⑤⑩吞敌之势：为消灭南朝之敌创造了条件。⑦⑤①有惠爱：对当地兵民有惠政，受到他们的爱戴。⑦⑤②怀之：都记着他的好处。⑦⑤③沛郡：郡名，郡治在今安徽萧县西北。⑦⑤④下邳：郡名，郡治在今江苏邳州城南。⑦⑤⑤所按：所查处。⑦⑤⑥与江南通：与南朝政权相勾结。通，交接、往来。⑦⑤⑦推按：审问、调查。⑦⑤⑧度易侯：人名，喜好天文，曾向南齐求星书。传见《南齐书》卷五十九。⑦⑤⑨十月戊子朔：十月初一是戊子日。⑦⑥⑩以度易侯为西秦河二州刺史、河南王：此句的主语为南齐王朝。西秦、河，二州名，西秦州的州治即今甘肃天水市，河州州治枹罕，在今甘肃临夏东北。二郡当时皆属魏国。⑦⑥①高闾：魏国的儒学之臣，早年受知于崔浩，后又与高允共参大政。传见《魏书》卷五十四。⑦⑥②更定：修订；重定。⑦⑥③门房之诛十有六：灭门之罪共有十六条。⑦⑥④大辟：死刑。⑦⑥⑤高昌王阚伯周：高昌是西域国名，都城在今新疆吐鲁番东南。高昌建国后的第一任国王名阚伯周，北魏孝文帝太和初年卒。事见《魏书》卷一百一。⑦⑥⑥高车王可至罗：高车是西北方的游牧民族名，也叫敕勒，其活动地区约在今之蒙古国北部与俄罗斯相邻的一带地区。其国王可至罗也称“阿伏至罗”。事迹见《魏书》卷一百三的《蠕蠕传》和《高车传》。⑦⑥⑦敦煌张明：敦煌郡人张明，也作“张孟明”。事见《魏书》卷一百一。

【校记】

［8］官：此字原作空格。据章钰校，甲十一行本、乙十一行本、孔天胤本皆作“官”，今据补。［9］戴元孙：原作“戴原宾”。严衍《通鉴补》改作“戴元孙”，今据以校正。〖按〗《南齐书·蛮传》作“戴元孙”。［10］腹：原作“覆”。胡三省注云：“‘覆’当作‘腹’。”今据严衍《通鉴补》改作“腹”。［11］入：此上原有“同”字。据章钰校，甲十一行本、乙十一行本、孔天胤本皆无“同”字，熊罗宿《胡刻资治通鉴校字记》同，今据删。［12］角城：原作“甬城”。严衍《通鉴补》改作“角城”，今据以校正。［13］辛卯：原作“丁卯”。据章钰校，甲十一行本、乙十一行本、孔天胤本皆作“辛卯”，今据改。

【语译】

四年（壬戌，公元四八二年）

春季，正月初七日壬戌，齐高帝萧道成下诏太学中招收二百名学生，任命担任中书令的张绪为国子祭酒。

甲戌[771]，魏大赦。

三月庚申[772]，上召司徒褚渊、尚书左仆射王俭受遗诏辅太子。壬戌[773]，殂于临光殿。太子即位，大赦。

高帝[774]沉深有大量，博学能文。性清俭，主衣[775]中有玉导[776]，上敕中书[777]曰："留此正是兴长病源[778]！"即命击碎，仍按检[779][14]有何异物，皆随此例。每曰："使我治天下十年，当使黄金与土同价。"

乙丑[780]，以褚渊录尚书事[781]，王俭为侍中、尚书令，车骑将军张敬儿开府仪同三司[782]。丁卯[783]，以前将军王奂为尚书左仆射。庚午[784]，以豫章王嶷为太尉。

庚辰[785]，魏主临虎圈，诏曰："虎狼猛暴，取捕之日，每多伤害，既无所益，损费良多，从今勿复捕贡[786]。"

夏，四月庚寅[787]，上大行谥[788]曰高皇帝，庙号太祖。丙午[789]，葬泰安陵[790]。

辛卯[791]，追尊穆妃为皇后。六月甲申朔[792]，立南郡王长懋为皇太子。丙申[793]，立太子妃王氏[794]。妃，琅邪人也。封皇子闻喜公子良[795]为竟陵王[796]，临汝公子卿[797]为庐陵王[798]，应城公子敬[799]为安陆王[800]，江陵公子懋[801]为晋安王，枝江公子隆[802]为随郡王，子真[803]为建安王，皇孙昭业[804]为南郡王。

司徒褚渊寝疾[805]，自表逊位，世祖[806]不许。渊固请恳切，癸卯[807]，以渊为司空[808]，领骠骑将军，侍中、录尚书如故。

秋，七月，魏发州郡五万人治灵丘道[809]。

吏部尚书济阳江谧[810]，性谄躁[811]，太祖殂，谧恨不豫顾命[812]。上即位[813]，谧又不迁官[814]，以此怨望、诽谤。会上不豫[815]，谧诣豫章王嶷请间[816]，曰："至尊非起疾[817]，东宫又非才[818]，公今欲作何计[819]？"上知之，

十九日甲戌，魏国实行大赦。

三月初六日庚申，齐高帝将担任司徒的褚渊、担任尚书左仆射的王俭召到自己的病榻前接受自己的临终嘱托，令他们辅佐皇太子。初八日壬戌，齐高帝在临光殿病逝。皇太子萧赜继承了皇位，大赦天下。

齐高帝为人深沉有度量，学问渊博很有文才。性情淡泊生活俭朴，在为皇帝储存服饰器玩等物品的库房里储存有一个冠簪之类的玉导，齐高帝便下令给中书省的官员说："留下这种东西只会让人一点一点地变坏，越来越追求奢靡玩乐！"立即令人将其击碎，接着又让人清点、检查库房之中还有什么奇异的东西，都按照这种做法办理。他经常说："假设能够给我十年的时间让我治理天下，我一定会让黄金与黄土的价格一样。"

三月十一日乙丑，齐世祖武皇帝萧赜任命担任司徒的褚渊为录尚书事，任命王俭为侍中、尚书令，令担任车骑将军的张敬儿享有司徒、司空、司马一样的权力与待遇。十三日丁卯，任命前将军王奂为尚书左仆射。十六日庚午，任命豫章王萧嶷为太尉。

三月二十六日庚辰，魏国的孝文帝拓跋宏亲自来到虎圈，他下诏说："虎狼是非常凶猛残暴的动物，在捕捉它们的时候，往往要伤害很多人，豢养虎狼既没有多大好处，而损耗花费又很多，从今以后不要再捕捉老虎向朝廷进贡。"

夏季，四月初六日庚寅，齐国给大行皇帝萧道成追加谥号为高皇帝，庙号太祖。二十二日丙午，把高皇帝安葬在泰安陵。

四月初七日辛卯，齐世祖武皇帝追尊穆妃为皇后。六月初一日甲申，封南郡王萧长懋为皇太子。十三日丙申，立王氏为太子妃。太子妃王氏，是琅邪人。世祖武皇帝封自己的儿子闻喜公萧子良为竟陵王，封临汝公萧子卿为庐陵王，封应城公萧子敬为安陆王，封江陵公萧子懋为晋安王，封枝江公萧子隆为随郡王，封萧子真为建安王，封皇孙萧昭业为南郡王。

担任司徒的褚渊卧病在床，他亲自上表给世祖武皇帝，请求辞去自己担任的官职，世祖武皇帝没有批准他的请求。褚渊坚决请求辞职，态度极为恳切，六月二十日癸卯，世祖武皇帝重新任命褚渊为司空，兼任骠骑将军，侍中、录尚书事的职务依旧保留不变。

秋季，七月，魏国从各州各郡抽调了五万人修建灵丘道路。

齐国担任吏部尚书的济阳人江谧，生性喜欢阿谀奉承，百般钻营，齐太祖高皇帝萧道成去世之后，江谧对自己没有被太祖定为接受皇帝遗诏、辅佐新皇帝的顾命大臣一事心怀怨恨。齐世祖武皇帝即位之后，江谧的官位又没有得到提升，因此对世祖武皇帝产生怨恨，于是口出怨言，进行诽谤。碰巧遇上世祖武皇帝身体不舒服，江谧便到豫章王萧嶷那里请求萧嶷单独接见，江谧对萧嶷说："皇帝得的是一种治不好的病，东宫里的皇太子又不是一个能继承帝业的人，您现在准备作何打算？"

使御史中丞沈冲[820]奏谧前后罪恶，庚寅[821]，赐谧死。

癸卯[822]，南康文简公褚渊[823]卒，世子侍中贲[824]耻其父失节[825]，服除[826]，遂不仕[827]，以爵[828]让其弟蓁[829]，屏居墓下[830]终身。

九月丁巳[831]，以国哀[832]罢国子学[833]。

氐王杨文弘卒，诸子皆幼，乃以兄子后起为嗣。九月辛酉[834]，魏以后起为武都王，文弘子集始为白水太守。既而集始自立为王，后起击破之。

魏以荆州巴、氐[835]扰乱，以镇西大将军李崇[836]为荆州刺史。崇，显祖[837]之舅子也。将之镇，敕发陕、秦[838]二州兵送之，崇辞曰："边人失和，本怨刺史。今奉诏代之，自然安靖[839]，但须一诏而已，不烦发兵自防，使之怀惧[840]也。"魏朝从之。崇遂轻将数十骑[841]驰至上洛[842]，宣诏慰谕，民夷帖然[843]。崇命边戍[844]掠得齐人者悉还之，由是齐人亦还其生口[845]二百许人[846]，二境交和，无复烽燧之警[847]。久之，徙兖州刺史[848]。兖土旧多劫盗，崇命村置一楼，楼皆悬鼓，盗发之处，乱击之。旁村始闻者，以一击为节，次二，次三，俄顷之间，声布百里，皆发人[849]守险要。由是盗发，无不擒获。其后诸州皆效之，自崇始也。

辛未[850]，以征南将军王僧虔为左光禄大夫、开府仪同三司，以尚书右仆射王奂为湘州刺史[851]。

宋故建平王景素[852]主簿何昌寓[853]、记室王摛[854]及所举秀才刘琎[855]，前后上书陈景素德美，为之讼冤[856]。冬，十月辛丑[857]，诏听以士礼[858]还葬旧茔[859]。琎，瓛[860]之弟也。

齐世祖武皇帝知道此事之后，就指使担任御史中丞的沈冲向朝廷揭发检举江谧前后所犯的罪恶，庚寅日，世祖武皇帝令江谧自杀。

八月二十一日癸卯，齐国的南康文简公褚渊去世，他的嫡长子担任侍中的褚贲为自己父亲丧失了臣子之节而感到耻辱，三年服丧期满之后，就不再出来做官，他把应该由自己继承的南康公的爵位让给了自己的弟弟褚蓁，自己在褚渊的墓旁搭了一个房子住了下来，一直到死。

九月初六日丁巳，齐国因为高皇帝的丧事，暂时把兴办国子学的计划停了下来。

氐族人首领杨文弘去世，他的儿子们都还年幼，于是就让他哥哥的儿子杨后起做了他的继承人。九月初十日辛酉，魏国任命杨后起为武都王，任命杨文弘的儿子杨集始为白水郡太守。不久杨集始便自立为王，被杨后起打败。

魏国因为荆州境内的巴族人、氐族人不断起兵叛乱，魏孝文帝拓跋宏遂任命担任镇西大将军的李崇为荆州刺史。李崇，是魏显祖拓跋弘舅舅的儿子。李崇将要前往荆州刺史府赴任，魏孝文帝下令让陕州、秦州二州的军队护送李崇前往，李崇谢绝说:“边境的少数民族与官府闹矛盾，本来就怨恨刺史。如今我接受皇上的命令前往接任刺史职务，那里的百姓自然会安定无事，我只要有一道皇上的诏书就够了，没有必要麻烦军队护送，使那里的百姓因此而心怀恐惧。”魏国朝廷依从了李崇。李崇于是轻装简从，只带着几十名骑兵迅速地到达上洛郡，然后宣布皇帝的诏书，抚慰那里的百姓，于是不论魏国的居民还是当地的少数民族都很顺从。李崇命令边防军把掠夺过来的齐国人全部还给齐国，于是齐国人也把掳掠过去的二百来名魏国人释放回魏国，两国边境的人开始友好相处，不再发生战争，也就没有了报警的烽火。很久以后，改任李崇为兖州刺史。兖州境内过去有很多强盗，李崇下令每村建一高楼，楼上全都悬挂着一面大鼓，一旦哪里发现盗贼出现，哪里就乱击大鼓。周边的村子听到鼓声以后，就一下一下地击鼓，远一点的村子听见一声一声的鼓声之后，就以两声为一个节奏继续敲鼓，再远处的村子听见鼓声，就以三声为一个节奏敲鼓，以此类推，顷刻之间，鼓声就可以传布一百里，各村于是全都调集人马守住险要之处准备捉拿盗贼。因此，只要盗贼一出现，就没有不被擒获的。此后各州都效仿兖州的这个做法，这个办法是从李崇担任兖州刺史时开始的。

九月二十日辛未，齐世祖武皇帝任命担任征南将军的王僧虔为左光禄大夫、开府仪同三司，任命担任尚书右仆射的王奂为湘州刺史。

在刘宋王朝已故建平王刘景素手下担任主簿的何昌寓、担任记室的王摛以及刘景素向朝廷所举荐的秀才刘琎，先后给齐武帝萧赜上书陈述建平王刘景素品行美好，替刘景素申诉冤情。冬季，十月二十日辛丑，齐武帝下诏，允许何昌寓等人按照平民士人的礼仪把刘景素迁葬到刘氏家族的旧有墓地。刘琎，是刘瓛的弟弟。

十一月，魏高祖将亲祠七庙[861]，命有司具仪法[862]，依古制备牲牢[863]、器服及乐章[864]，自是四时常祀皆举之[865]。

世祖武皇帝[866]上之上

永明元年（癸亥，公元四八三年）

春，正月辛亥[867]，上祀南郊，大赦，改元。

诏以边境宁晏[868]，治民之官，普复田秩[869]。

以太尉豫章王嶷领太子太傅。嶷不参朝务，而常密献谋画，上多从之。

壬戌[870]，立皇弟锐[871]为南平王，铿[872]为宜都王，皇子子明[873]为武昌王，子罕[874]为南海王。

二月辛巳[875]，以征虏将军杨炅[876]为沙州刺史、阴平[877]王。

辛丑[878]，以宕昌王梁弥机[879]为河、凉二州刺史[880]，邓至王像舒[881]为西凉州刺史[882]。

宋末，以治民之官六年过久，乃以三年为断[883]，谓之小满。而迁换去来，又不能依三年之制。三月癸丑[884]，诏，自今一以[885]小满为限。

有司以天文失度[886]，请禳[887]之。上曰："应天[888]以实不以文[889]。我克己求治[890]，思隆惠政[891]，若灾眚[892]在我，禳之何益？"

夏，四月壬午[893]，诏："袁粲、刘秉、沈攸之，虽末节不终[894]，而始诚可录[895]。"皆命以礼改葬。

上之为太子也，自以年长，与太祖同创大业[896]，朝事大小，率皆专断，多违制度[897]。信任左右张景真，景真骄侈，被服什物，僭拟乘舆[898]。内外畏之，莫敢言者。

十一月，魏高祖拓跋宏准备亲自到皇家太庙祭祀那里所供奉的七代神主，他下令有关部门制定出皇帝亲自祭祀七庙的具体仪式，依照古代的制度准备好祭祀用的牲畜、器物、服饰，以及举行祭祀时演奏的乐章、表演的歌舞，从此以后，一年四季的常规祭祀活动拓跋宏都亲自举行。

世祖武皇帝上之上

永明元年（癸亥，公元四八三年）

春季，正月初二日辛亥，齐国的世祖武皇帝萧赜到南郊举行祭天典礼，大赦天下，改年号为永明元年。

齐国世祖武皇帝因为边境太平无战事，于是下诏，普遍恢复百官的俸禄。

齐世祖武皇帝任命担任太尉的豫章王萧嶷兼任太子太傅。豫章王萧嶷并不参与朝廷的政务，却经常秘密地给皇帝出谋划策，世祖武皇帝多数的情况下都会采纳萧嶷的意见。

十三日壬戌，齐世祖武皇帝封自己的弟弟萧锐为南平王，封萧铿为宜都王，封自己的儿子萧子明为武昌王，封萧子罕为南海王。

二月初二日辛巳，齐世祖武皇帝任命征虏将军杨炅为沙州刺史、阴平郡王。

二十二日辛丑，齐世祖武皇帝任命宕昌县一带的羌族人首领梁弥机为河、凉二州刺史，任命邓至城一带的羌族人首领像舒为西凉州刺史。

刘宋王朝末年，朝廷认为地方官吏每六年为一任期时间太长，于是便以三年为一任期，三年任满，叫作小满。然而由于官员的调任更换、来往路途需要耗费很多时日，所以又不能完全按照三年一任的规定办理。三月初四日癸丑，齐世祖武皇帝下诏，从今以后任期一律以三年任满为限。

齐国的有关部门因为星辰的运行发生错乱，因而上书给世祖武皇帝，请求通过举行祭祀活动求得上天将其改正过来。世祖武皇帝说："对待天象变化的做法，最好是做一些实际性的工作，而不是靠花里胡哨的表演。我严格要求自己治理好国家，时常想着把对百姓有好处的政策搞得更好一些，如果引起灾难的根源在我，祭祀祈祷又有什么用处呢？"

夏季，四月初四日壬午，齐世祖武皇帝下诏说："袁粲、刘秉、沈攸之，虽然他们都没有保持自己的晚节，没有一个好的结局，但他们前半生对国家忠心耿耿，还是有可取之处的。"命令都要以礼把他们重新安葬。

齐世祖武皇帝在做太子的时候，认为在兄弟中自己的年龄最大，与太祖萧道成共同创立了大业，因此朝廷中的各种事务无论大小，往往独断专行，有许多事情都违背了制度，不按章程办。他特别信任自己身边的张景真，张景真因此骄奢淫逸，身上的配饰、使用的器物，都超越本分地和皇帝的生活排场一样。朝廷内外的官员都因为惧怕他的权势，没有人敢对他提出批评。

司空谘议[899]荀伯玉，素为太祖所亲厚，叹曰："太子所为，官[900]终不知，岂得畏死，蔽官耳目？我不启闻，谁当启者？"因太子拜陵[901]，密以启太祖。太祖怒，命检校[902]东宫。

太子拜陵还，至方山[903]，晚，将泊舟[904]，豫章王嶷自东府乘飞燕[905]东迎太子，告以上怒之意。太子夜归，入宫，太祖亦停门龠[906]待之。明日，太祖使南郡王长懋、闻喜公子良宣敕诘责[907]，并示以景真罪状，使以太子令收景真，杀之。太子忧惧，称疾[908]。

月余，太祖怒不解，昼卧太阳殿，王敬则直入，叩头启太祖曰："官有天下日浅[909]，太子无事被责，人情恐惧，愿官往东宫解释之。"太祖无言。敬则因大声宣旨，装束往东宫[910]。又敕太官设馔[911]，呼左右索舆[912]。太祖了无动意[913]，敬则索衣被太祖[914]，仍牵强[915]登舆。太祖不得已至东宫，召诸王[916]宴于玄圃。长沙王晃捉华盖[917]，临川王映执雉尾扇[918]，闻喜公子良持酒鎗[919]，南郡王长懋行酒[920]，太子及豫章王嶷、王敬则自捧酒馔，至暮，尽醉乃还。

太祖嘉伯玉忠荩[921]，愈见亲信，军国密事，多委使之，权动朝右[922]。遭母忧[923]，去宅二里许[924]，冠盖[925]已塞路。左率萧景先[926]、侍中王晏[927]共吊之，自旦至暮，始得前[928]。比出[929]，饥乏，气息惙然[930]，愤悒[931]形于声貌[932]。明日，言于太祖曰："臣等所见二宫门庭[933]，比荀伯玉宅可张雀罗[934]矣。"晏，敬弘[935]之从子也。

在司空褚渊的手下担任谘议参军的荀伯玉，一向受到齐太祖萧道成的信任与厚待，他叹息着说:“太子的所作所为，皇帝始终不知情，我岂能因为惧怕被杀头，而使皇帝的耳目受到蒙蔽？我不将事情的真相奏报给皇帝知道，还有谁去奏报?”于是趁着皇太子萧赜离开朝廷前往祭拜祖先陵墓的机会，秘密地把皇太子的所作所为报告了萧道成。萧道成一怒之下，立即命人查抄了皇太子所居住的东宫。

皇太子萧赜祭陵返回途中，到达建康城东南方的方山时，天色已晚，便准备停船夜宿，豫章王萧嶷从东府骑着一匹名叫飞燕的骏马向东来迎接太子，他把父皇萧道成正在发怒的原因详细地告诉了萧赜。萧赜遂连夜赶回京城，入宫拜见皇帝，齐太祖也推迟了宫门上锁的时间等待着萧赜回宫。第二天，齐太祖派南郡王萧长懋、闻喜公萧子良宣读皇帝的敕命，对皇太子萧赜进行责问，并出示张景真的罪状给皇太子看，让皇太子下令逮捕张景真，把张景真杀死。皇太子非常忧心恐惧，于是假托有病而不入朝。

过了一个多月，齐太祖仍然怒气不消，白天躺在太阳殿休息，王敬则径直进入太阳殿，他向太祖磕头说:“陛下即位为帝拥有天下的时间还不长，皇太子萧赜原本没犯什么错事却受到您的责备，致使人心恐惧，希望陛下亲自前往东宫向皇太子解释清楚。”齐太祖没有说话。王敬则便大声宣布皇帝的旨意：准备好皇帝的车驾行装，皇帝要到东宫去。又以皇帝的口气命令御厨房前往东宫准备宴席，又招呼皇帝的左右侍从把皇帝的车驾开过来。而齐太祖却连一点动身前往东宫的意思都没有，王敬则让人把齐太祖的衣服拿过来，亲自给太祖穿上，就强拉着齐太祖登上了车子。齐太祖迫不得已勉强来到东宫，他将自己那些被封为王的儿孙们招来一同在东宫的玄圃饮宴。长沙王萧晃亲手为齐太祖擎着大伞，临川王萧映亲手执着雉尾扇站在齐太祖的身后，闻喜公萧子良亲手为齐太祖提着酒壶，南郡王萧长懋亲手为自己的父亲和叔叔们斟酒劝饮，皇太子萧赜和豫章王萧嶷、王敬则亲手为齐太祖捧着酒菜饮食，宴席一直延续到傍晚时分，大家都喝得十分尽兴，太祖才返回皇宫。

齐太祖称赞荀伯玉是一个诚实尽忠之臣，于是更加亲近他、信任他，有关国家的军政机密之事，大多委托给荀伯玉办理，其权势之大，震撼了朝中所有的高级官员。荀伯玉为自己的母亲办丧事，在距离荀伯玉的住宅还有二里远的地方，前来吊唁的车子就已经塞满了道路。担任左卫率将军的萧景先、担任侍中的王晏一同前去吊唁，他们从早上开始排队等候，一直等到天黑才得以进去吊唁。等到吊唁完毕出来，二人又饥饿又困乏，头晕眼花，连呼吸都感到困难了，愤怒与不满的情绪从他们说话的声音和脸色上毫不掩饰地表现出来。第二天，他们二人向齐太祖奏报说:“我们所看到的皇宫和太子宫的大门口，如果和荀伯玉家比起来，真可以说得上是门可罗雀了。”王晏，是王敬弘的侄子。

骁骑将军陈胤叔，先亦白景真及太子得失[936]，而语太子皆云“伯玉以闻”[937]，太子由是深怨伯玉。

太祖阴有以豫章王嶷代太子之意，而嶷事太子愈谨，故太子友爱不衰[938]。

豫州刺史垣崇祖不亲附太子，会崇祖破魏兵，太祖召还朝，与之密谋。太子疑之，曲加礼待[939]，谓曰：“世间流言[940]，我已豁怀[941]，自今以富贵相付。”崇祖拜谢。会太祖复遣荀伯玉，敕以边事[942]，受旨夜发，不得辞东宫[943]。太子以为不尽诚[944]，益衔之[945]。

太祖临终，指伯玉以属[946]太子。上即位，崇祖累迁五兵尚书[947]，伯玉累迁散骑常侍[948]。伯玉内怀忧惧，上以伯玉与崇祖善，恐其为变，加意抚之。丁亥[949]，下诏诬崇祖招结江北荒人[950]，欲与伯玉作乱，皆收杀之。

庚子[951]，魏主如崞山。壬寅[952]，还宫。

闰月癸丑[953]，魏主后宫平凉林氏[954]生子恂，大赦。文明太后以恂当为太子，赐林氏死[955]，自抚养恂。

五月戊寅朔[956]，魏主如武州山石窟佛寺。

车骑将军张敬儿好信梦，初为南阳太守[957]，其妻尚氏梦一手热如火；及为雍州[958]，梦一胛[959]热；为开府[960]，梦半身热。敬儿意欲无限，常谓所亲曰：“吾妻复梦举体热[961]矣。”又自言梦旧村社树[962]高至天[963]，上闻而恶之。垣崇祖死，敬儿内自疑，会有人告敬儿遣人至蛮中货易[964]，上疑其有异志[965]。会上于华林园设八关斋[966]，朝臣皆预[967]，于坐收敬儿[968]。

担任骁骑将军的陈胤叔，早先也曾经向齐太祖奏报过张景真以及太子萧赜的种种过失，然而在告诉太子萧赜的时候都说是“荀伯玉向皇帝报告的”，因此太子萧赜非常怨恨荀伯玉。

齐太祖暗中有让豫章王萧嶷取代萧赜为太子的意思，而豫章王萧嶷对太子萧赜却更加谨慎、恭敬，所以太子萧赜与豫章王萧嶷之间的兄弟感情一直很深，经久不衰。

担任豫州刺史的垣崇祖不投靠、不巴结太子萧赜，恰逢垣崇祖打败了魏国军队的入侵，齐太祖召垣崇祖回朝，与他密谋军国大计。太子对垣崇祖产生了怀疑，表面上却勉强地装出一副礼敬的样子，对垣崇祖说：“民间都传说你‘不亲附太子’，对此我并不放在心上，从今以后我把自己的荣华富贵都寄托在你的身上了。”垣崇祖向他叩拜，感谢太子对自己的信任。碰巧太祖萧道成又派遣荀伯玉，向垣崇祖传达了有关边防事务的命令，垣崇祖接到皇帝的命令之后便连夜出发了，没有来得及到东宫向皇太子辞行。太子认为垣崇祖、荀伯玉对自己还有些背着、掖着的事情，因而越加地将他们记恨在心。

齐太祖临终之前，用手指着荀伯玉嘱咐太子萧赜一定要善待他。萧赜即位之后，垣崇祖的官职升到了五兵尚书，荀伯玉的官职升到了散骑常侍。荀伯玉心怀忧愁恐惧，世祖武皇帝因为荀伯玉与垣崇祖关系密切，恐怕他们联合起来发动变乱，于是加意地安抚他们。四月初九日丁亥，世祖武皇帝下诏诬陷垣崇祖招引、勾结生活在长江以北、淮河以南的流浪者以及由北方过来的人，准备与荀伯玉一起造反，所以把垣崇祖、荀伯玉全都逮捕起来杀了。

四月二十二日庚子，魏国的孝文帝前往崞山巡视。二十四日壬寅，拓跋宏从崞山返回平城的皇宫。

按照魏国的历法，闰四月初五日癸丑，魏国孝文帝的嫔妃在平凉郡长大的林氏生下皇子拓跋恂，魏国因此实行大赦。文明皇太后认为应当立拓跋恂为皇太子，于是令林氏自杀而死，文明皇太后亲自抚养拓跋恂。

五月戊寅朔，魏孝文帝前往武州山的石窟佛寺。

齐国担任车骑将军的张敬儿特别相信梦，当初他担任南阳郡太守的时候，他的妻子尚氏梦见自己的一只手热得像火一样；等到张敬儿担任雍州刺史的时候，他的妻子尚氏又梦见自己的一个肩膀发热；等到张敬儿被加授开府仪同三司的时候，他的妻子梦见自己半个身子发热。张敬儿升官的欲望没有止境，他曾经对自己的亲信说：“我的妻子又梦见自己浑身发热了。”自己又说梦见老家村里的社树高得快要顶到天了，世祖武皇帝听说此事之后心里非常厌恶张敬儿。垣崇祖被杀之后，张敬儿心里也惊疑不定，碰巧有人向朝廷告发张敬儿派人到蛮族地区做买卖，世祖武皇帝怀疑张敬儿想要造反称帝。恰逢世祖武皇帝在华林园举办八关斋会，满朝文武大臣全都在座，世祖武皇帝便当着满朝文武的面逮捕了张敬儿。张敬儿把饰有金蝉貂尾的

敬儿脱冠貂[969]投地曰："此物误我[970]！"丁酉[971]，杀敬儿，并其四子。

敬儿弟恭儿，常虑[972]为兄祸所及，居于冠军[973]，未常出襄阳[974]，村落深阻，墙垣重复。敬儿每遣信[975]，辄上马属鞬[976]，然后见之。敬儿败问[977]至，席卷[978]入蛮，后自出，上恕之。

敬儿女为征北谘议参军谢超宗[979]子妇，超宗谓丹杨尹李安民曰："'往年杀韩信，今年杀彭越[980]'，尹欲何计[981]？"安民具启之[982]。上素恶超宗轻慢[983]，使兼御史中丞袁彖[984]奏弹[985]超宗，丁巳[986]，收付廷尉，徙越嶲[987]，于道赐死。以彖语不刻切[988]，又使左丞王逡之奏弹彖轻文略奏[989]，挠法容非[990]，彖坐免官，禁锢十年[991]。超宗，灵运之孙。彖，觊[992]之弟子也。

秋，七月丁丑[993]，魏主及太后如神渊池[994]。甲申[995]，如方山。

魏使假员外散骑常侍[996]顿丘李彪[997]来聘[998]。

侍中、左光禄大夫、开府仪同三司王僧虔固辞开府[999]，谓兄子俭曰："汝任重于朝，行登三事[1000]，我若复有此授，乃是一门有二台司[1001]，吾实惧焉。"累年不拜[1002]，上乃许之。戊戌[1003]，加僧虔特进[1004]。俭作长梁斋[1005]，制度小过[1006]，僧虔视之，不悦，竟不入户[1007]，俭即日毁之。

初，王弘[1008]与兄弟集会[1009]，任子孙戏适[1010]。僧达[1011]跳下地作虎子；僧绰[1012]正坐，采蜡烛珠为凤皇，僧达夺取打坏，亦复不惜；僧虔累十二博棋[1013]，既不坠落，亦不重作。弘叹曰："僧达俊爽[1014]，当不减人[1015]，然恐终危吾家[1016]；僧绰当以名义见美[1017]；僧虔必为长者[1018]，位至公台[1019]。"已而皆如其言[1020]。

帽子摘下来扔到地下，说:“都是这个东西害了我!”闰五月二十日丁酉，杀死了张敬儿，同时被杀的还有他的四个儿子。

张敬儿的弟弟张恭儿，经常担心哥哥的灾祸会殃及自己，他居住在冠军县，从来没有出过襄阳郡，居住的村庄又很偏僻，道路难走，家里的院墙一重又一重。张敬儿每次派人到弟弟家送信，张恭儿都要先骑上马抄起弓箭，然后再开门会见来使。张敬儿被杀的消息传来之后，张恭儿立即携带着家眷和全部家当逃入蛮人居住的地区，后来他自己离开蛮人居住区，世祖武皇帝饶恕了他。

张敬儿的女儿是担任征北谘议参军的谢超宗的儿媳妇，谢超宗对担任丹杨尹的李安民说:“‘往年杀掉了韩信，今年杀死了彭越’，丹杨尹您将做何打算?”李安民把谢超宗的话一一地报告给了齐武帝萧赜。齐武帝一向讨厌谢超宗的轻浮、傲慢，于是趁机指使兼任御史中丞的袁彖上书弹劾谢超宗，五月初九日丁巳，萧赜下令逮捕谢超宗，将其交付给廷尉审理，廷尉判处谢超宗流放越嶲郡，在流放途中，齐武帝下诏赐谢超宗自杀。齐武帝认为袁彖弹劾谢超宗的言辞不够严厉，就又指使担任左丞的王逡之上书弹劾袁彖的奏章对谢超宗的罪行轻描淡写，指斥得不深刻，歪曲法律条文，纵容犯罪之人，袁彖因此获罪被免去官职，十年内不许进入官场。谢超宗，是谢灵运的孙子。袁彖，是袁觊的侄子。

秋季，七月初一日丁丑，魏国的孝文帝和皇太后冯氏前往神渊池。初八日甲申，从神渊池前往方山。

魏国朝廷临时授予顿丘郡人李彪为员外散骑常侍，派遣他为使者到齐国进行友好访问。

齐国担任侍中、左光禄大夫、开府仪同三司的王僧虔坚决要求辞掉开府仪同三司这一加官，他对自己的侄子王俭说:“你在朝中担任重要职务，很快就会升任司徒、司空、司马这三个职务中的一职，我如果再接受开府仪同三司，我们一门之中就有两个居于三公之位的人，我对此实在是感到恐惧。”王僧虔要求辞掉开府仪同三司坚持了将近一年的时间，齐武帝这才答应了他的请求。七月二十二日戊戌，加授王僧虔为特进。王俭建造长梁斋，其华丽、富贵的标准稍微超过了朝廷的规定，王僧虔看到之后，非常不高兴，连门都没进，王俭当天就把长梁斋拆毁了。

当初，王弘与自己的兄弟们聚会的时候，任凭自己的子孙随意玩耍、游戏。王僧达跳在地上扮作老虎；王僧绰端坐在那里，采集蜡烛上流下的蜡油捏成凤凰的形状，王僧达夺过来就给弄坏了，王僧绰一点也不觉得可惜；王僧虔把十二枚棋子叠成高高的一摞，既不倒塌，也不用重新叠过。王弘看着他们叹息着说:“僧达潇洒豪迈，应当不会比别人差，然而恐怕终将给我们家族带来灾难；僧绰会以美好的声誉被人称道；僧虔一定是一位厚道人，官位做到三公。”后来他的预言都得到了验证。

八月庚申[1021]，骁骑将军王洪范自柔然还[1022]，经涂三万余里。

冬，十月丙寅[1023]，遣骁骑将军刘缵聘于魏，魏主客令李安世[1024]主之[1025]。魏人出内藏[1026]之宝，使贾人鬻之于市[1027]。缵曰："魏金玉大贱[1028]，当由山川所出。"安世曰："圣朝[1029]不贵金玉，故贱同瓦砾。"缵初欲多市[1030]，闻其言，内惭而止。缵屡奉使至魏，冯太后遂私幸之[1031]。

十二月乙巳朔[1032]，日有食之。

癸丑[1033]，魏始禁同姓为婚。

王俭进号卫将军，参掌选事。

是岁，省巴州[1034]。

魏秦州刺史[1035]于洛侯，性残酷，刑人[1036]或[15]断腕拔舌，分悬四体[1037]。合州惊骇，州民王元寿等一时俱反。有司劾奏之[1038]，魏主遣使至州，于洛侯常刑人处[1039]宣告吏民，然后斩之。

齐州刺史[1040]韩麒麟[1041]，为政尚宽，从事[1042]刘普庆说麒麟曰："公杖节方夏[1043]，而无所诛斩，何以示威？"麒麟曰："刑罚所以止恶[1044]，仁者不得已而用之。今民不犯法，又何诛乎？若必断斩然后可以立威，当以卿应之[1045]！"普庆惭惧而退[16]。

【段旨】

以上为第三段，写齐高帝萧道成建元四年（公元四八二年）至齐武帝萧赜永明元年（公元四八三年）共两年间的大事。主要写了南齐太子萧赜以年长功大，多不守制度，荀伯玉向萧道成告发之，致使父子矛盾尖锐，多亏萧赜诸弟与大臣王敬则的大力团和，方得化险为夷。荀伯玉因受萧道成的宠信而炙手可热，遭到其他大臣的忌恨。写了萧赜与南齐名将垣崇祖一向不和，又见荀伯玉奉命与垣崇祖来往而疑忌加深；齐高帝萧道成之死，介绍了萧道成为人节俭的一些事

八月十四日庚申，齐国的骁骑将军王洪范出使柔然顺利返回，沿途经过了三万多里。

冬季，十月二十一日丙寅，齐武帝派遣担任骁骑将军的刘缵为使者前往魏国进行回访，魏国主管接待宾客的李安世负责接待刘缵。魏国人拿出收藏在皇宫中的财宝，让商人拿到集市上去卖。刘缵说："魏国的金玉太不值钱了，一定是魏国的山川出产这些东西。"李安世说："我们魏国的皇帝不把金玉看得很贵重，所以金玉的价值就如同瓦砾一样不值钱。"刘缵最初本想多买一些带回齐国，听李安世这么一说，心里感到很惭愧所以就停止了购买。刘缵多次接受使命到魏国访问，冯太后遂暗中与刘缵私通。

十二月初一日乙巳，发生日食。

初九日癸丑，魏国开始禁止同一姓氏之间互通婚姻。

齐武帝提升王俭为卫将军，让王俭参与掌管吏部选拔官员之事。

这一年，齐国撤销了巴州的建制。

魏国担任秦州刺史的于洛侯，性情残暴酷烈，处决犯人的时候甚至会砍断犯人的手腕、拔去犯人的舌头，再把囚犯的四肢砍下来分别悬挂起来示众。整个秦州的百姓无不感到惊慌恐惧，秦州人王元寿等人几乎是在同一时间一同起来造反。朝廷的有关部门上书弹劾于洛侯，魏孝文帝派使者来到秦州，在于洛侯经常杀人的地方向官吏和百姓宣告朝廷的决定，然后把于洛侯斩首。

魏国担任齐州刺史的韩麒麟，治理政务主张宽松，担任从事的刘普庆规劝韩麒麟说："您身为州刺史，掌管着一片这么大的区域，却连一个人也没有诛杀，您靠什么来树立自己的威望呢？"韩麒麟回答说："刑罚是为了制止坏人做坏事，仁爱的人在迫不得已的情况下才使用刑罚。如今百姓不犯法，让我去诛杀谁呢？如果一定要靠杀人然后才可以树立威风，那就让我拿你开刀吧！"刘普庆感到非常惭愧和恐惧，立即起身告辞而去。

实；齐武帝萧赜即位后强加罪名杀了垣崇祖、荀伯玉；又杀了创建南齐的元勋车骑将军张敬儿；又杀了为人倨傲、愤世嫉俗的谢超宗，禁锢了袁彖；魏将李崇镇守荆州、兖州，皆有胆略、有治绩，边民安之。写了魏国的齐州刺史韩麒麟为政宽和，深得民意；魏国的秦州刺史于洛侯刑法酷苛，官逼民反，魏主杀之以安百姓。此外还写了出卖刘宋以媚南齐新主的褚渊之死，其子褚贲心感羞耻而不继承其父之爵位，不仕于南齐，退而屏居于墓下等。

【注释】

⑱正月壬戌：正月初七。⑲学生：太学的生员。⑳国子祭酒：国家太学的主管官员。国子学是太学里的一个部门，招生的对象只限贵胄子弟，太学则面向全国。⑰甲戌：正月十九。⑰三月庚申：三月初六。⑰壬戌：三月初八。⑰高帝：即萧道成，高帝是其庙号。⑰主衣：也叫“尚衣”，是官名，也是储存物品的库室名，为皇帝保管服饰器玩等物品。⑰玉导：也叫“玉介导”，古冠簪之属。⑰中书：这里指中书省的官员。中书省是给皇帝起草诏令的部门，其主官称中书监。⑰兴长病源：让人一点一点地变坏，越来越追求侈靡玩乐。⑰仍按检：接着又让清点、检查。仍，通“乃”，于是、接着。⑱乙丑：三月十一。⑱录尚书事：兼管尚书省的事务。录，总管、兼管。⑱开府仪同三司：加官名，享受司徒、司马、司空的礼仪制度，无实权，但地位崇高。⑱丁卯：三月十三。⑱庚午：三月十六。⑱庚辰：三月二十六。⑱捕贡：猎捕进贡。⑱庚寅：四月初六。⑱上大行谥：给萧道成追加谥号。上，敬加。大行，刚死还没有出殡的皇帝，即萧道成。⑱丙午：四月二十二。⑲泰安陵：萧道成的陵墓名，在今江苏丹阳东北。⑲辛卯：四月初七。⑲六月甲申朔：六月初一是甲申日。⑲丙申：六月十三。⑲立太子妃王氏：立王氏为太子妃，即日后的皇后。⑲闻喜公子良：萧子良，齐武帝萧赜的第二子，性爱文义，初封为闻喜公。传见《南齐书》卷四十。闻喜是今山西省内的县名。⑲竟陵王：封地竟陵郡，郡治即今湖北钟祥。⑲临汝公子卿：萧子卿，齐武帝萧赜的第三子，初封为临汝公。传见《南齐书》卷四十。⑲庐陵王：封地庐陵郡，郡治即今江西吉水县北。⑲应城公子敬：萧子敬，齐武帝萧赜的第五子，初封为应城公。传见《南齐书》卷四十。⑳安陆王：封地安陆郡，郡治即今湖北安陆。⑳江陵公子懋：齐武帝萧赜的第七子。⑳枝江公子隆：齐武帝萧赜的第八子。⑳子真：萧子真，齐武帝萧赜的第九子。与上文子懋、子隆传均见于《南齐书》卷四十。⑳皇孙昭业：萧昭业，齐武帝文惠太子萧长懋的长子，工隶书，善谈吐，甚得齐武帝萧赜的喜爱。传见《南齐书》卷四。⑳寝疾：卧病在床，指病重。⑳世祖：即齐武帝萧赜。世祖是谥。⑳癸卯：六月二十。⑳以渊为司空：褚渊原为司徒，位居众臣之首，今乃改为司空，比司徒略低一点点。⑳灵丘道：古山路名。胡三省曰：“自代郡灵丘南，越大山至中山（今河北定州），即古之飞狐道也。”是古代从山西北部翻越太行山进入河北冀中地区的交通要道。其路经过飞狐县的南侧，故亦称“飞狐道”，但不经过飞狐口。⑳江谧：江秉之之孙，宋末齐初的躁进之士，谄事萧道成，颇受其宠。传见《南史》卷三十六。⑳谄躁：谄佞、浮躁。⑳不豫顾命：没被定为接受遗诏、辅佐新主的顾命大臣。豫，通“与”，参与。⑳上即位：萧赜继位之后。上，今上，现时在位的皇帝。⑳不迁官：没有获得晋升。⑳会上不豫：恰值萧赜身体不适。不豫，不乐，指染病、卧病。⑳请间：请求萧嶷单独接见。间，间隙，引申为周边无人之时。萧嶷是齐武帝萧赜之弟。⑳至尊非起疾：皇帝得的是一种不能好

的病。非起疾，治不好的病。⑱东宫又非才：皇太子又不是一个能继承帝业的人。东宫，指太子长懋。⑲欲作何计：有何打算；想采取什么措施。⑳沈冲：宋末曾为县令，后为萧赜的部下，深受器重。萧赜即位后，沈冲兄弟任御史中丞。传见《南齐书》卷三十四。㉑庚寅：齐高帝建元四年七月初一是"癸丑"，故七月无"庚寅"日。葛晓音以为"庚寅"上应有"八月"二字。葛说可从。㉒癸卯：八月二十一。㉓南康文简公褚渊：褚渊被封为南康县公，简字是其死后的谥。《谥法解》："平易不訾曰简。"㉔世子侍中贲：褚渊的嫡长子褚贲，当时任侍中之职。世子，未来的继承者、接班人。侍中，门下省的官员，为皇帝传达诏命，地位极其重要。㉕失节：丧失臣子之节，指身为刘宋的托孤之臣，而出卖宋主以求新主子萧氏的恩宠。㉖服除：三年服丧期满。㉗不仕：不在齐朝做官。㉘以爵：把他应该继承的南康公的爵位。㉙其弟蓁：褚渊的次子褚蓁。传见《南齐书》卷二十三。㉚屏居墓下：在褚渊的墓侧搭个房子住了下来。屏居，离开官场而退居。㉛九月丁巳：九月初六。㉜国哀：国丧；国家元首的丧事。㉝罢国子学：原计划要兴办的国子学，暂时停止。㉞九月辛酉：九月初十。㉟荆州巴、氐：荆州境内的巴族与氐族。魏国的荆州州治上洛，即今陕西商洛市商州区。㊱李崇：魏国拓跋宏时代的名将，官至尚书令、侍中。传见《魏书》卷六十六。㊲显祖：指魏献文帝拓跋弘。㊳陕、秦：魏之二州名，陕州的州治在今河南三门峡市陕州区，秦州的州治在今甘肃天水市。㊴安靖：安宁、稳定。靖，平定。㊵怀惧：心怀恐惧。㊶轻将数十骑：简单地带着几十名骑士。㊷上洛：魏郡名，郡治即今陕西商洛市商州区，当时的上洛既是魏上洛郡的郡治，也是荆州的州治。㊸民夷帖然：魏国居民与当地少数民族都很顺从、服帖。民指魏国的鲜卑人与汉人。夷指当地的少数民族，如苗、蛮、氐、羌等。㊹边戍：边界上的戍卒。㊺其生口：被南齐掳掠去的魏国居民。生口，活人。㊻二百许人：二百来人。许，表示约略的意思。㊼烽燧之警：指边境发生战事。烽燧，即通常所说的烽火，古代边防报警的信号。夜间举火曰烽。白天燃烟曰燧。㊽兖州刺史：魏国的兖州州治在今山东兖州的北侧。㊾发人：调集人马。㊿辛未：九月二十。[851]湘州刺史：湘州的州治即今湖南长沙。[852]宋故建平王景素：前已去世的刘宋的建平王刘景素。刘景素是宋文帝刘义隆之孙，建平王刘宏之子，继其父爵为建平王。废帝刘昱在位时，残暴不仁，刘景素起讨之，兵败被杀。传见《宋书》卷七十二。[853]主簿何昌寓：刘景素的主簿何昌寓。主簿，刺史的高级僚属，在刺史属下掌管文书案卷。何昌寓，刘宋末年一个有棱角的官吏，先后为刘休仁、刘景素的僚属，后又为萧道成的功曹。传见《南齐书》卷四十三。[854]记室王摛：刘景素的记室名叫王摛。记室，官名，略同于后代的书记、记录。[855]所举秀才刘琎：被刘景素向朝廷推荐的儒学之士名叫刘琎。刘琎是宋齐之交一个很讲究儒家礼法的人。传见《南齐书》卷三十九。[856]讼冤：申诉冤情。刘景素兵败被杀，其子数人亦随之被杀，宋顺帝时建平国被废。[857]十月辛丑：十月二十。[858]以士礼：按平民士人的礼仪。意即仍未恢复其应有的礼遇。[859]还葬旧茔：允许他迁葬到其家族的旧有墓地。茔，墓葬区域。⑧⑥⓪ 瓛：刘瓛，宋齐之交的著名儒学之士，为人有孝行。传见《南齐书》卷三十九。⑧⑥① 七庙：皇帝太庙所供奉的七代神主，中间是开国皇帝的神主，永远接受后代的祭祀，永不变更。两侧三昭、三穆，是现行皇帝的父亲、祖父、曾祖父、高祖父等六代的神主，故称七庙。诸侯则只供奉五庙；大夫三庙；士人一庙。⑧⑥② 具仪法：制定出皇帝亲自祭祀七庙的具体仪式。⑧⑥③ 牲牢：供祭祀用的牲畜。古代祭祀用的牺牲分太牢、少牢两种。太牢的规格最高，为牛羊猪各一头；少牢则只有羊猪，没有牛。⑧⑥④ 乐章：指举行祭祀时演奏什么音乐，表演什么歌舞等。⑧⑥⑤ 四时常祀皆举之：一年四季的常规祭祀都亲自举行。四时，指春、夏、秋、冬四季。⑧⑥⑥ 世祖武皇帝：即萧道成的儿子萧赜。武皇帝是其谥号；世祖是庙号。⑧⑥⑦ 正月辛亥：正月初二。⑧⑥⑧ 宁晏：宁静、太平。晏，平静、平安。⑧⑥⑨ 普复田秩：普遍地恢复百官的俸禄。田秩，俸禄。胡三省曰："宋文帝元嘉二十七年（公元四五〇年），有魏师，以军兴减百官俸禄。淮南太守诸葛阐求减俸禄，比内百官。于是诸州郡县丞尉并悉同减。至明帝时，军旅不息，府藏空虚，内外百官并断俸禄。"如今形势好转，所以下诏普遍恢复俸秩。⑧⑦⓪ 壬戌：正月十三。⑧⑦① 皇弟锐：萧锐，萧道成的第十五子。⑧⑦② 铿：萧铿，萧道成的第十六子。以上二人传见《南齐书》卷三十五。⑧⑦③ 皇子子明：齐武帝萧赜的第十子。⑧⑦④ 子罕：齐武帝萧赜的第十一子。以上二人传见《南齐书》卷四十。⑧⑦⑤ 二月辛巳：二月初二。⑧⑦⑥ 杨炅：氐族头领杨广香之子，当时归附于南齐。传见《南齐书》卷五十九。⑧⑦⑦ 阴平：南齐郡名，郡治在今四川广元西南，剑阁之西北方。⑧⑦⑧ 辛丑：二月二十二。⑧⑦⑨ 宕昌王梁弥机：梁弥机是宕昌一带的羌族头领，宕昌是县名，在今甘肃东南部的陇南地区。⑧⑧⓪ 河、凉二州刺史：河州的州治枹罕，在今甘肃临夏东北，凉州的州治即今甘肃武威，河、凉二州在宕昌的西北方，当时属于魏国，故梁弥机的刺史不过是徒有其名。⑧⑧① 邓至王像舒：邓至一带的羌族头领名叫像舒，邓至城在今四川九寨沟一带。⑧⑧② 西凉州刺史：西凉州约当今之甘肃西北部地区，当时属魏，像舒的西凉州刺史亦徒有其名。⑧⑧③ 三年为断：三年为一任；三年任满。⑧⑧④ 三月癸丑：三月初四。⑧⑧⑤ 一以：一律按照。⑧⑧⑥ 天文失度：星辰的运行发生错乱。⑧⑧⑦ 禳：通过祭祀请求上天将其改正过来。⑧⑧⑧ 应天：对待天变的做法。⑧⑧⑨ 以实不以文：应做些实际的工作，而不是靠花里胡哨的表演。实，指改良政治、修正错误等。文，虚文，这里指祭祀。⑧⑨⓪ 克己求治：严格要求自己搞好政治。⑧⑨① 思隆惠政：把对百姓有好处的政策搞得更好一些。⑧⑨② 灾眚：灾难的根源；罪魁祸首。⑧⑨③ 四月壬午：四月初四。⑧⑨④ 末节不终：没有保持晚节；没有好的结尾。指皆以反对萧道成而被杀。⑧⑨⑤ 始诚可录：其前半生对于国家还是忠心耿耿的。可录，可取、可嘉。⑧⑨⑥ 同创大业：胡三省曰，"晋安王子勋之乱，帝亦起兵；沈攸之反，帝据湓城为众军节度"。⑧⑨⑦ 多违制度：不按章程，不请示、不报告，擅自做主。⑧⑨⑧ 僭拟乘舆：超越本分地和皇帝的生活排场一样。僭，越分。拟，与……相同。乘舆，原指皇帝的车驾，这里即指皇帝。⑧⑨⑨ 司空谘议：司空褚渊的谘议参军，主管参谋议论。⑨⓪⓪ 官：也称"官家"，对皇帝的称呼，这里指萧道成。⑨⓪①拜陵：离朝往拜萧氏先人之陵。胡三省曰："拜永安、泰安陵也，皆在武进。"永安陵是萧道成之父萧承之之墓，泰安陵是萧道成的预修之墓。⑨⓪②检校：查抄。⑨⓪③方山：在当时建康城的东南方，在今南京市江宁区东南的秦淮河边，是由武进返回建康的经由之地。⑨⓪④泊舟：停船夜宿。⑨⓪⑤飞燕：良马名，以喻其驰骋如飞。⑨⓪⑥停门龠：推迟了宫门上锁的时间。停，滞留、等候。门龠，即锁钥。⑨⓪⑦诘责：责问；批评。⑨⓪⑧称疾：假托生病。⑨⓪⑨官有天下日浅：您即位为帝的时间还不长。日浅，时间不长。⑨①⓪装束往东宫：准备车驾行装，皇帝要到东宫去。⑨①①敕太官设馔：告诉御厨房在那里准备筵席。太官，为皇帝管理伙食的部门。⑨①②索舆：让车驾开过来。⑨①③了无动意：一点动身的意思也没有。⑨①④被太祖：给萧道成穿上。被，披、穿。⑨①⑤仍牵强：就强拉着萧道成上了车子。仍，通"乃"，就。牵强，强拉着。⑨①⑥诸王：萧道成的那些儿子们。⑨①⑦捉华盖：亲手为其父撑着大伞。华盖，大伞。⑨①⑧执雉尾扇：亲手为其父打着雉尾扇。雉尾扇是用雉鸡之尾毛编织成的大扇，是皇帝仪仗中的一种。⑨①⑨持酒鎗：亲手为其父提着酒壶。⑨②⓪行酒：为其父与诸叔斟酒。⑨②①忠荩：诚实尽忠之臣。古称忠臣曰"荩臣"。荩者，进也，忠心日进而无已。⑨②②朝右：朝臣中的上层，指高官。⑨②③遭母忧：为其母办丧事。⑨②④去宅二里许：离着他家还有二里地。⑨②⑤冠盖：指华贵车子上头的大伞。这里即指前来吊唁的车子。⑨②⑥左率萧景先：萧景先是萧道成的侄子，当时任左卫率将军。传见《南齐书》卷三十八。左率，即左卫率将军，当时禁军的六位统帅之一。⑨②⑦侍中王晏：萧赜的忠实亲信，先为太子中庶子，后为侍中。传见《南齐书》卷四十二。⑨②⑧自旦至暮二句：从早上排队，到天黑才得以进去吊唁。数句极言荀伯玉的炙手可热。⑨②⑨比出：等到吊唁完毕出来。⑨③⓪气息惙然：犹言奄奄一息，喘不上气来。惙然，微弱的样子。⑨③①愤悒：愤怒不满之情。⑨③②形于声貌：在其声音与面色上表现出来。⑨③③二宫门庭：皇宫与太子宫的大门口。⑨③④可张雀罗：可以张网子捕鸟，相比之下极言其清静冷落。⑨③⑤敬弘：即王裕之，字敬弘，刘宋前期的名臣，曾官至尚书令。传见《宋书》卷六十六。⑨③⑥得失：复词偏义，即前文所叙太子之诸过失。⑨③⑦皆云伯玉以闻：都说是荀伯玉向皇帝报告的。⑨③⑧友爱不衰：兄弟间的感情一直不变。古称兄弟之间的感情为"友爱"，《三字经》有"兄则友，弟则恭"之语。⑨③⑨曲加礼待：勉强地做出一种礼敬的样子。曲，不情愿而强为之。⑨④⓪世间流言：隐指过去垣崇祖的不亲附太子之事。⑨④①豁怀：释怀；忘记了过去的不愉快。⑨④②敕以边事：将有关边防事务的命令传达给他。⑨④③不得辞东宫：没能到东宫向太子告别。⑨④④不尽诚：还有些背着、掖着的事情。⑨④⑤益衔之：越发地将他们记恨在心。⑨④⑥属：通"嘱"，托付。⑨④⑦五兵尚书：即日后之兵部尚书。⑨④⑧散骑常侍：皇帝的侍从官员，⑨④⑨丁亥：四月初九。⑨⑤⓪江北荒人：生活在长江以北、淮河以南的流浪者与由北方过来的人。⑨⑤①庚子：四月二十二。⑨⑤②壬寅：四月二十四。⑨⑤③闰月癸丑：闰四月初五。此处是用魏国的历法，写史者未换算。⑨⑤④平凉林氏：出身平凉郡的林妃。平凉郡的郡治在今甘肃华亭西。⑨⑤⑤赐林氏死：魏国凡立某皇子为太子，则将其生母赐死。⑨⑤⑥五月戊寅朔：五月己酉朔，非戊寅。而据历法书，戊寅日是这年的闰五月初一。957 南阳太守：南阳郡的郡治即今河南南阳。958 为雍州：任雍州刺史。南齐的雍州州治即今湖北襄阳市襄州区。959 胛：肩胛。960 为开府：被加官开府仪同三司。961 举体热：浑身发热。962 旧村社树：老家村里的社树。社树是村人祭祀土谷之神的神树。963 高至天：社树高与天齐，大概意味他的官要升到至高无限。964 至蛮中货易：到蛮族地区做买卖。965 有异志：想要造反称帝称王。966 八关斋：佛教徒举行的一种斋会名，说是举办了这种斋会就能戒除八恶。胡三省曰："一、不杀生；二、不偷盗；三、不邪淫；四、不妄语；五、不饮酒食肉；六、不着花鬘璎珞；七、不坐高广大床；八、不过斋后吃食。"967 朝臣皆预：满朝文武都在座。968 于坐收敬儿：当着满朝文武的面把张敬儿逮捕了。969 冠貂：饰有金蝉貂尾的帽子。当时张敬儿为车骑将军、散骑常侍，故其冠上饰有貂蝉。970 此物误我：这种东西害了我。971 丁酉：闰五月二十。972 常虑：经常担心。973 居于冠军：住在冠军县。县治在今河南邓州西北的文渠镇一带。974 未常出襄阳：没有出过襄阳郡。冠军县当时上属于襄阳郡。未常，同"未尝"。975 遣信：派人来其弟家。信，使者、来人。976 属鞬：抄起弓箭。属，佩带。鞬，盛弓箭的皮口袋。977 败问：被害的消息。978 席卷：带着全部家当。979 谢超宗：晋末宋初的文学家谢灵运之孙。以文才受赏于萧道成，曾任黄门郎。传见《南齐书》卷三十六。980 往年杀韩信二句：《史记·黥布列传》写黥布造反时，刘邦问群臣："黥布何故而反？"故楚令尹曰："是故当反。往年杀彭越，前年杀韩信，此三人者，同功一体之人也。自疑祸及身，故反耳。"此谢超宗暗示李安民，其祸亦将不免。981 尹欲何计：丹杨尹您将做何打算。982 具启之：将谢超宗语一一地报告了齐武帝萧赜。983 轻慢：轻浮、傲慢。984 袁彖：当时比较傲慢的文人，曾任侍中。传见《南齐书》卷四十八。985 奏弹：上书弹劾。986 丁巳：五月初九。987 越巂：郡名，郡治在今四川西昌东南。988 不刻切：不够严厉。989 轻文略奏：轻描淡写，指斥得不深刻。990 挠法容非：歪曲法律条文，宽容犯罪之人。991 禁锢十年：十年内不得进入官场。992 颉：袁颉，刘宋时任荆州刺史，起兵拥戴刘子勋，反对宋明帝的政权，兵败被杀。传见《宋书》卷八十四。993 七月丁丑：七月初一。994 神渊池：在魏都平城，今山西大同的北苑内。995 甲申：七月初八。996 假员外散骑常侍：临时授予的员外散骑常侍。假，非正式任命。997 顿丘李彪：顿丘是魏郡名，郡治在今河南清丰西南。李彪是魏国的历史学家，前后六次出使齐国，曾任通直散骑常侍。传见《魏书》卷六十二。998 来聘：来南齐做友好访问。聘，国家之间的友好访问。999 固辞开府：坚决辞掉开府仪同三司这一加官。1000 行登三事：很快就要升到三司一职。三事，即三司，也称三公，即司徒、司马、司空三职中的一职。1001 二台司：两个居于三公的人。1002 累年不拜：朝廷在上年九月升任王僧虔为左光禄大夫、开府仪同三司，到现在已经十个月，王僧虔尚未接受。1003 戊戌：七月二十二。1004 特进：加官名，凡诸侯或大臣功德、政绩优盛，为朝廷所敬异者，赐位特进，位在三公之下。1005 长梁斋：小阁名。斋，清静的小屋。1006 制度小过：华丽、富贵的标准稍微超过了限度。1007 竟不入户：从不踏进门口一步。⑩⑧王弘：王导的曾孙，王珣之子，刘宋前期的高级官僚，曾任侍中、司徒、录尚书等职，传见《宋书》卷四十二。⑩⑨与兄弟集会：与其弟王昙首聚会。⑩⑩戏适：随意玩耍、游戏。⑩⑪僧达：王弘之子。孝武帝时多行不法，被下狱死。传见《宋书》卷七十五。⑩⑫僧绰：王昙首之子，王僧虔之兄。⑩⑬累十二博棋：将十二枚棋子叠成高高的一摞。⑩⑭俊爽：潇洒、豪迈。⑩⑮不减人：不比别人差。减，低。⑩⑯危吾家：给我们家族带来灾难。⑩⑰以名义见美：以名声美好被人称道。王僧绰在元嘉末年任高官，曾劝文帝杀元凶刘劭，未果；文帝被弑后，王僧绰被刘劭所杀。传见《宋书》卷七十一。⑩⑱长者：厚道人。⑩⑲位至公台：官位做到三公，也称"三台"。⑩⑳已而皆如其言：后来的事实都和他当时所说一样。⑩㉑八月庚申：八月十四。⑩㉒自柔然还：王洪范之出使柔然，在齐高帝建元二年。⑩㉓十月丙寅：十月二十一。⑩㉔主客令李安世：主客令即秦汉时代的典客，负责接待外国的使者、宾客。李安世是魏臣李顺的侄孙，李孝伯之子，善应对，曾任相州刺史。传见《魏书》卷五十三。⑩㉕主之：主导共事，指负责接待刘缵。⑩㉖内藏：皇宫里的仓库。⑩㉗鬻之于市：拿宝物到市场上去卖。⑩㉘大贱：太不值钱。大，同"太"。⑩㉙圣朝：敬称当代皇帝，此指大魏的皇帝。⑩㉚多市：多买一些。⑩㉛私幸之：暗中与之私通。⑩㉜十二月乙巳朔：十二月初一是乙巳日。⑩㉝癸丑：十二月初九。⑩㉞省巴州：撤销巴州的建制。南齐置巴州是为了管理这一地区的少数民族，今则恢复原来的样子。⑩㉟秦州刺史：魏国的秦州州治即今甘肃天水市。⑩㊱刑人：处决犯人。⑩㊲分悬四体：分解四肢，悬挂起来。⑩㊳劾奏之：弹劾于洛侯。⑩㊴于洛侯常刑人处：在于洛侯经常处决犯人的地方。⑩㊵齐州刺史：魏国齐州的州治即在今山东济南。⑩㊶韩麒麟：原为魏国名将慕容白曜的部下，白曜被杀，韩麒麟也随之被废弃。孝文帝即位，始任齐州刺史。传见《魏书》卷六十。⑩㊷从事：官名，也称"从事史"，州刺史的高级僚属。⑩㊸杖节方夏：掌管一大片区域，即为州刺史。杖节，手持符节。方夏，中原地区。⑩㊹所以止恶：目的是制止坏人犯罪。⑩㊺当以卿应之：那就应该拿您来充数。

【校记】

［14］按检：原作"检按"。据章钰校，甲十一行本、乙十一行本、孔天胤本二字皆互乙，今据改。［15］或：原作"必"。据章钰校，甲十一行本、乙十一行本皆作"或"，张敦仁《通鉴刊本识误》同，今据改。［16］退：原作"起"。张敦仁《通鉴刊本识误》认为当作"退"。《通鉴纲目》卷二十七、《魏书·韩麒麟传》皆作"退"，今据改。

【研析】

本卷写齐高帝萧道成建元元年（公元四七九年）至齐武帝萧赜永明元年（公元四八三年）共五年间的刘宋、南齐与北魏等国大事，主要写了萧道成在褚渊、王俭、张敬儿、王敬则等一批心腹的拥戴下，篡夺了刘宋的政权，杀死宋顺帝，自己做了皇帝，建立了齐王朝；魏国闻萧氏篡宋，以纳刘宋的子弟刘昶回国复仇为名，连续地派将率兵南侵，南齐守将奋勇抵抗，连挫魏军，刘昶等无功而退；以及萧道成的太子萧赜不遵制度，父子矛盾尖锐，以致萧赜差点儿被废的一些事实。其中值得议论的主要有以下几点：

第一，萧道成之篡宋，与当年刘裕之篡晋过程相同，手续做法也相同，弱肉强食，没必要再论谁是谁非，但仅从谁更讨厌的角度上略说一点还是可以的。刘裕在篡位前的确建立过百多年来别人未尝建立的奇功，因此刘裕即位为帝是顺天理、合人心的大好事，没有任何人说他不应该，这是第一点；而萧道成则几乎是对国家、对黎民百姓没有做过一点让人称道的好事，所以其行径只是令人厌烦而已。再有就是在移交政权的情节上也还略有不同，清代丁晏说："宋、齐虽称以篡弑得国，而宋犹为'彼善于此'者。盖宋之受禅也，晋帝欣然写禅诏，谓左右曰：'桓玄之世，晋世本无天下，重为刘公所延将二十载。今日之事，本所甘心。'是虽不得已之言，然宋亦可以释愧矣。齐之受禅也，'宋主不肯临轩，王敬则勒兵入迎，太后惧，自帅阉人索得之'。敬则启譬令出，宋主收泪谓曰：'欲见杀乎？'敬则曰：'出居别宫耳。'宋主泣曰：'愿后身世世勿复生天王家！'此其情词之惨，齐亦何忍乎？"就是这样一个十三岁的小可怜，还是被萧道成杀死了，而且把刘氏家族杀了个一干二净。

第二，也正是人们首先讨厌萧道成，所以对为虎作伥的褚渊与王俭也颇多嘲讽之意。当萧道成篡位事毕，对褚渊、王俭大加封赏的时候，处士何点故意耸人听闻地对人说："我作《齐书》已竟，赞云：'渊既世族，俭亦国华，不赖舅氏，遑恤国家？'"当褚渊上朝，走在街上以扇障日时，刘宋元勋刘穆之的孙子刘祥过来说："作如此举止，羞面见人，扇障何益？"渊曰："寒士不逊！"祥曰："不能杀袁、刘，安得免寒士？"别人嘲讽如此，其弟褚炤叹息地说："门户不幸，乃复有今日之拜。使彦回作中书郎而死，不当为一名士邪？名德不昌，乃复有期颐之寿！"意思是说如果褚渊早死一些年，该是多么好的一个人？老天爷偏偏让他长寿，活到现在做出这样丢人现眼的事！连他的儿子褚贲也感到羞耻，在褚渊死后也不愿意继承他的爵位，而辞官不做，回家住到墓地，一直到死。历史家不厌其烦地罗列这些，也不过就是表达了一种态度。清代王夫之说："党篡逆而叨佐命之赏者多矣，有志同谋合而悦以服焉者，有私恩固结而不解者，有不用于时而奋起以取高位者，其下则全躯以保禄位被胁而诡随者，凡此，以君子之道责之则无可容；以小人之情度之则犹相谅，而渊皆不然。渊者，联姻宋室，明帝任之为冢宰者也。其时齐高，一巴陵王之偏裨耳。渊不借之以贵，抑未尝与协谋而相得，恩所不加，志所不合，势不相须，权不相下。乃其决于党逆，而终始成乎篡弑者，无他，己则不孝，脱衰干进，而忌袁粲之终丧，欲夺粲以陷之死。宋不亡，齐不篡，则粲不死，遂以君授人而使加以刃，遂倾其祚，皆快意为之而不恤，于是永为禽兽，不足比数于人伦。故闺门之内，弟愿其死，子畏其污，子弟不愿以为父兄，而后虽流风颓靡之世亦不足以容。不然，何独于渊而苛责之哉？”对褚渊甘心为此的原因做如此解释，虽然未能令人充分满意，但毕竟是一种说法。

第三，是刘昶引魏兵南侵，是否可比伍子胥，可不可以看成一种复仇？刘昶是宋文帝刘义隆的儿子，因与其兄孝武帝刘骏有矛盾，在其兄死后，其侄废帝在位时，刘昶起兵夺权不胜，逃向魏国，被魏主视为奇货可居，招为驸马。萧道成篡位后，刘昶说动魏主，魏主令其统兵南侵。清代王夫之对此严厉地说：“齐无寸功于天下，乘昏虐而窃其国、弑其君、尽灭其族，神人之所不容，义之必讨者也。刘昶以宋室懿亲，拥拓跋氏之众三十万以向寿阳，流涕纵横遍拜将士，求泄其大仇，于义无不克者也；而困于垣崇祖之孤军，狼狈而退；再举以向角城，周盘龙父子两骑驰骋万众之中，朒缩旋师。然则智力伸而义诎，将天之重护萧齐以佑乱贼、挫忠孝哉？盖昶者，非可以义服人者也。其奔也不仁，其仕于拓跋氏也不正；而其假于报仇以南侵也又豫为称藩于魏之约，以蔑中夏之余绪；则其挟强夷以逞也，乘国之亡而遂其私也。”说得很有道理。民族大义是一个方面，单从个人的能力才智而言，刘昶其人也远远不是萧道成的对手。倘若掌了权，只能比萧道成更差。而且事实上他也完全没有号召刘氏遗民的能力，而且也根本没有什么更多的刘氏遗民可供他号召！

第四，本卷写了萧赜为太子时的两个毛病，一个是宠用小人张景真；一个是他自己的“朝事大小，率皆专断，多违制度”。应该说是有些问题，但也不是太了不起，因为他很快就要成为皇帝了。但这时偏又出了个荀伯玉，他为了显示自己的“正直敢言”，趁萧赜出城为其母扫墓的时机在萧道成面前告了萧赜一状，于是萧道成大怒，就准备要废掉萧赜，改立其他儿子做接班人。事情太大了，弄不好就会有一场大事变。这时多亏了太子萧赜的弟弟豫章王萧嶷与萧道成的开国元勋王敬则。先是萧嶷出于真挚的兄弟情谊，连夜出城给其兄送讯，让萧赜当晚返回宫廷，先消解了当时的燃眉之急。接着就是老臣王敬则挺身而出对皇帝与太子的大力撮合。历史家于此写道：“月余，太祖怒不解，昼卧太阳殿，王敬则直入，叩头启太祖曰：‘官有天下日浅，太子无事被责，人情恐惧；愿官往东宫解释之。’太祖无言。敬则因大声宣旨，装束往东宫；又敕太官设馔；呼左右索舆；太祖了无动意。敬则索衣被太祖，仍牵强登舆。太祖不得已至东宫，召诸王宴于玄圃。长沙王晃捉华盖，临川王映执雉尾扇，闻喜公子良持酒鎗，南郡王长懋行酒，太子及豫章王嶷、王敬则自捧酒馔，至暮，尽醉乃还。”这段描写不长，但言外可以想象到王敬则与萧嶷等人在下面做了多么充分的准备，他们是如何把众家兄弟团和在一起，又是仗着王敬则这种老关系，连拉带扯把本来不很同意的萧道成硬是拉到了这种天伦之乐的环境氛围之中，从而化解了一场巨大的灾变。这段故事写得好极了，充满着人情味，也有许多深刻的可让人们思考的东西。

卷第一百三十六　齐纪二

起阏逢困敦（甲子，公元四八四年），尽屠维大荒落（己巳，公元四八九年），凡六年。

【题解】

本卷写齐武帝永明二年（公元四八四年）至永明七年共六年间的南齐与北魏等国的大事。主要写了齐国司徒竟陵王萧子良的爱好文学、亲近士人、信奉佛教的生活习性；范缜著《神灭论》，坚持唯物，藐视官场而不为之低头的气概；长沙王萧晃、武陵王萧晔与武帝萧赜之间的一些矛盾；始兴王萧鉴的为人平易而度量宏阔，任荆州刺史能和辑一方；豫章王萧嶷的谦卑自律，与诸兄弟的友爱情深，上卷写了萧嶷的救助兄长萧赜，本卷又写了他救助长沙王萧晃的感人情节。写荒人桓天生勾结魏人入寇，舞阴守将殷公愍等击破之；魏军进攻角城，被齐淮阴军主击退；桓天生又引魏军入寇，被齐将曹虎击退，而齐将陈显达攻魏之醴阳，拔之，又攻魏之泚阳，守将韦珍击破之，陈显达引还等一些两国的边境摩擦。写了魏国开始给各级官员颁发俸禄，同时亦力禁贪污，冯太后不避贵戚，魏主令群臣凡“自审不胜贪心者，听辞位归第”云云；魏主下令严禁图谶，并禁巫觋、卜筮；写了冯太后颁《皇诰》于天下，以见魏主与冯太后之英明与多才；魏国实行均田制、建立民间基层的管理机构，并清查户口，实行新的赋税制度；魏国分置州郡，官员实行五等公服，亲民官依户给俸；魏国代地大旱，饥民死者甚

【原文】

世祖武皇帝上之下

永明二年（甲子，公元四八四年）

春，正月乙亥①，以后将军柳世隆②为尚书右仆射；竟陵王子良③为护军将军兼司徒，领兵置佐④，镇西州⑤。子良少有清尚⑥，倾意宾客⑦，才隽⑧之士，皆游集其门。开西邸⑨，多聚古人器服⑩以充之。记室参军⑪范云、萧琛⑫，乐安任昉⑬，法曹参军王融⑭，卫军东阁祭酒⑮萧衍⑯，镇西功曹谢朓⑰，步兵校尉沈约⑱，扬州秀才⑲吴郡

多，齐州刺史韩麒麟上表建议国家重农，鼓励从事农业、积蓄粮食，颇似汉代晁错之《论贵粟疏》；儒臣高祐劝魏主以善政止盗，强调唯才是举，又在县、党基层建立学校；魏主诏罢“无益之作”，诏罢“尚方锦绣、绫罗之工”，出内外府库之积物以分赐百官及天下之鳏寡孤独等人，以见魏主与冯太后之厉行节俭，广行善政；魏臣李彪建议在京城与各州郡设立常平仓；又建议一视同仁地任用新区的人才，以怀来江南；又言虽不株连九族，但家有罪犯，任职之亲属当公开引咎，以服人心。写南齐的茹法亮、吕文显、纪僧珍等因受武帝萧赜的宠信而垄断朝权，大肆纳贿，群臣不满；又因虞玩之、吕文度等审查户籍，大肆黜落人丁，从而激起民变，变民头领竟攻下钱唐，自立为帝；至朝廷派兵进剿，平息变民之乱后，又纵兵抢掠百姓，以见南朝之腐朽；南齐之西陵戍主杜元懿自请利用西陵地区的水利设施重敛百姓，为朝廷兴利，行会稽郡事顾宪之上书畅驳之，并连带痛斥那些残民以逞之徒，文章绝妙；南齐官员张绪、江敩、谢瀹为官直正，不为权臣佞幸萧晃、纪僧真等所屈。此外还写了敕勒进攻柔然，被柔然大破于西漠，以及魏国儒学老臣高允之死，南齐权臣王俭之死等。

【语译】

世祖武皇帝上之下

永明二年（甲子，公元四八四年）

春季，正月初二日乙亥，齐世祖武皇帝萧赜任命担任后将军的柳世隆为尚书右仆射；任命竟陵王萧子良为护军将军兼任司徒，领兵，自行配置僚佐属官，前往镇守西州。萧子良年少时就品格高尚，不好权势，不羡慕利禄，喜欢结交天下宾客，那些才能出众的人经常出入他的府中，聚集在他的门下。萧子良在西州开辟出他的府邸，搜集了大量古人用过的器物、服饰等收藏在府中。担任记室参军的范云、萧琛，乐安郡人任昉，担任法曹参军的王融，担任卫军东阁祭酒的萧衍，担任镇西功曹的谢朓，担任步兵校尉的沈约，扬州地区的杰出文学之士吴郡人陆倕，都是因为

陆倕[20]，并以文学尤见亲待[21]，号曰“八友”。法曹参军柳恽[22]、太学博士王僧孺[23]、南徐州[24]秀才济阳江革[25]、尚书殿中郎范缜[26]、会稽孔休源[27]亦预焉。琛，惠开[28]之从子。恽，元景[29]之从孙。融，僧达[30]之孙。衍，顺之[31]之子。朓，述[32]之孙。约，璞[33]之子。僧孺，雅[34]之曾孙。缜，云[35]之从兄也。

子良笃好释氏[36]，招致名僧，讲论佛法，道俗之盛[37]，江左未有[38]。或[39]亲为众僧赋食、行水[40]，世颇以为失宰相体[41]。

范缜盛称无佛。子良曰：“君不信因果[42]，何得有富贵、贫贱？”缜曰：“人生如树花同发，随风而散：或拂帘幌[43]坠茵席[44]之上，或关篱墙[45]落粪溷[46]之中。坠茵席者，殿下是也；落粪溷者，下官[47]是也。贵贱虽复殊途[48]，因果竟在何处[49]？”子良无以难[50]。缜又著《神灭论》[51]，以为：“形者神之质[52]，神者形之用[53]也。神之于形[54]，犹利之于刀[55]，未闻刀没而利存[56]，岂容形亡而神在哉？”此论出，朝野喧哗[57]，难之终不能屈[58]。太原王琰[59]著论讥缜[60]曰：“呜呼范子！曾不知[61]其先祖神灵所在！”欲以杜缜后对[62]。缜对曰：“呜呼王子！知其先祖神灵所在而不能杀身以从之[63]！”子良使王融谓之曰：“以卿才美[64]，何患[65]不至中书郎[66]？而故乖剌为此论[67]，甚可惜也！宜急毁弃之。”缜大笑曰：“使[68]范缜卖论取官，已至令、仆[69]矣，何但中书郎邪[70]？”

萧衍好筹略[71]，有文武才干，王俭深器异[72]之，曰：“萧郎出三十[73]，贵不可言。”

壬寅[74]，以柳世隆为尚书左仆射，丹杨尹李安民为右仆射，王俭领丹杨尹。

在文学上有很高的成就而特别受到萧子良的亲密接待，人们称他们为“八友”。担任法曹参军的柳恽、担任太学博士的王僧孺、南徐州地区的杰出文学之士济阳郡人江革、担任尚书殿中郎的范缜、会稽郡人孔休源也都是萧子良的座上客。萧琛，是萧惠开的侄子。柳恽，是柳元景的族孙。王融，是王僧达的孙子。萧衍，是萧顺之的儿子。谢朓，是谢述的孙子。沈约，是沈璞的儿子。王僧孺，是王雅的曾孙。范缜，是范云的堂兄。

萧子良笃好佛学，他经常约请有名的僧人来讲论佛法，信奉佛教的风气之盛，是自东晋开国以来前所未有的。有时萧子良会亲自为那些僧人送饭、送水，世俗舆论都认为萧子良这样做有失宰相的身份。

担任尚书殿中郎的范缜不相信佛教，他宣称根本就没有佛祖。萧子良说：“你不相信人世间的万事万物都有前世、今世和来世，都有因果报应，那么为什么有人富贵、有人贫贱呢？”范缜回答说：“人生活在世上就像树上的花儿一样一起开放，然后随风飘散：有的花儿擦过帘子和帷幔坠落在褥垫之上，有的花儿飘过篱笆、围墙，最后飘落在粪坑、污水里。坠落在褥垫之上的，就像殿下这样享受荣华富贵；飘落在粪坑、污水里的，就像我这样过着贫贱的生活。富贵和贫贱纵然享受的是一种完全不同的生活，因果报应究竟表现在什么地方呢？”萧子良没有办法驳倒他的观点。范缜又撰写了一篇《神灭论》，他认为：“人的肉体是精神存在的依托，人的精神是肉体所产生的一种功能。人的精神对于人的肉体来说，就好像刀所表现出来的锋利和刀本身的关系一样，从来没有听说过刀已经不存在了还有什么锋利可言，难道人的肉体已经死亡了而人的精神还会存在吗？”范缜这种无神论的观点一提出来，朝廷内外全是愤怒、反对的声浪，然而真正辩论起来谁也不能驳倒范缜。太原郡的文人王琰写文章批驳范缜说：“哎呀范先生！你竟然不知道自己祖先的神灵在什么地方！”他想用这种话来堵住范缜的嘴，使他无法再继续辩论下去。范缜答复说：“哎呀王先生！你既然知道自己先祖的神灵在什么地方，却不能杀身让自己的灵魂去追随自己先祖的灵魂！实在是不孝啊！”萧子良让王融去对范缜说：“凭着你这么好的才华，何愁做官不能做到中书省里的郎官？而你却故意写这种违背人情事理的文章和时论相抵触，实在是太可惜了！您应该赶快把无神论的观点彻底毁掉扬弃。”范缜大笑着回答说：“假使我范缜抛弃‘神灭论’的观点来博取官职，恐怕我早已经做了尚书令、尚书仆射了，又何止是一个中书郎呢？”

萧衍善于出谋划策，有文臣武将之才，王俭非常器重他，认为他的才能非同一般，王俭说：“萧衍过了三十岁以后，他的尊贵简直没法说。”

正月二十九日壬寅，齐世祖高皇帝任命担任尚书右仆射的柳世隆为尚书左仆射，任命丹杨尹李安民为尚书右仆射，任命王俭兼任丹杨尹。

夏，四月甲寅[75]，魏主如方山。戊午[76]，还宫。庚申[77]，如鸿池[78]。丁卯[79]，还宫。

五月甲申[80]，魏遣员外散骑常侍李彪等来聘[81]。

六月壬寅朔[82]，中书舍人[83]吴兴茹法亮[84]封望蔡男[85]。时中书舍人四人，各住一省[86]，谓之“四户”，以法亮及临海吕文显[87]等为之。既总重权[88]，势倾朝廷，守宰[89]数迁换去来[90]，四方饷遗[91]，岁数百万。法亮尝于众中语人曰：“何须求外禄[92]？此一户中，年办百万[93]。”盖约言之[94]也。后因天文有变[95]，王俭极言文显等专权徇私，上天见异[96]，祸由四户[97]。上手诏酬答[98]，而不能改也。

魏旧制：户调[99]帛二匹，絮二斤，丝一斤，谷二十斛[100]；又入帛一匹二丈[101]，委之州库，以供调外之费[102]；所调[103]各随土之所出[104]。丁卯[105]，诏曰：“置官班禄[106]，行之尚矣[107]。自中原丧乱[108]，兹制中绝[109]。朕宪章旧典[110]，始班俸禄。户增调帛三匹，谷二斛九斗，以为官司之禄[111]，增调外帛二匹。禄行[112]之后，赃[113]满一匹者死。变法改度，宜为更始[114]，其大赦天下。”

秋，七月甲申[115]，立皇子子伦[116]为巴陵王。

乙未[117]，魏主如武州山[118]石窟寺。

九月，魏诏，班禄以十月为始，季别受之[119]。旧律，枉法十匹，义赃[120]二十匹，罪死。至是[121]，义赃一匹，枉法无多少，皆死。仍分命使者，纠按[122]守宰之贪者。

秦、益二州刺史恒农李洪之[123]以外戚贵显，为治贪暴，班禄之后，

夏季，四月十二日甲寅，魏国孝文帝拓跋宏前往方山进行巡视。十六日戊午，拓跋宏从方山返回平城的皇宫。十八日庚申，拓跋宏前往鸿池。二十五日丁卯，从鸿池返回皇宫。

五月十二日甲申，魏国派遣担任员外散骑常侍的李彪等人为使者到齐国进行友好访问。

六月初一日壬寅，齐国担任中书舍人的吴兴郡人茹法亮被封为望蔡男爵。当时担任中书舍人的一共有四个人，各自分管一个部门的事务，被人们称为“四户”，由茹法亮以及临海郡人吕文显等人分别担任。他们把持着各重要部门的大权，权势超过朝中其他所有的官员，地方上的郡守、县令被他们频繁地往来调动，于是四方官员馈赠、进贡的钱物便源源不断地流入他们的荷包，一年有数百万之多。茹法亮曾经在大庭广众之中对人说：“哪里用得着去寻求其他门路的钱财？这一户之中，一年的收入就可以达到一百万。”这还是往少里说。后来因为日月星宿的运行发生了异常变化，王俭极力主张吕文显等人独揽部门大权，徇私舞弊，上天故意让星宿的运行发生异常变化以示警告，灾异发生的原因就是由于“四户”的为非作歹。齐武帝萧赜亲笔书写诏书回复王俭，然而却不能改变现状。

按照魏国旧有的制度：每户每年应该向国家缴纳的赋税为丝织品二匹，棉絮二斤，蚕丝一斤，粮食二十斛；另外再缴纳一匹二丈的丝织品，归入州里的府库，作为户调以外的其他费用；所征收的赋税则根据当地的物产，出产什么就缴纳什么。六月二十六日丁卯，魏孝文帝下诏说：“设置官员，朝廷给官员发放俸禄，自古以来就是如此了。自从西晋末年中原地区遭遇丧乱以来，朝廷给官员发放俸禄的制度就被迫中断了。我遵循过去的章程，准备开始为官员发放俸禄。因此每户每年所缴纳的赋税再增加三匹丝织品、二斛九斗粮食，作为朝廷与地方各级官员的俸禄，州政府再额外加收二匹丝织品。为官员颁发俸禄的制度一旦实行，官员如果再贪赃受贿，数额够一匹丝织品价值以上的，一律处以死刑。改变法律制度，就意味着一切重新开始，因此大赦天下。”

秋季，七月十三日甲申，齐武帝萧赜封自己的儿子萧子伦为巴陵王。

二十四日乙未，魏孝文帝前往武州山的石窟寺。

九月，魏孝文帝下诏，为官员发放俸禄从十月开始，以后则按季度发放。按照旧有的法律，贪赃枉法受贿满十匹，出于私情而互相馈赠满二十匹，一律判处死刑。从现在开始，按照新的规定，凡是接受私情馈赠满一匹绢，贪赃受贿不论多少，一律判处死刑。朝廷仍然分别派遣使者，到各州各郡纠察、查办那些贪赃受贿的郡太守和县令。

魏国担任秦、益二州刺史的恒农郡人李洪之凭借自己皇亲国戚的身份而权势显赫，地位尊贵，朝廷为了整治贪赃暴虐，从十月开始为官员发放俸禄之后，李洪之

洪之首以赃败[124]。魏主命锁赴平城，集百官亲临数之[125]，犹以其大臣，听[126]在家自裁。自余守宰坐赃死者四十余人。受禄者无不跼蹐[127]，赇赂殆绝[128]。然吏民犯他罪者，魏主率宽之[129]。疑罪奏谳[130]多减死徙边[131]，岁以千计。都下决大辟[132]，岁不过五六人，州镇亦简[133]。

久之，淮南王佗[134]奏请依旧断禄[135]，文明太后召群臣议之。中书监高闾[136]以为："饥寒切身，慈母不能保[137]其子。今给禄，则廉者足以无滥[138]，贪者足以劝慕[139]；不给，则贪者得肆其奸，廉者不能自保[140]。淮南之议，不亦谬乎？"诏从闾议。

闾又上表，以为"北狄悍愚[141]，同于禽兽。所长者野战，所短者攻城。若以狄之所短夺其所长，则虽众不能成患，虽来不能深入。又，狄散居野泽，随逐水草，战则与家业并至，奔则与畜牧俱逃，不赍[142]资粮而饮食自足，是以历代能为边患。六镇[143]势分[144]，倍众不斗[145]，互相围逼，难以制之。请依秦、汉故事[146]，于六镇之北筑长城，择要害之地，往往开门[147]，造小城于其侧，置兵捍守[148]。狄既不攻城，野掠无获，草尽则走，终必惩艾[149]。计[150]六镇东西不过千里[151]，一夫一月之功可城三步之地[152]，强弱相兼[153]，不过用十万人，一月可就。虽有暂劳[154]，可以永逸。凡[155]长城有五利：罢游防[156]之苦，一也；北部放牧无抄掠之患，二也；登城观敌，以逸待劳，三也；息无时之备[157]，四也；岁常游运[158]，永得不匮[159]，五也。"魏主优诏[160]答之。

是第一个因为贪赃受贿而被严惩的。魏孝文帝命令用铁锁把李洪之锁起来押赴平城，召集文武百官，他亲临现场，然后令人一条一条地列举了李洪之的罪状。因为李洪之是朝廷大臣，所以魏孝文帝特别开恩，允许他在自己的家中自杀。其余那些因为贪赃受贿而被处死的郡太守、县令总计四十多人。那些享受国家俸禄的官员无不因此而格外小心谨慎，贿赂受贿的事情在魏国几乎绝迹。而官吏和百姓犯有其他方面罪行的，孝文帝一般都是从宽处理。对于因为证据不足而存有疑问的案件经过复审之后，一般情况下都免去死罪，改为发配到边境戍边，这样处理的犯人每年都有上千人。在京师处死的犯人，每年不超过五六个人，地方上的各州、各军镇处理的罪犯也同样减少了。

过了很长时间，魏国的淮南王拓跋佗上书给孝文帝，请求依照过去的制度取消给官员发放俸禄，文明太后召集群臣讨论淮南王拓跋佗的建议。担任中书监的高闾认为:“如果饥寒交迫，就是慈爱的母亲也不能保护自己的儿子。如今发给官员俸禄，那么廉洁的官员就完全可以因为生活有了保障而保持廉洁自律，不做出格的事情，而贪婪的官员也可以因为法律的约束而努力向善，学着做个好官；如果取消给官员发放俸禄，那么贪婪的官员则会以此为借口而肆无忌惮地向百姓勒索敲诈，而廉洁的官员因为生活没有保障就很难不去做出格的事。淮南王的建议，不是很错误吗?”于是下诏听从高闾的意见。

高闾又上书给朝廷，他认为:“北方的柔然人凶悍愚笨，和禽兽一样。所擅长的是野外作战，而最大的弱点是不能攻城。如果利用敌人的短处使他们的长处无法发挥，那么即使他们人数众多也不能成为国家的祸患，即使他们前来入侵也不能深入我国境内。再有，柔然人分散地居住在荒郊野泽，哪里有水草就居住在哪里，作战的时候就携带着家眷和全部的财产一起前来，逃跑的时候就赶着牲畜一起逃跑，他们不用携带粮草而饮食完全能够自给自足，所以历代成为国家的边患。我们虽然在北部边境设置了六个军镇，然而兵力分散，一旦敌人的兵力超过我们的一倍，我们的守军就不敢与他们交战，敌人集中力量围困我们，我们很难将他们制服。请朝廷依照秦朝、汉朝对付匈奴的老办法，在六个军镇的北面修筑起一道长城，选择要害的地方设置一些关口，在关口的旁边修建一座小城池，驻军防守。柔然人既然不会攻城，在野外又掳掠不到什么东西，他们的牲畜把草吃完之后自然就会退走，最后必将大吃苦头。六镇之间算起来东西不超过一千里，一个民工一个月可以修筑起一丈五尺的城墙，老弱与强壮平均起来，不过动用十万人，只需一个月就可以完工。虽然短时间之内很辛劳，却可以一劳永逸。总得来说，修筑长城有五大好处：第一，可以免除军队流动性防守的辛苦；第二，柔然人在我国边境北面放牧没有趁机抢掠的祸患；第三，我军登上长城瞭望敌人，对敌情了如指掌，可以以逸待劳；第四，可以省去那些经常性的对小股敌兵的戒备，使军队、百姓都得到休息；第五，一年四季可以随时运送粮草以充实塞下，使边防部队的物资永远不会匮乏。”魏孝文帝下诏对他进行了表扬和勉励。

冬，十月丁巳⑯，以南徐州刺史长沙王晃⑯为中书监。初，太祖临终，以晃属帝⑯，使处于辇下⑯或近藩⑯，勿令远出。且曰："宋氏若非骨肉相残，他族岂得乘其弊⑯？汝深诫之！"旧制：诸王在都⑯，唯得置捉刀左右⑯四十人。晃好武饰⑯，及罢南徐州，私载数百人仗⑰还建康，为禁司⑰所觉，投之江水。帝闻之，大怒，将纠以法⑰，豫章王嶷⑰叩头流涕曰："晃罪诚不足宥⑰，陛下当忆先朝⑰念晃。"帝亦垂泣，由是终无异意⑰，然亦不被亲宠。论者谓帝优于魏文⑰，减于汉明⑰。

武陵王晔⑰多材艺而疏婞⑱[1]，亦无宠于帝。尝侍宴，醉伏地，貂抄肉柈⑱。帝笑曰："肉污貂⑱。"对曰："陛下爱羽毛而疏骨肉。"帝不悦。晔轻财好施，故无蓄积。名后堂山曰首阳⑱，盖怨贫薄也。

高丽王琏⑱遣使入贡于魏，亦入贡于齐。时高丽方强，魏置诸国使邸⑱，齐使第一，高丽次之。

益州大度獠⑱恃险骄恣，前后刺史不能制。及陈显达⑱为刺史，遣使责其租赕⑱。獠帅曰："两眼刺史尚不敢调我⑱，况一眼乎⑲？"遂杀其使。显达分部将吏，声言出猎，夜往袭之，男女无少长皆斩之。

晋氏以来，益州刺史皆以名将为之。十一月丁亥⑲，帝始以始兴王鉴⑲为督益、宁⑲诸军事，益州刺史，征显达为中护军⑲。先是，劫帅⑲韩武方聚党千余人断流为暴⑲，郡县不能禁。鉴行至上明⑲，武方出降，长史虞悰⑲等咸请杀之。鉴曰："杀之失信，且无以劝善⑲。"

冬季，十月十八日丁巳，齐武帝任命担任南徐州刺史的长沙王萧晃为中书监。当初，齐太祖萧道成临终之时，把长沙王萧晃托付给齐武帝，让齐武帝对萧晃给予特别的关照，把萧晃安排在京城任职或是在距离京城较近的封国或任大州刺史，不要让他到很远的地方去。太祖还说："宋朝刘姓如果不是骨肉之间互相残杀，他姓之人岂能乘其衰败而将其灭掉？你要深深地牢记这段历史，把它作为自己的借鉴！"按照旧有的规定：诸侯王来到京城办事，身边只能携带着四十名贴身保镖。萧晃喜欢把自己打扮成军事统帅的样子，等他卸任南徐州刺史职务之后，就私自带着全副武装的数百名士兵回到建康，被专门主管纠察、监督诸王活动的禁司署的官员发现，萧晃索性把禁司署的官员扔到江里。齐武帝得知消息后，不禁龙颜大怒，就要把萧晃绳之以法，豫章王萧嶷一面给齐武帝磕头，一面痛哭流涕地为萧晃求情说："萧晃的罪过确实不值得宽恕，但是陛下应该记得先帝临终时还惦念着萧晃，特别把他托付给陛下的事情啊。"齐武帝也泪流满面，此后他一直到死也没有加害萧晃的想法，然而对萧晃既不亲近，也不宠信。舆论都认为齐武帝比残酷虐待众兄弟的魏文帝曹丕略微好些，但是对比汉明帝刘庄对待亲兄弟的情谊就又差了一些。

齐国的武陵王萧晔多才多艺，却与齐武帝感情疏远，也得不到齐武帝的宠爱。萧晔曾经陪着齐武帝一起喝酒，他喝醉之后就趴在地上，帽子上装饰的貂尾扫到了盛肉的盘子。齐武帝笑着说："肉汁弄脏了你帽子上的貂尾。"萧晔回答说："陛下爱惜羽毛却疏远自己的骨肉。"齐武帝听了很不高兴。萧晔轻视财物，喜好施舍，所以自己没有任何积蓄。他给自己后堂的假山起名叫首阳山，大概是抱怨生活的贫困和齐武帝对自己的刻薄寡恩吧。

高丽王高琏派遣使者到魏国进贡，也派使者向齐国进贡。当时高丽国刚刚强盛起来，魏国在都城为各国的使臣修建官邸，齐国使臣的官邸位列第一，高丽使臣的官邸位列第二。

齐国那些居住在益州大度河流域的獠族人倚仗自己居住的地区地势险要而骄横不法，朝廷先后派去的益州刺史都不能制服他们。等到陈显达担任益州刺史的时候，便派出使者向那些獠族人讨要租税和罚款。獠族人的大头领回答说："两个眼睛的刺史都不敢向我征收赋税，何况是一只眼睛的刺史呢？"便把陈显达派去的使者杀死了。陈显达分别向将士、官吏做了部署，声称要出城打猎，于是在夜间袭击了獠族人，把獠族人不论男女老少杀了个干干净净。

自从晋朝建国以来，益州刺史都是由有名的将领来担任。十一月十八日丁亥，齐武帝开始任命始兴王萧鉴为督益、宁诸军事，益州刺史，将现任益州刺史陈显达调回京师建康担任统领宫廷禁军的中护军。此前，劫匪的首领韩武方聚集了一千多名党徒在江心拦截过往船只行凶抢劫，所在郡县不能禁止。萧鉴在赴任途中到达上明的时候，劫匪首领韩武方主动出来投降，担任长史的虞悰等人都请求萧鉴把韩武方杀掉。萧鉴说："我们杀了韩武方就会失信于人，而且也不利于鼓励别人改恶向善。"

乃启台[200]而宥之，于是巴西[201]蛮夷为寇暴者皆望风降附。鉴时年十四，行至新城[202]，道路籍籍[203]，云："陈显达大选士马，不肯就征[204]。"乃停新城，遣典签张昙晳往观形势。俄而显达遣使诣鉴，咸劝鉴执之[205]。鉴曰："显达立节本朝[206]，必自无此。"居二日，昙晳还，具言[207]："显达已迁家出城，日夕[208]望殿下至。"于是乃前。鉴喜文学，器服如素士[209]，蜀人悦之。

乙未[210]，魏员外散骑常侍李彪等来聘。

是岁，诏增豫章王嶷封邑[211]为四千户。宋元嘉之世，诸王入斋阁[212]，得白服、裙帽见人主[213]，唯出太极四厢[214][2]，乃备朝服[215]。自后此制遂绝[216]。上于嶷友爱，宫中曲宴[217]，听依元嘉故事[218]。嶷固辞不敢，唯车驾至其第[219]，乃白服、乌纱帽以侍宴[220]。至于衣服、器用制度[221]，动皆陈启[222]，事无专制[223]，务从减省。上并不许[224]。嶷常虑盛满[225]，求解扬州[226]，以授竟陵王子良。上终不许，曰："毕汝一世，无所多言。"嶷长七尺八寸[227]，善修容范[228]，文物卫从[229]，礼冠百僚，每出入殿省，瞻望者无不肃然。

交州刺史李叔献[230]既受命，而断割外国贡献[231]。上欲讨之。

萧鉴遂请求朝廷赦免了韩武方，于是巴西郡境内的少数民族中那些为贼为寇的全都望风归附投降。当时萧鉴年仅十四岁，他到达新城的时候，发现道路上的人们喊喊喳喳，议论纷纭，都在传说“前任益州刺史陈显达正在大量地挑选兵马，不肯服从朝廷的调动离开益州，不愿意入朝为官”。萧鉴便在新城停留下来，他派担任典签的张昙晳前去观察形势。不一会儿，陈显达派遣的使者就来到了萧鉴的面前，萧鉴的属下全都劝说萧鉴把陈显达的使者逮捕起来。萧鉴说：“陈显达在我朝一向以操行出众而闻名，一定不会背叛朝廷起兵造反。”过了两天，张昙晳回来向始兴王详细报告说：“陈显达已经带着全家迁到城外，正在日夜盼望殿下前来接任。”萧鉴等人于是继续前进。萧鉴喜爱文学，使用的东西与服饰穿戴，却都像一个寒门的书生，蜀地的人都非常爱戴他。

十一月二十六日乙未，魏国派遣担任员外散骑常侍的李彪等为使者到齐国进行友好访问。

这一年，齐武帝下诏，为豫章王萧嶷增加四千户的封地。宋文帝刘义隆元嘉年间，诸侯王进入皇帝的起居室与办公的地方，可以身穿白色的衣服、头戴高顶垂裙的帽子拜见皇帝，只有到太极殿及其四厢参加活动的时候，才将朝服穿戴整齐。元嘉以后，这个制度就被废除不用了。齐武帝与豫章王萧嶷之间的兄弟之情特别深厚，宫中举行家宴，齐武帝特别允许萧嶷可以按照宋朝元嘉时代的章程穿戴白色便服进宫。萧嶷坚决推辞说自己不敢那样做，只有当齐武帝前往他家里去的时候，萧嶷才身穿白色便服、头戴乌纱帽奉陪齐武帝宴饮。至于穿什么衣服、用什么器物的规格标准，萧嶷一举一动都先向齐武帝进行请示，没有一件事情是自己专断独裁的，一切事情都本着节俭的原则。齐武帝并不允许豫章王萧嶷如此谦卑、如此自我克制。萧嶷经常担心自己的权势过大、地位过高，遂请求齐武帝免去自己扬州刺史的职务，把扬州刺史的职位授给竟陵王萧子良。齐武帝始终没有同意，说：“在你的有生之年，你都要担任这些职务，不要再多说什么了。”萧嶷身高七尺八寸，非常注意修饰自己的容颜、仪表，朝廷给他配备的仪仗队、让他使用的器物，以及卫队、侍从的人数等，待遇都在百官之上，每次出入殿省，瞻望的人无不对他肃然起敬。

自行代理交州刺史职务的李叔献被齐国朝廷正式任命为交州刺史之后，竟然截断了周围小国对齐国朝廷的进贡，将贡品据为己有。齐武帝准备派军队前往交州对他进行讨伐。

【段旨】

以上为第一段，写齐武帝永明二年（公元四八四年）一年间的大事。主要写了齐国司徒竟陵王萧子良爱好文学、亲近士人、信奉佛教的生活习性；范缜著《神灭论》，惊世骇俗，藐视官场而不为之低头的气概。写了长沙王萧晃因违反章程带兵众入都，为有司所纠，差点被齐武帝所杀；武陵王萧晔因与齐武帝感情疏远，而内心不平，发语怨怼；始兴王萧鉴的为人平易而度量宏阔，能妥当处理归附的江中劫贼，并对前任刺史功臣陈显达有正确估计，在任荆州刺史能和辑一方的情景；豫章王萧嶷谦卑自律，与诸兄弟友爱情深，上卷写了萧嶷的救助兄长萧赜，本卷又写了他救助长沙王萧晃的感人情节。写了魏国开始为各级官员颁发俸禄，同时加强打击贪污犯罪，贪赃之事殆为之绝，其他各种犯罪也相应减少；魏国儒臣高闾建议效秦、汉之对付匈奴，在北部边境修筑长城，并论述修筑长城的好处有五。此外还写了齐武帝宠信佞幸茹法亮、吕文显等人，致使茹法亮等专权纳贿，势倾朝廷等。

【注释】

①正月乙亥：正月初二。②柳世隆：刘宋名将柳元景之侄，沈攸之起兵讨萧道成，柳元景将之阻挡在郢州，于萧氏有大功。入齐后，为侍中、尚书右仆射；出为南兖州刺史；武帝即位后，先后为护军将军、尚书令等职。传见《南齐书》卷二十四。③竟陵王子良：武帝萧赜之第二子，好文史，礼贤下士。传见《南齐书》卷四十。④置佐：配置僚属。⑤西州：即西州城，因在建业城之西，故名。旧址在今南京的西侧。⑥清尚：清雅、高尚，指不好权势、不慕利禄等。⑦倾意宾客：喜欢结交宾客。倾意，虚心、尽心。⑧才隽：才能出众。隽，通“俊”。⑨西邸：西部的府邸，以其在西州，故称。⑩古人器服：古人用过的器具和服饰，即今所谓“文物”。⑪记室参军：将军或诸王的僚属，掌管文书簿籍。此指萧子良的记室参军。⑫范云、萧琛：当时著名的文士。范云是有名的诗人。传见《南史》卷五十七。萧琛少壮好音律、好书及酒，仕齐至尚书左丞。传见《梁书》卷二十六。⑬乐安任昉：乐安郡人。昉博学能文，又是当时的藏书家。官至中书侍郎、司徒右长史。传见《梁书》卷十四。乐安郡的郡治千乘，在今山东广饶北。⑭法曹参军王融：王融是萧子良的法曹参军，在其部下掌管刑法。王融是当时有名的文学家，工诗能文，任中书郎。传见《南齐书》卷四十七。⑮卫军东阁祭酒：卫将军王俭属下的东阁祭酒。卫军，卫将军的简称。东阁祭酒，位在长史之下，是将军的高级僚属。⑯萧衍：萧道成的侄孙，即后来篡夺齐朝政权的梁武帝。博学能文，工书法，通音乐，笃信佛教。传见《梁书》卷一。⑰镇西功曹谢朓：谢朓是当时最杰出的诗人，“永明体”代表作家，后官至尚书吏部郎。此时为征西将军萧子隆的功曹参军。传见《南

齐书》卷四十七。⑱ 步兵校尉沈约：沈约是当时的著名历史家、文学家，历仕宋、齐、梁三朝，著有《宋书》，提出写诗的“四声八病”。入梁后曾任尚书仆射、尚书令。传见《梁书》卷十三。⑲ 扬州秀才：扬州地区的杰出文学之士。秀才，尚未入仕的文学之士。⑳ 陆倕：齐、梁时期的文学家，与谢朓等共同创造“永明体”，后累官至太常卿。传见《梁书》卷二十七。㉑ 尤见亲待：特别受到亲近接待。㉒ 柳恽：刘宋杰出将领柳元景的侄孙，齐、梁时期的诗人，两度出任吴兴太守，为政清静。官至广州刺史、左军将军。传见《梁书》卷二十一。㉓ 王僧孺：齐、梁时期的诗人、骈文家，此时任太学博士。传见《梁书》卷三十三。太学博士，即太学里的教官。㉔ 南徐州：当时的侨置郡名，郡治即今江苏镇江。㉕ 济阳江革：江革在齐朝还是个尚未入仕的文学之士，被萧子良引为西邸学士。入梁后曾为御史中丞，又为度支尚书，为政清廉。传见《梁书》卷三十六。济阳是郡名，郡治在今河南兰考东北。㉖ 尚书殿中郎范缜：尚书殿中郎是在殿上值勤的尚书省的官员。范缜是齐、梁时期的杰出哲学家，提倡无神论，著有《神灭论》。入梁后为尚书左丞。传见《梁书》卷四十八。㉗ 孔休源：会稽郡人，此时亦未入仕。入梁后为尚书左丞兼御史中丞。传见《梁书》卷三十六。当时的会稽郡治即今浙江绍兴。㉘ 惠开：萧惠开，刘宋名将萧思话之子，曾为益、宁二州刺史。传见《宋书》卷八十七。㉙ 元景：柳元景，刘宋名将，曾与魏国作战有大功，累迁尚书令、骠骑大将军。传见《宋书》卷七十七。㉚ 僧达：王僧达，刘宋前期大官僚王弘之子，王僧绰、王僧虔的堂兄弟。为人多有劣迹，被刘宋王朝所杀。传见《宋书》卷七十五。㉛ 顺之：萧顺之，萧道成的同族兄弟。㉜ 述：谢述，刘宋时曾任中书侍郎、左卫将军，为官清廉。传见《宋书》卷五十二。㉝ 璞：沈璞，刘宋名将沈林子的后代，曾任宣威将军、盱眙太守。传见《宋书》卷一百。㉞ 雅：王雅，东晋后期的大臣，官至左仆射。传见《晋书》卷八十三。㉟ 云：范云。注已见前。㊱ 释氏：佛教。㊲ 道俗之盛：信奉佛教的风气之盛。道俗，讲佛理、信佛理的风气。㊳ 江左未有：自东晋开国以来，前所未有。㊴ 或：有的时候。㊵ 赋食行水：送饭送水。赋、行，都是给予、发放的意思。㊶ 失宰相体：有失宰相的身份。萧子良当时任司徒，司徒是古代的宰相。㊷ 因果：佛教的一种学说，认为人间万事万物都有前世、今世、来世，都有因果报应。有什么因，就有什么果。㊸ 拂帘幌：掠过帘子和帷幔。㊹ 坠茵席：落在了褥垫之上。茵席，褥垫。帘幌、茵席都指富贵人家的生活用品。㊺ 关篱墙：穿过或翻过篱笆、围墙。㊻ 落粪溷：落在了粪坑、污水之中。篱墙、粪溷都指贫穷肮脏之地。㊼ 下官：谦辞，官吏谦称自己。㊽ 虽复殊途：虽然不是同一种生活、同一条道路。复，南朝用语，意思略当于“是”。㊾ 因果竟在何处：你们所说的因果到底在哪里。意即不承认富人做坏事下世变穷，穷人做好事而来世可以变富之说。㊿ 无以难：没有办法驳倒他的说法。难，质问、批驳。(51)《神灭论》：文章篇名，中国历史上杰出的无神论专著，主旨在于批判灵魂可以脱离人体而单独存在的说法。神，这里指精神、灵魂。东汉王充的《论衡》中有《论死》《死伪》两篇，是更早说明这一问题的杰出论文。但范缜的《神灭论》更为前进了一大步。52 形者神之质：肉体是精神存在的依托。形，肉体。质，依托，借以存在的实体。53 神者形之用：精神是肉体产生的一种功能。用，功能的表现。54 神之于形：精神对于肉体来说。55 犹利之于刀：就好像刀所表现出来的锋利和刀本身的关系。56 未闻刀没而利存：没听说过刀不存在了还有什么锋利可言。57 喧哗：一片愤怒、反对的声浪。58 难之终不能屈：真正辩论起来谁也辩不倒他。屈，理短、无话可说。59 太原王琰：太原郡的文人王琰。这里的太原郡是南朝的侨置郡，郡治在今江西的彭泽东。60 著论讥缜：写文章批驳范缜。61 曾不知：竟然不知道。曾，转折连词，居然、根本。62 欲以杜缜后对：想用这种骂人的办法让范缜没法再接着辩论。杜，堵、断绝。后对，接着再辩。63 杀身以从之：意即自杀后让自己的灵魂跟着先人的灵魂走，以示其孝。64 以卿才美：凭着您这么好的才华。65 何患：何忧；何愁。66 中书郎：中书省里的郎官。中书省是为皇帝起草文件的所在，是当时寒门书生梦寐以求的地方。67 故乖剌为此论：故意地写这种违背人情事理的文章。乖剌，违背常理，惊世骇俗。68 使：假如。69 已至令仆：早已经做到了尚书令、尚书仆射的职位。70 何但中书郎邪：岂止是一个小小的中书郎呢。但，只。71 好筹略：善谋略。筹，运筹、设谋。72 器异：器重并惊奇他的非同一般。73 出三十：过了三十岁以后。74 壬寅：正月二十九。75 四月甲寅：四月十二。76 戊午：四月十六。77 庚申：四月十八。78 鸿池：也称旋鸿池，旧址在今山西大同。胡三省引《水经注》曰："凉城郡旋鸿县东山下，水积成池，东西二里，南北四里。又，太祖天兴二年，穿鸿雁池于平城。"79 丁卯：四月二十五。80 五月甲申：五月十二。81 来聘：来南齐做友好访问。82 六月壬寅朔：六月初一是壬寅日。83 中书舍人：中书省的官员，位在侍郎之下，主管传送文件。84 吴兴茹法亮：吴兴郡人姓茹名法亮。吴兴郡的郡治即今浙江湖州。茹法亮在刘宋时为小吏，萧赜驻兵湓城时，茹法亮投归其部下；萧赜即位，任茹法亮为中书舍人，是有名的佞幸之臣。传见《南齐书》卷五十六。85 望蔡男：男爵，封地望蔡县。望蔡是当时的侨置郡名，取名于思念上蔡，郡治即今江西上高。86 各住一省：各自分管一个部门的事务。当时的所谓四省，即中书省、尚书省、门下省、秘书省。胡三省曰："建武诏命，始不关中书，专出舍人。省内舍人四人，所直四省。据此，四户，则舍人分往四省，自法亮等始。"87 临海吕文显：临海郡人吕文显。临海郡的郡治章安，在今浙江临海东南。吕文显是当时佞幸之臣，任中书舍人。传见《南齐书》卷五十六。88 总重权：把持大权。因为他们负责各部门长官与皇帝之间的相互沟通，有如现代的所谓联络员、特派员。89 守宰：郡守与县令、县长。宰，指县官。90 数迁换去来：频繁地往来调动。迁换，官员的更换任地，任地的更换官员。91 饷遗：馈赠；进贡。92 外禄：其他门路的钱财。93 年办百万：一年的收入就可以多达百万。办，达到、获得。94 约言之：这还是少说着。95 天文有变：日月星宿的运行发生变化。96 上天见异：上天显示异象，让星宿运行发生变化。97 祸由四户：灾异发生的原因就是由于四户的为非作歹。汉代以来讲究天人感应，说凡是人间政事存在问题，上天就会显示变化以警告皇帝。⑱ 手诏酬答：亲手写诏书回复王俭，以表示重视。⑲ 户调：一种征收纺织品的户口税。⑳ 斛：容积名，一斛十斗，也称一石。㉑ 一匹二丈：一匹零二丈。古代的一匹，相当于四丈。㉒ 调外之费：户调以外的其他费用。㉓ 所调：所征收的赋税，即上述的“户调”与“调外之费”两项。㉔ 各随土之所出：该地区出产什么，当地人就以此充税，由收税者进行折算。㉕ 丁卯：六月二十六。㉖ 班禄：给官员发放俸禄。班，同“颁”，发放。㉗ 行之尚矣：自古以来就是如此。尚，久远。㉘ 中原丧乱：指西晋末年开始的政权动乱，魏国的祖先拓跋猗卢、拓跋郁律等也开始起兵经营天下。㉙ 兹制中绝：给官员发放俸禄的制度开始中断。㉚ 宪章旧典：遵循过去的章程。宪章，遵循、仿效。旧典，旧时的制度。㉛ 官司之禄：朝廷与地方各级官员的俸禄。㉜ 禄行：颁发俸禄的制度一旦施行。㉝ 赃：贪污、受贿。㉞ 宜为更始：应该是一个新的开头。㉟ 七月甲申：七月十三。㊱ 子伦：萧子伦，齐武帝萧赜的第十三子。传见《南齐书》卷四十。㊲ 乙未：七月二十四。㊳ 武州山：山名，在当时的平城西北，即今存之云冈石窟，其地有许多佛教的石窟雕塑。㊴ 季别受之：每三个月发放一次，即按季度发放。㊵ 义赃：出于私情互相馈赠，虽不是主动索取，也按贪赃论处。㊶ 至是：到这时；从现在开始。㊷ 纠按：纠察、查办。㊸ 恒农李洪之：恒农郡的李洪之。恒农郡即原来的弘农郡，因为显祖拓跋弘避讳而改称恒农，郡治在今河南三门峡市的西南侧。李洪之是北魏酷吏，曾任尚书外都大官，安南将军，秦、益二州刺史。传见《魏书》卷八十九。㊹ 以赃败：由于贪赃而被惩治。㊺ 数之：一一地列举其罪状而谴责之。㊻ 听：任；允许。㊼ 跼蹐：弯腰卷腿，小心谨慎的样子。㊽ 赇赂殆绝：贪污受贿的事情几乎绝迹。㊾ 率宽之：大多从宽处理。率，大都、一般。㊿ 疑罪奏谳：存有疑问的案件经过复审后。谳，重审、复查。(131) 多减死徙边：一般都免去死罪，改为发配戍边。(132) 大辟：将犯人处死刑。(133) 州镇亦简：地方上的各州、各军镇也都相应减少了。(134) 淮南王佗：拓跋佗，拓跋熙之子。曾任征西大将军、司徒。传见《魏书》卷十六。佗，《魏书》作“他”。(135) 断禄：取消俸禄制。(136) 高闾：魏国的儒学之臣，早年受知于崔浩，后又与高允共参大政。传见《魏书》卷五十四。(137) 保：保护；拥有。(138) 无滥：不做出格的事。(139) 劝慕：鼓励其向善，学着做好人。(140) 自保：自持，即上文之“无滥”。(141) 北狄悍愚：柔然人凶悍愚蠢。(142) 不赍：不携带。(143) 六镇：魏国为防御柔然入侵，在北部边境自西而东设置了六个军镇，即：沃野镇，在今内蒙古五原北；怀朔镇，在今内蒙古固阳西南；武川镇，在今内蒙古武川县的西土城；抚冥镇，即今内蒙古四子王旗东南的土城子；柔玄镇，在今内蒙古兴和的台基庙东北；怀荒镇，在今河北张北县境内。(144) 势分：魏军分驻于六镇，兵力自然分散。(145) 倍众不斗：胡三省曰：“敌人众力加倍，则镇人不敢斗也。”(146) 秦、汉故事：秦、汉对付匈奴的老办法。(147) 往往开门：各处设置一些关口。(148) 置兵捍守：驻兵守卫。(149) 终必惩艾：最后必将大吃苦头。惩艾，受惩创，指自讨苦吃、自找倒霉。(150) 计：估算。(151) 六镇东西不过千里：六镇之间的距离不过一千里。胡三省曰：“当自代郡北塞而东至濡源。”杜佑曰：“后魏六镇，并在马邑云中单于府界。”⑫ 可城三步之地：可以筑成一丈五尺长的城墙。一步略当于五尺。城，用作动词，筑城。⑬ 强弱相兼：老弱与强壮平均起来。⑭ 暂劳：短时间的辛苦。⑮ 凡：总计。⑯ 罢游防：可以省去流动性的巡逻。⑰ 息无时之备：省去了那些经常性的对小股敌兵的防备。⑱ 岁常游运：一年到头可以随时运送粮草以充实塞下。⑲ 永得不匮：边疆的防守部队可以永无匮乏。⑳ 优诏：表扬、鼓励性质的诏书。⑯ 十月丁巳：十月十八。⑯ 长沙王晃：萧晃，萧道成的第四子，武帝萧赜之弟。传见《南齐书》卷三十五。⑯ 以晃属帝：把萧晃托付给萧赜，让他特别予以关照。⑯ 辇下：京城，指任丹杨尹与其他朝廷之官。⑯ 近藩：离京城较近的封国或大州刺史。⑯ 乘其弊：乘其衰败而灭之。⑯ 诸王在都：各诸侯王，也就是皇帝的兄弟们来京城办事。⑯ 捉刀左右：执刀在左右担任警卫的人，即贴身保镖。⑯ 武饰：军事统帅的打扮。⑰ 私载数百人仗：私自带着全副武装的兵士数百人。仗，兵器。⑰ 禁司：官署名，主管纠察、监督诸王的活动。⑰ 纠以法：绳之以法。纠，查、查办。⑰ 豫章王嶷：萧嶷，萧道成的第二子，萧赜之弟。传见《南齐书》卷二十二。⑰ 诚不足宥：当然是不值得宽恕。诚，当然是、实在是。宥，宽赦。⑰ 先朝：先帝，指萧道成。⑰ 终无异意：到死再也没有别的想法，指没再想加害萧晃。⑰ 优于魏文：比魏文帝曹丕残酷虐待众兄弟的情况略好。曹丕曾杀害其弟任城王曹彰，摧残陈王曹植早死。⑰ 减于汉明：不如汉明帝刘庄对待其兄弟的情况。汉明帝与其弟东海王刘强、东平王刘苍等兄弟的感情都很好。⑰ 武陵王晔：萧晔，萧道成的第五子，萧赜之弟。传见《南齐书》卷三十五。⑱ 疏婞：与皇帝的感情疏远，内心不平。⑱ 貂抄肉柈：帽子上的貂尾扫到了盛肉的盘子。抄，扫、碰到。柈，同“盘”。⑱ 肉污貂：貂尾被肉汤弄脏了。⑱ 名后堂山曰首阳：给他所住屋后的山起名叫首阳山。名，给……起名。首阳山，相传是商末周初的节士伯夷、叔齐饿死之地。事见《史记·伯夷列传》。⑱ 高丽王琏：事迹见《南齐书》卷五十八，但那里作“高丽王高琏”。高丽，也称高句丽。当时高句丽的都城即今朝鲜平壤。⑱ 置诸国使邸：给各个国家的使臣修建官邸，有如今之使馆。⑱ 大度獠：生活在大度水流域的少数民族。大度，河水名，即今大渡河，流经汉源县，到乐山市汇入岷江的青衣江。獠，一种侮辱性叫法，即今之仡佬族。⑱ 陈显达：刘宋后期的名将，很早就在萧道成部下，入齐后先后任中领军、南兖州刺史、益州刺史。传见《南齐书》卷二十六。⑱ 责其租赕：向他们讨要租税和罚款。赕，当地称罚款、赎金曰“赕”。⑱ 调我：向我征收租税。调，租税，这里用如动词。⑲ 况一眼乎：陈显达在苍梧王元徽二年的平定桂阳王刘休范的征战中，左眼被飞箭射瞎，此时陈显达只有一只眼，所以獠帅这样说。⑲ 十一月丁亥：十一月十八。⑲ 始兴王鉴：萧鉴，萧道成的第十子，萧赜之弟。⑲ 益、宁：二州名，益州的州治即今四川成都，宁州的州治同乐，在今云南陆良东北。⑲ 中护军：宫廷禁军的六个将军之一。⑮劫帅：劫匪的头领。⑯断流为暴：在江心拦船行凶抢劫。⑰上明：古地名，旧址在今湖北松滋的西侧。⑱虞悰：当时闻名的孝子，萧赜早期的至交，官至右军将军，兼大匠卿。善烹饪。传见《南齐书》卷三十七。⑲劝善：借之鼓励别人改恶向善。劝，鼓励。⑳启台：请求朝廷。㉑巴西：郡名，郡治即今四川绵阳。㉒新城：郡名，郡治即今四川三台。㉓籍籍：喊喊喳喳，传说纷纭的样子。㉔不肯就征：不服调遣，不肯离职上路。㉕劝鉴执之：劝萧鉴把陈显达的使者逮捕起来。㉖立节本朝：在本朝以操行出众闻名。㉗具言：详细诉说。㉘日夕：白天黑夜，犹言时时刻刻。㉙器服如素士：使用的东西与服饰穿戴，都像一个寒门的书生，没有一点诸侯王的架子与排场。㉚乙未：十一月二十六。㉛封邑：领地。㉜入斋阁：进入皇帝的起居与办公之地。㉝得白服裙帽见人主：可以身穿白色的衣服，头戴裙帽拜见皇帝。得，能、可以。裙帽，南朝士大夫所戴的一种高顶垂裙的帽子。人主，即皇帝。《宋书·武帝纪下》："诸子旦间起居，入阁脱公服，止着裙帽，如家人之礼。"㉞出太极四厢：到太极殿及其四厢参加活动。出，到、到达。胡三省曰："太极殿，前殿也，有四厢。"㉟备朝服：将朝服穿戴整齐。㊱自后此制遂绝：元嘉以后这套制度就废止不用了。㊲曲宴：私宴，以区别于隆重的国筵与典礼。㊳听依元嘉故事：特别允许萧嶷可以按元嘉时代的旧例。听，许。㊴车驾至其第：皇帝到他家里去。车驾，婉指皇帝。㊵侍宴：谦指与皇帝一起吃饭。㊶衣服器用制度：穿什么衣服、用什么器物的规格标准。㊷动皆陈启：一举一动都经过请示。㊸事无专制：没有一件事是自己专断独裁的。㊹上并不许：皇帝不让他如此谦卑、如此自我克制。㊺常虑盛满：经常担心自己的权势过大、地位过高。盛满，太盛、太满。㊻求解扬州：请求免除扬州刺史的职务。扬州因都城建康在其境内，故地位崇高，非一般刺史可比。㊼七尺八寸：约当今之一点八九米。㊽善修容范：很注意修饰自己的仪表。容范，容颜、仪表。㊾文物卫从：朝廷给他配备的仪仗队、让他使用的器物，以及卫队、侍从的人数等。㊿李叔献：原来的交州刺史李长仁之弟，李长仁死后，李叔献继之为刺史。萧道成建元元年七月，乃正式任命之。事见本书上卷。(231)断割外国贡献：截断周围小国对南齐王朝的进贡，据其贡品为己有。《南齐书》卷五十八作"既而断割外国，贡献寡少"。

【校记】

［1］婞：原作"悻"。据章钰校，十二行本、乙十一行本、孔天胤本皆作"婞"，今据改。［2］厢：据章钰校，十二行本、乙十一行本、孔天胤本皆作"庙"。〖按〗《南齐书·豫章献王嶷传》作"厢"。

【原文】

三年（乙丑，公元四八五年）

春，正月丙辰[232]，以大司农刘楷为交州刺史，发南康、庐陵、始兴[233]兵以讨叔献。叔献闻之，遣使乞更申数年[234]，献十二队纯银兜鍪[235]及孔雀毦[236]。上不许。叔献惧为楷所袭，间道[237]自湘州还朝[238]。

戊寅[239]，魏诏曰："图谶[240]之兴，出于三季[241]，既非经国[242]之典，徒为妖邪所凭[243]。自今图谶秘纬[244]，一皆焚之，留者以大辟论[245]！"又严禁诸巫觋[246]及委巷卜筮[247]非经典所载者。

魏冯太后作《皇诰》[248]十八篇，癸未[249]，大飨群臣[250]于太华殿，班[251]《皇诰》。

辛卯[252]，上祀南郊[253]，大赦。

诏复立国学[254]，释奠先师[255]用上公礼[256]。

二月己亥[257]，魏制皇子皇孙有封爵者，岁禄各有差[258]。

辛丑[259]，上祭北郊[260]。

三月丙申[261]，魏封皇弟禧[262]为咸阳王，幹[263]为河南王，羽[264]为广陵王，雍[265]为颍川王，勰[266]为始平王，详[267]为北海王。文明太后令置学馆，选师傅以教诸王。勰于兄弟最贤[268]，敏而好学，善属文[269]，魏主尤奇爱之。

夏，四月癸丑[270]，魏主如方山。甲寅[271]，还宫。

初，宋太宗[272]置总明观[273]以集学士，亦谓之东观。上以国学既立，五月乙未[274]，省总明观[275]。时王俭[276]领国子祭酒[277]，诏于俭宅开学士馆，以总明四部书充之[278]。又诏俭以家为府[279]。

自宋世祖好文章，士大夫悉以文章相尚[280]，无以专经为业[281]者。

【语译】

三年（乙丑，公元四八五年）

春季，正月丙辰日，齐世祖武皇帝萧赜任命担任大司农的刘楷为交州刺史，征调南康郡、庐陵郡、始兴郡的兵力前去讨伐李叔献。李叔献听说朝廷派大军前来讨伐的消息之后，赶紧派使者到朝廷请求把自己的任期再往后推迟几年，他愿意向朝廷贡献十二队用纯银打造的武士头盔和用孔雀羽毛制作的装饰物。齐武帝没有答应李叔献的请求。李叔献惧怕遭到刘楷的袭击，就抄小路经由长沙一带逃到了建康。

正月初十日戊寅，魏国的孝文帝拓跋宏下诏说："古代一些别有用心的人专门编造一些隐语或预言以预示吉凶、煽动百姓，其兴起于夏、商、周三代的末年，这些隐语或预言不是治理国家的经典，只能被从事歪门邪道的人所利用。从今以后鼓吹这种妖术的各种伪书、载体，一律都要焚毁，保留的人以杀头罪论处！"又严格禁止那些装神弄鬼以替人祈祷为职业的人以及那些活动在街头巷尾以占卜算命为职业的人所进行的不是经典著作所记载的活动。

魏国的冯太后发布了《皇诰》十八篇，正月十五日癸未，在太华殿举行盛大宴会招待文武百官，将冯太后的十八篇《皇诰》下达到全国的各州、各郡、各县。

二十三日辛卯，齐武帝亲自到南郊举行祭天典礼，大赦天下。

齐武帝下诏，恢复建立国家的太学，规定祭奠至圣先师孔子的礼仪规格要等同于祭祀当朝三公的礼仪规格。

二月初二日己亥，魏国对有封爵的皇子皇孙每年按照爵位的高低发给不同的俸禄做出了规定。

初四日辛丑，齐武帝到北郊举行祭祀地神的典礼。

三月二十九日丙申，魏孝文帝封自己的弟弟拓跋禧为咸阳王，拓跋幹为河南王，拓跋羽为广陵王，拓跋雍为颍川王，拓跋勰为始平王，拓跋详为北海王。文明太后下令设置学馆，选派师傅负责教导诸王。始平王拓跋勰在兄弟当中表现最好，他聪明而又好学，擅长写文章，魏孝文帝特别喜欢他，认为他非同一般。

夏季，四月十七日癸丑，魏孝文帝前往方山。十八日甲寅，从方山返回平城的皇宫。

当初，宋太宗刘彧设立总明观用来征集儒、道、文、史、阴阳五部学士，总明观也被称为东观。齐武帝因为国学已经开办，于是在五月二十九日乙未，下令撤销总明观。当时王俭兼任国子祭酒，齐武帝于是下诏在王俭的家中开设学士馆，把总明观收藏的四部书搬到王俭家所开设的学士馆中。又下诏让王俭在自己家中的学士馆上班。

自从宋世祖刘骏喜好写作文章以来，士大夫都以擅长写文章为荣耀，没有人再

俭少好礼学[282]及《春秋》[283]，言论造次必于儒者[284]，由是[285]衣冠翕然[286]，更尚儒术[287]。俭撰次朝仪国典[288]，自晋、宋以来故事[289]，无不谙忆[290]，故当朝理事[291]，断决如流。每博议引证[292]，八坐、丞、郎[293]无能异者[294]。令史谘事[295]常数十人，宾客满席，俭应接辨析[296]，傍无留滞[297]，发言下笔，皆有音彩[298]。十日一还学监试诸生[299]，巾卷在庭[300]，剑卫、令史，仪容甚盛[301]。作解散髻[302]，斜插簪，朝野慕之，相与仿效[303]。俭常谓人曰："江左风流宰相，唯有谢安[304]。"意以自比也。上深委仗[305]之，士流选用[306]，奏无不可。

六月庚戌[307]，魏进[308]河南王度易侯[309]为车骑将军，遣给事中吴兴丘冠先[310]使河南，并送柔然使[311]。

辛亥[312]，魏主如方山。丁巳[313]，还宫。

秋，七月癸未[314]，魏遣使拜宕昌王[315]梁弥机兄子弥承为宕昌王。初，弥机死，子弥博立，为吐谷浑所逼，奔仇池[316]。仇池镇将穆亮[317]以弥机事魏素厚，矜[318]其灭亡。弥博凶悖，所部恶之。弥承为众所附，表请纳[319]之。诏许之。亮帅骑三万军于龙鹄[320]，击走吐谷浑，立弥承而还。亮，崇[321]之曾孙也。

戊子[322]，魏主如鱼池[323]，登青原冈。甲午[324]，还宫。八月己亥[325]，如弥泽[326]。甲寅[327]，登牛头山。甲子[328]，还宫。

魏初，民多荫附[329]。荫附者皆无官役[330]，而豪强征敛[331]倍于公赋。给事中李安世[332]上言："岁饥民流，田业多为豪右[333]所占夺。虽桑井难

把钻研儒家经典作为自己的专业。王俭从小就喜欢钻研《周礼》《仪礼》《礼记》的学问以及《春秋》，说话做事、一举一动都以儒家的思想言论作为自己的准则，因此，那些有身份、有地位的人都纷纷向他学习，转而开始崇尚、喜好儒家学术。王俭编排制定朝廷的礼仪与国家的典章制度，晋、宋以来朝廷处理各种事务的办法与先例，无不熟记在心，所以在朝廷当中处理事务，无不决断如流。他经常旁征博引、有根有据地解决问题，从尚书令、尚书左仆射、尚书右仆射与所属的五部尚书这八个人到尚书左丞、尚书右丞以及各部尚书属下的郎官、诸曹郎没有人能提出不同意见。下级担任令史的工作人员有事前来请示的经常有几十名，简直是宾客满座，王俭一边回答，一边给他们分析讲解，没有任何解决不了的问题留在身边，不论是说话还是写文章，声音又好听，又很有文采。他每十天去国学一次，监督考试太学的生员，戴头巾的文人和戴武冠的武生都在庭院里等待考试，还有带剑的警卫、下属的工作人员，气派非常盛大。王俭习惯于梳一种从容潇洒的发式，斜插着簪子，朝廷内外的人因为仰慕他，于是都争相效仿他的装束。王俭经常对人说："江东所有的宰相中，要论风流倜傥，只有谢安一人。"言外之意是把自己比作谢安。齐武帝对他十分信赖，一切都委托给他，想要委任什么人做什么官，只要王俭举荐，齐武帝无不批准。

六月十五日庚戌，魏国提升河南王度易侯为车骑将军，派遣担任给事中的吴兴郡人丘冠先出使河南，并护送柔然国的使者回国。

六月十六日辛亥，魏孝文帝前往方山。二十二日丁巳，从方山返回平城的皇宫。

秋季，七月十八日癸未，魏国派使者前往宕昌郡封宕昌郡的羌族人首领梁弥机的侄子梁弥承为宕昌王。当初，被齐国封为宕昌王的梁弥机去世之后，梁弥机的儿子梁弥博继位为宕昌王，梁弥博深受吐谷浑的逼迫，遂逃往魏国管辖之下的仇池郡。仇池郡军镇的头领穆亮认为梁弥机对待魏国一向谨慎忠诚，对他的亡故深表同情。而梁弥博性情凶残狂悖，他的部下都很厌恶他。而梁弥承深受部众的拥护，穆亮遂上表给魏国朝廷请求派军队护送梁弥承返回宕昌为王。魏孝文帝下诏批准了穆亮的奏请。穆亮于是率领三万骑兵驻扎在龙鹄，打跑了占据宕昌的吐谷浑人，帮助梁弥承复国登上王位之后班师。穆亮，是穆崇的曾孙。

七月二十三日戊子，魏孝文帝前往鱼池，登上青原冈。二十九日甲午，回到皇宫。八月初五日己亥，又前往弥泽。二十日甲寅，登上牛头山。三十日甲子，返回皇宫。

魏国建国之初，很多百姓都依附于豪强之家以求得庇护。这些投靠依附于豪强势力的人都不给官府出徭役，而所依附的豪门贵族对他们的强征暴敛比国家征收的赋税多一倍。担任给事中的李安世上书给魏国朝廷说："年景不好，闹饥荒，百姓因为饥饿就会流离失所，他们的田产家业大多都被豪门大族强行占有。即使古代传说

复[334]，宜更均量[335]，使力业相称[336]。又，所争之田[337]，宜限年断[338]，事久难明，悉归今主[339]，以绝诈妄[340]。”魏主善之，由是始议均田[341]。冬，十月丁未[342]，诏遣使者循行州郡，与牧守[343]均给天下之田[344]：诸男夫十五以上受露田[345]四十亩，妇人二十亩，奴婢依良丁[346]；牛一头，受田三十亩，限止四牛。所授之田率倍之[347]，三易之田再倍之[348]，以供耕作[349]及还受之盈缩[350]。人年及课则受田[351]，老免及身没[352]则还田。奴婢、牛随有无以还受。初受田者，男夫给二十亩，课种桑五十株[353]；桑田皆为世业[354]，身终不还。恒计见口[355]，有盈者无受无还[356]，不足者受种如法[357]，盈者得卖其盈[358]。诸宰民之官[359]，各随近给公田有差[360]，更代相付[361]。卖者坐如律[362]。

辛酉[363]，魏魏郡王陈建卒。

魏员外散骑常侍李彪等来聘。

十二月乙卯[364]，魏以侍中淮南王佗为司徒。

柔然犯魏塞，魏任城王澄[365]帅众拒之，柔然遁去。澄，云之子也。氐、羌[366]反，诏以澄为都督梁、益、荆[367]三州诸军事，梁州刺史。澄至州，讨叛柔服[368]，氐、羌皆平。

初，太祖[369]命黄门郎虞玩之[370]等检定黄籍[371]。上即位，别立校籍官，置令史[372]，限人一日得数巧[373]。既连年不已[374]，民愁怨不安。

中的井田制难以恢复实行，至少也应该重新丈量一次土地，使农民家庭有多少口人就可以耕种到多少土地。再有，豪门大族所强占贫民的土地，应该规定出一个年限，对于那些因为年代久远而难以说清楚却又存在争议的土地，一律划归现在的主人，以消除那些没有根据的胡搅蛮缠。”魏孝文帝认为李安世的意见提得很好，于是开始研究实行均田制。冬季，十月十三日丁未，孝文帝下诏派使者分头到各州各郡进行巡视，与州刺史和郡太守一起按照人口平均分配全国的土地：那些十五岁以上的男子每人分给四十亩土地，这些土地只能用来种粮食而不许植树，并在一定时候要交还给官府；成年妇女每人分给二十亩土地，男女奴隶按照平民男女标准分给土地；养一头牛，分给三十亩土地，最多只给到养四头牛的标准。一般都是按照规定数量的两倍授予的土地，三年耕作后需要轮休的贫瘠土地，就在原来的基础上再增加一倍，以保证老百姓经常能耕种的土地数量以及在今后不断地将土地还给官府、再接受分田过程中所出现的差额。年轻人一到该缴纳赋税的年龄就开始接受应分的土地，到了年老免交赋税的时候或未老而死的就必须把土地交还给官府。奴婢、牛则随着主人继续拥有奴婢的多少以及继续养牛的数量来确定他们是将已经分到的土地交还给官府还是再分得土地。第一次分给土地的人，成年男子每人分给二十亩，规定必须种植五十棵桑树；桑树田不用归还给官府，死后可以作为家产遗留给子孙，作为世代相传的产业。官府需要经常统计现有的人口，哪一家由于人口减少而出现土地超量，就不再授予土地，而其超出的部分也不用再归还给官府。哪一家由于人口增加而出现土地不足，就可以按照规定到官府去领取土地；土地超量的人家，可以出卖超量的部分。直接管理百姓的地方官员，可以在他任职所在地的附近领取一块大小与他职务高低相当的公田，该官员离任时要把土地移交给继任的官员。哪一位官员要是变卖了这块公田，他就要依法受到惩处。

十月二十七日辛酉，魏国的魏郡王陈建去世。

魏国派遣担任员外散骑常侍的李彪等人为使者到齐国进行友好访问。

十二月二十二日乙卯，魏国任命担任侍中的淮南王拓跋佗为司徒。

柔然出兵侵犯魏国的边塞，魏国的任城王拓跋澄率领魏军进行抵抗，柔然军逃走。拓跋澄，是拓跋云的儿子。魏国境内的氐族人、羌族人起兵造反，魏孝文帝下诏任命任城王拓跋澄为都督梁、益、荆三州诸军事，梁州刺史。拓跋澄到达荆州刺史任所之后，便出兵对发动叛乱的那些氐族人、羌族人进行讨伐，对那些自动归服的氐族人、羌族人则加以抚慰，区别对待，氐族、羌族的叛乱于是全部被平息。

当初，齐太祖萧道成命令担任黄门侍郎的虞玩之等人检查、审定全国的户籍。齐武帝萧赜即位之后，另外指定了审定户籍的人员，并设置了专门检查户籍的文职小吏，同时规定了指标，要求每人每天必须查出若干条弄虚作假的问题。一连查了几年也没有查完，百姓对此非常忧愁怨愤，民心不稳。担任外监的会稽郡人吕文度向齐武帝建

外监[375]会稽吕文度[376]启上[377]，籍被却者悉充远戍[378]，民多逃亡避罪。富阳民[379]唐寓之因以妖术惑众作乱，攻陷富阳，三吴[380]却籍者奔之，众至三万。

文度与茹法亮、吕文显皆以奸谄[381]有宠于上。文度为外监，专制兵权，领军守虚位[382]而已。法亮为中书通事舍人，权势尤盛[383]。王俭常曰："我虽有大位[384]，权寄[385]岂及茹公邪？"

是岁，柔然部真可汗[386]卒，子豆仑立，号伏名敦可汗[387]，改元太平。

四年（丙寅，公元四八六年）

春，正月癸亥朔[388]，魏高祖朝会，始服衮冕[389]。

壬午[390]，柔然寇魏边。

唐寓之攻陷钱唐[391]，吴郡[392]诸县令多弃城走。寓之称帝于钱唐，立太子，置百官。遣其将高道度等攻陷东阳[393]，杀东阳太守萧崇之。崇之，太祖族弟也。又遣其将孙泓寇山阴[394]，至浦阳江[395]，浃口戍主[396]汤休武击破之。上发禁兵数千人，马数百匹，东击寓之。台军[397]至钱唐，寓之众乌合[398]，畏骑兵，一战而溃，擒斩寓之，进平诸郡县。

台军乘胜，颇纵抄掠[399]。军还，上闻之[3]，收军主前军将军陈天福弃市[400]，左军将军刘明彻免官、削爵，付东冶[401]。天福，上宠将也，既伏诛，内外莫不震肃。使通事舍人丹阳刘系宗[402]随军慰劳[403]，遍至遭贼郡县，百姓被驱逼者[404]悉无所问[405]。

闰月癸巳[406]，立皇子子贞[407]为邵陵王[408]，皇孙昭文[409]为临汝公。

氐王杨后起[410]卒，丁未[411]，诏以白水太守杨集始[412]为北秦州刺史、武都王。集始，文弘[413]之子也。后起弟后明为白水太守。魏亦以集始为武都王。集始入朝于魏，魏以为南秦州刺史。

议，凡是在审查户籍中被刷掉的人口，全部发配到边远的地方充军守边，于是很多百姓为了躲避充军戍边而逃亡。富阳县的百姓唐寓之趁机以妖术煽动百姓起来作乱，他们攻陷了富阳县城，吴兴、吴郡、会稽三郡当中那些被刷掉户籍的人全都投奔了唐寓之，唐寓之的部众很快发展到三万人。

吕文度与茹法亮、吕文显凭借着自己的为人奸猾、善于谄媚而得到齐武帝的宠信。吕文度担任外监，独自掌握着中领军部队的军权，领军将军则成了徒有虚名的人。茹法亮担任中书通事舍人，权势尤其盛大。王俭曾经说："我虽然占据着高位，但我的实权和皇上对我的信托怎么能比得上茹公呢?"

这一年，柔然部真可汗去世，他的儿子豆仑继位，号称伏名敦可汗，改年号为太平。

四年（丙寅，公元四八六年）

春季，正月初一日癸亥，魏高祖拓跋宏召开朝会的时候，开始穿汉族皇帝所穿的衮服，戴汉族皇帝所戴的冠冕。

二十日壬午，柔然的军队进犯魏国的边境。

唐寓之率领自己的部众攻陷了钱唐县，吴郡各县的县令大多数都弃城逃走。唐寓之在钱唐县遂自立为皇帝，封太子，设置文武百官。唐寓之派属下将领高道度等人攻陷了东阳郡，杀死了担任东阳太守的萧崇之。萧崇之，是齐太祖萧道成的堂弟。唐寓之又派遣属下的将领孙泓率众进攻山阴县，他们很快便到达了浦阳江，浃口军事据点的首领汤休武打退了孙泓的进攻。齐武帝派出数千名禁卫军，数百匹战马，向东进攻在钱唐称帝的唐寓之。朝廷军到达钱唐县，唐寓之的部众原本是乌合之众，他们惧怕朝廷的骑兵，因此一战即溃，朝廷军擒获了唐寓之，将唐寓之杀死，进而平定了各郡县的叛乱。

朝廷派出的禁军凭借自己的胜利，有些放纵士兵抢掠百姓。禁军回到京师之后，齐武帝听到了他们得胜后抢掠百姓的消息，立即将这支军队的头领担任前军将军的陈天福逮捕起来，押赴闹市斩首，担任左军将军的刘明彻被免去官职，削去爵位，送到东冶城去服劳役。陈天福，是齐武帝的爱将，被处死以后，朝廷内外无不感到震惊而深以为戒。齐武帝派遣担任通事舍人的丹阳人刘系宗跟随军队前进的脚步，逐一安慰受难的百姓，足迹遍布遭受贼军践踏的各个郡县，百姓当中那些被贼军裹胁、威逼而参与作乱的人，一概既往不咎。

闰正月初一日癸巳，齐武帝封自己的儿子萧子贞为邵陵王，封皇孙萧昭文为临汝公。

被齐国封为氐王的杨后起去世，闰正月十五日丁未，齐武帝任命担任白水太守的杨集始为北秦州刺史、武都王。杨集始，是杨文弘的儿子。任命杨后起的弟弟杨后明为白水太守。魏国也任命杨集始为武都王。杨集始到魏国的平城朝见魏孝文帝拓跋宏，拓跋宏任命杨集始为南秦州刺史。

辛亥⑭，上[4]耕籍田⑮。

二月己未⑯，立皇弟铼⑰为晋熙王，铉⑱为河东王。

魏无乡党之法⑲，唯立宗主督护⑳，民多隐冒㉑，三五十家始为一户㉒。内秘书令㉓李冲上言：“宜准古法㉔：五家立邻长，五邻立里长，五里立党长，取乡人强谨㉕者为之。邻长复一夫㉖，里长二夫㉗，党长三夫，三载无过㉘，则升一等。其民调㉙，一夫一妇，帛一匹，粟二石。大率十匹为公调，二匹为调外费，三匹为百官俸㉚。此外复有杂调㉛。民年八十已上㉜，听一子不从役㉝。孤独、癃老㉞、笃疾㉟、贫穷不能自存者，三长内迭养食之㊱。”书奏，诏百官通议㊲。中书令郑羲㊳等皆以为不可。太尉丕㊴曰：“臣谓此法若行，于公私有益。但方㊵有事之月，校比㊶户口，民必劳怨。请过今秋，至冬乃遣使者，于事为宜。”冲曰：“‘民可使由之，不可使知之㊷。’若不因调时㊸，民徒知㊹立长校户之勤㊺，未见均徭省赋㊻之益，心必生怨。宜及课调㊼[5]之月，令知赋税之均，既识其事，又得其利，行之差易㊽。”群臣多言：“九品差调㊾，为日已久，一旦改法，恐成扰乱。”文明太后㊿曰：“立三长则课调有常准(451)，苞荫之户可出(452)，侥幸之人可止(453)，何为不可？”甲戌(454)，初立党、里、邻三长，定民户籍。民始皆愁苦，豪强者尤不愿。既而课调省费十余倍，上下安之。

三月丙申(455)，柔然遣使者牟提如魏(456)。时敕勒(457)叛柔然，柔然伏名敦可汗自将讨之，追奔至西漠(458)。魏左仆射穆亮等请乘虚击之，中书监

闰正月十九日辛亥，齐武帝到专供皇帝进行农事活动的那块农田里进行示范性的耕作。

二月己未日，齐武帝封自己的弟弟萧銶为晋熙王，封萧铉为河东王。

魏国没有设立基层百姓的管理建制，在一个居民点或一个部落、村落中只设有一个头领，名叫宗主督护，很多百姓都隐瞒户口或者假报年龄，有的三十家、五十家才报一家的户口。担任内秘书令的李冲上书给朝廷说："应当依照古代的办法：每五家为一邻，设立一个邻长；五个邻为一里，设立一位里长；五个里为一党，设立一位党长，从当地的百姓中选择那些既有势力又谨慎的人来担任。当邻长的可以免除他家中一个人的赋税和徭役，当里长的可以免除他家中两个人的赋税和徭役，当党长的可以免除他家中三个人的赋税和徭役，官当得好，三年没有过失的就提升一等。每一对夫妇每年需要向国家缴纳一匹丝织品、二石粮食的户口税。大体来说，朝廷将征收上来的钱粮分为十五份，其中十份纳入国库，两份归州政府支配，三份作为文武百官的俸禄。除此之外还有用于各级官府不时之需的各种杂税。百姓中八十以上的老人，允许他有一个儿子不服兵役和劳役。孤寡、衰老病弱、重病缠身、贫穷无法生存的人，由邻长、里长、党长负责将其收容起来轮流供养。"李冲的奏章呈递上去之后，魏孝文帝下诏令文武百官进行讨论。担任中书令的郑羲等人都认为行不通。担任太尉的拓跋丕说："我认为这个办法如果得以实行，于公于私都有好处。但现在正值国家征收赋税的月份，如果核查户口，百姓必然感到劳苦而心生怨恨。请等到过了今年的秋季，到冬天农闲的时候再派遣使者进行这项工作比较合适。"李冲说："'老百姓只能让他们按照命令去做，很难让他们知道为什么要那样做'。如果不趁着征收赋税的时候清查户口，百姓就会只知道设立三长、核对户口的麻烦，而看不到平均徭役、减少赋税给他们带来的好处，因此必然产生怨恨情绪。所以要趁着征收赋税的时机，让他们知道平均徭役、减少赋税是怎么回事，他们一旦了解了这件事情，又知道自己可以从中获益，这样做起来就比较容易。"群臣中很多人都说："按照三等九级的户口征收赋税的办法，已经实行很久了，一旦要改变这种征收赋税的办法，恐怕会造成混乱。"文明太后冯氏说："设立了邻长、里长、党长之后，对各家各户的情况了解得就会比较清楚，那些隐藏在豪门大族之下的黑户口就可以清查出来，那些投机取巧企图逃避赋税的人会被阻止，为什么不能实行呢？"二月十三日甲戌，开始设立党长、里长、邻长，核定百姓户籍。开始的时候百姓都感到很愁苦，那些豪门大族更是不愿意。后来百姓发现征收的赋税和徭役竟然不到原来的十分之一，上下这才安下心来。

三月初五日丙申，柔然国派牟提为使者到魏国进行友好访问。当时敕勒人背叛了柔然，柔然国的伏名敦可汗豆仑亲自率领柔然军前往讨伐敕勒人，一直把敕勒人驱逐到了大沙漠以西。魏国担任左仆射的穆亮等人请求乘柔然国内兵力空虚的机会

高闾曰："秦、汉之世，海内一统，故可远征匈奴。今南有吴寇[459]，何可舍之深入虏庭？"魏主曰："'兵者凶器，圣人不得已而用之[460]。'先帝屡出征伐者，以有未宾之虏[461]故也。今朕承太平之业，奈何无故动兵革乎？"厚礼其使者而归之。

夏，四月辛酉朔[462]，魏始制五等公服[463]。甲子[464]，初以法服[465]、御辇[466]祀西[6]郊。

癸酉[467]，魏主如灵泉池[468]。戊寅[469]，还宫。

湘州蛮[470]反，刺史吕安国有疾不能讨。丁亥[471]，以尚书左仆射柳世隆为湘州刺史，讨平之。

六月辛酉[472]，魏主如方山。

己卯[473]，魏文明太后赐皇子恂名[474]，大赦。

秋，七月戊戌[475]，魏主如方山。

八月乙亥[476]，魏给尚书五等爵已上[477]朱衣，玉佩，大小组绶[478]。

九月辛卯[479]，魏作明堂、辟雍[480]。

冬，十一月，魏议定民官[481]依户给俸[482]。

十二月，柔然寇魏边。

是岁，魏改中书学曰国子学。分置州郡，凡三十八州[483]，二十五在河南[484]，十三在河北[485]。

五年（丁卯，公元四八七年）

春，正月丁亥朔[486]，魏主诏定乐章，非雅者除之。

戊子[487]，以豫章王嶷为大司马，竟陵王子良为司徒，临川王映、卫将军王俭、中军将军王敬则并加开府仪同三司。子良启[488]记室范云为郡[489]，上曰："闻其恒[7]相卖弄，朕不复穷法[490]，当宥之以远[491]。"子良曰："不然。云动相规诲[492]，谏书具存。"遂取以奏，凡百余纸，

出兵攻打柔然，担任中书监的高闾说：“秦、汉时期，海内一统，所以秦朝、汉朝可以出兵远征匈奴。如今我国南方有吴地的寇盗正对我们虎视眈眈，我们怎能舍弃吴寇不顾却深入胡虏的王庭呢?”魏孝文帝说：“老子说：‘兵器，是一种不祥的器物，圣人只有在迫不得已的情况下才会使用它。’先帝之时屡次出兵讨伐柔然，是因为那时柔然还没有归服的缘故。如今我继承了太平大业，为什么要无缘无故地发动战争呢?”遂对柔然的使者以优礼相待，而后送他回国。

夏季，四月初一日辛酉，魏国开始制定五等官员的规定服饰。初四日甲子，魏孝文帝第一次穿上皇帝在举行大典时所穿的礼服、坐着皇帝的车驾到平城的西郊祭天。

四月十三日癸酉，魏孝文帝前往灵泉池。十八日戊寅，回到皇宫。

齐国湘州境内的少数民族发动叛乱，担任湘州刺史的吕安国因为正在患病而不能率军前去讨伐。四月二十七日丁亥，齐武帝任命担任尚书左仆射的柳世隆为湘州刺史，柳世隆率军平息了蛮人的叛乱。

六月初二日辛酉，魏孝文帝前往方山进行巡视。

二十日己卯，魏国的文明太后冯氏给孝文帝的儿子起名叫作拓跋恂，大赦天下。

秋季，七月初九日戊戌，魏孝文帝前往方山进行巡视。

八月十七日乙亥，魏国给尚书省五等爵位以上的官员颁发朱色官服、玉佩，和大小不同的系印丝绦。

九月初三日辛卯，魏国建造供天子举行典礼、颁布政令以及尊贤、讲学、宣明教化的明堂和辟雍。

冬季，十一月，魏国朝廷经过商议决定，直接管理百姓的各级地方官所享受的俸禄与其所管辖区域内户口的多少进行挂钩，区域内人口多的享受的俸禄就多，人口少的享受的俸禄就少。

十二月，柔然军侵扰魏国的边境。

这一年，魏国把中书学改称为国子学。重新划分、设置州郡，全国总共设置了三十八个州，其中有二十五个州在黄河以南，有十三个州在黄河以北。

五年（丁卯，公元四八七年）

春季，正月初一日丁亥，魏孝文帝下诏制定乐章，非高雅者一律废除。

正月初二日戊子，齐武帝任命豫章王萧嶷为大司马，任命竟陵王萧子良为司徒，任命临川王萧映、卫将军王俭、中军将军王敬则同时加授开府仪同三司。竟陵王萧子良请求齐武帝让担任记室的范云担任郡守的职务，齐武帝答复说：“我听说他总是在你面前卖弄他的学问，朕不再追究他的法律责任，即使宽恕他，也要把他放到边远的地方去任职。”萧子良反驳说：“不是陛下所说的那样。范云经常地规劝我、教导我，他劝谏我的书信我还都保存着呢。”于是拿出范云劝谏自己的书信给齐武帝看，

辞皆切直[493]。上叹息，谓子良曰："不谓云能尔[494]，方使弼汝[495]，何宜出守[496]？"文惠太子[497]尝出东田观获[498]，顾谓众宾曰："刈此亦殊可观[499]。"众皆[8]唯唯[500]。云独曰："三时之务[501]，实为长勤[502]。伏愿[503]殿下知稼穑之艰难，无徇[504]一朝之宴逸[505]！"

荒人[506]桓天生自称桓玄[507]宗族，与雍、司[508]二州蛮相扇动[509]，据南阳故城[510]，请兵于魏，将入寇[511]。丁酉[512]，诏假丹杨尹萧景先节[513]，总帅步骑，直指义阳[514]，司州诸军皆受节度[515]。又假护军将军陈显达节，帅征虏将军戴僧静等水军向宛、叶[516]，雍、司众[9]军皆受显达节度，以讨之。

魏光禄大夫咸阳文公高允[517]，历事五帝[518]，出入三省[519]，五十余年，未尝有谴[520]。冯太后及魏主甚重之，常命中黄门[521]苏兴寿扶侍。允仁恕简静，虽处贵重，情同寒素[522]；执书吟览，昼夜不去手；诲人以善，恂恂[523]不倦；笃亲念故[524]，无所遗弃。显祖平青、徐[525]，悉徙其望族于代[526]，其人多允之婚媾[527]，流离饥寒。允倾家赈施，咸得其所。又随其才行[528]，荐之于朝。议者多以初附间之[529]，允曰："任贤使能，何有新旧？必若有用[530]，岂可以此抑之[531]？"允体素无疾，至是微有不适，犹起居如常，数日而卒，年九十八。赠侍中、司空，赙襚甚厚[532]。魏初以来，存亡蒙赉[533]，皆莫及也。

桓天生引魏兵万余人至沘阳[534]，陈显达遣戴僧静等与战于深桥[535]，大破之，杀获万计。天生退保沘阳，僧静围之，不克而还。荒人胡丘

有一百多张，言辞都很中肯而且直率。齐武帝叹息了一声，对萧子良说：“想不到范云能做到这样，如此的话正好让他给你做帮手，怎么能让他到外地去担任太守呢?”文惠太子萧长懋曾经到建筑在东宫东面的东田楼上观看农民收割庄稼，他回过头来对跟随在他身边的僚属说：“这种收割庄稼的劳动场面很好看。”众人都随声附和。唯独范云回答说：“农民春天耕种，夏天除草，秋天收割，一年当中要经过三个季节的辛勤苦干才能收获，实在是一种漫长的劳动。我诚心诚意地希望殿下知道稼穑的艰难，不要追求一时的安乐!”

逃亡到荒野之中的亡命之徒桓天生自称是桓玄的族人，他与居住在雍州、司州的少数民族互相勾结，煽动那里的民众起来作乱，他们占据了南阳故城，并向魏国请求出兵救援，准备出兵入侵齐国。正月十一日丁酉，齐武帝下诏，授予担任丹杨尹的萧景先符节，令他统率步兵、骑兵，直奔义阳城，司州境内的各军全部受萧景先的调遣、指挥。又授予担任护军将军的陈显达符节，令他率领担任征虏将军的戴僧静等水军向宛县、叶县进发，雍州、司州境内的各军都受陈显达的调遣、指挥，两路大军同时起兵讨伐桓天生。

魏国担任光禄大夫的咸阳文公高允，一连辅佐了魏世祖拓跋焘、恭宗拓跋晃、高宗拓跋濬、显祖拓跋弘、高祖拓跋宏等五位皇帝，先后在尚书省、中书省、秘书省三个部门担任重要官职，任职年限长达五十多年，从来没有受到过皇帝的批评、谴责。冯太后和魏孝文帝都非常器重他，经常让担任中黄门的苏兴寿搀扶着他。高允为人仁爱宽厚、俭朴恬静，虽然身居要职，地位尊贵，但他实际上表现得就像一个出身寒微的人一样；他常常手捧书卷吟诵阅览，昼夜不离其手；他经常教导别人要一心向善，和气又有耐心，从来不知道疲倦；他对自己的亲戚、朋友感情深厚，念念不忘，一个也不遗漏。魏显祖拓跋弘平定了青州、徐州之后，便把青州、徐州的名门望族全部迁徙到代郡，那些人中有很多都是高允的亲戚，他们流离失所、饥寒交迫。高允便拿出全部家产赈济他们，使他们各得其所。又根据他们各自的才干、品行，把他们推荐给朝廷量才任用。很多人都因为这些人刚刚归附魏国而嫌弃他们，高允说：“任用贤良的人，使用有才能的人，何必要分什么新人与旧人？如果他们真正是有用之才，怎么能因为他们是刚刚归附的新人就埋没了他们呢?”高允身体一向很健康，此时虽然感到有些不舒服，还是能够照常起居，然而没过几天就去世了，享年九十八岁。朝廷追赠高允为侍中、司空，赠送给高允家属帮助办理丧事的财物非常丰厚。从魏国建国之初到现在，不论是生前还是死后能得到朝廷厚重赐予的人，谁都比不上高允。

桓天生领着一万多名魏军到达沘阳县，护军将军陈显达派遣征虏将军戴僧静等率军在深桥与桓天生领来的魏军展开激战，把魏军打得大败，杀死、俘虏了数以万计的魏国人。桓天生退入沘阳县城进行坚守，征虏将军戴僧静率领齐军围攻沘阳县城，因为一时没有办法攻克遂撤军而回。另一亡命之徒胡丘生在悬瓠城聚众起兵，

生起兵悬瓠[536]以应齐[537]，魏人击破之，丘生来奔。天生又引魏兵寇舞阴[538]，舞阴戍主殷公愍拒击，破之，杀其副张麒麟，天生被创[539]退走。三月丁未[540]，以陈显达为雍州刺史。显达进据舞阳城[541]。

夏，五月壬辰[542]，魏主如灵泉池。

癸巳[543]，魏南平王浑[544]卒。

甲午[545]，魏主还平城。诏复七庙子孙[546]及外戚缌麻服已上[547]，赋役无所与[548]。

魏南部尚书公孙邃[549]、上谷公张儵帅众与桓天生复寇舞阴，殷公愍击破之，天生还窜荒中[550]。邃，表[551]之孙也。

魏春夏大旱，代地尤甚，加以牛疫，民馁死[552]者多。六月癸未[553]，诏内外之臣极言无隐[554]。齐州刺史韩麒麟上表曰："古先哲王，储积九稔[555]。逮于中代[556]，亦崇斯业[557]，入粟者与斩敌同爵[558]，力田者与孝悌均赏。今京师民庶，不田者多，游食之口，参分居二[559]。自承平日久，丰穰积年[560]，竞相矜夸[561]，遂成侈俗。贵富之家，童妾袨服[562]，工商之族，仆隶玉食[563]，而农夫阙糟糠[564]，蚕妇乏短褐[565]。故令耕者日少，田有荒芜，谷帛罄于府库[566]，宝货盈于市里[567]，衣食匮于室[568]，丽服溢于路[569]。饥寒之本，实在于斯。愚谓凡珍异之物，皆宜禁断，吉凶之礼，备为格式[570]，劝课农桑[571]，严加赏罚。数年之中，必有盈赡[572]。往年校比户贯[573]，租赋轻少。臣所统齐州，租粟才可给俸[574]，略无入仓[575]，虽于民为利[576]而不可长久，脱有戎役[577]，或遭天灾，恐供给之方[578]，无所取济[579]。可减绢布，增益谷租，年丰多积，岁俭[580]出赈。所谓私民之谷[581]，寄积于官，官有宿积[582]，则民无荒年矣。"秋，七月己丑[583]，诏有司开仓赈

与齐国朝廷所采取的军事行动互相呼应、配合，魏军打败了胡丘生，胡丘生逃到了齐国。桓天生又引领魏军进攻舞阴县城，负责守卫舞阴城的军事头领殷公愍率军进行抵抗，打败了魏军，杀死了魏军的副将张麒麟，桓天生受伤退走。三月二十二日丁未，齐武帝任命护军将军陈显达为雍州刺史。陈显达率军进驻舞阳县城。

夏季，五月初八日壬辰，魏孝文帝前往灵泉池。

初九日癸巳，魏国的南平王拓跋浑去世。

五月初十日甲午，魏孝文帝从灵泉池回到平城。他下诏免除魏国宗庙中供奉的七代先人子孙的一切赋税和劳役，以及凡是丧礼在缌麻以上的所有外戚，缴纳赋税和服劳役的事情都与他们无关。

魏国担任南部尚书的公孙邃与上谷公张儵率领自己的部众与桓天生联合起来再次侵扰齐国的舞阴城，殷公愍打退了他们的进攻，桓天生又逃窜到了官兵不到的荒野之地。公孙邃，是公孙表的孙子。

魏国春、夏两季连续遭遇大旱，代郡的旱情尤其严重，再加上牛闹瘟疫，百姓被饿死了很多。六月二十九日癸未，魏孝文帝下诏，让朝廷内外的大臣要毫无保留地给皇帝提意见。担任齐州刺史的韩麒麟于是上表说："古代的先哲圣王在执政期间，国家都有九年的粮食储备。到了中古时期，也仍然很重视储备粮食，汉代给国家上交粟米的百姓，可以和战场上杀敌立功的将士一样获得爵位，努力种田的人可以和孝敬父母、友爱兄弟的人获得同样的奖赏。如今京师中的民众，不种田的人很多，游手好闲、不劳而获的人占了大约有三分之二。很久以来国家太平无事，连年五谷丰登，人们竞相夸耀财富，已经逐渐形成了奢侈浪费的习俗。富贵人家，儿童小妾都穿着华丽的衣服，从事工商业的人，就连他们的奴仆都吃着贵重的食品，而农夫却连酒糟米糠都吃不上，养蚕的妇女就连粗布做的小袄都没得穿。所以导致耕种农田的人日益减少，田地有的已经荒芜，国家府库中没有了粮食丝帛的储备，市面上却充斥着各种宝物，虽然很多人的家里缺衣少食，但走在大街上却有很多人都穿得很华丽。引起饥寒的根本原因就在于此。我认为凡是珍稀、奇异的东西，都应该禁止流通。关于婚丧嫁娶，要制定出一些具体的规定，不许铺张浪费，要鼓励、督促人们努力从事种粮养蚕，严格执行奖赏和惩罚的制度。用不了几年，国家一定会富裕起来。往年清查、核对户籍，百姓缴纳的租税减轻了不少。我所管辖的齐州，百姓缴纳的租赋勉强刚够给官员发放俸禄，没有一点多余的粮食存入仓库，虽然对百姓有好处，却不能维持长久，一旦发生战争，或是遭受天灾，恐怕国家为战争供应粮食的部门，就没有办法获得供应的粮食。以后可以让百姓少缴纳一点绢布，多缴纳一些谷物，遇到丰收年景就多积蓄一些粮食，遇到歉收之年国家就拿出一部分粮食赈济灾民。这就如同把百姓私家的谷米，暂时寄存在官府，官府预先有了储存的粮食，那么百姓就没有荒年了。"秋季，七月初六日己丑，魏孝文帝下令有关部门打

贷，听民出关就食[584]。遣使者造籍[585]，分遣去留[586]，所过给粮廪[587]，所至三长[588]赡养之。

柔然伏名敦可汗残暴，其臣侯医垔、石洛侯[589]数谏止[590]之，且劝其与魏和亲。伏名敦怒，族诛之，由是部众离心。八月，柔然寇魏边，魏以尚书陆叡[591]为都督，击柔然，大破之。叡，丽[592]之子也。

初，高车阿伏至罗[593]有部落十余万，役属柔然。伏名敦之侵魏也，阿伏至罗谏，不听。阿伏至罗怒，与从弟穷奇帅部落西走，至前部西北[594]，自立为王。国人号曰“候娄匐勒”，夏言天子[595]也；号穷奇曰“候倍”，夏言太子也。二人甚亲睦，分部而立，阿伏至罗居北，穷奇居南。伏名敦追击之，屡为阿伏至罗所败，乃引众东徙[596]。

冬，十月辛未[597][10]，魏诏罢起部无益之作[598]，出[599]宫人不执机杼者[600]。十一月丁未[601][11]，又诏罢尚方锦绣、绫罗之工[602]。四民[603]欲造，任之无禁。是时，魏久无事，府藏盈积。诏尽出御府[604]衣服珍宝、太官杂器[605]、太仆乘具[606]、内库[607]弓矢刀鋋[608]十分之八，外府[609]衣物、缯布丝纩[610]非供国用者，以其太半[611]班赉百司[612]，下至工、商、皂隶[613]，逮于六镇边戍[614]，畿内[615]鳏、寡、孤、独、贫、癃，皆有差[616]。

魏秘书令高祐[617]、丞李彪[618]奏请改《国书》编年为纪、传、表、志[619]，魏主从之。祐，允之从祖弟[620]也。十二月，诏彪与著作郎崔光[621]改修《国书》[622]。光，道固[623]之从孙也。

魏主问高祐曰：“何以止盗？”对曰：“昔宋均立德[624]，猛虎渡河[625]；

开仓库，把仓库中储存的粮食拿出来发放、借贷给灾民，允许百姓到都城以外的其他地区去找食物吃。派使者给出关的饥民登记造册，对于饥民是外出逃荒还是留在京城进行一些有计划的调配，饥民所经过的地方，地方官府要给这些饥民提供一些粮食供应，所停留地区的邻长、里长、党长要负责收容这些饥民，为他们提供食宿。

柔然伏名敦可汗豆仑残忍暴虐，他的大臣侯医垔、石洛候多次对他进行劝谏，并劝他与魏国和亲。伏名敦可汗大怒，竟然下令将侯医垔、石洛候二位大臣灭族了，因此部众开始离心离德。八月，柔然的军队侵扰魏国的边境，魏国朝廷任命担任尚书的陆叡为都督，率领魏军抗击柔然的进犯，把柔然军打得大败。陆叡，是陆丽的儿子。

当初，高车族人阿伏至罗拥有十多万个部落子民，役属于柔然。柔然伏名敦可汗豆仑派兵侵略魏国的时候，阿伏至罗极力劝阻，伏名敦可汗根本不听。阿伏至罗非常愤怒，就与自己的堂弟穷奇率领自己的部落向西迁移，他们到达了车师前部王都城的西北方便停留下来，自立为王。高车人称阿伏至罗为“候娄匐勒”，就是中原人所说的天子；称穷奇为“候倍”，就是中原人所说的太子。兄弟二人非常亲密和睦，他们各自率领自己的部众独立活动，阿伏至罗居住在北部，穷奇居住在南部。柔然伏名敦可汗豆仑率军追击他们，却多次被阿伏至罗打败，伏名敦可汗豆仑遂率领着柔然人向东迁移。

冬季，十月十九日辛未，魏孝文帝下令给主管为宫廷制作各种生活用品的起部，要他们停止其属下那些无价值的劳动制作，把宫中那些不从事纺织劳动的女子全部放出宫外，令其回家。十一月二十六日丁未，魏孝文帝又下诏，撤掉尚方署内负责纺织锦绣与绫罗的工匠。尚方署以外的士、农、工、商如果想要织造锦绣、绫罗绸缎，官府不加禁止。此时，魏国太平无事已经很久，府库中储藏的东西堆积如山。魏孝文帝下诏，把宫廷府库中储藏的所有衣服珍宝、太官署所收存的各种生活用品、太仆寺所收藏的各种车马用具、宫内府库中储存的弓箭刀枪等各种兵器的十分之八，宫廷以外的国家仓库中储存的衣服、丝绸棉麻等各种原料与织品，凡是不属于朝廷专用的物品，就将其中的一大半分发给百官，下至工人、商人、衙门里的差役，赏赐的范围遍及边防六军镇的守边士兵，以及首都辖区内的鳏、寡、孤、独、贫、病等各类贫困人口，虽然分到的多少不等，但都能分到一些东西。

魏国担任秘书令的高祐、担任秘书丞的李彪上书给孝文帝，请求把编年体的《国书》改成纪、传、表、志四体的纪传体，魏孝文帝批准了他们的请求。高祐，是高允的堂弟。十二月，魏孝文帝下诏，令秘书丞李彪与担任著作郎的崔光负责将编年体的《国书》改编成纪传体的《国书》。崔光，是崔道固的堂孙。

魏孝文帝向秘书令高祐询问说：“怎样才能禁止盗贼呢？”高祐回答说：“以前，东汉初期担任九江太守的宋均非常重视施行德政，所以就连九江境内的猛虎都渡过

卓茂行化[626]，蝗不入境[627]。况盗贼，人也，苟守宰得人[628]，治化有方，止之易矣。”祐又上疏言：“今之选举[629]，不采识治之优劣[630]，专简年劳之多少[631]，斯非尽才之谓[632]。宜停此薄艺[633]，弃彼朽劳[634]，唯才是举[635]，则官方斯穆[636]。又勋旧之臣，虽年勤可录[637]而才非抚民[638]者，可加之以爵赏[639]，不宜委之以方任[640]，所谓王者可私人以财[641]，不私人以官[642]者也。”帝善之。

祐出为西兖州刺史，镇滑台[643]。以郡国虽有学[644]，县、党[645]亦宜有之，乃命县立讲学[646]，党立小学[647]。

【段旨】

以上为第二段，写齐武帝萧赜永明三年（公元四八五年）至永明五年共三年间的大事。主要写魏主下令禁图谶，令一皆焚之，留者以大辟论，并禁巫觋、卜筮之类，见魏主与冯太后之英明果断；冯太后颁《皇诰》于天下，以见冯太后之文才；魏国实行均田制；魏国建立民间基层的管理机构，并清查户口，实行新的赋税制度，众人意见不一，冯太后一锤定音，天下安之；魏国分置州郡、官员实行五等公服、亲民官依户给俸；魏国朝廷作明堂、辟雍，改中书学曰国子学，不断汉化。写魏国代地大旱，饥民死者甚多，齐州刺史韩麒麟上表建议国家重农，鼓励从事农业、积蓄粮食等，颇似汉代晁错之《论贵粟疏》；儒臣高祐劝魏主以善政止盗，又强调唯才是举，讲“王者可私人以财，不私人以官”，又在县、党建立基层学校；魏主诏罢“无益之作”，诏罢“尚方锦绣、绫罗之工”，出内外府库之积物以分赐百官及天下之鳏寡孤独等人，以见魏主与冯太后之厉行节俭，广行善政。写南齐由于茹法亮、吕文显等受萧赜宠信而垄断朝权，大肆纳贿，群臣不满；因虞玩之、吕文度等审查户籍，大肆黜落人丁，从而激起民变，乃至变民唐寓之竟攻下钱唐，自立为帝；朝廷派兵进剿，平息变民之乱后，又纵兵抢掠百姓，以见南朝之腐朽；湘州之蛮反，以柳世隆为刺史讨平之。写荒人桓天生自称桓玄之后，与雍、司二州之夷互相煽动，勾结魏人入寇，舞阴守将殷公愍与朝廷

长江远远地离开了；东汉初年担任密县县令的卓茂爱民如子，教化大行，路不拾遗，就连蝗虫都不飞入他管辖的密县境内。何况盗贼也是人，如果能选择好的人才到地方上去担任郡太守、县令，他们治理、教化有方，禁止盗贼就是一件很容易的事情了。”高祐又上书给孝文帝说：“现在挑选任用官吏，不顾其才识与办事能力的高低，只看其年龄的大小与任职年限的长短，这不是充分发挥人的聪明才智的做法。不应该光看他做了些什么表面的小事，也不要管他都费了些什么力气，只有任用有才干的人，那么整个官场才能让人心平气和。再有，对那些旧有的功臣，虽然他们的年龄与功劳使人不忘，然而却没有管理百姓的才干，对这些人可以给他们高级别、高赏赐，而不要再委任他们出任地方大员，这就是俗话所说的：君主可以把财物赏赐给他所喜爱的人，而不应该凭私人感情任命其为官。”魏孝文帝很赞赏他的意见。

担任秘书令的高祐离开朝廷到西兖州担任刺史，镇守滑台。高祐因为各郡的郡城和各诸侯国的都城都已经设有官办的学校，认为各县、各乡也应该设有官办的学校，于是下令辖区内的各县要设立讲《诗经》《书经》内容、义理的学堂，党里要设立给儿童启蒙的学校。

所派的萧景先、陈显达等击破之，桓天生逃回荒中；竟陵王萧子良推荐范云之正直，以及范云之劝谏文惠太子长懋关心民生疾苦，无徇一朝之宴逸。此外还写了敕勒进攻柔然，柔然大破敕勒于西漠，有人建议魏主乘机伐柔然，魏主不从，不欲无故兴兵；以及魏国的儒学老臣高允之死，以及高允对公对私的忠实厚道等。

【注释】

㉜ 正月丙辰：此处有误，本月己巳朔，无丙辰日。㉝ 南康、庐陵、始兴：三郡名，南康郡的郡治在今江西于都东北，庐陵郡的郡治在今江西吉水北，始兴郡的郡治在今广东韶关西南。㉞ 乞更申数年：请求往后推迟几年。申，推迟。㉟ 兜鍪：古代武士戴的头盔。㊱ 孔雀氅：用孔雀毛做的装饰物。氅，用鸟兽毛做成的饰品。㊲ 间道：走小路。间，缝隙。㊳ 自湘州还朝：经由长沙一带逃来建业投降。湘州，州治即今湖南长沙。㊴ 戊寅：正月初十。㊵ 图谶：古代一些别有用心者所编造的一种用以煽动百姓的隐语或预言。如所谓“灭秦者胡也”，“千里草，何青青，十日卜，不得生”云云，皆是。㊶ 出于三季：三季指夏、商、周三代的末年。其实是始于战国之末，西汉武帝以后始大肆泛滥。㊷ 经国：治理国家。㊸ 所凭：所依赖；所借用。㊹ 图谶秘纬：鼓吹这种妖术的各种伪书、载体，如《河图》《洛书》，以及各种纬书等。秘纬，以“纬”命名的各

种妖异儒书。㉔⑤以大辟论：以杀头罪论处。胡三省曰："律：凡言'以……论'者，罪同真犯。"㉔⑥巫觋：装神弄鬼以替人祈祷上天、鬼神为职业的人。女者曰巫，男者曰觋。㉔⑦委巷卜筮：那些活动在街头巷尾以占卦算命为职业的人。委巷，曲折的小巷，这里即指民间。㉔⑧《皇诰》：冯太后所作的布告于天下的命令。皇，辉煌、神圣的意思。㉔⑨癸未：正月十五。㉕⓪大飨群臣：举行盛大宴会招待文武百官。飨，宴请。㉕①班：颁布，下达到全国的各地。㉕②辛卯：正月二十三。㉕③上祀南郊：皇帝到都城的南郊祭天。这句话的主语是南齐。㉕④复立国学：恢复建立国家的太学。胡三省曰："罢国学，见上卷高帝建元四年。李延寿曰：'江左草创，日不暇给，以迄宋、齐，国学时或开置，而劝课未博，建之不能十年，盖取文具而已。'"㉕⑤释奠先师：祭祀孔子。古代学校的一种典礼，每逢开学都要陈设酒食以祭奠孔子。古称孔子为"至圣先师"。释奠，即泼酒于地，表示祭祀。㉕⑥用上公礼：用当朝三公，即司徒、司马、司空的规格祭祀孔子。㉕⑦二月己亥：二月初二。㉕⑧岁禄各有差：每年都按爵位高低发给不同数量的俸禄。㉕⑨辛丑：二月初四。㉖⓪上祭北郊：皇帝到都城的北郊祭祀地神。这句的主语是南齐。㉖①三月丙申：三月二十九。㉖②皇弟禧：献文帝拓跋弘的第二子，孝文帝拓跋宏之弟。传见《魏书》卷二十一。㉖③幹：献文帝拓跋弘的第三子。传见《魏书》卷二十一。㉖④羽：献文帝拓跋弘的第五子。传见《魏书》卷二十一。㉖⑤雍：献文帝拓跋弘的第四子。传见《魏书》卷二十一。㉖⑥勰：献文帝拓跋弘的第六子。传见《魏书》卷二十一。㉖⑦详：献文帝拓跋弘的第七子。传见《魏书》卷二十一。㉖⑧于兄弟最贤：在众兄弟中表现最好。㉖⑨善属文：擅长于写文章。属文，连缀文辞成文章。㉗⓪四月癸丑：四月十七。㉗①甲寅：四月十八。㉗②宋太宗：指宋明帝刘彧，庙号太宗。㉗③总明观：国家的学术研究机关。胡三省曰："明帝泰始六年立总明观，征学士以充之。举士二十人，分为儒、道、文、史、阴阳五部学。"㉗④五月乙未：五月二十九。㉗⑤省总明观：撤销了总明观。省，关闭、撤销。㉗⑥王俭：当时著名的文学家、目录学家，东晋的名臣王导的五世孙。刘宋时官至太尉右长史。后辅佐萧道成即位，礼仪诏策，均出其手。历任侍中、尚书令、中书监等。传见《南齐书》卷二十三。㉗⑦领国子祭酒：兼任国家太学的首席长官。㉗⑧以总明四部书充之：把总明观所收藏的四部书搬到在王俭家所开设的学士馆里。所谓"四部"，是将天下所有图书分为经、史、子、集四部。这是从三国以及晋、宋以来的分法。三国时称甲、乙、丙、丁四部；晋代称经、史、子、集四部。㉗⑨以家为府：让王俭就在他们家的学士馆里上班。㉘⓪悉以文章相尚：都以擅长写文章为荣耀。当时的文章指辞赋、诗歌、骈体文等等。相尚，相高、以此为荣。㉘①无以专经为业：没有人把钻研儒家经典当成自己的专业。㉘②礼学：指研究《周礼》《仪礼》《礼记》的学问。㉘③《春秋》：儒家传习的经典之一，相传是孔子所编写。内容是春秋时代的一部历史大事纲要，上起鲁隐公元年，下止于鲁哀公十四年。㉘④言论造次必于儒者：说话做事、一举一动，都以儒家的思想言论为准则。造次，仓促、急遽。必于，必然依照。㉘⑤由是：因此。㉘⑥衣冠翕然：有身份、有地位的人都纷纷向他学习。翕然，像草随风倒一样地跟从着他。㉘⑦ 更尚儒术：都转过来崇尚儒术。㉘⑧ 撰次朝仪国典：编排制定朝廷的礼仪与国家的典章制度。撰次，编排、制定。㉘⑨ 晋、宋以来故事：晋、宋以来朝廷处理各种事务的办法与先例。㉙⓪ 无不谙忆：全都记得清清楚楚。谙忆，熟记在心。㉙① 理事：处理事务。㉙② 每博议引证：经常能旁征博引、有根有据地解决问题。每，经常。㉙③ 八坐、丞、郎：胡三省曰，"从八坐至左右丞、诸曹郎"。八坐，指尚书令、尚书左右仆射与所属的五部尚书，共八人。丞，尚书的左右丞，相当于今之部长助理。郎，各部尚书属下的郎官。㉙④ 无能异者：没有人能提出不同的意见。㉙⑤ 令史谘事：具体工作人员有事前来请示。令史，下级办事人员。㉙⑥ 应接辨析：一边回答，一边给他们分析讲解。㉙⑦ 傍无留滞：没有任何解决不了的问题留在旁边。傍，通"旁"。㉙⑧ 皆有音彩：声音又好听，语言又有文采。㉙⑨ 监试诸生：监督考试太学的生员。㉚⓪ 巾卷在庭：文武侍从都在院子里。巾，指戴头巾的文人。卷，指戴武冠的武夫。即剑卫与令史等人。胡三省引郑注《礼记》云："武冠，卷也。" ㉚① 仪容甚盛：气派、架子都摆得十足。仪容，由仪仗、警卫所显示的官场气派。㉚② 解散髻：一种从容潇洒的发式。㉚③ 相与仿效：争相效法。㉚④ 谢安：东晋名臣，在其宰相任期内朝廷与藩镇的关系相对和谐，因此能取得淝水之战的胜利。在军情十分紧急的情况下，尚能作山海之游。传见《晋书》卷七十九。㉚⑤ 委仗：一切都委托之，一切都信赖之。㉚⑥ 士流选用：想委任什么人为什么官。当时王俭为尚书左仆射，兼管吏部的选官工作。㉚⑦ 六月庚戌：六月十五。㉚⑧ 进：提升。㉚⑨ 河南王度易侯：河南王是当时活动在今青海境内黄河以南地区的少数民族头领。其王度易侯是前王拾寅之子。拾寅在位时即归附刘宋，被任为骠骑大将军。今其子继位，南齐又任之为车骑将军。事见《南齐书》卷五十九。该民族即通常所说的吐谷浑。㉛⓪ 吴兴丘冠先：吴兴郡人姓丘名冠先。吴兴郡治即今浙江湖州。㉛① 并送柔然使：送柔然使者回国。柔然使者来南齐在萧道成建元三年，事见本书上卷。㉛② 辛亥：六月十六。㉛③ 丁巳：六月二十二。㉛④ 七月癸未：七月十八。㉛⑤ 宕昌王：宕昌地区的羌族部落头领。宕昌，郡名，郡治即今甘肃宕昌，在今甘肃东南部的陇南地区。其头领梁弥机在萧赜永明元年曾接受南齐的封赠为宕昌王，今其侄又接受魏国的封赠为宕昌王。㉛⑥ 仇池：郡名，郡治在今甘肃成县西。此地长期以来为南朝与北魏的拉锯地区，其管辖权屡屡变化。此时属魏。㉛⑦ 穆亮：魏将名，先后仕于献文、孝文、宣武三朝，官至尚书令、司空。传见《魏书》卷二十七。㉛⑧ 矜：同情。㉛⑨ 纳：送入。外部大国恃其武力，强送某人入其地区为君主叫"纳"。㉜⓪ 军于龙鹄：驻兵于龙鹄。龙鹄，也称"龙涸"，即今四川松潘。㉜① 崇：穆崇，魏国拓跋珪时代的元勋老臣，官至太尉，赐爵宜都公。传见《魏书》卷二十七。㉜② 戊子：七月二十三。㉜③ 鱼池：在当时魏都平城（今山西大同东北）的北苑。㉜④ 甲午：七月二十九。㉜⑤ 八月己亥：八月初五。㉜⑥ 弥泽：古地名，旧址在今山西朔州西南。㉜⑦ 甲寅：八月二十。㉜⑧ 甲子：八月三十。㉜⑨ 荫附：投靠在某个豪强势力的庇护之下。东晋、宋、齐也有许多这种人，为逃避政府的征兵征粮，而归附于某种豪门贵族的掩护下，称作“荫户”。㉚无官役：不需要给官府出徭役。㉛豪强征敛：所依附的豪门贵族对他们的掠夺性赋敛。㉜李安世：拓跋焘时代的魏臣李顺的侄孙，李孝伯之子，曾任相州刺史，此时任给事中。传见《魏书》卷五十三。给事中是皇帝的侍从官员，起参谋顾问之用，地位显要。㉝豪右：豪门大族。㉞虽桑井难复：即使古代传说的井田制难以恢复实行。虽，即使。桑，即《孟子》描述理想生活所说的“五亩之宅，树之以桑，五十者可以衣帛矣”云云。井，即井田制。㉟宜更均量：应该重新丈量一次田地。㊱力业相称：有多少人力和有多少数量的土地。业，产业，这里即指土地。㊲所争之田：对主权有争议的土地。㊳宜限年断：应规定一个年限，即看他占有这块土地多少年了。㊴悉归今主：全部划归现在的主人。㊵以绝诈妄：以消除没有根据的胡搅蛮缠。㊶始议均田：开始研究实行均田制。这种按人口分配土地的制度从北魏开始实行，一直到唐代中叶。㊷十月丁未：十月十三。㊸牧守：州刺史与郡太守。㊹均给天下之田：按人口平均分配全国的土地。㊺露田：用于种植谷物，不种树，并在一定时候还要交还给官府的田。杜佑《通典注》：“不栽树者谓之露田。”㊻奴婢依良丁：男女奴隶依照平民的成年男女一样分给土地。良丁，平民的成年男女。㊼率倍之：一般都是按照两倍的数量授予。因为当时人口稀少而土地很多。而且有些地也需要轮作休耕。㊽三易之田再倍之：胡三省曰，“三年耕然后复故，故再倍以授之”。再倍，再增加一倍。㊾以供耕作：以保证其经常能耕作的数量。㊿还受之盈缩：（以补充）日后在不断领田、分田过程中所出现的差额。351人年及课则受田：年轻人一到该交纳赋税的年龄就开始接受应分的土地。及课，到了应纳税服役的年龄，亦即成丁、成年。352老免及身没：人到了年老免赋或未老而死亡。353课种桑五十株：规定种桑树五十株。课，规定、要求。354世业：世代相传的产业。355恒计见口：经常统计现有的人口。见，通“现”。356有盈者无受无还：哪一家由于人口减少而出现土地超量，就不再授给土地，而其超出的部分也不用归还官府。357不足者受种如法：哪一家由于人口增加而出现土地不足，就可以按照规定到政府去领取。受种，领取应有的土地。如法，按照规定。358盈者得卖其盈：土地超量的人家，可以出卖其超量的部分。359宰民之官：直接管理百姓的地方官。宰，主管。360各随近给公田有差：可以在其任职单位的附近领取一块大小相当的公田。葛晓音曰：“据《魏书·食货志》所载：刺史十五顷，太守十顷，治中、别驾各八顷，县令、郡丞六顷。”361更代相付：任该职务的官员相互接替着使用这块土地。362卖者坐如律：谁要是变卖这块地，谁就要依法受到惩处。如律，依法。363辛酉：十月二十七。364十二月乙卯：十二月二十二。365任城王澄：景穆帝拓跋晃之孙，拓跋云之子，袭其父爵为任城王。传见《魏书》卷十九中。366氐、羌：氐即前文所讲的活动在今甘肃东南部，以杨氏为头领的氐族人。羌即前文所讲的活动在今青海东南部的吐谷浑人。367梁、益、荆：魏国的三州名，梁、益二州的州治都在仇池（今甘肃成县西），二州共设一个刺史，荆州的州治即今陕西商洛市商州区。368讨叛柔服：对发动叛乱者以兵讨之，对自动归服者加以抚慰，能区别对待，不蛮干。369 太祖：指萧道成。370 虞玩之：刘宋孝武、明帝时的地方官吏，泛涉书史，受萧道成喜爱，入齐后为黄门郎。传见《南齐书》卷三十四。371 检定黄籍：检查、审定全国的户籍。黄籍，胡三省引杜佑曰："户口版籍也。"以其用黄纸写成，故称黄籍。〖按〗萧道成让虞玩之检定黄籍，在太祖建元二年，事见本书上卷。372 置令史：设立专门检查户籍的文职小吏。373 限人一日得数巧：规定指标，要求每人每天必须查出若干条弄虚作假的问题。巧，弄虚作假。374 连年不已：一连查了几年还没有查完。375 外监：官名，皇帝派在中领军军队中的特派人员，起监察作用。胡三省曰："外监，属中领军，而亲任过于领军。"中领军是皇帝禁军的六个将领之一。376 吕文度：齐武帝萧赜时代的佞幸。与茹法亮、吕文显同见《南齐书》的《幸臣传》。377 启上：建议皇帝。378 籍被却者悉充远戍：凡是在审查户籍中被刷掉的人口，通通发配远方守边。却，落、刷下。379 富阳民：富阳县的百姓。富阳县在今浙江境内。380 三吴：指吴兴、吴郡、会稽三郡。381 奸谄：奸诈、谄媚。382 领军守虚位：领军将军成了徒有虚名的职位。383 权势尤盛：茹法亮等虽名为中书舍人，但由于都是特派员，每人分掌一省，故而此数人遂势倾朝野。384 大位：时王俭任侍中、尚书令、卫军将军、参掌选事。385 权寄：实权与皇帝的信托。386 部真可汗：名予成，公元四六四至四八四年在位。387 伏名敦可汗：胡三省引魏收曰："伏名敦，魏言恒也。"名豆仑，公元四八五至四九一年在位。388 正月癸亥朔：正月初一是癸亥日。389 始服衮冕：开始穿汉族皇帝所穿的衮服和戴汉族皇帝的冠冕。衮冕，皇帝的礼服与礼帽。390 壬午：正月二十。391 钱唐：古县名，县治在今浙江杭州西南。392 吴郡：郡名，郡治即今江苏苏州。393 东阳：郡名，郡治即今浙江金华。394 山阴：古县名，县治即今浙江绍兴。395 浦阳江：水名，即今浙江东部的曹娥江。396 浃口戍主：浃口军事据点的头领。浃口，即今浙江宁波东北的镇海区。397 台军：朝廷军；政府军。398 乌合：一哄而起，指没有严格组织纪律。399 颇纵抄掠：有些放纵士兵抢掠百姓。颇，略、有些。400 弃市：杀头或腰斩，即将人处死。古代刑人于市场，以示与市人共弃之，故曰弃市。401 付东冶：遣送到东冶城服劳役。胡三省曰："建康有东、西二冶，今冶城即其地，亦曰东冶亭。"旧址在今南京朝天宫附近。402 刘系宗：刘宋时曾任员外郎，入齐任右军将军、淮陵太守。与茹法亮等同为佞幸之臣。传见《南齐书》卷五十六。403 随军慰劳：随着军队的前进，到处安慰受难的百姓。404 被驱逼者：被反贼裹胁威逼随之为乱者。405 悉无所问：一概既往不咎。406 闰月癸巳：闰正月初一。407 子贞：武帝萧赜的第十四子。传见《南齐书》卷二十一。408 邵陵王：邵陵郡王。邵陵郡的郡治即今湖南邵阳。409 皇孙昭文：文惠太子萧长懋的第二子，即后来的齐海陵恭王萧昭文。传见《南齐书》卷五。410 杨后起：原氐王杨难当之子，在此之前被南齐封为氐王。传见《南齐书》卷五十九。411 丁未：闰正月十五。412 白水太守杨集始：杨集始是杨后起之侄，时任白水太守。白水郡在今甘肃文县东南，其地有白龙江，也称白水，自西北向东南流过。413 文弘：杨文弘，杨文度之弟，杨文度曾自称武兴王，被魏人所杀。杨文弘曾被魏人封为武

都王。⑭ 辛亥：闰正月十九。⑮ 上耕籍田：上指齐武帝萧赜。耕籍田，是古代帝王亲自进行农业活动，以表示重视农业，鼓励全国百姓积极从事农业劳动的意思。籍田，皇帝亲自劳动过的那块示范田。⑯ 二月己未：此处疑有误。二月壬戌朔，无己未日。⑰ 皇弟铼：萧铼，萧道成的第十八子。传见《南齐书》卷三十五。⑱ 铉：萧铉，萧道成的第十九子。传见《南齐书》卷三十五。⑲ 乡党之法：基层百姓的管理制度，如历代中原王朝所实行的五家为一邻，五邻为一里，五里为一党，五党为一乡等。⑳ 唯立宗主督护：只在一个居民点或一个部落、村落中设立一个头领，名叫“宗主督护”。这就如同战乱年代有些地区居民自己联合组成的坞、壁一样。其中只有一个头领。大家都听他的指挥。督护，犹言总监、总管。㉑ 民多隐冒：如隐瞒户口、假报年龄等等。㉒ 三五十家始为一户：有的三十家、五十家才报一家的户口。㉓ 内秘书令：胡三省曰，“秘书省在禁中，故名‘内秘书令’，亦谓之‘中秘’”。㉔ 宜准古法：应该依照古代的办法。㉕ 强谨：有势力而又办事谨慎。强，指有智慧、有办法。㉖ 邻长复一夫：当邻长的人可以免除他家一个人的赋税与徭役。复，免除赋税或劳役。㉗ 里长二夫：当里长的人可以免除他家两个人的赋税与徭役。㉘ 三载无过：当官当得好，三年没过失。㉙ 民调：户调；户口税。调，赋税。㉚ 大率十匹为公调三句：葛晓音曰，“意思是说，大体说来，朝廷将征收的布帛分为十五份，其中十匹为公调，二匹为调外费，三匹为内外百官俸禄”。公调，上交国库的钱粮。㉛ 杂调：用于各级官府不时之需的各种杂费。㉜ 已上：同“以上”。㉝ 不从役：不服兵役、劳役。㉞ 癃老：衰老病弱。癃，背曲隆高之病，这里即泛指病。㉟ 笃疾：重病在身。指虽未年老，但有重病。㊱ 迭养食之：将其收容起来轮流供养。迭，轮流。㊲ 通议：共同讨论。㊳ 郑羲：魏国名臣，著声绩于拓跋弘、拓跋宏时代。传见《魏书》卷五十六。㊴ 太尉丕：拓跋丕，拓跋兴都之子，拓跋提之弟。传见《魏书》卷十四。㊵ 方：正当；正值。㊶ 校比：清查；核查。㊷ 民可使由之二句：见《论语·泰伯》。意思是只能让老百姓按着命令做，很难让他们知道为什么。㊸ 若不因调时：如果不趁征收赋税的时候清查户口。㊹ 徒知：只看到；只体会到。㊺ 立长校户之勤：设立三长、清查户口的麻烦。勤，麻烦。㊻ 均徭省赋：平均徭役，减少赋税。㊼ 宜及课调：应该趁着征收赋税的时机。及，趁着。㊽ 行之差易：做起来比较容易。差，略。㊾ 九品差调：按照九级户口征收赋税的办法。事见本书卷一百三十二宋明帝泰始五年。其办法是，官府将纳税户分为三等九级。上等的三级将赋税送到国家京城，中等的三级将赋税送到别州的国库，下等的三级将赋税送到本州的国库。㊿ 文明太后：即正在执政的冯太后，孝文帝拓跋宏的祖母。(451) 课调有常准：因为对各家各户的情况比较清楚。(452) 苞荫之户可出：那些隐藏在豪门大族下的黑户口可以清查出来。苞荫，遮蔽、掩盖。(453) 侥幸之人可止：投机取巧逃避赋税的人会被阻止。(454) 甲戌：二月十三。(455) 三月丙申：三月初五。(456) 如魏：到魏国进行友好访问。(457) 敕勒：也称铁勒、高车，当时活动在柔然北方的少数民族名。约在今蒙古国与俄罗斯的两国交界地区。(458) 西漠：蒙古大沙漠以西。(459) 吴寇：吴地的寇盗，这里指南齐王朝。㊻⓪兵者凶器二句：见《老子》第三十一章。原文作："兵者，不祥之器，非君子之器，不得已而用之。"㊻①有未宾之虏：尚有未曾归服的敌人。未宾，未曾归服、未来朝拜。㊻②四月辛酉朔：四月初一是辛酉日。㊻③五等公服：五等官员的规定服饰。胡三省曰："公服，朝廷之服。五等，朱、紫、绯、绿、青。"㊻④甲子：四月初四。㊻⑤法服：皇帝在举行大典时所穿的礼服。胡三省曰："衮冕以见郊庙之服。"㊻⑥御辇：皇帝的车驾。㊻⑦癸酉：四月十三。㊻⑧灵泉池：胡三省曰："魏于方山之南起灵泉宫，引如浑水为灵泉池，东西一百步，南北二百步。"方山，在魏国都城平城北，魏主与冯太后都在这里为自己预建陵墓。㊻⑨戊寅：四月十八。㊼⓪湘州蛮：湘州境内的少数民族。湘州的州治即今湖南长沙。㊼①丁亥：四月二十七。㊼②六月辛酉：六月初二。㊼③己卯：六月二十。㊼④赐皇子恂名：给魏主拓跋宏新生的儿子起名曰"恂"。此子即冯太后的重孙。㊼⑤七月戊戌：七月初九。㊼⑥八月乙亥：八月十七。㊼⑦尚书五等爵已上：尚书省的五等爵以上的官员。㊼⑧大小组绶：大小不同的系印的丝絛。绶，丝絛，用以系印及系佩玉。因是用丝线编成，故称组绶。㊼⑨九月辛卯：九月初三。㊽⓪明堂、辟雍：都是儒家所宣传的古代帝王讲礼、颁政以及尊贤、讲学的地方。明堂，古代天子举行典礼的厅堂，其体制在西汉时就已经讲不清楚。辟雍，古代举行典礼、宣明教化的地方。《史记集解》引韦昭曰："水外四周，圆如辟雍，盖以节观者也。"也用以称太学。㊽①民官：治民的官员，即各级地方官，如县令、郡守、刺史等。㊽②依户给俸：按照其所管地区的户口多少而所发的俸禄有所不同。因为由于战乱，当时中原地区的人口普遍稀少，再加上地方官的为政好坏也影响其所管地区的人口多少。㊽③凡三十八州：全国总共三十八全州。凡，总、总共。㊽④二十五在河南：在黄河以南的二十五个州是：青、南青、兖、齐、济、光、豫、洛、徐、东徐、雍、秦、南秦、梁、益、荆、凉、河、沙，时又置华、陕、夏、岐、班、郢。㊽⑤十三在河北：在黄河以北的十三个州是：司、并、肆、定、相、冀、幽、燕、营、平、安，时又置瀛、汾。㊽⑥正月丁亥朔：正月初一是丁亥日。㊽⑦戊子：正月初二。㊽⑧启：请求；建议。㊽⑨记室范云为郡：让自己的僚属范云担任郡守职务。记室，官名，略同于主簿、书记。㊾⓪不复穷法：不再深加追究。㊾①宥之以远：宽恕他，把他下放到边远的地方去任职。宥，宽饶。㊾②动相规诲：经常地规劝我、教导我。动，动不动地，意实时常。㊾③辞皆切直：说话全都中肯而直率。㊾④不谓云能尔：想不到范云能够这个样子。尔，如此。㊾⑤方使弼汝：这样正好让他给你做帮手。弼，辅佐、帮助。㊾⑥何宜出守：怎么好让他出去当太守呢。㊾⑦文惠太子：指现任的太子萧长懋。文惠是他死后的谥。㊾⑧出东田观获：到建筑在东宫以东的东田楼阁上观看农民收割庄稼。胡三省曰："时太子作东田于东宫之东，绵亘华远，壮丽极目。"《齐纪》又有所谓"太子立楼馆于钟山下，号曰东田"。㊾⑨刈此亦殊可观：这种收割劳动也很好看。殊可观，很值得看。㊿⓪唯唯：随声附和的样子。501三时之务：一年三个季节的苦干。指春耕、夏耘和秋获。502实为长勤：实在是一种漫长的劳动。503伏愿：诚心诚意地希望您。伏，表示谦敬的用语。504无徇：

不要追求。徇，追求。⑤⓪⑤宴逸：安乐。宴，安。一朝尚不可追求，况朝暮如此哉！古代有所谓“宴安鸩毒”，比之为毒药。⑤⓪⑥荒人：亡命徒、逃亡者，逃亡到官兵不至的荒野之中。⑤⓪⑦桓玄：东晋末期的军阀乱臣，曾一度起兵称帝，后被刘裕击败而死。传见《晋书》卷九十九。⑤⓪⑧雍、司：二州名，南齐的雍州州治在今湖北襄阳市襄州区，司州的州治在今河南信阳。⑤⓪⑨扇动：同“煽动”，鼓动。⑤①⓪南阳故城：即今河南南阳。此时属南齐。⑤①①将入寇：准备进攻南齐。⑤①②丁酉：正月十一。⑤①③假丹杨尹萧景先节：授予丹杨尹萧景先旌节，命其奉旨出征。假，授予。节，旌节，皇帝授予将军的一种信物，表示他拥有某种权力。当时命将授节有三种规格，最高者曰“使持节”，其次曰“持节”，其三曰“假节”。萧景先，萧道成之侄，官至领军将军、丹杨尹。传见《南齐书》卷三十八。⑤①④义阳：古城名，即今河南信阳，当时属南齐。⑤①⑤皆受节度：都受萧景先调遣、指挥。⑤①⑥宛、叶：二县名，宛县的县治即今河南南阳，叶县的县治在今河南叶县西南的旧县城。⑤①⑦咸阳文公高允：高允是拓跋焘时代以来具有深厚汉文化修养的老臣，曾与崔浩一同著魏国国史，其后在魏国一直被敬重推崇。传见《魏书》卷四十八。⑤①⑧五帝：指拓跋焘、拓跋晃、拓跋濬、拓跋弘、拓跋宏。⑤①⑨出入三省：指先后在尚书省、中书省、秘书省三个部门为官。高允最高任过中书监、中书令、太常卿等职。⑤②⓪未尝有谴：从未受过皇帝的批评、谴责。⑤②①中黄门：在宫廷中服务的太监。⑤②②情同寒素：实际表现像一个门第寒微之人。⑤②③恂恂：和气而有耐心的样子。⑤②④笃亲念故：对亲戚、朋友感情深厚，念念不忘。⑤②⑤平青、徐：事在宋明帝泰始五年，由于宋明帝骄傲轻敌，派沈攸之等出兵淮北，致使薛安都等以徐州降魏，沈攸之的朝廷军大败，致使淮北大片土地陷入魏人之手。见本书卷一百三十二。⑤②⑥徙其望族于代：指魏主拓跋弘将青州和徐州的世家大族通通迁到代郡。代，古国名、地区名，大致指今河北蔚县、阳原、怀安，山西离石、灵石、昔阳以北地区，是北魏拓跋氏最早的建国之地。⑤②⑦婚媾：意即亲戚，有婚姻关系的人。⑤②⑧随其才行：根据他们各自的才干和品行。⑤②⑨以初附间之：以他们都是一些刚刚归降魏国的人嫌弃他们。间，隔阂、嫌弃。⑤③⓪必若有用：如果他们真正是有用之才。⑤③①岂可以此抑之：怎么能因为他们是刚刚归附就埋没他们。⑤③②赙襚甚厚：朝廷送给他们家很多助丧的财物。赙襚，赠送丧家布帛叫“赙”，赠送丧家的衣被叫“襚”，通常即指赠送丧家的财物。⑤③③存亡蒙赉：生前与死后能得到朝廷厚重赐予的人。⑤③④沘阳：古县名，县治即今河南泌阳，地处南齐与魏国的边界地区。⑤③⑤深桥：古地名，旧址在今河南泌阳南约四十里处。⑤③⑥悬瓠：古城名，即今河南汝南县，当时为魏国豫州的州治所在地。⑤③⑦应齐：与南齐王朝的军事行动呼应配合。⑤③⑧舞阴：古县名，县治在今河南泌阳北的羊册一带。在南阳的东方，信阳的西北方。当时属于南齐。⑤③⑨被创：受伤。⑤④⓪三月丁未：三月二十二。⑤④①舞阳城：舞阳县城，在今河南舞阳西北。⑤④②五月壬辰：五月初八。⑤④③癸巳：五月初九。⑤④④南平王浑：拓跋浑，魏道武帝拓跋珪之孙，曾为凉州镇将、领护西域校尉。传见《魏书》卷十六。⑤④⑤甲午：五月初十。⑤④⑥复七庙子孙：免除魏国宗庙所供奉的七代先人之子孙的一切赋税及劳役。胡三省曰："七庙，自太祖以下。"〖按〗太祖拓跋珪、太宗拓跋嗣、世祖拓跋焘、恭宗拓跋晃、高宗拓跋濬、显祖拓跋弘，实际只有六庙，不知如何算出七庙？㊼外戚缌麻服已上：凡是丧礼服缌麻以上的所有外戚。外戚指皇帝后妃娘家一方的亲戚。缌麻服，丧服五种中最轻的一种，用细麻布制成，为疏远的亲属、亲戚所穿戴。其他四种为斩衰、齐衰、大功、小功。㊽赋役无所与：交税服役的事情与之无关。与，参与、有关。㊾公孙邃：魏臣，官至青州刺史、镇东将军。传见《魏书》卷三十三。㊿还窜荒中：又逃回到官兵不至的荒野之地。551表：公孙表，拓跋珪、拓跋嗣时代的将领，被拓跋嗣所杀。传见《魏书》卷三十三。552馁死：饥饿而死。553癸未：六月二十九。554极言无隐：毫无保留地向皇帝提出意见、建议。555储积九稔：有九年的粮食储存。稔，年。556逮于中代：其后到了中古时期。逮，等。557亦崇斯业：仍很重视这一项，即注意储存粮食。558入粟者与斩敌同爵：汉代让百姓给国家上交粟米，可以和杀敌一样获得爵位。559参分居二：三份之中占有两份。560丰穰积年：连年丰收。561矜夸：指好大喜功、铺张浪费。562袨服：华丽的衣服。563仆隶玉食：连他们的奴仆都吃着贵重的食品。564阙糟糠：连糟糠都没得吃。565乏短褐：连件小袄都没得穿。566谷帛罄于府库：国家的府库里没有粮食丝帛储存。罄，尽。567宝货盈于市里：市面上却充斥着宝物。568衣食匮于室：虽然大家在家里都缺衣少食。569丽服溢于路：但走在街上都穿得挺好。570备为格式：应该做出一些具体的规定。571劝课农桑：应该勉励督促人们从事农业生产。572盈赡：富裕。573校比户贯：即清查户籍。贯，乡籍，户口所在地。574才可给俸：只够给官员发薪俸。575略无入仓：一点存入仓库的也没有。576于民为利：对于百姓是有好处。577脱有戎役：一旦有战事发生。脱，一旦、突然。戎役，战事。578供给之方：该为战争供应粮草的部门。579无所取济：没有获得供应的来源。580岁俭：荒年；歉收的年头。581私民之谷：老百姓私家的粮食。582宿积：预先储存。583七月己丑：七月初六。584出关就食：到都城以外的其他地区找食物吃。关，指京都平城郊区外沿的出入检查站。585造籍：给出关的饥民造册登记。586分遣去留：进行一些有计划的调配。587所过给粮廪：所到之处要给这些饥民提供一些粮食供应。588所至三长：所到地区的基层三长，即邻长、里长、党长。589侯医垔、石洛候：二人名，伏名敦可汗手下的名臣。侯医垔，《北史》作"侯躄垩"。590数谏止：多次劝阻。591陆叡：魏国名臣陆俟之孙，陆丽之子，历官散骑常侍、定州刺史。传见《魏书》卷四十。592丽：陆丽，陆俟之子，在迎立文成帝拓跋濬的过程中有大功，封平原王，位至侍中。传见《魏书》卷四十。593高车阿伏至罗：高车族人，名阿伏至罗。594前部西北：车师前部王都城的西北方。车师前部是汉代以来的西域国名，其都城高昌，在今新疆吐鲁番的西北方。595夏言天子：也就是中原人所说的天子。夏，华夏，泛指中原地区。596乃引众东徙：胡三省曰，"史言柔然浸衰"。597冬二句：冬季的十月十九。598罢起部无益之作：停止起部管理之下的那些无价值的劳动制作。起部，官署名，如同汉族国家的尚方署，主管为宫廷制作各种生活用品，上属于九卿中的少府。⑲出：放出宫廷，令其回家。⑳宫人不执机杼者：宫廷中不从事纺织劳动的女子。机杼，泛指织布机。杼是织机上的部件名，用途是撑直织机上的经线。㉑十一月丁未：十一月二十六。㉒罢尚方锦绣绫、罗之工：撤掉尚方署内纺织锦绣与绫罗的工匠。㉓四民：士、农、工、商，意即尚方署以外的其他人。㉔御府：宫廷的府库。㉕太官杂器：太官署所收存的各种生活用品。太官，即太官署，是给宫廷掌管膳食的部门。㉖太仆乘具：太仆寺所收藏的各种车马用具。太仆，为皇帝掌管车马以及养马、驯马的官员，在秦汉时代为九卿之一。㉗内库：宫内的仓库，也叫"内藏"。㉘弓矢刀铃：泛指各种兵器。铃，也是一种刀名。㉙外府：宫廷以外的国家仓库。㉚缯布丝纩：泛指丝绸棉麻的各种原料与织品。纩，絮衣服被褥的丝绵。㉛太半：大半；三分之二。㉜班赉百司：分发给百官。班，通"颁"。百司，即百官。㉝皂隶：衙门的差役。㉞六镇边戍：边防六军镇的守边士兵。㉟畿内：首都的郊区范围。㊱皆有差：多少不等的都能分得一些东西。㊲秘书令高祐：秘书令是秘书省的主官，秘书省是为皇帝主管图书簿籍的部门。高祐，魏国的世代儒学之臣，此时任秘书令。传见《魏书》卷五十七。㊳丞李彪：高祐的副职李彪，时为秘书丞。㊴改《国书》编年为纪传表志：把编年体的魏国史书改成为纪、传、表、志四体的纪传体。《国书》，记载魏国史事的编年体史书。㊵从祖弟：堂叔伯兄弟。两个人的祖父是亲兄弟。㊶崔光：当时有名的儒学之臣，原为刘宋人，慕容白曜平三齐，崔光始归魏国。此时为著作郎。传见《魏书》卷六十七。㊷改修《国书》：即将编年体的《国书》改修成纪传体。㊸道固：崔道固，原为刘宋的冀州刺史，泰始五年与徐州刺史薛安都等一同归降魏国。传见《宋书》卷八十八。㊹宋均立德：宋均是东汉初期的著名地方官，为九江太守时，在郡打击奸贪，奖拔忠善，做了很多好事。事见《后汉书》卷四十一。㊺猛虎渡河：宋均刚到九江太守任时，郡内多虎，后来由于宋均多行德政，以致老虎竟全部渡江而去。㊻卓茂行化：卓茂是西汉末期人，守节不仕王莽，东汉初，任密县（在今河南境内）县令时视民如子，教化大行，道不拾遗。事见《后汉书》卷二十五。㊼蝗不入境：卓茂任密县县令时，周围二十余县均受蝗灾，但蝗虫独不入密县界。㊽守宰得人：能找到好的人才任地方官。守宰，郡太守与县令，最接近百姓的官员。㊾选举：选任官吏。㊿不采识治之优劣：不顾其才

【原文】

六年（戊辰，公元四八八年）

春，正月乙未[648]，魏诏："犯死刑者，父母、祖父母年老，更无成人子孙，旁无期亲[649]者，具状以闻[650]。"

识与办事能力的好坏。采，同“睬”，看。识治，才识与办事能力。㉛ 专简年劳之多少：只区别其年龄的大小与任职时间的长短。劳，任职时间的长短。㉜ 非尽才之谓：这不是充分发挥人的才智的做法。㉝ 停此薄艺：不要光是看他做了些表面的什么小事。㉞ 弃彼朽劳：也不要管他都费了些什么力气。朽劳，没有价值的劳动。㉟ 唯才是举：只有任用有才干的人。㊱ 官方斯穆：整个官场才能让人心服，让人听话。穆，心平气和。㊲ 年勤可录：年龄与功劳使人不忘。可录，可取。㊳ 才非抚民：没有管理百姓的才干。㊴ 可加之以爵赏：可以给他们高级别、高赏赐。㊵ 不宜委之以方任：不能让他们出任大员，如郡太守、州刺史。㊶ 私人以财：可以凭私人情感赏给他财物。㊷ 不私人以官：不能凭私人情感而任命他为官。㊸ 滑台：古代军事要地，在今河南滑县城东，当时处于黄河岸边，是魏国西兖州的州治所在地。㊹ 郡国虽有学：各郡的郡城与各诸侯国的都城虽然都设有官办的学校。㊺ 县、党：各县城与县城以下各乡镇。党，五邻为一里，五里为一党，一党有一百二十五户。㊻ 讲学：讲《诗》《书》内容、义理的学堂。㊼ 小学：给儿童启蒙的学校，主要是教人识字。

【校记】

［3］之：据章钰校，十二行本、乙十一行本、孔天胤本“之”下皆有“丁酉”二字，张敦仁《通鉴刊本识误》同。〖按〗是年正月癸亥朔，无丁酉。［4］上：原作“帝”。据章钰校，十二行本、乙十一行本、孔天胤本皆作“上”，今据改。［5］课调：原作“调课”。据章钰校，十二行本、乙十一行本、孔天胤本二字皆互乙，今据改。［6］西：原作“南”。据章钰校，十二行本、乙十一行本、孔天胤本皆作“西”，今据改。［7］恒：原作“常”。据章钰校，十二行本、乙十一行本、孔天胤本皆作“恒”，今据改。［8］皆：原作“皆曰”。据章钰校，十二行本、乙十一行本、孔天胤本皆无“曰”字，今据删。［9］众：原作“诸”。据章钰校，十二行本、乙十一行本、孔天胤本皆作“众”，今据改。［10］十月辛未：原作“九月辛未”，今据严衍《通鉴补》改作“十月辛未”。〖按〗是年九月癸未朔，无辛未。［11］十一月丁未：原作“十月丁未”，今据严衍《通鉴补》改作“十一月丁未”。〖按〗是年十月癸丑朔，无丁未。

【语译】

六年（戊辰，公元四八八年）

春季，正月十五日乙未，魏孝文帝拓跋宏下诏说：“对那些犯有死罪的人，如果他们的父母、祖父母年纪已老，又没有其他成年子孙，也没有期服的亲戚，要把他们的详细情况写清楚报告给朝廷。”

初，皇子右卫将军子响[651]出继豫章王嶷[652]，嶷后有子，表留为世子[653]。子响每入朝，以车服异于诸王[654]，每拳击车壁[655]。上闻之，诏车服与皇子同。于是有司奏子响宜还本[656]。三月己亥[657]，立子响为巴东王[658]。

角城戍将[659]张蒲，因大雾乘船入清中[660]采樵，潜纳[661]魏兵。戍主[662]皇甫仲贤觉之，帅众拒战于门中，仅能却之[663]。魏步骑三千余人已至堑外[664]，淮阴军主[665]王僧庆等引兵救之，魏人乃退。

夏，四月，桓天生复引魏兵出据隔城[666]，诏游击将军下邳曹虎[667]督诸军讨之。辅国将军朱公恩将兵蹹伏[668]，遇天生游军，与战，破之，遂进围隔城。天生引魏兵步骑万余人来战，虎奋击，大破之，俘斩二千余人。明日，攻拔隔城，斩其襄城太守帛乌祝，复俘斩二千余人，天生弃平氏城[669]走。

陈显达侵魏，甲寅[670]，魏遣豫州刺史拓跋斤将兵拒之。

甲子[671]，魏大赦。

乙丑[672]，魏主如灵泉池。丁卯[673]，如方山。己巳[674]，还宫。

魏筑城于醴阳[675]，陈显达攻拔之，进攻泚阳[676]，城中将士皆欲出战，镇将韦珍曰："彼初至气锐，未可与争，且共坚守，待其力攻疲弊，然后击之。"乃凭城拒战，旬有二日，珍夜开门掩击，显达还。

五月甲午[677]，以宕昌王梁弥承为河、凉二州刺史[678]。

秋，七月己丑[679]，魏主如灵泉池，遂如方山。己亥[680]，还宫。

九月壬寅[681]，上如琅邪城[682]讲武[683]。

当初，齐武帝萧赜把担任右卫将军的儿子萧子响过继给了豫章王萧嶷，后来豫章王萧嶷有了自己亲生的儿子，但他上表给齐武帝，请求把萧子响留在自己的门下做世子。萧子响每次入朝，总是因为自己乘坐的车子、穿戴的服饰都和自己的亲兄弟有差别而感到委屈，他常常用拳头击打车壁以表示自己内心的愤怒。齐武帝听说之后，就下诏允许萧子响乘坐的车子、身上穿戴的服饰与其他的皇子一样。于是有关部门的官员便上书给齐武帝，认为应该让萧子响重新回到皇帝的名下。三月二十日己亥，齐武帝封萧子响为巴东王。

齐国驻守角城的将领张蒲，趁着大雾天气乘船到清水河上采伐树木，却暗中勾结、引导魏军夺取角城。被驻守角城的主将皇甫仲贤发现，皇甫仲贤率领属下的部众在角城门内抵抗入城的魏军，只能勉强地将入城的魏军赶出城门以外。而此时魏国的三千多名步兵、骑兵已经到达角城的护城河边，形势十分危急，驻守淮阴的主将王僧庆等率领淮阴军及时赶来相救，这才将魏军打退。

夏季，四月，桓天生又引着魏军占据了齐国的隔城，齐武帝下诏，令担任游击将军的下邳人曹虎率领各军前去讨伐。担任辅国将军的朱公恩率领军队负责搜查潜伏的敌人，正好遇到桓天生的游击部队。两军交战，朱公恩所率的齐军把桓天生的游击部队打败，并进而围困了被魏军占领的隔城。桓天生引领着一万多名魏国的步兵、骑兵上前迎战，游击将军曹虎奋勇反击，把魏军打得大败，俘虏、斩杀了二千多名魏军。第二天，曹虎便攻克了隔城，杀死了魏国担任襄城太守的帛乌祝，又俘虏、斩杀了二千多名魏军，桓天生丢下平氏城逃走。

齐国担任雍州刺史的陈显达率领齐军侵入魏国境内，四月初五日甲寅，魏国朝廷派遣担任豫州刺史的拓跋斤率领魏军抵抗陈显达的入侵。

四月十五日甲子，魏国实行大赦。

十六日乙丑，魏孝文帝前往灵泉池。十八日丁卯，从灵泉池前往方山。二十日己巳，回到平城的皇宫。

魏国在醴阳筑城，陈显达率领军队攻打正在筑城的魏军，并攻占了醴阳城，接着又进攻魏国的沘阳县城。沘阳县城中的魏军将士都主张出城迎战，驻守沘阳城的将领韦珍对他们说："齐国的军队刚到，目前他们的士气正盛，此时不适合与他们交战，我们暂且共同坚守，等到他们拼命攻城，军士疲惫不堪之时，我军再出城攻打他们，一定能大获全胜。"于是他们凭借着坚固的城池进行坚守，过了十二天之后，韦珍在夜间打开城门突然向齐军发动袭击，陈显达兵败撤回。

五月十五日甲午，齐国朝廷任命宕昌王梁弥承为河、凉二州刺史。

秋季，七月十一日己丑，魏孝文帝前往灵泉池，又从灵泉池前往方山。二十一日己亥，返回皇宫。

九月二十五日壬寅，齐武帝前往琅邪郡城检阅军队。

癸卯[684]，魏淮南靖王佗[685]卒。魏主方享宗庙[686]，始荐[687]，闻之，为废祭[688]，临视[689]哀恸。

冬，十月庚申[690]，立冬，初临太极殿读时令[691]。

闰月辛酉[692]，以尚书仆射王奂[693]为领军将军[694]。

辛未[695]，魏主如灵泉池。癸酉[696]，还宫。

十二月，柔然伊吾戍主[697]高羔子帅众三千以城附魏[698]。

上以中外[699]谷帛至贱，用尚书右丞江夏李珪之议，出上库[700]钱五千万及出诸州钱[701]，皆令籴买[702]。

西陵[703]戍主杜元懿建言："吴兴无秋[704]，会稽丰登，商旅往来，倍多常岁[705]。西陵牛埭税[706]，官格[707]日三千五百，如臣所见，日可增倍。并浦阳[708]南北津[709]、柳浦[710]四埭[711]，乞为官领摄一年[712]，格外可长四百许万[713]。西陵戍前检税[714]，无妨戍事[715]，余三埭[716]自举腹心[717]。"上以其事下会稽[718]，会稽行事[719]吴郡顾宪之[720]议以为："始立牛埭之意，非苟逼蹴以取税[721]也，乃以风涛迅险[722]，济急利物[723]耳。后之监领者[724]不达其本[725]，各务己功[726]，或禁遏他道[727]，或空税江行[728]。按吴兴频岁失稔[729]，今兹尤甚[730]。去乏[12]从丰[731]，良由饥棘[732]。埭司责税[733]，依格弗降[734]。旧格新减，尚未议登[735]；格外加倍，将以何术[736]？皇慈恤隐[737]，振廪蠲调[738]；而元懿幸灾榷利[739]，重增困瘼[740]，人而不仁[741]，古今共疾[742]！若事不副言[743]，惧贻谴诘[744]，必百方侵苦，为公贾怨[745]。元懿禀性苛刻，

二十六日癸卯，魏国的淮南靖王拓跋佗去世。魏孝文帝当时正在祭祀宗庙，刚刚摆上祭品，就听到了淮南靖王拓跋佗去世的消息，他为此停止了祭祀活动，亲自到淮南靖王的王府看望，对淮南靖王拓跋佗的去世哀痛不已。

冬季，十月十四日庚申，是立冬日，齐武帝初次来到太极殿参加宣读时令的典礼。

闰十月辛酉日，齐武帝任命担任尚书仆射的王奂为领军将军。

按照魏国的历法，闰九月二十五日辛未，魏孝文帝前往灵泉池。二十七日癸酉，返回皇宫。

十二月，柔然驻守伊吾军事据点的头领高羔子率领三千名柔然人带着伊吾城投降了魏国。

齐武帝因为建康城内和全国各地的粮食、布帛价钱太便宜，于是采纳了担任尚书右丞的江夏人李珪的建议，从京城里的国库中拿出五千万钱买进粮食和布帛，让各州郡也都拿出钱来收购粮食、布帛进行储备。

齐国驻守西陵军事据点的将领杜元懿建议："吴兴郡秋粮歉收，而会稽郡五谷丰登，往来于两地的商旅，所获得的利润比平常年头多一倍。商旅贩运通过西陵堰时所缴纳的税款，按照政府规定的收税标准是每天收取三千五百钱，据我看到的情况估算，每天征收的税款可以增加一倍。再加上浦阳的南津埭、北津埭、柳浦埭共四个埭，我请求替朝廷把它们接管过来管理一年，除了规定的税收以外，保证为国家多收四百万左右的税款。检查与收税的事务都是在西陵戍的前面进行，不会影响军事据点里的防守事务；其余的南津埭、北津埭、柳浦埭这三个埭，我可以派信得过的人去管理。"齐武帝把杜元懿的建议下发到会稽郡，征求会稽郡的意见，担任会稽行事的吴郡人顾宪之发表议论说："当初设立牛埭的本意，并不是故意逼着商旅租牛拉船以收取税款从中获利，而是因为那里风高浪急，行船危险，所以才修了这个牛埭，以保证人民的生命财产安全。后来管理堤堰的官吏不明白当初筑堰的本来用意，都想自己干出点名堂来，所以有的官员就把别的通道都封闭起来，逼着过往的商旅非得经过此地不可，对只在江上经过而未经过埭的舟船也一起征税。吴兴郡连年歉收，今年尤其严重。百姓离开歉收的地区到五谷丰登的地方去谋食，确实是因为饿得没有办法了。管理堤堰的官吏强行收税，还是严格按照规定的标准一点也不降低。虽然朝廷已经有了减少征税的意向，但如何减少还没有进行讨论；现在又有人主张在原来的税收标准上加倍征税，不知会采取什么办法？天子仁慈，哀怜苦难深重的人，所以才开仓赈济，减免灾民的赋税；而杜元懿趁着百姓受灾，想独占专利，加重百姓的疾苦，空具有一副人的形体而不干人事，这样的人是古往今来人们所共同痛恨的！如果事实做不到杜元懿所说的可增加四百万的税收，那么管理堤堰的官员害怕遭到朝廷的谴责质问，一定会千方百计逼迫百姓缴税，结果必然是为朝廷招恨买骂。杜元懿为人苛刻，

已彰往效[746]，任以物土[747]，譬以狼将羊[748]，其所欲举腹心，亦当虎而冠[749]耳。书云[750]：‘与其有聚敛之臣[751]，宁有盗臣[752]’，此言盗公[753]为损盖微[754]，敛民所害乃大也。愚又以便宜[755]者，盖谓便于公、宜于民也。窃见[756]顷之言便宜[757]者，非能于民力之外，用天分地[758]，率皆[759]即日不宜于民[760]，方来不便于公[761]。名与实反，有乖政体[762]。凡如此等，诚宜深察。”上纳之而止。

魏主访群臣以安民之术。秘书丞李彪上封事[763]，以为：“豪贵之家，奢僭过度[764]，第宅车服，宜为之等制[765]。

“又，国之兴亡，在冢嗣[766]之善恶，冢嗣[13]善恶，在教谕之得失。高宗文成皇帝[767]尝谓群臣曰：‘朕始学之日，年尚幼冲[768]，情未能专，既临万机，不遑温习[769]。今日思之，岂唯予咎[770]？抑亦[771]师傅之不勤[772]。’尚书李䜣免冠谢[773]。此近事之可鉴[774]者也。臣谓宜准古[775]立师傅之官，以训导太子。

“又，汉置常平仓[776]以救匮乏。去岁京师不稔[777]，移民就丰，既废营生[778]，困而后达[779]，又于国体[780]，实有虚损[781]。曷若[782]豫储仓粟[783]，安而给之[784]，岂不愈于驱督老弱糊口千里之外[785]哉？宜析州郡常调九分之二，京师度支[786]岁用之余，各立官司[787]，年丰籴粟积之于仓，俭[788]则加私之二[789]粜之于人。如此，民[790]必力田以取官绢[791]，积财[792]以取官粟。年登则常积，岁凶则直给。数年之中，谷积而人足，虽灾不为害矣。

“又，宜于河表七州[793]人中，擢其门才[794]，引令赴阙[795]，依中州官比[796]，随能序之[797]。一可以广圣朝均新旧[798]之义，二可以怀江、汉归有道[799]之情。

从他过去的处事上已经表现得很充分，如果现在再任命他去当地方官，管百姓、管地盘，就如同让狼去统领羊群，他想委派的所谓信得过的人，也一定是老虎戴上人的帽子，其本性是不会改变的。古书上说：‘与其拥有善于为国家聚敛钱财的大臣，还不如有盗窃府库财物的官员。’这句话的意思是说官员偷盗，给国家造成的损害不大，而搜刮百姓财产的大臣给国家造成的损害就很大了。我还认为，目前国家最应采取的政策措施，既要对国家有利，也要对人民有利。我见到近来有一些人给朝廷提出的建议、措施，都没有在民力之外，提出顺天地、四时、阴阳之自然的措施，大体都是一些从当前来看对百姓不利，从长远的角度来看对国家不利的建议。名与实相反，就违背了整个国家的大政方针。像这一类的事情，陛下实在应该深思熟虑，明察秋毫。”齐武帝听从了顾宪之的意见而否定了杜元懿的建议。

魏孝文帝向群臣咨询安定人民的办法。担任秘书丞的李彪给孝文帝上了一道密封的奏章，他认为：“豪强贵族之家，奢侈的程度已经超越了礼法的规定，朝廷对于他们居住的宅第、使用的车马、穿戴的服饰，都应该制定出一个标准。

“再有，国家是兴盛还是灭亡，关键在于嫡长子品行的好坏，而嫡长子品行的好坏，在于教育是否得当。高宗文成皇帝曾经对群臣说：‘我开始学习的时候，年纪还很幼小，不能专心学习，等到自己做了皇帝，日理万机，又无暇温习学过的东西。今天回想起来，岂止是我个人的责任？其实也是师傅督促不严造成的。’听了此话，曾经为高宗文皇帝担任过老师的尚书李䜣赶紧摘下自己的帽子请罪。这是年代不久的可以引为教训的事情。我认为应该以古代的做法为准绳，设立师傅一职，以训导太子。

“再有，汉朝在边郡设立粮仓，遇到荒年时就开仓赈济灾民，平常年景则用来调剂丰歉。去年京师地区粮食歉收，不得不把灾区的百姓转移到粮食丰收的地方去谋生，这样一来既荒废了他们原有的谋生之道，又要经过一番流离失所的痛苦而后才能解除困境，这对国家实力来说，实际上是一个很大的损失。哪如预先多储备下一些粮食，一旦遇到荒年就可以很方便地供应给灾民，难道不是比驱赶着老弱到千里之外去找食物吃更好吗？应该从州郡的正常赋税当中拿出九分之二，京师财政计划留够一年的用度之后，剩余的部分，在京师与各州郡都建立常平仓，丰收年景就购进粮食储存到仓库里，遇到歉收的年景就以比买入时的价钱贵二成的价格卖给灾民。如此一来，种田的人一定会努力耕作，卖粮食得到官绢储存起来，不从事农业生产的人也会攒钱以备灾年购买官府库存的粮食。丰收之年就经常积存粮食，灾荒之年就直接把粮食卖出去。几年下来，官府的仓库里就会积存大量的谷米而百姓家家富足，即使遇到灾荒之年，也不至于造成灾害了。

“再有，应该在黄河以南七个州的人口中，选拔那些门第好、有才干的人，让他们进京，到朝廷来，比照中州人做官、升官的程序，根据他们的才能加以任用。一来可以体现圣朝对新附之民和旧统治区的百姓一视同仁的本意，二来可以吸引长江、汉水流域的百姓前来投奔我们魏国。

“又，父子兄弟，异体同气[800]，罪不相及[801]，乃君上之厚恩[802]。至于忧惧相连，固自然之恒理[803]也。无情之人，父兄系狱，子弟无惨惕[804]之容；子弟逃刑，父兄无愧恧[805]之色。宴安荣位[806]，游从自若[807]，车马衣冠，不变华饰[808]。骨肉之恩，岂当然也[809]？臣愚以为父兄有犯[810]，宜令子弟素服肉袒[811]，诣阙请罪；子弟有坐，宜令父兄露版引咎[812]，乞解所司[813]。若职任必要[814]，不宜许者，慰勉留之。如此，足以敦厉凡薄[815]，使人知所耻[816]矣。

“又，朝臣遭亲丧者，假满赴职。衣锦乘轩，从郊庙之祀[817]，鸣玉垂绥[818]，同庆赐之燕[819]，伤人子之道[820]，亏天地之经[821]。愚谓凡遭大父母[822]、父母丧者，皆听终服[823]。若无其人[824]，职业有旷[825]者，则优旨慰喻[826][14]，起令视事[827]，但[828]综司出纳[829]、敷奏[830]而已，国之吉庆[831]，一令无预[832]。其军旅之警[833]，墨缞从役[834]，虽愆于礼[835]，事所宜行也。”魏主皆从之。由是公私丰赡，虽时有水旱，而民不困穷。

魏遣兵击百济[836]，为百济所败。

七年（己巳，公元四八九年）

春，正月辛亥[837]，上祀南郊，大赦。

魏主祀南郊，始备大驾[838]。

壬戌[839]，临川献王映[840]卒。

初[841]，上为镇西长史[842]，主簿王晏[843]以倾谄[844]为上所亲[845]，自是常在上府[846]。上为太子，晏为中庶子[847]。上之得罪于太祖[848]也，晏称疾自疏[849]。及即位，为丹杨尹，意任如旧[850]，朝夕进[15]见，议论朝事[851]，自豫章王嶷及王俭皆降意接之[852]。二月壬寅[853]，出为江州刺史，晏不愿外出，

“再有，父子兄弟，虽然不是一个躯体，但都血气相通，国家新法规定：犯罪仅诛杀罪犯本人而不牵连其父、子、兄、弟，这是皇帝的格外施恩。至于因为有人犯罪而引起其他人的忧虑恐惧，这本来是很自然的事情。对于那些无情的人来说，自己父兄被关押在监狱里，而他们的子弟却没有一点痛苦、伤心的表情；自己的子弟逃避刑罚，父兄也没有一点惭愧的神色，还在安安稳稳地做他的大官，带着侍从东游西逛像个没事人一样，他们乘坐的车马、身上穿的衣服、头上戴的帽子还像原来一样的排场。骨肉之间的亲情，难道就该是这种样子吗？我认为父亲、兄长如果犯了罪，就应该让他们的儿子、弟弟穿着白色的衣服，露出膀子，到皇宫门口去请罪；子弟有了罪过，应该让他们的父兄公开检讨，承认自己有责任，请求解除自己所担任的职务。如果岗位上确实需要他这个人，不适宜批准他辞职的，就安慰他、勉励他继续留任。如此一来，完全可以使平庸轻薄的世风淳厚严肃起来，让每个人都知道什么是耻辱。

“再有，朝廷大臣遭遇亲人去世的，假期一满就要赴任。到任所之后就要改穿锦绣的衣服，乘坐着敞篷车，跟随皇帝到郊外祭天，到宗庙祭祖，他们还要腰垂佩玉、头戴官帽，与其他臣僚共同去参加人家的喜庆宴会，这实际上不合于一个刚刚失去父母的儿子的孝道，有损于天地间的人之常情。我认为，凡是遭遇祖父母、父母之丧的，都要允许他们服丧期满之后再出来任职。如果他的职务现在无人能够代理，导致职位空缺的，就要特别颁发一道圣旨，进行安慰、勉请，破例让他出来任职，但也只是让他大体上管理一些事情，把一些大致情况奏报朝廷而已，至于国家举行的一切喜庆活动，就一概不要他参加了。一旦遇到战争突然来临，就要让他身穿黑色的孝服走上战场，虽然与礼节不合，但还是应该那样办。”魏孝文帝全部采纳了李彪的意见。从此之后魏国不论是公家还是私人都很富足，虽然时常有水旱灾害，而百姓不再遭受困苦贫穷。

魏国派出军队去攻打百济，结果却被百济打败。

七年（己巳，公元四八九年）

春季，正月初七日辛亥，齐武帝到南郊举行祭天典礼，大赦天下。

魏孝文帝到平城的南郊举行祭天典礼，出行时开始乘坐最隆重的车驾。

十八日壬戌，齐国的临川献王萧映去世。

当初，齐武帝为担任镇西将军的晋熙王刘燮做长史的时候，担任主簿的王晏凭借自己的善于谄媚、巴结而被萧赜视为自己的亲信，从那时起，王晏就一直在镇西长史萧赜的府中。萧赜为齐国太子的时候，王晏被任命为中庶子。在萧赜得罪于太祖的那段时间里，王晏便假托有病，主动地疏远了太子萧赜。等到萧赜即位当了皇帝之后，任命王晏为丹杨尹，对待王晏还像以前一样信任，早晚都要让他进宫议论朝中的大事，从豫章王萧嶷到卫将军王俭都低声下气地接待他。二月二十八日壬寅，齐武帝令王晏离开京城去担任江州刺史，王晏不愿意离开京城到地方任职，齐武帝

复留为吏部尚书。

三月甲寅[854]，立皇子子岳[855]为临贺王，子峻[856]为广汉王，子琳[857]为宣城王，子珉[858]为义安王。

夏，四月丁丑[859]，魏主诏曰："升楼散物[860]以赉[861]百姓，至使人马腾践，多有伤毁，今可断之[862]，以本所费之物[863]，赐老疾贫独者。"

丁亥[864]，魏主如灵泉池，遂如方山。己丑[865]，还宫。

上优礼南昌文宪公王俭[866]，诏三日一还朝[867]，尚书令史出外谘事[868]。上犹以往来烦数[869]，复诏俭还尚书下省[870]，月听十日出外[871]。俭固求解选[872]，诏改中书监[873]，参掌选事[874]。

五月乙巳[875]，俭卒。王晏既领选[876]，权行台阁[877]，与俭颇不平[878]。礼官欲依王导[879]，谥俭为"文献"。晏启上曰："导乃得此谥[880]。但宋氏以来[881]，不加异姓[882]。"出，谓亲人曰："'平头宪'事已行[883]矣。"

徐湛之[884]之死也，其孙孝嗣[885]在孕得免，八岁，袭爵枝江县公[886]，尚宋康乐公主[887]。及上即位[888]，孝嗣为御史中丞[889]，风仪端简[890]。王俭谓人曰："徐孝嗣将来必为宰相。"上尝问俭："谁可继卿者？"俭曰："臣东都之日[891]，其在徐孝嗣乎？"俭卒，孝嗣时为吴兴太守，征为五兵尚书[892]。

庚戌[893]，魏主祭方泽[894]。

上欲用领军王奂为尚书令，以问王晏。晏与奂不相能[895]，对曰："柳世隆有勋望[896]，恐不宜在奂后。"甲子[897]，以尚书左仆射柳世隆为尚书令，王奂为左仆射。

六月丁亥[898]，上如琅邪城[899]。

魏怀朔镇将[900]汝阴灵王天赐[901]，长安镇都大将、雍州刺史南安惠王桢[902]，皆坐赃当死[903]。冯太后及魏主临皇信堂[904]，引见王公，太后令曰：

便收回成命，又将王晏留在京师担任吏部尚书。

三月十一日甲寅，齐武帝立自己的儿子萧子岳为临贺王，萧子峻为广汉王，萧子琳为宣城王，萧子珉为义安王。

夏季，四月初四日丁丑，魏孝文帝下诏说："站在楼上向下撒东西赏赐给百姓，造成人马互相践踏，很多人受伤致残，现在应该停止这种做法，把本来计划散发给百姓的那些财物，赏赐给那些年老、患病、贫穷和鳏寡、孤独的人。"

四月十四日丁亥，魏孝文帝前往灵泉池，然后从灵泉池前往方山。十六日己丑，从方山返回平城的皇宫。

齐武帝给南昌文宪公王俭以特殊的礼遇，下诏允许王俭三天回来朝廷一次，有事就由尚书令史出宫到王俭的家里去请示报告。即使这样齐武帝还认为到家中找王俭的次数太多，给王俭添了麻烦，于是又下诏让王俭就在自己的家中办公，每月有十天是王俭个人自由活动的时间。王俭坚决请求辞去选任官吏的事务，齐武帝于是下诏改任王俭为中书监，参与过问一些吏部选任官吏的问题。

五月初三日乙巳，中书监王俭去世。王晏自从担任了吏部尚书之后，在朝廷掌握大权，与王俭有些合不来。礼部的官员想要按照东晋朝廷给王导所赠的谥号，给王俭谥为"文献"。王晏向齐武帝奏报说："只有王导才能得到这个谥号。自从刘宋建国以来，从来没有给异姓大臣追谥过'文献'二字。"出宫之后，王晏对自己的亲信说："给姓王的那个家伙谥为'宪'字的事情，已经定下来了。"

徐湛之被刘劭杀死的时候，他的孙子徐孝嗣因为还没有出生，所以得以幸免于难，徐孝嗣八岁的时候，继承了他祖父徐湛之的爵位做了枝江县公，娶了宋朝康乐公主为妻。等到齐武帝萧赜即位当了皇帝之后，徐孝嗣担任了齐国主管检举弹劾的御史中丞，为人正派、耿直。王俭曾经对人说："徐孝嗣将来一定能当上宰相。"齐武帝曾经问王俭说："将来谁可以接替您的职务？"王俭回答说："我辞职的时候，徐孝嗣最有可能接任我的职位吧？"王俭去世的时候，徐孝嗣正在担任吴兴太守，齐武帝将他调回京师，任命他担任五兵尚书。

五月初八日庚戌，魏孝文帝在水泽中举行祭祀地神的活动。

齐武帝想要任用担任领军将军的王奂为尚书令，便去征求吏部尚书王晏的意见。王晏与王奂合不来，王晏便回答说："担任尚书左仆射的柳世隆有功勋、有名望，恐怕他的职位不应该在王奂之下。"五月二十二日甲子，齐武帝任命尚书左仆射柳世隆为尚书令，任命王奂为尚书左仆射。

六月十五日丁亥，齐武帝前往琅邪城巡视。

魏国驻守怀朔军镇的将领汝阴灵王拓跋天赐，担任长安镇都大将、雍州刺史的南安惠王拓跋桢，都因为犯有贪污受贿罪而被判处死刑。冯太后和孝文帝亲自来到皇信堂，召见王公大臣，冯太后发问说："你们认为是应当保全皇亲而破坏法令呢？

"卿等以为当存亲以毁令[905]邪？当灭亲以明法邪？"群臣皆言："二王，景穆皇帝[906]之子，宜蒙矜恕[907]。"太后不应。魏主乃下诏，称："二王所犯难恕，而太皇太后[908]追惟[909]高宗孔怀之恩[910]。且南安王事母孝谨，闻于中外[911]，并特免死，削夺官爵，禁锢终身[912]。"初，魏朝闻桢贪暴，遣中散闾文祖[913]诣长安察之，文祖受桢赂，为之隐。事觉，文祖亦抵罪[914]。冯太后谓群臣曰："文祖前自谓廉，今竟犯法。以此言之，人心信不可知[915]。"魏主曰："古有待放[916]之臣。卿等自审不胜贪心[917]者，听辞位归第[918]。"宰官[919]、中散慕容契[920]进曰："小人之心无常而帝王之法有常，以无常之心奉有常之法，非所克堪[921]，乞从退黜[922]。"魏主曰："契知心不可常，则知贪之可恶矣，何必求退？"迁宰官令[923]。契，白曜之弟子也。

秋，七月丙寅[924]，魏主如灵泉池。

魏主使群臣议，"久与齐绝，今欲通使，何如？"尚书游明根[925]曰："朝廷不遣使者，又筑醴阳[926]深入彼境，皆直在萧赜[927]。今复遣使[928]，不亦可乎？"魏主从之。八月乙亥[929]，遣兼员外散骑常侍邢产[930]等来聘。

九月，魏出宫人[931]以赐北镇[932]人贫无妻者。

冬，十一月己未[933]，魏安丰匡王猛[934]卒。

十二月丙子[935]，魏河东王苟颓[936]卒。

平南参军[937]颜幼明等聘于魏。

魏以尚书令尉元[938]为司徒，左仆射穆亮[939]为司空。

豫章王嶷自以地位隆重，深怀退素[940]。是岁，启求还第[941]，上令其世子子廉代镇东府[942]。

太子詹事张绪领扬州中正[943]，长沙王晃属用[944]吴兴闻人邕[945]为州议曹[946]，绪不许。晃使书佐[947]固请，绪正色曰："此是身家州乡[948]，殿下何得见逼[949]？"

还是应当大义灭亲以彰明法纪呢?”群臣都说:“汝阴灵王和南安惠王,都是景穆皇帝拓跋晃的儿子,应当受到格外的怜悯和宽恕。”冯太后没有回答。孝文帝遂下诏说:“汝阴灵王和南安惠王所犯的罪行实在难以宽恕,然而太皇太后追思他们都是高宗皇帝的亲兄弟,他们兄弟之间有着深厚的情谊。而且南安王拓跋桢对待自己的母亲孝敬恭谨,宫廷内外的人都知道,因此一并免去他们的死罪,剥夺他们的官职和爵位,一辈子不准再进入官场。”当初,魏国朝廷听说南安王拓跋桢贪婪暴虐,遂派遣担任中散大夫的闾文祖前往长安进行调查,闾文祖接受了拓跋桢的贿赂,便为拓跋桢隐瞒了罪行。事情被发觉之后,闾文祖也以相应的罪名被惩处。冯太后对群臣说:“以前闾文祖认为自己很廉洁,如今竟然也贪赃枉法。由此看来,人心确实是难以预料啊。”孝文帝说:“古代就有等待放逐的臣子。你们这些人如果估计自己经不起物质利益的引诱,就允许你们辞去官职回家为民。”担任宰官、中散大夫的慕容契发言说:“小人之心不可预料,而帝王的法律是不变的,以不可预料之心遵守不变的法律,不是我所能经受得起的,请把我放入该辞退或罢免的行列。”孝文帝说:“慕容契知道人心之不可预料,也就知道了贪婪的可恶,何必请求辞职呢?”便提升慕容契做了宰官令。慕容契,是慕容白曜弟弟的儿子。

秋季,七月二十五日丙寅,魏孝文帝前往灵泉池。

魏孝文帝让群臣讨论:“魏国与齐国断绝交往的时间已经很久了,现在想与齐国互通使节,你们觉得怎么样?”担任尚书的游明根说:“朝廷不主动派遣人出使齐国,还修筑醴阳城深入齐国境内,有理的一方是齐国皇帝萧赜。现在我们主动派遣使者到齐国进行友好访问,不是正好吗?”孝文帝听从了游明根的意见。八月初四日乙亥,派兼任员外散骑常侍的邢产等为使者来到齐国进行友好访问。

九月,魏国的孝文帝把宫女放出宫去,赏赐给魏国北部地区驻守六军镇的那些因为贫穷而娶不到妻子的人做妻子。

冬季,十一月十九日己未,魏国的安丰匡王拓跋猛去世。

十二月初七日丙子,魏国的河东王苟颓去世。

齐国派遣担任平南将军参军的颜幼明等为使者前往魏国进行友好访问。

魏国朝廷任命担任尚书令的尉元为司徒,任命担任尚书左仆射的穆亮为司空。

齐国的豫章王萧嶷觉得自己位高权重,于是便心怀退志。这一年,他向齐武帝请求辞去自己的官职回到北宅居住,齐武帝批准了萧嶷的请求,同时让萧嶷的世子萧子廉代替萧嶷管理东府。

齐国担任太子詹事的张绪兼任扬州地区的中正官,长沙王萧晃嘱托张绪任用吴兴郡人闻人邕为扬州刺史属下的议曹,张绪没有答应。萧晃又让自己属下担任书佐的官吏一再向张绪请求,张绪表情严肃地说:“扬州是我张绪家乡的所在地,殿下有什么权力逼我这样做?”

侍中江敩⑨⑤⓪为都官尚书⑨⑤①。中书舍人纪僧真⑨⑤②得幸于上，容表有士风⑨⑤③，请于上曰："臣出自本县武吏，邀逢圣时⑨⑤④，阶荣⑨⑤⑤至此。为儿昏得荀昭光女⑨⑤⑥，实时无复所须⑨⑤⑦，唯就陛下乞作士大夫⑨⑤⑧。"上曰："此由江敩、谢瀹⑨⑤⑨，我不得措意⑨⑥⓪，可自诣之⑨⑥①。"僧真承旨诣敩⑨⑥②，登榻坐定⑨⑥③，敩顾命左右曰："移吾床远客⑨⑥④！"僧真丧气而退，告上曰："士大夫故非天子所命⑨⑥⑤！"敩，湛⑨⑥⑥之孙。瀹，朏⑨⑥⑦之弟也。

柔然别帅⑨⑥⑧叱吕勤帅众降魏。

【段旨】

以上为第三段，写齐武帝萧赜永明六年（公元四八八年）、七年共两年间的大事。主要写了魏军进攻角城，被齐淮阴军主击退；桓天生又引魏军入寇，被齐将曹虎击退，而齐将陈显达攻魏之醴阳，拔之，又攻魏之沘阳，守将韦珍击破之，陈显达引还等一些两国的边境摩擦。写了魏臣李彪上言魏主宜立师傅之官以教太子，又建议魏国在京城与各州郡设立常平仓，又建议应一视同仁地任用新区的人才，以怀来江南，又言虽不株连九族，但家有罪犯，任职之亲属当公开引咎；魏国由是公私丰赡，虽时有水旱，而民不困穷；魏主对死刑犯人的一些人性化处置；冯太后力禁贪污，不避贵戚，魏主令"自审不胜贪心者，听辞位归第"云云。写了南齐之西陵戍主杜元懿自请利用西陵地区的水利设施重敛百姓，为国家兴利，行会稽郡事顾宪之上书畅驳之，并连带痛斥那些残民以逞之徒，文章绝妙；南齐官员张绪、江敩、谢瀹为官直正，不为权臣佞幸萧晃、纪僧真等所屈等。

【注释】

⑥④⑧正月乙未：正月十五。⑥④⑨期亲：期服的亲戚。期服，为死者服丧一年，在亲戚中算是比较近的，如堂兄弟姐妹、姑表兄弟姐妹、姨表兄弟姐妹等。⑥⑤⓪具状以闻：写清情况报告朝廷，意思是对这种情况的犯人要做另行处理，以尽人道。⑥⑤①子响：萧子响，萧赜的第四子。传见《南齐书》卷四十。⑥⑤②出继豫章王嶷：过继给萧嶷做继承人，因为当

担任侍中的江敩做了都官尚书。担任中书舍人的纪僧真很受齐武帝萧赜的宠信，他的仪容举止也颇有些士大夫的风度，于是便向齐武帝请求说：“我出身于本县一个武官的家庭，有幸赶上圣明的时代，才使我有了如此高的官阶和荣耀。又为儿子娶了荀昭光的女儿，现在我已经心满意足，不缺少什么别的了，我只请求陛下把我排在士大夫的行列。”齐武帝说：“这事是江敩、谢瀹说了算，我不能授意他们，你可以自己去找他们商量。”纪僧真按照齐武帝的指点前去拜会江敩，当他登上坐榻坐好之后，江敩回头命令自己左右的侍从说：“把我的座位移到离客人远一些的地方去！”纪僧真垂头丧气地告辞而退，他向齐武帝报告说：“看来这士大夫也实在不是陛下所能任命得了的！”江敩，是江湛的孙子。谢瀹，是谢朏的弟弟。

柔然另一个部落的头领叱吕勤率领自己的部众投降了魏国。

时萧嶷还没有生儿子。⑥⑤③表留为世子：萧嶷上表，请求让萧子响继续留在自己名下做豫章王的世子。这里表现了萧嶷对其兄与萧子响的尊重，不是一有亲生，就将过继的赶走。⑥⑤④车服异于诸王：乘坐的车子与身穿的服饰都和自己的亲兄弟有了差别。因为兄弟都是皇帝的儿子，而自己成了亲王的儿子了。⑥⑤⑤拳击车壁：表示内心的愤怒。⑥⑤⑥宜还本：应当重新回到皇帝萧赜的门下，指不再给萧嶷当过继的儿子。⑥⑤⑦三月己亥：三月二十。⑥⑤⑧巴东王：封地巴东郡，郡治鱼复，在今重庆市奉节东。⑥⑤⑨角城戍将：驻守角城的将领。角城，古城名，在今江苏淮安市淮阴区西。⑥⑥⓪清中：清水河上。清水河流经当时淮阴城的北方。⑥⑥①潜纳：暗中接纳；暗暗引导。⑥⑥②戍主：驻守角城的主官。⑥⑥③仅能却之：勉强地将魏人赶出了城门外。仅，勉强、很艰难。⑥⑥④堑外：角城的护城河外，意即已到角城城下。⑥⑥⑤淮阴军主：淮阴驻军的主官。⑥⑥⑥隔城：古城名，旧址在今河南桐柏西北。⑥⑥⑦曹虎：刘宋时为前军将军，很早就是萧道成的部下，萧赜即位后为游击将军。传见《南齐书》卷三十。⑥⑥⑧蹹伏：搜查潜伏的敌兵。⑥⑥⑨平氏城：今河南唐河与桐柏中间的平氏镇。⑥⑦⓪甲寅：四月初五。⑥⑦①甲子：四月十五。⑥⑦②乙丑：四月十六。⑥⑦③丁卯：四月十八。⑥⑦④己巳：四月二十。⑥⑦⑤醴阳：古城名，旧址在今河南桐柏西北的固庙一带。⑥⑦⑥沘阳：县名，即今河南泌阳，当时为魏国的东荆州州治所在地。⑥⑦⑦五月甲午：五月十五。⑥⑦⑧以宕昌王句：本句的主语是“南齐朝廷”。河州的州治枹罕，在今甘肃临夏东北，凉州的州治即今甘肃武威。当时此二州都属魏国。此处南齐以之封梁弥承，不过是一个名义而已。⑥⑦⑨七月己丑：七月十一。⑥⑧⓪己亥：七月二十一。⑥⑧①九月壬寅：九月二十五。⑥⑧②琅邪城：琅邪郡城，汉代的琅邪郡即今山东诸城；西晋的琅邪城在今山东临沂北；东晋南渡后，在建业城北设立南琅邪郡，在今南京北幕府山的西南方。⑥⑧③讲武：检阅军

队。684癸卯：九月二十六。685淮南靖王佗：拓跋佗，被封为淮南王，靖字是其死后的谥。686享宗庙：祭祀宗庙。687始荐：刚刚摆上祭品。荐，进献。688废祭：停止祭祀。689临视：亲自到丧事的现场看望。690十月庚申：十月十四。691读时令：参加宣读时令的典礼。时令，皇历，即新一年的历法书。692闰月辛酉：葛晓音曰，“闰十月丁丑朔，无辛酉。《南齐书·武帝纪》载：六年‘冬十月庚申，立冬，初临太极殿读时令。辛酉，以祠部尚书武陵王晔为江州刺史。闰月……辛卯，以尚书仆射王奂为领军将军’。据此，‘辛酉’当是‘辛卯’之误”。葛说是。693王奂：刘宋大官僚王球的过继儿子，入齐后，任侍中，领骁骑将军，此时任尚书右仆射。传见《南齐书》卷四十九。694领军将军：京城内驻军的最高长官。695辛未：这里用的是北魏历法。北魏闰九月，所以这“辛未”是北魏的闰九月二十五，即南朝的十月二十五。此处写史者未加换算，且又排列失序。696癸酉：北魏闰九月二十七，即南朝历十月二十七。697伊吾戍主：伊吾戍驻军的头领。伊吾戍是军事据点名，旧址在今新疆哈密西。698以城附魏：带着伊吾城投降魏国。699中外：建康城内与各地州郡。700上库：京城里的国家钱库。701出诸州钱：让各州郡也都拿出钱来。702籴买：买进。703西陵：军事据点名，旧址在今浙江杭州市滨江区，地处水陆冲要。704吴兴无秋：吴兴郡没有收成。吴兴郡的郡治即今浙江湖州。秋，收成。705倍多常岁：所获的利润比平常的年头多一倍。706西陵牛埭税：葛晓音曰，“商旅贩运通过西陵堰时所收的税款”。牛埭，用牛力拉船过堰。下文“始立牛埭之意”中的“牛埭”则指筑堰以牛转舟，意思与此稍有不同。707官格：政府规定的收税标准。格，标准。708浦阳：即浦阳江，钱塘江的支流。源出浦江县大园湾，向北流经浙江诸暨市，到浙江杭州市萧山区闻堰附近入钱塘江。709南北津：指浦阳的南津埭（后称梁湖堰）及浦阳的北津埭（后称曹娥堰）。710柳浦：在今浙江杭州南凤凰山下钱塘江北岸的江滨，地处浙江南北交通津要。711四埭：指西陵牛埭、南津埭、北津埭、柳浦埭。712乞为官领摄一年：我请求替朝廷把它们收过来管理一年。官，国家、政府。领摄，管理。713格外可长四百许万：光是计划以外的收入就可以获得四百多万。714西陵戍前检税：检查与收税的事务都在西陵戍的前面进行。715无妨戍事：不影响军事据点里面的防守事务。716余三埭：指上面提到的浦阳南、北津埭和柳浦埭。717自举腹心：我可以派信得过的人去管理。718下会稽：把杜元懿的建议发到会稽郡，征求会稽郡的意见。719会稽行事：会稽郡的代理太守。〖按〗顾宪之当时的职务是“随王东中郎长史、行会稽郡事”。行，代理、试用。720吴郡顾宪之：吴郡的郡治即今苏州。顾宪之是当时有名的地方官。传见《南齐书》卷四十六。721非苟逼蹴以取税：并不是故意地为了逼着商旅租牛拉船以从中赚钱。苟，故意使坏。逼蹴，逼着租赁。蹴，租借。722风涛迅险：浪高水急，行船危险。723济急利物：当初就是为了防备这个地方浪高水急，行船危险，所以才修了这个牛埭，以求让人民的生命财产得到安全。利物，利民。724监领者：管理埭堰的官吏。725不达其本：不明白当初筑堰的本来用意。726各务己功：都想自己干出点名堂。727禁遏他道：把别的通道都封闭起来，逼着客商非得经过此地。㉘ 空税江行：对只在江上经过而没有过埭的舟船也一起征税。空税，凭空收税。㉙ 频岁失稔：连年歉收。㉚ 今兹尤甚：今年尤其严重。㉛ 去乏从丰：离开歉收的地区到丰产的地方去谋食。㉜ 良由饥棘：实在是饿得没有办法了。饥棘，饿得厉害。棘，通“急”。㉝ 埭司责税：管理堤堰的官吏强制收税。㉞ 依格弗降：按照规定从不降低。㉟ 旧格新减二句：旧标准如何减少的事情，还没有进行讨论。登，定、成。㊱ 格外加倍二句：又有人要加倍征收，不知会采取什么办法。术，方法。㊲ 恤隐：民间疾苦。恤，体怜。隐，痛苦。㊳ 振廪蠲调：开仓赈济，减免赋税。振，发。廪，仓。蠲，免除。调，租税。㊴ 幸灾摧利：趁着百姓受灾，而想独占专利。摧利，独揽其利。摧，通“榷”。㊵ 重增困瘼：沉重地增加百姓的疾苦。㊶ 人而不仁：空具人形而不干人事。㊷ 古今共疾：是古往今来人们所共同痛恨的。㊸ 若事不副言：如果事实做不到他所说的可增加四百万。副，符合。㊹ 惧贻谴诘：害怕遭到朝廷的谴责质问。㊺ 为公贾怨：为朝廷招恨招骂。㊻ 已彰往效：过去已经表现得很充分。往效，旧日的表现。㊼ 任以物土：如果现在再让他当地方官，管百姓、管地盘。物，人。㊽ 以狼将羊：让狼来统领羊群，比喻酷吏为害百姓。㊾ 虎而冠：就像让老虎戴上人的帽子，其本性不会变。㊿ 书云：古书上说。751 聚敛之臣：帮助统治者搜刮百姓的大臣。752 宁有盗臣：还不如有盗窃府库财物的臣吏。宁有，不如有。以上二句见《礼记·大学》。753 盗公：偷窃公家财物。754 为损盖微：给国家造成的损害还不大。盖，还、相对。755 便宜：国家当前所应采取的政策措施。756 窃见：我见到。窃，谦指自己。757 顷之言便宜：近来一些人给朝廷进言，举出哪些是国家当前最应该做的事情。顷，近来。758 用天分地：即“用天之道，分地之利”，意即顺其自然，顺天地、四时、阴阳之自然。759 率皆：大概都是。率，一般、大概。760 即日不宜于民：从当前看来对百姓不利。即日，今日、当前。761 方来不便于公：从长远的角度看来对国家不利。方来，未来。762 有乖政体：与我们整个国家的大政方针相违背。乖，背、抵触。763 封事：密封的奏章。764 奢僭过度：奢华奢侈得超越礼法规定。僭，越分。765 等制：分出等级；做出规定。766 家嗣：嫡长子；皇太子。767 高宗文成皇帝：即拓跋濬，拓跋弘之父。768 幼冲：幼小。冲，小。769 不遑温习：无暇温习学过的东西，实即没有工夫再看书学习。770 岂唯予咎：岂止是我个人的责任。咎，过失、责任。771 抑亦：其实也是。抑，转折虚词。772 不勤：督促不严。773 免冠谢：摘下帽子请罪。尚书李䜣之所以请罪，是因为他在拓跋焘时代很受信任，曾为中书助教博士，教导年幼的拓跋濬读经书。事见《魏书》卷四十六。774 可鉴：可引为教训。775 准古：学习古代，以古代的做法为准绳。776 常平仓：汉宣帝五凤四年（公元前五四年）在边郡设立的粮仓。这种粮仓具有调节粮价、备荒赈恤的作用，汉以后各朝均有设立。事见本书前文卷一百二十七。777 京师不稔：京城地区无收成。即上年所记之“魏春夏大旱，代地尤甚”事。不稔，粮食歉收。稔，丰收。778 废营生：抛弃了原有的谋生之道。营生，谋生。779 困而后达：经过一番曲折而后才能解决问题。780 国体：这里指国家大政、国家实力。⑱有虚损：有不利；有损失。⑱曷若：何如。⑱豫储仓粟：预先多储备一些粮食。⑱安而给之：（一旦遇有情况）可以很方便地供应他们。安，方便。给，供应。⑱糊口千里之外：到千里之外找食物吃。糊口，以粥为生，即觅食。⑱度支：官名，主管国家的收入与开支，这里即指财政计划。⑱各立官司：在京城与各州郡都建立常平仓。⑱俭：歉收之年，即荒年。⑱加私之二：比买入时的价钱贵出两成。⑲民：此指种田的人。⑲取官绢：卖粮食得官绢以储存之。官绢可以制衣，亦可以当货币使用。⑲积财：攒钱以买粮食。此指不从事农业的人。⑲河表七州：黄河以南的七个州，荆州、兖州、豫州、洛州、青州、徐州、齐州。河表，黄河以外。魏国建都平城，又大片国土在黄河以北，故他们所说的“河表”即黄河以南。⑲擢其门才：选拔那些门第好、有才干的人。门，门第，主要指豪门世族。⑲引令赴阙：让他们进京，到朝廷来。阙，宫门。⑲依中州官比：按照中州人做官、升官的程序。中州，是魏国的旧统治区，其地域东至海边，南至黄河。比，例、规矩、程序。⑲随能序之：依照其才能加以任用。⑲均新旧：对新归附之区和旧统治区的百姓一视同仁。⑲怀江汉归有道：吸引长江、汉水流域的百姓前来投奔魏国。怀，吸引，使之怀念。⑳异体同气：虽然不是一个躯体，但气血相同。⑳罪不相及：魏国新法规定犯罪仅诛一人，不牵连父、子、兄、弟。⑳乃君上之厚恩：这是皇帝的格外施恩。⑳恒理：常理；自然的道理。⑳惨惕：痛苦、伤心。⑳愧恧：惭愧。⑳宴安荣位：还在安安稳稳地做他的大官。宴安，安逸。⑳游从自若：带着侍从东游西荡像个没事人。⑳不变华饰：还像原来一样的排场。⑳岂当然也：难道就该是这种样子吗。也，同“耶”，反问语词。⑳父兄有犯：父亲兄长如果犯了罪。㉑素服肉袒：穿着白衣服，露出膀子，这是古人表示认罪、请罪的一种姿态。㉑露版引咎：即今之公开检讨，承认有责任。露版，不加封，公开上报的文书。㉑乞解所司：请求解除其所担任的职务。㉑职任必要：岗位上需要他这个人。㉑敦厉凡薄：使平庸轻薄的世风淳厚严肃起来。敦厉，磨炼、提高。㉑使人知所耻：让每个人都知道什么是耻辱。㉑从郊庙之祀：随从皇帝去祭祀天地宗庙。㉑鸣玉垂緌：指腰垂玉佩、头戴官帽，一派闲暇自得的样子。緌，帽上的带子。㉑同庆赐之燕：去参加人家的喜庆宴会。㉒伤人子之道：不合于一个刚失去父母的儿子的孝道。㉒亏天地之经：有损于天地间的常情。㉒大父母：祖父、祖母。㉒皆听终服：都让他们服丧期满之后再出来任职。㉒无其人：其现有职务无人可替代。㉒旷：空；无人代理。㉒优旨慰喻：特别下旨，进行安慰、勉请。㉒起令视事：破例地让他出来任职。㉒但：只；也就是。㉒综司出纳：大体上管理一些事情。综司，总管。出纳，指该部门的日常事务。㉓敷奏：把一些大致情况奏明朝廷。㉓国之吉庆：朝廷的一切喜庆活动，如庆功、祝捷、生子、结婚、升官、祝寿等。㉓无预：不参加。㉓军旅之警：当战争突然来临。㉓墨缞从役：身穿黑色的孝服走上战场。缞，孝服。㉓虽愆于礼：虽然于礼节不合。愆，违反。㉓百济：朝鲜半岛上的古国名，在今韩国境内的西部沿海地区。㉓正月辛亥：正月初七。⑻ 大驾：皇帝所乘坐的最隆重的车驾。《史记索隐》引《汉官仪》云："天子卤簿有大驾、法驾。大驾，公卿奉引，大将军参乘，属车八十一乘；法驾，公卿不在卤簿中，唯京兆尹、执金吾、长安令奉引，侍中参乘，属车三十六乘。"⑻ 壬戌：正月十八。⑻ 临川献王映：萧映，萧道成的第三子，被封为临川王，献字是其死后的谥。传见《南齐书》卷三十五。《谥法解》："聪明睿智曰献；知智有圣曰献。"⑻ 初：这里是指宋苍梧王元徽四年（公元四七六年）。⑻ 上为镇西长史：当时齐武帝萧赜为镇西将军晋熙王刘燮长史，行郢州事。⑻ 主簿王晏：当时任镇西将军晋熙王刘燮主簿的王晏。⑻ 以倾谄：由于他的谄媚巴结。⑻ 为上所亲：被萧赜视为亲信。⑻ 自是常在上府：从那时起，王晏就一直在镇西长史萧赜的府中。⑻ 晏为中庶子：王晏被任为太子中庶子。中庶子是太子属下的僚属之一，主管太子宫中的事务，其性质与皇帝宫中的侍中相近。⑻ 上之得罪于太祖：即荀伯玉在萧道成跟前告太子萧赜的状之事。事见上卷武帝永明元年。⑻ 称疾自疏：假托有病，主动疏远萧赜。〖按〗王晏是估计萧赜一定被废，故想及早另谋出路。⑻ 意任如旧：还像以前一样照常受信任。⑻ 朝夕进见二句：意思是早晚都要进宫与他议论朝中的大事。⑻ 降意接之：虚心地接待他。降意，低声下气。⑻ 二月壬寅：二月二十八。⑻ 三月甲寅：三月十一。⑻ 子岳：武帝萧赜的第十六子。⑻ 子峻：武帝萧赜的第十八子。⑻ 子琳：武帝萧赜的第十九子。⑻ 子珉：武帝萧赜的第二十子。以上四人皆传见《宋书》卷四十。⑻ 四月丁丑：四月初四。⑻ 升楼散物：站在楼上向下撒东西。⑻ 赉：赏赐于人。⑻ 断之：停止这种做法。⑻ 以本所赉之物：把本来要散发给百姓的那些财物。⑻ 丁亥：四月十四。⑻ 己丑：四月十六。⑻ 优礼南昌文宪公王俭：给王俭以特殊的礼遇。王俭被封为南昌郡公。死后谥曰文宪。⑻ 三日一还朝：三天来一次朝廷。〖按〗胡三省曰："'还'当作'造'。"⑻ 出外谘事：出皇宫到王俭家里去请示报告。⑻ 往来烦数：到王俭家找他的次数多，添麻烦。⑻ 还尚书下省：也就是让王俭在他的家里办公，因前文已有"以家为府"之语。所谓"尚书下省"即王俭在家的办公之处。⑻ 月听十日出外：每个月里有十天是他个人的活动时间，可以自由地去随便做些什么。⑻ 解选：请求免去选任官吏的事务。⑻ 中书监：中书省的最高长官。中书省的职务是给皇帝起草诏令。⑻ 参掌选事：参与过问一些吏部选官的问题。⑻ 五月乙巳：五月初三。⑻ 领选：即任吏部尚书。⑻ 权行台阁：意即在朝廷掌握大权。⑻ 与俭颇不平：与王俭就有些不和。颇，有一些。⑻ 欲依王导：想按照东晋朝廷给王导所赠的谥号。王导历仕东晋的元、明、成三帝，出将入相，谥曰文献。传见《晋书》卷六十五。⑻ 导乃得此谥：王导才得谥曰"文献"。言外之意是王俭哪能够格呢。⑻ 宋氏以来：刘宋建国以来。⑻ 不加异姓：从没有给异姓大臣追谥过"文献"二字。⑻《平头宪》事已行：给姓王的那个家伙谥为宪字的事情，已经定下来了。胡三省曰："'平头'谓'王'字也。"⑻ 徐湛之：宋武帝刘裕的外孙，文帝末年执掌大权，与文帝谋废元凶刘劭，未果，文帝被刘劭所弑，徐湛之被刘劭所杀。传见《宋书》卷七十一。⑻ 孝嗣：宋孝武帝刘骏的女婿，仕宋拜太尉。入齐官至尚书令。传见《南齐书》卷四十四。⑯袭爵枝江县公：袭其祖父徐湛之之爵。徐湛之于宋武帝永初三年被封为枝江县侯，后也未见加封，故葛晓音以为此处“公”字恐误。⑰尚宋康乐公主：娶刘宋的康乐公主为妻。康乐公主是孝武帝之女。⑱及上即位：等到齐武帝萧赜即位后。⑲御史中丞：御史府的主官，主管检举弹劾。⑳风仪端简：为人正派、耿直。㉑东都之日：指辞职之日。胡三省曰：“谓周公既定洛，请明农也。周都丰、镐，以洛为东都。”㉒五兵尚书：诸曹尚书之一，掌诸军，相当于后世的兵部尚书。㉓庚戌：五月初八。㉔祭方泽：即夏至日在水泽中的祭地神。胡三省曰：“方泽者，为方丘于泽中以祭地祇。”㉕不相能：和不来；有过节。㉖勋望：有功勋、有名望。㉗甲子：五月二十二。㉘六月丁亥：六月十五。㉙如琅邪城：前往琅邪城。此“琅邪”仍为南朝的侨置郡，在今南京北的幕府山西南。当时称作“白下”。㊿怀朔镇将：怀朔军镇的守将。怀朔镇是魏国北部边境的军镇名，在今内蒙古包头北的固阳的西南侧。㉛汝阴灵王天赐：拓跋天赐，拓跋晃之子，被封为汝阴王，谥曰灵。传见《魏书》卷十九上。《谥法解》：“不勤成名曰灵；死而志成曰灵；乱而不损曰灵。”㉜南安惠王桢：拓跋桢，拓跋晃之子，被封为南安王，谥曰惠。传见《魏书》卷十九下。《谥法解》：“柔质慈民曰惠；爱民好与曰惠。”㉝坐赃当死：因犯贪污受贿罪被判死刑。㉞皇信堂：殿名，在魏国都城平城的太极殿南。㉟存亲以毁令：保全皇亲而破坏法令。㊱景穆皇帝：北魏太武帝拓跋焘的长子，名晃。延和元年立为皇太子，正平元年病死，追尊为景穆皇帝。传见《魏书》卷四下。㊲矜恕：怜悯、宽恕。㊳太皇太后：即冯太后，承明元年，尊封太皇太后。㊴追惟：追思。㊵高宗孔怀之恩：他们与高宗都是亲兄弟，都有深厚的情谊。高宗，即文成皇帝拓跋濬，冯太后的丈夫。孔怀之恩，即兄弟之情。孔怀，这里即指兄弟，因《诗经·常棣》中有“兄弟孔怀”之语。㊶中外：朝廷内外。㊷禁锢终身：一辈子不准再进入官场。㊸中散闾文祖：中散大夫姓闾，名文祖。中散大夫是皇帝的侍从官员。㊹抵罪：处以相应的罪名。㊺信不可知：的确是难以预料。信，确实。㊻待放：听候放逐，即汉代之所谓“待罪”，听候处罚。这里指自动辞职。㊼自审不胜贪心：自己估计着经不起物质利益的引诱。㊽听辞位归第：可以辞官回家为民。㊾宰官：也称“宰人”，给皇帝掌管膳食的官名。㊿中散慕容契：中散大夫慕容契，魏国名将慕容白曜之侄，此时任宰官。传见《魏书》卷五十。胡三省曰：“契盖以宰官带中散大夫也。”㉑非所克堪：不是我所能经受起的。㉒乞从退黜：请求把我放入该辞退的行列。㉓宰官令：诸宰官的头领，宰官署的主官。㉔七月丙寅：七月二十五。㉕游明根：魏国的儒学之臣，与游雅、高闾等人对魏国的文化建设都有贡献。传见《魏书》卷五十五。㉖筑醴阳：魏军攻取醴阳，并在醴阳筑城防守。事在上年四月。醴阳旧址在今河南桐柏西北的固庙一带，当时属于南齐。㉗直在萧赜：南齐萧赜一方有理。㉘遣使：主动地派出使者进行修好。㉙八月乙亥：八月初四。㉚邢产：魏国的文学之士，其家族中有多人曾出使南朝。传见《魏书》卷六十五。㉛ 宫人：这里指宫女。㉜ 北镇：泛指魏国北部地区为防柔然而设立的军镇。也有人以为指怀朔镇，因为此镇在魏都平城的正北方。㉝ 十一月己未：十一月十九。㉞ 安丰匡王猛：拓跋猛，文成帝拓跋濬之子，被封为安丰王，匡字是谥。传见《魏书》卷二十。㉟ 十二月丙子：十二月初七。㊱ 苟颓：魏国拓跋焘以来的名将，有战功，正直敢言，被封为河东王。传见《魏书》卷四十四。㊲ 平南参军：平南将军的参军。㊳ 尉元：魏国拓跋弘以来的名将，曾大破宋将张永，在夺取刘宋淮北四州中立有大功。传见《魏书》卷五十。㊴ 穆亮：魏国名将穆崇的曾孙，拓跋弘以来的名将，平定氐、羌颇有成效。传见《魏书》卷二十七。㊵ 退素：谦退淡泊。㊶ 启求还第：请求辞去官职，回北宅居住。萧嶷的北宅有园田之美。㊷ 代镇东府：代替其父管理东府。东府是建业城东侧的小城，萧嶷原来住在东府。㊸ 扬州中正：扬州地区的中正官。中正官负责考察本州郡士人的品德才能，分为九等，以作为上级官府选拔官吏的依据。㊹ 属用：嘱托张绪任用。㊺ 吴兴闻人邕：吴兴郡人姓闻人，名邕。㊻ 为州议曹：为扬州刺史属下的议曹官员。议曹是主管参谋议事的部门。㊼ 书佐：萧晃部下的主管文书的官吏。㊽ 此是身家州乡：扬州是我张绪的家乡所在地。㊾ 何得见逼：有什么权力逼我这样做。㊿ 江敩：宋孝武帝刘彧的女婿，仕宋为太尉从事中郎，入齐后累迁侍中，领骁骑将军，并领本州中正。传见《南齐书》卷四十三。951 都官尚书：官名，掌管纠察京城之内的不法之事。952 纪僧真：齐武帝萧赜的宠臣，与茹法亮、吕文度等同见于《南齐书》卷五十六《幸臣传》。953 容表有士风：面容举止颇有些士大夫的风度。954 邀逢圣时：有幸正赶上圣明的时代。邀，同“徼”，幸、侥幸。955 阶荣：官阶之高的荣耀。956 为儿昏得荀昭光女：能让儿子娶荀昭光之女为妇。昏，通“婚”，娶。荀昭光，当时有名的大贵族。957 实时无复所须：现时也不缺什么别的了。958 乞作士大夫：请求陛下把我列入士大夫的行列。〖按〗当时俗语有所谓“上品无寒门，下品无士族”。纪僧真请求成为士大夫，也就是请求把自己的门庭由寒门改成士族，这哪有可能！959 谢瀹：当时著名文学家谢庄之子，谢朏之弟，此时任黄门郎，兼吏部尚书。传见《南齐书》卷四十三。960 不得措意：不能授意；不能把意见强加于他们。961 可自诣之：你可以自己找他去说。诣，到。962 承旨诣敩：按照皇帝的意思去找江敩。963 登榻坐定：登上坐榻坐下来。964 移吾床远客：把我的坐凳搬得离客人远点儿。床，坐具。965 士大夫故非天子所命：看来这士大夫的身份也不是皇帝所能任命得了的。表现了一种深深的无可奈何之情。966 湛：江湛，宋文帝刘义隆晚期最受宠用的当权者之一，与刘义隆谋废太子刘劭，未果，刘义隆被弑，江湛被杀。传见《宋书》卷七十一。967 朏：谢朏，刘宋末年的正直之臣，萧道成欲篡取刘宋政权，想让谢朏为之写劝进表，谢朏不干；篡位时想让谢朏把皇帝印玺从宋顺帝身上摘下来，给萧道成佩戴上，谢朏又不干，于是谢朏被萧道成所废。传见《南史》卷二十、《梁书》卷十五。968 别帅：另一个部落的头领。

【校记】

［12］乏：原作“之”。胡三省注云：“‘去之’当作‘去乏’。”今据严衍《通鉴补》改作“乏”。［13］嗣：原作“嗣之”。据章钰校，十二行本、乙十一行本、孔天胤本皆无“之”字，今据删。［14］喻：原作“谕”。据章钰校，十二行本、乙十一行本、孔天胤本皆作“喻”，今据改。［15］进：原作“一”。据章钰校，十二行本、乙十一行本、孔天胤本皆作“进”，张敦仁《通鉴刊本识误》同，今据改。

【研析】

本卷写齐武帝萧赜永明二年（公元四八四年）至永明七年共六年间的南齐与北魏等国的大事，其中给人印象清晰而又有感受的事情有三件：

第一是写史者对于南齐功臣王俭的写法。王俭是东晋大官僚王导的后代，其祖父王昙首曾是宋文帝刘义隆最受宠信的大臣之一；其父王僧绰不仅是宋文帝的大臣，而且是宋文帝的女婿。王俭本人不仅被宋明帝超迁为秘书丞，而且又娶宋明帝的女儿为妻。按说这么一个人，应该是刘宋王朝的忠实卫护者才对，至少也不应该成为帮着萧道成篡夺刘宋政权的急先锋。但王俭恰恰就非常自觉积极地充当了这个急先锋的角色。写《南齐书》的萧子显是萧道成的孙子，自然对王俭非常欢迎，这是可以理解的；但不可理解的是与王俭同时叛卖刘宋，同时给萧道成为虎作伥的另一个大人物褚渊却深受《南齐书》作者的嘲讽，他曾通过许多故事对褚渊进行挖苦与讽刺。还有更加不可理解的是《资治通鉴》的作者司马光居然也和萧子显站在同一立场，一方面嘲讽、挖苦褚渊，而同时又对王俭表现了浓厚的赞美与艳羡之情。例如他写王俭办事的才干能力说：“俭少好礼学及《春秋》，言论造次必于儒者，由是衣冠翕然，更尚儒术。俭撰次朝仪国典，自晋、宋以来故事，无不谙忆，故当朝理事，断决如流。每博议引证，八坐、丞、郎无能异者。令史谘事常数十人，宾客满席，俭应接辨析，傍无留滞，发言下笔，皆有音彩。”读到这里，我们马上想到刘宋的开国祖先刘裕身边的一位大才刘穆之的办事情景，司马光在前面写道：“刘穆之内总朝政，外供军旅，决断如流，事无壅滞。宾客辐凑，求诉百端，内外咨禀，盈阶满室，目览词讼，手答笺书，耳行听受，口并酬应，不相参涉，悉皆赡举。”同一种思路，现在又拉来加在了王俭头上。这还不算，司马光又接着称颂王俭说：“十日一还学监试诸生，巾卷在庭，剑卫、令史，仪容甚盛。作解散髻，斜插簪，朝野慕之，相与仿效。俭常谓人曰：‘江左风流宰相，唯有谢安。’意以自比也。”一种五体投地的艳羡之情溢于言表！沈约、萧子显表现如此媚俗的感情，可以理解，因为他们都是南朝文人，他们从来不顾大是大非，不讲政治，不讲道德，只讲一种“气质与风度”，难道司马光也只停留在这种水平，对于前代史书所写的东西只管照本宣科？

第二是关于魏国的冯太后。冯太后是魏国的女中豪杰，其才干能力不亚于后起的武则天。冯太后在其夫拓跋濬死后，出面代其幼子拓跋弘执政五年；后来又在其子拓跋弘死后，二次出面辅佐其孙拓跋宏执政，一直到死共十五年。冯太后的事迹归纳起来有如下几方面：一、杀掉专权跋扈的权臣乙浑，将权力夺回皇室手中。二、办事能力强，她“自入宫掖，粗学书计，及登尊位，省决万机”；她“性严明，假有宠待，亦无所纵”；“性不宿憾，寻亦待之如初”，所以很能得人才之力，魏国的一些政策制度，如均田制、三长制、常平仓，以及严禁图谶、卜筮，严厉打击贪污等，都施行于冯太后执政时期。三、重视宣传教育，而且自己有文才，她以其孙年幼，“乃作《劝戒歌》三百余章，又作《皇诰》十八篇，颁行天下”。四、生活俭素，她“不好华饰，躬御缦缯而已。宰人上膳，案裁径尺，羞膳滋味减于故事十分之八”；下卷提到她临终又下令薄葬，要求一切从简。冯太后也和武则天一样，养有几个男宠，但和武则天不一样的是，在这几个男宠中有的人同时就是很能干、很公正的国家大臣，如李冲等虽由“见宠帷幄”，亦“以器能受任”，故直至冯太后去世，李冲仍是拓跋宏时代很有作为的大臣。冯太后值得批评的应该说只有杀了自己的儿子显祖拓跋弘这件事。

第三是魏国在冯太后与拓跋宏时代，进一步致力于尊儒与尊佛。尊儒的事情下卷在讲到魏国制定的祭典中有所谓“祀尧于平阳，舜于广宁，禹于安邑，周公于洛阳，皆令牧守执事。其宣尼之庙，祀于中书省。改谥宣尼曰文圣尼父，帝亲行拜祭”。规定皇帝亲自拜祭孔子，这在汉族的历朝皇帝中也不多见，汉族的皇帝大多把孔子看作是一位诸侯，一位帮着皇帝治理天下的股肱之臣，而皇帝是不能屈尊亲自下来给诸侯行礼的。关于魏国如何尊佛的事情，本卷着笔不多，只是近几卷来连续地出现了所谓“魏主如武州山石窟寺”之语。这“武州山石窟寺”即今之所谓“云冈石窟”，在今山西大同（当年魏国国都平城）的西北方。魏国在太武帝拓跋焘时代曾有一次惨烈的灭佛运动，到文成帝拓跋濬时代，佛教又开始复苏。当时有一个名叫昙曜的和尚，建议拓跋濬在武州山开凿五个石窟，每窟给一位魏国的皇帝雕为佛身，令全国供奉。《魏书·释老志》对此说“昙曜白帝，于京城西武州塞凿山石壁，开窟五所，镌建佛像各一。高者七十尺，次六十尺，雕饰奇伟，冠于一世”。文中讲述的五所佛窟，即今云冈第十六至二十窟，学者称之为“昙曜五窟”，大约建立于拓跋濬和平年间（公元四六〇至四六五年）。从而使武州山石窟寺升格为北魏皇室的家庙，神圣不得侵犯。利用宗教赤裸裸地为皇权服务，魏国登峰造极，也是佛教史上的一大奇观。

卷第一百三十七　齐纪三

起上章敦牂（庚午，公元四九〇年），尽玄黓涒滩（壬申，公元四九二年），凡三年。

【题解】

本卷写齐武帝萧赜永明八年（公元四九〇年）至永明十年共三年间的南齐与北魏等国的大事。主要写了齐武帝萧赜之子萧子响任荆州刺史，因私养卫士，又与蛮族换取兵器，被部下刘寅等告密，萧子响遂怒杀刘寅等人。萧赜第一次命胡谐之三人率兵讨伐，萧子响请求和解而不得，遂发动袭击，将其打败；萧赜第二次又派萧顺之率兵进讨，萧子响入京请罪，自缚投归萧顺之，萧顺之承太子萧长懋之意将萧子响杀死。萧子响死前上书陈述一切，萧赜痛悔而故意硬撑，情节恰如当年汉武帝逼死太子刘据的前前后后。写了南齐对原来简单矛盾的法律条文进行了讨论修订，齐臣孔稚珪建议在太学开设法律课以授国子，以提高法学在世人心目中的地位。这原是一项很重要的建议，虽诏从其请，而事竟不行。写了魏国冯太后死，孝文帝哀戚过度，不愿下葬、不愿除服；又在下葬后一再谒陵；又在是否立刻除服的问题上与诸大臣一再讨价还价，喋喋不休，前后数千字，令人生厌；魏主重新议定宗庙应供之神主，将拓跋珪、拓跋焘定为祖宗，永世不刊。写

【原文】

世祖武皇帝中

永明八年（庚午，公元四九〇年）

春，正月，诏放隔城俘[①]二千余人还魏。

乙丑[②]，魏主如方山。二月辛未[③]，如灵泉[④]。壬申[⑤]，还宫。

地豆干[⑥]频寇魏边，夏，四月甲戌[⑦]，魏征西大将军阳平王颐[⑧]击走之。颐，新城[⑨]之子也。

甲午[⑩]，魏遣兼员外散骑常侍邢产[⑪]等来聘。

了魏主与群臣讨论各种祭祀之礼，故意卖弄小聪明，魏主令群臣讨论魏国在五行终始中属于何德，最终听从李彪等议，以魏国继于西晋之后，于五行为水德。写了魏主亲养三老、五更，以及养庶老、国老等，此种礼节在独尊儒术的《汉书》中亦未叙及；魏臣宋弁出使南齐，回国后说南齐“既以逆取，不能顺守；政令苛碎，赋役繁重；朝无股肱之臣，野有愁怨之民”，并预言萧赜“其得没身幸矣，非贻厥孙谋之道也”，为南齐之乱埋下伏笔。写了齐臣萧琛、范云使魏，魏主喜欢南人，称曰“江南多好臣”，魏臣李元凯则嘲之曰：“江南多好臣，岁一易主；江北无好臣，百年一易主。”见写史者对南朝政治之深深憎恶。此外还写了魏臣李彪、李冲之为人，史称李冲“忠勤明断，加以慎密，为帝所委，情义无间；旧臣贵戚，莫不心服，中外推之”；李彪六次到南齐聘问，深受南齐敬重，甚至齐武帝萧赜亲自送行至琅邪城，命群臣赋诗以宠之等。

【语译】

世祖武皇帝中

永明八年（庚午，公元四九〇年）

春季，正月，齐武帝萧赜下诏，将在隔城之战中所俘虏的二千多名魏国人释放回魏国。

正月二十六日乙丑，魏孝文帝拓跋宏前往方山巡视。二月初三日辛未，拓跋宏从方山前往灵泉池。初四日壬申，返回平城的皇宫。

地豆干人频繁侵扰魏国的边境，夏季，四月初七日甲戌，魏国担任征西大将军的阳平王拓跋颐率军把入侵的地豆干人赶跑。拓跋颐，是拓跋新城的儿子。

二十七日甲午，魏国朝廷派遣兼任员外散骑常侍的邢产等人为使者来到齐国进行友好访问。

五月己酉⑫，库莫奚⑬寇魏边，安州⑭都将楼龙儿击走之。

秋，七月辛丑⑮，以会稽太守安陆侯缅⑯为雍州刺史。缅，鸾⑰之弟也。缅留心狱讼⑱，得劫⑲，皆赦遣，许以自新，再犯乃加诛。民畏而爱之。

癸卯⑳，大赦。

丙午㉑，魏主如方山。丙辰㉒，遂如灵泉池。八月丙寅朔㉓，还宫。

河南王度易侯㉔卒。乙酉㉕，以其世子伏连筹为秦、河二州刺史㉖，遣振武将军丘冠先㉗拜授㉘，且吊之。伏连筹逼冠先使拜，冠先不从，伏连筹推冠先坠崖而死。上厚赐其子雄，敕以丧委绝域㉙，不可复寻，仕进无嫌㉚。

荆州刺史巴东王子响㉛有勇力，善骑射，好武事，自选带仗左右㉜六十人，皆有胆干㉝。至镇㉞，数于内斋㉟以牛酒犒之。又私作锦袍、绛袄欲以饷蛮㊱，交易器仗㊲。长史高平刘寅㊳、司马安定席恭穆等㊴[1]连名密启，上敕精检㊵。子响闻台使㊶至，不见敕㊷，召寅、恭穆及谘议参军㊸江悆、典签㊹吴脩之、魏景渊等诘之，寅等秘而不言。脩之曰："既已降敕，政应方便答塞㊺。"景渊曰："应先检校㊻。"子响大怒，执寅等八人于后堂，杀之，具以启闻㊼。上欲赦江悆㊽，闻皆已死，怒，壬辰㊾，以随王子隆为荆州刺史㊿。

上欲遣淮南太守戴僧静(51)将兵讨子响，僧静面启曰："巴东王年少(52)，长史执之太[2]急(53)，忿不思难(54)故耳。天子儿(55)过误杀人，有何大罪？官(56)忽遣军西上，人情惶惧，无所不至，僧静不敢奉敕(57)。"上不答而心善之。乃遣卫尉(58)胡谐之、游击将军尹略、中书舍人茹法

五月十二日己酉，库莫奚人侵扰魏国的边境，被魏国担任安州都将的楼龙儿率军打跑。

秋季，七月初五日辛丑，齐武帝任命担任会稽郡太守的安陆侯萧缅为雍州刺史。萧缅，是萧鸾的弟弟。萧缅一向关心刑事案件，抓到强盗劫匪之后，就把他们全部赦免，给他们一次悔过自新的机会，如果再犯罪被抓就要诛杀。当地百姓既畏惧他又爱戴他。

七月初七日癸卯，齐国实行大赦。

七月初十日丙午，魏孝文帝前往方山巡视。二十日丙辰，从方山前往灵泉池。八月初一日丙寅，从灵泉池返回皇宫。

被封为河南王的度易侯去世。八月二十日乙酉，齐国朝廷任命度易侯的世子伏连筹为秦、河二州刺史，派遣担任振武将军的丘冠先前往河南王的都城予以任命，并吊唁河南王度易侯的逝世。伏连筹强迫丘冠先向度易侯的灵位行叩拜礼，丘冠先坚决不从，于是伏连筹就把丘冠先推下悬崖摔死了。齐武帝重赏了丘冠先的儿子丘雄，并下令劝慰丘雄说，你父亲的遗体是被丢弃在遥远的边地，已经无法寻找，这不能说你不守孝道，对你今后的仕途也没有任何影响。

担任荆州刺史的巴东王萧子响很有力气，又善于骑马射箭，喜好研究军事，他亲自挑选的六十名佩带武器的随从，都是有胆量、有武功的人。萧子响到达荆州州治的所在地江陵之后，多次在内室用牛肉、美酒犒劳他们。又私自缝制了锦袍、绛色的袄，准备把这些东西赠送给荆州管区内的蛮族人，以换取蛮族人的兵器。在荆州刺史府担任长史的高平郡人刘寅、担任司马的安定郡人席恭穆等联名给齐武帝上了一道密封的奏章检举此事，齐武帝下令派人前往江陵仔细核实、严加审查。萧子响听说朝廷派遣的使者已经来到江陵，他不接皇帝的诏命，却召集刘寅、席恭穆以及担任谘议参军的江悆、担任典签的吴脩之、魏景渊等人，责问他们是谁告的状，刘寅等人沉默不语。吴脩之说："皇帝既然已经降下圣旨，我们正好可以趁势向朝廷解释清楚，将朝廷的调查搪塞过去。"魏景渊说："应该先让朝廷派来的人进行检查。"萧子响立即大怒，令人将刘寅等八个人抓起来，在后堂把他们全部杀死，然后把杀死八个人的事情报告给朝廷。齐武帝想要赦免谘议参军江悆，听说都已经被萧子响杀死，因此大怒，八月二十七日壬辰，齐武帝免去了萧子响的荆州刺史之职，任命随王萧子隆为荆州刺史。

齐武帝想派担任淮南太守的戴僧静率军前往江陵讨伐萧子响，戴僧静当面向齐武帝奏报说："巴东王年纪还小，担任长史的刘寅把他逼得太急，愤怒之下就没有考虑后果。皇帝的儿子因为过失而错杀了人，有什么大罪？陛下突然派军队西上征讨，人心惶恐不安，就什么事情都能做出来，我不敢接受陛下的旨意去讨伐巴东王。"齐武帝虽然当时没有说什么，但心里觉得戴僧静的话很受用。齐武帝于是派遣担任卫尉的胡谐之、担任游击将军的尹略、担任中书舍人的茹法亮等人率领着几百名皇帝

亮[59]帅斋仗[60]数百人诣江陵，检捕群小[61]。敕之曰："子响若束手自归，可全其命。"以南平[3]内史张欣泰[62]为谐之副。欣泰谓谐之曰："今段之行[63]，胜既无名[64]，负成奇耻[65]。彼凶狡[66]相聚，所以为其用者，或利赏逼威[67]，无由自溃[68]。若顿军夏口[69]，宣示祸福[70]，可不战而擒也。"谐之不从。欣泰，兴世[71]之子也。

谐之等至江津[72]，筑城燕尾洲[73]。子响白服登城，频遣使与相闻[74]，曰："天下岂有儿反[75]？身不作贼[76]，直是粗疏[77]。今便单舸还阙[78]，受杀人之罪[79]，何筑城见捉邪[80]？"尹略独答曰："谁将汝反父人共语[81]！"子响唯洒泣[82]。乃杀牛，具酒馔，饷台军[83]，略弃之江流。子响呼茹法亮，法亮疑畏，不肯往。又求见传诏[84]，法亮亦不遣，且执录其使[85]。子响怒，遣所养勇士收集府、州[4]兵二千人，从灵溪西渡[86]；子响自与百余人操万钧弩[87]，宿江堤上。明日，府州兵与台军战，子响于堤上发弩射之，台军大败，尹略死，谐之等单艇逃去[88]。

上又遣丹杨尹萧顺之[89]将兵继至，子响即日将白衣左右三十人，乘舴艋[90]沿流赴建康。太子长懋素忌子响，顺之之发建康也，太子密谕顺之，使早为之所[91]，勿令得还。子响见顺之，欲自申明，顺之不许，于射堂缢杀之。

子响临死，启上[92]曰："臣罪逾山海，分甘斧钺[93]。敕遣谐之等至，竟无宣旨[94]，便建旗入津[95]，对城南岸筑城守。臣累遣书信[96]呼法亮，乞白服相见[97]，法亮终不肯。群小[98]怖惧，遂致攻战，此臣之罪也。臣此月二十五日，束身投军[99]，希还天阙[100]，停宅一月[101]，臣自取尽[102]，可

书房周围的卫士前往江陵，查办、逮捕萧子响身边的那些亲信小人。齐武帝告诫胡谐之等人说：“萧子响如果束手就擒，主动回到朝廷，可以保全他的生命。”任命在南平王萧锐属下担任内史的张欣泰做胡谐之的副手。张欣泰对胡谐之说：“这次差使，即使办好了也得不到什么好名望，一旦办砸了就会成为莫大的耻辱。巴东王萧子响身边聚集的都是一些凶恶、狡猾的人，他们之所以愿意为萧子响效力，有的是贪图得到财物的赏赐，有的是被巴东王的权势所逼迫，他们是不可能自行散伙的。如果我们把军队屯扎在夏口，向他们讲明道理，指明出路，就可以不战而将他们擒获。”胡谐之没有听从张欣泰的意见。张欣泰，是张兴世的儿子。

胡谐之等到达江津，在燕尾洲筑起城垒。萧子响身穿白色的衣服登上江陵城的城楼，频繁地派使者与胡谐之等人对话，萧子响对胡谐之等人说：“天下哪里有皇帝的儿子造皇帝的反的？我不是要造反，只是做事有些太鲁莽。我现在就准备乘坐一艘小船回朝廷，去承担杀人的罪过，你们怎么就筑城与我开战，想要捉拿我呢？”游击将军尹略独自回答他说：“谁与你这个反叛父亲的人说话！”萧子响只有流泪而已。萧子响于是杀牛，准备酒宴，送给朝廷派来的人，尹略把这些酒菜全都抛入江水中。萧子响呼叫茹法亮到自己的面前来，茹法亮心存疑虑，不敢过去。萧子响又请求会见传达诏书的宦官，茹法亮也不放宦官前去，还把萧子响派来的使者逮捕起来。萧子响非常愤怒，便派遣自己所豢养的那几十名武士率领着二千名府兵、州兵，从灵溪向西渡过长江去袭击朝廷军在燕尾洲所筑之城；萧子响亲自与一百多人手持一种用机械装配起来的强弩，露宿在江堤之上。第二天，二千多名府兵、州兵与朝廷的军队交战，萧子响在江堤上亲手发弩射击，朝廷的军队大败；尹略战死，胡谐之等人舍弃众人单身乘上轻快的小船逃走。

齐武帝又派遣担任丹杨尹的萧顺之率领军队随后到达江陵，萧子响当天亲自率领着身穿白衣的三十人，乘坐着一种小船顺着长江准备奔赴建康。皇太子萧长懋一向忌恨萧子响，萧顺之从建康出发的时候，皇太子萧长懋就私下里告谕萧顺之，让他早点处置了萧子响，不要让他活着回到京城。萧子响看见萧顺之率军而来，就亲自去见萧顺之，想向他申明原委，萧顺之不容他分说，就在射堂里用绳子将他勒死。

萧子响临死的时候，给他父亲齐武帝上书说：“我的罪过超过高山大海，理应被处死而心甘情愿。陛下派遣胡谐之等人前来，居然没有人对我宣读皇帝的诏书，便打着皇帝的旗号进入江边的渡口，在江陵城对面的南岸筑城坚守。我多次送信招呼茹法亮，请求穿着白色的衣服与他相见好好地谈一谈，而茹法亮始终不肯见我。我手下的那些下人非常恐惧，遂导致了进攻朝廷军之事的发生，这都是我的罪过。我于本月二十五日，自缚双手，投到萧顺之的军中自首，希望能够回到京城，当面向您请罪，在京城自己的宅子里过上一个月，然后我将自杀而死，我这样做的目的就是想使我们齐国不要让世人与后人说某某皇帝把自己的儿子杀了，也别让我落一

使齐代[103]无杀子之讥[104]，臣免逆父之谤[105]。既不遂心[106]，今便命尽。临启哽塞，知复何陈！”

有司奏绝子响属籍[107]，削爵土，易姓蛸氏，诸所连坐，别下考论[108]。久之，上游华林园[109]，见一猿透掷[110]悲鸣，问左右，曰：“猿子前日坠崖死。”上思子响，因呜咽流涕。茹法亮颇为上所责怒，萧顺之惭惧，发疾而卒。豫章王嶷表请收葬子响，不许，贬为鱼复侯[111]。

子响之乱，方镇皆启“子响为逆”[112]，兖州刺史垣荣祖[113]曰：“此非所宜言。正应云：‘刘寅等孤负恩奖[114]，逼迫巴东[115]，使至于此。’”上省之[116]，以荣祖为知言[117]。

台军焚烧江陵府舍，官曹文书，一时荡尽。上以大司马记室南阳乐蔼[118]屡为本州僚佐[119]，引见[120]，问以西事[121]。蔼应对详敏，上悦，用为荆州治中[122]，敕付以修复府州事[123]。蔼缮修廨舍[124]数百区[125]，顷之咸毕[126]，而役不及民[127]，荆部[128]称之。

九月癸丑[129]，魏太皇太后冯氏殂，高祖勺饮不入口者五日，哀毁过礼[130]。中部曹[131]华阴杨椿[132]谏曰：“陛下荷[133]祖宗之业，临万国之重，岂可同匹夫之节[134]以取僵仆[135]！群下惶灼[136]，莫知所言。且圣人之礼，毁不灭性[137]，纵陛下欲自贤[138]于万代，其若宗庙何[139]！”帝感其言，为之一进粥。

于是诸王公等[5]皆诣阙上表，“请时定兆域[140]，及依汉、魏故事[141]并太皇太后终制[142]，既葬公除[143]”。诏曰：“自遭祸罚[144]，慌惚如昨[145]，奉侍梓宫[146]，犹希仿佛[147]。山陵迁厝[148]，所未忍闻。”冬，十月，

个忤逆父亲的罪名。既然我无法实现自己的这个心愿，现在我的生命就要结束了。我在给您写这封书信的时候，禁不住地痛哭流涕、声音哽咽，不知道自己在说些什么!”

朝廷一些衙门的官员奏请把萧子响的名字从皇帝的族谱中除去，削去他的爵位，收回他的封国，将他改姓蛸氏，所有受到牵连的人，另行查办定罪。过了很久之后，齐武帝到华林园游览，看见一只猿猴正在乱蹦乱跳地发出悲哀的鸣叫，齐武帝便向身边的人询问，身边的人回答说:“这只猿猴的儿子前天坠崖摔死了。”齐武帝想起自己的儿子萧子响，便忍不住地声音哽咽、泪流满面。茹法亮因为此事很受齐武帝的责备与怒斥，萧顺之也感到很惭愧、恐惧，并因此得病而死。豫章王萧嶷上表请求把萧子响的尸首收殓安葬，齐武帝萧赜没有批准，将萧子响贬为鱼复县侯。

萧子响作乱的时候，各州的刺史在写给齐武帝的奏章中每当提到萧子响这件事时都用“为逆”这个词，担任兖州刺史的垣荣祖在写给齐武帝的奏章中却说:“这么说是不恰当的。只能说是‘刘寅等人辜负了巴东王对他们的厚恩和奖励，逼得巴东王无路可走，以至于事情发展到这种地步’。”齐武帝看了垣荣祖的奏章之后，认为垣荣祖知道该怎么说话。

朝廷军焚烧了江陵城中荆州刺史府、都督府中所有的官舍，府中的文书档案等，一时间焚烧得干干净净。齐武帝因为在大司马萧嶷的属下担任记室的南阳人乐蔼曾经多次在荆州刺史治下充任僚属，于是便把乐蔼召到跟前，向乐蔼询问西部荆州刺史府内的有关事情。乐蔼回答得很详细而且不假思索，齐武帝很高兴，于是任命乐蔼为荆州治中从事史，把修复荆州刺史府与荆州都督府的事情交付给他去办理。乐蔼在很短的时间内就将几百个院落的官府办公用房和住宿用房全部修缮完毕，而且没有让百姓参与劳役，荆州地区的军政长官对乐蔼的办事能力非常称赞。

九月十八日癸丑，魏国的太皇太后冯氏去世，魏高祖拓跋宏一连五天滴水未进，因为过度悲哀而面黄肌瘦。担任中部曹的华阴人杨椿劝谏高祖说:“陛下继承了祖宗的基业，担负着君临万国的重任，岂能像一个普通百姓一样地尽孝道以至于把身体搞垮而倒地不起呢!群臣都很惶恐焦虑，不知道该说什么才好。况且圣人制定礼仪，虽然主张对亲人的去世可以因为悲哀而使形体憔悴，但不能有损于健康，即使陛下想要获得一个好名声而流传万代，但万一有个好歹，陛下又怎么向列祖列宗交代呢!”魏高祖深深地被杨椿的话所感动，因此喝了一点粥。

于是所有的王公大臣等都到皇宫门口上表，请求高祖“及时将太皇太后葬入陵墓，并且依照汉、魏给去世皇帝安葬的老办法以及太皇太后临终前的遗命，灵柩安葬之后，随即依礼除去丧服”。魏高祖下诏说:“自从遭遇太皇太后去世之后，每当我思念至深的时候，太皇太后的形象就像昨天一样清晰地出现在我的眼前，我侍奉在太后的棺柩旁边，还希望恍惚间能见到她。把太皇太后的灵柩葬入陵墓的话，我实

王公复上表固请。诏曰："山陵可依典册[149]，衰服之宜[150]，情所未忍[151]。"帝欲亲至陵所，戊辰[152]，诏："诸常从之具，悉可停之，其武卫之官，防侍如法[153]。"癸酉[154]，葬文明太皇太后于永固陵[155]。甲戌[156]，帝谒陵[157]，王公固请公除。诏曰："比当别叙在心[158]。"己卯[159]，又谒陵。

庚辰[160]，帝出至思贤门右，与群臣相慰劳[161]。太尉丕[162]等进言曰："臣等以老朽之年，历奉累圣[163]，国家旧事，颇所知闻。伏惟[164]远祖有大讳之日[165]，唯侍从梓宫者凶服[166]，左右尽皆从吉[167]。四祖三宗[168]，因[169]而无改。陛下以至孝之性，哀毁过礼，伏闻所御三食[170]不满半溢[171]，昼夜不释绖带[172]，臣等叩心绝气[173]，坐不安席。愿少抑至慕之情[174]，奉行先朝旧典。"帝曰："哀毁常事，岂足关言[175]？朝夕食粥，粗可支任，诸公何足忧怖？祖宗情专武略[176]，未修文教[177]；朕今仰禀圣训[178]，庶习古道[179]，论时比事[180]，又与先世不同。太尉等国老[181]，政之所寄[182]，于典记旧式[183]或所未悉[184]，且可知朕大意[185]。其余古今丧礼，朕且以所怀[186]别问[187]尚书游明根、高闾[188]等，公可听之[189]。"

帝因谓明根等曰："圣人制卒哭之礼[190]，授服之变[191]，皆夺情以渐[192]。今则旬日之间[193]，言及即吉[194]，特成伤理[195]。"对曰："臣等伏寻金册遗旨[196]，逾月而葬[197]，葬而即吉[198]。故于下葬之初，奏练除[199]之事。"帝曰："朕惟[200]中代[201]所以不遂三年之丧[202]，盖由君上违世[203]，继主初立，君德未流[204]，臣义不洽[205]，故身袭衮冕[206]，行即位之礼。朕诚不德[207]，在位

在不忍心听到。”冬季，十月，王公大臣又一再上表请求将太皇太后的灵柩安葬。魏高祖下诏说：“把灵柩葬入陵墓的事情，可以按照典册上的规定办，至于下葬完毕就除去丧服的事情，我实在不忍心那样做。”魏高祖想亲自前往陵墓的所在地，初四日戊辰，下诏说：“那些平常外出时跟从的仪仗等各种用具，可以全部不带，随身的卫队与侍从人员，还按照平常的规模。”初九日癸酉，将文明太皇太后冯氏安葬于永固陵。初十日甲戌，魏高祖拜谒冯太后的陵墓，王公大臣坚决请求除去丧服。魏高祖下诏说：“关于此事我会另找时间和大家说说心中的想法。”十五日己卯，魏高祖又去拜谒冯太后的陵墓。

十月十六日庚辰，魏高祖从皇宫出来到达思贤门右侧，与群臣互相安慰、勉励。担任太尉的拓跋丕上前进言说：“我等以老迈衰朽之身，一连侍奉了几代圣君，对国家过去的事情，非常熟悉。仔细想来，远辈的祖先遇有丧礼的时候，只有在灵柩旁边工作的人才身穿丧服，皇帝左右的侍从仍旧穿着平日的服装。高祖昭成帝拓跋什翼犍、太祖道武帝拓跋珪、世祖太武帝拓跋焘、显祖献文帝拓跋弘，再加上太宗明元帝拓跋嗣、恭宗景穆帝拓跋晃、高宗文成帝拓跋濬，都承袭了这种做法而没有什么改变。陛下的本性最为孝敬，因为过于哀伤，听说陛下一日三餐吃下的饭食还不到半碗，昼夜不脱孝服，我等心疼陛下心疼得捶着胸膛喘不过气来，坐卧不安。希望陛下稍微克制一下对太后的思念之情，按照先朝的老办法办理。”魏孝文帝说：“亲人去世，因为哀伤而使人形体憔悴，这是人之常情，哪里就值得你们如此的关心劝导？早晚吃点粥，身体大体可以支撑得住，诸位王公大臣何必如此担心呢？先祖在世的时候一天到晚想的都是打仗，顾不上讲究什么道德礼仪；如今我向上秉承了先王的教导，自己也学了一些古代的道理，而现时的世道人伦，都与先世不同。太尉等都是朝廷所敬重的老前辈，国家的大政方针都要依靠你们来推广执行，你们整日忙于政务，而对古代典籍上所记载的旧有的礼仪规定，有些内容你们或许还不太知道，只要你们明白我的大致想法就行了。其他有关古今丧礼的事情，我将把自己心中所想的另外去请教担任尚书的游明根、高闾等，到时候你们要好好地去听听。”

魏孝文帝趁机询问游明根等人说：“圣人制定了何时停止哭丧的古礼，守丧者在三年居丧期间所穿的丧服是在逐渐变化的，都是为了逐步淡化人们的哀思。如今太皇太后去世刚过去十来天，就开始说起除去丧服、改穿平日的衣服之事，这样做实在是太伤伦理。”游明根回答说：“我等暗自寻思太皇太后生前书写在金册上的有关她的丧事的遗嘱，太后去世后一个月棺椁下葬，下葬之后，守丧者即除去丧服，换上平常应穿的衣服。所以才在下葬之后，就奏请陛下除去孝服。”孝文帝说：“我考虑近几百年来所以不实行守孝三年，恐怕都是由于老皇帝去世，新皇帝刚刚即位，新皇帝的威信还没有确立，群臣对皇帝的义务没有充分体现出来，所以新皇帝不得不急急忙忙地穿戴上皇帝的衮冕，举行即位大典。我尽管德行也不高，但做皇帝的时间

过纪[208]，足令亿兆[209]知有君矣。于此之日[6]而不遂哀慕之心[210]，使情礼俱失[211]，深可痛恨！”高闾曰：“杜预[212]，晋之硕学[213]，论自古天子无有行三年之丧者，以为汉文之制[214]，暗与古合，虽叔世[215]所行，事可承踵[216]。是以臣等慺慺干请[217]。”帝曰：“窃寻金册之旨，所以夺臣子之心，令早即吉者，虑废绝政事故也。群公所请，其志亦然。朕今仰奉册令，俯顺群心，不敢暗默不言[218]以荒庶政[219]。唯欲衰麻废吉礼[220]，朔望尽哀诚[221]，情在可许[222]，故专欲行之[223]。如杜预之论，于孺慕之君[224]，谅暗之主[225]，盖亦诬矣[226]。”秘书丞李彪[227]曰：“汉明德马后[228]保养章帝，母子之道，无可间然[229]。及后之崩，葬不淹旬[230]，寻已从吉[231]。然汉章不受讥[232]，明德不损名[233]。愿陛下遵金册遗令，割哀[234]从议。”帝曰：“朕所以眷恋衰绖，不从所议者，实情不能忍，岂徒苟免嗤嫌[235]而已哉？今奉终俭素[236]，一已仰遵遗册[237]，但痛慕[238]之心，事系于予[239]，庶圣灵[240]不夺至愿[241]耳。”高闾曰：“陛下既不除服于上，臣等独除服于下，则为臣之道不足。又亲御衰麻，复听朝政，吉凶事杂，臣窃为疑[242]。”帝曰：“先后[243]抚念群下[244]，卿等哀慕，犹不忍除，奈何令朕独忍之于至亲[245]乎！今朕逼于遗册[246]，唯望至期[247]；虽不尽礼，蕴结差申[248]。群臣各以亲疏、贵贱、远近为除服之差[249]，庶几[250]稍近于古，易行于今。”高闾曰：“昔王孙裸葬[251]，士安去棺[252]，其子皆从而不违。今亲奉遗令而有所不从，臣等所以频烦干奏[253]。”李彪曰：“三年不改其

已经超过十二年了，足以让全国的百姓知道我是皇帝了。在这种情况下如果还不能按照自己的心意充分地尽其孝道，会让人感到既违背了人情，又违背了古礼，实在令人深深地感到痛心和遗憾！”高闾说：“杜预，是晋代有名的大学问家，他论证自古以来天子从来没有服满三年之丧的，认为汉文帝对于丧事的规定，与古代规定的丧葬不谋而合，虽然是晚近之世才开始实行，但可以让人们按照他的样子做。所以我等才恭恭敬敬地请求陛下除去丧服。”孝文帝说：“我私下揣摩太皇太后的遗旨，太皇太后之所以让臣子早日解除悲哀，嘱咐早日脱去丧服改穿吉服，是担心我等因此而耽误了政事的缘故。诸位王公大臣请求我除去丧服改穿平日该穿的衣服，其想法和太后是一样的。我今天上遵太皇太后的金册遗命，下从群臣的心意，不敢像古礼规定的那样守孝三年，沉默不语，而耽误各种政务的处理。但我只想为太皇太后披麻戴孝多一些时间，而不想在太皇太后的灵柩下葬之后就立即改穿吉服，让我在每个月的初一、十五再哭上几回以表达我的哀思，这也在情理之中，是可以允许的，所以我才坚持要这样做。如果像杜预所说的那样，对那些像小孩子思念父母一样的新君主，对那些坚持守孝三年不言不语，将国家政务全部委托给冢宰的君主，岂不是一种诬蔑诽谤吗？”担任秘书丞的李彪说：“东汉明帝的马皇后将汉章帝刘炟抚养长大，母子之间关系好得连插根针的缝隙都没有。等到马皇后驾崩，不到十天就下葬了，随后不久，汉章帝刘炟就除去丧服，改穿平日的衣服。然而并没有人说汉章帝刘炟不好，明德马皇后的名望也没有因此而受损。希望陛下遵守太皇太后的金册遗命，节哀止痛，听从群臣的建议。”孝文帝说：“我之所以要坚持披麻戴孝，不肯听从你们的建议，实在是因为感情上无法忍受太皇太后逝世的悲痛，难道只是因为惧怕遭受别人的议论吗？如今我给太皇太后的陪葬很少很薄，一切都遵从了金册上的遗嘱，但痛切思念之情，事情关系到我，希望太皇太后的在天之灵能满足我这点真诚的愿望。”高闾说：“陛下既然不肯除去丧服，我等臣属如果单独除去丧服，那么我等的为臣之道就有了缺失。再有，陛下亲自披麻戴孝，又要听取朝政，丧事与政事混杂在一起，我认为这样没法办事。”孝文帝说：“先皇太后对她的臣子恩情深厚，你们都为她的逝世感到哀伤悲痛，尚且不忍心除去丧服，为什么唯独让我对最亲近的人忍心除服呢！如今我受制于太皇太后的金册遗嘱，只盼望能守孝一年；虽然不完全合乎古礼的规定，我心中的痛苦多少可以得到一些缓解。各位大臣根据自己与太皇太后血缘关系的亲疏、地位的尊卑贵贱、关系的远近，可以做出一些不同期限的除服规定，尽量地做到与古礼的规定差不多，现在实行起来也比较容易。”高闾说：“汉武帝时期的杨王孙生前嘱咐他的儿子，他死后一定要对他实行裸葬，魏晋时期的皇甫谧在临终前嘱咐他的儿子，自己朝死夕葬、夕死朝葬，不用棺椁，不加缠殓，他们的儿子都遵从了父亲的遗嘱而没有违背父亲的遗愿。如今陛下手捧着太后的金册遗令却有所不从，所以我等才多次上奏提出反对的意见。”李彪说：“三年之内不改变

父之道[254]，可谓大孝。今不遵册令，恐涉改道之嫌。”帝曰：“王孙、士安皆诲子以俭[255]，及其遵也，岂异今日[256]？改父之道，殆与此殊。纵有所涉[257]，甘受后代之讥，未忍今日之请[258]。”群臣又言：“春秋烝尝[259]，事难废阙[260]。”帝曰：“自先朝以来，恒有司行事[261]，朕赖蒙慈训，常亲致敬[262]。今昊天降罚[263]，人神丧恃[264]，想〔7〕宗庙之灵[265]，亦辍歆祀[266]。脱行飨荐[267]，恐乖冥旨[268]。”群臣又言：“古者葬而即吉，不必终礼[269]，此乃二汉[270]所以经纶治道[271]，魏、晋所以纲理庶政[272]也。”帝曰：“既葬即吉，盖季俗多乱[273]，权宜救世[274]耳。二汉之盛，魏、晋之兴，岂由简略丧礼、遗忘仁孝哉！平日之时，公卿每称当今四海晏安[275]〔8〕，礼乐日新[276]，可以参美唐、虞[277]，比盛夏、商[278]。及至今日，即欲苦夺朕志，使不逾于魏、晋。如此之意，未解所由。”李彪曰：“今虽治化清晏[279]，然江南有未宾之吴[280]，漠北有不臣之虏[281]，是以臣等犹怀不虞之虑[282]。”帝曰：“鲁公带绖从戎[283]，晋侯墨衰败敌[284]，固圣贤所许。如有不虞，虽越绋无嫌[285]，而况衰麻乎！岂可于晏安之辰[286]豫念军旅之事[287]，以废丧纪[288]哉？古人亦有称王者除衰[289]而谅暗终丧[290]者，若不许朕衰服，则当除衰拱默[291]，委政冢宰[292]。二事之中，唯公卿所择。”游明根曰：“渊默[293]不言，则大政将旷[294]，仰顺圣心，请从衰服[295]。”太尉丕曰：“臣与尉元历事五帝[296]，魏家故事，尤讳之后三月[297]，必迎神于西[298]，禳恶于北[299]，具行吉礼[300]，自皇始[301]以来，未之或改[302]。”帝曰：“若能以道事神[303]，不迎自至；苟失仁义[304]，虽迎不来。此乃平日所不当行，况居丧乎！朕在不言之地[305]，不应如此喋喋[306]，但公卿执夺朕情[307]，

其父的思想主张，就是最大的孝敬。如今陛下不遵从太后的金册遗令，恐怕就有改变太后思想主张的嫌疑了。”孝文帝说：“杨王孙、皇甫谧都是教育他们的儿子要生活节俭，他们的儿子遵从他们的遗嘱，和我今天所做哪有差别？而改变父亲的思想主张，恐怕就与此不同了。即使我所做的有什么不合规矩的地方，我甘愿受到后代人的讥讽，也不忍心按照你们今天请求的那个样子做。”群臣又说：“如果陛下非要坚持穿孝服的话，那么一年四季的祭祀宗庙活动就要废缺了，因为皇帝是不能身穿孝服主持祭祀的。”孝文帝说：“自从先朝以来，经常都是由主管此事的官吏去主持祭祀，我承蒙太皇太后的疼爱、教训，经常亲自去主持祭祀。如今老天爷降罪惩罚我，使我失去了皇太后，现在不论是活着的还是死去的都失去了依靠，想来宗庙里的列祖列宗，也都要中止享用祭祀了。如果我还去主持祭祀宗庙，恐怕也是违背列祖列宗的在天之灵的。”群臣又说：“古时候下葬之后就脱去丧服改穿平日的服装了，不一定非要服满三年之丧，这是两汉作为治国安邦的准绳，魏、晋作为政策法令的纲领。”孝文帝说：“下葬之后就改穿吉服，是因为近代社会世风扰乱，只能用变通的办法来解决现实的问题。两汉之所以强盛，魏、晋之所以兴隆，难道是因为丧礼从简、遗忘仁孝吗！平常的时候，公卿大臣往往都说当今之世天下太平，制礼作乐的景象越来越好，可以和唐尧、虞舜时期的太平盛世相媲美，与夏禹、商汤两朝的盛世相并称。而到了现在，你们却苦苦逼迫我改变自己的心志，不让我超过魏、晋。你们这样做的用意，我实在不理解究竟是为了什么。”李彪说：“如今虽然是河清海晏、世道太平，然而长江以南还有不肯降服的齐国，大漠以北也有不肯臣服的柔然，所以臣等仍然担心会有意外的灾变发生。”孝文帝说：“鲁公伯禽身穿丧服率军讨伐管、蔡的叛乱，晋襄公身穿临时染成黑色的丧服率领军队保家卫国，在崤山打败了秦军，这件事本来就是圣贤所称许的。如果突然有意外的灾变发生，即使正在执绋将棺木系下墓穴，也要暂停执绋之礼，何况是脱下丧服呢！岂能在太平的日子就预先凭空想到战争之事，而废掉服丧的规定呢？古人中也有君主除去丧服后住在临时搭建的小棚子里服完守孝之期的，如果不准许我身穿丧服处理政务，那就让我除去丧服，拱手缄默，对政事不闻不问，把国家大事全部委托给宰相去管理。这两种做法，任由你们选择。”游明根说：“陛下如果坚持沉默不语，国家政治将因此而耽误、荒废，我们体会陛下的心情，愿意接受陛下穿着丧服处理政务的做法。”太尉拓跋丕说：“我与尉元已经连续侍奉过五位皇帝，按照魏国的惯例，最讲究的是人死后这三个月，一定要向着西方迎接死者的灵魂，向着北方驱除恶鬼，而后举行换掉丧服的仪式，从道武帝皇始年间到现在，从来没有改变过。”孝文帝说：“如果能以合乎规矩的做法敬事神灵，不用迎接，神灵自己就会来；一旦做法不合仁义，即使去迎接，神灵也不会来。这些事情就是平常的日子也不应该去做，何况是在居丧期间呢！我现在正在居丧期间，本来应该保持缄默，不应该如此喋喋不休地说个没完没了，但公卿执意

遂成往复[308]，追用悲绝[309]。”遂号恸[310]，群官亦哭而辞出。

初，太后忌帝英敏[311]，恐不利于己，欲废之。盛寒，闭于空室，绝其食三日，召咸阳王禧[312]，将立之。太尉东阳王丕、尚书右仆射穆泰[313]、尚书李冲固谏，乃止。帝初无憾意[314]，唯深德丕等[315]。泰，崇[316]之玄孙也。

又有宦者谮帝于太后[317]，太后杖帝数十，帝默然受之，不自申理[318]。及太后殂，亦不复追问[319]。

甲申[320]，魏主谒永固陵。辛卯[321]，诏曰："群官以万机事重，屡求听政。但哀慕[322]缠绵，未堪自力[323]。近侍先掌机衡者[324]，皆谋猷所寄[325]，且可委之。如有疑事，当时与论决[326]。"

交州刺史[327]清河房法乘[328]，专好读书，常属疾[329]不治事，由是长史伏登之得擅权，改易将吏[330]，不令法乘知。录事[331]房季文白之，法乘大怒，系[332]登之于狱十余日。登之厚赂法乘妹夫崔景叔，得出，因将部曲[333]袭州，执法乘，谓之曰："使君[334]既有疾，不宜烦劳。"囚之别室。法乘无事，复就登之求书读之，登之曰："使君静处[335]，犹恐动疾[336]，岂可看书！"遂不与。乃启[337]法乘心疾动，不任视事[338]。十一月乙卯[339]，以登之为交州刺史。法乘还，至岭[340]而卒。

十二月己卯[341]，立皇子子建[342]为湘东王。

初，太祖[343]以南方钱少，更欲铸钱[344]。建元[345]末，奉朝请[346]孔觊上言，以为"食货相通[347]，理势自然[348]。李悝[349]云：'籴甚贵伤民[350]，甚贱伤农'，甚贱甚贵，其伤一也[351]。三吴[352]，国之关奥[353]，比岁[354]时被水潦[355]而籴不贵[356]，是天下钱少，非谷贱，此不可不察也。铸钱之弊，

地逼着不让我伸展哀思，这才导致今天的这种反复辩论，回想起来，实在令人悲痛欲绝。”孝文帝说完便放声大哭，群臣也都痛哭流涕地告辞而出。

当初，冯太后忌恨孝文帝拓跋宏才德出众，聪慧过人，恐怕对自己不利，就想把拓跋宏废掉。当时正是最寒冷的季节，冯太后把孝文帝关在一间空屋子里，三天没给他饭吃，冯太后把咸阳王拓跋禧召入皇宫，准备立拓跋禧为皇帝。当时担任太尉的东阳王拓跋丕、担任尚书右仆射的穆泰、担任尚书的李冲坚决劝阻，冯太后才停止加害孝文帝拓跋宏。而孝文帝对冯太后从来没有一点怨恨的意思，只是非常感激拓跋丕等人。穆泰，是穆崇的玄孙。

又有一个宦官在冯太后面前说孝文帝的坏话，冯太后便用木棍责打孝文帝好几十下，孝文帝默不作声地忍受，并不为自己申明冤屈。等到冯太后去世之后，孝文帝也没有追究进谗言诬陷自己的那个宦官。

十月二十日甲申，魏孝文帝前往永固陵祭拜冯太后。二十七日辛卯，孝文帝下诏说：“群臣以朝廷政务事关重大，多次请求我来主持朝政。但我对冯太后的悲哀思念之情缠绵不去，使我实在不能自我克制，强打起精神。近侍当中本来就掌管机要部门的官员，都是平时帮助我出谋划策，是我所依赖的人，可以暂且把国家大事委托给他们去管理。如果遇到疑难问题，可以随时找我商量解决。”

齐国担任交州刺史的清河郡人房法乘，专爱读书，经常推说有病而不出来管理州府事务，因此担任长史的伏登之得以独揽权柄，他私自更换刺史属下的文武官吏，而不让房法乘知道。在刺史属下掌管文秘事务的房季文将伏登之的所作所为报告给了房法乘，房法乘一怒之下，就把伏登之逮捕入狱，关押了十多天。伏登之用重金贿赂了房法乘的妹夫崔景叔，这才得以出狱。伏登之出狱后就率领自己部下的亲兵袭击了交州刺史府，抓住了刺史房法乘，伏登之对房法乘说：“使君既然有病，刺史府的事情就不应该再辛劳麻烦您了。”就把房法乘囚禁在另外的一间房子里。房法乘无事可做，就又向伏登之讨要书籍来读，伏登之说：“使君即使安静地待着，还怕引发您的病根，岂能再看书呢！”于是连书也不给房法乘看。伏登之又向朝廷报告说房法乘心悸发作，不能再担任交州刺史的职务。十一月二十一日乙卯，齐武帝任命伏登之为交州刺史。房法乘在返回建康途中，死在了大庾岭。

十二月十六日己卯，齐武帝封自己的儿子萧子建为湘东王。

当初，齐太祖萧道成因为南方的铜钱太少，就准备再铸造一些铜钱。建元末年，担任奉朝请的孔觊上书给齐太祖，孔觊认为“粮食与货币的多少，都是有一定比例的。战国时代的李悝说：‘粮食的价格太高，买粮食的人就要吃亏受损；粮食的价格太便宜，就会伤害种粮食的农民’，所以粮食不论是太贱还是太贵，对国家、对百姓的伤害都是一样的。吴兴、吴郡、会稽这三个郡，是国家最紧要的地方，近几年来时常遭受水涝灾害而粮价却不贵，是因为天下的铜钱太少，而不是粮食便宜，这种

在轻重[357]屡变。重钱[358]患难用[359]，而难用为累轻[360]；轻钱弊盗铸[361]，而盗铸为祸深。民所以盗铸，严法不能禁者，由上铸钱惜铜爱工[362]也。惜铜爱工者，意谓钱为无用之器，以通交易，务欲令质轻而数多，使省工而易成，不详虑其为患[363]也。夫民之趋利，如水走下[364]。今开其利端[365]，从以重刑[366]，是导其为非而陷之于死，岂为政欤[367]？汉兴，铸轻钱，民巧伪者多。至元狩[368]中，始惩其弊[369]，乃铸五铢钱[370]，周郭其上下[371]，令不可磨取鋊[372]，而民[9]计其费不能相偿[373]，私铸益少。此不惜铜、不爱工之效也。王者不患无铜乏工，每令民不能竞[374]，则盗铸绝矣。宋文帝铸四铢[375]，至景和[376]，钱益轻，虽有周郭，而镕冶不精，于是盗铸纷纭而起，不可复禁。此惜铜爱工之验也。凡铸钱，与其不衷[377]，宁重无轻。自汉铸五铢至宋文帝，历五百余年，制度[378]世有废兴，而不变五铢者，明其轻重可法[379]、得货之宜[380]故也。按今钱文[381]率皆五铢[382]，异钱[383]时有耳。自文帝铸四铢，又不禁民翦凿[384]，为祸既博，钟弊于今[385]，岂不悲哉！晋氏[386]不铸钱，后经寇戎[387]水火，耗散沉铄[388]，所失岁多[389]，譬犹磨砻砥砺[390]，不见其损[391]，有时而尽[392]，天下钱何得不竭！钱竭则士、农、工、商皆丧其业，民何以自存？愚以为宜如旧制，大兴镕铸[393]，钱重五铢，一依汉法。若官铸者已布于民[394]，便严断翦凿，轻小破缺无周郭者，悉不得行[395]。官钱细小者，称合铢两[396]，

情况不能不分辨清楚。铸钱的弊病，在于铜钱的重量多次发生变化。钱的分量重，使用起来就不方便，而重钱难用所造成的危害还不大；铜钱的分量轻虽然方便使用，但其弊病在于无法防止私人盗铸，而私人盗铸所造成的祸害就很深重了。百姓之所以敢于私自铸钱，就是再严格的法律也不能够完全禁止，是由于国家铸的钱既不够分量，又不肯把钱铸得精致一些。将铜钱铸成这种样子的人，认为钱是没有什么实际用处的东西，为了方便流通交易，就一定要使钱的分量轻而数量多，既省工又容易铸造，而没有认真地考虑到它所造成的危害有多大。百姓追逐利益，就像水往低处流一样，没有止境，不择手段。如今给他们打开了一个盗铸铜钱、谋取利益的路子，接着又制定出一套残酷的惩治盗铸钱的刑法，无疑是在引导他们为非作歹而又陷他们于死地，这难道就是我们制定政策的目的吗？汉朝刚刚建立的时候，铸造的铜钱分量很轻，私人铸造铜钱以牟取暴利的人很多。等到汉武帝元狩年间，开始纠正这一弊端，于是铸造五铢钱，钱的正反两面都铸有外廓，使人不能从铜钱上磨取铜屑再去盗铸铜钱，而那些想要盗铸铜钱的人考虑到盗铸的成本比铸成的铜钱本身的价格还要高，根本就无利可图，所以私自铸钱的人越来越少。这就是国家不吝惜铜和工本费所带来的效果。能把国家治理得强大的人不用担心缺乏铜、缺乏工本，往往让百姓私铸的铜钱无法与官府铸造的铜钱竞争，那么私自盗铸的事情就会绝迹。宋文帝刘义隆执政期间开始铸造四铢钱，到宋前废帝刘子业景和年间，铜钱的分量越来越轻，虽然铜钱的四周有廓，而冶炼铸造的铜钱并不精致，于是盗铸铜钱的人又蜂拥而起，再也无法禁止。这就是吝惜铜、吝惜工本造成危害的明证。凡是铸造铜钱，与其轻重都不合适，那就宁可使铜钱重一些而不要使钱的分量轻。从汉武帝时期铸造五铢钱一直到宋文帝刘义隆铸造四铢钱，中间经历了五百多年，关于铜钱的形制、轻重等标准，每个朝代都有自己的规定，而五铢钱却始终没有改变，说明五铢钱的重量合适，可以作为铸钱的标准，具备货币一切优点的缘故。看看现在的铜钱，钱上的文字一般都写的是‘五铢’，而不写五铢的铜钱也时有发现。自从宋文帝刘义隆开始铸造四铢钱以来，对百姓将铜钱剪边、砸薄以取其铜的行为又不加禁止，其危害已经很广，其弊端一直延续到今天，难道不是很可悲吗！晋王朝不铸造铜钱，后来经过战乱、水灾、火灾，铜钱或沉于水或铄于火，所损耗的铜钱一年比一年多，这就如同一块磨刀石，天天在上面磨砺，看不见它被磨损，但磨到一定的时候就磨没了，天下的铜钱怎么能不枯竭呢！铜钱枯竭了，那么士、农、工、商就都失业了，百姓依靠什么养活自己呢？我认为应该依照旧有的制度，大量地熔铜铸钱，规定铜钱重五铢，完全依照汉代的标准。如果由官府铸造的铜钱已经在民间流通开，就要严格禁止那些剪边、凿薄等毁坏铜钱的行为，对于那些分量轻、规格小，或是出现破损、缺边以及没有外廓的铜钱，一律禁止流通，不许再用。过去国家铸造的铜钱如果个头偏小，但厚度大，分量还够五铢的，那就把它销毁熔化，改铸成

销以为大[397]，利贫良之民，塞奸巧之路[398]。钱货既均[399]，远近若一，百姓乐业，市道无争，衣食滋殖[400]矣。”太祖然之，使诸州郡大市铜炭[401]。会晏驾[402]，事寝[403]。

是岁，益州行事[404]刘悛[405]上言：“蒙山[406]下有严道铜山[407]，旧铸钱处[408]，可以经略[409]。”上从之，遣使入蜀铸钱。顷之[410]，以功费多[411]而止。

自太祖治黄籍[412]，至上[413]，谪巧者戍缘淮各十年[414]，百姓怨望。乃下诏：“自宋昇明以前[415]，皆听复注[416]，其有谪役边疆，各许还本[417]；此后有犯，严加翦治[418]。”

长沙威王晃[419]卒。

吏部尚书王晏陈疾自解[420]，上欲以西昌侯鸾[421]代晏领选[422]，手敕问之，晏启曰：“鸾清干有余[423]，然不谙百氏[424]，恐不可居此职。”上乃止。

以百济王牟大[425]为镇东大将军、百济王。

高车阿伏至罗[426]及穷奇[427]遣使如魏，请为天子讨除蠕蠕[428]，魏主赐以绣袴褶[429]及杂彩百匹。

【段旨】

以上为第一段，写齐武帝萧赜永明八年（公元四九〇年）一年间的大事。主要写了齐武帝萧赜之子萧子响任荆州刺史，私养卫士，又与蛮族换取兵器，被部下刘寅等告密，萧赜派员检查，萧子响遂怒杀刘寅等人；萧赜命胡谐之、尹略、茹法亮率兵讨伐，张欣泰建议屯兵夏口，晓以威福，胡谐之不从，率军直抵江陵，与萧子响筑城对峙。写了萧子响馈送军食、请见使者，尹略、茹法亮等皆断然回绝；萧子响大怒，发兵袭之，朝廷军大败，或死或逃；萧赜又派萧顺之率兵进讨，萧子响单舸入京，自缚投归萧顺之，萧顺之承太子萧长懋之意缢杀萧子响；萧子

大个的合乎标准的铜钱，这样做不仅对贫穷、善良的百姓有利，而且能堵塞那些奸猾之徒盗铸铜钱以获利的路子。钱币与商品的比例一旦合适，远近都一个样，百姓就会安居乐业，街市和道路上就不会再发生争执，衣食就会越来越丰足了。”齐太祖很赞成孔觊的主张，于是下令让各州各郡大量收购铜与木炭，准备铸造铜钱。刚好齐太祖这时去世了，铸钱之事遂被搁置了下来。

这一年，齐国担任益州行事的刘悛上书给齐武帝说：“蒙山之下的严道县境内有铜山，是汉文帝时期邓通铸钱的地方，可以在那里继续开铜矿冶炼铸钱。”齐武帝采纳了刘悛的建议，遂派遣使者进入蜀地铸造铜钱。没过多久，因为用工、用钱太多而被迫中止。

自从齐太祖下诏清理户籍以来，一直到现在的齐武帝，凡是弄虚作假的奸猾之徒都被流放到淮河沿岸戍边十年，百姓因此而心怀不满。齐武帝于是下诏说：“凡是从宋顺帝昇明年间以前就开始在此地居住的人，都允许他们重新注册登记入籍，其中有被发配到边疆服役的，都允许他们返回本地；此后若有人再犯，就要严加处治，一律注销户籍。”

齐国的长沙威王萧晃去世。

齐国担任吏部尚书的王晏称说自己有病请求辞职，齐武帝想让西昌侯萧鸾代替王晏担任吏部尚书，便亲手写了一张便条征求王晏的意见，王晏回复说：“西昌侯萧鸾在为人清廉以及办事能力方面都是很好的，然而对于官场上这些人各自的出身门第不是很熟悉，恐怕不适合担任这个职务。”齐武帝遂打消了任用萧鸾为吏部尚书的念头。

齐国朝廷任命百济王牟大为镇东大将军、百济王。

高车族的部落首领阿伏至罗和穷奇都派使者到魏国，他们主动请求出兵为魏国的皇帝讨伐、消灭柔然人，魏孝文帝把一袭绣裤褶和一百匹各种彩缎赏赐给他们。

响死前上书陈述一切，萧赜痛悔而故意硬撑，情节恰如汉武帝逼死太子刘据后的矛盾表现；萧赜对垣荣祖的措辞殊为欣赏，亦犹汉武帝之赏拔田千秋。又写了魏国的冯太后死，孝文帝哀戚过度，不愿下葬、不愿除服；又在下葬后一再谒陵；又在是否丧后即吉的问题上与诸大臣一再讨价还价，喋喋不休，前后近两千字，殊觉虚张声势；冯太后曾杀拓跋宏之父，又欲废掉拓跋宏，又曾对拓跋宏加以迫害，而拓跋宏竟虚情表演如此，令人生厌。此外，本卷还写了南齐久未铸钱而致市面钱少，孔觊上言请造重量足而又工艺精致的五铢钱，以及南齐又因劾查黄籍迁谪民户众多，引起百姓愤怨，不得已而准许宋末以来的居民皆在当地落户等。

【注释】

①隔城俘：在隔城打败魏军所捉的战俘。隔城，旧址在今河南桐柏西北，当时属齐。齐武帝永明六年（公元四八八年），荒人桓天生引魏军占据此城，齐将朱公恩、曹虎打败魏军，攻克此城，俘魏军两千，事见本书卷第一百三十六。②乙丑：正月二十六。③二月辛未：二月初三。④灵泉：即灵泉池。胡三省曰："魏于方山之南起灵泉宫，引如浑水为灵泉池，东西一百步，南北二百步。"方山，在魏国都城平城北，魏主与冯太后都在这里为自己预建陵墓。⑤壬申：二月初四。⑥地豆干：葛晓音曰："《魏书》卷一百作'地豆于'，古代少数民族名。北魏时散居室韦山以西，北界乌洛侯，西以今兴安岭与柔然相接，南邻奚、契丹。游牧生活，常向北魏朝贡。"⑦四月甲戌：四月初七。⑧阳平王颐：拓跋颐，景穆皇帝拓跋晃之孙，官至青州刺史。传见《魏书》卷十九上。⑨新城：拓跋新城。《魏书·景穆十二王传》作"新成"。景穆皇帝拓跋晃的第二子，太安三年被封为阳平王。传见《魏书》卷十九上。⑩甲午：四月二十七。⑪邢产：魏国的文学之臣，其家族中有多人曾出使南朝。传见《魏书》卷六十五。⑫五月己酉：五月十二。⑬库莫奚：古代少数民族名，分布在饶乐水流域，以游牧为生。饶乐水即今内蒙古自治区内的西拉木伦河。⑭安州：魏州名，州治即今河北隆化。⑮七月辛丑：七月初五。⑯安陆侯缅：萧缅，萧鸾之弟，齐国皇室的同族，此时任会稽太守。传见《南齐书》卷四十五。⑰鸾：萧鸾，即日后的齐明帝。传见《南齐书》卷六。⑱留心狱讼：关心刑事案件。⑲得劫：抓到劫匪。⑳癸卯：七月初七。㉑丙午：七月初十。㉒丙辰：七月二十。㉓八月丙寅朔：八月初一是丙寅日。㉔河南王度易侯：河南地区的少数民族头领名叫度易侯。〖按〗此所谓"河南"，是今青海省东北部一带的黄河以南。度易侯，《南齐书》卷五十九作"易度侯"。此民族即通常人们所说的吐谷浑。度易侯是前代国王拾寅之子。㉕乙酉：八月二十。㉖以其世子伏连筹句：此句的主语是"南齐朝廷"。伏连筹，《南齐书》卷五十九作"休留茂"。秦州的州治即今甘肃天水市，河州的州治枹罕，在今山西临县东北，当时都属魏国，南齐的加封不过是虚名而已。㉗丘冠先：晋吏部侍郎丘杰的六世孙。丘冠先出使河南事见《南齐书》卷五十九。㉘拜授：前往河南王的都城予以任命。拜，任命。㉙以丧委绝域：由于其父的遗体是被丢弃在遥远的边地。丧，这里指死者遗体。委，捐弃。㉚仕进无嫌：对丘雄以后的仕途没有影响。意即不能说他有损孝道。㉛巴东王子响：萧子响，武帝萧赜的第四子，被封为巴东王，此时任荆州刺史。传见《南齐书》卷四十。㉜带仗左右：佩带武器的随从。㉝胆干：有胆量、有武功。㉞至镇：到达荆州的州治江陵，即今湖北江陵县。㉟内斋：内舍；内室。外人通常所不能到达之处。㊱饷蛮：赠送给荆州管区里的蛮族人。㊲交易器仗：目的是想和他们换取兵器。㊳长史高平刘寅：萧子响的高级僚属高平郡人刘寅。长史，是当时诸王与刺史、督军的高级僚属，为诸史之长，位高权重。高平是郡名，郡治即今宁夏固原。㊴司

马安定席恭穆等：萧子响的高级僚属安定郡人席恭穆等人。司马是刺史、将军属下的高级僚属，在军中掌管司法。㊵精检：仔细检查、严加审查。㊶台使：朝廷派出的使者。㊷不见敕：不接皇帝的诏命。敕，皇帝的命令。㊸谘议参军：诸王及将军幕下参谋官员。㊹典签：本来是刺史、督军属下的书记员，宋、齐时代已变成高级僚属，权力与长史不相上下。㊺政应方便答塞：我们正好可以顺势向朝廷解释清楚。政，通“正”，正好。答塞，回答、解释。㊻应先检校：应该先让朝廷的来人进行检查。胡三省曰：“修之言‘方便答塞’，欲为子响道地也；景渊言‘应先检校’，欲依敕行之也。”㊼具以启闻：把杀了八个人的事情向朝廷报告。具，一一地。启闻，向上报告。㊽欲赦江悆：不想让江悆死。㊾壬辰：八月二十七。㊿以随王子隆为荆州刺史：免去萧子响的荆州刺史，并将对之查办、讨伐。随王子隆，萧子隆，武帝萧赜的第八子，时为中护军、侍中、左卫将军。传见《宋书》卷四十。(51)戴僧静：南齐的名将，佐萧道成破袁粲、沈攸之，以及此前的大破桓天生皆有大功，此时任太子右率、通直常侍。传见《宋书》卷三十。(52)巴东王年少：时萧子响年二十二岁。(53)长史执之太急：刘寅把萧子响逼得太急，指其向朝廷告发等。(54)忿不思难：一时生气没有考虑后果。(55)天子儿：皇帝您的儿子。(56)官：犹今称“您”，也称“官家”，当时对皇帝、对国家的敬称。(57)不敢奉敕：不肯接受旨意去做这件事。不敢，不愿。(58)卫尉：守卫宫廷门户的卫队长官。(59)茹法亮：武帝身边的佞幸之臣，此时为中书舍人。传见《宋书》卷五十六。(60)斋仗：皇帝书房周围的卫士。(61)检捕群小：查办与逮捕萧子响身边的亲信小人。(62)南平内史张欣泰：南平王萧锐属下的内史张欣泰。萧锐是萧道成的第十五子，被封为南平郡王，张欣泰为南平郡的行政长官。由于南平郡是诸王的封地，故其长官不称太守，而称内史。级别与权力相同。张欣泰自少时受萧道成赏识，武帝时任南平内史，传见《南齐书》卷五十一。(63)今段之行：这次出差。(64)胜既无名：差事办好了也不会得到任何好名望。(65)负成奇耻：一旦办砸了就会成为莫大的耻辱。(66)凶狡：凶恶狡猾。指萧子响身边这些作乱的人。(67)利赏逼威：应作“利赏威逼”，或是为了财物的赏赐，或是被权势所逼迫。(68)无由自溃：他们是不可能自行散伙的。(69)顿军夏口：把我们的军队驻扎在夏口。夏口，现在武汉的汉口。(70)宣示祸福：讲清道理，指明出路。(71)兴世：张兴世，刘宋时代的名将，在讨伐元凶刘劭、刘义宣，为维护宋明帝刘彧政权而大破袁颉、刘胡的作战中皆有大功。传见《宋书》卷五十。(72)江津：也称江津戍，旧址在今湖北荆州江陵城南的长江边上。(73)燕尾洲：在当时的江津戍西，是长江与灵溪水的汇口。(74)与相闻：与胡谐之等相互对话。(75)岂有儿反：哪有皇帝的儿子反对皇帝的。(76)身不作贼：我是不会造反的。身，我，自称。(77)直是粗疏：只不过行为太鲁莽了。(78)单舸还阙：我会乘坐一艘小船回朝廷请罪。舸，船。(79)受杀人之罪：我自己会去承担杀人的罪过。(80)何筑城见捉邪：你们怎么就筑城与我开战，想要捉拿我。(81)谁将汝反父人共语：谁和你这个反叛父亲的家伙说话。将，与。(82)唯洒泣：只有流泪而已。(83)饷台军：送给朝廷派来的人。(84)传诏：传达诏书的宦官。⑮执录其使：逮捕了萧子响的使者。⑯从灵溪西渡：渡过灵溪水袭击朝廷军在燕尾洲所筑之城。⑰万钧弩：用机械装配起来的强弓，可射大箭，而且射得远，有如今时之重炮。⑱单艇逃去：舍弃余军而单身逃走。艇，轻快的小船。⑲萧顺之：萧道成族弟，即日后的梁武帝萧衍之父。⑳舴艋：以称小船。㉑早为之所：早点为他找个安身之处，意即早点结果了他。㉒启上：给其父萧赜上表。㉓分甘斧钺：理应处死。分，理应。甘，心甘情愿。斧钺，杀人的刑具。㉔竟无宣旨：居然没人对我宣读皇帝诏书。㉕建旗入津：打着朝廷的旗号进入江边的渡口。㉖累遣书信：多次发出信件。㉗乞白服相见：和平友好地见面交谈。白服，文士的打扮，与戎服相对而言。㉘群小：我手下的一些下等人。㉙束身投军：自缚双手，投到萧顺之部下。⑩希还天阙：目的是能回到京城，向您当面请罪。天阙，以称宫门。⑩停宅一月：我在我京城的老房子里，过上一个月。⑩臣自取尽：我将自杀。⑩齐代：齐国朝廷，其实即指其父萧赜。⑩无杀子之讥：不要让世人与后人说某某人把他自己的儿子杀了。⑩臣免逆父之谤：也别让我落一个忤逆父亲的罪名。⑩既不遂心：既然不能让我遂此心愿。⑩奏绝子响属籍：请求把萧子响的名字从皇室的族谱中除去。⑩别下考论：另行查办定罪。论，定罪。⑩华林园：当时京城里的皇家花园，当年宋废帝萧子业即被杀于此园。⑪透掷：乱蹦乱跳。⑪鱼复侯：鱼复县侯，封地鱼复县，即今重庆市奉节。⑪方镇皆启“子响为逆”：各州刺史在说到子响这件事时都用“为逆”这个词。方镇，指掌握一方兵权的军事长官，即指刺史、督军等地方大员。⑪垣荣祖：刘宋名将垣护之的侄子，刘宋末期成为萧道成的亲信，此时任兖州刺史。传见《南齐书》卷二十八。⑪孤负恩奖：辜负萧子响对他们的恩情奖励。⑪逼迫巴东：逼得巴东王萧子响无路可走。⑪上省之：萧赜看了之后。省，视；看。⑪知言：知道该怎么说话。⑪乐蔼：刘宋时任枝江令，此时任大司马萧嶷的记室。传见《梁书》卷十九。记室，也称记室参军，为诸王与将军的书记官。⑪屡为本州僚佐：多次在荆州刺史治下为其充任僚属。⑫引见：使之前来接受询问。⑫问以西事：向他打听荆州刺史府内的有关事情。⑫荆州治中：荆州刺史的高级僚属。治中，也称治中从事史，州刺史的助理，主管文书案卷。⑫敕付以修复府州事：把修复荆州刺史府与荆州都督府的事情交给他去办。⑫廨舍：官舍，官吏的办公用房和住宿用房。⑫数百区：几百个院落。⑫顷之咸毕：很快就全部修完了。⑫役不及民：此话可疑，难道是调动军队修的，或者是让官吏们自己动手修的？⑫荆部：荆州地区的军政长官。⑫九月癸丑：九月十八。⑬哀毁过礼：因过分悲哀而面黄肌瘦。过礼，超过了礼节的规定。⑬中部曹：部，疑为“都”字之误。中都曹，即中都大官的僚属。中都官是主管魏都平城纠察治安的官员。⑬杨椿：杨播之弟，兄弟都是冯太后与拓跋宏时代的亲近之臣，此时任中都官部下的法曹。传见《魏书》卷五十八。⑬荷：承蒙；接受。⑬同匹夫之节：像一个普通百姓一样尽孝道。⑬以取僵仆：以至于把身体搞垮。仰面摔倒曰僵，向前摔倒曰仆，这里即指摔倒在地，爬不起来。⑬惶灼：惶恐、着急。⑬毁不灭性：可以做到因悲哀而形体憔悴，但不能有损健康。性，生、生命。⑬⑧ 自贤：自己博得好名声。⑬⑨ 其若宗庙何：（万一有个好歹）你又怎么向列祖列宗交代呢。⑭⓪ 时定兆域：及时地葬入陵墓。兆域，墓地，祖先所葬的地方。⑭① 依汉、魏故事：按照汉、魏给去世皇帝安葬的老办法。⑭② 并太皇太后终制：并遵照太皇太后临死前的遗命。终制，遗旨，亦即后面所说的冯太后的“金册遗旨”。⑭③ 既葬公除：灵柩安葬之后，随即依礼除去丧服。胡三省曰：“公除者，以天下为公而除服也。”葛晓音曰：“封建社会丧礼规定，父母死，子女当守丧三年；如果是现任官吏，还必须离职归家居丧。但帝王或大官因身负国家重任，下葬后可因公停止居丧，这就叫‘公除’。”⑭④ 祸罚：即指冯太后去世。⑭⑤ 慌惚如昨：当我思念至深的时候，太皇太后的形象就像昨天一样清晰地在眼前。⑭⑥ 梓宫：帝后的棺柩。⑭⑦ 犹希仿佛：还希望恍惚之间能见到她。仿佛，见不真切的样子。⑭⑧ 山陵迁厝：迁厝山陵，即前文所说的“时定兆域”，把灵柩葬入陵墓。山陵，指帝王的坟墓。迁厝，移置。⑭⑨ 山陵可依典册：把灵柩葬入陵墓的事情，可以按照典册上的规定。⑮⓪ 衰服之宜：即上文所说的“既葬公除”。衰服，这里指服丧。⑮① 情所未忍：实在是不忍心那样做。⑮② 戊辰：十月初四。⑮③ 防侍如法：随身的卫队与侍从人员，还按平时的规定。⑮④ 癸酉：十月初九。⑮⑤ 永固陵：在平城北之方山。⑮⑥ 甲戌：十月初十。⑮⑦ 谒陵：参拜冯太后的陵墓。⑮⑧ 比当别叙在心：此事我会另找时间和大家说说我的想法。比，近，此指另找时间。⑮⑨ 己卯：十月十五。⑯⓪ 庚辰：十月十六。⑯① 相慰劳：相互安慰、勉励。⑯② 太尉丕：拓跋丕，拓跋兴都之子，拓跋提之弟。传见《魏书》卷十四。⑯③ 累圣：指北魏的历代皇帝。⑯④ 伏惟：犹言“窃思”。谦称自己的想法。⑯⑤ 远祖有大讳之日：远辈的祖先遇有丧礼的时候。远祖，高祖、曾祖以上的祖先。大讳之日，逝世的时候。⑯⑥ 侍从梓宫者凶服：只有在灵柩旁边工作的人才身穿丧服。凶服，孝服。⑯⑦ 左右尽皆从吉：其他皇帝的侍从都不穿孝服。从吉，仍穿平日的服装。⑯⑧ 四祖三宗：四祖指高祖昭成帝拓跋什翼犍、太祖道武帝拓跋珪、世祖太武帝拓跋焘、显祖献文帝拓跋弘；三宗指太宗明元帝拓跋嗣、恭宗景穆帝拓跋晃、高宗文成帝拓跋濬。⑯⑨ 因：照旧；承袭不变。⑰⓪ 所御三食：一日三顿所吃的饭食。御，用，这里即指吃。⑰① 半溢：溢是古代的量器名，一升的二十四分之一为一溢。半溢极言其进食之少。⑰② 昼夜不释绖带：意即昼夜不脱孝服。绖，系在头上的孝带。带，指系在腰间的孝带。这里代指整套丧服。⑰③ 叩心绝气：捶着胸膛，喘不出气来。意即为魏主的表现感到心疼、为之担心。⑰④ 少抑至慕之情：稍微克制一点对太后的思念之情。⑰⑤ 岂足关言：哪里值得你们如此关心劝导。⑰⑥ 情专武略：每天想的是打仗。⑰⑦ 未修文教：没有讲究什么道德礼仪。⑰⑧ 仰禀圣训：向上秉承先王的教导。⑰⑨ 庶习古道：自己也学了些古代的道理。庶，几乎、差不多。⑱⓪ 论时比事：而现时的世道人伦。⑱① 国老：朝廷所敬重的前辈老人。⑱② 政之所寄：国家的大政方针全靠你们来推广执行。寄，依靠、倚托。⑱③ 典记旧式：但对于古书上旧礼的说法。旧式，旧有的礼仪规定。⑱④ 或所未悉：有些内容你们或许还不太知道。悉，知道。⑱⑤ 且可知朕大意：你们先明白我的大致想法就行了。⑱且以所怀：将要把我心中所想到的。⑱别问：另外去向……询问。⑱游明根、高闾：魏国的两位儒学之臣。游明根与游雅、高闾等人对魏国的文化建设都有很多贡献。传见《魏书》卷五十五。高闾早年受知于崔浩，后又与高允共参大政。传见《魏书》卷五十四。⑱公可听之：到时候你们要好好地听听。⑲卒哭之礼：即何时停止哭丧的古礼规定。古代父母去世，开始是哭无时，想起来就哭；过一段时间后，改为朝夕哭，每天的早晨、晚上哭一回；再经过一段时间后，才停止哭。⑲授服之变：守丧者所穿服装的逐渐变化。葛晓音曰："丧礼规定，三年之丧，服斩衰（衣服的下边不缘）。从祔祭（将死者的神主和祖先一起合祭）开始，对死者的祭祀由丧祭改为吉祭，丧主不必再哭；服丧满一周年时举行小祥之祭，此时可服练（一种白色熟绢）冠；满两周年时举行大祥之祭；大祥祭后一月举行禫祭；禫祭后除服，停止居丧，恢复正常生活。"⑲皆夺情以渐：都是逐步地淡化人们的哀思。夺情，克制、转移哀伤之情。⑲旬日之间：刚过十来天。⑲言及即吉：就开始说除去丧服。⑲特成伤理：实在是大伤伦理。⑲伏寻金册遗旨：暗自思考皇太后所留遗嘱的意思。伏寻，谦称自己思考。金册，书写遗嘱的金箔。胡三省曰："盖以文明太后遗旨书之金册也。"⑲逾月而葬：死后一个月棺椁下葬。逾，过。⑲葬而即吉：死者下葬后，守丧者即换去丧服。即吉，换上平常应穿的服装。⑲练除：脱去孝服，停止居丧。练，白色丝织品，指孝帽、孝服之类。⑳惟：想；考虑。⑳中代：中世；近几百年来。⑳不遂三年之丧：不实行守孝三年。遂，完成、做圆满。⑳君上违世：老皇帝去世。⑳君德未流：新君主的威信尚未确立。⑳臣义不洽：群臣对君主的义务未充分体现。⑳故身袭衮冕：所以就急急忙忙地穿戴着帝王的衣帽。⑳诚不德：尽管也是德行不高。⑳在位过纪：做皇帝也超过十二年了。胡三省曰："宋明帝泰始七年，魏孝文受禅，至是十九年。此言'在位过纪'，盖以宋苍梧王元徽四年显祖方殂，逾年改元太和，至是十四年，故云'在位过纪'。十二年为一纪。"⑳亿兆：指全国百姓。㉑不遂哀慕之心：不能按照自己的心愿充分地尽其孝道。㉑使情礼俱失：让人感到既违背了人情，又违背了古礼。㉑杜预：西晋时期的名将与学者，曾任镇南大将军，因策划灭吴有功，封当阳县侯。撰有《春秋左氏经传集解》等书。传见《晋书》卷三十四。㉑硕学：饱学；大学问家。㉑汉文之制：指汉文帝对于丧事的规定。葛晓音曰："据《汉书·文帝纪》载，汉文帝反对'厚葬以破业，重服以伤生'。他在生前立下遗诏，规定在他去世时，全国吏民只举哀三日；'殿中当临者，皆以旦夕各十五举音，礼毕罢。非旦夕临时，禁无得擅哭'；下葬后，只服丧三十六天。"㉑叔世：季世；晚近之世。㉑事可承踵：可以让人们按着他的样子做。承踵，踏着他的足迹。㉑悽悽干请：恭敬地进行请求。干，求。㉑暗默不言：即古礼之所谓"谅暗"。古称老帝王去世，新帝王守孝三年，一切政事委之于冢宰，自己沉默不言。㉑以荒庶政：耽误各种政务的处理。㉒唯欲衰麻废吉礼：只求让我披麻戴孝地多过一些时候。㉒朔望尽哀诚：让我能在每个月的初一、十五再哭上几回以表哀思。㉒情在可许：这种情况应该是可以允许的。㉒故专欲行之：所以我要坚持地做下去。㉔ 孺慕之君：像小孩子思念父母那样的孝子的新君。㉕ 谅暗之主：坚持守孝三年不言，委国政于冢宰的君主。㉖ 盖亦诬矣：简直是一种诬蔑诽谤。㉗ 秘书丞李彪：秘书丞是秘书省的副长官。秘书省是为皇帝保管图书档案的部门。李彪是魏国的文史之臣，曾与高祐将编年体的魏国国史改为纪传体。传见《魏书》卷六十二。㉘ 明德马后：汉明帝的马皇后，东汉名将马援之女，谥曰明德。自己无子，汉章帝刘炟由她抚养长大，母子间感情深厚。传见《后汉书》卷十上。㉙ 无可间然：关系之好针插不进。《后汉书·马皇后传》曰："母子慈爱，始终无纤介之间。"㉚ 葬不淹旬：不到十天就下葬了。淹，迟留。据《后汉书·章帝纪》载，建初四年六月癸丑马后崩，秋七月壬戌葬，其间只九天，所以这里说"葬不淹旬"。㉛ 寻已从吉：随后不久就换上了吉服。㉜ 汉章不受讥：没人说汉章帝不好。㉝ 明德不损名：马皇后的名望也没有受损。㉞ 割哀：犹言节哀。㉟ 岂徒苟免嗤嫌：岂止是怕被别人议论。嗤嫌，说长道短。㊱ 奉终俭素：给去世者的陪葬很少很薄。奉终，供奉去世者。㊲ 一已仰遵遗册：全部遵照着遗嘱。一，一概。㊳ 痛慕：痛切思念。㊴ 事系于予：事情关系到我。㊵ 庶圣灵：希望皇太后的在天之灵。庶，希望。㊶ 不夺至愿：能满足我这点真诚的愿望。㊷ 臣窃为疑：我认为这样没法办事。㊸ 先后：去世的皇太后。㊹ 抚念群下：对你们恩情深厚。抚念，关心。㊺ 忍之于至亲：对最亲近的人下狠心。㊻ 逼于遗册：受制于不能改变遗嘱。㊼ 唯望至期：就希望能守孝一年。期，满一年。㊽ 蕴结差申：内心的痛苦多少可以缓解。差申，稍微可申。㊾ 为除服之差：可以做出一些不同期限的除服规定。㊿ 庶几：尽量争取；尽量做到。251 王孙裸葬：王孙，即杨王孙，汉武帝时人。学黄老之术，死前嘱咐他的儿子，他死后一定要对他实行裸葬。先用布袋盛尸，下葬后，将布袋抽出，直接用土掩埋。事见《汉书》卷六十七。252 士安去棺：士安即皇甫谧，字士安，魏晋间医学家，主张朝死夕葬，夕死朝葬，不用棺椁，不加缠敛等。事见《晋书》卷五十一。253 频烦干奏：多次地提出反对性意见。频烦，也作"频繁"，屡次。干，冒犯。254 不改其父之道：不改变其父的思想主张。原文见《论语》。255 皆诲子以俭：都是教导其子生活俭朴。诲，教。256 岂异今日：和我今天所做哪有差别。意思是我今天完全遵守了太后的遗言，只是在我个人的服丧上略有变化而已。257 纵有所涉：即使有什么不合规矩的地方。258 未忍今日之请：不忍心按着你们请求的那个样子做。259 春秋烝尝：指一年四季的祭祀宗庙。春秋，指一年四季。冬季的祭祀叫烝，秋季的祭祀叫尝。260 事难废阙：是绝对不能废弃不做的。这两句的意思是，皇帝要在一年四季主持祭祀宗庙，而皇帝祭祀宗庙是不能身穿孝服的。您要是三年不脱孝服，那不就没法去祭祀宗庙了吗？胡三省曰："《礼》曰：丧三年不祭。言帝若行三年之丧，则宗庙之祭将至废阙也。"261 恒有司行事：经常都是由主管此事的官吏去主持祭祀。恒，经常、通常。有司，主管该项事务的官员。262 常亲致敬：常常亲自前去祭祀。263 昊天降罚：老天爷惩罚我，指失去了皇太后。264 人神丧恃：不论活着的、死了的，都失去了依靠。人，指魏主与百官。神，指魏国宗庙里历代先王。恃，依靠。265 想宗庙之灵：我估计宗庙里的列祖列宗。想，考虑、估计。㉖亦辍歆祀：也都会中止享用祭祀。歆，享用。㉗脱行祫荐：如果我还前往祭祀宗庙。脱，如果。祫荐，祫指合祭；荐指以应时的产品祭祀。这里泛指祭祀宗庙。㉘恐乖冥旨：恐怕也是违背列祖列宗的在天之灵的。㉙终礼：服满三年之丧。㉚二汉：指西汉和东汉。㉛经纶治道：指导治国安邦。经纶，意即以孝道为治国安邦的准绳。㉜纲理庶政：贯穿政策法令。纲理，意即以孝道为政策法令的纲领。㉝盖季俗多乱：是由于近代社会风俗衰败。㉞权宜救世：用变通的办法解决现实问题。权宜，随机应变。㉟四海晏安：天下太平。㊱礼乐日新：制礼作乐的景象越来越好。㊲参美唐、虞：和唐尧、虞舜的太平相媲美。㊳比盛夏、商：与夏禹、商汤的盛世相并称。㊴清晏：河清海晏。以喻世道之太平美好。晏，安。㊵未宾之吴：未向我们投降的南齐。未宾，未降服。吴，泛指江南之地，这里指南齐政权。㊶不臣之虏：这里指柔然。㊷怀不虞之虑：担心意外的灾变发生。不虞，意想不到。㊸鲁公带绖从戎：鲁公，指周公姬旦之子伯禽。胡三省曰："武王崩，成王幼，管、蔡反，淮夷、徐戎起亦并兴。鲁公伯禽征之。时有武王之丧，故带绖从戎也。"事亦见于《史记·鲁周公世家》。㊹晋侯墨衰败敌：鲁僖公三十二年（公元前六二八年），晋文公卒，未葬，秦穆公起兵经晋国之边地以袭郑。文公的儿子襄公为保卫国家的利益，遂戴孝出兵，败秦师于崤。墨衰，将丧服临时染成黑色。事见《史记·晋世家》及《左传》僖公三十二年。㊺虽越绋无嫌：即使越绋也在所不顾。绋是系棺木下葬的大绳，执绋将棺木系下墓穴是殡葬的一件大事，如在这个关头发生突然事变，那就不得不暂停执绋之礼，是谓"越绋"。㊻晏安之辰：太平的日子。㊼豫念军旅之事：凭空想到战争之事。豫，事先，这里即指凭空。㊽丧纪：丧礼。㊾除衰：除去丧服后。衰，孝服。㊿谅暗终丧：住在临时搭建的小棚子里服完守孝之期。谅暗，这里指古人为守丧临时在院里搭建的小棚子，当时称作庐。(291)拱默：拱手缄默，对政事不过问。(292)委政冢宰：把国家大事交给宰相管理。(293)渊默：沉默。(294)大政将旷：国家政治将因此而耽误、荒废。(295)请从衰服：愿意接受您的衰服执政。(296)五帝：指明元帝拓跋嗣、太武帝拓跋焘、文成帝拓跋濬、献文帝拓跋弘及此时在位的孝文帝拓跋宏。(297)尤讳之后三月：最讲究的是人死后这三个月。讳，指人死。(298)迎神于西：向着西方迎接死者的灵魂。(299)禳恶于北：向着北方驱除恶鬼。禳，通过神秘的力量以驱除之。(300)具行吉礼：而后举行换掉丧服的仪式。(301)皇始：道武帝拓跋珪年号（公元三九六至三九七年）。(302)未之或改：从来没有改变过。(303)以道事神：以合乎规矩的做法敬事神明。(304)苟失仁义：一旦做法不合仁义。(305)不言之地：即指居丧。《礼记·丧服》："《书》云：'高宗谅暗，三年不言。'"(306)喋喋：说话没完没了的样子。(307)执夺朕情：执意地逼着不让我伸展哀思。(308)遂成往复：遂造成了这种反复的辩论。(309)追用悲绝：回想起来令人悲痛。(310)遂号恸：于是放声大哭。(311)英敏：才德出众，聪慧过人。(312)咸阳王禧：拓跋禧，献文帝拓跋弘的第二子，孝文帝拓跋宏之弟。传见《魏书》卷二十一。(313)穆泰：魏国开国功臣穆崇的玄孙，此时任尚书左仆射。传见《魏书》卷二十七。(314)初无憾意：对冯太后从来没有一点怨恨的意思。初，从来。憾，恨。㉟315深德丕等：对拓跋丕等深深感激。316崇：穆崇，太祖拓跋珪时代的元勋。传见《魏书》卷二十七。317谮帝于太后：在冯太后面前说拓跋宏的坏话。318不自申理：不为自己说明冤屈。319不复追问：不追问诬陷他的人。320甲申：十月二十。321辛卯：十月二十七。322哀慕：对冯太后的悲哀思念之情。323未堪自力：实在是不能自我克制，强打精神。324先掌机衡者：本来掌管机要部门的官员。325皆谋猷所寄：都是帮我出谋划策，我所依赖的人。326当时与论决：可以随时找我商量。327交州刺史：交州的州治龙编，在今越南河内的东北方，当时属于南齐。328清河房法乘：清河郡人房法乘。清河郡的郡治在今山东临清东北，清河县的东南方。329属疾：推说有病。属，托。330改易将吏：更换刺史属下的文武官吏。331录事：官名，录事参军的简称，在刺史属下掌管文秘事务。332系：关押。333部曲：古代军队的编制名，一个将军统领若干部，部的长官曰校尉；一个校尉统领若干曲，曲的长官曰军候。这里即指其部下的亲信。334使君：当时对州刺史与郡太守的尊称。335静处：安静地待着。336动疾：患病。337启：向朝廷报告。338不任视事：不能再担任职务。任，堪。339十一月乙卯：十一月二十一。340岭：南岭。实指今江西、广东交界处的大庾岭，是古代北方与交州、广州往来的交通要道。341己卯：十二月十六。342皇子子建：萧子建，齐武帝萧赜的第二十一子。传见《南齐书》卷四十。343太祖：此指萧道成。344更欲铸钱：想再铸造一些铜钱。345建元：齐高帝萧道成的年号（公元四七九至四八二年）。346奉朝请：朝廷赏给一些老官僚的闲散官名，没有具体任务，只在春秋两季进宫拜见一下皇帝。春曰朝，秋曰请。347食货相通：粮食与货币的多少，是有一定比例的。食，粮食，扩大即指商品。货，货币。相通，相关。348理势自然：其道理、其趋势从来就是这样。349李悝：战国时代的法家人物，曾任魏文侯相，主持变法，使魏国成为战国初期最强的国家。350籴甚贵伤民：粮价太高了，其他的百姓就要吃亏受损。籴，买粮食，即粮价。民，指农民以外的士、工、商。351其伤一也：对国家、对百姓的伤害都是一样的。352三吴：指吴兴、吴郡、会稽三个郡，即今之长江三角洲与太湖流域，当时南齐最富饶的地区。353国之关奥：国家最紧要的地方。354比岁：近几年来。比，连。355时被水潦：连年地遭受水灾。时，不时，即连续。水潦，洪涝灾害。356籴不贵：粮价没有上涨。357轻重：货币的票面价值，也指金属货币的重量大小。358重钱：钱之分量重者，即大钱。359患难用：使用起来不方便。360为累轻：造成的危害还不大。361轻钱弊盗铸：小钱的弊病在于无法防止私人盗铸。362惜铜爱工：指铸出的钱既不够分量，又不肯把钱铸得精致。铜，指铸钱的原料。工，指铸钱的工匠与所花费的工艺成本。363不详虑其为患：没有认真细致地考虑它将造成的危害，即让人容易盗铸。364民之趋利二句：《史记·货殖列传》有所谓“若水之趋下，日夜无休时”；《商君书·君臣》有所谓“民之于利也，若水于下也，四旁无择也”。365开其利端：给他们打开了一个盗铸铜钱、谋取利益的路子。366从以重刑：接着又制定一套残酷的惩治盗铸钱的刑法。367岂为政欤：难道这就是我们制定政策的目的吗。368元狩：汉武帝刘彻年号（公元前一二二至前一一七年）。369惩其弊：纠正它的弊病。⑩五铢钱：古铜币名，圆形、方孔，有外廓，重五铢，因钱上铸有篆文“五铢”二字而得名。由于钱身的轻重适宜，又不容易盗铸，所以在我国历史上使用的时间很长。㊆周郭其上下：钱的上下两面都铸有外廓。㊆不可磨取鋊：不能再从铜钱上磨下铜屑来用以盗铸钱。鋊，铜屑。㊆而民计其费不能相偿：想盗铸钱的人计算一下盗铸的成本，比铸出来的钱还要高。㊆不能竞：指百姓私铸的钱不能与官钱竞争。㊆四铢：古钱币名，宋文帝所铸的四铢钱，其形制与汉武帝的五铢钱相似，但钱的重量只有四铢，钱文上也写作“四铢”。㊆景和：宋前废帝刘子业的年号（公元四六五年的八月至十一月）。㊆不衷：轻重不合适。㊆制度：这里指钱的形制、轻重等规定。㊆轻重可法：重量合适，可以作为标准。㊆得货之宜：具备货币的一切优点。㊆钱文：钱面上的数量。㊆率皆五铢：一般都是写的“五铢”。率，大概、一般。㊆异钱：指钱文不写“五铢”的钱。㊆翦凿：砸薄、剪小，以取其铜。翦，通“剪”。㊆钟弊于今：弊端积累，一直到今天。钟，积累。㊆晋氏：晋王朝。㊆寇戎：指战乱。㊆沉铄：沉于水、铄于火。㊆所失岁多：所损耗的铜钱一年比一年多。㊆磨砻砥砺：四个字都是磨的意思，指磨一件坚硬的东西。㊆不见其损：短时之内看不出磨掉了多少。㊆有时而尽：但磨到一定的时候就被磨没了。㊆镕铸：以模具铸钱币。镕，铸钱的模具。㊆已布于民：已在民间流通开。㊆悉不得行：一律不许再用。㊆官钱细小者二句：指过去国家造的钱如果个头偏小，但厚度大，分量还是够五铢的。㊆销以为大：那就把它们熔化，重新改铸成大的。㊆塞奸巧之路：堵塞住狡猾乱民盗铸铜钱的口子。㊆钱货既均：货币与商品的比例一旦合适。㊆衣食滋殖：丰衣足食。㊆大市铜炭：大量地收购铜与木炭，准备铸钱。㊆会晏驾：刚好萧道成这时去世了。晏驾，宫车没按时出来，婉称帝王的死。㊆事寝：事情遂被搁置了下来。㊆益州行事：即行益州刺史事，益州的代理刺史。行，代理、试用。㊆刘悛：刘宋名将刘勔的儿子，其父子在宋孝武帝与宋明帝时代均有大功，后得萧道成、萧赜的恩遇，悛此时任益州行事。传见《南齐书》卷三十七。㊆蒙山：今四川雅安地区的夹金山，在宝兴、天全两县的西面。㊆严道铜山：当时的严道即今四川荥经，当时凡境内有少数民族居住的县称作“道”。严道县内有铜山，西汉文帝时曾让其宠爱的宦官邓通在这里采铜铸钱。㊆旧铸钱处：当年邓通铸钱的老地方。㊆可以经略：可以继续开采。经略，经营。㊆顷之：没过多久。㊆功费多：用工用钱太多，指得不偿失。㊆治黄籍：清理户籍。因登记户籍用黄纸，故称户籍曰黄籍。㊆至上：一直到齐武帝萧赜的现在。㊆谪巧者戍缘淮各十年：凡是弄虚作假的人都被罚往沿淮戍边十年。㊆自宋昇明以前：凡是从宋代昇明以前就开始在此地居住的人。昇明，是南朝宋顺帝刘凖的年号（公元四七七至四七九年）。㊱皆听复注：都允许他们重新申报登记。复注，重新登记入籍。㊲各许还本：都允许他们返回本地。㊳翦治：惩治，指注销户籍，并给予处治。㊴长沙威王晃：萧晃，萧道成的第四子。传见《南齐书》卷三十五。㊵陈疾自解：称说有病请求辞职。㊶西昌侯鸾：萧鸾，萧道成的同族，萧道生之子，即日后的齐明帝，此时为西昌侯。传见《南齐书》卷六。㊷代晏领选：代替王晏任吏部尚书。㊸清干有余：清廉、干练都是很好的。㊹不谙百氏：但对于官场上这些人各自的出身门第不是很熟悉。胡三省曰："百氏，百家氏族也。自魏晋以来，率以门第用人。"㊺百济王牟大：百济国的国王姓牟名大。百济是朝鲜半岛上的古国名，在今韩国的西部临海地区。㊻高车阿伏至罗：高车族一个部落的头领，名阿伏至罗。此时率部居住在西域的车师前国的西北方，独立称王。㊼穷奇：阿伏至罗的堂弟，随其堂兄居住在车师前国的西北方，为其部落的副头领。㊽蠕蠕：即柔然。当时生活在今蒙古国与俄罗斯的交界地带。㊾绣裤褶：服装名。葛晓音曰："上服为褶（夹衣），下服为缚裤，其外不复用裘裳，故名。便于骑乘，时作军服或行旅之服。"

【校记】

［1］等：原无此字。据章钰校，十二行本、乙十一行本、孔天胤本皆有此字，今据补。〖按〗《南齐书·鱼复侯子响传》载："长史刘寅等连名密启。"［2］太：据章钰校，十二行本、乙十一行本皆作"大"。［3］南平：原作"平南"。胡三省注云："按《南书·张泰欣传》，时为南平内史，当作南平。"严衍《通鉴补》改作"南平"，今据以校正。〖按〗魏晋南北朝军府中无内史一职，《晋书·职官志》："诸王国以内史掌太守之任。"此南平即南平王萧锐，张泰欣为南平王国内史。［4］府、州：原作"州、府"。据章钰校，十二行本、乙十一行本、孔天胤本二字皆互乙，今据改。［5］等：原无此字。据章钰校，十二行本、乙十一行本、孔天胤本皆有此字，今据补。［6］日：原作"时"。据章钰校，十二行本、乙十一行本、孔天胤本皆作"日"，今据改。〖按〗《魏书·礼志三》亦作"日"。［7］想：原作"赖"。胡三省注云："'赖'，蜀本作'想'，当从之，否则'赖'字衍。"据章钰校，十二行本、乙十一行本、孔天胤本皆作"想"，张敦仁《通鉴刊本识误》、张瑛《通鉴校勘记》同，今据改。［8］安：原作"然"。据章钰校，十二行本、孔天胤本皆作"安"，今据改。〖按〗《魏书·礼志三》亦作"安"。［9］民：原无此字。据章钰校，十二行本、乙十一行本、孔天胤本皆有此字，今据补。

【原文】

九年（辛未，公元四九一年）

春，正月辛丑㊿[430]，上祀南郊[431]。

丁卯[432]，魏主始听政于皇信东室[433]。

诏太庙四时之祭[434]：荐宣皇帝[435]，起面饼[436]、鸭臛[437]；孝皇后[438]，笋、鸭卵；高皇帝[439]，肉脍[440]、菹羹[441]；昭皇后[442][10]，茗[443]、粣[444]、炙鱼[445]，皆所嗜也[446]。上梦太祖谓己："宋氏诸帝[447]常在太庙从我求食[448]，可别为吾致祠[449]。"乃命豫章王妃[450]庾氏四时祠二帝、二后于清溪故宅[451]。牲牢[452]、服章[453]，皆用家人礼[454]。

臣光曰[455]："昔屈到嗜芰[456]，屈建去之[457]，以为不可以私欲干国之典[458]，况子为天子，而以庶人之礼祭其父，违礼甚矣！卫成公欲祀相[459]，宁武子犹非之[460]，而况降祀祖考于私室[461]，使庶妇尸之[462]乎！"

初，魏主召吐谷浑王伏连筹[463]入朝[464]，伏连筹辞疾不至，辄修洮阳、泥和[465]二城，置戍兵[466]焉。二月乙亥[467]，魏枹罕镇将长孙百年[468]请击二戍，魏主许之。

散骑常侍裴昭明[469]、散骑侍郎谢竣如魏吊[470]，欲以朝服行事[471]，魏主客[472]曰："吊有常礼，何得以朱衣入凶庭[473]！"昭明等曰："受命本朝，不敢辄易[474]。"往返数四，昭明等固执不可。魏主命尚书李冲选学识之士与之言，冲奏遣著作郎上谷成淹[475]。昭明等曰："魏朝不听使者

【语译】

九年（辛未，公元四九一年）

春季，正月初八日辛丑，齐武帝萧赜到建康城的南郊举行祭天典礼。

正月丁卯日，魏孝文帝拓跋宏开始在皇信堂的东室听政。

齐武帝下诏，颁布一年四季祭祀太庙时所用的供品：进献给宣皇帝萧承之的供品是发面饼、鸭肉羹；进献给齐太祖萧道成的生母孝皇后的供品是笋、鸭蛋；进献给高皇帝萧道成的供品是肉丝、肉粥；进献给昭皇后的供品是茶、粽子、烤鱼，都是他们生前最喜欢吃的东西。齐武帝梦见太祖萧道成对自己说："刘宋王朝的几位皇帝经常到太庙来向我索要东西吃，可以在别的地方祭祀我。"齐武帝于是令豫章王萧嶷的王妃庾氏在清溪水边萧道成的故居主持一年四季对宣皇帝萧承之、高皇帝萧道成二位皇帝和孝皇后、昭皇后二位皇后的祭祀。供祭祀用的牲畜、祭祀时穿戴的衣帽，都按照平民百姓祭祀家中老人的礼节。

司马光说："春秋时期楚国的令尹屈到，生前爱吃菱角，临死嘱托宗人在祭祀他的时候，祭品一定要用菱角，屈到的儿子屈建为了维护祭典的严肃，当宗人把菱角作为祭品祭祀屈到的时候，屈建令人把菱角去掉，认为不能因为屈到的个人所好而违反了祭祀大典，何况作为儿子的萧赜贵为天子，竟然按照平民百姓的礼节来祭祀他的父亲，也太违背礼法了吧！春秋时期卫国的国君卫成公因为梦见卫国的始祖对自己说'夏帝相抢夺我的祭品'，于是下令祭祀夏帝相，卫国的大夫宁武子尚且认为卫成公祭祀夏帝相是不合适的，何况齐武帝降低祭祀的规格，在私宅中祭祀自己的祖父和父亲，而且是让一个非嫡长子的媳妇来主持祭祀呢！"

当初，魏孝文帝邀请吐谷浑王伏连筹到魏国的京师平城来朝拜，伏连筹推说自己身体有病而不肯来，随后就修筑起洮阳、泥和两座城池，并派兵防守。二月十二日乙亥，魏国驻守枹罕的将领长孙百年请求出兵攻打洮阳城和泥和城，孝文帝同意了他的请求。

齐国担任散骑常侍的裴昭明、担任散骑侍郎的谢竣前往魏国吊唁冯太后之丧，他们想穿戴着原有的朝服进行吊唁，魏国主持接待宾客的官员说："吊丧都有一定的礼仪规定，你们怎能穿着红色的吉庆衣服进入吊祭死者的灵堂呢！"裴昭明等人回答说："我们是奉齐国朝廷之命前来吊唁，不敢私自更换。"两国使臣之间反复交换了四五次意见，裴昭明等人都坚持不可更换服装。魏孝文帝令担任尚书的李冲挑选饱学之士去与裴昭明等人进行交涉，李冲奏请派遣担任著作郎的上谷郡人成淹。裴昭

朝服[476]，出何典礼?”淹曰:“吉凶不相厌[477]。羔裘玄冠不以吊[478]，此童稚所知[479]也。昔季孙如晋[480]，求遭丧之礼以行[481]。今卿自江南远来吊魏，方问出何典礼[482]。行人得失，何其远哉[483]!”昭明曰:“二国之礼，应相准望[484]。齐高皇帝之丧[485]，魏遣李彪来吊，初不素服[486]，齐朝亦不以为疑[487]，何至今日独见要逼[488]!”淹曰:“齐不能行亮阴之礼[489]，逾月即吉[490]。彪奉使之日，齐之君臣，鸣玉盈庭，貂珰曜目[491]。彪不得主人之命，敢独以素服厕其间[492]乎!皇帝[493]仁孝，侔于有虞[494]，执亲之丧[495]，居庐食粥[496]，岂得以此方彼乎[497]!”昭明曰:“三王不同礼[498]，孰能知其得失!”淹曰:“然则虞舜、高宗皆非邪[499]?”昭明、竣相顾而笑曰:“非孝者无亲[500]，何可当也[501]?”乃曰:“使人之来[502]，唯赍裤褶[503]，此既戎服，不可以吊，唯主人裁其吊服[504]!然违本朝之命，返必获罪。”淹曰:“使彼有君子[505]，卿将命[506]得宜，且有厚赏[507];若无君子，卿出而光国[508]，得罪何伤!自当有良史书之。”乃以衣、帢[509]给昭明等，使服以致命[510]。己丑[511]，引昭明等入见，文武皆哭尽哀。魏主嘉淹之敏，迁侍郎，赐绢百匹。昭明，骃[512]之子也。

始兴简王鉴[513]卒。

三月甲辰[514]，魏主谒永固陵。夏，四月癸亥朔[515]，设荐于太和庙[516]。魏主始进蔬食[517]，追感哀哭，终日不饭。侍中冯诞[518]等谏，经宿乃饭。甲子[519]，罢朝夕哭[520]。乙丑[521]，复谒永固陵。

明等人对成淹说："魏国朝廷不允许齐国的使臣身穿朝服进入灵堂吊唁，是根据哪一部典籍的规定？"成淹回答说："吉庆的衣服与丧服，这二者是不能调和的。身穿华贵的裘衣、头戴黑色的帽子的人是不能吊唁的，这是连小孩子都知道的常识。春秋时期鲁国的大臣季孙行父准备出访晋国，他预先询问好了如果遇到对方有丧事应该遵守什么样的礼节，而后才出访。现在您等从江南远道来到魏国吊丧，到现在才向我们询问出于何种礼节。同样是使者，一个想得那样周到，一个却如此疏忽，两者相差该是多远呢！"裴昭明说："二国之间的交往，应该是互相对等的。我们齐国的高皇帝萧道成驾崩的时候，魏国派李彪为使者前来吊唁，根本就没有穿孝服，齐国朝廷也没有认为什么不妥当，为什么今天却特别地强制、逼迫我们改穿丧服呢！"成淹驳斥他说："齐国没有遵循先皇去世之后，新皇帝要默然无语、在庐守孝、委托政事于冢宰的礼节，先皇去世一个月之后就除去丧服换上了吉服。李彪出使贵国的时候，齐国的君臣，都身穿朝服，群臣身上的佩玉鸣声悦耳，内侍头上插的貂尾珥珰闪耀发光。李彪得不到主人的命令，怎敢独自身穿丧服夹杂在百官之中呢！我们魏国的皇帝仁慈孝敬，可以和古代的虞舜相并称，在为自己的祖母守孝期间，住在守丧的小棚子里，每天只喝一点粥，你怎么能把我们魏国的皇帝和你们齐国的皇帝相比呢！"裴昭明说："夏、商、周三代的礼节各不相同，谁能知道在礼节方面他们谁的算好，谁的算不好呢！"成淹说："照你这么一说，难道虞舜、高宗武丁守孝三年都错了吗？"裴昭明与谢竣相视而笑，说："非难孝子的人，就不会有人亲近他，我们怎么敢成为非难孝子的人呢？"于是向成淹解释说："我们前来出使的时候，只带着几件裤褶，这些都是参加军事活动的服装，我们总不能穿着这些军服吊丧吧，所以只能请你们定夺我们穿什么衣服进行吊唁了！然而我们这样做就违背了我朝的命令，回去之后一定会被治罪。"成淹说："假设你们齐国还有有道德、明事理的人，就会认为你们此次奉命出使很得体，一定会得到重赏；如果你们齐国那里根本就没有有道德、明事理的人，你们奉命出使，为自己的国家争得了荣誉，即使回国之后获罪又有什么关系呢！一定会有秉笔直书的史官把你们的事迹载入史册，流芳百世。"于是把单衣和白色的便帽交给裴昭明等人，让他们穿上之后，向魏国的孝文帝表达了齐国皇帝对他的吊唁慰问之情。二月二十六日己丑，魏国负责接待宾客的官员引导着裴昭明等人进入冯太后的灵堂进行吊唁，魏国的文武百官全都痛哭流涕，极尽悲哀。魏孝文帝很赞赏成淹的聪敏，遂提升成淹为侍郎，赏赐成淹一百匹丝织品。裴昭明，是裴骃的儿子。

齐国的始兴简王萧鉴去世。

三月十二日甲辰，魏孝文帝前往永固陵祭拜冯太后。夏季，四月初一日癸亥，在太和庙设冯太后的神主，摆上季节性果蔬作为供品举行祭祀。孝文帝从这时起开始进食一些蔬菜，追思起太后来又忍不住悲哀哭泣，一整天都没有吃饭。担任侍中的冯诞等人极力劝说，过了一宿孝文帝才吃饭。初二日甲子，停止每天早晨、晚上的哭丧。初三日乙丑，孝文帝又去拜谒永固陵。

魏自正月不雨至于癸酉[522]，有司请祈百神，帝曰："成汤遭旱，以至诚致雨[523]，固不在曲祷山川[524]。今普天丧恃，幽显[525]同哀，何宜四气未周[526]，遽行祀事[527]！唯当责躬[528]以待天谴[529]。"

甲戌[530]，魏员外散骑常侍李彪等来聘，为之置燕设乐[531]。彪辞乐[532]，且曰："主上[533]孝思罔极[534]，兴坠正失[535]。去三月晦[536]，朝臣始除衰绖[537]，犹以素服从事[538]，是以使臣不敢承奏乐之赐。"朝廷从之。彪凡六奉使[539]，上甚重之。将还，上亲送至琅邪城[540]，命群臣赋诗以宠之[541]。

己卯[542]，魏作明堂[543]，改营太庙。

五月己亥[544]，魏主更定律令[545]于东明观[546]，亲决疑狱。命李冲议定轻重[547]，润色辞旨[548]，帝执笔书之。李冲忠勤明断，加以慎密，为帝所委，情义无间。旧臣贵戚，莫不心服，中外推之[549]。

乙卯[550]，魏长孙百年攻洮阳、泥和二戍，克之，俘三千余人。

丙辰[551]，魏初造五辂[552]。

六月甲戌[553]，以尚书左仆射王奂为雍州刺史[554]。

丁未[555]，魏济阴王郁[556]以贪残赐死。

秋，闰七月乙丑[557]，魏主谒永固陵。

己卯[558]，魏主诏曰："烈祖[559]有创业之功，世祖[560]有开拓之德，宜为祖宗，百世不迁[561]。平文[562]之功少于昭成[563]，而庙号太祖，道武[564]之功高于平文，而庙号烈祖，于义未允[565]。朕今奉尊烈祖为太祖，以世祖、显祖[566]为二祧[567]，余皆以次而迁[568]。"

魏国从正月开始到四月十一日癸酉一直没有下雨，有关部门的官员请求孝文帝主持祭祀祈祷仪式，祈求百神为旱区普降甘霖，孝文帝说："成汤时遇到旱灾，成汤诚心诚意地检讨了自己的过失因而感动上天降下雨水，原本不需要转着弯地去祭祀别的神灵。如今全国上下都因为太后的去世而失去了依靠，鬼神都与我们一同悲哀，怎么能在丧期还未满一周年的时候，就匆匆忙忙地去主持祭祀山川诸神的活动呢！只应当责备自己，以等待上天的惩罚。"

四月十二日甲戌，魏国担任员外散骑常侍的李彪等来到齐国的都城建康进行友好访问，齐国朝廷专门为他摆设宴席，安排乐舞进行招待。李彪请求将乐舞撤走，他说："我们魏国的皇帝非常孝顺，他对太皇太后的去世有无穷无尽的哀痛和思念，正在复兴被百王废弃的丧礼以纠正他们的缺失。在上个月的月底，朝中的群臣才刚刚脱下丧服，仍然穿着白色的衣服处理公务，所以我这个使者不敢接受贵国赏赐乐舞的招待。"齐国朝廷接受了李彪的意见马上撤去了乐舞。李彪总计六次奉命出使齐国，齐武帝非常敬重他。在李彪准备返回魏国的时候，齐武帝亲自送李彪到琅邪城，并命令群臣赋诗惜别，表达对李彪的尊敬与喜爱。

四月十七日己卯，魏国修建明堂，改建太庙。

五月初八日己亥，魏孝文帝在东明观重新修订国家的法令，亲自判决疑难的刑事案件。他让担任内秘书令的李冲评定对罪犯量刑的轻重，再把判词润色一遍，然后由孝文帝执笔书写。李冲忠诚勤勉，聪明而有决断，再加上办事谨慎周密，所以孝文帝非常依赖他，君臣之间情投意合，亲密无间。旧臣贵戚，无不心悦诚服，朝廷内外的人都很推崇他。

五月二十四日乙卯，魏国驻守枹罕的将领长孙百年率领魏军攻打洮阳城与泥和城，很快便将二城攻克，俘虏了三千多名吐谷浑人。

二十五日丙辰，魏国开始为孝文帝制造五种车驾。

六月十三日甲戌，齐武帝任命担任尚书左仆射的王奂为雍州刺史。

丁未日，魏国担任徐州刺史的济阴王拓跋郁因为贪污受贿、为人残暴而被孝文帝下诏赐死。

秋季，闰七月初五日乙丑，魏孝文帝前往拜谒永固陵。

闰七月十九日己卯，魏孝文帝下诏说："烈祖道武帝拓跋珪有开创基业的功勋，世祖太武帝拓跋焘有开拓疆土的美德，应该把他们奉为祖宗，他们的灵牌将永远供奉在宗庙大殿的正中央。平文帝拓跋郁律的功劳比不上昭成帝拓跋什翼犍，然而庙号却是太祖，道武帝拓跋珪的功劳大于平文帝拓跋郁律，而庙号却是烈祖，从道理上来说有些不公平。现在我尊奉烈祖道武帝拓跋珪为太祖，把世祖拓跋焘、显祖拓跋弘作为太祖的两个继承者、接续者，他们的灵牌应该接放在太祖之次，其他人的灵牌都依照顺序迁到别处摆放。"

八月壬辰[569]，又诏议养老[570]及禋于六宗[571]之礼。先是，魏常以正月吉日于朝廷设幕，中置松柏树，设五帝座[572]而祠[573]之。又有探策之祭[574]，帝皆以为非礼，罢之。戊戌[575]，移道坛[576]于桑乾之阴[577]，改曰崇虚寺[578]。

乙巳[579]，帝引见群臣，问以"禘祫[580]，王、郑之义[581]，是非安在[582]？"尚书游明根等从郑[583]，中书监高闾等从王。诏："圜丘[584]、宗庙[585]皆有禘名[586]，从郑;禘祫并为一祭[587]，从王。著之于令[588]。"戊午[589]，又诏："国家飨祀诸神[590]，凡一千二百余处，今欲减省群祀[591]，务从简约。"又诏："明堂、太庙，配祭、配享[592]，于斯备矣[593]。白登[594]、崞山[595]、鸡鸣山[596]庙，唯遣有司行事[597]。冯宣王庙[598]在长安，宜敕雍州[599]以时供祭。"又诏："先有水火之神四十余名及城北星神[600]，今圜丘之下既祭风伯、雨师、司中、司命[601]，明堂祭门、户、井、灶、中霤[602]，四十神[603]悉可罢之。"甲寅[604]，诏曰："近论朝日、夕月[605]，皆欲以二分之日[606]于东、西郊行礼。然月有余闰[607]，行无常准。若一依分日[608]，或值月于东而行礼于西，序情即理，不可施行。昔秘书监薛谓等以为朝日以朔[609]，夕月以朏[610]。卿等意谓朔朏、二分，何者为是？"尚书游明根等请用朔朏，从之。

丙辰[611]，魏有司上言，求卜祥日[612]。诏曰："筮日求吉[613]，既乖敬事之志[614]，又违永慕之心[615]。今直用晦日[616]。"九月丁丑[617]夜，帝宿于庙[618]，

八月初三日壬辰，魏孝文帝又下诏让朝廷大臣讨论有关尊敬老人以及朝廷祭祀自然界六位大神的礼仪。先前的时候，魏国经常在正月挑选一个好日子在朝廷的庭院中拉上帷幕，当中放置松柏树，摆放一个五帝的灵牌进行祭祀。还有对占卦、算命所拜求的神灵进行祭祀的活动，孝文帝认为这些祭祀都不符合礼法的规定而被撤销了。初九日戊戌，魏国把道教的祭天神坛迁移到了桑乾河的南面，改名为崇虚寺。

八月十六日乙巳，魏孝文帝召见群臣，向他们询问："'禘''祫'两种祭祀的区别，以及三国时期魏国的经学家王肃和东汉时期的经学家郑玄对'禘''祫'两种祭祀各自所做的解释如何，好在什么地方，不好在哪里？"担任尚书的游明根等人同意并采纳郑玄的解释，而担任中书监的高闾等人则同意并采纳王肃的解释。孝文帝下诏说："天子在南郊祭天的圜丘和宗庙中都曾有过合祭列祖列宗的事实，也就都有过'禘祭''祫祭'的名称，在这方面郑玄的解释有道理，我赞成郑玄的解释；'禘''祫'既然都是合祭祖先的名称，只不过是在间隔的年头上或是在其他方面略有区别，那我们就听从王肃的意见，把这两个名字合并起来。把我说的这个意思写在法典上，以后不再讨论。"二十九日戊午，魏孝文帝又下诏："国家祭祀大大小小、各式各样鬼神的场所，总计有一千二百多处，现在准备对各种祭祀对象进行规范精简，一定要本着简单、节约的原则。"又下诏说："明堂、太庙，陪同受祭、陪同享受馨香的人选都已经齐备。白登山上的宣武庙、崞山上太武帝保姆的窦氏寝庙、鸡鸣山上文成帝保姆的常氏寝庙，对这三处庙宇，只需派主管该项事务的官员去看管祭祀就行了。冯宣王的寝庙在长安，应该下令给雍州刺史，让他按时上供祭祀。"又下诏："以前需要祭祀的水神、火神等有四十多位，以及在京城西北郊设坛祭祀的司中、司命、司禄等星神，如今在圜丘祭天时顺便在圜丘下层的四周祭祀风伯、雨师、司中、司命，又在明堂里祭祀门神、户神、井神、灶神、中霤神等，所以对水神、火神等四十多位神灵的祭祀可以全部废除。"二十五日甲寅，孝文帝下诏说："近来讨论对太阳、月亮进行祭祀的有关问题，都认为应该以每年的春分之日在东郊祭日，秋分之日在西郊祭月。然而有闰月、有大小尽，每年的秋分，月亮所处的位置不固定。如果一成不变地在秋分日祭祀月亮，有时候就遇到月亮在东边而我们在西边祭祀的情况，于情于理都不可行。过去担任秘书监的薛谓等人认为祭祀日神的典礼在每月的初一举行，祭祀月神的典礼在每月的初三举行为好。你们认为是选择每月的初一、初三祭祀好呢，还是选择春分、秋分之日祭祀好呢？"担任尚书的游明根等人请求选择每月的初一、初三分别祭祀日神和月神，孝文帝采纳了他们的意见。

八月二十七日丙辰，魏国有关部门的官员上奏，请求用占卜的方式确定举行小祥的日期。孝文帝下诏说："通过卜筮选定日子以求改换服丧的形式，既与恭敬地侍奉丧者的做法相抵触，又违背了服丧者对死者无法割舍的思恋之情。现在就定在这个月的最后一天举行小祥之祭。"九月十八日丁丑夜间，孝文帝住宿在冯太后陵墓前

帅群臣哭已[619]，帝易服缟冠[620]、革带黑屦[621]，侍臣易服黑介帻[622]、白绢单衣、革带乌履[623]，遂哭尽乙夜[624]。戊子晦[625]，帝易祭服，缟冠素纰[626]、白布深衣[627]、麻绳履[628]，侍臣去帻易帢[629]。既祭，出庙，帝立哭久之，乃还。

冬，十月，魏明堂、太庙成。

庚寅[630]，魏主谒永固陵，毁瘠[631]犹甚。司空[11]穆亮[632]谏曰："陛下祥练已阕[633]，号慕如始。王者为天地所子，为万民父母，未有子过哀而父母不戚[634]，父母忧而子独悦豫[635]者也。今和气不应[636]，风旱为灾，愿陛下袭轻服[637]，御常膳[638]，銮舆时动[639]，咸秩百神[640]，庶使天人交庆[641]。"诏曰："孝悌之至[642]，无所不通。今飘风[643]、旱气，皆诚慕未浓，幽显无感[644]也。所言过哀之咎[645]，谅为未衷[646]。"十一月己未朔[647]，魏主禫[648]于太和庙[649]，衮冕以祭[650]。既而服黑介帻，素纱深衣，拜陵而还。癸亥[651]，冬至，魏主祀圜丘[652]，遂祀明堂，还，至太和庙，乃入。甲子[653]，临太华殿，服通天冠[654]，绛纱袍，以飨群臣。乐县而不作[655]。丁卯[656]，服衮冕，辞太和庙，帅百官奉神主[657]迁于新庙。

乙亥[658]，魏大定官品[659]。戊寅[660][12]，考诸牧守[661]。

魏假[662]通直散骑常侍李彪等来聘。

魏旧制，群臣季冬[663]朝贺，服裤褶行事，谓之小岁。丙戌[664]，诏罢之。

十二月壬辰[665]，魏迁社[666]于内城之西。

魏以安定王休[667]为太傅，齐郡王简[668]为太保。

高丽王琏[669]卒，寿百余岁。魏主为之制素委貌[670]，布深衣[671]，举哀于东郊[672]，遣谒者仆射李安上策赠太傅[673]，谥曰康。孙云嗣立[674]。

的祭庙里，率领群臣痛哭之后，孝文帝脱去孝服，换上白色的帽子，腰束皮带，脚穿黑色麻鞋，陪侍的大臣也都更换了衣服，头戴黑色长耳的裹发巾，身穿白绢做的单衣，腰束皮带，脚穿黑色的鞋子，然后在二更时分接着哭泣，整整哭了一个更次。九月最后一天二十九日戊子，孝文帝换上祭祀的服装，头戴着用生绢镶边的白帽子，身穿白布缝制的连体祭服，脚穿麻绳编制的鞋子，陪侍的大臣摘掉黑色长耳的裹发巾，戴上白纱制成的帽子。祭祀结束，君臣全都退出祭庙，孝文帝又在祭庙前站着哭了很长时间，这才返回。

冬季，十月，魏国修建的明堂、太庙竣工。

十月初二日庚寅，魏孝文帝前往拜谒永固陵，因为哀伤过度身体消瘦得非常厉害。担任司空的穆亮劝谏他说："陛下已经举行了小祥之祭，然而哀号思慕之情仍然像开始的时候一样。君王是天地的儿子，为万民的父母，没有儿子过于哀伤而父母不感到痛苦，父母忧愁而儿子却独自高兴、快乐的。如今阴阳失调，连续发生风灾和旱灾，希望陛下穿上轻丧之服，正常吃饭，让您的车驾也适当地活动活动，对各种神灵都依次给予祭祀，以求得人神都能得到幸福。"孝文帝于是下诏说："只要把孝悌做到家，就会无所不通。如今旋风、干旱肆虐，都是因为我思慕亲人的感情还不够浓厚，天地众神与黎民百姓还都不满意。如果说这都是因为我悲哀过度引发的问题，实在是不合适。"十一月初一日己未，孝文帝在太和庙举行除丧服之祭，孝文帝穿着皇帝的礼服，戴着皇帝的礼帽进行祭祀。祭祀完毕，便头戴黑色长耳的裹发巾，身穿白纱制作的深衣，拜别冯太后的陵墓后回宫。初五日癸亥，是冬至日，孝文帝到南郊的圜丘祭天，又到明堂祭祀，回来以后，到太和庙，然后才入宫。初六日甲子，孝文帝来到太华殿，他头戴通天冠，身穿绛色纱袍，用酒食款待群臣。钟磬等乐器悬挂在大厅周围，但不演奏。初九日丁卯，孝文帝穿着皇帝的礼服，戴着皇帝的礼帽，辞别了太和庙，然后率领百官捧着列祖列宗的灵牌迁到新建的太庙里安放。

十一月十七日乙亥，魏国给各个官职定出级别。二十日戊寅，魏国朝廷对各郡太守进行考核。

魏国代理通直散骑常侍的李彪等来到齐国进行友好访问。

按照魏国旧有的制度，群臣在十二月举行朝贺的时候，都要穿裤褶，称为过小年。二十八日丙戌，孝文帝下诏废除了这一制度。

十二月初五日壬辰，魏国把皇帝祭祀土神、谷神的社稷坛迁到平城内城的西边。

魏国朝廷任命安定王拓跋休为太傅，任命齐郡王拓跋简为太保。

高丽王高琏去世，享年一百多岁。魏国的孝文帝为了哀悼高丽王，特别制作了一种名叫素委貌的礼帽，一身深色布衣，在平城东郊举行哀悼活动，还派遣担任谒者仆射的李安上前往高丽的都城追封高琏为太傅，谥号为康。高琏的孙子高云继位为高丽王。

己酉[675][13]，魏主始迎春[676]于东郊。自是四时迎气[677]皆亲之[678]。

初，魏世祖克统万[679]及姑臧[680]，获雅乐[681]器服[682]工人[683]并存之[684]。其后累朝无留意者，乐工浸尽[685]，音制多亡[686]。高祖始命有司访民间晓音律[687]者议定雅乐[688]，当时无能知者。然金、石、羽旄[689]之饰，稍壮丽于往时[690]矣。辛亥[691]，诏简置乐官[692]，使修其职[693]，又命中书监高闾参定[694]。

初，晋张裴[14]、杜预共注《律》[695]三十卷，自泰始[696]以来用之，《律》文简约，或一章之中，两家所处[697]，生杀顿异[698]，临时斟酌[699]，吏得为奸[700]。上[701]留心法令，诏狱官详正旧注[702]。七年，尚书删定郎王植集定二注[703]，表奏之。诏公卿、八座[704]参议考正[705]，竟陵王子良总其事[706]；众议异同不能壹[707]者，制旨平决[708]。是岁，书成。廷尉[709]山阴孔稚珪[710]上表，以为：“《律》文虽定，苟用失其平[711]，则法书徒明于帙里[712]，冤魂犹结于狱中。窃寻古之名流[713]，多有法学[714]；今之士子，莫肯为业[715]。纵有习者，世议所轻[716]，将恐此书永沦走吏之手[717]矣。今若置《律》助教[718]，依“五经”例[719]，国子生[720]有欲读者，策试高第[721]，即加擢用[722]，以补内外之官[723]，庶几[724]士流有所劝慕[725]。”诏从其请，事竟不行[726]。

初，林邑王范阳迈[727]，世相承袭[728]。夷人范当根纯[729]攻夺其国，遣使献金簟[730]等物。诏以当根纯为都督缘海诸军事、林邑王。

魏冀州刺史咸阳王禧[731]入朝。有司奏：“冀州民三千人称禧清明有

十二月二十二日己酉，魏孝文帝在平城的东郊举行迎接春天之气开始的祭礼典礼。从此以后，每年在立春、立夏、立秋、立冬的这一天，孝文帝都亲自主持迎接每个季节之气开始的祭典。

当初，魏世祖拓跋焘攻克统万城以及姑臧的时候，所缴获的用于郊庙祭祀与朝会典礼的乐舞、乐器、乐工所穿的服饰以及演奏乐器与表演歌舞的工人，都还一直保留着。后来的历朝皇帝都没有留意这些，乐工也慢慢地死光了，音声和演奏时的仪式礼制也大都遗失。魏高祖拓跋宏开始令有关部门的官员到民间去访问懂得音乐、记得当初雅乐的旋律与节奏的人，商议并制定出一套演奏雅乐的章程，当时并没有人知晓。然而那些用金银、玉石做装饰的各种演奏的乐器以及舞蹈者所执的各种道具，比起以往汉代、魏晋时代的乐器与表演华丽得多了。十二月二十四日辛亥，孝文帝下诏，挑选管理音乐的乐官、设置管理音乐的官署，让乐官研究有关音乐的业务，又令担任中书监的高闾负责斟酌确定。

当初，晋朝张裴、杜预共同编订了一部《律》书，总计三十卷，从晋武帝司马炎的泰始年间开始一直沿用，这部《律》书文字简略，有的一章之中张裴、杜预二人所拟定的处理意见，犯人该活还是该杀，意见完全不同，都得由执法官吏临时考虑处理意见，因此执法官员得以钻空子做坏事。齐武帝关注法令，下诏令狱官详细地检查补充旧有的法律条文。永明七年，担任尚书删定郎的王植把张裴、杜预两家解释自相矛盾的地方进行了修改统一，然后上表奏报朝廷。齐武帝下诏令公卿、八座参与讨论考正，由竟陵王萧子良对此事总负责；对众人的不同意见不能统一的，就交由皇帝做出裁决。这一年，新《律》书修改完成。担任廷尉的山阴郡人孔稚珪上表给朝廷，他认为：“《律》书的文字虽然确定下来了，假设执法官不能准确地运用法律，造成执法的不公平，那么法律的公平就只能停留在法律条文的字面上，冤死者的阴魂仍然聚结在监狱中。我私下查阅了古代的著名学派，其中就包括很多法学家；如今的读书人，都不愿意钻研法律这门专业。即使有人学习，也往往被世人所瞧不起，恐怕这部《律》书只能永远供那些做具体工作的小吏去阅读了。现在如果在太学里开设《律》学这门功课，依照太学里给儒家的“五经”开课讲学的旧例，在太学里上学的学生如果有人愿意学习《律》学，通过考试，成绩优异的，立即加以提拔任用，补充到朝廷与各州郡的司法队伍当中去，以期让社会上的文人士大夫能够喜欢并愿意从事这个行业。”齐武帝下诏批准了他的请求，但最后还是没有付诸实施。

当初，林邑国王范阳迈，世代相传做林邑王。林邑境内的另一个民族首领名叫范当根纯率众攻占了林邑国，然后派使者向齐国献上金丝编织的席子等物品。齐武帝下诏，任命范当根纯为都督缘海诸军事、林邑王。

魏国担任冀州刺史的咸阳王拓跋禧回到京师平城朝见孝文帝。有关部门的官员上奏说：“冀州的三千名百姓称赞咸阳王拓跋禧在担任冀州刺史期间清正廉明，为百

惠政，请世胙冀州[732]。”魏主诏曰：“利建虽古[733]，未必今宜[734]，经野由君[735]，理非下请[736]。”以禧为司州牧[737]，都督司、豫等六州诸军事。

初，魏文明太后宠任宦者略阳苻承祖[738]，官至侍中，知都曹事[739]，赐以不死之诏。太后殂，承祖坐赃应死，魏主原之[740]，削职禁锢于家，仍除悖义将军[741]，封佞浊子[742]，月余而卒。承祖方用事，亲姻[743]争趋附以求利。其从母杨氏为姚氏妇，独否[744]，常谓承祖之母曰：“姊虽有一时之荣，不若妹有无忧之乐。”姊与之衣服，多不受，强与之，则曰：“我夫家世贫，美衣服使人不安。”不得已，或受而埋之。与之奴婢[745]，则曰：“我家无食，不能饲[746]也。”常著[747]弊衣，自执劳苦[748]。承祖遣车迎之，不肯起，强使人抱置车上，则大哭曰：“尔欲杀我！”由是苻氏内外号为“痴姨”。及承祖败，有司执其二姨至殿廷。其一姨伏法，帝见姚氏姨贫弊，特赦之。

李惠之诛[749]也，思皇后[750]之昆弟[751]皆死。惠从弟凤为安乐王长乐[752]主簿，长乐坐不轨诛[753]，凤亦坐死。凤子安祖等四人逃匿获免，遇赦乃出。既而魏主[754]访舅氏存者，得安祖等，皆封侯，加将军。既而引见，谓曰：“卿之先世[755]，再获罪[756]于时。王者设官以待贤才，由外戚而举[757]者，季世之法[758]也。卿等既无异能，且可还家。自今外戚无能者视此[759]。”后又例降爵为伯[760]，去其军号[761]。时人皆以为帝待冯氏太厚，待李氏太薄，太常高闾尝以为言[762]，帝不听。及世宗[763]尊宠外家，乃以安祖弟兴祖为中山太守[764]，追赠李惠开府仪同三司、中山公，谥曰庄。

姓做了不少好事，请求让咸阳王拓跋禧家世世代代管理冀州。”孝文帝下诏说：“分封功臣为诸侯的做法虽然起源很早，但未必适合于今天，治理国家、管理领土的权力在于国君，这件事情绝对不是你们所应当请求的。”孝文帝任命拓跋禧担任司州牧，都督司、豫等六州诸军事。

当初，魏国的文明太后冯氏宠爱信任宦官略阳郡人苻承祖，提升苻承祖做了侍中，兼管知尚书都曹事，并赐予他免死牌。文明太后冯氏去世之后，苻承祖犯了贪赃受贿罪，理应被判处死罪，孝文帝还是宽恕了他，把他削职为民，禁锢在家里，于是任命苻承祖为悖义将军，封他为佞浊子爵，一个多月后苻承祖就死了。苻承祖刚刚得到太皇太后宠信、手中握有权力的时候，他的各种亲戚都主动前来投靠他，以便得到利益。唯独一个姓杨的嫁给姚氏做媳妇的姨妈，不肯趋炎附势，她经常对苻承祖的母亲说：“姐姐虽然享有一时的荣华富贵，却不如妹妹我可以享受无忧无虑的快乐。”苻承祖的母亲送给妹妹杨氏衣服，杨氏多数情况下没有接受，如果强行送给她，她就说：“我丈夫家里世代贫穷，穿漂亮的好衣服让人感到不安。”如果迫不得已接受了姐姐送的衣服，回家之后就把衣服埋掉了。如果是送给她奴婢，她就说：“我家里没有足够的粮食，养不起他们。”杨氏经常穿着破旧的衣裳，亲自从事很辛苦的劳作。苻承祖派车子去接她，她不肯上车，让人强行把她抱上车，她就大哭着说：“你想要杀死我吗?”因此苻氏的家里人给她起了一个外号叫“痴姨”。等到苻承祖败落之后，有关部门的官员把苻承祖的两个姨妈逮捕起来，押送到殿廷。其中一个姨妈被处以死刑，孝文帝看见嫁给姚氏的姨妈很贫穷，穿着破衣烂衫，就特别赦免了她。

担任青州刺史的李惠因为遭到冯太后的忌恨而被诬以谋反的罪名被诛杀，李惠的女儿、嫁给献文帝拓跋弘的思皇后所有的兄弟都被处死了。李惠的堂弟李凤当时正在安乐王拓跋长乐的属下担任主簿，拓跋长乐以图谋不轨的罪名被诛杀，李凤也受到牵连被处死。李凤的儿子李安祖等四个人逃走隐藏起来得以活命，遇到魏国实行大赦才敢露面。不久孝文帝寻找自己舅父家里的幸存者，于是找到了李安祖等人，给他们都封了侯，还给了他们将军的称号。不久孝文帝召见李安祖等，对他们说：“你们的先人李惠、李凤，当年两次被强加罪名。君王设置官位是为了接纳贤良才俊，如果光是凭借外戚的身份而做大官，那是一个即将灭亡的王朝的做法。你们几个人既然没有什么特殊的才能，还是暂且回家去吧。从今以后，身为外戚而没有才能的人都以此为例。”后来又依照前例把他们的爵位由侯爵降为伯爵，免去了他们将军的称号。当时的人都认为孝文帝对待皇太后冯氏太优厚，对待自己舅舅家的李氏太刻薄，担任太常的高闾曾经就此事劝说过孝文帝，但孝文帝没有采纳高闾的意见。等到孝文帝的儿子世宗拓跋恪做了皇帝，尊崇外戚的时候，就任命自己的舅舅李安祖的弟弟李兴祖为中山郡太守，追赠自己的外祖父李惠为开府仪同三司、中山公，谥号为庄。

【段旨】

以上为第二段，写齐武帝萧赜永明九年（公元四九一年）一年间的大事。主要写了齐武帝制定祭祀宗庙之礼，司马光评其不守古制；写南齐对原来自相矛盾的法律条文进行了讨论修订，孔稚珪建议在太学开设法律课以授国子，以提高法学在世人心目中的地位，这是一项很重要的建议，结果却“诏从其请，事竟不行”。写齐使裴昭明、谢竣入魏吊祭冯太后，欲吉服以见魏主，魏使文学之臣成淹执礼以责之，往返驳难，裴昭明等无词，遂依魏人易服以吊。写魏臣李彪、李冲之为人，史称李冲“忠勤明断，加以慎密，为帝所委，情义无间；旧臣贵戚，莫不心服，中外推之”；写李彪六次到南齐聘问，深受南齐敬重，甚至齐武帝萧赜亲自送行至琅邪城，命群臣赋诗以宠之。写魏主重新议定宗庙应供之神主，将拓跋珪、拓跋焘定为祖宗，永世不刊；魏主与群臣讨论各种祭祀之礼，极其烦琐细碎，故意卖弄小聪明；魏主为冯太后服丧，由始丧至小祥，再至除服的过程极其烦琐细碎，极其冗长；以及魏主严格对待外戚，无功者不得为吏，不得封侯等。

【注释】

㊿430 正月辛丑：正月初八。431 上祀南郊：齐武帝萧赜到南郊祭天。432 丁卯：葛晓音曰：“本月甲午朔，无‘丁卯’。〖按〗《北史》卷三《高祖孝文帝元宏传》载：‘（太和）十五年春正月丁巳，帝始听政于皇信东室。’据此，此‘丁卯’当是‘丁巳’之误（《魏书》亦误）。”葛说是。丁巳，正月二十四。433 始听政于皇信东室：胡三省曰，“自居冯太后之丧，至是始听政”。皇信东室，皇信堂的东室。434 四时之祭：四季之祭祀所用的供品。〖按〗此句的主语是“南齐皇帝萧赜”。435 荐宣皇帝：进献给宣皇帝萧承之的供品。宣皇帝，萧道成即位后追称其父萧承之曰宣皇帝。436 起面饼：食品名，即发面饼。437 鸭臛：鸭肉羹。438 孝皇后：进献给萧道成的生母孝皇后的供品。孝皇后是萧承之的夫人，萧道成称帝后追尊之为孝皇后。439 高皇帝：即萧道成。440 肉脍：肉丝。441 菹羹：肉粥。442 昭皇后：萧道成的妃子，曰刘智容，建元元年（公元一四〇年）被谥为昭皇后。443 茗：茶。444 粣：粽子。一说即今馓子，一种油炸面食。445 炙鱼：烤鱼。446 皆所嗜也：都是他们爱吃的。447 宋氏诸帝：刘宋王朝的几位皇帝。448 从我求食：向我要吃的。449 别为吾致祠：在别处另为我立个庙，给我上供。450 豫章王妃：豫章王萧嶷的王妃。豫章王萧嶷行二，除去皇后外，萧嶷的妻子就是萧道成诸儿媳中最长的嫂子了，故由她主持四季之祭祀。451 清溪故宅：清溪水边的萧道成的故居。清溪，水名，在当时建康台城的东侧，源于钟山，流入秦淮河。452 牲牢：供祭祀用的牲畜，指牛、羊、猪等。453 服章：祭祀时穿戴的衣帽。454 用家人礼：按照平民百姓祭祀老人的礼节。455 臣光曰：这是《资治通鉴》

的编著者司马光对相关问题发表的评论。因为《资治通鉴》其书当时是写给皇帝宋神宗看的，故而他自称“臣光”。㊺屈到嗜芰：屈到是春秋时楚国令尹，生前好吃芰（菱角），遂嘱托宗人，往后祭祀他时，其祭品也用芰。㊼屈建去之：屈建是屈到之子，他维护祭典的严肃性，当宗人用芰作为祭品祭祀屈到时，屈建命令把芰去掉。因为屈到是楚国的大夫，依照祭典规定应用一只羊和一头猪，不能以他个人的想法而违反祭祀大典。以上事见《国语·楚语上》。458干国之典：违反国家的祭典。干，违反、触犯。459卫成公欲祀相：卫成公是春秋时的卫国国君。鲁僖公三十一年（公元前六二五年）卫国迁都于帝丘（今河南濮阳西南），他梦见卫国的始祖康叔对他说：“夏帝相抢夺我的祭品。”于是卫成公下令祭祀夏帝相。相是夏帝启的孙子，帝中康之子，世居于帝丘，长期无人祭祀，故抢夺康叔的祭品。460宁武子犹非之：宁武子是卫国大夫，他认为卫成公祭祀夏帝相是不合适的。因为成王、周公只让卫国祭祀康叔，没让他们祭祀夏帝相，夏帝相根本不属于卫国这一族，“鬼神非其族类，不歆其祀”。事见《左传》僖公三十一年。461祀祖考于私室：即前文所说的在萧道成的故居里祭祀萧承之与萧道成。祖考，祖父和父亲。462使庶妇尸之：让一个非嫡长子的媳妇来主持祭祀。豫章王萧嶷虽和齐武帝萧赜是亲兄弟，但不是嫡长子，故司马光称萧嶷的媳妇为“庶妇”。尸，主、主持。463吐谷浑王伏连筹：吐谷浑是当时活动在今青海东部的少数民族名，即现在的羌族，当时臣属于魏国。伏连筹是吐谷浑的老国王拾寅之孙，度易侯之子，继度易侯为吐谷浑王。事见《魏书》卷一百一。464入朝：到魏都平城朝拜魏主。465洮阳、泥和：吐谷浑的二城名，洮阳旧城即今甘肃临潭，泥和城在今甘肃卓尼东北。466戍兵：防守之兵。467二月乙亥：二月十二。468枹罕镇将长孙百年：枹罕是魏国军事重镇，也是河州的州治所在地，在今甘肃临夏东北。其守将姓长孙名百年。469裴昭明：当时的文史之臣，裴松之之孙，裴骃之子，此时为散骑常侍。传见《南齐书》卷五十三。散骑常侍是帝王的侍从官员。470如魏吊：到魏国吊冯太后之丧。471欲以朝服行事：想穿着原有的朝服进行吊唁（想摆文明大国的架子）。472主客：负责接待外宾的官名。473凶庭：祭吊死者的灵堂。474不敢辄易：不敢私自更换。辄，就、随便地。475上谷成淹：上谷是郡名，郡治即今北京市延庆区。成淹是当时的文学之臣，此时任著作郎。传见《魏书》卷七十九。476不听使者朝服：不让我们使者穿着朝服进吊。477吉凶不相厌：吉服、凶服二者是不能调和的。厌，通“餍”，满足、适应。478羔裘玄冠不以吊：身穿华贵裘衣与头戴黑帽子的人不能吊唁。羔裘，贵重的皮衣。玄，黑色。479童稚所知：这是连小孩子也都知道的常识。〖按〗以上二句出自《论语·乡党》。《论语》是家喻户晓的书，故曰童稚所知。480季孙如晋：春秋时代的鲁国大臣季孙行父要出使晋国。481求遭丧之礼以行：预先准备好了如果遇到对方有丧事该遵守怎样的礼节，而后才出发。事见《左传》文公六年（公元前六二一年）。482方问出何典礼：才向我们询问是出于何种礼节。483行人得失二句：同样是使者，一个想得那么周到，一个却那么疏忽，相差该是多么远哪。行人，古代对使者的通称，也是官名。484应相准望：应该相互对等。准，如水之平。望，如月之平分。㊹⑤齐高皇帝之丧：萧道成死的时候。㊹⑥初不素服：根本没有穿孝服。㊹⑦不以为疑：没有向他提出问题。㊹⑧独见要逼：特别对我们强制逼迫。㊹⑨不能行亮阴之礼：即下葬后除去孝服，皇帝随即掌管政事。亮阴，通“谅暗”，指皇帝默然无语，在庐守孝，委政事于冢宰。㊾⓪逾月即吉：一个月之后就换上了吉服。㊾①鸣玉盈庭二句：群臣身上的佩玉鸣声悦耳，内侍头上的貂尾珥珰闪耀发光，好一派华丽、喜庆的景象。㊾②厕其间：夹杂在其间。厕，参与、处于。㊾③皇帝：此自称魏帝拓跋宏。㊾④侔于有虞：和当年的虞舜一样。侔，与……一样。㊾⑤执亲之丧：为自己的祖母守孝，一守就是三年。㊾⑥居庐食粥：住在守丧的小棚子里天天喝粥。葛晓音曰：“古代丧礼规定，亲始死，水浆不入口，三日不举火；既殡，食粥，朝一溢米，暮一溢米。”㊾⑦岂得以此方彼乎：你们怎么能拿我们的皇帝与你们的皇帝相比呢。方，比拟、等同。㊾⑧三王不同礼：三王的礼节各不相同。三王，指夏禹、商汤、周文武，即夏、商、周三朝的开国帝王。㊾⑨然则虞舜、高宗皆非邪：照你这么说，虞舜、武丁的守孝三年都错了吗。高宗，指商王武丁，为父守孝，“三年不言，政事决定于冢宰”。事见《史记·殷本纪》。500非孝者无亲：非难孝子的人，就不会有人亲近他。501何可当也：我们怎么敢成为非难孝子的人呢。502使人之来：我们出来的时候。503唯赍裤褶：只带着几件参加军事活动的服装。胡三省引《晋志》曰：“裤褶之制，未详所起，近世唯车驾亲戎，中外戒严服之，服无定色。”504唯主人裁其吊服：这就只有请你们定夺我们穿什么衣服进行吊唁了。唯，表示祈请。裁，定夺。505使彼有君子：假如你们齐国还有明白事理的人。彼，指齐朝。君子，有道德、明事理的人。506将命：奉命出使。将，持、奉。507且有厚赏：一定会得到重赏。且，将、一定会。508光国：给国家争得了荣誉。509衣、帢：单衣与白色便帽，是当时官僚、文人闲时穿的一种服饰。510致命：向魏主表达了南齐皇帝的慰问之情。致，送、转达。511己丑：二月二十六。512骃：裴骃，裴松之之子，当时著名的历史学家，著有《史记集解》，为今之《史记》三家注之一。其父裴松之撰有《三国志注》。传见《宋书》卷六十四。513始兴简王鉴：萧鉴，萧道成的第十子，被封为始兴王，谥曰简。传见《南齐书》卷三十五。514三月甲辰：三月十二。515四月癸亥朔：四月初一是癸亥日。516设荐于太和庙：在太和庙设冯太后的神主举行祭祀。荐，是祭祀的一种，以当时季节所产的果菜而祭之。〖按〗《北史》作“太和殿”，又《魏书》太和元年有“起太和、安昌二殿”之语。胡三省引《水经注》曰：“太和殿在太极殿东堂之东。”517始进蔬食：给太后神主摆上应时的蔬菜食品。518冯诞：冯太后之兄冯熙的儿子，时任侍中。传见《魏书》卷八十三上。519甲子：四月初二。520罢朝夕哭：停止每天早晨、晚上的哭丧。〖按〗冯太后死于上年的九月十八，至此已过了六个月零十四天。按三年丧的规定，是人死满一年后，才停止朝夕哭，故胡三省说：“盖亦不能及期矣。”521乙丑：四月初三。522癸酉：四月十一。523以至诚致雨：胡三省曰，“谓汤以六事自责也”。〖按〗汤以六事自责事，《史记·殷本纪》不载。524曲祷山川：转着弯地去祭祀别的神灵。曲祷，曲求，即不当祭而祭。㉕幽显：无形者与有形者。幽者指鬼神。显者指人，黎民百姓。㉖四气未周：四季尚未轮过一回，即未满一周年。㉗遽行祀事：就匆匆忙忙地去主持祭祀山川诸神。祭祀山川百神不能身穿丧服，这就势必逼着魏主迅速即吉。㉘责躬：责备自己。躬，自身。㉙以待天谴：以等候上天的惩罚。㉚甲戌：四月十二。㉛置燕设乐：安排筵席，旁设乐舞。燕，通“宴”，安乐地饮酒吃饭。㉜辞乐：请求将乐舞撤走。㉝主上：指魏主孝文帝。㉞孝思罔极：哀痛尚无穷无尽。罔极，无尽。㉟兴坠正失：胡三省曰：“言行丧礼，兴百王之坠典而正其失也。”㊱去三月晦：在上个月（即三月）的月底。㊲始除衰绖：才刚刚脱下丧服。㊳以素服从事：穿着白色衣服处理公务。㊴六奉使：六次奉命出使南齐。㊵琅邪城：南朝设置的琅邪郡的侨置地，在当时的建康城北，今南京北部的幕府山西南，靠近长江。㊶宠之：优礼相待，给他面子，以表示对他的尊敬与喜爱。㊷己卯：四月十七。㊸明堂：儒家传说中的古代帝王兴礼布政、祭天尊贤的庄严所在，通常也指帝王临朝的殿堂。古诗有所谓“归来见天子，天子坐明堂”是也。㊹五月己亥：五月初八。㊺更定律令：重新修订国家的法令。㊻东明观：魏国朝廷的宫殿之一，魏主太和四年，起东明观。㊼议定轻重：拓跋宏做出了判决后，再让李冲评定一回。㊽润色辞旨：把对罪犯的判词再润色一遍。润色，进行语言文字方面的加工。㊾中外推之：朝廷内外的人都很推崇。〚按〛李冲既是冯太后的男宠，又是一个有能力、办事尽心、品行公正的人，故孝文帝也终生依赖之。㊿乙卯：五月二十四。551丙辰：五月二十五。552五辂：皇帝乘坐的五种车驾。胡三省曰：“五辂：玉、金、象、革、木也。”553六月甲戌：六月十三。554雍州刺史：南齐的雍州州治在今湖北襄阳市襄州区。555丁未：这年的六月壬戌朔，无“丁未”，应为讹误。556济阴王郁：景穆帝拓跋晃之孙，济阴王小新成之子，孝文帝之叔，此时任徐州刺史。传见《魏书》卷十九上。557闰七月乙丑：闰七月初五。558己卯：闰七月十九。559烈祖：指道武帝拓跋珪。传见《魏书》卷二。560世祖：指拓跋焘，任用崔浩等治理政事，统一了北方，谥太武皇帝，庙号世祖。传见《魏书》卷四。561百世不迁：灵牌永远供在宗庙大殿的正中央。562平文：即平文帝拓跋郁律。天兴初，被道武帝拓跋珪追尊为太祖；太和十五年，孝文帝元宏认为不合适，取消太祖庙号。传见《魏书》卷一。563昭成：即昭成帝拓跋什翼犍。十六国时代国的国君，公元三三八至三七六年在位。后来代国被前秦苻坚所灭。魏道武帝拓跋珪建立魏国后追尊为高祖。传见《魏书》卷一。564道武：即道武帝拓跋珪，魏国政权的建立者，公元三八六至四〇九年在位。谥宣武帝，泰常五年改尊为道武帝。拓跋嗣永兴二年上庙号为烈祖，太和十五年孝文帝议定宗庙，改尊为太祖。565未允：不公平；不适合。566显祖：即献文帝拓跋弘，在位七年，皇兴五年八月禅位给太子宏，死后谥献文帝，庙号显祖。567二祧：太祖的两个继承者、接续者。意即把世祖、显祖的灵牌，接放在太祖之次。568余皆以次而迁：将上面提到的平文、昭成以及未提到的景穆帝、文成帝都迁到他处摆放。569八月壬辰：八月初三。570养老：朝廷尊敬老人的礼节。自汉代起朝廷就有在过年时对三老、五更等给予酒食招待的礼节。571 禋于六宗：古代朝廷所祭祀的自然界的六个大神。禋，将供品放在柴垛上烧，以其烟祭神。六宗所指，其说不一，有说指天、地、春、夏、秋、冬；有说指天、地、东、西、南、北；有说指日、月、星、四时、寒暑、水旱。其他不录。572 设五帝座：摆上一个五帝的灵牌。五帝究竟是何神，众说纷纭，有说是代表东、西、南、北、中的五位大神；有说是代表金、木、水、火、土的五位大神；有说是分居于天上五个方位的上帝；有说是指天空太微垣里的五颗星，等等。可参见《史记》中的《封禅书》与《天官书》。573 祠：祭祀。574 探策之祭：即占卦、算命所拜求的神灵。策，占卜用的蓍草或小竹片。575 戊戌：八月初九。576 道坛：道教的祭天神坛。577 桑乾之阴：桑乾河的南侧。578 崇虚寺：胡三省曰："此即寇谦之之道坛也。"寇谦之是拓跋焘时代的道教头面人物，曾在魏国掀起一股崇信道教的热潮，并被魏国的统治者所宠爱，详见本书卷一百二十四元嘉二十三年。579 乙巳：八月十六。580 禘祫：古代的两种祭祀名，意思是把列祖列宗的灵牌都聚合在一起，进行祭祀，三年合祭叫作"祫"，五年合祭叫作"禘"。大意如此，经学家对此解释不同。581 王、郑之义：王肃与郑玄各自对于"禘"和"祫"解释。郑玄是东汉时期的经学家，曾遍注群经，是汉代经学的集大成者。传见《后汉书》卷三十五。王肃是三国时魏国的经学家，也遍注群经，在学术上和郑玄学派对立。传见《三国志》卷十三。582 是非安在：各自的是非如何，好在哪里，不好在哪里。583 从郑：同意并采取郑玄的解释。584 圜丘：皇帝每年在南郊祭天的圆台，如北京市现存的天坛圆台就是明清时代的圜丘。585 宗庙：皇帝家族的祖庙，如北京市现存的劳动人民文化宫就是明清时代皇帝家族的祖庙。586 皆有禘名：都曾有过合祭列祖列宗的事实，也就是都有过"禘祭"与"祫祭"的名称。这并不奇怪。宗庙是专门祭祖的地方，当然有一套列祖列宗的灵牌；而南郊祭天的圜丘，虽说是祭天的地方，但每次祭天，也都把祖宗的灵牌放在上帝灵牌的旁边一同享受祭祀，叫作配享，因此圜丘那里自然也有现成的一套列祖列宗的灵牌。因此，关于宗庙、圜丘都有禘祭问题，魏主说他赞成郑玄的说法。587 禘祫并为一祭："禘"和"祫"既然都是合祭祖先的名称，只不过是在间隔的年头多少，或是在其他方面略有差别，那我们就听从王肃的意见，把这两个名字合并起来。588 著之于令：把我说的这个意思写在法典上，以后不再讨论。589 戊午：八月二十九日。590 飨祀诸神：祭祀大大小小、各式各样的鬼神。591 减省群祀：对各种祭祀对象进行规范精简。592 配祭、配享：陪同受祭、陪同享受馨香。如祭祀刘邦，令萧何、张良等人配祭；如祭祀孔子，令颜回、子路等人配享等。593 于斯备矣：选定给圜丘、宗庙配祭、配享的人士都要经过认真评定，都要经过皇帝同意。594 白登：山名，在今山西大同东北，当时山上建有宣武庙（拓跋珪初谥宣武）。595 崞山：山名，在今山西浑源西北，当时山上建有太武帝拓跋焘的保姆窦氏的寝庙。596 鸡鸣山：山名，在今河北宣化东南，当时山上建有文成帝拓跋濬的保姆常氏的寝庙。597 唯遣有司行事：对以上这三个庙，只派主管该事务的官员去看管祭祀就行了。598 冯宣王庙：冯太后的父亲冯朗的庙。

葛晓音曰："冯朗先仕北燕，后降北魏，官至秦、雍二州刺史，坐事被杀。冯太后临朝，追赠假黄钺、太宰、燕宣王，立庙长安。"⑸⑼雍州：指雍州刺史。魏国的雍州州治长安，即今西安的北部。⑹⓪城北星神：葛晓音曰："古代在国都西北郊设有祭祀司中、司命、司禄等星宿的坛台，并在立冬后的亥日举行祭祀。"⑹⓪① 圜丘之下既祭风伯、雨师、司中、司命：在圜丘祭天时顺便在圜丘四周的下面也祭祀一些风伯、雨师一类的自然界的小神。圜丘一般分上下两层，上层设上帝之位，下层设自然界的各种小神之位。参见《史记·封禅书》。⑹⓪② 中霤：也称中室，所住屋子的中央。南方的屋子中央有天井，故有雨水从上流下。⑹⓪③ 四十神：即上文所说的"水火之神四十余名及城北星神"。⑹⓪④ 甲寅：八月二十五。⑹⓪⑤ 朝日、夕月：古代对太阳、月亮的祭祀。南北朝时，以每年的春分之日在东郊祭日，秋分之日在西郊祭月。今北京市留有日坛、月坛，即明、清时代祭日神、月神之处。⑹⓪⑥ 二分之日：即指春分和秋分。⑹⓪⑦ 月有余闰：月亮的运行，每个月不是固定的准数。每年的秋分，月亮所处的位置不同。⑹⓪⑧ 一依分日：一成不变地在秋分祭月。⑹⓪⑨ 朝日以朔：祭日神之礼在初一举行。朔，阴历每个月的初一。⑹⑴⓪ 夕月以朏：祭月神在每个月的初三。葛晓音曰："我国古代历法将每月的初三叫作'朏'，取月牙初出之意，又叫'哉生魄'。"⑹⑴① 丙辰：八月二十七。⑹⑴② 求卜祥日：请求占卜一个日子，举行小祥。古代丧礼，父母丧后满一周年时，举行小祥之祭。从此孝子除去原来的孝服，改戴白色的帽子。⑹⑴③ 筮日求吉：通过卜筮选定日子以求改换服丧的形式。筮，用蓍草占卜。⑹⑴④ 乖敬事之志：与恭敬地侍奉丧者的做法相背。乖，背、抵触。⑹⑴⑤ 永慕之心：指服孝者无法割舍的思恋之情。⑹⑴⑥ 直用晦日：就定在这个月的最后一天。直，径、就。晦日，月末的一天。⑹⑴⑦ 九月丁丑：九月十八。⑹⑴⑧ 帝宿于庙：宿于冯太后陵墓前的祭庙。⑹⑴⑨ 哭已：痛哭过后。⑹⑵⓪ 易服缟冠：换去原孝服，改戴上白色的帽子。易，改。缟，以指白色。⑹⑵① 黑屦：黑颜色的麻鞋。⑹⑵② 黑介帻：黑颜色的长耳的裹发巾。⑹⑵③ 乌履：黑色鞋。⑹⑵④ 哭尽乙夜：在二更时整整哭了一个更次。乙夜，二更，约当今之晚上九点至十一点。⑹⑵⑤ 戊子晦：这个月的最后一天是戊子日，即九月二十九。⑹⑵⑥ 缟冠素纰：用生绢镶了边的白帽子。纰，衣冠上所镶的边缘。⑹⑵⑦ 白布深衣：用白布制作的祭服，上衣和下裳相连，样式限定，并具有严格的尺寸要求。⑹⑵⑧ 麻绳履：用麻绳编成的鞋。⑹⑵⑨ 去帻易帢：摘掉黑颜色的裹发巾，换上白纱制成的帽子。⑹⑶⓪ 庚寅：十月初二。⑹⑶① 毁瘠：因哀伤过度而消瘦。⑹⑶② 司空穆亮：穆亮是魏国名将，先后仕于献文、孝文、宣武三朝，此时任司空。传见《魏书》卷二十七。⑹⑶③ 祥练已阕：小祥之礼已经完毕。祥练，因小祥时丧主头戴白练冠，所以小祥之礼又叫"祥练"。已阕，已经完成。《说文》："阕，事已也。"⑹⑶④ 戚：悲；痛苦。⑹⑶⑤ 悦豫：高兴；愉快。⑹⑶⑥ 和气不应：阴阳失调。不应，不成、不至。⑹⑶⑦ 袭轻服：穿上轻丧之服。⑹⑶⑧ 御常膳：吃平常应该吃的饭。御，用。⑹⑶⑨ 銮舆时动：让您的车驾也适当地活动活动，到各处转转。⑹⑷⓪ 咸秩百神：对各种神灵都依次给予祭祀。⑹⑷① 庶使天人交庆：以求让人神都能得到幸福。庆，福。⑹⑷② 孝悌之至：只要把孝悌做到家。至，顶点、到家。⑹⑷③ 飘风：旋风，古代以旋风为恶风，表示不祥。㉔幽显无感：天地众神与黎民百姓都还不满意。无感，不感到愉悦。㊺过哀之咎：悲哀过度引发的问题。㊻谅为未衷：实在是不合适。谅，实在。㊼十一月己未朔：十一月初一是己未日。㊽禫：祭名，除丧服之祭。葛晓音曰："禫祭本当在大祥后进行，因孝文帝这次服的是一年之丧，所以在小祥之后就举行了。禫祭和祥祭之间要间隔一个月。"㊾太和庙：此指魏国原来的太庙，与下文之"新庙"相对而言。㊿衮冕以祭：穿着皇帝的礼服，戴着皇帝的礼帽进行祭祀。651癸亥：十一月初五。652祀圜丘：即到南郊祭天。653甲子：十一月初六。654通天冠：也叫"卷云冠"，皇帝在郊祀、朝贺、宴会等场合戴的一种帽子。655乐县而不作：乐器挂在那里，但不演奏。仍表示哀悼之意。656丁卯：十一月初九。657奉神主：捧着列祖列宗的灵牌。658乙亥：十一月十七。659大定官品：给各个官职定出级别。660戊寅：十一月二十。661考诸牧守：对各州刺史、各郡太守进行考核。662假：代理。663季冬：即农历的十二月。664丙戌：十一月二十八。665十二月壬辰：十二月初五。666社：即社稷，皇帝祭祀土神与农业之神的坛台。今北京市之中山公园即明清时代的社稷坛所在地，历代的社稷坛也大都在皇城的西侧。667安定王休：景穆帝拓跋晃之子，皇兴二年受封，官至内都大官、太傅。传见《魏书》卷十九下。668齐郡王简：文成帝拓跋濬的第四子。传见《魏书》卷二十。669高丽王琏：高丽国王名琏。高丽亦称高句丽，都城即今朝鲜平壤。当时一方面讨好南齐，同时也讨好魏国。670素委貌：葛晓音曰："古代一种礼帽名。据《后汉书·舆服志》载，与皮弁冠同制，长七寸，高四寸，制如覆杯，前面又高又宽，后面又矮又尖。"671布深衣：布料的深衣。〖按〗魏主"制素委貌，布深衣"，算是一种降服，以表示对高丽国的致哀。672举哀于东郊：遥望东方以致祭。673策赠太傅：追封高丽王琏为太傅之职。策，帝王加封某人所写的委任状，写在竹简或金片上。674孙云嗣立：高丽王琏之孙名云者接续为高丽王。675己酉：十二月二十二。676迎春：古代祭祀之一，一般在立春之日进行。677迎气：迎节气，迎春、夏、秋、冬每个季节之气的开始。678亲之：都亲自主持。679统万：古城名，旧址在今陕西榆林市横山区西，是当时夏王赫连氏的都城。夏国于宋元嘉四年（公元四二七年）被魏主拓跋焘所灭。680姑臧：古城名，即今甘肃武威，当时是北凉国沮渠氏的都城。沮渠氏的北凉于宋元嘉十六年被魏主拓跋焘所灭。681雅乐：用于郊庙祭祀与朝会典礼的乐舞。682器服：乐器和乐工所穿的服饰。683工人：演奏乐器与表演歌舞的乐工。684并存之：都还一直保留着。胡三省曰："晋永嘉之乱，太常乐工多避地河西，夏克长安，获秦雅乐，故二国有其器服工人。"685浸尽：渐渐地死光了。686音制多亡：音声和演奏的仪式礼制也大都遗失。687晓音律：懂得音乐，记得当初雅乐的旋律与节奏。音，指宫、商、角、徵、羽五个音阶。律，指黄钟、太簇、姑洗、蕤宾、无射、夷则六个定音管。688议定雅乐：商量并制定出一套演奏雅乐的章程。689金、石、羽旄：金、石泛指各种演奏的乐器，羽旄泛指舞蹈者所执的道具。690稍壮丽于往时：比汉、魏时代的乐器与表演华丽得多了。691辛亥：十二月二十四。692简置乐官：挑选并设置管理音乐的官署。简，选拔。⑱使修其职：让他们各自钻研有关的音乐业务。⑲参定：斟酌确定。⑳共注《律》：共同编定了《律》书。㉑泰始：晋武帝司马炎的年号（公元二六五至二七四年）。㉒两家所处：二人所拟定的处理意见。处，处理。㉓生杀顿异：犯人该活还是该杀，其意见完全不同。㉔斟酌：考虑处理意见。㉕吏得为奸：执法官吏可以由此钻空子做坏事。㉖上：指齐武帝萧赜。㉗详正旧注：详细地检查补充旧有的法律条文。㉘集定二注：将张裴、杜预解释矛盾的地方进行修改统一。㉙八座：指尚书令、尚书左右仆射，与其下属的五部尚书。㉚参议考正：共同商量考察。㉛总其事：总负其责。㉜不能壹：意见不能统一。㉝制旨平决：由皇帝做出裁定。制旨，即圣旨。皇帝的命令叫制。㉞廷尉：国家的最高司法长官。㉟孔稚珪：当时著名的文学家，官至太子詹事，加散骑常侍。传见《南齐书》卷四十八。㊱用失其平：使用得不好，即执法不公正。㊲徒明于帙里：只在书面上体现英明公正。徒，只、白白地。帙里，书本上、字面上。帙，装书的套子。㊳古之名流：古代的著名学派。㊴多有法学：其中就有不少法学家，如商鞅、申不害、韩非。㊵莫肯为业：不肯钻研这一行。㊶世议所轻：也往往被人瞧不起。㊷永沦走吏之手：永远只供那些做具体工作的小吏所阅读。㊸置《律》助教：在太学里开设《律》学这门课。助教，教官名，太学博士的助手，帮着博士开展教学活动。㊹依“五经”例：按照太学里给儒家的“五经”开课讲学的旧例。“五经”指《周易》《尚书》《诗经》《仪礼》《春秋》，各门都有博士进行教学。㊺国子生：在太学里上学的学生。国子，公卿大夫的子弟。㊻策试高第：通过考试，成绩优异。高第，高等。㊼擢用：提拔任用。㊽补内外之官：补充到朝廷与各州郡的司法队伍中去。㊾庶几：以期能让。㊿士流有所劝慕：社会上的文人士大夫能够喜欢并愿意从事这个行业。劝慕，喜欢、受鼓励。726事竟不行：最后还是没有付诸实行。727林邑王范阳迈：林邑是今越南境内的古国名，在今越南的中南部。秦时为林邑县，汉代以后为林邑国。范阳迈为林邑王，处刘宋初期。事见《南齐书》卷五十八。728世相承袭：范阳迈之子名叫杨迈，继其父在林邑称王，其孙亦相继称王。事见《南齐书》卷五十八。729夷人范当根纯：林邑境内的另一民族之人姓范名当根纯。730献金簟：向南齐献上金丝织成的席子。731咸阳王禧：拓跋禧，献文帝拓跋弘之子。传见《魏书》卷二十一上。732世胙冀州：让他们家世世代代管理冀州。胙，帝王祭祀用过的祭肉，可以分赐有功之臣，以示褒奖，这里用为“享有”的意思。此建议带有分封制的意味。733利建虽古：分封功臣为诸侯的做法，虽起源很早。利建，即“利建侯”，《周易·屯卦》有所谓“屯，元亨利贞，勿用有攸往，利建侯”。这里是截取其语为典故。此亦见魏人积极汉化，努力学习南朝咬文嚼字的习气。734未必今宜：未必适合于今天。735经野由君：治理国家、管理领土的权力在于国君。《周礼·天官》有所谓“惟王建国，辨方正位，体国经野”，此用其语。736理非下请：这件事绝不是你们所当请求的。理，事理。737司州牧：司州刺史。魏国的司州州治即今河南洛阳。738苻承祖：冯太后的男宠，曾任吏部尚书等要职，被封为略阳公。传见《魏书》卷九十四。[739]知都曹事：知尚书都曹事。知，过问、兼管。都曹，各曹，亦即各部尚书。[740]原之：宽恕了他。[741]仍除悖义将军：遂任之为悖义将军以示讽刺。仍，通“乃”。除，任。[742]封佞浊子：封以子爵，号为佞浊，以示羞辱。[743]亲姻：各种亲戚。[744]其从母杨氏为姚氏妇二句：苻承祖的一个嫁给姓姚的人家做媳妇的姓杨姨妈，唯独这个姨妈不趋附苻承祖。独否，独独地与众不同。[745]与之奴婢：送奴婢给她。[746]不能饲：养不起。[747]著：身穿。[748]自执劳苦：亲自从事很辛苦的劳动。执，持、从事。[749]李惠之诛：李惠时为青州刺史，所历有善政，因被冯太后所忌，被诬以将南叛，被杀。事见本书卷一百三十四宋顺帝昇明二年。[750]思皇后：李惠之女，献文帝拓跋弘的夫人，孝文帝拓跋宏的生母。皇兴三年（公元四六九年）因儿子被立为太子而依例赐死，承明元年（公元四七六年）追谥为思皇后。[751]昆弟：兄弟。[752]安乐王长乐：拓跋长乐，文成帝拓跋濬的儿子。传见《魏书》卷二十。[753]坐不轨诛：长乐以谋反的罪名被杀，见本书卷一百三十五齐高帝建元元年。[754]魏主：指孝文帝拓跋宏。[755]卿之先世：指李惠和李凤。[756]再获罪：指两次被强加罪名。[757]由外戚而举：单凭是外戚而为

【原文】

十年（壬申，公元四九二年）

春，正月戊午朔[765]，魏主朝飨群臣于太华殿，悬而不乐。

己未[766]，魏主宗祀显祖于明堂以配上帝[767]，遂登灵台[768]以观云物[769]，降居青阳左个[770]，布政事[771]。自是每朔依以为常[772]。

散骑常侍庾荜[773]等聘于魏，魏主使侍郎成淹引荜等于馆南，瞻望行礼[774]。

辛酉[775]，魏始以太祖配南郊。

魏主命群臣议行次[776]。中书监高闾议，以为：“帝王莫不以中原为正统[777]，不以世数为与夺[778]，善恶为是非[779]。故桀、纣[780]至虐，不废夏、商之历[781]；厉、惠[782]至昏，无害周、晋之录[783]。晋承魏[784]为金，赵承

大官。⑱季世之法：那是一个王朝行将灭亡之时的做法。⑲视此：都以此为例。⑳例降爵为伯：依前例由侯爵降为伯爵。㉑去其军号：免去其将军的称号。㉒尝以为言：曾因此提出意见。㉓世宗：宣武帝拓跋恪，孝文帝拓跋宏的儿子。传见《魏书》卷八。㉔中山太守：中山郡的郡治即今河北定州。

【校记】

［10］后：原作“帝”。据章钰校，十二行本、乙十一行本、孔天胤本皆作“后”，今据改。［11］司空：原无此二字。据章钰校，十二行本、乙十一行本、孔天胤本皆有此二字，今据补。［12］戊寅：原作“戊戌”。今据严衍《通鉴补》改作“戊寅”。〖按〗是年十一月己未朔，无戊戌。《魏书·高祖纪》亦作“戊寅”。［13］己酉：原作“乙酉”。今据严衍《通鉴补》改作“己酉”。〖按〗是年十二月戊子朔，无乙酉。［14］张裴：原作“张斐”。据章钰校，孔天胤本作“张裴”，今据改。〖按〗《晋书·刑法志》：“其后，明法据张裴又注《律》，表上之。”

【语译】

十年（壬申，公元四九二年）

春季，正月初一日戊午，魏孝文帝拓跋宏在太华殿用酒食款待群臣，钟磬等乐器悬挂在大厅周围，但不演奏。

正月初二日己未，魏孝文帝在明堂祭祀上帝的时候，以其父显祖拓跋弘的灵位做配享。祭奠完毕，孝文帝登上灵台观看天象云气之色，从灵台上下来以后，就住进了寝殿东屋北侧的偏室，向群臣宣告有关政事。从此以后，每月的初一都照此这么做。

齐国担任散骑常侍的庾荜等人到魏国进行友好访问，魏孝文帝派遣担任侍郎的成淹把庾荜等人领到宾馆南边，从远处观看孝文帝祀明堂、登灵台以观云物的活动。

正月初四日辛酉，魏国在南郊祭天的时候，开始以魏太祖道武帝拓跋珪的灵位做配享。

魏孝文帝命令群臣讨论有关金、木、水、火、土五行相生相克的循环，以及表现在历代王朝相互取代、相互承继的次序。担任中书监的高闾发表议论，他认为：“历代皇帝都是以建都中原地区的王朝为正统，而不是以统治时间的长短为取舍根据，也不是以某个帝王的善恶为取舍标准，都得承认他们的存在。所以夏桀、商纣虽然最荒淫暴虐，但都不能不把他们统计到夏朝、商朝的年头里去；周厉王姬胡、晋惠帝司马衷最昏庸无能，也都得写入周朝、晋朝帝王的名单。西晋接续曹魏为金德，

晋[785]为水，燕承赵[786]为木，秦承燕[787]为火。秦之既亡[788]，魏乃称制玄朔[789]。且魏之得姓，出于轩辕[790]，臣愚以为宜为土德[791]。”秘书丞李彪、著作郎崔光等议，以为：“神元[792]与晋武往来通好[793]，至于桓、穆[794]，志辅晋室[795]。是则司马祚终于郏鄏[796]，而拓跋受命于云、代[797]。昔秦并天下[798]，汉犹比之共工[799]，卒继周为火德[800]。况刘、石、苻氏[801]，地褊世促[802]，魏承其弊[803]，岂可舍晋而为土[804]邪？”司空穆亮等皆请从彪等议。壬戌[805]，诏承晋为水德，祖申[806]、腊辰[807]。

甲子[808]，魏罢袒裸[809][15]。

魏宗室及功臣子孙封王者众，乙丑[810]，诏：“自非烈祖之胄[811]，余王皆降为公，公降为侯，而品[812]如旧。”蛮王桓诞[813]亦降为公，唯上党王长孙观[814]，以其祖有大功，特不降。丹杨王刘昶[815]封齐郡公，加号宋王。

魏旧制，四时祭庙皆用中节[816]，丙子[817]，诏始用孟月[818]，择日而祭。

以竟陵王子良领尚书令。

魏主毁太华殿为太极殿。二月[16]戊子[819]，徙居永乐宫[820]。以尚书李冲领将作大匠[821]，与司空穆亮共营之[822]。

辛卯[823]，魏罢寒食飨[824]。

甲午[825]，魏主始朝日于东郊。自是朝日、夕月皆亲之。

丁酉[826]，诏祀尧于平阳[827]，舜于广宁[828]，禹于安邑[829]，周公于洛阳[830]，皆令牧守执事[831]。其宣尼之庙[832]，祀于中书省。丁未[833]，改谥宣尼曰文圣尼父，帝亲行拜祭。

魏旧制，每岁祀天于西郊，魏主与公卿从二千余骑，戎服绕坛，

匈奴人刘曜建立的前赵、羯人石勒灭掉前赵建立了后赵，接续晋为水德，鲜卑人慕容氏建立的前、后燕，接续前、后赵为木德，氐族人苻氏建立的前秦和羌人姚氏建立的后秦，接续前、后燕为火德。前秦灭亡之后，当建都长安的姚氏正在统治黄河流域的时候，由代国的复国者拓跋珪建立的魏国又在北方强大起来。况且魏国的拓跋氏是黄帝轩辕氏的后代，也是中原华夏的正统。我认为，根据五德相生说，魏自然就应该是土德了。”秘书丞李彪、著作郎崔光等人议论，认为：“魏国的始祖神元帝拓跋力微与晋武帝司马炎关系甚密，往来不绝，至于远祖桓帝拓跋猗㐌、穆帝拓跋猗卢，都是一心帮助晋王朝。所以司马氏所建立的晋王朝的灭亡应该从洛阳被灭开始，而拓跋氏的国家就已经接受天命在云中的代地兴起，正式进入历史王朝的序列。过去秦始皇所建立的秦朝是统一过天下的，汉朝建国后，仍然不承认秦王朝的存在，说它是一个闰朝，说秦始皇是一个共工一样的强梁，所以便把秦朝排斥在五德循环以外，汉王朝认为自己是上继周王朝，周王朝是木德，汉朝接续周朝则是火德。何况前赵刘曜、后赵石勒、前秦苻坚，他们所占有的土地狭小，存在的时间又短，魏国就是趁着他们的衰败而兴盛、发展起来的，岂能舍去接续晋朝而去接在赵、燕、秦国之后去当土德呢？”担任司空的穆亮等人都请求听从李彪等人的意见。正月初五日壬戌，孝文帝下诏，接续晋朝金德之后为水德。申日，祭路神。辰日，祭祖先。

正月初七日甲子，魏国不准袒身露体。

魏国宗室以及功臣的子孙被封为王爵的很多，正月初八日乙丑，魏孝文帝下诏说：“除了烈祖拓跋珪的嫡系子孙以外，其他人原来是王爵的都降为公爵，是公爵的降为侯爵，而官职的级别不变。”蛮王桓诞也降为公爵，只有上党王长孙观，因为他的祖先为国家立了大功，特地不降低爵位。丹杨王刘昶改封为齐郡公，加号宋王。

魏国旧有制度，四季祭庙都选择在中节举行，正月十九日丙子，孝文帝下诏，今后在每季度的第一个月选择日期祭祀。

齐武帝萧赜任命竟陵王萧子良兼任尚书令。

魏孝文帝拆毁太华殿建造太极殿。二月初二日戊子，孝文帝搬到永乐宫居住。任用担任尚书的李冲兼任将作大匠，与司空穆亮共同主管建造太极殿。

二月初五日辛卯，魏国停止寒食节的祭祖活动。

初八日甲午，魏孝文帝开始在平城的东郊主持祭日活动。从此以后，祭日、祭月的活动都由孝文帝亲自主持。

十一日丁酉，魏孝文帝下诏，在平阳县祭祀尧帝，在广宁县祭祀舜帝，在安邑祭祀禹帝，在洛阳祭祀周公，让当地的州刺史、郡太守主持祭祀仪式。祭祀孔子的庙，在中书省举行。二十一日丁未，把孔子宣尼的谥号改为文圣尼父，孝文帝亲自前去拜祭孔子。

按照魏国原有的制度，每年在平城西郊举行祭天仪式，魏国皇帝与公卿带着

谓之“踏坛”。明日，复戎服登坛致祀，已又绕坛，谓之绕天。三月癸酉[834]，诏尽省之。

辛巳[835]，魏以高丽王云为督辽海诸军事、辽东公、高句丽王，诏云遣其世子[836]入朝。云辞以疾，遣其从叔升干[837]随使者诣平城。

夏，四月丁亥朔[838]，魏班[839]新《律令》，大赦。

辛丑[840]，豫章文献王嶷[841]卒，赠假黄钺[842]、都督中外诸军事、丞相，丧礼皆如汉东平献王[843]故事[844]。嶷性仁谨廉俭，不以财贿[845]为事。斋库[846]失火，烧荆州还资[847]，评直[848]三千余万，主局[849]各杖数十而已。疾笃，遗令诸子曰："才有优劣，位有通塞[850]，运有贫富，此自然之理，无足以相陵侮[851]也。"上哀痛特甚，久之，语及嶷，犹欷歔[852]流涕。嶷卒之日，第库[853]无见钱[854]。上敕月给嶷第钱百万，终上之世乃省[855]。

五月己巳[856]，以竟陵王子良为扬州刺史。

魏文明太后之丧，使人告于吐谷浑。吐谷浑王伏连筹拜命[857]不恭，群臣请讨之，魏主不许。又请还其贡物[858]，帝曰："贡物乃人臣之礼。今而不受，是弃绝之，彼虽欲自新，其路无由矣。"因命归洮阳、泥和之俘[859]。

秋，七月庚申[860]，吐谷浑遣其世子贺虏头入朝于魏。诏以伏连筹为都督西垂[861]诸军事、西海公、吐谷浑王，遣兼员外散骑常侍张礼使于吐谷浑。伏连筹谓礼曰："曩者[862]宕昌常自称名[863]而见谓为大王[864]，今忽称仆[865]，又拘执使人[866]。欲使偏师往问[867]，何如？"礼曰："君与宕昌皆为魏藩[868]，比辄[869]兴兵攻之，殊违臣节[870]。离京师之日，宰辅[871]有言，以为君能自知其过，则藩业[872]可保；若其不悛[873]，祸难将至矣。"伏连筹默然。

甲戌[874]，魏遣兼员外散骑常侍广平宋弁[875]等来聘。及还，魏主问弁："江南[876]何如？"弁曰："萧氏父子无大功于天下，既以逆取[877]，不能

二千多名骑兵，身穿军服围着祭坛转，叫作“踏坛”。第二天，再身穿军服登上祭坛祭祀，祭祀完毕，继续围着祭坛转，称之为绕天。三月十七日癸酉，魏孝文帝下诏，把这些仪式全部省去。

三月二十五日辛巳，魏国朝廷任命高丽王高云担任督辽海诸军事、辽东公、高句丽王，下诏让高云把他的世子送到平城。高云以世子有病为由，遂派自己的堂叔高升干随同魏国的使者前往平城。

夏季，四月初一日丁亥，魏国颁布新的《律令》，大赦天下。

四月十五日辛丑，齐国的豫章文献王萧嶷去世，齐武帝追授萧嶷黄钺、都督中外诸军事、丞相，丧礼都按照汉朝东平献王的规格办理。豫章王萧嶷性情仁厚谨慎、廉洁节俭，不看重钱财。荆州刺史公馆里的库房失火，烧毁了从荆州任上可以带走的家产，估计价值三千多万，只是把主管该项事务的官员每人杖击了几十下而已。萧嶷病重以后，给自己的几个儿子留下遗言说：“人的才能有优有劣，官位有人升得快有人升得慢，命运有贫有富，这些都是自然的常理，不要以此而互相攀比，互相嫉妒。”齐武帝对豫章王萧嶷的去世感到非常的哀伤悲痛，过了很久，每当谈到萧嶷，仍然唏嘘流涕。萧嶷去世之日，府中的仓库里没有现钱。齐武帝下令，每月拨给萧嶷府中一百万钱，一直到齐武帝去世，才停止拨给这笔钱。

五月十四日己巳，齐武帝任命竟陵王萧子良为扬州刺史。

魏国文明太后去世的时候，派使者通知吐谷浑。吐谷浑王伏连筹在接受使者通知冯太后去世的消息时表现得很不恭敬，魏国的群臣请求出兵讨伐吐谷浑，魏孝文帝不允许。群臣又请求将吐谷浑的贡品退回去，孝文帝说：“贡物乃是作为人臣的礼节。如今不接受贡品，就等于和他们彻底决裂，他们即使想要悔过自新，也没有办法了。”于是下令将攻占洮阳、泥和两城时俘虏的吐谷浑士兵全部释放回去。

秋季，七月初六日庚申，吐谷浑王伏连筹派遣自己的世子贺虏头到魏国朝拜孝文帝。孝文帝下诏任命伏连筹为都督西垂诸军事、西海公、吐谷浑王，派遣兼任员外散骑常侍的张礼出使吐谷浑。伏连筹对张礼说：“前些时候，宕昌王梁弥承对我说话常自称其名，而称我为大王，如今忽然不自称其名而改称自己为仆，又扣留了我派去的使者。我准备派一支小部队前去向他问罪，你觉得怎么样？”张礼说：“大王与宕昌王都是魏国的藩属国，近来时常兴兵互相攻打，实在不像一个藩臣的样子。我离开京城的时候，朝廷大臣曾经对我说过，如果大王能知道自己错在什么地方，那么作为一个藩国的名号与权力就可以保住；如果不思悔改，那就难免大祸临头了。”伏连筹默然无语。

七月二十日甲戌，魏国派遣兼任员外散骑常侍的广平郡人宋弁等到齐国进行友好访问。宋弁结束访问回到魏国之后，魏孝文帝向宋弁询问说：“江南的情况怎么样？”宋弁回答说：“萧氏父子原本没有给江南人民立下大功，而是通过不道德的方式

顺守[878]；政令苛碎，赋役繁重；朝无股肱之臣，野有愁怨之民。其得没身幸矣[879]，非贻厥孙谋[880]之道也。”

八月乙未[881]，魏以怀朔镇将阳平王颐[882]、镇北大将军陆叡[883]皆为都督，督十二将，步骑十万，分为三道以击柔然：中道出黑山，东道趣士卢河，西道趣侯延河。军过大碛[884]，大破柔然而还。

初，柔然伏名敦可汗与其叔父那盖分道击高车阿伏至罗，伏名敦屡败，那盖屡胜。国人以那盖为得天助，乃杀伏名敦而立那盖，号候其伏代库者[885]可汗，改元太安[886][17]。

魏司徒尉元、大鸿胪卿游明根累表请老[887]，魏主许之。引见，赐元玄冠、素衣[888]；明根委貌[889]、青纱单衣，及被服杂物等而遣之。魏主亲养[890]三老、五更[891]于明堂。己酉[892]，诏以元为三老，明根为五更。帝再拜三老[893]，亲袒割牲[894]，执爵而馈[895]，肃拜五更[896]；且乞言[897]焉，元、明根劝以孝友化民[898]。又养国老[899]、庶老[900][18]于阶下。礼毕，各赐元、明根以步挽车[901]及衣服，禄三老以上公[902]，五更以元卿[903]。

九月甲寅[904]，魏主[19]序昭穆于明堂[905]，祀文明太后于玄室[906]。

辛未[907]，魏主以文明太后再期[908]，哭于永固陵左，终日不辍声，凡二日不食。甲戌[909]，辞陵，还永乐宫。

武兴氐王杨集始[910]寇汉中[911]，至白马[912]。梁州[913]刺史阴智伯遣军主桓卢奴、阴仲昌[20]等击破之，俘斩数千人。集始走还武兴，请降于魏。辛巳[914]，入朝于魏。魏以集始为南秦州刺史、汉中郡侯、武兴王。

冬，十月甲午[915]，上[916]殷祭太庙[917]。

篡夺了宋朝的天下，夺取政权以后，又不能实行好的政策以收买民心，争取臣民的拥护；他实行的政策法令苛刻烦琐，人民所承担的赋税劳役非常繁重；朝廷之中又没有得力的股肱大臣，民间到处是对当权者充满愁怨的百姓。终萧赜一世，如能使国家不乱，那就是幸运的了，完全没有一点为后辈儿孙做打算的样子。”

八月十一日乙未，魏孝文帝任命担任怀朔镇将的阳平王拓跋颐、镇北大将军陆叡同时担任都督，统领十二位将领，十万名步兵、骑兵，兵分三路去攻打柔然：中路军进攻黑山，东路军进攻士卢河，西路军进攻侯延河。大军穿过大沙漠，把柔然打得狼狈逃窜，而后班师回国。

当初，柔然伏名敦可汗与他的叔父那盖分两路进攻高车首领阿伏至罗，伏名敦可汗屡战屡败，而那盖却能屡次获胜。柔然国中的百姓都认为那盖得到了上天的保佑，于是就杀死了伏名敦可汗，拥戴那盖担任可汗，号称候其伏代库者可汗，改年号为太安。

魏国担任司徒的尉元、担任大鸿胪卿的游明根多次上表给孝文帝因为年老请求退休，魏孝文帝同意了他们的请求。孝文帝在召见他们的时候，赏赐给尉元的是黑色的礼帽、白色的衣衫；赏赐给游明根的是黑色丝织礼帽、青色纱单衣，还有被子、服装、各种杂物等，然后送他们回家养老。孝文帝亲自在明堂接待德高望重并被封为三老、五更的老年贤人代表，并向他们行礼敬酒。八月二十五日己酉，孝文帝下诏，任命尉元为三老，任命游明根为五更。孝文帝向被封为三老的尉元拜了两拜，然后挽起袖子，亲自割下一块祭肉，端着酒杯给他敬酒，又向被封为五更的游明根拱手作揖；并且向他们求教，征求治国安民的意见，尉元、游明根都劝说孝文帝要通过自己对长辈孝顺、对兄弟友爱，来带动、感化全国的臣民。孝文帝又走到台阶下向贵族退职老者的代表、庶民的老年代表行礼敬酒。仪式结束以后，孝文帝分别赏赐给尉元、游明根每人一辆人拉的小车以及衣服，让三老尉元享受上公的俸禄，让五更游明根享受上卿的俸禄。

九月初一日甲寅，魏孝文帝在明堂排定列祖列宗灵牌的左右次序，在北堂祭祀文明太后。

九月十八日辛未，魏孝文帝因为文明太后去世两周年的纪念日，便在永固陵左侧哭祭，一整天都没停止，一连两天不吃不喝。二十一日甲戌，孝文帝辞别了永固陵，回到永乐宫。

武兴城的氐族首领杨集始率领自己的部众进攻齐国的汉中郡，军队挺进到白马城。齐国担任梁州刺史的阴智伯派遣军主桓卢奴、阴仲昌等把杨集始打败，俘虏、斩杀了杨集始的好几千名部众。杨集始逃回武兴城，请求向魏国投降。九月二十八日辛巳，杨集始到魏国朝拜魏孝文帝。魏孝文帝任命杨集始为南秦州刺史、汉中郡侯、武兴王。

冬季，十月十一日甲午，齐武帝在太庙举行盛大的祭礼活动。

庚戌[918]，魏以安定王休[919]为大司马，特进[920]冯诞为司徒。诞，熙[921]之子也。

魏太极殿成[922]。

十二月，司徒参军萧琛、范云[923]聘于魏[924]。魏主甚重齐人，亲与谈论。顾谓群臣曰："江南多好臣。"侍臣李元凯对曰："江南多好臣，岁一易主；江北无好臣，百年一易主。"魏主甚惭。

上使太子家令沈约[925]撰《宋书》，疑立《袁粲传》[926]，审之于上。上曰："袁粲自是宋室忠臣。"约又多载宋世祖[927]、太宗[928]诸鄙渎事[929]。上曰："孝武事迹，不容顿尔[930]。我昔经事明帝[931]，卿可思讳恶之义[932]。"于是多所删除。

是岁，林邑王范阳迈之孙诸农，帅种人攻范当根纯，复得其国。诏以诸农为都督缘海诸军事、林邑王。

魏南阳公郑羲[933]与李冲昏姻，冲引为中书令。出为西兖州[934]刺史，在州贪鄙。文明太后为魏主纳其女为嫔[935]，征为秘书监[936]。及卒，尚书奏谥曰宣[937]。诏曰："盖棺定谥，激扬清浊[938]。故何曾[939]虽孝，良史载其'缪丑'[940]；贾充[941]有劳，直士谓之'荒公'[942]。羲虽宿有文业[943]，而治阙廉清[944]。尚书何乃情违至公[945]，愆违明典[946]！依《谥法》[947]：'博闻多见曰文；不勤成名[948]曰灵。'可赠以本官[949]，加谥文灵。"

【段旨】

以上为第三段，写齐武帝萧赜永明十年（公元四九二年）一年间的大事。主要写了魏主令群臣讨论魏国在五行终始中属于何德，最终听从李彪等议，以魏国继于西晋之后，于五行为水德；魏国颁行新律法。写了魏将陆叡等三道伐柔然，大胜而回；魏主亲养三老、五更，以及养庶老、国老等，此种礼节在独尊儒术的《汉书》中亦未叙及。写了魏国大臣郑羲死，魏主改尚书之谥"宣"，而乃谥之曰"文灵"，并夹带批判了前代何曾、贾充之为人，表现了魏主能坚持公正地用谥。写了魏臣宋弁出使南齐，回国后说南齐"既以逆取，不能顺守；政令苛碎，

十月二十七日庚戌，魏国朝廷任命安定王拓跋休为大司马，位在特进的冯诞为司徒。冯诞，是冯熙之子。

魏国的太极殿竣工。

十二月，齐国担任司徒参军的萧琛、范云前往魏国进行友好访问。魏孝文帝特别敬重齐国人，亲自与萧琛、范云交谈。孝文帝周围的群臣说："江南有很多好的大臣。"一旁的侍臣李元凯回答说："江南有很多好大臣，可是一年就换一次主人；江北没有好大臣，一百年才换一次主人。"孝文帝听了感到非常惭愧。

齐武帝让担任太子家令的沈约撰写《宋书》，沈约不知道应不应该撰写《袁粲传》，便请求齐武帝进行裁定。齐武帝说："袁粲自然是宋室的忠臣，应该撰写。"沈约又写了很多有关宋世祖刘骏、太宗刘彧那些肮脏见不得人的丑事。齐武帝看了之后说："孝武帝的事迹不能写成这个样子。我曾经在宋明帝的手下做过事，你应该想想孔子所说的'为尊者讳'以及'隐恶扬善'的道理。"于是沈约删除了很多有损他们形象的内容。

这一年，林邑王范阳迈的孙子范诸农，率领族人进攻范当根纯，恢复了自己的国家。齐武帝下诏，任命范诸农为都督缘海诸军事、林邑王。

魏国的南阳公郑羲与李冲结为儿女亲家，李冲推荐郑羲担任中书令。魏孝文帝派郑羲离开朝廷去担任西兖州刺史，郑羲在西兖州刺史任上贪赃枉法，卑鄙下流。文明太后冯氏为孝文帝召郑羲的女儿入宫为嫔妃，征调郑羲回朝担任秘书监。等到郑羲去世以后，尚书奏请给郑羲上谥号为宣。孝文帝下诏说："盖棺以后确定谥号，是为了惩恶劝善。所以三国时期魏国的大官僚何曾虽然最为孝顺，但良史仍然请求给他谥号为"缪丑"；贾充虽然对晋国的建立有大功劳，在他死后，正直之士仍然请求给他谥号为'荒公'。郑羲虽然平时在给人出谋划策以及在为官任职方面都有很好的表现，然而为官并不清廉。尚书怎么能这样的不公平，而违背法典呢！依照《谥法》的规定：'博闻多见曰文；不勤成名曰灵。'出殡时就写他生前所任的官职，给他的谥号为文灵。"

赋役繁重；朝无股肱之臣，野有愁怨之民"，并预言萧赜"其得没身幸矣，非贻厥孙谋之道也"，为南齐之乱埋下伏笔。写了齐臣萧琛、范云使魏，魏主喜欢南人，称曰"江南多好臣"；魏臣李元凯则嘲之曰"江南多好臣，岁一易主；江北无好臣，百年一易主"。可见写史者对南朝政治之深深憎恶。此外还写了南齐豫章王萧嶷死，家无余财。在整个南齐王朝中最令人欣赏的就是这个人了，萧嶷留给人的印象可以说是深刻难忘。

【注释】

⑺65 正月戊午朔：正月初一是戊午日。⑺66 己未：正月初二。⑺67 宗祀显祖于明堂以配上帝：此句乃模仿《孝经》之“宗祀文王于明堂以配上帝”，意思是在明堂祭祀上帝的时候，以其父的灵位做配享。宗祀，区别“郊祀”“庙祀”，目的是祭祀他的父亲，故而特别选在明堂；又为了突出其父的地位，而采取祭上帝于明堂，而令其父为配享。⑺68 灵台：观测天象的地方。⑺69 云物：天象云气之色。⑺70 降居青阳左个：从灵台上下来，就住在了寝殿东屋北侧的偏室。青阳，指皇帝寝殿的东屋。左个，东屋左侧的偏室。⑺71 布政事：向群臣宣布有关的政事。⑺72 每朔依以为常：每月的初一都照此这么做。⑺73 庾荜：当时的文学之臣，博涉群书，能说会道。传见《梁书》卷五十三。⑺74 瞻望行礼：远望魏主祀明堂、登灵台以观云物的活动。⑺75 辛酉：正月初四。⑺76 行次：金、木、水、火、土五行相生相克的循环，以及表现在历代王朝相互取代、相互承继的次序。⑺77 莫不以中原为正统：中原，指建都于中原地区的王朝，如夏、商、周、秦、汉、曹魏、西晋，以及拓跋魏是也。至于东晋、刘宋、萧齐等，拓跋氏称之为蛮夷，因为他们不在中原，不在正统五行的循环之中。⑺78 不以世数为与夺：不以统治时间的长短为取舍根据，有一个算一个。世数，统治时间的长短与传承帝王的多少。与夺，指算不算一个王朝。⑺79 善恶为是非：也不以某个帝王的善恶为取舍标准，都得承认他们的存在。⑺80 桀、纣：夏桀、殷纣，夏、商两代的末代国君，被传说为暴虐荒淫的典型。事见《史记》中的《夏本纪》与《殷本纪》。⑺81 不废夏、商之历：不能不统计到夏朝、商朝的年头之内。⑺82 厉、惠：周厉王、晋惠帝，前者是西周的暴君，后者是西晋的昏君。⑺83 无害周、晋之录：也都得写入周、晋帝王的名单。⑺84 晋承魏：西晋是接续着曹魏。公元二六五年，司马炎废魏帝曹奂自立，开始了晋朝。⑺85 赵承晋：这里的“赵”是指十六国时的前赵和后赵。西晋末年，归附于中原王朝的匈奴族头领刘渊在山西境内建立汉国，刘渊的族子刘曜先后俘获晋怀帝和晋愍帝，西晋灭亡。刘曜又于公元三一八年杀死刘渊的子孙，夺得汉国帝位，定都长安，史称前赵。其后，刘渊的大将羯人石勒又于公元三二八年杀死刘曜，灭掉前赵，而以襄国（今河北邢台）为都城，建立了后赵。⑺86 燕承赵：这里的“燕”指前燕。公元三三七年，鲜卑人慕容皝在龙城（今辽宁朝阳）建立前燕，接着灭掉继后赵而起的冉魏，迁都于蓟城（今北京市的西南部）。⑺87 秦承燕：这里的“秦”指前秦。公元三五二年氐族首领苻健继父业，在长安称帝，建立前秦。公元三五五年，苻健之侄苻坚夺得前秦帝位，并于公元三七〇年攻灭前燕，接着又灭前凉和北魏前身的代国，统一北方。⑺88 秦之既亡：公元三八三年，秦主苻坚统兵进攻东晋，被东晋打败于淝水后，前秦瓦解，纷乱的北方又落入羌人姚兴之手，建都长安，是为后秦。⑺89 魏乃称制玄朔：当长安的后秦姚氏正在统治黄河流域的时候，由代国的复国者拓跋珪建立的魏国又在北方发展起来。称制，指建立国家，行使皇帝权力。玄朔，极北之地。拓跋珪复国建立的魏国都城最初是

盛乐，在今内蒙古的和林格尔北、呼和浩特的东南方。⑲⓪魏之得姓二句：意思是说拓跋氏的魏国是黄帝轩辕氏的后代。〖按〗少数民族要想统治中原必须首先把自己说成黄帝的后代，此事从司马迁的《史记》开始，此后遂成为少数民族的自觉行动。拓跋氏是鲜卑族的一支。而《魏书》卷一的《序纪》里说：鲜卑族的祖先出自黄帝轩辕氏。说“黄帝有子二十五人，少子昌意受封北土，国有大鲜卑山，因以为号”。⑲①宜为土德：根据五德相生说，晋既已为“金”，赵已为“水”，燕已为“木”，秦已为“火”，“火”下来当然就是“土”了。所以高闾说北魏“宜为土德”。⑲②神元：指魏国的始祖神元帝拓跋力微。经过长期征战，鲜卑族拓跋部的力微征服了其他部落，取得了大酋长的世袭权，北魏的前身代国实际上自此开始。由于力微的这一功劳，道武帝拓跋珪即位后，追尊他为北魏始祖。⑲③与晋武往来通好：晋武，指晋武帝司马炎，公元二六五至三〇六年在位。拓跋力微与三国时的曹魏政权及西晋王朝关系甚密，往来不绝。事见《魏书》卷一。⑲④桓、穆：桓帝与穆帝。桓帝指北魏远祖拓跋猗㐌，猗㐌是力微的嫡长孙，被后世尊为桓帝，穆帝指拓跋猗卢，猗卢是猗㐌之弟。⑲⑤志辅晋室：都是一心帮着晋王朝。猗㐌曾帮助西晋击败前赵，被西晋封为代公，四年后又晋封为代王。传见《魏书》卷一。⑲⑥司马祚终于郏鄏：晋王朝的灭亡应从洛阳被灭开始。司马，指晋王朝。祚，国运。郏鄏，古地名，在今河南洛阳西，这里即指西晋的都城洛阳。公元三一一年，刘曜攻克晋都洛阳，俘虏晋怀帝，次年晋怀帝死于赵国。其侄晋愍帝逃到长安，苟延了四年，又被刘曜攻克长安，俘虏而去。所以晋王朝早在洛阳失守，就已经算是亡国了。⑲⑦拓跋受命于云、代：意思是说，当晋王朝灭亡于洛阳的时候，拓跋氏的国家就已经在北方接受天命，正式进入历史王朝的序列了。事实上也正是在建兴三年（公元三一五年），晋愍帝封拓跋猗卢为代王，从此建立了代国。云、代，指云中郡、代郡，相当于今天的山西、陕西的北部，河北的西北部和与之邻近的内蒙古南部一带地区，当时的代国就在这一带。⑲⑧秦并天下：秦始皇所建立的秦朝是统一过天下的。⑲⑨汉犹比之共工：汉王朝建立后，不承认秦王朝的实际存在，说它是一个“闰朝”，说秦始皇是一个共工一样的强梁，不把秦朝列入历史王朝的序列。共工，传说是黄帝时代的一个诸侯，为人大逆不道。⑳⓪卒继周为火德：汉王朝既然不承认秦王朝的存在，把它排斥在五德循环之外，所以汉王朝就认为自己是上继周王朝了。他们又说武王伐商建立周室，是水生木，周为木德；说汉高祖继周，是木生火，汉为火德。⑳①刘、石、苻氏：即前文提到的前赵主刘曜、后赵主石勒、前秦主苻坚。⑳②地褊世促：领土狭小，存在的时间又短。褊，狭窄。前赵共存在十五年，后赵共存在二十六年，前秦共存在三十七年。⑳③魏承其弊：魏国就是趁着他们的衰败而发展起来的。⑳④岂可舍晋而为土：岂能不说是接续晋王朝，而接在赵国、燕国、秦国的后头去当土德呢。⑳⑤壬戌：正月初五。⑳⑥祖申：祭路神在申日。祖，也称“祖道”，祭路神。申，申日。⑳⑦腊辰：年终的祭祖先在辰日。腊，岁末祭祖先。辰，辰日。⑳⑧甲子：正月初七。⑳⑨罢袒裸：不准袒衣裸体。⑧⑩乙丑：正月初八。⑧⑪自非烈祖之胄：除了拓跋珪的嫡系子孙以外的其他任何人。胄，嫡系子孙。⑫品：官职的级别。⑬蛮王桓诞：东晋末年的乱臣桓玄之子，桓玄被杀后，桓诞逃入襄阳以北的大阳蛮中，因有谋略，遂成为大阳蛮的酋长。宋明帝泰豫元年被魏国打败，投降于魏，被封为蛮王。从此经常引导魏人南侵。事见《魏书》卷一百一。⑭长孙观：拓跋珪、拓跋焘时代的功臣长孙道生之孙，袭其祖之爵为上党王，官至司空、征南大将军。传见《魏书》卷二十五。⑮刘昶：宋文帝刘义隆之子，孝武帝即位后，逃向魏国，魏国封之为王，时常引魏兵南侵。传见《魏书》卷五十九。⑯中节：葛晓音曰，“古人将二十四节气分为节气和中气两类。如立春为正月节，雨水为正月中；惊蛰为二月节，春分为二月中，……依次类推”。⑰丙子：正月十九。⑱孟月：每季度的第一个月，即农历的正月、四月、七月、十月。⑲二月戊子：二月初二。⑳永乐宫：在平城的北苑内。胡三省曰：“魏主太和元年起永乐游观于平城之北苑。”㉑将作大匠：朝官名，负责宫室、宗庙、路寝、陵园的土木营建。㉒共营之：共同主管修建太极殿。㉓辛卯：二月初五。㉔罢寒食飨：停止寒食节的祭祖活动。寒食，节日名，通常说在清明的前三天，古人从寒食起禁火三天，只吃冷食，到清明节重新起火。关于此节的起源有说是为了纪念晋文公的侍从介子推，因为他在这一天被烧死在绵山。其实早在《周礼》中就有所谓“仲春，以木铎徇火禁于国中”之说。注云：“为仲春将出火。”㉕甲午：二月初八。㉖丁酉：二月十一。㉗平阳：古城名，在今山西临汾的西南部，相传尧建都于此。㉘广宁：旧县名，县治在今河北涿鹿西，相传舜建都于上谷，广宁本属上谷郡。〖按〗上谷郡的郡治即今北京市延庆区。㉙安邑：古城名，在今山西夏县西北，相传夏禹建都于此。㉚洛阳：古都名，故城在今河南洛阳的东部。㉛令牧守执事：让当地的刺史、太守主持祭祀。㉜宣尼之庙：祭祀孔子的庙。汉昭帝始元元年（公元前八六年）追谥孔子为褒成宣尼公。㉝丁未：二月二十一。㉞三月癸酉：三月十七。㉟辛巳：三月二十五。㊱世子：意同太子。㊲从叔升干：堂叔，名升干。㊳四月丁亥朔：四月初一是丁亥日。㊴班：颁布；下达。㊵辛丑：四月十五。㊶豫章文献王嶷：萧嶷被封为豫章王，文献是其死后的谥。《谥法解》：“经纬天地曰文；道德博闻曰文。”“聪明睿哲曰献；知智有圣曰献。”㊷假黄钺：授予黄钺，赋予生杀大权。假，给予。㊸汉东平献王：汉光武帝刘秀的第八子刘苍，建武十五年（公元三九年）封东平公，十七年晋爵为王。全力辅佐汉明帝、汉章帝，备受二帝尊重，其地位一直在诸王之上。传见《后汉书》卷四十二。㊹故事：先例；规格。㊺财贿：钱财；财物。㊻斋库：公馆里的仓库。斋，指荆州刺史的公馆。㊼荆州还资：从荆州刺史任上可以带走的家产。胡三省曰：“高祖建元二年，嶷自荆州还任扬州。”扬州的州治即建康。㊽评直：估量其价值。㊾主局：主管该事之官。㊿位有通塞：职位有人升得快，有人升得慢。851相陵侮：相互攀比，相互嫉妒。852欷歔：叹息声。853第库：豫章王家中的仓库。854见钱：现存之钱。855终上之世乃省：一直到齐武帝去世这笔钱才不再发。856五月己巳：五月十四。857拜命：接受使者通知冯太后去世的消息。858还其贡物：将他的贡品退回去。⑻59 归洮阳、泥和之俘：把去年魏将长孙百年攻克二县所俘获的吐谷浑人全都放回去。⑻60 七月庚申：七月初六。⑻61 西垂：西部边地。垂，同“陲”。⑻62 曩者：前些时候。⑻63 宕昌常自称名：宕昌王对我说话常自称其名。说话自称其名是对人表示谦卑、客气。宕昌是当时的少数民族小国名，其所居住的地区即今甘肃宕昌，当时的宕昌王名梁弥承。传见《南齐书》卷五十九。⑻64 见谓为大王：称我为大王。⑻65 今忽称仆：现在忽然改口自称仆，意即不再自称其名了。自称仆是平等相待的表示。⑻66 拘执使人：又扣留了我派去的使者。⑻67 欲使偏师往问：我想派一支小部队前去向他问罪。用“偏师”一词，透露轻视之意。⑻68 魏藩：魏国的附属国。诸侯国向天子自称为藩国。⑻69 比辄：近来时常。辄，就、总是，言外之意是嫌他不向魏国请示，擅自动手。⑻70 殊违臣节：实在不像一个藩臣的样子。⑻71 宰辅：自称魏国的执政大臣，即宰相或三公。⑻72 藩业：作为一个藩国的名号与权力。⑻73 不悛：不思悔改。⑻74 甲戌：七月二十。⑻75 宋弁：魏国的儒学之臣，与李冲、李彪等齐名，很受孝文帝器重，此时任中书侍郎。传见《魏书》卷六十三。⑻76 江南：这里即指南齐。⑻77 逆取：取得政权的方式不道德，不得人心。⑻78 不能顺守：取得政权后，又不能实行好的政策以收买人心，争取臣民的拥护。⑻79 其得没身幸矣：终萧赜一世，如能使国家不乱，那就算幸运的了。⑻80 非贻厥孙谋：完全没有一点为儿孙后辈做打算的样子。贻厥孙谋，是古代成语，即为后辈儿孙做打算。⑻81 八月乙未：八月十一。⑻82 阳平王颐：拓跋颐，景穆帝拓跋晃之孙，拓跋新成之子，袭其父爵为阳平王。此时为怀朔镇的守将。传见《魏书》卷十九上。怀朔镇是魏国北部边境上的军镇名，在今内蒙古固阳西南。⑻83 陆叡：魏国的元勋老臣陆俟之孙、陆丽之子，此时任镇北大将军。传见《魏书》卷四十。⑻84 大碛：约指今内蒙古与蒙古国边境一带的沙石地。碛，沙石地。⑻85 候其伏代库者：那盖可汗的尊号。胡三省引魏收曰：“魏言悦乐也。”⑻86 改元太安：改年号曰太安。⑻87 请老：因年老请求退休。⑻88 玄冠、素衣：黑色的礼帽、白色的衣衫。都是上朝穿戴的服饰。⑻89 委貌：也是一种上朝的黑色丝织礼帽，与前文讲丧服时所说的“委貌”意思不同。⑻90 亲养：亲自接待并向其行礼敬酒。⑻91 三老、五更：两个德高望重的老年贤人的代表，一个叫三老，一个叫五更。皇帝通过尊敬他们以表示对全国所有老年贤人的尊敬。⑻92 己酉：八月二十五。⑻93 再拜三老：向着三老拜两拜，表示礼节隆重。⑻94 亲袒割牲：亲自挽起袖子割下一块祭肉。袒，露出胳膊。⑻95 执爵而馈：捧着酒杯给他敬酒。⑻96 肃拜五更：转身又向着五更拱手作揖。肃拜，郑玄曰：“但俯下手，今揖是也。”⑻97 乞言：向他们求教，征求治国安民的意见。⑻98 孝友化民：通过自己的对长辈孝顺、对兄弟友爱，来带动、感化全国的臣民。⑻99 国老：贵族退职的老年代表。⑼00 庶老：庶民老者的代表。⑼01 步挽车：人拉的小车。⑼02 禄三老以上公：让三老享受上公的俸禄。上公，即指公爵。因公爵在侯、伯、子、男诸爵之上。⑼03 元卿：即上卿。上卿的级别相当于各部尚书，即今之部长。⑼04 九月甲寅：九月初一。⑼05 序昭穆于明堂：在明堂上排定列祖列宗灵牌的左右次序。中间是太祖，其余按辈分一左、一右地向下排。排在左边的称“昭”，排在右边的称“穆”。906 玄室：这里指北堂，一间向北的屋子。907 辛未：九月十八。908 再期：指去世两周年。期，周年。909 甲戌：九月二十一。910 武兴氐王杨集始：武兴是古城名，即今陕西略阳。杨集始是当地氐族的头领，其祖辈世袭统治仇池一带地区。东晋以来，杨氏叛依于南朝与北朝之间。杨集始的前一代氐王名杨后起，被萧道成封为武都王。杨后起死，萧赜封杨后起的族人杨集始为武都王。传见《南齐书》卷五十九。911 寇汉中：进攻南齐的汉中郡，即今陕西汉中一带地区。912 白马：古城名，旧址在今陕西勉县城西。913 梁州：南齐的州名，州治即今陕西汉中。914 辛巳：九月二十八。915 十月甲午：十月十一。916 上：这里指齐武帝萧赜。917 殷祭太庙：在太庙举行盛大的祭祀。〖按〗这种大祭一般指五年一次的大祭祖庙，即所谓“禘”；或三年一次的合诸祖神主于一起合祭，即所谓“袷”。918 庚戌：十月二十七。919 安定王休：拓跋休，景穆帝拓跋晃之子，被封为安定王。传见《魏书》卷十九下。920 特进：加官名，只表示一种权力和地位，通常加给位高年老的大臣。921 熙：冯熙，冯太后之兄。传见《魏书》卷八十三上。922 太极殿成：本年自二月开始修太极殿，至今十一月始成。923 萧琛、范云：当时著名的文士。萧琛好音律，好书及酒，仕齐至尚书左丞。传见《梁书》卷二十六。范云是当时有名的诗人。传见《南史》卷五十七。924 聘于魏：出使魏国做礼貌性访问。925 太子家令沈约：太子家令是掌管太子家庭各种事务的官员。沈约是齐梁时代著名的文人，著有《宋书》。传见《宋书》卷一百。926 疑立《袁粲传》：写了《袁粲传》，又自己拿不定主意，因为袁粲是为反对萧道成而死的。927 宋世祖：即宋孝武帝刘骏，庙号世祖。928 太宗：即宋明帝刘彧。929 鄙渎事：肮脏见不得人的事情。930 不容顿尔：不能写成这个样子。顿，停留、止于。931 经事明帝：曾经在宋明帝手下做过事。932 讳恶之义：即孔子所说的“为尊者讳”，以及“隐恶扬善”的道理。933 郑羲：魏国的有学识、有才干之臣，但为人贪婪。传见《魏书》卷五十六。934 西兖州：魏州名，州治滑台，在今河南滑县东南。935 纳其女为嫔：招其女入宫为嫔妃。936 秘书监：秘书省的长官，为朝廷掌管图书文籍。937 谥曰宣：《谥法解》，“圣善周闻曰宣”。938 激扬清浊：为了惩恶劝善。939 何曾：三国时曹魏的大官僚，在帮着司马氏篡取曹魏政权的过程中大效犬马之力，但其人在家却颇有孝顺之名。传见《晋书》卷三十三。940 载其“缪丑”：请求给他谥号为“缪丑”。〖按〗《晋书》本传除记载了何曾在家至孝的一些事情外，还记载了他为人的外宽内忌、谄事贾充、生活奢侈等恶劣之处。见《晋书·何曾传》及《晋书·秦秀传》。941 贾充：原是三国时曹魏的官僚，曾任大将军司马、廷尉等职，永安三年（公元二六〇年）指使其部下的成济杀了魏国的皇帝曹髦，为司马氏的篡魏效力多多；入晋后任尚书令，又作恶多端。传见《晋书》卷四十。942 直士谓之“荒公”：贾充死后礼官为他议谥时，正直的秦秀根据贾充的一生表现请求给他谥曰“荒”。事见本书卷八十一晋武帝太康三年。《谥法解》：“外内从乱曰荒；好乐怠政曰荒。”943 宿有文业：平时在给人出谋划策，以及在为官任职方面都有很好的表现。944 治阙廉清：为官不清廉。阙，意思同“缺”。㊺情违至公：从情理上说这是不公正的。㊻愆违明典：从过错上说这是违背法典。㊼《谥法》：即我们引用的《谥法解》，是古代评定谥号的标准。㊽不勤成名：《谥法解》旧注，“任本性，不见贤思齐”。具体说到贾充，就是本性很坏，又从来不想学好。㊾赠以本官：出殡时就写他生前所任之官职，不再追加什么新的。通常说来，朝廷对死者多是另追加一个较好的官称。

【校记】

［15］袒裸：原作“租课”。严衍《通鉴补》改作“袒裸”，今据以校正。〖按〗《北史》亦作“袒裸”。［16］二月：原无此二字。据章钰校，十二行本、乙十一行本、孔天胤本皆有此二字，今据补。［17］太安：据章钰校，十二行本、乙十一行本、孔天胤本皆作“大安”。〖按〗《魏书·蠕蠕传》《北史·蠕蠕传》皆作“太安”。［18］国老、庶老：原作“庶老、国老”。据章钰校，十二行本、乙十一行本、孔天胤本二词皆互乙，今据改。［19］主：据章钰校，十二行本作“大”。［20］阴仲昌：原作“阴冲昌”。今据严衍《通鉴补》改作“阴仲昌”。〖按〗《南齐书·氐传》亦作“阴仲昌”。

【研析】

本卷写齐武帝萧赜永明八年（公元四九〇年）至永明十年共三年间的南齐与北魏等国的大事，其中令人深有感慨与深有疑虑的事件主要有三：

第一是齐武帝萧赜的儿子萧子响因谋反而被萧赜讨灭的前前后后。萧子响是萧赜的第四子，他“有勇力，善骑射，好武事，自选带仗左右六十人，皆有胆干。至镇，数于内斋以牛酒犒之。又私作锦袍、绛袄欲以饷蛮，交易器仗”。自己好武不说，身边还经常带着一伙子武艺高强的亡命徒，还要不断地拿一些东西去与山里的少数民族交换武器。这些行为不能就说是要造反，但容易让人抓住把柄则是显而易见的。于是心怀叵测的部下刘寅等人偷偷地向皇帝萧赜告了他一状，皇帝派人下去核查，而萧子响则一怒之下把刘寅等一伙全给杀掉了。萧赜越发愤怒，派卫尉胡谐之等人率兵前去捉拿。萧子响本来没有造反的心，请求与朝廷的将军见面沟通，示意和好；而胡谐之等人水平太低，不容其辩解，故意激化矛盾。于是萧子响又一怒之下，派兵将其袭击大败。雪球越滚越大，误会变成仇恨。萧赜又派萧顺之率兵进讨，萧子响再也不能硬抗，于是单身自缚乘小船往投于萧顺之军前。他满怀委屈地希望能有机会见到父亲，向父亲说明原委。没想到萧顺之又受了皇太子萧长懋的密令，及早杀掉萧子响，不让萧子响进京见到皇帝。于是萧子响就这样不明不白地被夹在中间的一群小人杀掉了。临终前，他写了一封信向萧赜泣诉了整个事件的过程，文辞愤怨而悲凉。萧子响的死，不由得让我们想到汉武帝太子刘据当年被逼造反、自杀，以及汉武帝内心痛苦，而又不想公开认错，却又建立思子台的曲折婉转的情景。在这个过程中有几个人的话说得很好，特别是戴僧静。萧赜头一回是准备派戴僧静率兵前往的，戴僧静不干，他说："巴东王年少，长史执之太急，忿不思难故耳。天子儿过误杀人，有何大罪？官忽遣军西上，人情惶惧，无所不至，僧静不敢奉敕。"他对形势的分析与应该采取的办法都说得十分精到，如果萧赜能派戴僧静出使荆州，事情岂不就是解决得尽善尽美吗？给萧赜分析形势的戴僧静，简直就是当年给汉武帝分析形势的田千秋。令人惊奇的还有，当萧子响已经自杀，朝廷百官与各地藩镇纷纷落井下石，请求朝廷"绝子响属籍，削爵土，易姓蛸氏，诸所连坐，别下考论"；而进讨荆州的台军在占领荆州后，"焚烧江陵府舍，官曹文书，一时荡尽"。这又是在干什么呢？别说受攻的是皇帝儿子的城镇，即便是攻克匈奴、柔然的城镇，也不至于仇恨到如此地步吧？这可真应了《史记·韩长孺列传》所说的话："虽有亲父，安知其不为虎？虽有亲兄，安知其不为狼？"在平民之家很普通的天伦关系，一到帝王之家就冷酷起来；在平民之家很容易解决的问题，一到帝王之家就非得闹到刀兵相见、人头落地的地步。而在这场并不复杂的父子矛盾中，其间又夹杂着多少心狠手辣的家伙在煽风点火，唯恐事情闹得不大呀？几千年的文明史，真是可悲可哀也哉！

第二是本卷写了魏国冯太后的死，写了孝文帝拓跋宏为其祖母哭丧守孝的情景。文章说从冯太后死的那一刻起，孝文帝就一直哭，他"勺饮不入口者五日"。而后又不愿下葬、不愿除服；又在下葬后三天两头地前去谒陵；又在是否丧后即吉的问题上与诸大臣一再坚持要守孝三年；大臣据理力争，孝文帝讨价还价，喋喋不休，前后写了两千多字，殊觉弄虚作假、虚张声势，令人心烦。当时的史家为什么要这样写？五百年后的司马光为什么又要这样不厌其烦地抄到《通鉴》上？王夫之《读通鉴论》曾批评孝文帝善于作伪，说他因天旱不雨而三日不食说："人未有三日而可不食者，况其在豢养之子乎？高处深宫，其食也孰知之？其不食也孰信之？大官不进，品物不具，宦官宫妾之侧孰禁之？果不食也欤哉？而告人曰'不食数日，犹无所感'，将谁欺，欺天乎？"因天旱不雨而不食，只有三天，这里则是"勺饮不入口者五日"，不仅不吃东西，而且不喝水，居然还能安然无恙地继续与群臣进行辩论，岂不可怪也哉？我认为孝文帝是一个很有谋略的人，冯太后掌权二十多年，先曾杀了孝文帝的父亲拓跋弘，后来又一度想废掉孝文帝，又受人挑拨将孝文帝打了一顿。但孝文帝都能忍辱负重，对这位严厉的祖母恭敬驯顺有加。冯太后死了，但她的心腹嫡系还遍布朝野，稍不当心就要发生政变。所以他就不停地继续表现出对冯太后的忠心，这样既可以安定冯氏一派的余党，又可以在自己这一派的势力中落一个不计前嫌、胸襟宽广的美名。这方面的智慧真是越想越深奥，如果后来清代末年的光绪能从中悟出一星半点，我想他的命运也许就不会如此悲惨了吧？搞政治是人世间最微妙、最难以把握的一门学问，局外人有时是很难理解透的。汉代的霍光，他接受汉武帝的遗命辅佐年幼的汉昭帝，的确是尽了心、尽了力，但后来的行为之恶劣就令人发指了。昭帝死后无子，他先立了昌邑王刘贺；不久又说刘贺不好，将刘贺废掉，改立了当年太子刘据的孙子刘询，也就是历史上的汉宣帝。汉宣帝即位后，霍光专权跋扈，妻子儿女布满朝堂，霍光居然纵容他的妻子、女儿毒死了汉宣帝患难之交的结发妻子许皇后，以便让他的女儿霍成君去做皇后。而汉宣帝全然不顾，仍一如往日地对霍光恭敬有加。后来尽管消灭了霍氏家族的阴谋集团，但对霍光本人仍让他高居于麒麟阁画像的十八位功臣之首，就像是霍光完全没有参与过那些罪恶的行径一样。汉宣帝不计前嫌，忍辱负重，宽容如此，他内心在想着什么？我想其中有关键的一条，那就是他毕竟要感谢霍光，感谢霍光让他把这个皇位一直继承了下来，这才有他汉宣帝自己日后的种种作为。你想魏孝文帝的行径是不是也有类似的成分呢？

第三是通过两个生动的小故事表现了史家对江南晋、宋、齐诸王朝腐朽政治、腐朽社会风习的无比憎恶。第一个是写魏臣宋弁出使南齐，回国后魏主问他南齐政权的状况如何，宋弁说：南齐“既以逆取，不能顺守；政令苛碎，赋役繁重；朝无股肱之臣，野有愁怨之民”，并预言齐武帝萧赜“其得没身幸矣，非贻厥孙谋之道也”，说得可谓入木三分。第二个是写齐臣萧琛、范云出使魏国，两个人都相貌堂堂，伶牙俐齿，很讨魏主拓跋宏的喜欢。魏主不由得称赞说：“江南多好臣。”一边侍立的魏臣李元凯顺声接了一句说：“江南多好臣，岁一易主；江北无好臣，百年一易主。”魏主听后很惭愧自己的失言，不知萧琛、范云听了有何感想。但读者不必着急，南齐朝廷的动乱残杀，下卷就要开始了。让我们说一句：且听下回分解。

卷第一百三十八　齐纪四

昭阳作噩（癸酉，公元四九三年），一年。

【题解】

本卷写齐武帝萧赜永明十一年（公元四九三年）一年间的南齐与北魏等国的大事。主要写了南齐太子萧长懋之死，萧赜立其孙萧昭业为皇太孙；王奂为雍州刺史，擅杀宁蛮长史刘兴祖，被朝廷派将讨平，王奂与其亲属皆死，独一子王肃逃脱入魏。写了萧赜做露车，准备从步道北伐彭城，刘昶又请魏主南征，齐派名将崔慧景驻兵寿春以防之。写了齐武帝萧赜病危遗嘱后事，令萧子良与萧鸾共辅皇太孙，但萧子良不乐俗务，一切委之萧鸾，故实权落入了萧鸾之手。写了齐武帝萧赜死，中书郎王融欲废太孙萧昭业而矫诏以立萧子良，事未果，而萧昭业继位。写了萧昭业即位后先杀王融，并因王融之谋而猜忌萧子良，先对之种种防范，随又免其司徒；萧鸾主管尚书省，免除三调及众逋，恩信两行，百姓悦之。接着大段写小皇帝萧昭业一贯作恶，说他早在为太孙时就“矫情饰诈，阴怀鄙慝”，说他“所爱左右，皆逆加官爵，疏于黄纸，使囊盛带之，许南面之日，依此施行”，说他“常令女巫杨氏祷祀，速求天位”，说他在世祖病危时“与何妃

【原文】

世祖武皇帝下

永明十一年（癸酉，公元四九三年）

春，正月，以骠骑大将军王敬则[①]为司空，镇军大将军陈显达[②]为江州刺史。显达自以门寒[③]位重，每迁官[④]，常有愧惧之色，戒其子勿以富贵陵人。而诸子多事豪侈[⑤]，显达闻之，不悦。子休尚为郢府主簿[⑥]，过九江[⑦]。显达曰：“麈尾、蝇拂[⑧]是王、谢家物[⑨]，汝不须捉此[⑩]！”即取于前烧之[⑪]。

初，上[⑫]于石头造露车[⑬]三千乘，欲步道[⑭]取彭城[⑮]，魏人知之。

书，纸中央作一大喜字，而作三十六小喜字绕之”，说他“大敛始毕，悉呼世祖诸伎，备奏众乐”，又说“辒辌车未出端门，亟称疾还内。裁入阁，即于内奏胡伎，鞞铎之声，响震内外”云云。写了魏主拓跋宏欲南迁洛阳，为怕魏国臣民反对而假意声称南伐，向全国进行军事动员；魏主单独接见任城王拓跋澄，向其说明原委，取得拓跋澄的竭忠效力，成为自己的坚定拥护者，于是作河桥、讲武选将。写了魏主御驾起行，到达黄河以南，向群臣说明迁都之意，并令穆亮、李冲等修筑洛阳城，建诸宫室；魏主委任于烈往驻平城管理留台庶政，自己则巡察诸州郡及小驻邺城以等待洛阳宫室之建成。写了王奂之子王肃逃到魏国，见到魏主后，彼此相见恨晚，在汉化的过程中王肃起了不少作用。此外，还写了魏国境内北地、秦州一带的民变头领支酉、王广等起兵反魏，一时之间七州并起，有众十余万，后被魏将卢渊、薛胤等打败平息等。

【语译】

世祖武皇帝下

永明十一年（癸酉，公元四九三年）

春季，正月，齐武帝萧赜任命担任骠骑大将军的王敬则为司空，任命担任镇军大将军的陈显达为江州刺史。陈显达因为自己不是豪门士族出身，但因位高权重感到不安，每当官位晋升，脸上总会流露出一种惭愧、敬惧的神情，他告诫自己的儿子不要因为自己的家庭富有、地位尊贵而凌驾于别人之上。然而他的儿子们却干了很多豪华奢侈的事情，陈显达知道以后，很不高兴。他的儿子陈休尚担任郢州刺史府的主簿，在前往郢州刺史府赴任途中，经过九江时，看望了自己的父亲陈显达。陈显达对陈休尚说：“这种用名贵的麈尾做成的拂尘本来是东晋大贵族王导、谢安一流人物手中所持的物件，你没有资格拿着它！”说完就从陈休尚面前拿过那柄用麈尾做成的拂尘烧毁了。

当初，齐武帝在石头城制造了三千辆没有帷盖的车子，准备从陆路攻取彭城，

刘昶[16]数泣诉于魏主，乞处边戍[17]，招集遗民[18]，以雪私耻[19]。魏主大会公卿于经武殿以议南伐，于淮、泗[20]间大积马刍[21]。上闻之，以右卫将军崔慧景[22]为豫州[23]刺史以备之。

魏遣员外散骑侍郎邢峦[24]等来聘。峦，颖[25]之孙也。

丙子[26]，文惠太子长懋[27]卒。太子风韵甚和[28]，上晚年好游宴[29]，尚书曹事[30]分送太子省[31]之，由是威加内外。

太子性奢靡，治堂殿、园囿[32]过于上宫[33]，费以千万计，恐上望见之，乃傍门列修竹[34]，凡诸服玩，率多僭侈[35]。启[36]于东田起小苑[37]，使东宫将吏更番筑役[38]，营城包巷[39]，弥亘华远[40]。上性虽严，多布耳目，太子所为，人莫敢以闻[41]。上尝过太子东田，见其壮丽，大怒，收[42]监作主帅[43]，太子皆藏之，由是大被诮责[44]。又使嬖人[45]徐文景造辇及乘舆御物[46]，上尝幸东宫[47]，匆匆[48]不暇藏辇，文景乃以佛像内辇中[49]，故上不疑。文景父陶仁[50]谓文景曰："我正当扫墓待丧[51]耳！"仍移家避之[52]。后文景竟赐死，陶仁遂不哭。

及太子卒，上履行[53]东宫，见其服玩，大怒，敕有司随事毁除[54]。以竟陵王子良与太子善，而不启闻，并责之。

太子素恶西昌侯鸾[55]，尝谓子良曰："我意中[56]殊不喜此人，不解其故[57]，当由其福薄故也！"子良为之救解[58]。及鸾得政[59]，太子子孙无遗[60]焉。

魏国人预先知道了消息。刘昶屡次向魏孝文帝拓跋宏哭诉，请求派自己率领一支魏军驻扎在魏、齐两国的边界据点，以便召集那些心里仍旧想着刘宋王朝的南国之民，以雪萧氏篡夺刘氏政权的耻辱。魏孝文帝在经武殿召集公卿大臣，讨论有关出兵南伐齐国的事情，于是在魏、齐两国边境上的淮河、泗水岸边大量积存喂马的草料。齐武帝听到消息之后，便任命担任右卫将军的崔慧景为豫州刺史，以防范魏军的入侵。

魏孝文帝派遣担任员外散骑侍郎的邢峦等人到齐国进行友好访问。邢峦，是邢颖的孙子。

正月二十五日丙子，齐国的文惠太子萧长懋去世。皇太子萧长懋风度平和可亲，齐武帝到了晚年之后喜欢吃喝玩乐，尚书省各部门的事务就都分别送到皇太子萧长懋那里，请求太子审阅、批示，于是皇太子萧长懋在朝廷内外享有很高的威望。

皇太子萧长懋喜好奢侈豪华的生活，他所修建的殿堂、园林比他当皇帝的父亲的宫室、苑囿还要好，所花费的钱财数以千万计，他担心被齐武帝看见，于是就在门墙外面种上高高的竹子遮挡视线，所有的服饰、器物、玩好，大都奢侈得超过规定的标准。萧长懋向齐武帝禀告在太子宫的东边再营造一处院落，派东宫将吏轮流去参加建筑劳动，外有城墙，内有街巷，一眼望去华丽的建筑不见尽头。齐武帝虽然性情严厉，到处都有自己安排的耳目，然而太子萧长懋的所作所为，却没有人敢把这些情况向他报告。齐武帝曾经路过皇太子的东田，看见其修建得十分壮丽，不禁大怒，就要将监工盖房的头目逮捕起来，太子事先得到消息就把他们全都藏了起来，因而狠狠地挨了齐武帝的一顿责骂。萧长懋又让自己的男宠徐文景为自己制造皇帝乘坐的车驾、皇帝日常使用的各种器物，齐武帝曾经偶然来到皇太子的东宫，皇太子匆忙之间来不及将辇车隐藏起来，徐文景急中生智，就把一尊佛像放入辇车之中，所以当时并没有引起齐武帝的怀疑。徐文景的父亲徐陶仁对徐文景说："我只应当打扫好墓地，等着你的尸体回来！"于是带着全家搬到别处避祸去了。后来徐文景被皇帝赐死，徐陶仁没有悲伤哭泣。

等到太子萧长懋去世之后，齐武帝步行来到东宫巡视，这才看到萧长懋的那些奢华得超过规定标准的服饰、器玩等物品，不禁大为震怒，立即下令给有关部门的官员把东宫中的东西搜查一遍，见到什么越礼的东西就随即把它焚毁。齐武帝认为竟陵王萧子良与太子萧长懋关系亲密友好，一定知道太子的所作所为，而不向自己报告，于是连同萧子良一起进行了责备。

皇太子萧长懋一向厌恶西昌侯萧鸾，他曾经对竟陵王萧子良说："我心中最不喜欢萧鸾这个人，也不明白是什么缘故，大概是由于他的福气太薄吧！"萧子良劝说太子不要杀害西昌侯萧鸾。等到萧鸾做了齐国的皇帝之后，太子萧长懋的子孙全部被杀，没留下一个。

二月，魏主始耕藉田 ⑥¹ 于平城南。

雍州刺史王奂 ⑥² 恶宁蛮长史 ⑥³ 刘兴祖，收系狱，诬其构扇山蛮 ⑥⁴，欲为乱。敕 ⑥⁵ 送兴祖下建康 ⑥⁶，奂于狱中杀之，诈云自经 ⑥⁷。上大怒，遣中书舍人吕文显 ⑥⁸、直阁将军曹道刚 ⑥⁹ 将斋仗 ⑦⁰ 五百人收奂，敕镇西司马 ⑦¹ 曹虎从江陵步道会襄阳 ⑦²。

奂子彪，素凶险，奂不能制。长史殷叡，奂之婿也，谓奂曰："曹、吕来，既不见真敕 ⑦³，恐为奸变，正宜录取 ⑦⁴，驰启闻 ⑦⁵ 耳。"奂纳之。彪辄 ⑦⁶ 发州兵千余人，开库配甲仗，出南堂 ⑦⁷，陈兵，闭门 ⑦⁸ 拒守。奂门生郑羽叩头启奂，乞出城迎台使 ⑦⁹，奂曰："我不作贼 ⑧⁰，欲先遣启自申 ⑧¹，正恐曹、吕辈[1]小人相陵藉 ⑧²，故且闭门自守耳。"彪遂出，与虎军战，兵败，走归 ⑧³。三月乙亥 ⑧⁴，司马黄瑶起 ⑧⁵、宁蛮长史河东裴叔业 ⑧⁶ 于城内起兵，攻奂，斩之，执彪及弟爽、弼，殷叡，皆伏诛。彪兄融、琛死于建康，琛弟秘书丞肃 ⑧⁷ 独得脱，奔魏。

夏，四月甲午 ⑧⁸，立南郡王昭业 ⑧⁹ 为皇太孙，东宫文武 ⑨⁰ 悉改为太孙官属，以太子妃琅邪王氏 ⑨¹ 为皇太孙太妃，南郡王妃何氏 ⑨² 为皇太孙妃。妃，戢 ⑨³ 之女也。

魏太尉丕 ⑨⁴ 等请建中宫 ⑨⁵，戊戌 ⑨⁶，立皇后冯氏。后，熙 ⑨⁷ 之女也。魏主以《白虎通》⑨⁸ 云"王者不臣妻之父母 ⑨⁹"，下诏令太师 ⑩⁰ 上书不称臣，入朝不拜，熙固辞。

光城蛮帅 ⑩¹ 征虏将军田益宗 ⑩² 帅部落四千余户叛，降于魏。

五月壬戌 ⑩³，魏主宴四庙子孙 ⑩⁴ 于宣文堂，亲与之齿 ⑩⁵，用家人礼 ⑩⁶。

二月，魏孝文帝开始在平城南部耕种籍田。

齐国担任雍州刺史的王奂因为厌恶在宁蛮将军属下担任长史的刘兴祖，就把刘兴祖逮捕入狱，诬陷他勾结煽动山区里的少数民族，准备起兵作乱。齐武帝下令把刘兴祖从襄阳顺流而下押赴建康接受审问，而王奂却在襄阳的监狱中把刘兴祖杀死，诈称刘兴祖畏罪自缢。齐武帝得知消息后龙颜大怒，立即派遣担任中书舍人的吕文显、担任直阁将军的曹道刚率领着五百名宫廷卫队前往襄阳逮捕雍州刺史王奂，同时下令给在镇西将军萧子隆属下担任司马的曹虎从江陵走旱路赶往襄阳和吕文显、曹道刚会合，共同捉拿王奂。

王奂的儿子王彪，一向凶恶阴险，就连王奂都管教不了他。在王奂属下担任长史的殷叡，是王奂的女婿，殷叡对王奂说："曹道刚、吕文显此次前来，我们却没有接到皇帝的真正圣旨，恐怕其中有诈，我们应该把他们逮捕起来，然后派使者飞马向朝廷报告。"王奂采纳了殷叡的建议。王彪随即调动了一千多名雍州的士兵，打开武库取出铠甲兵器，分发给那些士兵，然后走出雍州刺史府的南堂，摆好阵势，关闭襄阳城门进行坚守，抗拒吕文显等入城。王奂的门生郑羽给王奂磕头，请求王奂出城去迎接朝廷派来的使者，王奂说："我根本就没想造反，我是想先派使者去向他们说明情况，正是因为惧怕遭到曹道刚、吕文显一类的小人的欺压，所以才暂且关闭城门自守。"王彪遂出城，与直阁将军曹虎的军队进行交战，王彪战败，逃回城中。三月二十五日乙亥，在王奂属下担任司马的黄瑶起、在宁蛮将军属下担任长史的河东郡人裴叔业在襄阳城内起兵，攻打王奂的雍州刺史府，把王奂杀死，并捉获了王彪以及王彪的弟弟王爽、王弼和王奂的女婿殷叡，这些人全都被依法处死。王彪的哥哥王融、王琛全都死在建康城中，只有王琛的弟弟担任秘书丞的王肃脱逃，投降了魏国。

夏季，四月十四日甲午，齐武帝封南郡王萧昭业为皇太孙，皇太子萧长懋属下的所有文武官员便都变成了皇太孙的僚属，封太子妃琅邪郡人王氏为皇太孙太妃，封南郡王萧昭业的妃子何氏为皇太孙妃。皇太孙妃何氏，是何戢的女儿。

魏国担任太尉的拓跋丕等人向孝文帝请求立皇后，四月十八日戊戌，孝文帝立冯氏为皇后。冯皇后，是冯熙的女儿。孝文帝按照《白虎通》中所说的"君王不以妻子的父母为臣"的理论，下诏令太师冯熙在上书的时候不要称自己为臣，入朝的时候也不用向皇帝叩拜，而冯熙却坚决地推辞了。

齐国光城郡内的少数民族首领担任征虏将军的田益宗率领自己部落中的四千多户背叛了齐国，投降了魏国。

五月十三日壬戌，魏孝文帝在宣文堂设宴款待魏世祖拓跋焘、魏恭宗拓跋晃、魏高宗拓跋濬、魏显祖拓跋弘四代祖先的子孙，与他们只论辈分，不论官位的高低，完全使用平民百姓人家那样的礼节。

甲子⑩⑦，魏主临朝堂⑩⑧，引公卿以下决疑政，录囚徒⑩⑨。帝谓司空穆亮⑪⓪曰：“自今朝廷政事，日中以前，卿等先自论议；日中以后，朕与卿等共决之。”

丙子⑪⑪，以宜都王铿⑪⑫为南豫州⑪⑬刺史。先是庐陵王子卿⑪⑭为南豫州刺史，之镇⑪⑮，道中戏部伍为水军⑪⑯，上闻之，大怒，杀其典签⑪⑰，以铿代之。子卿还第，上终身不与相见。

襄阳蛮酋[2]雷婆思⑪⑱等帅户千余求内徙于魏⑪⑲，魏人处之沔北⑫⓪。

魏主以平城地寒，六月雨雪⑫①，风沙常起，将迁都洛阳，恐群臣不从，乃议大举伐齐，欲以胁众。斋⑫②于明堂左个⑫③，使太常卿⑫④王谌筮⑫⑤之，遇“革”⑫⑥，帝曰：“‘汤、武革命，顺乎天而应乎人⑫⑦[3]。’吉孰大焉⑫⑧！”群臣莫敢言。尚书任城王澄⑫⑨曰：“陛下奕叶重光⑬⓪，帝有中土⑬①。今出师以征未服，而得汤、武革命之象，未为全吉⑬②也。”帝厉声曰：“繇⑬③云‘大人虎变⑬④’，何言不吉？”澄曰：“陛下龙兴已久⑬⑤，何得今乃‘虎变’⑬⑥？”帝作色曰：“社稷我之社稷，任城欲沮众邪⑬⑦！”澄曰：“社稷虽为陛下之有，臣为社稷之臣，安可知危而不言！”帝久之乃解⑬⑧，曰：“各言其志，夫亦何伤⑬⑨！”

既还宫⑭⓪，召澄入见，逆谓之⑭①曰：“向者‘革’卦⑭②，今当更⑭③与卿论之。明堂之忿⑭④，恐人人竞言⑭⑤，沮我大计⑭⑥，故以声色怖文武⑭⑦耳。想识朕意⑭⑧。”因屏人⑭⑨谓澄曰：“今日之举⑮⓪，诚为不易。但国家兴自朔土⑮①，徙居平城，此乃用武之地，非可文治。今将移风易俗，其道诚难，朕欲因此迁宅中原⑮②，卿以为何如？”澄曰：“陛下欲

五月十五日甲子，魏孝文帝来到朝堂上，主持公卿以下朝臣一起讨论裁决疑难政务，复审囚犯的罪状，以防止出现冤假错案。孝文帝对担任司空的穆亮说："从今往后朝廷的政务，中午以前，先由你们自己进行讨论；中午以后，我再与你们一同讨论决定。"

五月二十七日丙子，齐武帝任命宜都王萧铿为南豫州刺史。此前齐武帝原本是任命庐陵王萧子卿为南豫州刺史，萧子卿在前往南豫州赴任的途中，让自己的部下装作水军的样子，齐武帝听说之后，非常生气，就把在萧子卿手下担任典签的人给杀了，让宜都王萧铿代替萧子卿为南豫州刺史。萧子卿回到自己的庐陵王府，齐武帝在其有生之年一直不与他相见。

齐国襄阳一带的蛮族头领雷婆思等率领着一千多户蛮族人背叛了齐国，请求魏国允许他们迁入魏国境内居住，魏国人把他们安置在沔水以北。

魏孝文帝因为平城处在寒冷地带，经常在六月份就开始下雪，又常常遭遇沙尘天气，于是准备将首都从平城迁往洛阳，他担心群臣不肯服从命令，于是就讨论大举进攻南齐，想用这种办法胁迫众人南迁。孝文帝在明堂左侧的偏室中进行斋戒之后，就让担任太常卿的王谌用蓍草进行占卜，得到的是《周易》六十四卦中讲述变革的"革"卦，孝文帝说："'革'卦的《彖辞》中有这样的解释：'汤、武革命，顺乎天而应乎人。'再也没有什么比这个卦象更吉利的了！"群臣中没有人敢发表不同意见。担任尚书令的任城王拓跋澄说："陛下在以往几代先王所创建的光辉事业的基础上，拥有了中原地区的领土。如今大举出兵，去征服不肯归服的齐国，而用蓍草进行占卜的时候，得到的又是讲述商汤王、周武王革命是应天命、顺民心的'革'卦，这还不能说是十全十美的征兆。"孝文帝厉声质问说："'革'卦的《象辞》对爻辞的'大人虎变，未占有孚'解释说'大人虎变，其文炳也'，你为什么说不全是吉利的呢？"拓跋澄回答说："陛下做皇帝已经很多年了，怎么到今日才有如虎之变呢？"孝文帝发怒说："社稷是我的社稷，任城王你莫非想要动摇瓦解我们的军心吗！"拓跋澄回答说："社稷虽然是陛下所有，然而我身为社稷之臣，怎么能够明明知道有危险而不说出来呢！"孝文帝过了好一会儿才消除怒气，态度缓和下来，说："各人发表各人的看法，即使意见有所不同，又有什么关系呢！"

魏孝文帝回到皇宫之后，便召见任城王拓跋澄，他迎着拓跋澄说："刚才咱们讨论过'革'卦，现在应当与你再重新讨论一下。我刚才在明堂上发脾气，是怕人们纷纷发表反对的意见，破坏了我的大事情，所以我才声色俱厉地吓唬那些朝臣。我想你会明白我的用意。"于是支开了身边的其他人之后，对拓跋澄说："今天的迁都洛阳之举，确实不是一件容易的事。但是我国兴起于北方，曾经建都于盛乐，从盛乐搬迁到了平城居住，平城适合于用兵打仗，却不适合于用礼乐教化来治理国家。如今我准备进行移风易俗的改革，但在平城很难实现这个愿望，所以我想借此机会把都城迁到中原地区的洛阳，你认为怎么样？"拓跋澄回答说："陛下想要寻找个好地方

卜宅中土⑬以经略四海⑭，此周、汉之[4]所以兴隆⑮也。”帝曰：“北人习常恋故⑯，必将惊扰⑰，奈何？”澄曰：“非常⑱之事，故非常人之所及⑲。陛下断自圣心⑳，彼亦何所能为㉑？”帝曰：“任城，吾之子房也㉒！”

六月丙戌⑯³，命作河桥⑯⁴，欲以济师。秘书监卢渊⑯⁵上表，以为“前代承平之主⑯⁶，未尝亲御六军⑯⁷，决胜行陈⑯⁸之间，岂非⑯⁹胜之不足为武⑰⁰，不胜有亏威望⑰¹乎？昔魏武⑰²以弊卒一万破袁绍⑰³，谢玄⑰⁴以步兵三千摧苻秦⑰⁵，胜负之变，决于须臾，不在众寡也。”诏报⑰⁶曰：“承平之主，所以不亲戎事者[5]，或以同轨无敌⑰⁷，或以懦劣偷安⑰⁸。今谓之同轨则未然，比之懦劣⑰⁹则可耻。必若⑱⁰王者不当亲戎⑱¹，则先王制革辂⑱²，何所施也？魏武之胜，盖由仗顺⑱³；苻氏之败，亦由失政⑱⁴。岂寡必能胜众，弱必能制强邪？”丁未⑱⁵，魏主讲武⑱⁶，命尚书李冲典武选⑱⁷。

建康僧法智⑱⁸与徐州民周盘龙⑱⁹等作乱，夜攻徐州城⑲⁰，入之。刺史王玄邈⑲¹讨诛之。

【段旨】

以上为第一段，写齐武帝永明十一年（公元四九三年）前半年的大事。主要写了南齐将领陈显达地位崇高而谦卑自处，子弟执麈尾，陈显达取而烧之。写南齐太子萧长懋死，其子萧昭业被立为皇太孙；萧长懋生前骄侈无度，筑东田园囿，又造辇与诸种御物，皆豪华奢僭之极，与其父当年所为一样。写南齐王奂为雍州刺史，擅杀宁蛮长史刘兴祖，齐武帝萧赜派吕文显、曹虎等发兵讨之，王奂

作为国家的都城以便实现统一天下，这正是当年周朝、汉朝两个朝代兴盛发达的原因。”孝文帝说：“北方人不想变革，眷恋故土，必将因为害怕迁都产生纷乱而引起社会动荡不安，你看该怎么办好呢？”拓跋澄说：“非比寻常的事情，本来就不是一般人所能干得出来的。只要陛下的主意已定，他们即使反对又能怎么样呢？”孝文帝说：“任城王，你就是我的心腹谋臣张良啊！”

六月初七日丙戌，魏孝文帝下令在黄河上搭建桥梁，准备让军队从黄河大桥上通过。担任秘书监的卢渊上表给孝文帝，卢渊认为：“以前太平时代继任的皇帝，还没有哪一位亲自率领国家的军队，决胜于战场之上的，不就是因为打了胜仗也不能提高皇帝的威名，打了败仗却会降低皇帝的威望吗？过去魏武帝曹操亲自率领一万名疲惫不堪的士卒在官渡打败了兵力数倍于己的袁绍，东晋的著名将领谢玄率领三千名步兵摧毁了以苻坚为首的前秦政权，战争的胜负变化莫测，往往取决于瞬息之间，而不完全取决于作战双方军队数量的多少。”孝文帝下诏答复说：“太平年代的皇帝，所以不亲自统兵打仗的，有的时候是因为当时天下已经统一，没有敌国存在，有的时候是因为皇帝本身性格软弱而又苟且偷安。如今还不能说国家已经统一，如果拿我与那些懦劣偷安、没有作为的君主相比，对我来说简直是一种耻辱。如果一定像有的人所说的当皇帝的人不应该亲自上战场，那么古代帝王所乘坐的车驾中备有一种名叫革辂的兵车，是干什么用的呢？魏武帝所以能战胜袁绍，是由于应乎天而顺乎人；前秦苻坚之所以被东晋的谢玄打败，也是由他治理方略的失误造成的。难道少数就一定能够战胜多数，弱小就一定能够战胜强大吗？”二十八日丁未，孝文帝检阅部队，命令担任尚书的李冲主持选拔军事将领之事。

建康籍的一个名叫法智的和尚与北徐州的百姓周盘龙等人聚众作乱，他们在夜间攻入徐州城内。担任徐州刺史的王玄邈率军对他们进行讨伐，将其消灭。

守城兵败被杀，亲属皆死，独一子王肃逃脱入魏；萧赜的儿子萧子卿在往任南豫州刺史途中让部下乔装成水军，致典签被杀，萧子卿遭终身弃置；写萧赜做露车，准备从步道伐彭城，刘昶又请魏主南征，齐派名将崔慧景驻兵寿春以防之。写魏孝文帝拓跋宏以平城地偏严寒，欲迁都洛阳，假言御驾南伐以动员全国上下，任城王拓跋澄出面反对，孝文帝召之进行个别谈话，使之成为自己的坚定拥护者，于是作河桥、讲武选将，并继续驳斥其他反对者。此外还写了魏主立冯氏为皇后，对皇后父冯熙不以臣相待，令其入朝不拜，冯熙辞之等。

【注释】

①王敬则：萧道成的开国元勋，此时任骠骑大将军。传见《南齐书》卷二十六。②陈显达：萧道成的开国功臣，此时任镇东大将军。传见《南齐书》卷二十六。③门寒：门第低微，不是出身于大士族。陈显达是今江苏镇江人，出身行伍。④迁官：官职晋升。如果降级则称左迁。⑤多事豪侈：干了很多豪华奢侈的事情。⑥郢府主簿：郢州刺史府的高级僚属。主簿，主管文秘，有如今之秘书长。郢州的州治即今武汉的汉口。⑦过九江：自建康到郢府，需先经过九江。九江，即今江西九江市，时为江州的州治所在地。⑧麈尾、蝇拂：本是一物，俗名拂尘，用以掸除尘埃或驱赶蚊蝇。后来演变成一种贵族雅士把玩的物件，遂改用名贵的麈尾为毛，用玉为柄，魏晋南朝的名士们在清谈时常拿在手中。⑨王、谢家物：是东晋大贵族王导、谢安一流的人所手持的物件。王导、谢安都在东晋任过宰相，对东晋王朝的建立与巩固持有过大功，《晋书》中都有其传。王、谢并称，常用以代表东晋南朝的大贵族。唐诗有所谓"旧时王谢堂前燕，飞入寻常百姓家"，即此之谓。⑩不须捉此：没有资格拿着它。不须，不必、没资格。捉，执、拿。于此见陈显达对当时腐朽贵族的迷信崇拜与自卑自贱之情。⑪即取于前烧之：遂夺过来当面给烧掉了。⑫上：以称齐武帝萧赜。⑬于石头造露车：在石头城制造露车。石头城在今南京西部的秦淮河东侧，是当时守卫建康城的军事要地，今南京之石头城公园即其遗址的一部分。露车，一种没有帷盖的车。⑭步道：指经由陆路。与过去桓温、刘裕的北伐皆由水路出兵相对而言。⑮彭城：古城名，即今江苏徐州。徐州在刘宋前期尚属刘宋管辖，自宋明帝泰始三年（公元二六七年）与大片淮北领土一齐沦陷于魏人之手。⑯刘昶：宋文帝刘义隆的第九子，景和元年（公元四六五年）被前废帝刘子业逼反，兵败后北投魏国，被魏国视为奇货以宝养之，封为丹杨王，其后遂经常引魏兵南侵。事见《宋书》卷七十二。⑰乞处边戍：请求驻扎在魏与南齐的边界据点。处，屯驻。⑱遗民：指南齐建国后心里还想着刘宋王朝的南国之民。⑲雪私耻：以报萧氏篡夺刘宋政权之仇。⑳淮、泗：淮河、泗水，魏与南齐边境上的两条大河。淮河自河南的西南方流来，经河南之南部东流入安徽，再东流入洪泽湖；泗水自山东曲阜一带流来，经徐州再南流入淮河。㉑马刍：喂马的草料。㉒崔慧景：萧道成的旧部，南齐的将领，此时为右卫将军。传见《南齐书》卷五十一。㉓豫州：南齐的豫州州治即今安徽寿县，当时为齐国的北部重镇。㉔邢峦：魏国的文学之臣，曾为中书博士，现任员外散骑侍郎。传见《魏书》卷六十五。员外散骑侍郎，是皇帝的侍从参谋人员。㉕颖：邢颖，拓跋焘时代的文学之臣，曾出使刘宋。事见《魏书》卷六十五。㉖丙子：正月二十五。㉗文惠太子长懋：萧长懋，武帝萧赜的太子，死后谥曰文惠。传见《南齐书》卷二十一。㉘风韵甚和：风度平和可亲。㉙好游宴：喜好吃喝玩乐。㉚尚书曹事：尚书省各部门的事务。㉛省：视；审阅；审批。㉜园囿：园林。囿，动物园。㉝过于上宫：比皇帝的宫室、园囿还要

好。㉞傍门列修竹：在门墙外面种上高高的竹子。修竹，长竹。㉟率多僭侈：大都奢侈过分。率，大都。僭，过分、不该如此而如此。㊱启：禀告。㊲于东田起小苑：在太子宫的东方再盖个小别墅。苑，有楼台的院落。胡三省曰："时太子作东田于东宫之东，绵亘华远，壮丽极目。"《齐纪》又有所谓"太子立楼馆于钟山下，号曰东田"。㊳更番筑役：轮流地去参加建筑劳动。㊴营城包巷：外有城墙，内有街巷。㊵弥亘华远：一眼望去华丽的建筑不见尽头。弥，满。亘，连绵不断。㊶莫敢以闻：没人敢把这些情况向他说。有其父必有其子，当年萧赜对萧道成就是如此。㊷收：抓捕。㊸监作主帅：监工盖房的头目人。㊹大被诮责：大大地挨了其父一顿骂。诮，责备。㊺嬖人：男宠。㊻辇及乘舆御物：辇，指皇帝乘坐的车驾。乘舆御物，指皇帝日常使用的各种东西。这里的"乘舆"即指皇帝。㊼幸东宫：偶然来到太子的住所。幸，来到。古代敬称皇帝驾临某地叫"幸"。㊽匆匆：胡三省曰："匆匆者，急遽之意。"㊾以佛像内辇中：表示这个辇是给佛爷坐的。内，同"纳"，放在里面。㊿陶仁：徐陶仁，南朝齐官员。文惠皇太子于东宫玩弄羽仪时，曾说过："终当灭门，正当扫墓待丧耳。"后徐文景被赐死，不哭，时人以为有古风。(51)扫墓待丧：打扫好墓地，等着你的尸体回来。意即你的死期不远了。(52)仍移家避之：于是自己搬家躲开了他的儿子。仍，当时的用法同"乃"，于是。(53)履行：步行巡视。(54)随事毁除：见到什么就随即把什么焚毁。(55)西昌侯鸾：萧鸾，萧道成的同族，萧道生之子，即日后的齐明帝，此时为西昌侯。传见《南齐书》卷六。(56)意中：心中。(57)不解其故：说不出是由于什么原因。(58)救解：劝说。劝萧长懋不要加害于他。(59)得政：做了皇帝之后。(60)无遗：全家一个没留下。(61)始耕藉田：魏主开始耕种籍田。耕籍田是古代帝王亲自进行农业活动，以表示重视农业，鼓励全国百姓积极从事农业生产的意思。籍田，皇帝亲自劳动的那块示范田。藉，通"籍"。(62)王奂：宋、齐之际的大官僚，在宋任吏部尚书，在齐为左仆射，又为雍州刺史。传见《南齐书》卷四十九。雍州的州治即今襄阳市襄州区。(63)宁蛮长史：宁蛮将军的长史。宁蛮将军是主管雍州一带诸郡蛮夷事务的官员，驻地襄阳，上属雍州刺史管辖。长史是将军属下的高级僚属。(64)构扇山蛮：勾结煽动山区的蛮夷。(65)敕：朝廷命令。(66)送兴祖下建康：把刘兴祖押送到建康。因从襄阳到建康是顺流而下，故曰"下"。(67)自经：自缢。(68)吕文显：萧赜的幸臣，此时任中书舍人，由于分别控制各部，很有实权。传见《南齐书》卷五十六。(69)直阁将军曹道刚：萧赜的幸臣。传见《南史》卷七十七。直阁将军是皇帝身边的警卫头领。(70)将斋仗：率领宫廷卫队。斋仗是皇帝身边的执仗卫士。胡三省解释为"斋库精仗以给禁卫勇力之士"，似过于绕远。(71)镇西司马：镇西将军的司马官，司马在军中主管司法。当时荆州刺史萧子隆任镇西将军，驻兵于今湖北江陵。(72)步道会襄阳：从江陵走旱路与吕文显等会师于襄阳，共同捉拿王奂。(73)真敕：真正的圣旨。(74)正宜录取：应把他们逮捕起来。(75)驰启闻：派使者飞马向朝廷报告。(76)辄：就；随即。(77)南堂：雍州刺史府的南堂。(78)闭门：闭城门。(79)台使：朝廷的使者。(80)我不作贼：我根本不想造反。81 遣启自申：派人去向他们说明实情。82 陵藉：践踏；欺压。83 走归：逃回。84 三月乙亥：三月二十五。85 司马黄瑶起：王奂的司马官。86 河东裴叔业：河东郡的郡治在今山西夏县西北，当时属魏。裴叔业早期在刘宋为低级军吏，入齐后为右军将军，刘兴祖被杀后，接任宁蛮长史。传见《南齐书》卷五十一。87 秘书丞肃：王肃，王奂之子。奔魏后甚受重用，位至宰辅。传见《魏书》卷六十三。秘书丞是秘书省的官员，主管图书文籍。88 四月甲午：四月十四。89 南郡王昭业：萧昭业，文惠太子萧长懋之子，萧赜之长孙，即日后的郁林王。传见《南齐书》卷四。90 东宫文武：当年太子长懋属下的所有官员。91 琅邪王氏：名宝明，王晔之之女，萧昭业的生母。传见《南齐书》卷二十。92 南郡王妃何氏：名婧英，何戢之女，萧昭业之妃。传见《南齐书》卷二十。93 戢：何戢，刘宋大官僚何尚之之孙，何偃之子，宋孝武帝女山阴公主的丈夫。传见《南齐书》卷三十二。94 太尉丕：拓跋丕，拓跋兴都之子，拓跋提之弟。传见《魏书》卷十四。95 中宫：皇后的住处，这里即指皇后。96 戊戌：四月十八。97 熙：冯熙，冯太后之兄，官至侍中、太师，被封昌黎王。有三女，二人为孝文帝皇后，一为昭仪。传见《魏书》卷八十三上。98《白虎通》：即《白虎通义》，也称《白虎通德论》，东汉班固等人编撰，内容是叙述汉章帝建初四年（公元七九年）在白虎观对经学的许多问题辩论的结果。此会议由汉章帝亲自主持，班固在会上做记录，是充分反映汉代尊儒的一场活动。99 不臣妻之父母：不以妻之父母为臣。100 太师：这里即指冯熙。101 光城蛮帅：光城郡的少数民族头领。光城郡的郡治即今河南光山，此时本属南齐。102 田益宗：刘宋时曾为沈攸之的部下，受任为将军，后叛降于魏。传见《宋书》卷五十八、《魏书》卷八十三上。103 五月壬戌：五月十三。104 四庙子孙：指世祖拓跋焘、恭宗拓跋晃、高宗拓跋濬、显祖拓跋弘四代的子孙。这是魏国与拓跋宏血缘关系最近的一些人。105 亲与之齿：只论辈分年龄，不论官位高低。齿，列，只以辈分、年龄相列。106 用家人礼：用平民百姓人家那样的礼节。家人，平民百姓。107 甲子：五月十五。108 朝堂：即通常所说的金銮殿。109 录囚徒：也作“虑囚徒”。复审囚犯的罪状，以防产生冤案。110 穆亮：魏国名将，先后仕于献文、孝文、宣武三朝，此时任司空。传见《魏书》卷二十七。111 丙子：五月二十七。112 宜都王铿：萧铿，萧道成的第十六子。传见《南齐书》卷三十五。113 南豫州：南齐的州名，州治在今安徽当涂。114 庐陵王子卿：萧子卿，武帝萧赜的第三子。传见《南齐书》卷四十。115 之镇：在前往南豫州上任的途中。镇，刺史、督军的行辕所在地。116 戏部伍为水军：让自己的部下装作水军的样子。部伍，这里即指部下。117 典签：州刺史与督军属下的大吏。典签原是文书、书记员一类的小吏，因刘宋出任刺史的亲王都年龄甚小，所以此职的权力日益扩大，后来遂成为长史、别驾一样的高级幕僚。118 襄阳蛮酋雷婆思：襄阳一带的蛮族头领姓雷名婆思。119 求内徙于魏：叛齐请魏人容其迁入魏境。120 魏人处之沔北：雷婆思等原先居住在沔水以南，今魏人将其迁移到了沔水以北。沔水即今之汉水，这里指今湖北襄阳西北的一段。121 六月雨雪：夏天六月有时就下雪。雨雪，降雪。〖按〗山西北部很早就有“雁门关外野人家，早穿皮袄午穿纱，怀抱火炉吃西瓜”的说法。⑫斋：斋戒，古人为做某事之前而做出的一种虔敬的活动，如沐浴、更衣、独居等。⑬明堂左个：明堂左侧的偏室。⑭太常卿：官名，掌管各种祭祀的事宜。⑮筮：用蓍草占卜。⑯“革”:《周易》六十四卦中的第四十九卦，本卦主要是讲变革的道理。孔颖达疏曰：“革者，改变之名也。此卦明改制、革命，故名革也。”⑰汤、武革命二句：见《周易·革卦》的《彖辞》。《彖辞》是古人分别对六十四卦每个卦象所做的解释。是《周易》的“十翼”之一。其“革”卦的《彖辞》中有“天地革而四时成，汤、武革命，顺乎天而应乎人”之句。⑱吉孰大焉：再没有什么比这个更吉利的了。孝文帝想迁都，这是一种变革，占卜时正好碰上“革”卦，而该卦的《彖辞》中又正好有“汤、武革命，顺乎天而应乎人”这样的话，所以孝文帝说“吉孰大焉”。⑲任城王澄：景穆帝拓跋晃之孙，拓跋云之子，时为尚书令。传见《魏书》卷十九中。⑳奕叶重光：意即在以往几代先王的光辉事业的基础上。奕叶，累世。重光，重重叠叠的光辉。㉑帝有中土：拥有了中原地区的领土。帝，统治、拥有。汉代以来，例以今河南一带为中土。㉒未为全吉：还不能说是十全十美的征兆。因为“汤、武革命”才是发动变革的开始，而当今的魏国乃是一个天下无敌的国家，而不是什么刚刚开始变革。㉓繇：繇辞，也就是“爻辞”。《周易》六十四卦，每一卦由六爻组成，对六爻分别进行解释的词语称作爻辞。㉔大人虎变：语见《周易·革卦·九五·爻辞》。原文作：“大人虎变，未占有孚。”《象辞》对此解释说：“大人虎变，其文炳也。”《象辞》也是《周易》的“十翼”之一。《象辞》既有对每一卦的整个卦象进行分析的词语，也有对一卦中的某一爻进行分析的词语。孝文帝见《九五·爻辞》中有“大人虎变”之语，《象辞》中又有“其文炳也”，故驳拓跋澄曰“何言不吉”。㉕龙兴已久：做皇帝已经多年了。㉖何得今乃“虎变”：按通常习惯，小人物变成大人物可以说是“虎变”，孝文帝久已做皇帝，现乃只有“虎变”，的确有些引喻失当，故孝文帝无言再对，只能发脾气。㉗欲沮众邪：莫非想动摇瓦解我们的军心吗。沮众，动摇军心，瓦解斗志。㉘解：消除怒气，缓和下来。㉙各言其志二句：各自发表看法，即使有些看法不同，说说又有什么关系呢。夫，发语词。㉚还宫：从明堂回到寝宫。㉛逆谓之：迎面首先提出问题。逆，迎面。㉜向者“革”卦：刚才咱们讨论的“革”卦。向者，前些时候，这里即指刚才。㉝更：再；重新。㉞明堂之忿：刚才我在明堂上发脾气。㉟恐人人竞言：是怕人们纷纷地发表反对意见。㊱沮我大计：破坏我的大事。沮，败坏。㊲怖文武：吓唬那些朝臣，意即不是针对你。㊳想识朕意：我想你会明白我的用意。㊴屏人：支开身边的其他人。屏，用如动词，同“摒”。㊵今日之举：指迁都洛阳。㊶朔土：指北方。魏国的旧都盛乐，在今内蒙古的和林格尔北。㊷迁宅中原：搬家到中原地区居住。宅，安家。㊸卜宅中土：意同“迁宅中原”。卜宅，物色个居住的好地方，意即搬家。㊹经略四海：统一天下。经略，经营、开拓。㊺此周、汉之所以兴隆：当年周、汉两朝之所以兴隆，就是这样做的。周、汉，这里指西周的成王、康王，汉代的光武帝、汉明帝，他们都是选择了洛阳作为国都。⑯习常恋故：指不想变革、不想搬家。⑰惊扰：因害怕而产生纷乱、动荡。⑱非常：不同于寻常。⑲故非常人之所及：本来就不是一般人所能够干出来的。故，通“固”，本来。常人，普通人。汉代司马相如《喻巴蜀檄》有所谓“世必有非常之人，然后有非常之事；有非常之事，然后有非常之功”；汉武帝《求贤诏》有所谓“盖有非常之功，必待非常之人”，意思皆同。⑳断自圣心：只要您的主意已定。㉑彼亦何所能为：他们即使反对又能怎么样。㉒吾之子房也：孝文帝自比刘邦，把拓跋澄比作刘邦的谋士张良。子房，即张良，是刘邦的心腹谋士，帮着刘邦打败秦朝、打败项羽，又帮着刘邦剪除功臣，是刘邦的开国元勋。事见《史记·留侯世家》。㉓六月丙戌：六月初七。㉔作河桥：在黄河上搭建桥梁。㉕卢渊：魏国的儒学之臣，卢玄之子，此时为秘书监。传见《魏书》卷四十七。㉖承平之主：太平时代的继任皇帝。㉗亲御六军：亲自率领国家军队。御，统率。六军，天子的军队。古代唯天子有六军，大国诸侯三军，次者二军、一军。㉘行陈：同“行阵”，军队的阵式，这里即指战场。㉙岂非：不就是因为。㉚胜之不足为武：打胜了也不能给自己提高威名。㉛有亏威望：降低威信。㉜魏武：指曹操，被其子曹丕追称为魏武帝。传见《三国志》卷一。㉝破袁绍：曹操破袁绍于官渡事，见本书卷第六十三汉献帝建安五年。㉞谢玄：东晋丞相谢安之侄，中国古代的著名将领。传见《晋书》卷七十九。㉟摧苻秦：摧毁了以苻坚为首的前秦政权。公元三八三年苻坚率大军六十多万进攻东晋，被谢玄大破于淝水，从此前秦迅速崩溃。事见本书卷一百五晋孝武帝太元八年。有人说此处的“苻秦”应作“苻坚”。二者皆可。㊱报：答复。㊲同轨无敌：当时天下一统，没

【原文】

秋，七月癸丑[192]，魏立皇子恂[193]为太子。

戊午[194][6]，魏中外戒严，发露布[195]及移书[196]，称当南伐[197]。诏发扬、徐州民丁[198]，广设召募以备之。

中书郎王融[199]，自恃人地[200]，三十内望为公辅[201]。尝夜直省中[202]，抚案叹曰：“为尔寂寂[203]，邓禹笑人[204]！”行逢朱雀桁开[205]，喧湫[206]不得进，

有敌国存在。同轨，车同轨，书同文，指天下一统而太平。⑱懦劣偷安：软弱而又苟且偷安。偷，苟且、苟活。⑲比之懦劣：与那些懦劣偷安的君主一样没有作为。⑳必若：如果一定像有的人所说。㉑王者不当亲戎：当皇帝的人不该亲自上战场。此驳所谓"胜之不足为武，不胜有亏威望"。㉒制革辂：在帝王的车驾中也备有革辂一种。革辂，古代帝王乘坐的兵车。㉓仗顺：即上文所谓"顺乎天而应乎人"。㉔失政：治理方略的失误。㉕丁未：六月二十八。㉖讲武：检阅军队。㉗典武选：主持选拔军事将领。㉘建康僧法智：建康籍的和尚名法智。㉙周盘龙：此与南齐名将周盘龙不是同一个人。㉚徐州城：这里是指北徐州，南齐的北徐州州治燕县，也称钟离城，在今安徽凤阳东北。㉛王玄邈：刘宋将领王玄谟的堂兄弟，初忠于刘宋，入齐后，又颇受萧氏器重，先后任梁、南秦二州刺史，徐州刺史等职。传见《南齐书》卷二十七。

【校记】

［1］辈：原作"等"。据章钰校，十二行本、乙十一行本、孔天胤本皆作"辈"，张敦仁《通鉴刊本识误》同，今据改。［2］蛮酋：据章钰校，十二行本、乙十一行本皆作"蛮首"。〖按〗《魏书·高祖纪》作"蛮酋"，然他卷则"蛮酋""蛮首"互见。［3］顺乎天而应乎人：原作"应乎天而顺乎人"。据章钰校，十二行本、乙十一行本、孔天胤本皆作"顺乎天而应乎人"，今据改。［4］之：原无此字。据章钰校，十二行本、乙十一行本、孔天胤本皆有此字，张敦仁《通鉴刊本识误》同，今据补。［5］者：原无此字。据章钰校，十二行本、乙十一行本、孔天胤本皆有此字，张敦仁《通鉴刊本识误》同，今据补。

【语译】

秋季，七月初五日癸丑，魏孝文帝拓跋宏立自己的儿子拓跋恂为太子。

初十日戊午，魏国宣布全国进入紧急军事状态，并向全国军民发布公告和公开信，宣称大举出兵讨伐齐国的原因。齐武帝萧赜下诏，动员扬州、徐州的青壮年入伍，到处设立兵站进行招募，以防备魏军的入侵。

齐国担任中书郎的王融，依仗自己的才能以及出身高贵门第，在不到三十岁的年纪，就希望达到三公和宰相一级的职位。王融曾经在中书省值夜班，他抚摸着自己的办公桌叹息着说："像你这样默默无闻，如果邓禹这样的人还活着一定会笑话你！"一次，王融走到建康朱雀门外的时候，正遇到秦淮河上的浮桥因为河中行船而打开，造成准备过桥的车马、行人等无法通过，人们因为等待过桥而嘈杂拥挤，王

捶车壁叹曰："车前无八驺[207]，何得称丈夫[208]！"竟陵王子良[209]爱其文学，特亲厚之。

融见上有北伐之志，数[210]上书奖劝[211]，因大习骑射[212]。及魏将入寇，子良于东府[213]募兵，版融[214]宁朔将军，使典其事[215]。融倾意[216]招纳，得江西伧楚[217]数百人，并有干用[218]。

会上不豫[219]，诏子良甲仗[220]入延昌殿侍医药[221]，子良以萧衍、范云[222]等皆为帐内军主[223]。戊辰[224]，遣江州刺史陈显达镇樊城[225]。上虑朝野忧遑[226]，力疾[227]召乐府奏正声伎[228]。子良日夜在内，太孙[229]间日参承[230]。

戊寅[231]，上疾亟[232]，暂绝[233]。太孙未入，内外惶惧，百僚皆已变服[234]。王融欲矫诏[235]立子良，诏草已立[236]。萧衍谓范云曰："道路籍籍[237]，皆云将有非常之举[238]。王元长[239]非济世才[240]，视其败也[241]。"云曰："忧国家者，惟有王中书[242]耳！"衍曰："忧国，欲为周、召[243][7]，欲为竖刁[8]邪[244]？"云不敢答。及太孙来，王融戎服绛衫[245]，于中书省阁口[246]断东宫仗[247]不得进。顷之，上复苏[248]，问太孙所在，因召东宫器甲[249]皆入，以朝事[250]委尚书左仆射西昌侯鸾[251]。俄而上殂，融处分[252]以子良兵禁诸门[253]。鸾闻之，急驰至云龙门，不得进，鸾曰："有敕召我！"排[254]之而入，奉太孙[255]登殿，命左右扶出子良[256]。指麾[257]部署，音响如钟[258]，殿中无不从命。融知不遂[259]，释服还省[260]，叹曰："公误我[261]！"由是郁林王[262]深怨之。

遗诏曰："太孙进德日茂[263]，社稷有寄[264]。子良善相毗辅[265]，思弘治道[266]，内外众事，无大小悉与鸾参怀[267]，共下意[268]！尚书中事，职务根

融因为自己的车子无法前进，于是就敲打着车壁唉声叹气地说："车前没有喝道开路的八名先遣队员，怎么能算是个大丈夫呢！"竟陵王萧子良因为欣赏王融的文学才华，特别亲近他、厚待他。

王融看到齐武帝有北伐的志向，遂多次上书进行鼓励支持，积极呼应，王融本人也装腔作势地开始练习骑马射箭以讨好齐武帝。等到魏国军队即将入侵的时候，担任司徒的竟陵王萧子良在东府招募军队，他任命王融为宁朔将军，让王融掌管招兵之事。王融尽心尽力，努力要做好此事，居然招到了好几百名长江以西以及来自北方的人，他们都有作为骨干的才能。

正好此时齐武帝病倒了，齐武帝下诏让萧子良带领属下那些披甲执兵的卫士进入延昌殿侍候皇帝延医吃药，萧子良任命萧衍、范云等人担任帐内军主。七月二十日戊辰，齐武帝派遣担任江州刺史的陈显达镇守樊城。齐武帝担心朝廷和民间人心惶恐，便勉强地支撑着病体召乐府进宫演奏清商乐。萧子良则日夜守候在皇宫之内，皇太孙萧昭业隔一天来问候一次，听取皇帝的嘱托。

七月三十日戊寅，齐武帝病情突然加重，暂时停止了呼吸。此时皇太孙萧昭业没有入宫，朝廷内外一片惊慌恐惧，文武百官都已经换上了孝服。王融想要假传皇帝圣旨立竟陵王萧子良为皇位继承人，诏书的草稿都已经写好了。担任帐内军主的萧衍对范云说："道路上的人们喊喊喳喳，都说将要有人发动政变。王融根本不是救国救民的人才，我们马上就会看到他的失败。"范云说："为国家担忧的人，恐怕只有王融而已！"萧衍说："王融为国担忧，他是想做谨遵武王遗嘱，成功辅佐年幼的周成王治理国家的周公旦、召公奭那样的人呢，还是想做违背齐桓公的意愿另立新人，而导致齐国连年内乱不休的竖刁那样的人呢？"范云不敢回答萧衍的问题。等到皇太孙萧昭业进宫的时候，王融身穿军服，外面披着一袭红衫，在中书省的门口拦住了皇太孙萧昭业和他的卫士，不许他们进宫。过了一会儿，齐武帝又清醒过来，询问皇太孙在什么地方，这才召皇太孙和他所带领的全部东宫卫队进入皇宫，齐武帝把国家政事全部委托给担任尚书左仆射的西昌侯萧鸾。不一会儿，齐武帝就死了，王融把萧子良的军队布置在宫城各门口严密把守。萧鸾听说皇帝去世的消息之后，急忙骑马飞奔到云龙门，守卫的士兵却不让他入宫，萧鸾说："皇帝召我入宫！"说罢，推开阻拦他的卫兵冲进宫中，然后簇拥着皇太孙萧昭业登上金殿，令左右将萧子良架出宫去。萧鸾指挥部署，声音响亮得就像洪钟一样，殿中的人没有人不听从他的命令。王融知道拥立竟陵王萧子良的愿望已经不能实现，就脱去军服回到了中书省，叹了口气说："是竟陵王耽误了我！"因为这个缘故，郁林王萧昭业非常怨恨王融。

齐武帝临终前的遗诏中说："皇太孙的品德修养一天比一天好，国家政权就有了依靠。萧子良要好好地辅佐他，要千方百计把国家的大事办好，朝廷内外的各种政事，无论大小，都要与萧鸾一道商量着办，你们两个彼此之间都要虚心相待，共同辅佐萧昭业治理好国家！尚书省的事务，是国家的根本，全部委托给担任尚书右仆

本，悉委右仆射王晏[269]、吏部尚书徐孝嗣[270]。军旅之略，委王敬则、陈显达、王广之[271]、王玄邈、沈文季[272]、张瓌、薛渊[273]等。”

世祖留心政事，务总大体[274]，严明有断，郡县久于其职[275]，长吏犯法，封刃行诛[276]。故永明之世[277]，百姓丰乐，贼盗屏息[278]。然颇好游宴，华靡[279]之事，常言恨之[280]，未能顿遣[281]。

郁林王之未立也，众皆疑立子良，口语喧腾[282]。武陵王晔于众中大言[283]曰：“若立长[284]，则应在我[285]；立嫡[286]，则应在太孙[287]。”由是帝[288]深凭赖之[289]。直阁周奉叔、曹道刚素为帝心膂[290]，并使监殿中直卫[291]。少日[292]，复以道刚为黄门郎[293]。

初，西昌侯鸾为太祖所爱，鸾性俭素，车服仪从，同于素士[294]，所居官[295]名为严能[296]，故世祖亦重之。世祖遗诏，使竟陵王子良辅政[297]，鸾知尚书事[298]。子良素仁厚，不乐世务[299]，乃更推鸾[300]，故遗诏云“事无大小，悉与鸾参怀”，子良之志[301]也。

帝少养于子良妃袁氏，慈爱甚著[302]。及王融有谋[303]，遂深忌子良。大行[304]出太极殿[305]，子良居中书省[306]，帝使虎贲中郎将[307]潘敞领二百人仗[308]屯太极殿西阶[309]以防之。既成服[310]，诸王[311]皆出，子良乞停至山陵[312]，不许。

壬午[313]，称遗诏，以武陵王晔为卫将军，与征南大将军陈显达并开府仪同三司；尚书左仆射、西昌侯鸾为尚书令；太孙詹事[314]沈文季为护军[315]。癸未[316]，以竟陵王子良为太傅[317]。蠲除三调[318]及众逋[319]，省[320]御府及无用池田、邸冶[321][9]，减关市征税[322]。先是，蠲原之诏[323]，多无事实，督责如故[324]。是时西昌侯鸾知政，恩信两行[325]，众皆悦之。

射的王晏、担任吏部尚书的徐孝嗣负责。国家有关军事、国防方面的事务，则委托给王敬则、陈显达、王广之、王玄邈、沈文季、张瓌、薛渊等人负责。”

齐世祖武皇帝萧赜生前留心国家政务，只求抓好一些大的方面，他为人严格、明察而有决断，担任太守、知县的地方官任职时间都比较长，职位高的官吏如果犯了法，就赐剑给他们让他们自杀。所以在齐武帝执政的永明年间，百姓生活丰足、快乐，就连贼盗也都屏息敛迹，不敢出来活动。然而齐武帝喜好吃喝玩乐，生活靡丽奢侈，说起来常常感到后悔，但实际行动上却始终未能断然纠正过。

郁林王萧昭业在没有被立为皇太孙的时候，大家都猜测齐武帝是不是要立萧子良做接班人，人们议论得很厉害。武陵王萧晔在众人当中大声地说：“如果皇帝立年龄大的为继承人，就应当立我；如果皇帝要立嫡长子为接班人，最应当立的是皇太孙。”因为这个原因，皇太孙萧昭业深深地依靠着武陵王萧晔。担任直阁将军的周奉叔、曹道刚一向被萧昭业视为最得力的心腹之臣，所以都派他们去监督管理在朝堂值班的那些卫士。没过多久，又任命曹道刚为黄门郎。

当初，西昌侯萧鸾深受太祖萧道成的喜爱，萧鸾性情节俭、朴素，他的车马、服饰、仪容、侍从，就像平民身份的士人一样，不论担任什么官职，都以办事严格、能干而闻名，所以世祖萧赜也很器重他。世祖萧赜留下遗诏，让竟陵王萧子良担任司徒，帮助皇帝照看大政方针，让萧鸾担任管理尚书省各部门事务的知尚书事。竟陵王萧子良一向仁慈厚道，不乐意管理那些具体而琐碎的事务，于是便向齐武帝推荐了萧鸾，所以齐武帝才在遗诏中说“事情无论大小，都要与萧鸾一同商量裁决”，这都是出自萧子良的想法。

小皇帝萧昭业小的时候，由竟陵王萧子良的妃子袁氏抚养，竟陵王萧子良和袁氏对萧昭业非常慈爱，他们之间的感情很好。等到王融有了拥立萧子良为帝的阴谋之后，萧昭业就非常忌恨萧子良了。大行皇帝萧赜的遗体被抬出太极殿入殓的时候，萧子良日夜住在中书省，小皇帝萧昭业派担任虎贲中郎将的潘敞率领着二百名手持兵器的卫兵排列在太极殿的西阶以防萧子良有不轨行动。入殓以后，众人都穿好丧服，那些诸侯王也都出宫去了，萧子良请求继续留居在中书省，等皇帝的梓宫安葬好后再回家，萧昭业不允许。

八月初四日壬午，小皇帝萧昭业称奉了先帝遗诏，任命武陵王萧晔为卫将军，与征南大将军陈显达一同加授开府仪同三司；任命担任尚书左仆射的西昌侯萧鸾担任尚书令；任命担任皇太孙詹事的沈文季为护军将军。初五日癸未，任命竟陵王萧子良为太傅。免除向百姓征收粮食、布帛以及摊派劳役这三种赋税，免除百姓拖欠官府的各种税赋，取消属于宫廷管辖的或没有使用的水田与诸王府所办的冶炼作坊，减轻商旅经过关卡和在市场上被征之税。在此之前，朝廷所下达的关于免除赋税和徭役的诏书，多数都没有得到落实，官府依然照常催促收缴。现在西昌侯萧鸾执政，对百姓既有恩惠，又言而有信，百姓都很拥护他。

魏山阳景桓公尉元[326]卒。

魏主使录尚书事广陵王羽[327]持节安抚六镇[328]，发其突骑[329]。丁亥[330]，魏主辞永固陵。己丑[331]，发平城，南伐，步骑三十余万。使太尉丕与广陵王羽留守平城，并加使持节[332]。羽曰："太尉宜专节度[333]，臣正可为副。"魏主曰："老者之智，少者之决[334]，汝无辞也。"以河南王幹[335]为车骑大将军、都督关右[336]诸军事，又以司空穆亮、安南将军卢渊、平南将军薛胤[337]皆为幹副，众合七万出子午谷[338]。胤，辩[339]之曾孙也。

郁林王性辩慧[340]，美容止[341]，善应对，哀乐过人[342]，世祖由是爱之。而矫情饰诈[343]，阴怀鄙慝[344]，与左右群小共衣食，同卧起。

始为南郡王[345]，从[346]竟陵王子良在西州[347]。文惠太子每禁其起居[348]，节其用度，王密就富人求钱[349]，无敢不与。别作钥钩[350]，夜开西州后阁[351]，与左右至诸营署[352]中淫宴。师史仁祖[353]、侍书胡天翼[354]相谓曰："若言之二宫[355]，则其事未易[356]；若于营署为异人所殴[357]及犬物所伤，岂直罪止一身，亦当尽室及祸[358]。年各七十，余生宁[10]足吝邪？"数日间，二人相继自杀，二宫不知也。所爱左右，皆逆加官爵[359]，疏于黄纸[360]，使囊盛带之[361]，许南面之日[362]，依此施行。

侍太子疾及居丧，忧容号毁[363]，见者呜咽，裁还私室[364]，即欢笑酣饮。常令女巫杨氏祷祀[365]，速求天位[366]。及太子卒，谓[367]由杨氏之力，倍加敬信。既为太孙[368]，世祖有疾，又令杨氏祷祀。时何妃犹在西州，世祖疾稍危，太孙与何妃书，纸中央作一大喜字，而作三十六小喜字绕之。

魏国的山阳景桓公尉元去世。

魏孝文帝拓跋宏派担任录尚书事的广陵王拓跋羽带着符节去安抚北部边境上的六个军镇，征调那里的勇猛骑兵。八月初九日丁亥，魏孝文帝辞别了永固陵。十一日己丑，从平城出发，率领三十多万步兵、骑兵，向南来讨伐齐国。孝文帝安排太尉拓跋丕与广陵王拓跋羽留守平城，并且加授他们使持节。广陵王拓跋羽说："太尉拓跋丕应该受任使持节，我可以做他的副职。"孝文帝说："你们两人要通力合作，互为补充。老者经过的事情多，能深谋远虑；年轻人气盛，遇事能有决断。你就不要推辞了。"孝文帝任命河南王拓跋幹为车骑大将军、都督关右诸军事，又任命司空穆亮、安南将军卢渊、平南将军薛胤都担任拓跋幹的副将，总共七万人经过子午谷南下进攻齐国。薛胤，是薛辩的曾孙。

齐国的郁林王萧昭业能言善辩，又很聪慧，形貌靓丽，举止文雅，善于应对，喜悦与悲哀都表现得比一般人敏感，因此世祖萧赜非常喜欢他。然而萧昭业又有虚情假意、善于伪装的一面，憋着一肚子的坏水，他与身边的一群小人吃穿不分，同起同坐。

萧昭业开始的时候被封为南郡王，跟着竟陵王萧子良住在西州的扬州刺史府。文惠太子萧长懋总是不让他和那些下人混在一起，并控制萧昭业的花费，于是身为南郡王的萧昭业就偷偷地向那些富人们要钱，没有人敢不给他。萧昭业又私下里另配了一把钥匙，夜里打开扬州刺史府的后门，与他的那些侍从人员一起到扬州管辖下的各军营、各官署中纵情地饮酒作乐。担任萧昭业老师的史仁祖、负责教书法的官员胡天翼互相商议说："如果把萧昭业的所作所为报告给当今皇帝和东宫的皇太子，这件事情我们很难开口，也很难有好结果；如果萧昭业在各军营、各官署中被别的什么不认识他的人殴打或者被狗等动物伤害，岂止是我们自己被杀头，恐怕全家人都要跟着遭殃。我们都是七十岁的人了，剩下的那点岁月难道还值得吝惜吗？"于是在几天的时间里，二人相继自杀，皇宫里的齐武帝萧赜和东宫里的皇太子萧长懋并不知情。萧昭业对于自己所喜欢的那些左右侍从人员，都预先给他们加官晋爵，并写在黄纸上，用袋子装起来带在身边，许诺等到自己做了皇帝之后，就依照现在写在黄纸上的进行封赏。

郁林王萧昭业在侍奉他父亲萧长懋疾病以及后来在居丧期间，愁容满面，哭得就像得了一场重病，看见他这个样子的人都被感动得忍不住落下泪来，然而他只要一回到自己的屋子，立即就欢声笑语，开怀畅饮。萧昭业经常让女巫杨氏进行祈祷祭祀，祈求鬼神能让他的爷爷、父亲早点死掉，自己好快点当上皇帝。等到太子萧长懋去世之后，萧昭业认为是女巫杨氏祈祷祭祀的结果，于是对女巫杨氏更加敬重和信任。等到萧昭业被立为皇太孙之后，世祖萧赜得了病，萧昭业又让女巫杨氏进行祈祷祭祀，诅咒世祖萧赜快死。当时皇太孙萧昭业的妃子何氏还在西州的扬州刺史府居住，世祖萧赜病情稍微有些加重，皇太孙萧昭业在写给何妃的信纸中央写了一个大喜字，在大喜字的周围还写了三十六个小喜字。

侍世祖疾，言发泪下[369]。世祖以为必能负荷大业[370]，谓曰："五年中一委宰相[371]，汝勿措意[372]，五年外勿复委人。若自作无成[373]，无所多恨。"临终，执其手曰："若忆翁[374]，当好作[375]！"遂殂。大敛始毕，悉呼世祖诸伎[376]，备奏众乐[377]。

即位十余日，即收王融下廷尉，使中丞孔稚珪奏融"险躁轻狡[378]，招纳不逞[379]，诽谤朝政"。融求援于竟陵王子良，子良忧惧，不敢救，遂于狱赐死，时年二十七。

初，融欲与东海徐勉[380]相识，每托人召之[381]。勉谓人曰："王君名高望促[382]，难可轻襟衣裾[383]。"俄而融及祸，勉由是知名。太学生会稽魏準，以才学为融所赏，融欲立子良，準鼓成其事[384]。太学生虞羲、丘国宾窃相谓曰："竟陵才弱，王中书无断，败在眼中[385]矣。"及融诛，召準入舍人省[386]诘问，惶惧而死，举体皆青，时人以为胆破。

壬寅[387]，魏主至肆州[388]，见道路民有跛眇者[389]，停驾慰劳，给衣食终身。

大司马安定王休[390]执军士为盗者三人以徇于军[391]，将斩之。魏主行军遇之，命赦之。休不可，曰："陛下亲御六师，将远清江表[392]，今始行至此，而小人已为攘盗，不斩之，何以禁奸？"帝曰："诚如卿言。然王者之体[393]，时有非常之泽。三人罪虽应死，而因缘遇朕，虽违军法，可特赦之。"既而谓司徒冯诞曰："大司马[394]执法严，诸君不可不慎[395]。"于是军中肃然。

臣光曰[396]："人主之于其国，譬犹一身，视远如视迩[397]，在境如在庭[398]。举贤才以任百官，修政事以利百姓，则封域之内无不得

萧昭业在侍奉世祖萧赜疾病期间，一说话就掉眼泪。世祖认为萧昭业善良孝顺，一定能够承担起治理国家的重任，于是对他的这个孙子谆谆告诫说："我去世之后，五年之内你要把所有政事都交给宰相去处理，不要过问，五年以后你就不要再把政事委托给他人去处理。如果你自己没有干出成就来，不要怨天尤人。"临死的时候，他拉着萧昭业的手说："如果你想念爷爷，你就应当好好干！"随后就去世了。齐世祖的遗体刚刚入棺，萧昭业就把世祖的歌舞诸伎全部召集在一起，让他们把各种歌舞都尽情地表演了一遍。

萧昭业才做了十几天皇帝，就下令把王融抓起来交给廷尉审理治罪，他指使担任中丞的孔稚珪上书举报王融有关"阴险贪婪，轻狂狡猾，聚集了一批心怀不满的恶人，诽谤朝政"等方面的罪行。王融向竟陵王萧子良求救，萧子良惧怕引火烧身，所以不敢搭救王融，萧昭业遂下令让王融在狱中自杀了，当时王融年仅二十七岁。

当初，王融想结识东海郡人徐勉，常常托人召徐勉来与自己共事。徐勉对别人说："王融虽然名声很大，但是威望不高，得势的时间长不了，用不了穿破一件衣服的时光就会败亡。"不久王融果然被杀，徐勉因此而出了名。在太学读书的会稽郡人魏凖，因为才学出众而受到王融的赏识，王融想要拥戴竟陵王萧子良为皇位继承人，魏凖便帮助王融，给王融做吹鼓手以成就此事。太学里的另外两名学生虞羲、丘国宾私下里互相议论说："竟陵王萧子良才能低下，中书王融又没有决断，眼看着他们就要失败了。"等到王融被杀之后，萧昭业令人把魏凖叫到舍人省进行责问，魏凖因为惊下过度而死，死后遍体都是青紫色，当时的人都认为魏凖是被吓破了胆。

八月二十四日壬寅，魏孝文帝到达肆州的时候，看到路上有瘸了一条腿、瞎了一只眼的人，就停下车来进行安慰，并许诺供给他们一辈子吃穿。

担任大司马的安定王拓跋休将三名偷盗的士兵抓起来押到军前示众，并准备把他们处死。魏孝文帝行军途中刚好碰上，就命令拓跋休赦免了他们。拓跋休认为不可以赦免，说："陛下亲自统率全国的军队，就要扫平江南，统一天下，如今才刚走到这里，这几个小人就已经成为窃贼，如果不杀了他们，怎么能禁止别人作奸犯科呢？"孝文帝说："你说得确实很有道理。然而作为一个帝王，行事经常会有特殊的恩泽。三个人所犯的罪过虽然应该被处死，然而他们因为特殊的缘分遇到了我，即使他们违反了军法，还是可以特别赦免他们。"接着又对担任司徒的冯诞说："大司马拓跋休执法严格，你们这些人可千万不要在他的手下犯事。"于是军中无人敢不恭恭敬敬地服从命令。

司马光说："君王和他的国家，就像一个人的身体，对待远方的事情就像对待眼前的事情一样，处理边境上的问题就像处理庭院里的问题一样。举荐贤才并根据他们的实际才能任用他们担任各类官职，治理好国家的政事而给百姓带

其所矣。是以先王黈纩塞耳[399]，前旒蔽明[400]，欲其废耳目之近用，推聪明[401]于四远也。彼废疾[402]者宜养，当命有司均之于境内[403]；今独施于道路之所遇，则所遗者多矣，其为仁也，不亦微乎？况赦罪人以桡有司之法[404]，尤非人君之体也。惜也！孝文，魏之贤君，而犹有是[405]乎！"

戊申[406]，魏主至并州[407]。并州刺史王袭[408]，治有声迹[409]，境内安静，帝嘉之。袭教民多立铭[410]置道侧，虚称其美[411]，帝闻而问之，袭对不以实。帝怒，降袭号二等[412]。

九月壬子[413]，魏遣兼员外散骑常侍勃海高聪[414]等来聘。

丁巳[415]，魏主诏车驾所经，伤民秋稼者，亩给谷五斛[416]。

辛酉[417]，追尊文惠太子为文皇帝，庙号世宗。

世祖梓宫[418]下渚[419]，帝于端门[420]内奉辞[421]。辒辌车[422]未出端门，亟[423]称疾还内。裁入閤，即于内奏胡伎[424]，鞞铎[425]之声，响震内外。丙寅[426]，葬武皇帝于景安陵[427]，庙号世祖。

戊辰[428]，魏主济河[429]。庚午[430]，至洛阳。壬申[431]，诣故太学[432]观石经[433]。

乙亥[434]，邓至王像舒彭[435]遣其子旧[436]朝于魏，且请传位于旧，魏主许之。

魏主自发平城至洛阳，霖雨[437]不止。丙子[438]，诏诸军前发[439]。丁丑[440]，帝戎服，执鞭乘马而出，群臣稽颡[441]于马前。帝曰："庙算[442]已定，大军将进，诸公更欲何云？"尚书[443]李冲等曰："今者之举，天下

来实实在在的利益，那么在这个国家中人们就能各得其所了。所以古代帝王之冕的两侧都悬挂着两个黄色的棉球，表示帝王为了不听无益之言，随时准备用棉球把耳朵堵起来；古代帝王之冕的前面悬垂着许多玉珠串用来遮挡视线，象征着君王不看那些没用的、虚假的东西，就是希望君王不要光听近处的声音，光看眼前的事情，而应把大聪明、大智慧用在制定好政策、任用好贤才方面，最终把国家治理好。那些无法治疗的残疾人当然应当得到赡养，但是皇帝应当命令有关部门的官员对整个国境之内所有的残疾人都给予赡养；如今魏孝文帝只对路上遇到的残疾人给予赡养，那么被遗忘的残疾人就太多了，这样的仁慈，不是很微小吗？更何况赦免罪人而妨碍主管官员公正执法，这尤其不是君王应当做的事情。可惜啊！孝文帝，称得上是魏国的贤明君主，居然还有这样的问题！”

八月三十日戊申，魏孝文帝到达并州。担任并州刺史的王袭，为官有声望、有业绩，并州境内安静祥和，孝文帝夸奖了他。王袭却教百姓在道路两边立了很多给自己歌功颂德的石碑，夸大王袭的好处，孝文帝听说这件事之后就询问王袭，王袭没有实事求是地回答。孝文帝立即发怒，将王袭的封号一下子降了两级。

九月初四日壬子，魏国派遣兼员外散骑常侍的勃海郡人高聪等到齐国进行友好访问。

初九日丁巳，魏孝文帝下诏，凡是车驾所经过的地方，如果损坏了百姓的庄稼，一律按照每亩五斛粮食的标准进行赔偿。

十三日辛酉，齐国小皇帝萧昭业追尊自己的父亲文惠太子萧长懋为文皇帝，庙号世宗。

齐世祖萧赜的灵柩准备向水边进发，小皇帝萧昭业在端门之内向灵柩告辞。载着灵柩的丧车还没有走出端门，萧昭业就急急忙忙地推说自己有病而返回皇宫。刚进入皇宫的东小门，立即就令乐队在宫中演奏北方的民族音乐，鞞鼓、金铎之声响彻皇宫内外。九月十八日丙寅，把齐武帝萧赜安葬于景安陵，庙号世祖。

九月二十日戊辰，魏孝文帝向南渡过黄河。二十二日庚午，到达洛阳。二十四日壬申，前往东汉时期的太学遗址观看刻在石碑上的儒家经典。

二十七日乙亥，邓至地区的羌族人首领像舒彭派他的儿子像旧到魏国朝见孝文帝，并向孝文帝请求允许自己把王位传给像旧，孝文帝同意了他的请求。

魏孝文帝自从离开平城到达洛阳以来，一直连绵不断地下着雨，从来没有停止过。九月二十八日丙子，孝文帝下诏，命令各军向前方开拔。二十九日丁丑，孝文帝身穿军服，手执马鞭，骑着战马准备出发，群臣都拦在他的马前跪在地上磕头。孝文帝说：“朝廷的大政方针已经定好，大军即将开拔，各位还想要说什么呢？”担任尚书令的李冲等回答说：“如今举全国之力去讨伐齐国，天下的人都不愿意这样做，

所不愿，唯陛下欲之，臣不知陛下独行[444]，竟何之[445]也？臣等有其意而无其辞[446]，敢以死请[447]！”帝大怒曰：“吾方经营天下，期于混壹[448]，而卿等儒生，屡疑大计[449]。斧钺有常[450]，卿勿复言！”策马将出。于是安定王休等并殷勤泣谏[451]，帝乃谕[452]群臣曰：“今者兴发[453]不小，动而无成，何以示后？朕世居幽朔[454]，欲南迁中土，苟不南伐[455]，当迁都于此。王公以为何如？欲迁者左[456]，不欲者右。”安定王休等相帅如右[457][11]。南安王桢[458]进曰：“‘成大功者不谋于众[459]。’今陛下苟辍[460]南伐之谋，迁都洛邑，此臣等之愿，苍生[461]之幸也。”群臣皆呼万岁。时旧人[462]虽不愿内徙，而惮[463]于南伐，无敢言者，遂定迁都之计。

李冲言于上曰：“陛下将定鼎洛邑[464]，宗庙宫室[465]，非可马上行游[466][12]以待之。愿陛下暂还代都[467]，俟群臣经营毕功[468]，然后备文物[469]、鸣和鸾[470]而临之。”帝曰：“朕将巡省州郡[471]，至邺小停[472]，春首[473]即还，未宜归北。”乃遣任城王澄还平城，谕留司百官以迁都之事，曰：“今日真所谓‘革’也[474]。王其勉之[475]！”

帝以群臣意多异同[476]，谓卫尉卿、镇南将军于烈[477]曰：“卿意如何？”烈曰：“陛下圣略渊远[478]，非愚浅所测。若隐心而言[479]，乐迁之与恋旧，适中半[480]耳。”帝曰：“卿既不唱异[481]，即是肯同，深感不言之益。”使还镇平城，曰：“留台庶政[482]，一以相委。”烈，栗磾[483]之孙也。

先是，北地民支酉[484]聚众数千，起兵于长安城北石山[485]，遣使告梁州刺史阴智伯[486]。秦州[487]民王广亦起兵应之，攻执魏刺史刘藻，秦、雍间七州[488]民皆响震[489]，众至十万，各守堡壁以待齐救。魏河南王幹引

只有陛下一个人愿意，我等不知道陛下违背众人的意愿，独自采取行动，究竟要到什么地方去？我们心里有想法却不知道该怎么说，我们冒着被杀头的危险，请陛下给我们说明白！”孝文帝立即大怒说：“我正在筹划如何治理天下，希望能够统一全国，而你们这些儒生，总是对我的大政方针产生怀疑。犯什么罪，该怎么惩罚，都有一定之规，你们不要再说什么了！”说完策马就要出发。此时安定王拓跋休等人全都流着眼泪恳切地请求孝文帝向大家说明原因和目的，孝文帝于是告诉群臣说：“现在动员的力度不算小，行动了而没有成果，怎么向后代做出交代？我世世代代居住在北方，现在想要向南搬迁到中原居住，你们如果不愿意向南讨伐齐国，就应当把都城迁到这里。各位王公大臣觉得怎么样？赞成迁都的站在左边，不愿意迁都的站在右边。”安定王拓跋休等一个接一个地站到了右边。南安王拓跋桢进前说：“‘能够成就大事业的人不与众人一起谋划。’现在陛下只要能够停止南伐的计划，而把都城迁到洛阳，这是我们群臣的愿望，也是黎民百姓的幸福。”群臣全都高呼万岁。当时与拓跋氏同起于北方的各族人民虽然不愿意向中原地区迁移，然而他们担心如果不同意迁都洛阳，就要南伐齐国，所以没有人再敢提出反对迁都的意见，于是迁都洛阳的事情就这样确定了下来。

尚书令李冲对魏孝文帝说：“陛下准备在洛阳建都，而宗庙、宫室，却不可能在短时间内建好。希望陛下还是暂且回到平城，等待群臣把洛阳的宗庙、宫室建造完毕之后，陛下再带着各种典章制度、各种章服器物，乘坐着皇帝的车驾，带着全副的仪仗进入新都洛阳。”孝文帝说：“我准备先到各州各郡去视察一回，再到邺城住上一段时间，明年一开春就回到洛阳来，不应该再回到平城了。”于是派遣任城王拓跋澄返回平城，把迁都洛阳的事情告诉给留守平城的文武百官，他对拓跋澄说：“今日迁都之事真算得上是‘变革’了。希望任城王你再接再厉，努力做好说服迁都的工作吧！”

魏孝文帝因为群臣还有许多不同意见，就对担任卫尉卿、镇南将军的于烈说：“你对迁都怎么看待？”于烈回答说：“陛下深谋远略，不是我这种头脑愚钝、见识短浅的人所能预料的。如果按照我的估计，乐意迁都的与眷恋旧都的，正好各占一半。”孝文帝说：“你既然不公开反对迁都，就是肯定赞同迁都，我深刻感受到了你不提反对意见的好处。”于是派于烈回去镇守平城，对他说：“留守朝廷的各种政务，一切都委托给你了。”于烈，是于栗磾的孙子。

先前的时候，魏国北地郡有一个名叫支酉的人聚集了好几千人，在长安城东北的石山上起兵造反，他派使者报告了齐国担任梁州刺史的阴智伯。秦州一个名叫王广的人聚众起兵响应支酉，他们进攻并且抓获了魏国担任秦州刺史的刘藻，魏国秦州、雍州等七个州的百姓全都群起响应，声势震动了朝野，他们的部众很快便发展到十万人，各自据守堡垒村寨等待齐国出兵援救。魏国的河南王拓跋幹率领官军前

兵击之，斡兵大败；支酉进至咸阳北浊谷，穆亮与战，又败；阴智伯遣军主⑭席德仁等将兵数千与相应接。酉等进向长安，卢渊、薛胤等拒击，大破之，降者数万口。渊唯诛首恶，余悉不问，获酉、广，并斩之。

冬，十月戊寅朔⑭，魏主如金墉城⑭，征穆亮⑭，使与尚书李冲、将作大匠董尔[13]经营洛都[14]。己卯⑭，如河南城⑭。乙酉⑭，如豫州⑭。癸巳⑭，舍于石济⑭。乙未⑳，魏解严⑳，设坛于滑台⑳城东，告行庙⑳以迁都之意。大赦，起滑台宫。任城王澄至平城，众始闻迁都，莫不惊骇。澄援引古今，徐以晓之，众乃开伏⑳。澄还报于滑台，魏主喜曰："非任城，朕事不成。"

壬寅⑳，尊皇太孙太妃⑳为皇太后，立妃为皇后⑳。

癸卯⑳，魏主如邺城。王肃见魏主于[15]邺，陈伐齐之策。魏主与之言，不觉促席移晷⑳。自是器遇⑳日隆，亲旧贵臣莫能间⑳也。魏主或屏左右与肃语，至夜分⑳不罢，自谓君臣相得之晚⑳。寻除辅国将军、大将军长史。时魏主方议兴礼乐，变华风⑳，凡威仪文物⑳，多肃所定。

乙巳⑳，魏主遣安定王休帅从官迎家于平城⑳。

辛亥⑳，封皇弟昭文为新安王，昭秀为临海王，昭粲为永嘉王。

魏主筑宫于邺西，十一月癸亥⑳，徙居之。

御史中丞江淹⑳劾奏前益州刺史刘悛⑳、梁州刺史阴智伯赃货巨万⑳，皆抵罪⑳。初，悛罢广、司二州⑳，倾赀以献世祖⑳，家无留储。

去讨伐起义军，拓跋幹被起义军打得大败；支酉所率领的起义军到达咸阳北面的浊谷，穆亮与支酉的军队作战，又被支酉打败；齐国的梁州刺史阴智伯派遣属下一位名叫席德仁的统领率领数千名士卒前来接应。支酉等率领部众继续向长安进军，魏国的安南将军卢渊、平南将军薛胤等人率领军队进行抗击，把支酉等人的起义军打得大败，好几万起义军向魏军投降。安南将军卢渊只诛杀了其中的首恶分子，其他的人全部不予追究，抓获了起义军首领支酉、王广，把他们一并杀死。

冬季，十月初一日戊寅，魏孝文帝前往金墉城，把司空穆亮从关西前线调回来，让穆亮与担任尚书的李冲、将作大匠的董尔负责修建洛阳都城。初二日己卯，魏孝文帝前往河南城。初八日乙酉，前往豫州。十六日癸巳，住宿在石济津。十八日乙未，魏国解除了对齐国的紧急军事状态，孝文帝在滑台城东设坛祭祀，把准备迁都洛阳的事情告诉给军中带着的先王的神主。大赦天下，在滑台兴建宫室。任城王拓跋澄奉命回到平城，留守平城的众人这才知道孝文帝准备迁都洛阳的事情，人们无不感到非常震惊。拓跋澄于是援引古往今来的例子，慢慢地给他们解释，说明迁都重大而深远的意义所在，众人受到启发后这才变得心服口服。拓跋澄返回滑台城向孝文帝报告自己执行说服工作的情况，孝文帝非常高兴地说："如果不是任城王替我去做说服工作，我的大事不会成功。"

十月二十五日壬寅，齐国的小皇帝萧昭业尊皇太孙太妃王氏为皇太后，立皇太孙妃何氏为皇后。

十月二十六日癸卯，魏孝文帝前往邺城。王肃在邺城拜见了魏孝文帝，他向孝文帝进献了讨伐齐国的计策。孝文帝与王肃谈话的时候，两人都不断地把自己的座席拉近，不知不觉中时间已经过去了很久。从此孝文帝对王肃越来越器重、优待，不论是亲臣、旧臣还是贵臣，没有人能够离间他们之间的关系。有时候孝文帝支开左右的人员单独与王肃谈话，一直谈到半夜也谈不完，孝文帝与王肃之间都有一种相见恨晚的感觉。不久，孝文帝就任命王肃为辅国将军、大将军长史。当时孝文帝正准备在魏国推行儒家的礼仪制度，改变魏国人的风俗习惯为中原人的风俗习惯，凡是朝廷与官场上的种种仪式规矩，与各种场合陈列摆设的器物，大多是王肃制定的。

十月二十八日乙巳，魏孝文帝派遣安定王拓跋休率领随从的官员返回平城，把那里的家族全都接到洛阳来。

辛亥日，齐国小皇帝萧昭业封自己的弟弟萧昭文为新安王，封萧昭秀为临海王，封萧昭粲为永嘉王。

魏孝文帝在邺城西郊修建宫室，十一月十六日癸亥，孝文帝迁到邺城西郊的新宫室居住。

齐国担任御史中丞的江淹上书弹劾前任益州刺史刘悛、现任梁州刺史阴智伯贪污受贿万万钱，他们都被处以刑罚。当初，刘悛被罢免广州刺史、司州刺史的时候，他把自己从广州、司州刺史任上贪污来的钱财全都献给了世祖萧赜，家中一点都没有留下。

在益州，作金浴盆，余物称是[526]。及郁林王即位，悛所献减少。帝怒，收悛付廷尉，欲杀之，西昌侯鸾救之，得免，犹禁锢终身[527]。悛，勔[528]之子也。

【段旨】

以上为第二段，写齐武帝萧赜永明十一年（公元四九三年）下半年的大事。主要写了南齐的文臣王融自恃才情，轻浮狂妄，恨不能三十岁以前为三公；齐武帝病危时遗嘱后事，令萧子良与萧鸾共辅皇太孙，但萧子良不乐俗务，一切委之萧鸾，故实权落入萧鸾之手；齐武帝萧赜死，王融欲废太孙萧昭业而矫诏以立萧子良，事未果而萧昭业继位；萧昭业即位后先杀王融，并因王融之谋而猜忌萧子良，先对之种种防范，随又免其司徒；萧鸾主管尚书省，免除三调及众逋，恩信两行，百姓悦之。接着史文大段写小皇帝萧昭业一贯作恶，说他早在为太孙时就“矫情饰诈，阴怀鄙慝”；说他“所爱左右，皆逆加官爵，疏于黄纸，使囊盛带之，许南面之日，依此施行”；说他“常令女巫杨氏祷祀，速求天位”；说他在世祖病危时“与何妃书，纸中央作一大喜字，而作三十六小喜字绕之”；说他“大敛始毕，悉呼世祖诸伎，备奏众乐”；又说“辒辌车未出端门，亟称疾还内。裁入閤，即于内奏胡伎，鞞铎之声，响震内外”云云。写魏主拓跋宏御驾南征，到达黄河以南，向群臣说明迁都之议，并令穆亮、李冲等修筑洛阳城，建筑诸宫室；又命任城王拓跋澄返北以说服众人南迁，遣安定王拓跋休往取家族于平城。写魏主委任于烈驻守平城以管理留台庶政，自己则巡察诸州郡及小驻邺城以等待洛阳宫室之建成。写王奂之子王肃逃到魏国，见到魏主后，彼此相见恨晚，在汉化的过程中威仪文物多为王肃所定。此外还写了魏国境内北地、秦州一带的民变头领支酉、王广等起兵反魏，一时间七州并起，有众十余万，南齐梁州刺史派兵援之；魏将河南王拓跋幹、穆亮率兵往讨，皆败；后来支酉、王广在进攻长安时，被魏将卢渊、薛胤等打败平息等。

【注释】

⑲² 七月癸丑：七月初五。⑲³ 皇子恂：拓跋恂，林皇后所生，被冯太后所养育。传见《魏书》卷二十二。⑲⁴ 戊午：七月初十。⑲⁵ 露布：即今之公告，晓谕全国军民的文书。⑲⁶ 移书：也称“檄文”，发向全国各地，也可发向同盟国、敌对国的一种书信，用以说明主张，申诉理由，指斥或批驳某种观点，痛斥或声讨敌人，给对方指出道路

刘悛在担任益州刺史的时候，又制作了金浴盆献给齐武帝，所贡献的其他物品的豪侈程度也大体与此相类似。等到郁林王萧昭业即位当了皇帝以后，刘悛所贡献的东西就减少了。小皇帝萧昭业因此大怒，下令把刘悛抓起来交给廷尉审理法办，萧昭业本来想杀死刘悛，因为西昌侯萧鸾出面营救，刘悛才得以活命，但还是被处以终身不得进入官场为官的惩罚。刘悛，是刘勔的儿子。

等。⑲⑦称当南伐：宣讲所以要讨伐南齐的原因。⑲⑧诏发扬、徐州民丁：此句的主语是“南齐政权”。扬州的州治即在建康城内，徐州的州治钟离，在今安徽凤阳东北。⑲⑨王融：东晋大官僚王导的后人，刘宋大官僚王僧达之孙，南齐大官僚王俭的堂侄，当时著名的文人，好大喜功，狂妄无比。传见《南齐书》卷四十七。⑳⓪人地：自己的才能与出身门第。⑳①望为公辅：期望达到三公与宰相一类的职位。⑳②夜直省中：在中书省值夜班。当时王融任中书郎。中书省是皇帝起草文件的机关。直，同“值”。⑳③为尔寂寂：像你这样默默无闻。尔，王融自指。寂寂，冷清寂寞的样子。⑳④邓禹笑人：意思是真叫邓禹看着笑话。邓禹是东汉光武帝刘秀的开国元勋，在二十四岁时为大司徒，位同丞相。事见《后汉书·邓禹传》。王融当时已过二十四岁，离着宰相还挺远，故而有此牢骚。⑳⑤朱雀桁开：建康朱雀门（南门）外秦淮河上的浮桥因河中行船而打开，造成过桥车马行人的中断。⑳⑥喧湫：因交通阻塞而嘈杂拥挤。⑳⑦八驺：古代贵族高官出行时，在前边喝道开路的八名先遣队员，也称“顶马”。⑳⑧何得称丈夫：怎么能算是个大丈夫。⑳⑨竟陵王子良：萧子良，武帝萧赜的第二子，为人礼贤下士，喜欢结交文人，此时官为尚书令。传见《南齐书》卷四十。㉑⓪数：屡屡；多次。㉑①奖劝：鼓励；推波助澜。㉑②大习骑射：指王融本人也装腔作势地练习骑射以讨好齐武帝。㉑③东府：当时建康城东侧的一座小城，自东晋以来经常是丞相居住办公的场所，这时萧子良任司徒，即丞相之职，住在东府。㉑④版融：任命王融。版，犹如今之委任状，将任命某人为某职的事由书于简册以公布之。㉑⑤典其事：主管招兵的事情。典，主管。㉑⑥倾意：尽心；努力做事。㉑⑦江西伧楚：今安徽中北部和与之邻近的江苏、河南一带地区的人。这片地区处于长江流向的西北部，故自秦汉以来被习称为江西。伧楚，当时江东（吴地）人对江西以及大量北方人的蔑称，其含义是动作粗俗而说话的声音又难听。㉑⑧并有干用：都有能起骨干作用的才能。〚按〛当时的吴人讨厌江西、江北人的“伧楚”，但一般说来他们也知道论打仗他们比不过江西、江北人。㉑⑨会上不豫：正好这时皇帝病了。不豫，不舒服。但这是委婉的说法，一般说来皇帝一称“不豫”，大都是病情已经相当沉重。㉒⓪甲仗：披甲执兵的卫士。㉒①侍医药：实际意思是加强警备，以防突然事变的发生。㉒②萧衍、范云：萧衍是萧道成同族，是宋齐之际的将领萧顺之之子，即日后的梁武帝。传见《梁书》卷一。范云

是当时有名的文人。传见《南史》卷五十七。㉒帐内军主：萧子良身边的亲信头领。㉔戊辰：七月二十。㉕樊城：即今湖北襄阳市樊城区，当时为南齐北方前线的军事要地之一。㉖忧遑：恐惧；慌张。遑，同“惶”。㉗力疾：勉强支撑病体。㉘正声伎：这里指清商乐。魏晋南北朝时期以“清商三调”（在汉代相和歌基础上发展起来的一种新音乐）为正声，伎，这里指乐曲、音乐。㉙太孙：指南郡王萧昭业，前已确定为太孙，即未来的接班人。㉚间日参承：隔天来参拜问候一回。承，接，听取皇帝的嘱托。㉛戊寅：七月三十。㉜疾亟：病情紧急。亟，意思同“急”。㉝暂绝：暂时停止了呼吸。㉞变服：穿上了孝服。㉟矫诏：假传圣旨。㊱诏草已立：假诏书的草稿已经写好。〖按〗王融任中书郎，他就管这方面的事情。㊲道路籍籍：道路上的人们喊喊喳喳。籍籍，七嘴八舌的样子。㊳将有非常之举：将有人发动政变。㊴王元长：敬称王融。王融，字元长。㊵非济世才：不是那种能救国救民的人才。㊶视其败也：我们马上就会看到他的失败。㊷王中书：敬称王融。王融时为中书郎。㊸欲为周、召：是想和周公、召公一样谨遵武王遗嘱维护小皇帝吗。周、召，指周公旦、召公奭，都是周武王之弟，在周武王死后，成功地辅佐年幼的周成王治理国家。事见《史记》中的《周本纪》与《鲁世家》《燕世家》。㊹欲为竖刁邪：还是想和竖刁一样违背老国君的意愿而改立另一个新人。竖刁是春秋时期齐桓公的宠臣，桓公死后，诸子争夺权位，竖刁等违背齐桓公的意旨，赶走了太子昭，而另立公子无亏，齐国因此内乱连年。事见《史记·齐世家》与《左传》。㊺戎服绛衫：身穿军服表示事态严重，身披红衫又表示老皇帝安然无事，这样就可以不让太孙见皇帝。㊻中书省阁口：中书省的门口。中书省离皇帝的寝殿很近，此门应是通向皇帝寝殿的必经之路。㊼断东宫仗：拦住了太孙与其侍卫等一应来人。仗，卫士。㊽复苏：又清醒过来。㊾东宫器甲：即上文所说的“东宫仗”，太孙所带领的全部卫队。㊿朝事：国家政事。(251)西昌侯鸾：萧鸾，萧道成的同族，即日后的齐明帝，此时任尚书左仆射。传见《南齐书》卷六。(252)处分：安排；部署。(253)禁诸门：守住进宫的所有门口。(254)排：推开。(255)奉太孙：簇拥着太孙萧昭业。(256)扶出子良：将萧子良架出宫去。这一点非常紧要。(257)指麾：意同“指挥”。(258)音响如钟：声音有如洪钟，在大殿内回荡。响，反响、回声。(259)不遂：立萧子良的愿望不能实现。(260)释服还省：脱去戎服回到中书省，因为剩下的事情已经没有他的份了。(261)公误我：萧子良耽误了我。因为在紧急关头萧子良一筹莫展，没有任何积极行动。公，敬称萧子良。(262)郁林王：即太孙萧昭业，因其不久就被废为郁林王，故写史者以此相称。(263)进德日茂：品德修养一天比一天好。进，增长。茂，美。(264)社稷有寄：国家政权有了依靠。(265)善相毗辅：好好地辅佐他。毗，意思同“裨”，辅助。(266)思弘治道：要千方百计把国家的大事办好。弘，光大。(267)悉与鸾参怀：都和萧鸾一道商量。参怀，参与谋划。(268)共下意：你们两个彼此都要虚心相待。胡三省曰：“令降心相从，以济国事也。”(269)王晏：早在刘宋时就成为萧氏的亲信，武帝萧赜时期先任吏部尚书，又为右仆射。传见《南齐书》卷四十二。(270)徐孝嗣：刘宋大官僚徐湛之之孙，娶孝武帝之女康乐公主为妻。入齐后为吏部尚书。传见《南齐书》卷四十四。㉗① 王广之：宋齐时代的名将，在宋曾为徐州刺史，入齐后又两度任徐州刺史。传见《南齐书》卷二十九。㉗② 沈文季：刘宋名将沈庆之之子，入齐后曾为郢州刺史。传见《南齐书》卷四十四。㉗③ 薛渊：刘宋名将薛安都之侄，后投归萧道成部下，入齐后曾任徐州刺史、司州刺史。传见《南齐书》卷三十。㉗④ 务总大体：只求抓好一些大的方面。㉗⑤ 郡县久于其职：任太守、知县的地方官任职的时间较长。㉗⑥ 封刃行诛：等于说赐剑自裁，为有罪者保留体面。㉗⑦ 永明之世：公元四八三至四九三年，共十一年。㉗⑧ 屏息：憋住气不敢出，意即不敢活动。㉗⑨ 华靡：靡丽奢侈。㉘⓪ 常言恨之：说起来常常感到后悔。㉘① 未能顿遣：但行动上始终未能断然改正。遣，抛开。㉘② 口语喧腾：指议论得很厉害。㉘③ 大言：大声地说。㉘④ 若立长：如果要立年龄大的为皇帝。㉘⑤ 则应在我：武陵王萧晔是萧道成的第五子，当时武帝萧赜在世的兄弟中，萧晔最为年长；其二弟萧嶷永明十年去世，其三弟萧映永明七年去世，其四弟萧晃永明八年去世。㉘⑥ 立嫡：如果要说立嫡长子、嫡长孙。㉘⑦ 则应在太孙：文惠太子是嫡长子，萧昭业又是文惠太子的嫡长子，按嫡系来说最当立。㉘⑧ 帝：这里指皇太孙，亦即日后的郁林王。㉘⑨ 深凭赖之：实实在在地依靠武陵王萧晔。凭赖，依靠。㉙⓪ 心膂：意即心腹。言心极喻亲密；言膂极喻得力。膂，膀臂。㉙① 监殿中直卫：监督管理在朝堂值班的那些卫士。㉙② 少日：没过多久。㉙③ 为黄门郎：黄门郎是皇帝的侍从官员。这里的意思是曹道刚不仅是主管警卫，而且还管理其他侍从官员的事务。㉙④ 素士：平民身份的士人。㉙⑤ 所居官：不论是任什么官职。㉙⑥ 名为严能：都以严格能干闻名。严，指办事严格。能，能干。㉙⑦ 辅政：指任司徒，为丞相之职，以总体地帮着皇帝照看大政方针，即当年陈平所说无管无不管。㉙⑧ 知尚书事：管理尚书省的各部门，这就是管理各方面的具体事务了。知，意思同“行”，代理，此时尚未正式任命。㉙⑨ 不乐世务：不愿意管理那些具体而琐碎的事情。㉚⓪ 乃更推鸾：所以他向武帝萧赜推荐了萧鸾。㉚① 子良之志：这是萧子良的想法。史家写此一笔，一是表明萧子良根本没有篡权的想法；二是也说明日后萧鸾的得以篡位是萧子良现在这种失误的安排。㉚② 慈爱甚著：意即小皇帝与萧子良夫妇的感情都很好。著，明显、深厚。㉚③ 王融有谋：有立萧子良为帝的阴谋。㉚④ 大行：此指齐武帝萧赜的遗体。凡皇帝死至其棺椁下葬这一段时间里，人称这已死的皇帝曰“大行皇帝”。㉚⑤ 出太极殿：遗体抬出太极殿以入殓。㉚⑥ 子良居中书省：当时萧子良日夜住宿在中书省里。这是他既为兄弟、又是臣子的一种职责。㉚⑦ 虎贲中郎将：皇帝的卫队长，上属郎中令，即光禄勋。㉚⑧ 二百人仗：二百名手执兵器的士兵。㉚⑨ 屯太极殿西阶：当时的中书省在太极殿之西，所以使卫士列于西阶以防中书省有人冲出作乱。㉛⓪ 成服：旧时丧礼，死者的遗体入殓后，亲属则根据与死者关系的远近穿上不同规格的丧服，叫作成服。㉛① 诸王：指武帝萧赜的诸弟与其诸子，当时只有这些人能被封王。㉛② 乞停至山陵：请求继续留居在中书省，等到梓宫出葬后再回家，这也是萧子良的尽礼尽责。山陵，帝王的陵墓，这里指葬入陵墓。㉛③ 壬午：〖按〗

《南齐书·郁林王纪》永明十一年有“八月壬午，诏称先帝遗诏，以护军将军武陵王晔为卫将军”之记载。据此知“壬午”当在“八月”，八月壬午日即八月初四。⑭太孙詹事：即通常的太子詹事，主管太子宫家庭事务的官员。因萧昭业是以太孙的身份居接班人之位，故称其詹事曰太孙詹事。⑮护军：护军将军的简称。护军将军是皇帝禁军六军的统领之一，兼管京城以外所有军队。⑯癸未：八月初五。⑰子良为太傅：太傅与太师、太保合称三公，地位崇高，但在南齐是虚衔。关键是萧子良从此被免去司徒，成了闲人。⑱蠲除三调：免除百姓的三种赋税。胡三省曰：“三调，谓调粟（征收粮食）、调帛（征收绢帛）、杂调（摊派劳役等）。”蠲，免除。⑲众逋：百姓拖欠官府的各种税赋。逋，欠。⑳省：撤销；取消。㉑御府及无用池田、邸冶：属于宫廷管辖的或没有利用的水田与诸王府所办的冶炼作坊。御府，宫廷里掌管经济事务的部门。池田，供养殖使用的池沼。邸冶，王侯府第所开办的冶炼与锻造作坊。㉒关市征税：商旅经过关卡和在市场上被征之税。㉓蠲原之诏：朝廷所下的免除赋税和徭役的诏书。㉔督责如故：主管单位还是照常收缴。督责，催讨。㉕恩信两行：既有恩惠，又言而有信。㉖山阳景桓公尉元：魏国拓跋弘以来的名将，曾大破宋将张永，在夺取刘宋淮北四州中有大功。传见《魏书》卷五十。尉元被封为山阳公，“景桓”二字是谥。《谥法解》：“由义而济曰景；布义行刚曰景。辟土怀远曰桓；辟土兼国曰桓。”㉗广陵王羽：拓跋羽，献文帝拓跋弘之子。传见《魏书》卷二十一。㉘六镇：魏国北部边境上的六个军镇，即：沃野镇，在今内蒙古五原北；怀朔镇，在今内蒙古固阳西南；武川镇，在今内蒙古武川的西土城；抚冥镇，即今内蒙古四子王旗东南的土城子；柔玄镇，在今内蒙古兴和的台基庙东北；怀荒镇，在今河北张北境内。㉙发其突骑：征调那里的骑兵。突骑，勇猛的骑兵。㉚丁亥：八月初九。㉛己丑：八月十一。㉜使持节：皇帝派将出征赋予他们特别权力有三种加官，其一是使持节，其二是持节，其三是假节。赋予使持节者权力最大，可以诛杀一切违反军令者。㉝专节度：即受任使持节，有最大权力。节度，部署、调度。㉞老者之智二句：两句的意思是指二人合作，互为补充。老者经事多，能智虑深远；少者气盛，能临时有断。㉟河南王幹：拓跋幹，显祖拓跋弘的第三子，当时被封为河南王。㊱关右：即关西，函谷关或潼关以西地区，指今陕西中部和与之邻近的甘肃、宁夏等地区。㊲薛胤：魏国名将，曾任镇西大将军，与穆亮齐名。传见《魏书》卷四十二。㊳子午谷：秦岭上的山路名，北口在今陕西西安，南口在今陕西汉阴西北。㊴辩：薛辩，先为后秦姚兴的部将，姚氏亡后归魏，曾任雍州刺史。传见《魏书》卷四十二。㊵辩慧：聪明，有口才。㊶美容止：形貌靓丽，举止文雅。㊷哀乐过人：易动感情，喜悦与悲哀都很敏感。㊸矫情饰诈：虚情假意，善于伪装。㊹阴怀鄙慝：即今所谓一肚子坏水。鄙慝，卑鄙邪恶。㊺南郡王：封地南郡，南郡的郡治即今湖北荆州。㊻从：跟着。㊼西州：当时的扬州治所所在地，在当时的建康城西，今江苏南京的西部。〖按〗当时萧昭业由萧子良妃袁氏抚养，萧子良当时为扬州刺史，所以萧昭业也跟着住在西州。㊽禁其起居：不让他和那些下人们混在一起。㉞就富人求钱：向那些财主们要钱。350 别作钥钩：自己另配了一把钥匙。351 西州后阁：即扬州刺史府的后门。352 诸营署：扬州刺史管辖下的各军营、各官署。353 师史仁祖：教师姓史名仁祖。354 侍书胡天翼：教书法的官员胡天翼。侍书，陪着他学书法，实即教给他书法。355 二宫：指当时的皇帝萧赜与当时的太子萧长懋。356 其事未易：这事情很难开口，也很难有好结果。357 为异人所殴：被别的什么不认识的人所打。358 尽室及祸：全家都要跟着遭殃。359 逆加官爵：预先给他们加官晋爵。逆，预先。360 疏于黄纸：写在黄纸上。疏，写。361 囊盛带之：用袋子装起来带在身边。362 南面之日：即做了皇帝之后。363 忧容号毁：愁容满面，哭得像得了重病。364 裁还私室：刚一回到自己的屋子。裁，通“才”。365 祷祀：祈祷祭祀。祭祀以求鬼神帮忙叫作祷祀。366 速求天位：求鬼神让他的祖父、父亲快点死。367 谓：以为。368 既为太孙：被确定为接班人之后。〖按〗萧昭业被立为太孙以后，便移居东宫，故下文有所谓“何妃犹在西州”之语。369 言发泪下：一说话就掉眼泪。370 负荷大业：担起治国治民的重任。负荷，担当。371 一委宰相：所有政事都交由宰相去处理。372 勿措意：不必过问。措意，上心。373 自作无成：自己干不出成绩。374 若忆翁：如果想念爷爷。375 当好作：就应当好好干。376 诸伎：各种歌舞演员。377 备奏众乐：把各种歌舞都表演了一遍。378 险躁轻狡：阴险贪婪，轻狂狡猾。379 招纳不逞：聚集了一批心怀不满的恶人。不逞，心怀叵测。380 徐勉：当时的有识之士，在齐任尚书殿中郎，入梁官至左仆射、中书令。传见《梁书》卷二十五。381 托人召之：想召来与之共事。382 名高望促：名声虽大，威望不高。促，短狭。383 难可轻縩衣裾：意思是他得势的时间长不了，用不了穿破一件衣服的时光。縩，破裂。裾，衣后襟。384 鼓成其事：帮助王融，给王融做吹鼓手。385 败在眼中：眼看就将失败。386 舍人省：中书舍人办公的所在。387 壬寅：八月二十四。388 肆州：魏州名，州治在今山西忻州西北。389 跛眇者：都指残疾人。跛，一条腿瘸。眇，一只眼瞎。390 安定王休：拓跋休，景穆帝拓跋晃之子，时任大司马。传见《魏书》卷十九下。391 徇于军：在军前示众。392 远清江表：远出平定江南之地。清，廓清、平定。江表，江外、长江以南。393 王者之体：作为一个帝王的行事。体，行、处事。394 大司马：这里指大司马安定王拓跋休。395 不可不慎：千万不要在他手下犯事。396 臣光曰：这里是《资治通鉴》的作者出面发表议论，一般是在该事有重要意义、重要影响，或者是他深有感慨的地方。397 视远如视迩：对待远方的事情就像对待眼前的事情一样。视，对待。398 在境如在庭：处理边远的问题就像处理院子里的问题一样。399 黈纩塞耳：用棉球将耳朵堵起来。古代帝王之冕的两侧悬挂着两个黄色的棉球，象征他不听那些无用、无益之言。颜师古《汉书注》：“黈，黄色也；纩，绵也。”400 前旒蔽明：用珠串把眼睛挡起来。古代帝王之冕的前面悬垂着许多珠串，象征他不看那些没用的、虚假的东西。旒，古代帝王之冕前面的悬挂物。《汉书·东方朔传》有所谓“冕而前旒，所以蔽明；黈纩塞耳，所以塞聪”，意思是帝王治理国家，关键在于要有好政策，并有一批善于掌握推行这种政策的贤人，而不在于帝王本人的某些小聪明。㊶聪明：此指其大聪明、大智慧，即高瞻远瞩地制定政策，任用贤才。㊷废疾：无法再治的残疾。㊸均之于境内：对整个国境内的残疾者都给予赡养。㊹桡有司之法：妨碍主管官员的执法。桡，曲、改变。㊺犹有是：居然还有这样的问题。指上述施行小仁和桡有司之法的做法。㊻戊申：八月三十。㊼并州：魏州名，州治在今山西太原的西南部。㊽王袭：文明太后的幸臣王叡之子，官至镇西将军、并州刺史。传见《魏书》卷九十三。㊾治有声迹：为官有声望、有业绩。㊿多立铭：刻了许多给王袭歌功颂德的碑文。⑪虚称其美：夸大王袭的好处。⑫降袭号二等：将王袭的封号降了两级。⑬壬子：九月初四。⑭高聪（公元四五二至五二〇年）：今河北景县人，仕魏孝文、宣武、孝明三朝，官终光禄大夫。传见《魏书》卷六十八。⑮丁巳：九月初九。⑯五斛：即五石，一斛十斗。⑰辛酉：九月十三。⑱世祖梓宫：武帝萧赜的棺椁。梓宫，敬称皇帝的用梓木制作的棺材。⑲下渚：向水边进发。渚，水边，即建康城南的秦淮河边。萧赜预建的陵园在当时的武进县境，今江苏丹阳东，在建康城的正东方，出殡的队伍要通过秦淮河的水路前往。⑳端门：建康皇城的南门。㉑奉辞：向灵柩告辞，意即送行到此地为止。㉒辒辌车：载着灵柩的车驾。㉓亟：意思同“急”，急急忙忙地。㉔胡伎：北方民族的音乐。㉕鞞铎：泛指北方民族的乐器。鞞，军中使用的一种小鼓。铎，一种铜制的打击乐器。㉖丙寅：九月十八。㉗景安陵：在今江苏常州市武进区。㉘戊辰：九月二十。㉙济河：渡过黄河。㉚庚午：九月二十二。㉛壬申：九月二十四。㉜故太学：当年东汉时期的太学。㉝石经：刊刻在石碑上的儒家经典。当时魏主可看的石经共有两种，一种是汉灵帝熹平四年（公元一七五年）所刻；一种是曹魏正始二年（公元二四一年）所刻。㉞乙亥：九月二十七。㉟邓至王像舒彭：邓至地区的羌族头领，名叫像舒彭。此人在本书《齐纪一》出现时，名叫“像舒”，无“彭”字。邓至是地名，在今四川九寨沟一带，取名于曹魏的邓艾伐蜀时曾经至此；也是当地所生活的羌族的部落名，是我国古代羌族的一支，分布在今甘肃之武都一带地区。㊱其子旧：其子名旧。㊲霖雨：连续不断地下雨。㊳丙子：九月二十八。㊴前发：向前方开拔。㊵丁丑：九月二十九。㊶稽颡：古代的一种叩拜礼，屈膝下拜，以额触地。㊷庙算：由朝廷制定好的方针大计。古代有大事，议定于宗庙、朝廷，故称庙算。㊸尚书：此指尚书令。㊹独行：违背众人意愿的行动。㊺竟何之：到底想到哪里去。㊻有其意而无其辞：我们心里有想法不知道该怎么说。㊼敢以死请：请您给我们说明白。㊽期于混壹：想的是统一全国。㊾屡疑大计：总是对方针大计产生怀疑。㊿斧钺有常：什么罪该怎么惩罚，都有一定之规。⑤①殷勤泣谏：恳切地请求他说明原因和目的。⑤②谕：告知；说明。⑤③兴发：发动、动员的力度。⑤④世居幽朔：世世代代地住在北方。幽朔，幽州、朔方，都是北方的古称，后又成为北方的州郡名。⑤⑤苟不南伐：你们如果不愿意南伐。⑤⑥欲迁者左：赞成迁都的站到左边。⑤⑦安定王休等相帅如右：如右，站到了右边。⑤⑧南安王桢：拓跋桢，景穆帝拓跋晃之子。传见《魏书》卷十九下。⑤⑨成大功者不谋于众：此句乃《商君书·更法》中语。⑩ 苟辍：只要能够停止。㊶ 苍生：通常用以称黎民百姓。㊷ 旧人：指与拓跋氏同起于北方的各族子民。㊸ 惮：害怕；不乐意。㊹ 定鼎洛邑：把代表国家的鼎彝祭器安置在洛邑，即在洛阳建都。㊺ 宗庙宫室：宗庙、宫殿的建成。㊻ 马上行游：骑在马上的游荡之间，极言时间之短。㊼ 代都：指平城。㊽ 经营毕功：指将宗庙、宫室建筑完毕。"经之营之"是《诗经》中描述周公建筑洛阳宫室的用语。㊾ 备文物：带着各种典章制度、各种章服器物。㊿ 鸣和鸾：乘坐着帝王的车驾，带着全副的仪仗。㊶ 巡省州郡：先到各州各郡去视察一回。巡省，巡视、视察。㊷ 至邺小停：再到邺城住上一段时间。邺城是当年后赵石勒的都城，慕容氏的南燕也曾在这里暂住，旧址在今河北临漳西南。㊸ 春首：明年一开春。㊹ 真所谓"革"也：真算是到了"变革"的时候了。㊺ 王其勉之：希望任城王再接再厉。㊻ 意多异同：还有许多不同的意见。㊼ 于烈：魏国的名将于栗磾之孙，于洛拔之子，此时任卫尉卿。传见《魏书》卷三十一。卫尉卿是守卫宫廷的武官。㊽ 圣略渊远：您的谋略深远。称"圣"是恭敬之词。㊾ 隐心而言：按我的估计。隐，估计。㊿ 适中半：正好各占一半。㊶ 不唱异：不公开反对。㊷ 留台庶政：留守朝廷的各种政务。㊸ 栗磾：于栗磾，拓跋珪、拓跋嗣、拓跋焘三代的名将，在破慕容氏之燕国、抵御刘裕、灭赫连氏之夏国皆有大功。传见《魏书》卷三十一。㊹ 北地民支酉：北地郡的百姓姓支名酉。北地郡的郡治在今甘肃庆阳西南，当时属魏。㊺ 石山：胡三省引《水经注》曰："石山当在长安城东北，有敷谷，敷水出焉。"㊻ 阴智伯：当时任南齐的梁州刺史，驻守在今陕西汉中。㊼ 秦州：魏州名，州治下邽，即今甘肃天水市。㊽ 秦、雍间七州：指雍州（治长安）、岐州（治雍县）、秦州（治下邽）、南秦（治洛谷）、泾州（治泾川）、邠州（治今甘肃宁县）、华州（治今陕西蒲城东）。㊾ 响震：响应、震动。㊿ 军主：军队的统领。军主不是固定官名，犹今所谓部队长。㊶ 十月戊寅朔：十月初一是戊寅日。㊷ 金墉城：当时洛阳城西北角的小城名，为攻战戍守的要地，在北魏前期曾是有名的河南四镇（金墉、虎牢、滑台、碻磝）之一。㊸ 征穆亮：指将穆亮从关西前线调回来。㊹ 己卯：十月初二。㊺ 河南城：古城名，即西周时的王城，在今洛阳的王城公园一带，在古代洛阳城的西侧。㊻ 乙酉：十月初八。㊼ 豫州：这里指北豫州，州治在今河南荥阳西北的汜水镇，当时也叫虎牢关。㊽ 癸巳：十月十六。㊾ 舍于石济：住宿在石济津，旧址在今河南卫辉东的古黄河边上。500 乙未：十月十八。501 解严：解除对南齐的军事紧急状态。502 滑台：古代军事要地名，在今河南滑县东南的古黄河南岸。503 行庙：古代帝王出征，军中带着先王的神主，亦犹武王奉文王神主以伐纣之意也，故可以随时祭之。504 开伏：受到启发而解除蒙昧，变得心服。505 壬寅：十月二十五。506 皇太孙太妃：即文惠太子之妃王氏。507 立妃为皇后：这里的"妃"即小皇帝萧昭业之妃，姓何，何戢之女。508 癸卯：十月二十六。509 促席移晷：极言两人谈话之投机与所谈的时间之长。促席，把座席向前移动。汉文帝听贾谊说话，不觉席之前也，此用其语。晷，古代观测日影的设备，古人观测日影以计时。日影移动表示人的说话时间之长。⑩器遇：器重与优待。⑪莫能间：谁也不能离间他们的关系。⑫夜分：半夜。⑬相得之晚：相见恨晚。相得，相遇。⑭变华风：改魏人的风俗习惯为中原人的风俗习惯。⑮威仪文物：朝廷与官场上的种种仪式规矩，与各种场合陈列摆设的器物。⑯乙巳：十月二十八。⑰迎家于平城：把平城的家族都接到洛阳来。⑱辛亥：是年十月戊寅朔，无辛亥。《南齐书·郁林王纪》书此三字于“辛亥”字上，当是。齐永明十一年十一月辛亥日为十一月初四。⑲癸亥：十一月十六。⑳江淹：当时著名的诗人、辞赋家，名作有《恨赋》《别赋》等，在宋曾任骠骑将军萧道成的参军，入齐后任御史中丞。传见《南史》卷五十九。㉑刘悛：刘宋名将刘勔之子，入齐后深受萧赜的赏识，二人为布衣交，生活奢华。传见《南齐书》卷三十七。㉒巨万：万万，指铜钱。㉓抵罪：处以刑罚。㉔罢广、司二州：此非一时事。刘悛罢广州刺史应在萧赜为太子时，罢司州刺史是萧赜在位时。㉕倾赀以献世祖：把从广州、司州贪污来的钱全都献给了齐武帝萧赜。㉖余物称是：其他方面的豪奢也与此成比例。㉗禁锢终身：一辈子不准再进入官场。㉘勔：刘勔，刘宋时的名将，帮着宋明帝刘彧巩固政权有大功。传见《宋书》卷八十六。

【校记】

［6］戊午：原作“戊子”，今据严衍《通鉴补》改作“戊午”。〖按〗是年七月己酉朔，无戊子。《魏书·高祖纪》作“戊午”。［7］召：此下原有“邪”字。据章钰校，十二行本、乙十一行本、孔天胤本皆无“邪”字，今据删。［8］竖刁：据章钰校，十二行本、乙十一行本皆作“竖刀”。［9］邸冶：原作“邸治”。胡三省注云：“‘治’，据萧子显《齐书》当作‘冶’。谓冶铸之所也。”严衍《通鉴补》改作“邸冶”，今从改。〖按〗《南齐书·郁林王纪》《南史·齐纪下》皆作“邸冶”。［10］宁：原作“岂”。据章钰校，十二行本、乙十一行本、孔天胤本皆作“宁”，今据改。［11］安定王休等相帅如右：原无此九字。据章钰校，十二行本、乙十一行本、孔天胤本皆有此九字，张敦仁《通鉴刊本识误》同，今据补。［12］行游：原作“游行”。据章钰校，十二行本、乙十一行本二字皆互乙，今据改。［13］董尔：胡三省注云：“‘董尔’，《北史》作‘董爵’。”严衍《通鉴补》改作“董爵”。［14］洛都：据章钰校，孔天胤本作“洛邑”，张敦仁《通鉴刊本识误》同。［15］于：据章钰校，十二行本、乙十一行本、孔天胤本皆作“如”。

【研析】

本卷写齐武帝萧赜永明十一年（公元四九三年）一年间的南齐与北魏等国的大事，主要写了南齐武帝萧赜死，其孙萧昭业继立为帝，与魏国孝文帝拓跋宏为迁都洛阳所做的种种努力这两方面的事情。

关于前者，涉及的问题较多，其一是史书写了齐武帝的太子萧长懋的早死与萧长懋生前的种种奢华与僭越表现，简直与其父萧赜当年为太子时的情况完全相同，真可谓有其父必有其子。再有就是萧长懋为人不正，由于他与其弟萧子响不和睦，故而在萧子响与朝廷发生矛盾时，萧长懋就暗中指使萧顺之擅自逼死萧子响。不过这些已是旧话，萧长懋已死不必再说。其二是关于南齐的狂妄分子中书郎王融，此人仗着自己是历代名臣之后，只嫌自己官小，只恨自己现已二十七岁还没有升官到宰相。他不满齐武帝临终的安排，不愿让萧长懋的儿子，也就是被立为皇太孙的萧昭业继立为帝，于是他假传遗诏，改立萧赜的二儿子萧子良为皇帝，结果由于萧子良对此没有兴趣，未与之相互配合而遭到失败，招致了王融被杀，萧子良也由此受到小皇帝的怀疑与忌恨。其三是齐武帝的临终遗命是让二弟萧子良与皇室的族人萧鸾二人合作共同辅佐萧昭业，但萧子良不乐俗务，把一切大事都推归萧鸾去管，而萧鸾本来就想趁机篡位，于是他顺水推舟，趁机收买人心，安置亲信，很快一切水到渠成。其四是写史者大肆铺陈小皇帝萧昭业的种种罪恶，说他早在为皇孙时就有一肚子坏水，说他“矫情饰诈，阴怀鄙慝”；说他“所爱左右，皆逆加官爵，疏于黄纸，使囊盛带之，许南面之日，依此施行”；说他“常令女巫杨氏祷祀，速求天位”；说他在世祖病危时“与何妃书，纸中央作一大喜字，而作三十六小喜字绕之”；说他“大敛始毕，悉呼世祖诸伎，备奏众乐”；又说他“辒辌车未出端门，亟称疾还内。裁入阁，即于内奏胡伎，鞞铎之声，响震内外”云云。接着在下卷里还说萧鸾对他忠心耿耿，力挽危局，而萧昭业没有良心，反而对萧鸾一再排斥陷害等。这一来萧昭业的垮台被杀与萧鸾的篡得帝位就顺理成章、理所当然了。读书读到这里，我想我们这些后世的读者应该稍稍掩卷想一想，这些可信吗？孟子早就说过，“纣之恶，不若是之甚也”，是周武王的史官把殷纣王的罪恶写成这种样子的。想当初，周勃、陈平发动政变杀了吕氏诸人后，拥立刘邦的儿子刘恒为皇帝，但当时汉惠帝的儿子还在皇帝位上，于是刘恒就与周勃、陈平等一起编造谣言说惠帝根本不能生儿子，惠帝的儿子都是吕氏的野种，于是把他们兄弟几个都杀了。到了萧道成要杀掉宋明帝刘彧的儿子刘昱与其弟刘準时，又捡起了汉文帝用过的破旗，他一方面说刘彧的这几个儿子都不是刘彧的种；另一方面就是大张旗鼓地写刘昱的作恶多端，这些我们在评述本书《宋纪》十六的时候已经说过了。刘昱被杀的时候年十五，刘準被杀的时候年十三。到现在萧鸾要杀萧昭业了，萧子显又捡起沈约写《宋书》的办法，尽量向萧昭业、萧昭文的身上泼脏水。萧昭业被杀的时候年二十一，萧昭文被杀的时候年十五。

王夫之《读通鉴论》书此数君之事曰：“史于宋主子业及昱，皆备纪其恶，穷极秽渫，不可以人理求者，而言之已确，岂尽然哉？乱臣贼子弑君而篡其国，讵可曰君有小过而我固不容，则极乎丑诋而犹若不足，固其所矣。此三数君者亦尝逆师保之训，杀忠谋之臣否邪？此可以知在廷之心矣。人道绝，廉耻丧，公然讦数其君之

恶，而加以已甚之辞，曰：此其宜乎弑而宜乎篡者也。恶足信哉!”《宋书》的作者是沈约，《南齐书》的作者是萧子显，当他们操笔写作时，杀刘昱、刘凖的萧道成与杀萧昭业、萧昭文的萧鸾都正坐在皇帝位上，他们写成这种样子是不得已，这可以理解，怎么能够要求每个史家都像司马迁呢？但令人不解的是司马光，他这位生在五百年以后的史家在叙述这些历史过程时，居然还将当时人不得已而不得不这样写的东西照抄过来，以愚后世读者，这难道是应该的吗？接着宋朝人又编有《通鉴纪事本末》、清朝人又编有《廿二史札记》，还有人写读书笔记或专门辑录古史逸事，还都是客观抄录而不加任何按断，以及有人专门编写历代昏君的故事，将这些诲淫、诲盗的东西传播于民间大众，这些难道是一个负责任的学者所应该做的事情吗？

关于后者，主要是孝文帝迁都洛阳的问题。魏国为什么要迁都呢？孝文帝自己说是因为“平城地寒，六月雨雪，风沙常起”。现代史学家钱穆在《国史大纲》给他归纳了三条：其一是“元魏政治久已汉化，塞北荒寒，不配做新政治的中心”；其二是“北方统一以后，若图吞并江南，则必先将首都南移”；其三是“当时北魏政府虽则逐步汉化，而一般鲜卑人则以建国已逾百年，而不免暮气渐重，魏孝文帝实在想用迁都的政策来与他的种人以一种新刺激”。但迁都是大事，世代居住在北方的鲜卑人出于习惯赞成迁都的人不会多，因此孝文帝不想先为此而引发激烈的辩论，甚至闹出内部分裂。于是他先宣布出兵南伐，他要御驾亲征，群臣反对，一概不听。当他渡过黄河到达洛阳后，王公群臣与大小三军再也不想向南走了。孝文帝这时才提出来，既然你们这么反对南伐，那我们就退一步，把国都迁到这里。王公群臣由于更加反对南伐，所以只好退而求其次，同意了迁都。但还有许多具体问题，孝文帝一一地进行了安排处理，如派得力的大臣穆亮、李冲、董尔负责建造洛阳城，派拓跋澄回平城向军民百姓宣传晓谕迁都的意义，以及让于烈还镇平城，并充当留台的总管等。可以说这万事开头难的一步算是比较顺利地走过来了，接着就是着手进一步实行汉化的问题，这要到下一卷再细说。接着我们应该再讨论一下，孝文帝这场迁都究竟该还是不该。明代袁俊德说：“不念平城根本之地，袭用周、汉故迹，其后土宇分裂，虽由政事不纲，亦轻率迁都，自失形势所致。昔娄敬说汉高，以汉取天下与周室异，不可效成周之事。孝文可谓殷鉴不远。”他的意思是把魏国迁都四十年后的分裂以及又二十年后的灭亡都算在了迁都的账上，这是没有多少道理的。一个国家应该建都在何处，是根据当时的时间、地点以及国家的实力与周边的地缘关系来确定的，而不是空洞地谈什么道德。娄敬建议刘邦建都关中是可以的，但洛阳怎么就不是好地方？刘邦建都于关中，西汉不到二百年；洛阳是四战之地，东汉反而超过了二百年，是不是说明刘秀就比刘邦的道德又高许多？文王、武王都说是道德高，西周在关中的镐京只维持了二百多年；周平王认贼作父，引狼入室，应该是最没有道德的东西，可东周却在洛阳这个四战之地维持了五百多年。娄敬之流所说的那套玩意儿究竟有什么可取之处，居然在两千多年的封建历史中一直被某些儒家分子当作旗帜挥舞？范文澜《中国通史》说：“大河南北诸州郡是魏国的真实基础，居住在这个地面上的是汉士族和汉民众，鲜卑统治者依靠偏远的畿内和不多的鲜卑人想控制全国，事实上有极大的困难。孝文帝深慕汉文化，所以要变鲜卑俗为华风。但更重要的原因还在于适应政治上的需要。他想用同化的办法保持拓跋氏的统治地位，因之排除阻碍，决计迁都。”“魏国经过这次大改革，政治制度与南朝完全相同，汉士族满意了，魏国的统治权也确实稳定下来了。”旨哉斯言。

卷第一百三十九　齐纪五

阏逢阉茂（甲戌，公元四九四年），凡一年。

【题解】

本卷写齐明帝萧鸾建武元年（公元四九四年）一年间的南朝齐、北朝魏两国大事。写了持萧鸾立场的史官所加于小皇帝萧昭业的种种劣迹，诸如说他与何皇后共为淫乐，又肆意挥霍，两库积存八亿万钱，不到一年就快花光；又说萧昭业宠信綦毋珍之，致綦毋珍之贪婪专横，行为僭越。写了萧鸾以萧衍为心腹，收买朝廷官僚与地方上的实力派，以致连小皇帝萧昭业的亲信萧谌、萧坦之等都投靠萧鸾，反为之监视萧昭业；萧鸾为剪除萧昭业的羽翼，先将其护卫周奉叔出为刺史，临行又矫诏杀之。写了杜文谦先曾劝綦毋珍之联合周奉叔以杀萧鸾，綦毋珍之不听，致萧鸾在杀掉周奉叔后，又杀了綦毋珍之、杜文谦等，接着有威望的武陵王萧晔、竟陵王萧子良死，其他诸王均被其典签所控制，不得与内外大臣相联系，皇室愈益孤危；萧昭业欲依靠皇后之堂叔何胤废除萧鸾，何胤不肯受命；萧昭业的亲信曹道刚谋诛萧鸾，但还未及动手，身为中领军的叛徒萧谌遂率兵入宫，杀了曹道刚、朱隆之，萧鸾带领王晏、徐孝嗣、陈显达等继而进殿，杀了小皇帝萧昭业，徐孝嗣则掏出他预先写好的假太后诏，宣布追废小皇帝为郁林王，改立萧昭文为皇帝。写了萧鸾晋爵为王，控制全部朝权；谢粲、刘巨等劝鄱阳王萧锵、随王萧子隆借用皇帝身边的势力，挟天子以诛萧鸾，萧锵犹豫不决，被其典签告密，萧锵、萧子隆、谢粲等皆被杀；江州刺史萧子懋起兵反萧鸾，因泄密

【原文】

高宗明皇帝①**上**

建武②**元年（甲戌，公元四九四年）**

春，正月丁未③，改元隆昌④，大赦⑤。

雍州⑥刺史晋安王子懋⑦，以主幼时艰⑧，密为自全之计，令作部⑨造仗⑩。征南大将军陈显达⑪屯襄阳⑫，子懋欲胁取以为将⑬。显达密启西昌侯鸾⑭，鸾征⑮显达为车骑大将军⑯，徙⑰子懋为江州刺史⑱，

与部下叛变失败被杀；接着萧鸾一举杀掉了高祖萧道成的儿子萧铢、萧锐、萧铿、萧铄、萧钧、萧锋与世祖萧赜的儿子萧子敬、萧子真、萧子伦；最后又杀了小皇帝萧昭文，自己即位称帝。写了身为朝廷显贵的谢朏听到第一个小皇帝被杀时竟毫不动心，照常下棋不休而后关门睡觉；为了保持"清高"之名，谢朏请求离开朝廷去任地方官，临行送酒数斛于其任吏部尚书的弟弟谢瀹，让他日饮醇醪，"勿豫人事"；而略略表现出一些义形于色的度支尚书虞悰称疾不陪位，不愿居于赞助维新之列；谢瀹则不听其兄之劝，不肯向萧鸾祝贺，并斥责卖主求荣的王晏等人。写史者满怀同情地写了萧子懋的部下董僧慧与陆超之的感人情节；魏录尚书事拓跋羽建议魏主依地方州镇考核治下官员的办法以考核朝廷百官，以及魏主对百官群臣实行三年一考核，并进行黜陟的实施情景。写了魏主率众离开平城，正式迁都洛阳；魏主趁萧鸾弑主篡位，又有雍州刺史曹虎声言降魏之机，于是数道大举攻齐；以及魏主统兵亲征，魏军与齐军相持于赭阳、南阳一带的情景。此外还写了魏国原在宁夏、甘肃之河西地区养马，后又在河南之河阳地区驯养军马，使军马逐步南移，逐渐习惯中原地区的水土气候，以见孝文帝拓跋宏时代魏国的国势之强盛。并写了宋、齐时代所特有的典签权势之恶性膨胀，高武诸王萧晔、萧子罕等深受其害的惨象，戴僧静、孔稚珪、萧子显皆痛斥之等。

【语译】

高宗明皇帝上

建武元年（甲戌，公元四九四年）

春季，正月初一日丁未，改年号为隆昌元年，大赦天下。

齐国担任雍州刺史的晋安王萧子懋，因为皇帝萧昭业年纪尚小，国家的局势艰难，便暗中筹划自我保全的办法，他命令负责制造兵器的部门大量打造兵器。担任征南大将军的陈显达率军屯驻在襄阳，萧子懋想用威胁、利诱的手段使陈显达成为自己的部下将领，为自己效力。陈显达秘密地将情况报告给了西昌侯萧鸾，萧鸾便以朝廷的名义将陈显达征调回朝廷，任命为车骑大将军，同时将担任雍州刺史的萧

仍[19]令留部曲[20]助镇襄阳，单将[21]白直、侠毂[22]自随。显达过襄阳[23]，子懋谓曰："朝廷令身[24]单身而返，身是天王[25]，岂可过尔轻率[26]！今犹欲将二三千人自随，公意何如？"显达曰："殿下若不留部曲，乃是大违敕旨[27]，其事不轻[28]；且此间人亦难可收用。"子懋默然。显达因辞出，即发去[29]。子懋计未立，乃之寻阳[30]。

西昌侯鸾将谋废立[31]，引前镇西谘议参军萧衍[32]与同谋。荆州刺史随王子隆[33]，性温和，有文才，鸾欲征之，恐其不从。衍曰："随王虽有美名，其实庸劣[34]。既无智谋之士，爪牙[35]唯仗司马垣历生[36]、武陵[37]太守卞白龙耳。二人唯利是从，若啖以显职[38]，无有不来；随王止须折简[39]耳。"鸾从之。征历生为太子左卫率[40]，白龙为游击将军[41]，二人并至。续召子隆为侍中[42]、抚军将军[43]。豫州刺史崔慧景[44]，高、武旧将[45]。鸾疑之[46]，以萧衍为宁朔将军[47]，戍寿阳。慧景惧，白服[48]出迎，衍抚安之[49]。

辛亥[50]，郁林王[51]祀南郊[52]；戊午[53]，拜崇安陵[54]。

癸亥[55]，魏主[56]南巡[57]；戊辰[58]，过比干墓[59]，祭以太牢[60]，魏主自为祝文曰："乌呼[61]介士[62]，胡不我臣[63]！"

帝宠幸中书舍人[64]綦毋珍之[65]、朱隆之，直阁将军[66]曹道刚、周奉叔[67]，宦者徐龙驹[68]等。珍之所论荐[69]，事无不允；内外要职，皆先论价[70]，旬月之间[71]，家累千金[72]；擅取官物[73]及役作[74]，不俟诏旨[75]。有司[76]至相语云："宁拒至尊敕[77]，不可违舍人命。"帝以龙驹为后阁舍人[78]，

子懋改任为江州刺史，并命令萧子懋将自己的亲兵旧部留下协助防守襄阳，只能带着少量的侍从人员以及随车护卫前往江州赴任。陈显达到襄阳与晋安王萧子懋道别，萧子懋对陈显达说："朝廷命令我只能带着随身侍从前往江州赴任，我身为齐国皇室亲王，怎么可以如此简易、随便！我现在还是想带领二三千人跟随我前往江州，你觉得怎么样?"陈显达回答说："殿下如果不将自己手下的亲兵旧部留在襄阳，就是大大地违抗圣旨，这可不是个小事情；而且这里的军队也未必会听从你的调遣，为你所用。"萧子懋默然无语。陈显达赶紧告辞，立即离开襄阳动身前往京城赴任。萧子懋的计划没有得逞，只得前往江州刺史的驻地寻阳走马上任。

齐国的西昌侯萧鸾准备密谋废掉郁林王萧昭业，另立新君，就拉着曾经担任过镇西谘议参军的萧衍一同谋划废立大计。担任荆州刺史的随王萧子隆，性情温和，很有文才，萧鸾想征聘萧子隆回京师参与废立大事，又担心萧子隆不肯听从。萧衍说："随王萧子隆虽然有好名声，其实却是一个平庸无能之辈。他身边既没有智谋之士的辅佐，得力的武将也只有担任司马的垣历生、担任武陵太守的卞白龙两个人。而且这两个人唯利是图，如果用显耀的职位来招引他们，他们没有不来的道理；至于随王萧子隆，只需写一封书信就可招之使来。"萧鸾听从了萧衍的建议。于是征调担任司马的垣历生回朝廷担任太子左卫率，征调担任武陵太守的卞白龙回朝廷担任游击将军，二人果然应征而来。接着又召担任荆州刺史的随王萧子隆回朝廷担任侍中、抚军将军。担任豫州刺史的崔慧景，是齐高帝萧道成、齐武帝萧赜的老部下。西昌侯萧鸾怀疑他在废立皇帝这件事情上不会和自己一条心，因此就任命萧衍为宁朔将军，驻守在豫州刺史府的所在地寿阳。崔慧景见此情景心里非常恐惧，就穿着一般士人所穿的服饰出来迎接到任的宁朔将军萧衍，萧衍用好言好语对崔慧景进行了安抚。

正月初五日辛亥，郁林王萧昭业在南郊祭天；十二日戊午，萧昭业又到崇安陵祭拜自己的父亲文惠太子萧长懋。

十七日癸亥，魏国的孝文帝拓跋宏从临时驻地邺城前往魏国的南部地区进行巡视；二十二日戊辰，在经过河南淇县的时候，用一头牛、一只羊、一头猪的太牢大礼祭祀了殷末直言敢谏的大臣比干，孝文帝拓跋宏亲自撰写祭文说："呜呼，像比干这样耿介、正直的人士，为什么不成为我的臣子呢!"

齐国的小皇帝萧昭业宠信担任中书舍人的綦毋珍之、朱隆之，担任直阁将军的曹道刚、周奉叔以及宦官徐龙驹等人。綦毋珍之所议论的事情、所举荐的人，萧昭业没有不答应的；凡是重要职位，不论朝廷内外，綦毋珍之都先要定好价钱，按价卖官，在不到一个月的时间内，綦毋珍之的家中就积累了超过千斤的黄金；他还擅自拿取宫廷和官府的财物、擅自调用为宫廷和官府役使的工匠干自己的私事，而不征得皇帝的批准。以至于管理该项事务的官吏互相议论说："宁可拒绝执行皇帝的命令，也不能违背中书舍人綦毋珍之的命令。"萧昭业任用宦官徐龙驹为后阁舍人，

常居含章殿[79]，著黄纶帽[80]，被[81]貂裘，南面向案[82]，代帝画敕[83];左右侍直[84]，与帝不异。

帝自山陵之后[85]，即与左右微服[86]游走市里[87]，好于世宗崇安陵隧中[88]掷涂[89]、赌跳[90]，作诸鄙戏[91]，极意赏赐左右，动至百数十万[92]。每见钱曰:“我昔思汝一枚[1]不得[93]，今日得用汝未[94]?”世祖聚钱上库五亿万[95]，斋库亦出三亿万[96]，金银布帛不可胜计。郁林王即位未期岁[97]，所用垂尽[98]。入主衣库[99]，令何后[100]及宠姬以诸宝器相投击破碎之，用为笑乐。蒸[101]于世宗[2]幸姬霍氏[102]，更其姓曰徐。朝事大小，皆决于西昌侯鸾。鸾数谏争[103]，帝多不从；心忌鸾，欲除之。以尚书右仆射[104]鄱阳王锵[105]为世宗所厚，私谓锵曰:“公[106]闻鸾于法身如何[107]?”锵素和谨，对曰:“臣鸾于宗戚[108]最长，且受寄先帝[109]，臣等皆年少，朝廷所赖，唯鸾一人，愿陛下无以为虑。”帝退，谓徐龙驹曰:“我欲与公共计取鸾，公既不同，我不能独办，且复小听[110]。”

卫尉萧谌[111]，世祖之族子[112]也，自世祖在郢州[113]，谌已为腹心[114]。及即位，常典宿卫[115]，机密之事，无不预闻[116]。征南谘议萧坦之[117]，谌之族人也，尝为东宫直阁[118]，为世宗所知。帝以二人祖父旧人[119]，甚亲信之。谌每请急[120]出宿，帝通夕不寐，谌还乃安。坦之得出入后宫，帝亵狎宴游[121]，坦之皆在侧。帝醉后，常裸袒，坦之辄[122]扶持谏谕。西昌侯鸾欲有所谏，帝在后宫不出，唯遣谌、坦之径进[123]，乃得闻达[124]。

何后亦淫泆[125]，私[126]于帝左右杨珉[127]，与同寝，处如伉俪[128]。又与帝

因此徐龙驹便经常居住在含章殿，他头上戴着黄绫制作的帽子，身上披着貂裘大衣，面朝南坐在书案前，代替萧昭业批阅文件；左右站立着值勤的侍从，其派头俨然与齐国皇帝一般无二。

齐国的小皇帝萧昭业自从为齐武帝萧赜办完丧事之后，就与左右侍从一起身穿平民的服饰私自到集市里巷四处游荡，还专门喜好到自己的父亲齐世宗文惠太子萧长懋崇安陵的墓道中投掷泥巴、比赛跳高，做各种下等人所玩的游戏取乐，他还随意赏赐左右侍从，赏赐的财物一出手就是几十万、上百万。他每次见到钱就说："我当初想要一文钱都得不到，如今我是不是想怎么用你就怎么用你呢?"齐世祖萧赜在位的时候，在上库储存了多达五亿万的钱，在斋库中储存的钱也超过三亿万，金银布帛更是多得无法计算。萧昭业即位不到一年，就把所有的积蓄花得差不多了。他进入为皇帝管理衣物以及各种赏玩物品的部门，让何皇后以及他的宠姬用库中的各种宝器互相投掷、击打，以毁坏宝物来取笑作乐。萧昭业又与他父亲的宠妃霍氏通奸，他令霍氏改姓为徐。而此时朝廷中的大小事务，全都由西昌侯萧鸾主持裁决。萧鸾多次对萧昭业进行劝阻，萧昭业多数情况下皆不听从；心里反而忌恨萧鸾，想把萧鸾除掉。因为担任尚书右仆射的鄱阳王萧锵曾经深受世宗萧长懋的厚爱，萧昭业便私下里对鄱阳王萧锵说："您听说萧鸾对我怎么样了吗?"萧锵一向为人平和谨慎，当即回答说："大臣萧鸾在皇族中辈分最高，而且接受了先帝的托付，而我等都还年轻，朝廷所能依赖的，只有萧鸾一个人，希望陛下不要为他而感到担忧。"萧昭业回到皇宫之后，便对担任后阁舍人的徐龙驹说："我本想与鄱阳王萧锵共同设计除掉萧鸾，鄱阳王萧锵既然不同意我的意见，单凭我自己也无法办到，那就姑且听任萧鸾专政，暂时不动他吧。"

齐国担任卫尉的萧谌，是齐世祖萧赜的同族兄弟之子，自从世祖萧赜担任江夏内史行郢州事的时候，萧谌就已经成为萧赜的心腹。等到萧赜登基做了皇帝以后，萧谌曾经负责统领禁兵，在宫中值宿，担任警卫，朝廷的机密大事，萧谌无不参与，及时知晓。担任征南谘议参军的萧坦之是萧谌的族人，曾经担任东宫直阁，被世宗萧长懋所赏识。小皇帝萧昭业因为萧谌与萧坦之二人是祖父与父亲两代的亲信，就非常亲近他们、信任他们。萧谌每次告假出宫，萧昭业就会通宵睡不着觉，一直等到萧谌回宫之后，萧昭业才会有一种安全感。萧坦之能够经常出入后宫，即使萧昭业在后宫与嫔妃吃喝玩乐的时候，萧坦之也都在萧昭业的身边。萧昭业喝醉酒之后，经常赤身裸体，萧坦之总是把萧昭业搀扶起来进行规劝。西昌侯萧鸾想要有所劝谏禀报，而萧昭业身在后宫不肯出来，他就只有派遣萧谌、萧坦之径直闯进去，才能把自己要禀报的事情传达上去。

萧昭业的皇后何氏也很放荡，竟然与萧昭业的身边侍从杨珉通奸，夜里同床，白天厮守，就像夫妻一样。何皇后又与萧昭业相亲相爱，所以萧昭业对何皇后放纵

相爱狎，故帝恣[129]之，迎后亲戚入宫，以耀灵殿[130]处之。斋阁[131]通夜洞开，外内淆杂，无复分别。

西昌侯鸾遣坦之入奏诛珉[132]，何后流涕覆面曰："杨郎好年少[133]，无罪，何可枉杀！"坦之附耳语帝曰："外间并云杨珉与皇后有情，事彰遐迩[134]，不可不诛。"帝不得已，许之；俄敕原之[135]，已行刑矣[136]。鸾又启诛徐龙驹，帝亦不能违，而心忌鸾益甚。萧谌、萧坦之见帝狂纵日甚，无复悛改[137]，恐祸及己，乃更回意附鸾[138]，劝其废立[139]，阴[140]为鸾耳目，帝不之觉也。

周奉叔恃勇挟势[141]，陵轹[142]公卿。常翼[143]单刀二十口[144]自随，出入禁闼[145]，门卫不敢诃[146]。每语人曰："周郎刀不识君[147]！"鸾忌之，使萧谌、萧坦之说帝出奉叔为外援[148]。己巳[149]，以奉叔为青州[150]刺史，曹道刚为中军司马[151]。奉叔就帝求千户侯[152]，许之。鸾以为不可，封曲江县男[153]，食三百户。奉叔大怒，于众中攘刀[154]厉色，鸾说谕[155]之，乃受。奉叔辞毕，将之镇[156]，部伍[157]已出，鸾与萧谌称敕[158]，召奉叔于省中[159]，殴杀[160]之。启云[161]："奉叔慢朝廷。"帝不获已[162]，可其奏[163]。

溧阳令[164]钱唐杜文谦，尝为南郡王侍读[165]，前此说綦毋珍之曰："天下事可知，灰尽粉灭，匪朝伊夕[166]，不早为计，吾徒无类[167]矣。"珍之曰："计将安出？"文谦曰："先帝旧人，多见摈斥[168]，今召而使之，谁不慷慨[169]？近闻王洪范[170]与宿卫将万灵会[171]等共语，皆攘袂捶床[172]。君其密报[173]周奉叔，使万灵会等杀萧谌，则宫内之兵皆我用[174]也。即[175]勒兵入尚书[176]斩萧令[177]，两都伯力[178]耳。今举大事亦死，不举事亦死，二死等耳，死社稷可乎[179]！若迟疑不断，复少日[180]，录君[181]称敕赐死[182]，

不管，任其所为，还把何皇后的亲戚迎入宫中，安排他们住在耀灵殿。于是通往后宫的门户整夜开着，内外人员混杂，宫内宫外没有什么分别。

西昌侯萧鸾派遣萧坦之入宫奏请萧昭业杀掉与何皇后私通的杨珉，何皇后泪流满面地说："杨珉可是个好青年，没有什么罪过，怎么可以枉杀他呢!"萧坦之附在萧昭业的耳朵上小声说："宫外都传说杨珉与何皇后有私情，事情已经传得沸沸扬扬，远近都知道，不能不把他杀掉。"萧昭业在迫不得已的情况下终于答应杀掉杨珉；但很快又下令赦免杨珉，而杨珉此时已经被杀死了。萧鸾又奏请萧昭业诛杀徐龙驹，萧昭业也不敢违背，而心里对萧鸾忌恨得更加厉害。萧谌、萧坦之看到萧昭业狂妄、放纵得一天比一天厉害，毫无悔改之意，担心灾祸殃及自己，于是就回心转意依附萧鸾，劝说萧鸾废掉萧昭业，另外择立新君，暗中为萧鸾充当耳目，而萧昭业竟然毫无察觉。

担任直阁将军的周奉叔倚仗自己的勇敢和小皇帝萧昭业对自己的宠信，任意欺压公卿大臣。他经常让二十名持刀的卫士分列左右，如同两翼一样跟随着自己，随意出入宫门，守卫宫门的卫士不敢盘问、不敢阻挡。周奉叔经常对别人说："周郎的刀可不认识你们!"萧鸾忌恨周奉叔，就让萧谌、萧坦之劝说萧昭业把周奉叔调出京师，放到地方去执掌大权，做皇帝的外援。正月二十三日己巳，萧昭业任命周奉叔为青州刺史，任命曹道刚为中军司马。周奉叔向萧昭业请求封自己为食邑千户的侯爵，萧昭业答应了他。萧鸾认为不可以，于是封周奉叔为曲江县男爵，食邑三百户。于是周奉叔大怒，在大庭广众之中便抽出刀来怒形于色，萧鸾向他劝说解释，周奉叔才勉强接受。周奉叔告辞之后，就准备前往青州赴任，部下的随从都已经出发，萧鸾与卫尉萧谌假托皇帝的命令，把周奉叔召到尚书省中，令人打死了周奉叔。然后萧鸾向萧昭业报告说："周奉叔藐视朝廷，已经把他处死了。"萧昭业不得已，同意了萧鸾的说法。

齐国担任溧阳县令的钱唐人杜文谦，在萧昭业还是南郡王的时候曾经担任过萧昭业的侍读，在此之前，杜文谦劝说綦毋珍之说："天下的形势已经很明显了，灰飞烟灭，不在早上就在晚上，不早做打算，我们这些人都要被灭门了。"綦毋珍之说："你有什么好办法呢?"杜文谦说："先帝萧赜所信用的人，大多数都已经被排斥、被驱逐出朝廷，如果把他们招来，并重用他们，谁会不受感动、不知恩图报呢？最近听说担任晋寿太守的王洪范与担任宿卫将领的万灵会等人在一起谈论时，全都情绪激昂，卷起袖子敲打着坐榻。你秘密通知周奉叔，让万灵会等人杀死萧谌，如此一来，宫内的军队就全都归我们指挥了。倘若率领宿卫军冲入尚书省杀死西昌侯萧鸾，只需要两个刽子手就够了。如今我们举大事也是死，不举大事也是死，同样是一个死，为什么不选择为国家社稷而死呢！如果犹豫不决，再过几天，担任录尚书事的萧鸾假称皇帝的命令赐你我自尽，到那时连我们的父母也要搭上性命，灾祸就在眼前了。"

父母为殉[183]，在眼中矣[184]。”珍之不能用。及鸾杀奉叔，并收[185]珍之、文谦，杀之。

乙亥[186]，魏主如洛阳西宫。中书侍郎韩显宗[187]上书陈四事：其一，以为“窃闻舆驾[188]今夏不巡三齐[189]，当幸中山[190]。往冬舆驾停邺[191]，当农隙[192]之时，犹比屋[193]供奉，不胜劳费。况今蚕麦方急，将何以堪命？且六军[194]涉暑，恐生疠疫[195]。臣愿早还北京[196]，以省诸州供张[197]之苦，成洛都营缮[198]之役”。其二，以为“洛阳宫殿故基，皆魏明帝[199]所造，前世已讥其奢，今兹[200]营缮，宜加裁损。又，顷来[201]北都富室[202]，竞以第舍相尚[203]，宜因迁徙，为之制度[204]。及端广衢路[205]，通利沟渠[206]”。其三，以为“陛下之还洛阳，轻将从骑[207]。王者于闱闼之内[208]犹施警跸[209]，况涉履山河而不加三思乎！”其四，以为“陛下耳听法音[210]，目玩坟典[211]，口对百辟[212]，心虞万机[213]，景昃而食[214]，夜分而寝[215]。加以孝思之至[216]，随时而深[217]，文章之业，日成篇卷。虽睿明所用，未足为烦[218]。然非所以啬神[219]养性，保无疆之祚[220]也。伏愿陛下垂拱司契[221]，而天下治矣”。帝颇纳之。显宗，麒麟[222]之子也。

显宗又上言，以为：“州郡贡察[223]徒有秀、孝[224]之名，而无秀、孝之实[225]，朝廷但检其门望[226]，不复弹坐[227]。如此[228]，则可令别贡门望以叙士人[229]，何假冒秀、孝之名也[230]！夫门望者，乃其父祖之遗烈[231]，亦何益于皇家[232]！益于时者，贤才而已。苟有其才，虽屠钓奴虏[233]，圣王不耻以为臣[234]；苟非其才，虽三后之胤[235]，坠于皂隶[236]矣。议者或云‘今世等无奇才[237]，不若取士于门’。此亦失矣。岂可以世无周、邵[238]，遂废宰相邪！

綦毋珍之没能采纳杜文谦的建议。等到萧鸾杀死周奉叔的时候，同时逮捕了綦毋珍之、杜文谦，把他们全都杀死。

正月二十九日乙亥，魏国的孝文帝拓跋宏前往洛阳西宫。担任中书侍郎的韩显宗上书给孝文帝，陈述了四件事情：其一，韩显宗以为“我私下里听说陛下的车驾今年夏季如果不去三齐之地巡视，就要到中山一带去。去年冬天陛下的车驾停留在邺城的时候，当时正是农闲季节，还要家家户户轮番进行供奉，其劳苦花费，百姓已经不堪负担。何况现在正是养蚕收麦的农忙季节，一旦征调他们服役，他们怎么能够承受得了呢？而且六军冒着酷暑行军，恐怕会产生瘟疫。我希望陛下早日回到北京平城，以节省各州为迎接圣驾与庞大侍从队伍的吃喝住宿等一切需要的劳苦，以使修建洛阳都城的工程早日完工”。其二，韩显宗认为“洛阳宫殿的旧址，都是魏明帝曹叡时代建造的，前代的人已经讥讽宫殿修建得太奢侈豪华，这次重新营造修建，就该加以裁减、缩小宫殿的规模。再有，近来北都平城的富有人家，在建造府第的时候都互相攀比，一家比一家豪华，现在应当趁着迁都的机会，给他们做出规定。京城里四通八达的道路要方向正直、路面宽阔，城里城外的河道要便利畅通”。其三，韩显宗认为“陛下回到洛阳的时候，只带领着很少的骑兵侍从。君王在自己的宫廷之内行动还要施行清道、戒严等保安措施，何况是翻山过河，长途跋涉，怎么可以不加三思呢！”其四，韩显宗认为“陛下耳朵里听的是合乎法度的音乐，眼睛观看的是三坟五典，面对着说话的是公卿百官，心里考虑的是纷乱繁多的国家政务，太阳偏西了才吃午饭，半夜时分才躺下睡觉休息。再加上对已故冯太后的思念，随着时间的推移越来越深，还要撰写文章，每天都要完成一定数量的篇幅。尽管陛下具有超常的聪明才智，还不至于感到烦劳。然而这不利于陛下爱惜精神、保养性情，保证享受无边的洪福。希望陛下垂衣拱手，只要抓住治理国家的要害问题就可以使天下达到大治了”。孝文帝拓跋宏稍微采纳了他的一些意见。韩显宗，是韩麒麟的儿子。

韩显宗又上书，他认为：“各州各郡的官员向朝廷所举荐的人才徒有秀才、孝廉的名声，而无秀才、孝廉的实才，而朝廷又是只检查一下这些被举荐之人的出身门第如何，而从来不考察他们的实际品德与才干，对于那些举荐不实的地方官，从来没有人弹劾过他们，给他们治罪。既然如此，可以让地方官员按照门第给这些士族子弟排出等级向朝廷进贡得了，何必盗用秀才、孝廉这种名称呢！所谓名门望族，只是表明了他们的父祖辈曾经有过的功业，这对今天的国家又有什么好处呢！当今对国家有益的只是贤才而已。如果真有治理国家的才能，即使他们出身于屠钓、奴虏，前代圣明的君王也不认为任用他们是耻辱的事情；如果没有治理国家的才能，纵然他是夏禹、商汤、周文王武王的后裔，也会堕落成从事奴仆杂役之属的下等人。有人议论说‘当今之世反正是没有奇才，还不如就从名门望族中挑选人才’。这种看法也是错误的。岂能因为当世没有周公旦、邵公奭那样的人物，就废除宰相的职位！

但当校[239]其寸长铢重[240]者先叙[241]之，则贤才无遗矣。

“又，刑罚之要[242]，在于明当[243]，不在于重。苟不失有罪[244]，虽捶挞[245]之薄，人莫敢犯；若容可侥幸[246]，虽参夷[247]之严，不足惩禁。今内外之官，欲邀[248]当时之名，争以深刻[249][3]为无私，迭相敦厉[250]，遂成风俗。陛下居九重[251]之内，视人如赤子[252]；百司[253]分万务之任，遇下如仇雠[254]。是则尧、舜止一人而桀、纣以千百，和气[255]不至，盖由于此。谓宜敕示百僚[256]，以惠元元之命[257]。

“又，昔周居洛邑[258]，犹存宗周[259]；汉迁东都[260]，京兆置尹[261]。案[4]春秋之义，有宗庙曰都，无曰邑[262]。况代京[263]宗庙山陵所托[264]，王业所基[265]，其为神乡福地，实亦远矣，今便同之郡国，臣窃不安。谓宜建畿置尹[266]，一如故事[267]。崇本重旧，光示万叶[268]。

“又，古者四民异居[269]，欲其业专志定[270]也。太祖道武皇帝[271]创基拨乱[272]，日不暇给[273]，然犹分别士庶[274]，不令杂居，工伎[275]屠沽[276]，各有攸处[277]，但不设科禁[278]，久而混淆。今闻洛邑居民之制，专以官位相从[279]，不分族类[280]。夫官位无常，朝荣夕悴[281]，则是衣冠[282]、皂隶不日同处[283]矣。借使[284]一里[285]之内，或调习歌舞，或讲[5]肄[286]诗书，纵群儿随其所之[287]，则必不弃歌舞而从诗书矣。然则使工伎之家习士人风礼[288]，百年难成；士人之子效工伎容态，一朝而就。是以仲尼称里仁之美[289]，孟母勤三徙之训[290]。此乃风俗之原[291]，不可不察。朝廷每选人士，校其一婚一宦以为升降，何其密[292]也！至于度地居民[293]，则清浊连

只要在众人中认真进行比较、衡量，从中选拔那些略显优秀者进行录用，那么贤能的人才就不会被遗漏掉。

“再有，刑罚的关键，在于运用明确、恰当，而不在于重罚。如果不遗漏有罪之人，即使是用鞭子抽、棍子打的轻刑，人们也不敢轻易犯法；如果一旦出现有空子可钻、有侥幸可图，纵然是夷灭三族的严厉刑法，也不足以达到惩治、禁止人们犯罪的效果。如今朝廷内外的官员，只是贪图当时获得一个好名声，就争着以执法严酷、深刻来彰显自己的大公无私，轮番地互相敦促，从严处理罪犯，于是形成了风气。陛下居住在深宫之内，爱护自己的臣民，把百姓当作婴儿般呵护；百官只不过替陛下分担一部分责任，却把百姓视作仇敌。这样一来，像尧、舜这样的只有一个人，而像桀、纣那样的却有千百个；祥和之气迟迟没有到来，都是由于这个原因。我认为陛下应当告诫百官，让他们关心、重视黎民百姓的生命。

“再有，古代的周王朝把都城从镐京迁到洛阳，但仍旧保留着旧都镐京；东汉光武帝刘秀将都城迁到洛阳，在旧都长安一带仍然设立京兆尹。依照孔子《春秋》的说法，凡是建有宗庙以供奉先君牌位的地方便称为都，没有宗庙的地方便称为邑。更何况代京平城是列祖列宗的庙宇和陵墓所在之地，是王业创立、发祥的地方，作为国家的神乡福地，确实由来已远啊，如今却把平城看作一般的郡国，我心里感到十分不安。我认为应当把平城仍旧作为一个都城继续存在，给它设立郊区，把那里的行政长官称为京兆尹，就像西周、东汉所做的那样，崇尚根本，重视旧都，让您这种光辉的做法照耀万代。

“再有，古时候士、农、工、商分别居住，不相混杂，是想让他们一心一意地永远从事他们各自的行业。太祖道武皇帝拓跋珪创建魏国，平定北方，每天都忙得感到时间不够用，然而还是把官僚士大夫与一般的平民分开居住，不让他们混杂在一起；工匠、乐伎、屠夫、卖酒的人家，都分别有适合他们居住的地方，但是由于没有制定具体的条例禁令严格进行管理，时间久了就逐渐又混杂在一起。如今听说洛阳建筑民宅的制度，专门按照官职高低安排住所，不按行业划分。而做官的人不是永久不变的，就像花朵一样，早晨还在开花，到了晚上就可能凋谢了，这样一来，那些穿礼服、戴礼帽的官僚士大夫不到一天的工夫就与那些衙役、奴仆混杂在一起了。假使在一条胡同之内，有的人练习歌舞，有的人学习诗书，让那些孩子们随其所愿任意挑选自己喜欢的，那么他们肯定不愿意放弃从事歌舞而去学习诗书。如此看来，让工匠、乐伎的家庭去学习士大夫的那种风习、礼节，恐怕一百年都难以学成；而让士大夫的子弟去仿效工匠、乐伎的仪容姿态，一个上午就学会了。所以孔子才称赞与仁者做邻居是一种好办法，孟轲的母亲才会为了给孟轲找一个好的学习环境而三次迁居。这是使风俗日益变好的先决条件，不可以不观察、不思考。朝廷每次选拔人才，总是考察他们的婚姻关系，看对方是不是官宦人家，以此作为提拔升降的标准，那是何等的严格啊！至于规划地区，安置居民居住，却使士庶混杂、

甍[294]，何其略也！今因[295]迁徙之初，皆是空[6]地，分别工伎，在于一言，有何可疑而阙盛美[296]！

"又，南人[297]昔有淮北之地[298]，自比中华[299]，侨置郡县[300]。自归附圣化[301]，仍而不改[302]，名实交错，文书难辨[303]。宜依地理旧名，一皆厘革[304]，小者并合，大者分置。及中州郡县[305]，昔以户少并省，今民口既多，亦可复旧。

"又，君人者，以天下为家，不可有所私。仓库之储，以供军国之用，自非[306]有功德者不可加赐。在朝诸贵，受禄不轻，比来赐[7]赉[307]，动以千计。若分以赐鳏寡孤独[308]之民，所济实多[309]。今直[310]以与亲近之臣，殆非周急不继富[311]之谓也。"

帝览奏，甚善之。

【段旨】

以上为第一段，写齐明帝萧鸾建武元年（公元四九四年），实际乃齐武帝的孙子萧昭业隆昌元年正月一个月里的大事。主要写了齐雍州刺史晋安王萧子懋见西昌侯萧鸾掌控朝廷大权，心感惶恐，遂谋自全之计，欲收买大将陈显达，结果被陈显达向萧鸾告密，陈显达升官，萧子懋被移任江州；萧鸾以萧衍为心腹，收买荆州刺史萧子隆的部下垣历生、卞白龙，以架空萧子隆，又收抚了崔慧景。写小皇帝萧昭业与何皇后共为淫乐，又肆意挥霍，两库积存八亿万钱，未期年而垂尽；萧昭业宠信綦毋珍之，致綦毋珍之贪婪、专横，行为僭越。写萧昭业的亲信萧谌、萧坦之投靠萧鸾，反为萧鸾监视萧昭业；萧鸾为剪除萧昭业的羽翼，先将其护卫周奉叔出为刺史，临行又矫诏杀之；杜文谦曾劝綦毋珍之联合周奉叔以杀萧鸾，綦毋珍之不听，致萧鸾在杀掉周奉叔后，又杀了綦毋珍之、杜文谦等。写了魏之名臣韩显宗上书论事，论皇帝不应夏日出巡，劳民败事；论洛阳之建应力从节俭；又论秀才、孝廉之选，只重门第，有名无实；又建议减轻刑罚，建议以平城仍为都城，置京兆尹；又建议洛阳新建，应区分士庶；又言新占领的淮北地区，应改掉晋宋曾用的侨置郡县之名，以免混乱；又言国家有钱应用之"周急"，不宜用来"继富"等。

比邻而居，这是何等的粗略啊！如今应当趁着迁徙的初期，洛阳到处都是空地，分别规划出工匠、乐伎的居住地，只需陛下一句话而已，还有什么可犹豫而让美好的事业留有缺憾呢！

“再有，占据江南的政权过去曾经占有淮河以北的土地，他们以中原统治者自居，在淮河以北地区设置了许多北方的侨置州郡以安置从北方过去的人，并使用北方的地名重新予以命名。自从淮河以北地区归入魏国以来，这个地区仍然沿用南朝侨置州郡的名称而没有改变，造成地名与实地的不符，写在纸面上让人无法辨清究竟是指何处。应当以地理的旧有名称为准，通通恢复原来的名称，小的郡县合并，大的郡县分别设置。连带着将中州过去因为户口太少而合并，如今人口已经繁衍增多的那些郡县，也可一同恢复原来的郡县名称。

“再有，统治国家的君王，以天下为家，不可以有私心杂念。仓库的储蓄，是用来供应军需和国用的，除非是有特殊功德的人，否则是不可以用来增加其他人的赏赐的。在朝廷任职的那些高级官员，已经享受国家不少的俸禄，近来对他们的赏赐，一出手就是数以千计。如果把钱财赏赐给那些鳏寡孤独的黎民百姓，所达到的救助效果应该大得多。现在仅仅是把钱财赏赐给亲近的大臣，这可不符合‘把钱财用来周济给穷人，而不要再给富人添资’的古训。”

孝文帝拓跋宏看了这份奏章以后，认为韩显宗的这些见解非常好。

【注释】

① 高宗明皇帝：萧鸾，字景栖，齐高帝萧道成之兄萧道生之子，公元四九四至四九八年在位。高宗是他的庙号，明是谥号。传见《南齐书》卷六《明帝纪》。② 建武：明帝萧鸾的年号（公元四九四至四九八年）。〖按〗本年虽书为“建武元年”，其实前九个月乃是萧昭业的“隆昌元年”和萧昭文的“延兴元年”，十月萧鸾即皇帝位，始真正改称“建武元年”。③ 正月丁未：正月初一是丁未日。④ 改元隆昌：指小皇帝萧昭业从上一年其祖父萧赜的永明十一年改称为他自己的隆昌元年。萧昭业是齐武帝萧赜的长孙，文惠太子萧长懋的长子。从上年（癸酉，公元四九三年）的秋七月已即皇帝位，到今年（甲戌）春正月，始改用自己的年号。⑤ 大赦：新皇帝即位，通常都要施行大赦，以博取全国臣民的欢心。⑥ 雍州：齐国的侨置州名，州治襄阳，即今湖北襄阳汉江南岸的襄城区。⑦ 晋安王子懋：齐武帝萧赜的第七子，时为雍州刺史，被封为晋安王，封地晋安郡。传见《南齐书》卷四十。晋安郡的郡治侯官，即今福建福州。⑧ 主幼时艰：皇帝的年龄较小，国家的形势艰难，指担心权臣萧鸾篡位。萧昭业当时只有二十一岁。⑨ 作部：制造兵器的部门。⑩ 造仗：制造武器。胡三省曰：“诸州各有作部，主造器仗。”⑪ 征南大

将军陈显达：陈显达是南齐的著名将领，官至太尉。传见《南齐书》卷二十六。当时任征南大将军之职。征南大将军是当时高级将军的名号，为四征之一，爵位从公。⑫ 屯襄阳：屯兵于襄阳，亦即征南大将军的军府设在襄阳。胡三省曰："去年秋，武帝以魏将入寇，遣显达镇樊城。"襄阳与樊城相互挨近，现在已合并为一城。⑬ 胁取以为将：威胁利诱使其为自己所用，使之成为自己部下的将领。⑭ 密启西昌侯鸾：秘密地报告了西昌侯萧鸾。萧鸾早从建元元年（公元四七九年）被萧道成封为西昌侯，此时已是南齐政权中最有权势的人物。⑮ 征：召，将其调入朝廷为官。⑯ 车骑大将军：高级将军的名号，位在四征之上，掌管京城守卫。⑰ 徙：调动；更换官职。⑱ 江州刺史：江州的州治柴桑，即今江西九江市。⑲ 仍：通"乃"，连词。⑳ 留部曲：把自己的亲兵旧部都留在襄阳。部曲，这里义同"部下"，指私人亲信、私家武装，以及效忠于其私人的宾客、食客等。㉑ 单将：只能带着。㉒ 白直、侠毂：都是侍从人员的称呼。白直，虽当差而无月俸，所以叫"白直"。侠毂，主子外出时，护卫在车子的两边。侠，通"夹"。毂，车轴，这里即指车。㉓ 过襄阳：陈显达驻扎在樊城，与襄阳只一水之隔，故来造访。㉔ 身：犹今所谓"我"，子懋自称。㉕ 天王：皇家的王爷。胡三省曰："子懋自称天王，盖谓是天家诸王也。"㉖ 过尔轻率：过于简易、随便。㉗ 敕旨：帝王的旨意。敕，特指皇帝的命令或诏书。㉘ 其事不轻：这可不是个小事情。㉙ 即发去：随即动身去京城。㉚ 之寻阳：前往寻阳郡的郡治，亦即柴桑，也是江州刺史的驻地。㉛ 谋废立：阴谋废掉萧昭业，另立他人。㉜ 萧衍：即后来的梁武帝，此时任镇西将军萧子隆的谘议参军。传见《梁书》卷一。当时随王萧子隆以镇西将军的身份驻兵于荆州，萧衍为其僚属。谘议参军，在将军属充任参谋。㉝ 随王子隆：武帝萧赜的第八子，被封为随王，封地随郡。传见《南齐书》卷四十。随郡的郡治即今湖北随县。㉞ 庸劣：平庸、拙劣。㉟ 爪牙：指手下得力的武将。㊱ 司马垣历生：司马是将军属下的高级僚属，综理军府，参与军机。垣历生是南齐名将垣荣祖的堂弟。传见《南齐书》卷二十八。㊲ 武陵：南齐的郡名，郡治即今湖南常德。㊳ 啖以显职：以显耀的职位引诱他。啖，喂，这里意即利诱。㊴ 折简：犹言"角书"，"一纸书信"，极言其不费事，一封信便可招之使来。简，简牍、古代的书写用品。㊵ 太子左卫率：官名，太子卫队的统领。㊶ 游击将军：将军名号，皇帝直属部队的将领之一。㊷ 侍中：官名，随侍皇帝左右，以备参谋顾问，魏晋以来地位崇重，近乎宰相之职。但现在把他放在一个即将被废的小傀儡皇帝身边，自然也就成为聋子的耳朵了。㊸ 抚军将军：高级将军的名号，位在四征之上。胡三省曰："此时西昌侯已有杀诸王之心矣，萧衍由是以筹略见用。"㊹ 崔慧景：南齐的著名将领，与武帝萧赜的关系分外紧密。此时任豫州刺史。事见《南齐书》卷五十一。南齐的豫州州治寿阳，即今安徽寿县，当时为北线的军事重镇。㊺ 高、武旧将：萧道成、萧赜的老部下。萧道成的庙号是高帝，萧赜的庙号是武帝。㊻ 鸾疑之：萧鸾怀疑崔慧景不和他们一条心，指在对付萧昭业的态度上。㊼ 宁朔将军：朝廷里的武官名。㊽ 白服：穿白衣表示降低身份，表示愿亲附于他。白服，当时一般士人所穿的服饰。胡三省曰：“若得罪而白衣领职者。”㊾ 抚安之：安抚之，让他取消顾虑，放下心来。㊿ 辛亥：正月初五。51 郁林王：指现时在位的小皇帝萧昭业，因其几个月后便被废为郁林王，故这时即提前以此相称。这种写法足见《南齐书》作者的趋附、迎合于篡位者萧鸾。52 祀南郊：在南郊祭天。53 戊午：正月十二。54 拜崇安陵：祭拜郁林王之父文惠太子萧长懋的陵墓。胡三省曰：“郁林王即位，追亲王父文惠太子曰文帝，陵曰崇安，庙号世宗。”〖按〗据《南齐书》卷四十《竟陵文宣王子良传》，陵在夹石。55 癸亥：正月十七。56 魏主：指魏孝文帝拓跋宏，公元四七一至四九九年在位。传见《魏书》卷七。57 南巡：由邺城（故址在今河北临漳西南）向南巡行。58 戊辰：正月二十二。59 比干墓：殷末大臣比干的墓。比干是殷纣王的叔父，也有说是纣的庶兄，因犯颜强谏，被纣王剖心而死。事见《史记·殷本纪》。比干墓在今河南淇县。60 太牢：牛、羊、豕各一头的祭品。若只有羊、豕而无牛，则称少牢。61 乌呼：同“呜呼”，感叹词。62 介士：耿介、正直之士，指其正直、强谏而言。63 胡不我臣：为何不成为我的臣子。胡，何、为何。64 中书舍人：官名，中书令的下属，掌管为皇帝起草诏令。65 綦毋珍之：姓綦毋，名珍之。传见《南史》卷七十七。66 直阁将军：皇帝身边的侍卫武官。直阁，在皇帝办公与住宿的门前值勤。阁，宫殿里的旁门、小门。67 曹道刚、周奉叔：都是小皇帝萧昭业亲信的武将。传见《南史》卷七十七。68 徐龙驹：萧昭业亲信的太监。传见《南史》卷七十七。69 所论荐：所议论的事与所推荐的人。70 皆先论价：都事先定好价钱，意即按价卖官。71 旬月之间：意即不到一个月的工夫。72 家累千金：家产超过千金。古称一金可抵铜钱一万。73 官物：宫廷或官府的财物。74 役作：为宫廷与官府役使的工匠。75 不俟诏旨：不等皇帝的批准。76 有司：管理该项事务的官吏。古代设官分职，各有专司，故称有司。77 宁拒至尊敕：宁可拒绝皇帝的命令。敕，皇帝的命令。78 后阁舍人：在皇帝常去的后妃之门服务的中书舍人。胡三省曰：“后阁，禁中后阁也。《南史》曰：‘龙驹日夜在六宫房内。’”79 含章殿：皇帝办公的便殿。80 著黄纶帽：头戴黄绫制作的帽子。著，同“着”，头戴。81 被：通“披”。82 南面向案：坐北朝南地对着办公桌。意即派头像皇帝一样。案，办公桌。83 代帝画敕：替皇帝批阅文件。画敕，画上批阅过的记号，如批个“知道了”“已阅过”，或是画个圈、打个勾等。84 左右侍直：在一旁值勤或侍从的人员。85 山陵之后：指为武帝萧赜办完丧事之后。山陵，帝王的陵墓，这里指萧赜的景安陵。86 微服：隐藏身份，改装私行。87 游走市里：到集市里巷四处游荡。88 世宗崇安陵隧中：在萧昭业之父文惠太子萧长懋陵墓的隧道中。世宗，文惠太子萧长懋未即位而死，萧昭业即位后，追尊其父为世宗，称其墓曰崇安陵。隧，墓道。89 掷涂：投掷泥块。涂，泥。90 赌跳：比赛看谁跳得高。91 诸鄙戏：各种下等人所玩的游戏。92 动至百数十万：一出手就是几十万、上百万。动，动不动地、随随便便地。93 我昔思汝一枚不得：当初我想要一文钱，都得不到。94 今日得用汝未：今天可不可以支配你了。95 世祖聚钱上库五亿万：武帝萧赜当初在上库所储存的铜钱多达五亿万。⑯斋库亦出三亿万：斋库里所存的铜钱也超过三亿万。出，超过。〖按〗上库、斋库都是国家的府库名。胡三省曰："上库所储以备军国之用。斋库以供斋内所须，人主之好用。"⑰未期岁：不到一周年。武帝萧赜死于上年七月，萧昭业于八月即皇帝位，到这时只六个多月。⑱所用垂尽：已经让他花得差不多了。⑲主衣库：为皇帝管理衣物及各种赏玩物品的部门。⑩何后：何戢之女，小皇帝萧昭业的皇后。传见《南齐书》卷二十。⑩烝：奸淫长辈的女人。⑩世宗幸姬霍氏：其父萧长懋的宠妃霍氏。⑩数谏争：屡次劝止。数，屡屡。争，通"诤"，提出不同意见。⑩尚书右仆射：官名，尚书令的副职，设左、右尚书二人，协助尚书令管理尚书台。⑩鄱阳王锵：萧锵，高帝萧道成的第七子。传见《南齐书》卷三十五。⑩公：对鄱阳王锵的敬称。⑩鸾于法身如何：萧鸾对我怎么样。法身，萧昭业的小名。对长辈自称小名，表示客气、恭敬。⑩于宗戚：在本家族的人员中。萧鸾是萧昭业的堂叔。⑩受寄先帝：接受世祖皇帝的托付。⑩且复小听：姑且听任萧鸾专政，暂时不动他。⑪卫尉萧谌：卫尉是掌宫禁警卫的官员，秦汉时为九卿之一。萧谌，萧氏皇室的远房同族，此时任卫尉之职，甚受萧赜与萧昭业两代的宠信。传见《南齐书》卷四十二。⑪族子：同族兄弟之子。《南齐书》作："谌于太祖为绝服族子（出了服的侄子）。"⑪世祖在郢州：郢州的州治夏口，即今湖北武汉市武昌区。刘宋末年，沈攸之为荆州刺史，萧道成为防沈攸之发兵叛乱，派萧赜为江夏内史行郢州事。⑪谌已为腹心：宋元徽末年，齐太祖萧道成权势渐盛，引起废帝苍梧王的猜忌，道成亦起废立之心。当时世祖萧赜在郢州，太祖派萧谌去传递计谋，被世祖留为心腹。事见《南齐书》卷一、卷二。⑪典宿卫：统领禁兵，在宫中值宿，担任警卫。⑪预闻：参与其中，及时知晓。⑪征南谘议萧坦之：萧坦之，萧赜与萧昭业两代的宠臣，此时任征南谘议。传见《南齐书》卷四十二。征南谘议，征南将军的高级僚属，主谋议。⑪东宫直阁：文惠太子萧长懋的侍从武官。⑪祖父旧人：祖父与父亲两代的亲信。⑫请急：告假。⑫亵狎宴游：指与后宫嫔妃吃喝玩乐的时候。亵狎，亲昵而不庄重的活动。⑫辄：立即；总是。⑫径进：径直走进去。⑫乃得闻达：才能把自己要禀报的事情传达上去。闻达，使之知晓。⑫淫泆：放荡。⑫私：与……私通。⑫杨珉：《南齐书》《南史》均曰"杨珉之"，意思相同，加"之"是南北朝人用名的习惯。⑫如伉俪：如同夫妻一样。伉俪，配偶。⑫恣：放纵；随她的便。⑬耀灵殿：世祖萧赜住过的宫殿。⑬斋阁：此指后宫的门户。斋，燕居休息之所。⑬入奏诛珉：请求小皇帝萧昭业杀掉杨珉。⑬好年少：是个好青年。⑬事彰遐迩：闹得远近都知道。彰，显。⑬俄敕原之：很快地又下令赦免他。原，放过。⑬已行刑矣：《南史》卷十一叙此曰："帝不得已乃为敕，坦之驰报明帝，即令建康行刑，而果有敕原之，而珉之已死。"⑬悛改：悔改。⑬回意附鸾：掉转身来投靠了萧鸾。⑬劝其废立：劝着萧鸾废萧昭业另立新君。⑭阴：暗中。⑭挟势：倚仗皇帝对自己的宠信。挟，倚仗。⑭陵轹：欺压。轹，轧。⑭翼：带在身后，使之分列左右如同两翼。⑭单刀二十口：手持单刀的卫士二十名。⑮禁闼：宫门。⑯不敢诃：不敢盘问；不敢阻挡。⑰周郎刀不识君：意思是说，我认识你，我的刀不认识你。⑱出奉叔为外援：表面上说是给周奉叔升官，放到外面掌大权，可以给皇帝做外援，但实际上是把他从皇帝身边调开，剪除皇帝的羽翼。出，调出京师。⑲己巳：正月二十三。⑳青州：南齐的青州州治朐山，在今江苏海州西南的锦屏山下。锦屏山在古代称之朐山。㉑中军司马：中领军的高级僚属。㉒千户侯：食邑千户的侯爵。㉓曲江县男：食邑曲江县的男爵。男爵为古代五等爵位的最低一等。㉔攘刀：抽刀；挥刀。㉕说谕：劝说；解释。㉖之镇：前往青州刺史的驻兵之地。㉗部伍：部曲；部下。泛指其部下从人。㉘称敕：假托皇帝的命令。㉙省中：尚书省中。当时萧鸾是尚书令。㉚殴杀：打死。㉛启云：向小皇帝报告说。㉜不获已：不得已；没有别的办法。㉝可其奏：同意了他的说法。㉞溧阳令：溧阳县令。溧阳县在当时的建康城东南，今江苏溧阳的西南方。㉟南郡王侍读：即小皇帝萧昭业当年的侍读，萧昭业在未被立为皇太孙之前，被封为南郡王。侍读，侍候小王子读书，实即小王子的教师。㊱匪朝伊夕：不是早上就是晚上。㊲吾徒无类：我们这些人都将被灭门。无类，无遗类；妻儿全部被杀光。㊳多见摈斥：大都被排斥、被驱逐。㊴慷慨：情绪激昂。这里指受感动，思图报效。㊵王洪范：晋寿太守，南齐的禁卫旧臣。㊶宿卫将万灵会：在宫中值勤守夜的警卫将领姓万名灵会。㊷攘袂捶床：激昂愤慨的样子。攘袂，卷起袖子。㊸密报：秘密通知。㊹宫内之兵皆我用：宫内的卫队就全听我们的指挥了。萧谌当时以卫军司马兼卫尉卿，掌宿卫兵。㊺即：倘若；再。㊻勒兵入尚书：带兵冲入尚书省。当时的尚书省在宫中的云龙门内。㊼萧令：即尚书令萧鸾。㊽两都伯力：只消两个刽子手就够了。都伯，行刑者，今所谓刽子手。㊾死社稷可乎：以上四句全用陈胜所谓"今亡亦死，举大计亦死，等死，死国可乎"，见《史记·陈涉世家》。死社稷，为保卫国家社稷而死。㊿复少日：再过几天。(181)录君：指萧鸾。萧鸾当时录尚书事，故称之为"录君"。录，总领。(182)称敕赐死：假托皇帝的命令让我们死。(183)父母为殉：连我们的父母也都跟着搭上。殉，跟着、陪上。(184)在眼中矣：就在眼前了。(185)收：拘捕。(186)乙亥：正月二十九。(187)韩显宗：魏国的著名地方官韩麒麟之子，此时任中书侍郎。传见《魏书》卷六十。中书侍郎是中书监的助手，主管为皇帝起草诏令。(188)舆驾：帝王的车驾。这里即称孝文帝拓跋宏。(189)不巡三齐：如果不去三齐视察。三齐，相当于今山东的大部分地区，由于秦末农民大起义中，项羽曾把这一带分成齐与胶东、济北三国，故后来人们习称齐地为"三齐"。(190)当幸中山：就要到中山一带去。幸，敬称皇帝到什么地方去，或是使用什么东西。中山，当时的郡名。郡治卢奴，即今河北定州。(191)邺：古城名，在今河北临漳西南。曾为三国时曹魏的都城，其后又为石勒后赵的都城。(192)农隙：农闲。(193)比屋：犹言家家户户。比，紧挨着。(194)六军：泛称皇帝所带的军队。(195)疠疫：瘟疫。(196)北京：这里指魏都平城，在今山西大同的东北侧。孝文帝迁都洛阳后，称旧都平城为北京。(197)供张：也写作"供帐"，指准备迎接圣驾与其庞大侍从队伍的吃喝、住宿、玩乐等一切需要。⑲⑧营缮：修建。⑲⑨魏明帝：曹叡，曹操之孙，曹丕之子，公元二二六至二三九年在位。传见《三国志》卷三。⑳⓪今兹：今此；这次。⑳①顷来：近来。⑳②北都富室：平城的富贵之家。⑳③以第舍相尚：在建造府第的问题上相互攀比，一家比一家豪华。⑳④为之制度：给他们做出规定。⑳⑤端广衢路：京城里的大路应方向正直、路面宽阔。衢路，四通八达的街道。⑳⑥通利沟渠：城里城外的河道要使其便利畅通。⑳⑦轻将从骑：只带着很少的骑兵侍卫。轻，简便。将，带领。⑳⑧闱闼之内：指宫廷之中。闱、闼，都是宫中的门户。胡三省曰："宫中门曰闱。《韩诗》：'门屏间曰闼。'"⑳⑨犹施警跸：还得要清道、戒严。警跸，指帝王出行时的清道戒严。㉑⓪法音：合乎法度的乐章，即雅乐。雅乐是儒家规范的音乐，故称法音。㉑①目玩坟典：眼睛观赏的是三坟五典。三坟五典、八索九丘，都是相传的古书名，此处代指古代圣帝明王所阅读的经典。㉑②口对百辟：说话面对的是公卿百官。百辟，原指诸侯，这里指公卿百官。㉑③心虞万机：心里所想的是国家大事。虞，考虑。万机，繁多而又重要的国家大事。㉑④景昃而食：太阳偏西了才吃午饭。景昃，日影西斜。景，通"影"。昃，太阳偏西。㉑⑤夜分而寝：半夜了才睡觉。㉑⑥孝思之至：对已故冯太后的思念达到顶点。㉑⑦随时而深：随着时间的推移越来越深。㉑⑧虽睿明所用二句：尽管由于您具备超常的聪明才智，还不至于感到烦劳。睿明，聪明才智。㉑⑨啬神：爱惜精神。㉒⓪无疆之祚：无边的洪福，这里即指寿命。㉒①垂拱司契：无为而治。垂拱，垂衣拱手，形容清闲无事的样子。司契，抓紧要害，以比喻治理国家。㉒②麒麟：韩麒麟，曾佐慕容白曜取得青、冀二州，后任冀州刺史、齐州刺史。传见《魏书》卷六十。㉒③贡察：察而贡之，指州郡官员考察本州郡之人才，向朝廷举荐。贡，举荐。㉒④秀、孝：秀才与孝廉，都是当时朝廷征聘人才科目名。秀才指书念得好，孝廉指在家孝顺父母，为官又清廉。㉒⑤无秀、孝之实：当时的乐府民歌有所谓"举秀才，不知书；为孝廉，父别居；寒素清白浊如泥，高第良将怯如鸡"。语见《抱朴子·审举》与《古谣谚》。㉒⑥但检其门望：只是检查一下这些被举荐之人的出身门第如何，而从来不考察他们的实际品德与才干。㉒⑦不复弹坐：对于那些举荐不实的地方官，从来没人弹劾他们，治他们的罪。坐，定罪。㉒⑧如此：既然如此。㉒⑨别贡门望以叙士人：就按照门第给这些士族子弟排出等级向朝廷进贡就得了。别，划分。叙，排列等级。㉓⓪何假冒秀、孝之名也：何必盗用秀才、孝廉这种名称呢。也，通"邪"，反问语词。㉓①乃其父祖之遗烈：只是表现了他们父祖曾有的功业。遗烈，曾有的功业。烈，业。㉓②何益于皇家：（他们祖先的曾有功业）对今天的国家又有什么好处。㉓③虽屠钓奴虏：即使出身于屠钓、奴虏。相传周武王的太师姜尚原来就曾在朝歌做过屠夫，又在渭水钓过鱼；相传殷纣王的庶兄箕子曾装疯做过奴隶。㉓④圣王不耻以为臣：周文王见到姜尚后，立刻把他请来用为大臣；周武王闻知箕子后，立即去向他请教治国的纲领。皆见于《史记·周本纪》。不耻以为臣，不以用他们做臣为耻。㉓⑤三后之胤：夏禹、商汤、周文王武王的儿孙。后，君主、帝王。胤，后代。㉓⑥皂隶：奴仆杂役之属，指低级别的工作人员。《左传》申无宇曰："人有十等，士臣皂，皂臣舆，舆臣隶。”注曰：“皂，直马者；隶，附属者。”㉗等无奇才：反正是没有奇才。等，终归、反正是。㉘周、邵：周公旦、邵公奭，都是周文王的儿子。在周成王年幼时，周公、邵公二人辅政，使国家强盛，周、邵也成为古代贤相的代表。㉙校：比较；衡量。在众人中选拔其优秀者。㉚寸长铢重：甲比乙长一寸，张比李重一铢，只是拔其略优者。铢，古代重量单位，二十四铢为一两。㉛先叙：先取；先录用。㉜要：要领；关键。㉝明当：明确；恰当。㉞不失有罪：不遗漏犯罪者。㉟捶挞：用鞭子、棍子打的轻刑。㊱若容可侥幸：一旦出现有空子可钻，有侥幸可图。容，或许。㊲参夷：夷灭三族。参，通“三”，即三族。三族说法不一，一般指父母、兄弟、妻子；或曰父族、母族、妻族。夷，平、杀光。㊳邀：求取；贪图。㊴深刻：严酷；刻细。㊵迭相敦厉：轮番地互相敦促从严处理。㊶九重：代指深宫。九重，极言门禁之多，殿堂之深远。㊷赤子：婴儿。㊸百司：百官。㊹遇下如仇雠：把黎民百姓看作仇敌。雠，对、对头。㊺和气：祥和之气，指其所化育而成的景风吹、甘霖降、五谷丰登、河清海晏等。㊻敕示百僚：告诫百官。㊼惠元元之命：关心、重视黎民百姓的生命。元元，众民、百姓。㊽洛邑：周成王时周公营建的新都城，故址即今河南洛阳。㊾犹存宗周：但仍保留着旧都镐京，镐京是武王时代的都城，即今陕西西安西南的丰镐遗址。㊿汉迁东都：刘秀建立东汉后，将都城迁到洛阳。261京兆置尹：但在长安一带尚设立京兆尹，意即仍不是一个普通的郡。尹，管理这一地区的行政长官。262有宗庙曰都二句：这句话出自《左传》庄公二十八年，原文作：“凡邑有宗庙先君之主曰都，无曰邑。”邑，有城郭的乡镇。263代京：即指平城。264宗庙山陵所托：是列祖列宗的庙宇和坟墓所在之地。265王业所基：是国家政权所创始、发祥的地方。266建畿置尹：意即仍让它作为一个都城继续存在，给它设立郊区，让行政长官称京兆尹。畿，国都的郊区。267一如故事：就像西周、东汉所做的那样，即“周居洛邑，犹存宗周；汉迁东都，京兆置尹”。268光示万叶：让您这种光辉的做法永照万世。269四民异居：士、农、工、商分别居住，不相混杂。270业专志定：一心一意地永远从事这个行业。271太祖道武皇帝：拓跋珪，公元三八六至四〇九年在位。传见《魏书》卷二。272创基拨乱：创建魏国，平定北方的一些小国。273日不暇给：每天都忙得时间不够用。274分别士庶：把官僚士大夫与一般的平民分开居住。士，指尚未进入官场的有从政知识与能力的人，也包括一些下级官吏。庶，平民、众百姓。275工伎：工匠、乐伎。伎，歌舞人员。276屠沽：屠夫、卖酒人。277各有攸处：各有适合于他们居住的地方。278科禁：管理办法，条例、禁令。279专以官位相从：专门按官职高低安排住所。280不分族类：不按行业划分。281朝荣夕悴：就像花朵一样，早晨还开着，到傍晚就凋谢了。悴，枯萎。282衣冠：穿礼服、戴礼帽，泛指官僚士大夫。283不日同处：不到一天的时间就住到一起去了。284借使：假使。285一里：同一条胡同内。286讲肄：讲习。肄，学习。287纵群儿随其所之：让孩子们随便选其所好。288风礼：习惯、礼节。风，风习。289仲尼称里仁之美：《论语·里仁》有所谓“子曰：‘里仁为美。择不处仁，焉得智？'”仲尼，孔子的字。里仁，与仁者做邻居。㉙孟母勤三徙之训：相传孟子的母亲为了给儿子找个好环境，从墓旁迁到集市，又从集市迁到学校的旁边才定居下来。事见刘向《古列女传》。三徙，三次迁居。㉙此乃风俗之原：这是使风俗日益变好的先决条件。原，同“源”。㉙密：严格。㉙度地居民：规划地区，让百姓居住。㉙清浊连甍：意即士庶混杂、比邻而居。清，清高门第，当时指士族之家。浊，粗俗之家，当时指医、巫、百工等。连甍，这家的屋顶挨着那家的屋顶。甍，屋脊、屋顶。㉙因：趁着。㉙阙盛美：该干的好事而丢下不干。阙，通“缺”，遗漏。㉙南人：以称长江以南政权，晋、宋、齐等。㉙昔有淮北之地：曾有一段时间占领着淮河以北的地区，指刘宋前期。刘裕从其即位前收复失地，将北部边境推到了黄河一线；其后逐渐萎缩，到宋明帝期间，淮河以北全部被魏国占去。㉙自比中华：自己以中原地区的统治者自居。㉚侨置郡县：指东晋初期与刘宋前期曾在淮河以北设立了许多北方的侨置州郡，如冀州、兖州、雍州、豫州等。㉚自归附圣化：指宋明帝时期淮北地区被魏国占领。㉚仍而不改：指淮河以北地区有些地方仍沿用着东晋以及刘宋时期侨设的地名。仍，继续沿用。㉚文书难辨：写在纸面上让人无法辨清究竟是指何处。㉚一皆厘革：通通恢复原来的名称。㉚中州郡县：中州原指豫州，今河南一带，这里即泛指黄河中下游流域的郡县。㉚自非：假如不

【原文】

二月己丑㉛[8]，魏主如河阴㉛，规方泽㉛。

辛卯㉛，帝祀明堂㉛。

司徒参军刘敩等聘㉛于魏。

丙申㉛，魏徙河南王幹为赵郡王㉛，颍川王雍㉜为高阳王。

壬寅㉜，魏主北巡；癸卯㉜，济河；三月壬申㉜，至平城㉜。使群臣更论迁都利害，各言其志。燕州刺史穆罴㉜曰：“今四方未定，未宜迁都。且征伐无马㉜，将何以克？”帝曰：“厩牧在代㉜，何患无马！今代在恒山之北㉜，九州之外㉜，非帝王之都也。”尚书于果㉝曰：“臣非以代地为胜伊、洛之美㉝也。但自先帝以来，久居于此，百姓安之；一旦南迁，众情不乐。”平阳公丕㉝曰：“迁都大事，当讯之卜筮㉝。”

是；除……而外。307 比来赐赉：近来对他们的赏赐。赉，赏赐。308 鳏寡孤独：《孟子·梁惠王下》："老而无妻曰鳏，老而无夫曰寡，老而无子曰独，幼而无父曰孤。"309 所济实多：所达到的救助效果应该更大。310 直：只；仅仅。311 周急不继富：孔子语，见《论语·雍也》。意思是有钱财应用来周济穷人，而不要再给富人添资。

【校记】

［1］一枚：原作"十枚"。据章钰校，十二行本、乙十一行本、孔天胤本皆作"一枚"，熊罗宿《胡刻资治通鉴校字记》同，今据改。［2］世宗：原作"世祖"。胡三省注云："则'世祖'当作'世宗'。"孔天胤本"世祖"作"世宗"，今据改。下同。［3］深刻：原作"深酷"。据章钰校，十二行本、乙十一行本、孔天胤本皆作"深刻"，今据改。［4］案：原作"察"。据章钰校，十二行本、乙十一行本皆作"案"，张敦仁《通鉴刊本识误》、张瑛《通鉴校勘记》同，今据改。［5］讲：原作"构"。据章钰校，十二行本、乙十一行本、孔天胤本皆作"讲"，熊罗宿《胡刻资治通鉴校字记》同，今据改。［6］空：据章钰校，十二行本、乙十一行本、孔天胤本皆作"公"。［7］赐：据章钰校，十二行本、乙十一行本、孔天胤本皆作"颁"。

【语译】

二月十四日己丑，魏国的孝文帝拓跋宏前往河阴县，规划建立一座祭祀地神的场所。

十六日辛卯，齐国的小皇帝萧昭业在明堂祭祀天地。

齐国担任司徒参军的刘敩等人前往魏国进行礼节性访问。

二十一日丙申，魏孝文帝拓跋宏改封河南王拓跋幹为赵郡王，改封颍川王拓跋雍为高阳王。

二月二十七日壬寅，拓跋宏前往魏国的北部地区进行巡视；二十八日癸卯，向北渡过黄河；三月二十七日壬申，到达平城。拓跋宏让群臣重新讨论迁都的利弊，各自发表看法，畅所欲言。担任燕州刺史的穆罴说："如今四方还不安定，不适宜迁都。何况出征作战的时候洛阳没有更多的马匹，怎么能够打胜仗呢？"拓跋宏说："我们在代郡有的是马厩和马匹，何必担忧没有马呢！如今的代郡在恒山以北，地处九州之外，不是帝王的建都之所。"担任尚书令的于果说："我并不是认为代郡的地理环境比伊水、洛水所流经的洛阳一带地区还要好。只是因为自从先帝创建魏国以来，便长久地居住在这里，百姓也已经在这里安居乐业；一旦将都城向南迁往洛阳，众人的心里都会很不乐意。"平阳公拓跋丕说："迁都是一件大事情，应当通过卜筮来占测一下。"

帝曰:“昔周、召㉞圣贤，乃能卜宅㉟。今无其人㊱，卜之何益！且‘卜以决疑，不疑何卜㊲！’黄帝卜而龟焦㊳，天老曰‘吉’㊴，黄帝从之。然则至人之知未然㊵，审于龟矣㊶。王者以四海为家㊷，或南或北，何常之有！朕之远祖，世居北荒。平文皇帝㊸始都东木根山㊹，昭成皇帝㊺更营盛乐㊻，道武皇帝㊼迁于平城。朕幸属㊽胜残之运㊾，而独[9]不得迁乎㊿！”群臣不敢复言。罴，寿(351)之孙；果，烈(352)之弟也。癸酉(353)，魏主临朝堂，部分迁留(354)。

夏，四月庚辰(355)，魏罢西郊祭天(356)。

辛巳(357)，武陵昭王晔(358)卒。

戊子(359)，竟陵文宣王子良(360)以忧卒(361)。帝常忧子良为变(362)，闻其卒，甚喜。

臣光曰:“孔子称‘鄙夫不可与事君，未得之，患得之；既得之，患失之。苟患失之，无所不至(363)’。王融(364)乘危徼幸(365)，谋易嗣君(366)。子良当时贤王(367)，虽素以忠慎自居，不免忧死。迹其所以然(368)，正由融速求富贵而已。轻躁之士，乌可近哉(369)！”

己亥(370)，魏罢五月五日、七月七日飨祖考(371)。

魏录尚书事广陵王羽(372)奏:“令文(373)：每岁终，州镇列属官治状(374)，及再考(375)，则行黜陟(376)。去十五年(377)，京官尽经考为三等，今已三载。臣辄准外考(378)，以定京官治行(379)。”魏主曰:“考绩事重，应关朕听(380)，不可轻发，且俟至秋。”

拓跋宏说："只有像过去西周初期的周公姬旦、召公姬奭那样的圣贤，才能向鬼神询问迁都是吉是凶。现在没有那样的贤人，占卜又有什么好处呢！况且'占卜是因为遇到了疑难问题，如果没有疑难问题，何必还要占卜呢！'黄帝当年在与蚩尤开战之前曾经进行占卜，结果用作占卜的龟甲却被烧焦了，无法再显示吉凶，黄帝的大臣天老解释说'这本身就表明我们要占卜的事情是大吉大利'，黄帝同意天老的看法。如此看来，一个绝顶聪明的人对于意想不到的突发事变的判断，可比通过龟甲占卜要精确得多了。帝王以四海为家，有时在南方，有时在北方，有什么一定呢！我的远代祖先，世世代代居住在北方的荒漠地区。平文皇帝拓跋郁律时期才开始在东木根山建立都城，昭成皇帝拓跋什翼犍又在盛乐建立都城，道武皇帝拓跋珪又把首都迁到了平城。我有幸正赶上接续在大有作为的帝王之后，而独独不能迁都吗！"群臣不敢再说什么。穆罴，是穆寿的孙子；于果，是于烈的弟弟。二十八日癸酉，魏孝文帝拓跋宏亲临朝堂，安排部署哪些人跟着迁都洛阳，哪些人继续留守平城之事。

夏季，四月初六日庚辰，魏国取消了在都城西郊祭天的习俗。

初七日辛巳，齐国的武陵昭王萧晔去世。

十四日戊子，齐国的竟陵文宣王萧子良由于忧虑过度而死。小皇帝萧昭业总是担心萧子良篡夺自己的皇位，听到萧子良死的消息，心里感到非常高兴。

司马光说："孔子说'那些贪婪自私的邪恶之臣，不能与他们一道侍奉君主，因为这些人在没有得到富贵的时候，总是担心得不到富贵；一旦得到了富贵，又担心会失去富贵。如果他总是担心会失去富贵，那么为了保住富贵，便什么事情都能做得出来'。王融便在国家危难之际准备矫诏立萧子良为帝而谋求个人的功名利禄，企图改变齐武帝萧赜所立的接班人。萧子良是当时有名的贤王，即使他一向淡泊名利，对其父萧赜、其侄萧昭业都是忠心耿耿、行为谨慎，仍然免不了忧虑而死。推究形成这种局面的原因，正是王融想迅速让自己得到富贵而已。轻举妄动之士，怎么能与他们接近呢！"

四月二十五日己亥，魏国废止了每年的五月初五、七月初七祭祀祖先的活动。

魏国担任录尚书事的广陵王拓跋羽上书给孝文帝拓跋宏说："按照过去章程的规定：每到年终，各州各镇的长官要把自己属下官吏管理政务的情况写成文件呈报给尚书省，等到第二次进行考核时，就要根据两次考评的情况决定其是提升还是降级。太和十五年，京官全部经过考核，被定为三个等级，到现在已经三年了。我准备依据各州各镇考核僚属的办法，对朝廷百官管理政务的业绩评定出高低。"拓跋宏答复说："考核官吏政绩的事情事关重大，应当向上报告，让我知道，不可轻易采取行动，暂且等到秋天再说吧。"

闰月丁卯[380]，镇军将军鸾[382]，即本号[383]开府仪同三司[384]。

戊辰[385]，以新安王昭文[386]为扬州刺史[387]。

五月甲戌朔[388]，日有食之。

六月己巳[389]，魏遣兼员外散骑常侍卢昶[390]、兼员外散骑侍郎王清石来聘。昶，度世之子也。清石世仕江南，魏主谓清石曰："卿勿以南人自嫌[391]。彼有知识[392]，欲见则见，欲言则言。凡使人[393]以和为贵，勿迭相矜夸[394]，见于辞色[395]，失将命之体[396]也。"

秋，七月乙亥[397]，魏以宋王刘昶[398]为使持节[399]，都督吴、越、楚诸军事[400]，大将军，镇彭城[401]。魏主亲饯之。以王肃[402]为昶府长史[403]。昶至镇，不能抚接义故[404]，卒无成功[405]。

壬午[406]，魏安定靖王休[407]卒。自卒至殡[408]，魏主三临其第[409]，葬之如尉元[410]之礼，送之出郊，恸哭而返。

壬辰[411][10]，魏主北巡。

西昌侯鸾既诛徐龙驹、周奉叔，而尼媪外入者[412]，颇传异语[413]。中书令[414]何胤，以后之从叔[415]，为帝所亲，使直殿省[416]。帝与胤谋诛鸾，令胤受事[417]，胤不敢当，依违谏说[418]，帝意复止。乃谋出鸾于西州[419]，中敕用事[420]，不复关咨于鸾[421]。

是时，萧谌、萧坦之握兵权，左仆射王晏[422]总尚书事。谌密召诸王典签[423]，约语之[424]，不许诸王外接人物[425]。谌亲要[426]日久，众皆惮而从之。

鸾以其谋[427]告王晏，晏闻之，响应；又告丹杨尹徐孝嗣[428]，孝嗣亦从之。骠骑录事南阳乐豫[429]谓孝嗣曰："外传籍籍[430]，似有伊、周之事[431]。君蒙武帝殊常之恩[432]，荷托付[11]之重[433]，恐不得同人此举[434]。人笑褚

闰四月二十三日丁卯，齐国担任镇军将军的萧鸾正式就任镇军将军之职，加封开府仪同三司。

二十四日戊辰，齐国朝廷任命新安王萧昭文为扬州刺史。

五月初一日甲戌，发生日食。

六月二十六日己巳，魏国派遣兼任员外散骑常侍的卢昶、兼任员外散骑侍郎的王清石到齐国进行回访。卢昶，是卢度世的儿子。王清石世代在江南为官，魏孝文帝拓跋宏对王清石说："你不要因为自己是南朝人而有所顾虑。你在那里有相知相识的人，你如果想见他们就去见他们，想对他们说什么就说什么。总之，作为一个使者要以和为贵，不要盛气凌人，总想要压倒对方，并在言谈举止中表现出来，而失去奉命出使者的体统。"

秋季，七月初三日乙亥，魏孝文帝拓跋宏任命宋王刘昶为使持节，都督吴、越、楚诸军事，大将军，驻守彭城。拓跋宏亲自设宴为刘昶饯行。任命王肃担任刘昶宋王府、大将军府的长史。刘昶到达彭城镇所之后，因为没能很好地招纳、安抚旧时的故旧亲朋，所以并没有取得预期的功效。

初十日壬午，魏国的安定靖王拓跋休去世。从拓跋休去世一直到入殓这段时间内，孝文帝拓跋宏三次到他的家中进行吊唁，拓跋休葬礼的规格就像当年尉元的一样，拓跋宏亲自把拓跋休的灵柩送出郊外，然后恸哭而返。

二十日壬辰，魏孝文帝拓跋宏前往魏国的北部地区进行巡视。

齐国的西昌侯萧鸾诛杀了徐龙驹、周奉叔之后，从外面进入宫廷的老尼姑，多少带进一些外面有关萧鸾图谋不轨的传言。担任中书令的何胤，因为是何皇后的堂叔，很受小皇帝萧昭业的宠信，萧昭业让何胤夜间在中书省里值班。萧昭业与何胤密谋除掉萧鸾，萧昭业让何胤按照自己的旨意起草处决萧鸾的诏令，何胤不敢担当如此重任，便支支吾吾地进行调和劝说，萧昭业遂再次打消了诛杀萧鸾的念头。于是就想把萧鸾调出朝廷去担任扬州刺史，驻守西州城，朝廷颁发诏令以及处理各种政务，都不再向萧鸾请示、打招呼。

此时，萧谌担任卫尉、萧坦之担任征南谘议参军，手中都掌握着兵权，而担任左仆射的王晏主管尚书省的事务。萧谌秘密地将那些在皇室诸王身边担任典签的人召集起来，给他们布置任务，不许皇室诸王跟外面军政界的要人往来接触。由于萧谌深受皇帝宠信、身居要职的时间已经很久，众典签都因为惧怕他而服从他的命令。

西昌侯萧鸾把自己的计谋告诉了尚书左仆射王晏，王晏听说之后，立即响应；萧鸾又把自己的计谋告诉了担任丹杨尹的徐孝嗣，徐孝嗣也表示服从萧鸾。担任骠骑录事的南阳人乐豫对徐孝嗣说："外面的流言议论纷纷，好像要发生商臣伊尹放逐其君太甲、周公姬旦代周成王摄政那样的事情。你蒙受武帝非同寻常的恩遇，担负着先帝托孤的重任，恐怕不能跟着别人一道干这种废立之事吧。此前宋明帝的顾命

公㊺,至今齿冷㊻。”孝嗣心然之而不能从。

帝谓萧坦之曰:“人言镇军㊼与王晏、萧谌欲共废我,似非虚传。卿所闻云何?”坦之曰:“天下宁当有此㊽?谁乐无事㊾废天子邪?朝贵不容造此论㊿,当是诸尼姥言耳,岂可信耶!官(441)若无事除此三人[12],谁敢自保!”直阁将军曹道刚(442)疑外间有异,密有处分,谋未能发(443)。

时始兴内史萧季敞(444)、南阳太守(445)萧颖基皆内迁(446),谌欲待二人至,藉其势力以举事(447)。鸾虑事变,以告坦之,坦之驰谓谌曰:“废天子,古来大事。比闻(448)曹道刚、朱隆之等转已猜疑(449),卫尉(450)明日若不就事(451),无所复及(452)。弟有百岁母,岂能坐听(453)祸败,正应作余计(454)耳!”谌惶遽从之(455)。

壬辰(456),鸾使萧谌先入宫,遇曹道刚及中书舍人朱隆之,皆杀之。直后徐僧亮(457)盛怒,大言于众(458)曰:“吾等荷恩,今日应死报!”又杀之。鸾引兵自尚书(459)入云龙门(460),戎服加朱衣于上(461),比入门(462),三失履(463)。王晏、徐孝嗣、萧坦之、陈显达(464)、王广之(465)、沈文季(466)皆随其后。帝在寿昌殿(467),闻外有变,犹密为手敕(468)呼萧谌,又使闭内殿诸房阁(469)。俄而谌引兵入寿昌阁,帝走趋(470)徐姬房,拔剑自刺,不入,以帛缠颈,舆接出延德殿(471)。谌初入殿,宿卫将士皆操弓盾(472)欲拒战。谌谓之曰:“所取自有人(473),卿等不须动!”宿卫素隶服于谌(474),皆信之(475)。及见帝出,各欲自奋(476),帝竟无一言。行至西弄(477),弑之。舆尸出殡徐龙驹宅(478),葬以王礼。徐姬及诸嬖幸(479)皆伏诛。鸾既执帝,欲作太后令(480),

大臣褚渊接受遗命辅佐幼主刘昱，后来竟然帮着齐太祖萧道成篡取了宋室的皇位，因而引起朝野的一片责骂之声，时至今日，褚渊依然遭受着人们的讥笑和辱骂。”徐孝嗣虽然心里觉得乐豫说得很对却不能听从他的意见。

齐国的小皇帝萧昭业对萧坦之说：“有人说镇军将军萧鸾与王晏、萧谌准备共同废掉我，好像并非子虚乌有的谣传。您听到些什么风声没有?”萧坦之说：“天下怎么会有这样的事情？谁乐意无缘无故地废掉天子呢？朝廷上的权贵们不可能编造这样的言论，一定是老尼姑们在信口雌黄，岂能相信她们的胡说八道呢！陛下如果无缘无故地除掉这三个人，谁还敢自保没有生命之忧呢!”担任直阁将军的曹道刚怀疑宫外有非常举动，暗中有除掉萧鸾的计划，但还没有采取行动。

当时担任始兴内史的萧季敞、担任南阳太守的萧颖基都在听候调任准备进京，萧谌想等待他们二人到京的时候，借助他们二人的兵力举事。西昌侯萧鸾担心事情有变，就将此事告诉了萧坦之，萧坦之立即赶到萧谌那里对萧谌说：“废黜天子，从古至今都是一件非同寻常的大事。近来听说直阁将军曹道刚、中书舍人朱隆之等人已经在怀疑我们，你这个卫尉明天如果再不能完成废掉小皇帝的事情，恐怕再做什么也来不及了。我还有一位百岁的老母亲在世，岂能坐在这里等待大祸临头，眼下就应该采取别的办法!”萧谌匆忙中答应了萧坦之。

七月二十日壬辰，西昌侯萧鸾让萧谌先入宫，途中遇到了曹道刚以及中书舍人朱隆之，萧谌令人把他们二人杀死。负责在小皇帝萧昭业车后担任侍卫官的徐僧亮不禁怒发冲冠，对着众人大声说：“我们蒙受皇帝厚恩，今天我们就应该以死报效皇帝!”萧谌又令人把徐僧亮杀死。萧鸾率领军队从尚书省出来进入皇宫内殿的正门云龙门，他把红色官服套在军服外面，当他进入云龙门的时候，因为过于惊慌而三次掉了鞋子。左仆射王晏、丹杨尹徐孝嗣、征南谘议参军萧坦之、车骑大将军陈显达、护军将军王广之、沈文季都跟随在萧鸾的后面。萧昭业当时正在寿昌殿，听到宫外发生政变，还偷偷地亲笔书写了一道手令呼唤萧谌前来救驾，又让人关闭了各个进入内殿的旁门、小门，等待救援。不一会儿萧谌率军进入寿昌阁，萧昭业逃向徐姬的房间，拔剑自杀，却没有自杀成功，他的脖子上缠着帛，被萧鸾的党羽用车子拉到延德殿。萧谌带人刚进入寿昌殿的时候，那些宿卫宫廷的将士全都手持弓箭盾牌准备迎战。萧谌对他们说：“我们要捉拿的人与你们没有关系，你们不须动手!”那些宿卫的将士一向都是俯首帖耳地听从萧谌的指令，因此都相信他不会做出对不起小皇帝的事。等到看见小皇帝萧昭业被押解出来，于是都准备挺身而出，为解救小皇帝而拼死一战，而萧昭业此时竟连一句话也不说。当他走到延德殿西侧的小胡同里时，便被杀死了。萧鸾令人把萧昭业的尸体抬到徐龙驹的住宅殡殓，以埋葬诸侯王的礼仪埋葬了萧昭业。徐姬以及其他那些被萧昭业所宠爱的男人、女人全部被杀死。萧鸾捉住了萧昭业之后，就准备假借太后的名义写一道废掉小皇帝萧昭业的诏令，

徐孝嗣于袖中出而进之，鸾大悦[481]。癸巳[482]，以太后令追废帝为郁林王[483]，又废何后[484]为王妃，迎立新安王昭文。

吏部尚书谢瀹[485]方与客围棋，左右闻有变，惊走报瀹。瀹每下子，辄云“其当有意[486]”，竟局[487]，乃还斋卧[488]，竟不问外事[489]。大匠卿虞悰[490]窃叹曰：“王、徐[491]遂缚裤废天子[492]，天下岂有此理邪！”悰，啸父[493]之孙也。

朝臣被召入宫，国子祭酒江敩[494]至云龙门，托药发[495]，吐车中而去。西昌侯鸾欲引中散大夫[496]孙谦为腹心，使兼卫尉[497]，给甲仗百人[498]。谦不欲与之同[499]，辄散甲士，鸾亦不之罪也。

丁酉[500]，新安王即皇帝位，时年十五。以西昌侯鸾为骠骑大将军[501]、录尚书事、扬州刺史、宣城郡公[502]。大赦。改元延兴。

辛丑[503]，魏主至朔州[504]。

八月甲辰[505]，以司空王敬则[506]为太尉[507]，鄱阳王锵为司徒[508]，车骑大将军陈显达为司空，尚书左仆射王晏为尚书令。

魏主至阴山[509]。

以始安王遥光[510]为南郡太守，不之官[511]。遥光，鸾之兄子也。鸾有异志，遥光赞成[512]之，凡大诛赏，无不预谋[513]。戊申[514]，以中书郎萧遥欣[515]为兖州[516]刺史。遥欣，遥光之弟也。鸾欲树置亲党，故用之。

癸丑[517]，魏主如怀朔镇[518]。己未[519]，如武川镇[520]。辛酉[521]，如抚冥[13]镇[522]。甲子[523]，如柔玄镇[524]。乙丑[525]，南还。辛未[526]，至平城。

九月壬申朔[527]，魏诏曰：“三载考绩，三考黜陟[528]，可黜者不足为迟，可进者大成赊缓[529]。朕今三载一考，即行黜陟，欲令愚滞[530]无妨于贤者，才能不拥于下位[531]。各令当曹[532]考其优劣为三等，其上下二等仍

徐孝嗣一见，立即从袖中拿出早已准备好的太后手令呈递给萧鸾，萧鸾喜出望外。二十一日癸巳，以皇太后的名义追认废帝萧昭业为郁林王，又把何皇后贬为郁林王妃，迎立新安王萧昭文入宫继承皇位。

就在萧鸾搞政变弑杀小皇帝萧昭业的时候，齐国担任吏部尚书的谢瀹正在与客人下围棋，左右的侍从人员听说朝廷发生了政变，慌忙跑去报告谢瀹。谢瀹每下一个棋子，就说“他们肯定是要干什么”，下完棋之后，就回到吏部的办公厅躺着去了，竟然对朝廷发生的事情不闻不问。担任大匠卿的虞悰私下叹息着说：“王晏、徐孝嗣身为文官，竟然身穿军服废掉了皇帝，天下岂有这样的道理！”虞悰，是虞啸父的孙子。

朝廷的大臣全被召入宫廷，担任国子祭酒的江敩走到云龙门的时候，便假装服食五石散所引起的疾病发作了，于是在车中呕吐了一番，掉头而返。西昌侯萧鸾想拉拢担任中散大夫的孙谦做自己的心腹，便给孙谦挂一个卫尉的虚衔，并给他配备了一百名披甲执兵的护卫。孙谦不愿意与萧鸾成为一丘之貉，就把萧鸾拨给他的一百名护卫全部遣散了，萧鸾也没有治孙谦的罪。

七月二十五日丁酉，新安王萧昭文即皇帝位，当时只有十五岁。任命西昌侯萧鸾为骠骑大将军、录尚书事、扬州刺史、宣城郡公。大赦天下。改年号为延兴。

二十九日辛丑，魏国的孝文帝拓跋宏抵达朔州。

八月初二日甲辰，齐国朝廷任命担任司空的王敬则为太尉，任命鄱阳王萧锵为司徒，任命担任车骑大将军的陈显达为司空，任命担任尚书左仆射的王晏为尚书令。

魏国的孝文帝拓跋宏到阴山一带进行巡视。

齐国朝廷任命始安王萧遥光为南郡太守，却不用离开京城去南郡上任。萧遥光，是萧鸾的侄子。萧鸾心怀篡夺皇位的野心，萧遥光帮助萧鸾完成了这件事，凡是大的诛杀与奖赏，萧遥光无不参与谋划。八月初六日戊申，朝廷任命担任中书郎的萧遥欣为兖州刺史。萧遥欣，是萧遥光的弟弟。萧鸾想要树立培植自己的亲信党羽，所以任用萧遥欣担任兖州刺史。

八月十一日癸丑，魏国的孝文帝拓跋宏前往怀朔镇。十七日己未，从怀朔镇前往武川镇。十九日辛酉，又从武川镇前往抚冥镇。二十二日甲子，前往柔玄镇。二十三日乙丑，向南返回。二十九日辛未，回到平城。

九月初一日壬申，魏国的孝文帝拓跋宏下诏说：“三年考核一次百官的政绩，经过三次考核，一共需要九年的时间，才能按照业绩进行降职或是提升，对于应该降职的官吏来说，九年的时间不算晚，而对于可以提升的官吏来说时间就过于漫长、过于迟缓了。如今我要三年考核一次官吏的政绩，根据考核的情况即行决定是降职还是提升，不要让愚笨冥顽的官吏妨碍贤明之人升迁的道路，才能使贤能的官吏不至于长期地被压抑在下层。命令各部门的长官考核他们下属官吏的政绩，按照政绩

分为三。六品已下，尚书重问[533]；五品已上，朕将亲与公卿论其善恶。上上者迁之，下下者黜之，中者守其本任[534]。”

魏主之北巡也，留任城王澄[535]铨简旧臣[536]。自公侯已下，有官者以万数，澄品[537]其优劣能否为三等，人无怨者。

壬午[538]，魏主临朝堂黜陟百官，谓诸尚书[539]曰：“尚书，枢机之任[540]，非徒总庶务[541]，行文书而已，朕之得失[542]，尽在于此。卿等居官，年垂再期[543]，未尝献可替否[544]，进一贤退一不肖，此最罪之大者。”又谓录尚书事广陵王羽[545]曰：“汝为朕弟，居机衡之右[546]，无勤恪[547]之声，有阿党[548]之迹，今黜汝录尚书、廷尉[549]，但为特进、太子太保[550]。”又谓尚书令陆叡[551]曰：“叔翻到省之初[552]，甚有善称；比来[553]偏颇懈怠，由卿不能相导以义[554]。虽无大责，宜有小罚，今夺卿禄一期[555]。”又谓左仆射拓跋赞曰：“叔翻受黜，卿应大辟[556]。但以咎归一人[557]，不复重责。今解卿少师[558]，削禄一期。”又谓左丞公孙良[559]、右丞乞伏义受[560]曰：“卿罪[14]亦应大辟，可以白衣守本官[561]，冠服禄恤[562]尽从削夺。若三年有成，还复本任；无成，永归南亩[563]。”又谓尚书任城王澄曰：“叔神志骄傲，可解少保[564]。”又谓长兼尚书[565]于果曰：“卿不勤职事，数辞以疾，可解长兼，削禄一期。”其余守尚书[566]尉羽、卢渊[567]等，并以不职[568]，或解任，或黜官，或夺禄，皆面数[569]其过而行之。渊，昶之兄也。

帝又谓陆叡曰：“北人每言‘北俗质鲁[570]，何由知书！’，朕闻之，深用怃然[571]！今知书者甚众，岂皆圣人？顾[572]学与不学耳。朕修百官[573]，兴礼乐，其志固欲移风易俗。朕为天子，何必居中原[574]！正欲卿

的优劣分为上、中、下三等，其上、下二等再分别分为三等。被评为六品以下的官吏，由尚书令再严加考察；五品以上的，我将亲自与公卿大臣一起分析评定他们的好坏。被评为上上品的官吏就提拔重用，被评为下下品的官吏就罢免他们，被评为中等的官吏仍旧担任原来的职务不变。”

拓跋宏在前往北部地区巡视期间，留下担任吏部尚书的任城王拓跋澄在平城负责对朝廷老臣进行考核评定。从公爵、侯爵以下，有官位的人数以万计，拓跋澄按照他们的品行优劣、才能大小，把他们分为三等，没有人认为任城王评定得不公平而心怀不满。

九月十一日壬午，魏孝文帝拓跋宏亲临朝堂，宣布对百官或提升或贬黜的处理结果，他对尚书省的各位长官说：“尚书省，掌管着国家的关键职责，不光是总管全国的各项事务，向下发发文书而已，我这个皇帝做得好不好，全在于尚书省。你们这些人做官，已经快满两年，从来没有向我提出过好的意见，纠正过我的错误做法，没有向我推荐过一位贤才，没有贬退过一位不称职的官员，这是你们最大的罪过。”又对担任录尚书事的广陵王拓跋羽说：“你是我的弟弟，位在尚书省诸位长官之上，不仅没有勤劳、谨慎的名声，却有结党营私、拉帮结派的劣迹，现在就免去你所担任的录尚书事、廷尉的职务，只以特进的身份担任太子太保之职。”又对担任尚书令的陆叡说：“叔翻刚到尚书省担任尚书令的时候，很有一些好名声；近来尚书省处理事务则有些不公正、工作懈怠，这是由于你不能引导尚书省的全体僚属向好的方向走。虽然你没有太大的责任，但也应当受到小的惩罚，如今扣除你一年的俸禄。”又对担任左仆射的拓跋赞说：“叔翻受到处罚，你就应当被杀头。只是我已经处罚了尚书令陆叡，你这个尚书左仆射又是尚书令的副职，所以就不再重责你。现在免除你的太子少师职务，扣除你一年的俸禄。”又对担任左丞的公孙良、担任右丞的乞伏义受说：“你们的罪过也应当被杀头；现将你们革职留用，以平民的身份履行原来的职责，原任官职的服饰以及恤亲之禄全部剥夺。如果三年之内能够有所成就，还可以恢复你们原来的官职；如果没有成就，就永远回家种田去吧。”拓跋宏又对担任吏部尚书的任城王拓跋澄说：“叔叔您神情骄傲，我要免去您少保的职务。”又对长兼尚书于果说：“你不勤于本职工作，多次声称有病，要求辞职，我可以免去你长兼尚书的职务，扣除一年的俸禄。”其他那些代理尚书如尉羽、卢渊等人，都因为工作不尽职或不称职，有的被解除了职务，有的被罢官，有的被扣除了俸禄，都是当面一一列举他们的过错而后对他们做出处理。卢渊，是卢昶的哥哥。

魏孝文帝拓跋宏又对尚书令陆叡说：“北方人常说‘北方人质朴粗鲁，怎么能知书达礼呢！’我听了这话之后，深深地为之感叹！如今知书达礼的人很多，难道都是圣人？区别只在于肯不肯学习罢了。我要提高百官的素质，提倡礼乐，其目的本来是想移风易俗。我身为天子，何必非要占据中原！就是想让你们的子孙能够接受中

等子孙渐染美俗[575]，闻见广博。若永居恒北[576]，复值[577]不好文[578]之主，不免面墙[579]耳。”对曰：“诚如圣言[580]。金日磾[581]不入仕汉朝，何能七世知名[582]。”帝甚悦。

郁林王之废也，鄱阳王锵初不知谋。及宣城公鸾权势益重，中外皆知其蓄不臣之志。锵每诣鸾，鸾常屣履[583]至车后迎之；语及家国，言泪俱发，锵以此信之。宫台[584]之内皆属意[585]于锵，劝锵入宫发兵辅政[586]。制局监[587]谢粲说锵及随王子隆[588]曰：“二王但乘油壁车[589]入宫，出天子置朝堂，夹辅号令[590]。粲等闭城门、上仗[591]，谁敢不同？东城人[592]正共缚送萧令[593]耳！”子隆欲定计，锵以上台兵力[594]既悉度东府[595]，且虑事不捷，意甚犹豫。马队主[596]刘巨，世祖时旧人，诣锵请间[597]，叩头劝锵立事[598]。锵命驾将入[599]，复还内，与母陆太妃别，日暮不成行[600]。典签知其谋，告之[601]。癸酉[602]，鸾遣兵二千人围锵第，杀锵，遂杀子隆及谢粲等。于时世祖[15]诸子[603]，子隆最壮大[604]，有才能，故鸾尤忌之。

江州刺史晋安王子懋[605]闻鄱阳、随王死，欲起兵，谓防阁[606]吴郡陆超之曰：“事成则宗庙[607]获安，不成犹为义鬼。”防阁丹阳董僧慧[608]曰：“此州虽小，宋孝武[609]常用之[610]。若举兵向阙[611]以请郁林之罪[612]，谁能御之[613]！”子懋母阮氏在建康，密遣书迎之[614]，阮氏报其同母兄[615]于瑶之为计[616]。瑶之驰告宣城公鸾。乙亥[617]，假鸾黄钺[618]，内外纂严[619]，遣中护军王玄邈[620]讨子懋，又遣军主裴叔业[621]与于瑶之先袭寻阳[622]，声云为郢府司马[623]。子懋知之，遣三百人守湓城[624]。叔业溯流直上[625]，

原地区美好风俗的浸染、熏陶，开阔眼界，见多识广。如果永远居住在恒山以北地区，再遇上一个不好学的君主，那可就免不了成了面墙而立，什么也看不到、什么也不懂的人了。”陆叡回答说：“确实像陛下所说的那样。金日磾如果不在汉朝做官，他的后人怎么能以七代做皇帝的近侍而闻名于世呢。”孝文帝拓跋宏听了这番话非常高兴。

齐国郁林王萧昭业被萧鸾所废，鄱阳王萧锵开始的时候并不知详情。等到宣城公萧鸾的权势越来越强大的时候，朝廷内外都知道萧鸾心怀篡夺皇位的野心。而萧锵每次到萧鸾那里拜访的时候，萧鸾常常是趿拉着鞋就匆忙跑到萧锵的车后迎接；说到国家的前途命运，萧鸾就会声泪俱下，萧锵因此相信萧鸾是一个对国家忠贞不贰的人。后宫与宗室贵胄、朝廷中的文武百官都寄希望于萧锵，劝说萧锵入宫，依靠武力夺回被萧鸾控制的政权，辅佐小皇帝萧昭文处理朝政。担任制局监的谢粲劝说萧锵和随王萧子隆说：“二位王爷乘坐平日所乘坐的油壁车进入皇宫，让皇帝坐在朝堂之上，二位王爷辅佐他发号施令。我等关闭城门、亮出刀枪，宣布戒严，到那时谁敢不服从？东城的人正等着把尚书令萧鸾捆绑起来押赴朝廷呢！”萧子隆想要定计，而萧锵因为守卫皇宫与朝廷的兵力全部归属于萧鸾统领，又担忧事情不会成功，心里很是犹豫。负责统领骑兵的武官刘巨，是世祖萧赜时期的旧臣，他到萧锵那里，请求萧锵屏退众人个别谈话，当确信没有旁人的时候，刘巨磕头劝说萧锵立即举事勤王。萧锵命人备好车准备入宫，又返回内室与自己的母亲陆太妃告别，一直拖延到天黑还没有入宫。萧锵手下的典签知道了萧锵的阴谋，便火速报告了萧鸾。九月初二日癸酉，萧鸾派遣二千士兵包围了萧锵的府第，杀死了鄱阳王萧锵，紧接着又杀死了随王萧子隆以及制局监谢粲等人。当时在世祖萧赜的儿子当中，萧子隆体格最为强壮高大，又有才能，所以萧鸾特别忌惮萧子隆。

齐国担任江州刺史的晋安王萧子懋听说鄱阳王萧锵、随王萧子隆已经被萧鸾杀死，就准备起兵讨伐萧鸾，他对担任防阁的吴郡人陆超之说：“事情如果能够成功，那么国家社稷就获得了平安，如果事情失败了，那我就做一个为国捐躯的忠魂。”另一个担任防阁的丹阳人董僧慧说：“江州地面虽小，宋孝武帝刘骏曾经在这里起兵讨伐弑父作乱的刘劭而登上皇位。如果起兵杀向萧鸾所控制的朝廷，让萧鸾讲清楚郁林王有何罪过而被杀，谁能够抵挡得了呢！”当时晋安王萧子懋的母亲阮氏还住在建康，萧子懋秘密写信准备把母亲阮氏接到江州，阮氏却把这个消息告诉了自己同母异父的哥哥于瑶之，向他讨主意。不料于瑶之飞马报告了宣城公萧鸾。九月初四日乙亥，朝廷授予萧鸾金色的大斧，宣布京城内外施行戒严，萧鸾派遣担任中护军的王玄邈率军讨伐晋安王萧子懋，又派遣了担任一支小部队统领的裴叔业与于瑶之一起先行袭击江州刺史府所在地寻阳，声称是郢府司马路过此地。萧子懋得知消息以后，立即派遣三百人去守卫湓城。裴叔业率军经过寻阳便沿着长江逆流而上，

至夜，回袭溢城，城局参军[626]乐贲开门纳之。子懋闻之，帅府州兵力[627]据城自守。子懋部曲多雍州[628]人，皆勇跃愿奋。叔业畏之，遣于瑶之说子懋曰："今还都必无过忧[629]，正当作散官[630]，不失富贵也。"子懋既不出兵攻叔业，众情稍沮[631]。中兵参军于琳之，瑶之兄也，说子懋重赂叔业，可以免祸。子懋使琳之往，琳之因说叔业取子懋。叔业遣军主徐玄庆将四百人随琳之入州城，僚佐皆奔散。琳之从二百人[632]，拔白刃入斋[633]，子懋骂曰："小人！何忍行此！"琳之以袖鄣面[634]，使人杀之。王玄邈执董僧慧，将杀之，僧慧曰："晋安举义兵，仆实预其谋[635]，得为主人[636]死，不恨[637]矣！愿至大敛[638]毕，退就鼎镬[639]。"玄邈义之[640]，具以白鸾[641]，免死配东冶[642]。子懋子昭基，九岁，以方二寸绢为书，参其消息[643]，并遗钱五百，行金得达[644]，僧慧视之曰："郎君书也[645]！"悲恸而卒。于琳之劝陆超之逃亡，超之曰："人皆有死，此不足惧！吾若逃亡，非唯孤晋安之眷[646]，亦恐田横客笑人[647]！"玄邈等欲囚以还都，超之端坐俟命[648]。超之门生谓[649]杀超之当得赏，密自后斩之，头坠而身不僵[650]。玄邈厚加殡敛。门生亦助举棺，棺坠，压其首[651]，折颈而死。

鸾遣平西将军王广之袭南兖州[652]刺史安陆王子敬[653]。广之至欧阳[654]，遣部将济阴陈伯之[655]先驱。伯之因[656]城开，独入，斩子敬。

鸾又遣徐玄庆西上[657]害诸王。临海王昭秀[658]为荆州刺史，西中郎长史何昌寓[659]行州事[660]。玄庆至江陵，欲以便宜从事[661]。昌寓曰："仆受朝廷意寄[662]，翼辅外藩[663]。殿下未有愆失[664]，君以一介之使[665]来，何容即以相付[666]邪？若朝廷必须殿下[667]，当自启闻[668]，更听后旨。"昭秀由是得

到了夜间，裴叔业率军掉转船头返回来袭击湓城，担任城局参军的乐贲打开湓城城门放裴叔业进来。萧子懋听到消息之后，立即率领晋安王府和江州刺史府的士兵据守寻阳进行坚守。萧子懋手下的私人部队大多是雍州人，全都踊跃争先愿意奋力抵抗。裴叔业很惧怕，就派遣于瑶之对萧子懋说："如果你现在回到京城，朝廷肯定不会把你怎么样，即使做一个没有实权的闲散官员，也不会丧失富贵荣华。"萧子懋既然不出兵进攻裴叔业，人心也就逐渐涣散、瓦解了。在萧子懋手下担任中兵参军的于琳之是于瑶之的哥哥，他劝说萧子懋用重金贿赂裴叔业，便可以免去杀头之祸。萧子懋遂派于琳之前去行贿，于琳之趁机劝说裴叔业攻取萧子懋。裴叔业派遣担任一支军队头领的徐玄庆率领四百名士卒跟随于琳之进入寻阳城，萧子懋的僚佐全都四散逃命。于琳之带着二百人，拔出利刃冲入萧子懋的住处，萧子懋大骂说："你这个无耻小人！怎么忍心做出这种卑鄙下流的事情！"于琳之羞愧地用袖子遮脸，让其他人杀死了萧子懋。中护军王玄邈逮捕了劝说萧子懋举兵勤王的董僧慧，准备把董僧慧杀掉，董僧慧说："晋安王起义兵讨伐叛逆，我确实参与了谋划，我能够为自己的主人而死，没有什么遗憾的了！希望允许我为主人收尸入殓，等我做完这些事情之后，再跳入你们准备好的油锅而死。"王玄邈认为董僧慧为人很讲义气，就把情况报告给了萧鸾，萧鸾赦免了董僧慧的死罪，把他发配到东冶。萧子懋的儿子萧昭基，年方九岁，他把自己的现时情况写在一张宽仅二寸的绢上，并馈赠五百钱，花钱托人把信和五百钱捎给董僧慧，董僧慧看了之后说："这是我的小主人写的书信！"竟然因为过度悲伤而死。于琳之劝说陆超之逃走，陆超之说："人都有一死，死并不可怕！我如果逃亡，不只是辜负了晋安王对我的器重，也怕遭到田横宾客的耻笑！"王玄邈等人准备用囚车把陆超之押回京师建康，陆超之端端正正地坐着等候他们的处置。陆超之的一个门生认为杀了陆超之一定会得到奖赏，就偷偷地从背后砍杀了陆超之，陆超之的人头掉了下来而尸身却不倒。王玄邈厚葬了陆超之。那个杀死陆超之的门生也去帮忙抬棺材，棺材突然坠地，正压在那个门生的头上，那个门生的脖颈被压断而死。

宣城郡公、骠骑大将军萧鸾派遣担任平西将军的王广之率领军队去袭击担任南兖州刺史的安陆王萧子敬。王广之到达欧阳的时候，便派遣属下的部将济阴人陈伯之为先锋。陈伯之趁着广陵城门打开的机会，独自一人进入城中，杀死了萧子敬。

萧鸾又派遣徐玄庆率军从建康西行，目的在于铲除在荆州、湘州等地任职的诸王。临海王萧昭秀当时担任荆州刺史，由其属下担任西中郎长史的何昌寓代理荆州刺史的职务。徐玄庆到达江陵，想着自行处置，捕杀临海王萧昭秀。何昌寓说："我受朝廷的特别委托，辅佐居外任职的藩王。临海王殿下并没有犯下什么过失，就凭你一个人前来这么一说，我怎么能把临海王交付给你处理呢？如果朝廷一定要临海王殿下回京师，也应当由我向朝廷请示，等待朝廷的圣旨下达以后再做处置。"临海

还建康[669]。昌寓，尚之[670]之弟子也。

鸾以吴兴太守孔琇之[671]行郢州事[672]，欲使之杀晋熙王銶[673]。琇之辞不许[674]，遂不食而死。琇之，靖[675]之孙也。

裴叔业自寻阳仍进向湘州[676]，欲杀湘州刺史南平王锐[677]。防阁[678]周伯玉大言于众曰："此非天子意，今斩叔业，举兵匡社稷[679]，谁敢不从！"锐典签叱左右斩之。乙酉[680]，杀锐；又杀郢州刺史晋熙王銶[681]、南豫州刺史宜都王铿[682]。

丁亥[683]，以庐陵王子卿[684]为司徒，桂阳王铄[685]为中军将军、开府仪同三司。

【段旨】

以上为第二段，写齐明帝萧鸾建武元年（公元四九四年）二月至九月共八个月间的大事。主要写了南齐小皇帝萧昭业的靠山萧晔、萧子良以忧死，其他诸王均被其典签所控制，不得与内外大臣相联系，而皇室愈益孤危；萧昭业欲依靠皇后之兄何胤废除萧鸾，何胤不肯受命。写了萧昭业的亲信曹道刚谋诛萧鸾，但还未及动手，萧鸾一党遂先机发动，身为中领军的萧谌率兵入宫，先杀了曹道刚、朱隆之，随后萧鸾带领王晏、徐孝嗣、陈显达等进殿，杀了小皇帝萧昭业，身为散骑常侍的徐孝嗣掏出预先写好的假太后诏，宣布追废小皇帝为郁林王，改立萧昭文为皇帝。写了身为吏部尚书的谢瀹闻此巨变而毫不动心，照常下棋而后关门睡觉；谢粲、刘巨等劝鄱阳王萧锵、随王萧子隆借用皇帝身边的势力，挟天子以诛萧鸾，萧锵犹豫不决，被其典签告密，萧锵、萧子隆、谢粲等皆被杀；江州刺史萧子懋起兵反萧鸾，因泄密与部下叛变失败被杀；接着萧鸾一举杀掉了高祖萧道成的儿子萧銶、萧锐、萧铿与世祖萧赜的儿子萧子敬。写史者满怀同情地写了萧子懋的部下董僧慧与陆超之的感人情节。写了魏主决定迁都并部署留守事宜；魏录尚书事拓跋羽建议魏主依地方州镇考核治下官员的办法以考核朝廷百官，以及魏主对百官群臣实行三年一考核，并进行黜陟的实施情景。写了魏主由西至东巡视北边四镇，以及令刘昶为使持节，都督吴、越、楚诸军事，南镇彭城，以谋求有所进取，结果因刘昶的庸劣而无功；等等。

王萧昭秀因此才得以活着回到建康。何昌寓，是何尚之的侄子。

萧鸾任命担任吴兴郡太守的孔琇之代理郢州刺史的职务，他想让孔琇之杀死晋熙王萧銶。孔琇之为了拒绝执行萧鸾的指令，便绝食而死。孔琇之，是孔靖的孙子。

裴叔业率军从寻阳继续向湘州前进，准备杀死担任湘州刺史的南平王萧锐。南平王萧锐手下担任防阁的周伯玉在人群之中高呼："杀死南平王萧锐，这不是天子的旨意，现在我们杀死裴叔业，然后举兵匡扶垂危的国家社稷，谁敢不从！"萧锐的典签立即呵令左右杀死了周伯玉。九月十四日乙酉，南平王萧锐被杀死；担任郢州刺史的晋熙王萧銶和担任南豫州刺史的宜都王萧铿也先后被杀死。

十六日丁亥，齐国朝廷任命庐陵王萧子卿为司徒，任命桂阳王萧铄为中军将军、开府仪同三司。

【注释】

⑫二月己丑：二月十四。⑬河阴：县名，县治在今河南洛阳市孟津区东北。⑭规方泽：规划建立一所祭祀地神的场所。其形制为掘地为方池，贮水以祭，故称方泽。规，规划、准备建立。⑮辛卯：二月十六。⑯帝祀明堂：郁林王在明堂祭祀天地。明堂，是依照儒家学说建立的祭祀天地、宣明政教之处。⑰聘：到魏国进行礼节性访问。⑱丙申：二月二十一。⑲徙河南王幹为赵郡王：徙，移封。河南王幹，拓跋幹，献文帝拓跋弘的第三子，原封为河南王。⑳颍川王雍：拓跋雍，献文帝拓跋弘的第四子，原封为颍川王。二人皆孝文帝之弟，传见《魏书》卷二十一上。胡三省曰："将以河南颍川为畿甸，故二王徙封。"㉑壬寅：二月二十七。㉒癸卯：二月二十八。㉓壬申：三月二十七。㉔平城：魏国的都城，在今山西大同东北。㉕燕州刺史穆罴：燕州，魏州名，约当今河北张家口和与之邻近的北京市西北部地区，州治即今河北涿鹿。穆罴，魏国的开国功臣穆崇之后，现为燕州刺史。传见《魏书》卷二十七。㉖征伐无马：指新都洛阳没有更多的马匹。㉗厩牧在代：代郡有的是我们的马棚、牧场。厩，马棚。牧，牧地、牧场。代，郡名，魏国的旧都平城就处于代郡之内。㉘代在恒山之北：这里的所谓"代"主要指魏都平城。恒山，即五岳中的北岳，在今山西浑源境内，在魏都平城的东南方。㉙九州之外：古代传说中的九州通常即指当时的中国境内。九州当中最靠北的是幽州、并州，而平城又处于并州的北部地区，故魏主夸张地说它处于九州之外。㉚于果：魏国名将于栗磾之孙，此时任尚书令。传见《魏书》卷三十一。㉛非以代地为胜伊、洛之美：并不是说平城一带的地理环境比洛阳一带还要好。伊、洛是二水名，都流经洛阳附近，故常以"伊、洛"代指洛阳地区。㉜平阳公丕：拓跋丕，拓跋翳槐之孙，曾被封为东阳王，后依例降为平阳郡公。传见《魏书》卷十四。㉝讯之卜筮：通过卜筮来占测一下。卜筮，指用龟

甲或蓍草来占卜吉凶。㉞周、召：周公姬旦、召公姬奭，都是文王之子、武王之弟，因辅佐周成王稳定周初的秩序，被后代称为圣贤。㉟卜宅：指向鬼神询问建都于洛阳是否吉利。卜宅，向鬼神询问盖房子的问题。周公、召公为欲在洛阳建立都城而占卜吉凶的事情，见《尚书·洛诰》。㊱今无其人：今天我们的朝廷上没有周公、召公那样的圣贤。㊲卜以决疑二句：人是有了疑难才进行占卜的；如果没有疑难，那占卜什么。二句语出《左传》桓公十一年。㊳黄帝卜而龟焦：相传黄帝当年与蚩尤开战前曾进行占卜，结果龟甲被烧煳了。杜预曰："龟焦，兆不成也。字书释灼龟不兆为焦。"占卜是要看龟甲上的裂璺，一旦龟甲被烧煳，就算是占卜失败了。黄帝是传说中的中华民族的祖先。事迹见《史记·五帝本纪》。㊴天老曰"吉"：天老是黄帝大臣，他见龟甲被烧煳，不但不说占卜失败，反而说这本身就表明了我们要占卜的事情是大吉大利。㊵至人之知未然：一个聪明绝顶的人对于意想不到的突发事变的判断。至人，圣人、英明无比的人。㊶审于龟矣：可比龟甲精确得多了。㊷王者以四海为家：古之俗语，也正因此，故称帝王之所居曰"行在所"，意即走到哪里都是家。㊸平文皇帝：拓跋郁律，魏国的先祖沙漠汗之孙，拓跋弗之子，后被追称曰平文皇帝。传见《魏书》卷一。㊹东木根山：位于柔玄镇（今内蒙古兴和）之北。〖按〗《魏书》卷一称惠帝贺傉四年，"乃筑城于东木根山，徙都之"。惠帝贺傉是拓跋郁律后一代的魏国帝王。㊺昭成皇帝：拓跋什翼犍，平文帝的第二子，公元三三八至三七六年在位，被谥为昭成皇帝。传见《魏书》卷一。㊻更营盛乐：重新又在盛乐建立都城。盛乐在今内蒙古和林格尔西北的土城子。㊼道武皇帝：拓跋珪，拓跋什翼犍之孙，是重建魏国，使魏国空前强大的第一位君主，公元三八六至四〇九年在位，被谥为道武帝。传见《魏书》卷二。㊽幸属：有幸正赶上。㊾胜残之运：意即接续在大有作为的帝王之后，自己正好可以施行仁政，不用武力征伐、不用严刑镇压的时代。胜残，"胜残去杀"的简缩语。《论语·子路》：子曰，"善人为邦百年，亦可胜残去杀矣"。胜残，克服残暴、避免暴力。朱熹曰："谓化善人不为恶也。"㊿独不得迁乎：偏偏就不能迁都了吗。(351)寿：穆寿，魏国名臣穆崇之子，官至中书监。传见《魏书》卷二十七。(352)烈：于烈，于栗磾之孙，官至刺史。传见《魏书》卷三十一。(353)癸酉：三月二十八。(354)部分迁留：安排布置哪些人跟着迁都洛阳，哪些人继续留守在平城的问题。部分，分派。(355)四月庚辰：四月初六。(356)魏罢西郊祭天：魏国取消西郊祭天的习俗，以与中原王朝南郊祭天的习俗相一致。(357)辛巳：四月初七。(358)武陵昭王晔：萧晔，萧道成的第五子，刚直敢言，为郁林王所倚重，故为萧鸾所深忌。传见《南齐书》卷三十五。(359)戊子：四月十四。(360)竟陵文宣王子良：萧子良，世祖萧赜的第二子，萧赜临终的托孤之臣。被封为竟陵王，文宣二字是谥。传见《南齐书》卷四十。(361)以忧卒：见萧鸾篡国篡政，郁林王又怀疑自己，故忧国忧身而死。(362)常忧子良为变：总是担心萧子良篡夺他的皇帝之位。胡三省曰："郁林但虞子良为变，而不知鸾、谌之谋已成矣。"(363)鄙夫不可与事君七句：孔子的话，见《论语·阳货》。原文为"鄙夫可与事君也哉？其未得之也，患不得之；既得之，患失之。苟患得患失，无所不至矣”。鄙夫，指贪婪自私的邪恶之臣。秦朝的李斯是这种人的典型，司马光这里是指当时怙权营私的邪臣王融。不可与事君，不能与之一道共事。㉞王融：一个自私凶险的邪恶之臣，在齐武帝萧赜临死前后，企图发动政变废太孙萧昭业，改立萧子良，因萧子良不从，王融的政变未成被杀。传见《南齐书》卷四十七。但由此造成了萧昭业对萧子良的怀疑与排挤，从而给萧鸾的篡位铺平了道路。㉟乘危徼幸：乘国家危难之际而谋取个人的功名利禄，即利用萧赜病危欲矫诏立子良事，见本书卷一百三十八。徼，博取。㊱谋易嗣君：企图改变老皇帝的接班人。易，变更。㊲子良当时贤王：萧子良是一个淡泊名利，对其父萧赜、其侄萧昭业都忠心耿耿的人，其最大失误是对野心家萧鸾缺乏警惕，萧子良的淡泊，更造成了萧鸾的专权。㊳迹其所以然：推究所以形成这种局面的原因。迹，细查问题形成的原因。㊴乌可近哉：怎么能与他们接近呢。乌，也写作“恶”，何、怎能。㊵己亥：四月二十五。㊶罢五月五日、七月七日飨祖考：飨祖考，即祭祀祖先。飨，通“享”，祭祀。考，先父。五月初五是中原地区的端午节，七月初七是中原地区的乞巧之日，而魏国古礼以此二日为祭祖之节，今孝文帝追求汉化，故将祭祖之俗废止之。㊷广陵王羽：拓跋羽，献文帝的第五子。传见《魏书》卷二十一上。㊸令文：条例章程，这里的意思是依照过去的章程。㊹列属官治状：把自己下属官吏管理政务的状况写成文件呈报尚书省。㊺及再考：到第二次再进行考核时。㊻则行黜陟：就要根据两次考评的情况进行下降职或升职。㊼去十五年：过去的十五年，即孝文帝太和十五年（公元四九一年）。去，犹言“过去的”。㊽准外考：依据各州各镇考核僚属的办法。㊾以定京官治行：来对朝廷百官管理政务的业绩评定出个高低。㊿应关朕听：应该向上报告，让我知道。(381)闰月丁卯：闰四月二十三。(382)镇军将军鸾：萧鸾，时任镇军将军。镇军将军的位次在中军将军之上。(383)即本号：就任镇军将军之职。早在齐武帝萧赜临死前就留下遗诏加萧鸾为镇军将军，但因事一直没有到位。至此皇帝萧昭业又重申令其就职。(384)开府仪同三司：加官名，以示荣宠。位从公，开建府署、自辟僚属的成例与三司相同。三司，即三公，指太尉、司徒、司空。(385)戊辰：闰四月二十四。(386)新安王昭文：萧昭文，现在的皇帝萧昭业之胞弟，被封为新安王。传见《南齐书》卷五。(387)扬州刺史：扬州的州治即在都城建康城内。〖按〗任萧昭文为扬州刺史，不过是萧鸾的把戏而已，时萧昭文十五岁。(388)五月甲戌朔：五月初一是甲戌日。(389)六月己巳：六月二十六。(390)散骑常侍卢昶：散骑常侍是皇帝的侍从官员，以备顾问、应对等事。卢昶是魏国的儒学之臣卢玄的孙子，卢度世之子，任员外散骑常侍之职。传见《魏书》卷四十七。(391)自嫌：自己有顾虑。嫌，怀疑、顾虑。(392)彼有知识：你在那里有相知相识的人。彼，那里。(393)使人：作为一个使者。(394)勿迭相矜夸：不要盛气凌人，总想压倒对方。(395)见于辞色：在举止言谈中表现出来。见，通“现”。(396)失将命之体：有失于奉命出使者的体统。将命，奉命。(397)七月乙亥：七月初三。(398)宋王刘昶：刘昶是宋文帝刘义隆之子，为躲避宋废帝刘子业的迫害于魏文成帝拓跋濬和平六年（公元四六五年）逃到魏国，被魏人封为宋王。传见《魏书》卷五十九。㊴使持节：官衔名，古代统兵大将往往加此称号，以提高其权位。最高者为使持节，其次曰持节，再次曰假节。㊵都督吴、越、楚诸军事：吴、越、楚，都是春秋时代长江流域及长江以南的古国名，此处用以泛指长江以南地区。意即把南齐的领地都划归刘昶管辖。㊶镇彭城：以彭城为刘昶军事指挥部的驻地。彭城，即今江苏徐州。㊷王肃：原齐人，东晋名臣王导的后代，其父王奂在齐武帝萧赜治下为臣，被萧赜所杀，王肃于魏孝文帝太和十七年（公元四九三年）逃到魏国，此时为镇南将军。传见《魏书》卷六十三。㊸昶府长史：宋王刘昶大将军府的长史。长史是军府的诸史之长，总管大将军部下的各项军政。㊹不能抚接义故：没能很好地安抚、招纳昔时的故旧。胡三省曰："宋苍梧王初，昶镇彭城，弃镇奔魏，故义故在焉。"义故，指老部下，怀念并乐于归附之人。㊺卒无成功：结果没能取得应有的功效。㊻壬午：七月初十。㊼安定靖王休：景穆帝拓跋晃之子，孝文帝拓跋宏的堂祖一辈，官至太傅。传见《魏书》卷十九下。㊽自卒至殡：从其死到其入殓的短短期间。殡，遗体装入灵柩。㊾三临其第：三次到其府第吊唁。㊿尉元：拓跋焘、拓跋弘时代的魏国名将，有平定淮北之大功，官至司徒。传见《魏书》卷五十。㊶壬辰：七月二十日。㊷尼媪外入者：从外面进入宫廷的老尼姑。㊸颇传异语：带进了外面的一些传言。胡三省曰："谓外人籍籍口语，言鸾等相与有异谋也。"㊹中书令：中书省的长官，中书省是为皇帝起草诏令的部门，中书令职同宰相。㊺后之从叔：何胤是萧昭业何皇后的堂叔。㊻使直殿省：让何胤夜间在中书省里值班。殿省，即中书省。因其在宫廷之内，故称殿省。㊼令胤受事：让何胤按照萧昭业的旨意起草处决萧鸾的诏令。㊽依违谏说：支支吾吾地调和劝说，不奉命拟旨。依违，似依似违，模棱两可，没有行动。㊾出鸾于西州：意即调任萧鸾为扬州刺史。西州，指西州城，是晋宋时期扬州刺史的官衙所在地，在当时建康台城的西侧。⑳中敕用事：朝廷颁发诏令与处理各项事务。中敕，朝廷颁布命令。㉑不复关咨于鸾：不再向萧鸾请示、打招呼。关咨，请示、征询意见。㉒左仆射王晏：王晏原是齐武帝萧赜的亲信，萧赜死后遂转向萧鸾，此时任尚书左仆射，主管尚书省。传见《南齐书》卷四十二。㉓诸王典签：在皇室诸王身边掌权的属吏。典签原是书记员一类的小吏，因为他们是由朝廷派出，代表朝廷替诸王管理军政大事，遂炙手可热，连诸王自身也受其辖制，无可奈何。萧鸾既然操纵朝政，诸王典签自然也就成为代替萧鸾控制诸王的打手。㉔约语之：萧谌秘密地召集他们，给他们布置任务。胡三省曰："约语者，约束而语之。"㉕不许诸王外接人物：不许皇室诸王与外面军政界的要人相往来。㉖亲要：受宠信、居要职。萧谌等原是萧赜当年的宠臣，甚至萧昭业也不知道他们现在都成了吃里扒外的萧鸾的死党。㉗其谋：要废掉萧昭业的阴谋。㉘丹杨尹徐孝嗣：丹杨尹，当时都城建业所在郡的行政长官，位同郡太守，但与一般郡守的地位不可同日而语。徐孝嗣，刘宋权贵徐湛之的孙子，宋孝武帝刘骏的女婿，入齐后又为齐武帝萧赜任吏部尚书，此时任丹杨尹。传见《南齐书》

卷四十四。㊷⑨骠骑录事南阳乐豫：乐豫是当时的名士，南阳郡人，与其兄乐颐俱以孝闻名，当时任骠骑将军府的录事参军。传见《南齐书》的《孝义传》。㊸⓪外传籍籍：外面的流言议论纷纷。籍籍，也写作“藉藉”，议论纷纷的样子。㊸①伊、周之事：指废掉现有的皇帝、另立新皇帝的事情。商臣伊尹曾放逐其君太甲，周公姬旦曾代替成王临朝摄政，故通常以“伊、周之事”代指废立之举。㊸②君蒙武帝殊常之恩：徐孝嗣由王俭推荐，得到武帝萧赜分外的重用，萧赜临终的遗诏中有所谓“尚书中事，……悉委右仆射王晏、吏部尚书徐孝嗣”的话，可见宠信之隆。殊常，不同寻常。㊸③荷托付之重：承担着先帝的重托。荷，承蒙、接受。㊸④不得同人此举：不能跟着别人一道干这种废掉皇帝的事情。㊸⑤人笑褚公：褚渊是刘宋明帝的顾命大臣，接受遗命辅佐幼主刘昱。结果褚渊后来竟帮着齐太祖萧道成篡取了宋室的皇位，此事引起了朝野的一片责骂之声。传见《南齐书》卷二十三。㊸⑥至今齿冷：至今仍受着人们的讥笑。因为人笑则露齿，故以“齿冷”代指笑骂。㊸⑦镇军：镇军将军，指萧鸾。㊸⑧宁当有此：怎么会有这样的事。㊸⑨无事：无缘无故地。㊹⓪朝贵不容造此论：朝廷上的权贵们不可能编造这样的言论。不容，不可能、不应该。㊹①官：也称“官家”，当时对皇帝的称呼，相当于“您”。㊹②直阁将军曹道刚：小皇帝萧昭业的亲信武官。直阁将军，在皇帝住宿与临朝之处值勤的禁军统领。㊹③密有处分二句：暗中有除掉萧鸾的计划，但还没有动手。㊹④始兴内史萧季敞：始兴王萧鉴的内史萧季敞，王国的内史，在该王国主管行政，职同于郡太守。㊹⑤南阳太守：南阳郡的郡治宛城，即今河南南阳。㊹⑥皆内迁：都正在听候调任进京。㊹⑦藉其势力以举事：胡三省曰：“以二人方自外郡归，各有兵力自送，为可藉也。”㊹⑧比闻：近来听说。㊹⑨转已猜疑：已经在怀疑我们。㊺⓪卫尉：以称萧谌，当时萧谌为卫军司马，兼卫尉之职。卫尉是主管护卫宫廷的官。㊺①若不就事：如果再不完成废掉小皇帝的事。就，完成。㊺②无所复及：那恐怕就做什么也来不及了。㊺③坐听：坐等。㊺④正应作余计：就要采取别的办法。㊺⑤惶遽从之：匆忙答应。㊺⑥壬辰：七月二十。㊺⑦直后徐僧亮：小皇帝萧昭业的忠诚卫士。直后，皇帝车后的侍卫官。㊺⑧大言于众：面对众人大声说。㊺⑨自尚书：从尚书省出来，当时萧鸾任录尚书事，尚书省是他的办事机关。㊻⓪云龙门：进入皇宫内殿的正门。㊻①戎服加朱衣于上：把红色官服套在军服外面。戎服，军服。朱衣，红色官服。按制度，群臣入云龙门不准穿军服佩武器。㊻②比入门：在萧鸾入云龙门的时候。比，及、当……的时候。㊻③三失履：三次掉了鞋子，极言其紧张、心虚之状。㊻④陈显达：原是萧道成当年的得力干将，现又转投到萧鸾的门下。事见《南齐书》卷二十六。㊻⑤王广之：原是南齐名将，官至镇军将军，现已改投到萧鸾的门下。传见《南齐书》卷二十九。㊻⑥沈文季：刘宋名将沈庆之之子，入齐后又为武帝萧赜的重臣，现又转到萧鸾的门下。传见《南齐书》卷四十四。㊻⑦寿昌殿：齐武帝萧赜所建，平居无事时常住在这里。㊻⑧密为手敕：偷偷地亲笔写了一道手令。㊻⑨诸房闼：各个进入内殿的旁门、小门。闼，进入深宫的内门、小门。㊼⓪走趋：逃向。㊼①舆接出延德殿：被萧鸾的党羽们用车子拉到了延德殿。舆，轻便的小车或人抬的软轿。㊼㊲盾：盾牌。㊼㊳所取自有人：我们所捉拿的人与你们没有关系。㊼㊴隶服于谌：俯首帖耳听萧谌的指令。隶服，像奴仆一样地听喝。㊼㊵皆信之：都相信他不会做对不起皇帝的事。㊼㊶各欲自奋：都想挺身而出，为援救皇帝而拼死一战。㊼㊷西弄：延德殿西侧的小胡同。弄，弄堂、小巷。㊼㊸出殡徐龙驹宅：把棺材寄放在徐龙驹宅。徐龙驹是萧昭业的亲信宦官，前已被萧鸾所杀。〖按〗萧昭业被杀时年二十二岁。㊼㊹诸嬖幸：被萧昭业所宠爱的所有女人与男人。㊽㊵欲作太后令：想假借太后的名义写一道废掉小皇帝的诏令。㊽㊶鸾大悦：萧鸾很赏识徐孝嗣的机灵与想得周到。㊽㊷癸巳：七月二十一。㊽㊸追废帝为郁林王：后补下令废去萧昭业的皇帝之位，降之为郁林郡王。郁林郡的郡治布山，在今广西桂平西南。㊽㊹何后：何皇后，抚军将军何戢之女。传见《南齐书》卷二十。㊽㊺谢瀹：南朝著名诗人谢庄之子，此时任吏部尚书。传见《南齐书》卷四十三。㊽㊻其当有意：他们肯定是要干什么。㊽㊼竟局：下完这盘棋之后。㊽㊽还斋卧：回到吏部的办公厅躺着去了。㊽㊾竟不问外事：胡三省曰，“谢瀹为此，兄朏之教也”。㊾㊵大匠卿虞悰：大匠卿是主管土木建筑的朝官，九卿之一。虞悰是虞啸父之孙，为人至孝，武帝时为度支尚书，此时为大匠卿。传见《南齐书》卷三十七。㊾㊶王、徐：指王晏、徐孝嗣。㊾㊷遂缚裤废天子：意谓二子身为文官，居然身穿戎服废了皇帝。缚裤，戎服。㊾㊸啸父：虞啸父，东晋名将虞潭之子，曾官至尚书。传见《晋书》卷七十六。㊾㊹国子祭酒江敩：国子祭酒是国家太学的主管官员。江敩是刘宋权臣江湛之孙，宋文帝刘义隆的外孙，母为宋文帝女，江敩本人又是刘宋孝武帝刘骏的女婿，入齐后为五兵尚书、都官尚书，此时任吏部尚书。传见《南齐书》卷四十三。㊾㊺托药发：推说服五石散的疾病发作了。五石散是当时贵族文人为了美容、长寿而服食的一种毒性很强的药，发作起来有生命危险。㊾㊻中散大夫：皇帝的侍从官员，无实权而有荣誉，多授予年高的大臣。㊾㊼兼卫尉：挂有卫尉的虚衔，因为真正的卫尉是萧谌。㊾㊽给甲仗百人：给他配备擐甲执兵的护卫一百人。㊾㊾不欲与之同：不愿与他成为一丘之貉。㊿㊵丁酉：七月二十五。㊿㊶骠骑大将军：将军的名号，地位仅次于大将军。而此时的大将军又虚位无人。㊿㊷宣城郡公：爵为公爵，封地为宣城郡。宣城郡的郡治在今安徽宣城东。㊿㊸辛丑：七月二十九。㊿㊹朔州：魏州名，州治盛乐，在今内蒙古和林格尔西北。㊿㊺八月甲辰：八月初二。㊿㊻司空王敬则：司空，官名，三公之一，掌水土工程。王敬则，萧道成的开国元勋，为萧氏的篡宋可谓大效犬马之劳，在齐朝前期历任显职，此前加官为司空。传见《南齐书》卷二十六。㊿㊼太尉：加官名，与司空、司徒同居三公之位，但太尉是三公之首，荣显无出其右者。㊿㊽司徒：加官名，与太尉、司空同为三公之一。萧鸾任萧锵为司空，纯属掩人耳目，借以安慰人心。㊿㊾阴山：今内蒙古河套以北的东西走向的大山，其地有魏国皇室的离宫，故魏主屡屡前往。(510)始安王遥光：萧鸾之兄萧凤的长子，袭父爵为始安王，此时任南郡太守。传见《南齐书》卷四十五。南郡的郡治江陵，在今湖北江陵西北的纪南城。(511)不之官：不离开京城去南郡上任。(512)赞成：帮助其完成。赞，佐助。⑬预谋：参与谋划。⑭戊申：八月初六。⑮中书郎萧遥欣：萧道成之弟萧道生的孙子，萧鸾之侄，萧遥光之胞弟，时为中书郎。中书郎是中书监、中书令的属下，参与朝政。传见《南齐书》卷四十五。⑯兖州：此指北兖州，州治寿张，在今江苏清江西南。⑰癸丑：八月十一。⑱怀朔镇：魏国的军镇名，故址在今内蒙古固阳。⑲己未：八月十七。⑳武川镇：魏国军镇名，故址在今内蒙古武川县。㉑辛酉：八月十九。㉒抚冥镇：魏国的军镇名，故址在今内蒙古四子王旗东南。㉓甲子：八月二十二。㉔柔玄镇：在今内蒙古兴和北。〖按〗从怀朔至柔玄，从西向东，是魏国六镇中的四镇。再往东还有怀荒、御夷二镇。㉕乙丑：八月二十三。㉖辛未：八月二十九。㉗九月壬申朔：九月初一是壬申日。㉘三载考绩二句：语出《尚书·舜典》。意思是，三年考核一次百官的政绩，经三次考核，共九年的观察，按业绩进行降职或升职。㉙大成赊缓：就过于漫长、过于迟缓了。㉚愚滞：笨拙；冥顽。㉛不拥于下位：不至于被长期地压抑在下层。拥，通“壅”，障塞。㉜当曹：各部门的长官。曹，分职治事的部门，犹如今之中央各部。㉝尚书重问：由尚书令再加以考察。㉞守其本任：仍担任其原来的职务。㉟任城王澄：拓跋澄，拓跋晃之孙，拓跋云之子，孝文帝的堂叔。此时任吏部尚书、太子少保。传见《魏书》卷十九中。㊱铨简旧臣：对朝廷老臣进行考核评定。铨，评定。简，选拔、任用。㊲品：评定；区分。㊳壬午：九月十一。㊴诸尚书：尚书省的诸长官。㊵枢机之任：掌管着国家的关键责任。枢机，关键。㊶非徒总庶务：不光是总管全国的各项事务。徒，但、只。㊷朕之得失：我这个皇帝做得好不好。㊸年垂再期：已经快满两年。垂，近。期，周年。㊹献可替否：提出好的意见，纠正我的错误做法。献，进献。替，更改、废除。㊺录尚书事广陵王羽：录尚书事，犹如今之副总理而分工主管某几个部。拓跋羽是孝文帝之弟，以国家重臣而分管尚书省事务者。传见《魏书》卷二十一上。㊻居机衡之右：位在尚书省诸长官之上。古人以右为尊。㊼勤恪：勤劳、谨慎。㊽阿党：结党营私，拉帮结派。阿，曲，指偏袒、徇私。㊾廷尉：掌国家刑狱的最高长官。当时拓跋羽实任廷尉，加录尚书事。㊿但为特进、太子太保：只以特进的身份任太子太保之职。特进是给年老位高者的一种加官，无具体职守，参加朝贺，位从公。太子太保是皇太子的辅导官，也是闲散职务。(551)陆叡：字叔翻，魏国的元勋陆俟之孙、陆丽之子，此时任尚书令。传见《魏书》卷四十。(552)到省之初：初任尚书令的时候。(553)比来：近些时候以来。(554)相导以义：引导尚书省的全体僚属向好的方向走。相导，同“向导”，引导。相，观察、识别。(555)夺卿禄一期：扣除你一年的俸禄。期，周年。(556)大辟：杀头。(557)咎归一人：意思是已经处罚了陆叡，而且左仆射是尚书令的副职。(558)解卿少师：免除你的太子少师之职。太子少师也是皇太子的训导官。(559)左丞公孙良：左丞、右丞都是尚书令的属官。公孙良是公孙表之曾孙，公孙叡之子。传见《魏书》卷三十三。(560)乞伏义受：姓乞伏名义受，乞伏义受应是西秦王乞伏干归的后代。(561)白衣守本官：近于后世的革职留用。白衣，指平民。(562)冠服禄恤：冠服，指原任官职的服饰。禄恤，指本人俸禄之外家庭所受的各种优惠。胡三省曰："魏官，本禄之外，别有恤亲之禄。"563永归南亩：永远回家为农。南亩，因《诗经·七月》中有所谓"馌彼南亩"，故后人习称农田曰"南亩"。564少保：太子少保，皇太子的辅导官，也多用为加官，无实际职责。565长兼尚书：尚书有正有兼，"兼"的意思略同于今之所谓"后补"。566守尚书：试用、代理之尚书。守，试用。567尉羽、卢渊：尉羽是魏国名将尉元之子。传见《魏书》卷五十。卢渊是著名儒生卢玄之孙，卢昶之兄。传见《魏书》卷四十七。二人此时皆任守尚书。〖按〗魏有尚书令，又有录尚书事，还有长兼尚书、守尚书，亦可谓人浮于事者矣。568不职：不尽职；不称职。569面数：当面列举。570质鲁：质朴粗鲁，没有文化修养的样子。571深用怃然：深深地为之感叹。用，因。怃然，伤心的样子。572顾：转折语词，犹今所谓"问题在于""关键在于"。573修百官：提高百官的素质。修，提高。574居中原：指迁都洛阳。575渐染美俗：逐渐地接受美好风俗的浸染、熏陶。576恒北：恒山之北，指旧都平城一带。577复值：再遇上一位。578不好文：不重视提高思想文化。579不免面墙：那可就真成了面墙而立，什么也看不到了。《尚书·周官》有所谓："不学，墙面。"意思是一个不学习的人，就如同面墙而立，什么也看不见什么也不懂。580诚如圣言：的确是如您所说。圣，敬称皇帝。581金日磾：汉武帝的托孤大臣，原是匈奴休屠王的太子，随同昆邪王降汉后，先是为汉武帝养马，逐渐受汉武帝信任，官至侍中，与霍光、桑弘羊等同受武帝遗诏辅佐昭帝。传见《汉书》卷六十八。582七世知名：金日磾的后人七代做皇帝的近侍。《汉书·金日磾传》赞曰："七世内侍，何其盛也！"左思《咏史》有所谓"金张蒙旧业，七世珥汉貂"。583屣履：穿鞋而未及提上鞋跟，形容匆忙外出的样子。以表示对来人的尊敬。584宫台：后宫与朝廷之上。后宫指皇帝、皇后与宗室贵族，朝廷指群臣百官。南朝的朝廷设立中书省、尚书省、御史台、秘书台等，故统称朝廷曰"台省"。585属意：归心；寄希望。586发兵辅政：依靠武力夺回被萧鸾控制的政权，认真辅佐小皇帝。587制局监：主管甲仗、兵役的官。588随王子隆：武帝萧赜之子，小皇帝萧昭文之叔。传见《南齐书》卷四十。589油壁车：车厢涂着青油的车子，亲王、贵族平时往来所乘坐，以区别于紧急时刻用于攻守的车子。590夹辅号令：帮着小皇帝发布命令。591上仗：宣布戒严，亮出刀枪。592东城人：萧鸾手下的人。东城也称东府，是当时丞相所居之地。萧鸾当时任录尚书事，有如晋时之司马道子等人，故居于东府，故址在今南京通济门附近。593正共缚送萧令：都正在等着把尚书令萧鸾捆起送来。594上台兵力：警卫皇宫、朝堂的兵力。595悉度东府：已全部被萧鸾所统领。度，过、归属。596马队主：统领骑兵的武官。597请间：请求个别谈话。598立事：举行勤王之事。599命驾将入：命人驾车，准备进宫。600不成行：还未能出发。601告之：火速报告了萧鸾。602癸酉：九月初二。603世祖诸子：在齐武帝萧赜的儿子当中。604子隆最壮大：《南齐书·武十七王传》："子隆年二十一而体过充壮，常服芦茹丸以自损。"605晋安王子懋：武帝萧赜的第七子，此时为江州刺史。传见《南齐书》卷四十。606防阁：防卫斋阁的武官。607宗庙：本为皇帝祭祀祖先的地方，此处指称国家政权。⑱ 董僧慧:《南史·齐武帝诸子传》，“董僧慧，丹阳姑苏人，出身寒微，慷慨有节义”。⑲ 宋孝武：刘骏，公元四五三至四六四年在位。传见《宋书》卷六。⑳ 常用之：曾在这里任过刺史。常，通“尝”。宋孝武帝为江州刺史时，值刘劭弑父作乱，宋孝武帝从江州起兵讨灭之，遂即位为帝事，见《宋书》卷六。⑪ 向阙：杀向萧鸾控制的宫阙，即朝廷。⑫ 请郁林之罪：让萧鸾讲讲郁林王因何罪过被所杀。请，问罪、声讨。⑬ 谁能御之：谁能抵抗得了。⑭ 密遣书迎之：迎其母阮氏来江州。⑮ 同母兄：同母异父之兄，因而其姓不同。⑯ 为计：向他讨主意。⑰ 乙亥：九月初四。⑱ 假鸾黄钺：假，授予。主语是朝廷，实即萧鸾自授。黄钺，金色大斧，授予专征的大将，以提高其奉天命讨伐的威严。⑲ 纂严：戒严；进入紧急状态。⑳ 中护军王玄邈：中护军是高级军官名，统领皇帝的直属部队，并主管选拔武官。王玄邈原是刘宋的知名将领，入齐后又连续为萧道成、萧赜所知遇，此时为中护军。传见《南齐书》卷二十七。㉑ 裴叔业：早在刘宋末年即为萧道成的部下，入齐后又为萧鸾的部下，故很早就成为萧鸾的心腹。传见《南齐书》卷五十一。㉒ 寻阳：即今江西九江市，当时为江州的州治所在地。㉓ 声云为郢府司马：假称是路过江州去郢州做郢府司马。郢州的州治夏口，即今湖北武汉市汉阳区。㉔ 湓城：古地名，也作盆城，又称盆口。在今江西九江市西，是湓水汇入长江之处，历来为战略要地。㉕ 溯流直上：意即经过寻阳沿长江逆水西上。㉖ 城局参军：州刺史的僚属，掌修浚城池与防御来敌。㉗ 府州兵力：晋安王府与江州刺史的兵力。㉘ 雍州：南齐州名，州治即今湖北襄阳市襄州区。萧子懋曾任雍州刺史。㉙ 必无过忧：意即萧鸾肯定不会对您怎么样。㉚ 正当作散官：即使当一个没有实权的官员。正当，即使。㉛ 稍沮：人心渐渐瓦解。沮，涣散、瓦解。㉜ 从二百人：带领二百人。从，使之跟从。㉝ 入斋：进入萧子懋的住宿之处。㉞ 以袖鄣面：扬袖遮住自己的脸，以写其心虚愧对之状。鄣，此处同“障”。㉟ 仆实预其谋：我的确是参与了谋划。仆，古人谦称自己。㊱ 主人：当时僚属称其本官曰“主人”。㊲ 不恨：没有遗憾。㊳ 大敛：指为晋安王收尸入殓后。㊴ 退就鼎镬：而后我自己甘心跳油锅。鼎镬，古代烹煮之器。㊵ 玄邈义之：王玄邈很欣赏董僧慧讲义气。㊶ 白鸾：禀告萧鸾。㊷ 东冶：官署名。《通典》卷二十《职官二》:“宋有东冶、南冶，各置令丞，而属少府。齐因之。江南诸郡县有铁者，或置冶令，或置冶丞，多是吴所置。”董僧慧当是配入东冶署为官奴。有谓此或古代之东冶城。㊸ 参其消息：写了自己现时的情况。㊹ 行金得达：花钱求人送到了董僧慧处。㊺ 郎君书也：这是我们小主人的信。古时僚属称其主官之子曰“郎君”。㊻ 非唯孤晋安之眷：不但辜负了晋安王的器重。孤，通“辜”，背弃、辜负。眷，眷顾、关照。㊼ 亦恐田横客笑人：也怕让田横的宾客所耻笑。田横是秦末齐国王室的后代，继其兄田儋、田荣等在齐地称王。刘邦灭项、灭齐称帝后，田横率余众五百余人逃亡海岛。刘邦诏令田横进京，田横途中自杀，五百人得知消息后亦皆自杀。事见《史记·田儋列传》。㊽ 端坐俟命：静静地等着他们来杀。俟命，等候他们的处置。㊾ 谓：以为；当作。[650]不僵：不倒。[651]压其首：压住了杀人者的脑袋。[652]南兖州：州治广陵，即今江苏扬州。[653]安陆王子敬：世祖萧赜的第五子，被封为安陆王，此时任南兖州刺史。传见《南齐书》卷四十。[654]欧阳：古地名，当时运河水路的要冲，在今江苏仪征城东。[655]济阴陈伯之：陈伯之是萧鸾党羽王广之的部下，以此次的袭杀萧子敬有功，被萧鸾封为冠军将军，鱼腹县伯。传见《梁书》卷二十。[656]因：趁着。[657]西上：沿长江自建康西行，此指到荆州、湘州诸地。[658]昭秀：文惠太子的第三子，现时小皇帝萧昭文之弟。传见《南齐书》卷五十。[659]西中郎长史何昌寓：何昌寓是刘宋权臣何尚之之侄，在萧氏篡宋的过程中对刘宋王室颇为同情，入齐后亦颇受赏识，此时为萧昭秀部下的西中郎将长史。传见《南齐书》卷四十三。[660]行州事：代理荆州刺史的事务，因刺史萧昭秀只有十五岁，照例由特派的僚属代行州事。行，代理。[661]以便宜从事：不待上奏，自行处置，此即捕杀临海王萧昭秀。[662]意寄：特别委托。意，特意。[663]翼辅外藩：辅佐居外任职的藩王，这里指萧昭秀。[664]愆失：过失。[665]一介之使：意即就凭你一个人前来一说。一介，一个人。表示轻率、不郑重。[666]何容即以相付：我怎么能就把萧昭秀交给你。[667]必须殿下：一定要让萧昭秀回京。[668]当自启闻：当由我们自己向朝廷请示。[669]昭秀由是得还建康：何昌寓做如此安置，只是免去了自己的干系，似乎对良心略有安慰，而萧昭秀回到建康，还是照样一死。[670]尚之：何尚之，在宋官至中书令。传见《宋书》卷六十六。[671]吴兴太守孔琇之：孔琇之是当时的廉吏。传见《南齐书》卷五十三。此时任吴兴太守，吴兴郡的郡治乌程，在今浙江湖州南。[672]行郢州事：代理郢州刺史的职权。[673]晋熙王銶：太祖萧道成的第十八子，此时为挂名的郢州刺史，年十六岁。传见《南齐书》卷三十五。[674]辞

【原文】

冬，十月丁酉[686]，解严[687]。

以宣城公鸾为太傅[688]、领大将军[689]、扬州牧、都督中外诸军事，加殊礼[690]，进爵为王。

宣城王谋继大统[691]，多引朝廷名士与参筹策[692]。侍中谢朏心不愿，乃求出[693]为吴兴太守[694]。至郡，致酒数斛[695]，遗其弟吏部尚书瀹，为书曰："可力饮此[696]，勿豫人事[697]！"

臣光曰："臣闻'衣人之衣者怀人之忧，食人之食者死人之事[698]'。

不许：拒绝执行他的指令。⑥⑦⑤ 靖：孔靖，东晋末年曾任领军将军。传见《南史》卷二十七。⑥⑦⑥ 仍进向湘州：继续前进至湘州。仍，用法同“乃”，随即。湘州的州治临湘，即今湖南长沙。⑥⑦⑦ 南平王锐：萧锐，太祖萧道成的第十五子，此时任挂名的湘州刺史，年十九岁。传见《南齐书》卷三十五。⑥⑦⑧ 防阁：守卫宫门的武官。⑥⑦⑨ 匡社稷：救助垂危的国家政权。⑥⑧⓪ 乙酉：九月十四。⑥⑧① 晋熙王銶：萧銶，萧道成的第十八子，此时任挂名的郢州刺史，年十六岁。传见《南齐书》卷三十五。⑥⑧② 宜都王铿：萧铿，萧道成的第十六子，此时任挂名的南豫州刺史，年十八岁。传见《南齐书》卷三十五。南豫州的州治姑孰，在今安徽当涂。⑥⑧③ 丁亥：九月十六。⑥⑧④ 庐陵王子卿：萧子卿，世祖萧赜的第三子。传见《南齐书》卷四十。⑥⑧⑤ 桂阳王铄：萧铄，萧道成的第八子。传见《南齐书》卷三十五。

【校记】

［8］己丑：原作“乙丑”。是年二月丙子朔，无乙丑，《魏书·高祖纪》亦作“己丑”，当是，今从改。［9］而独：据章钰校，十二行本、乙十一行本、孔天胤本皆作“何为独”。［10］壬辰：原作“壬戌”。是年七月癸酉朔，无壬戌，《魏书·高祖纪》亦作“壬辰”，当是，今从改。［11］付：据章钰校，十二行本、乙十一行本、孔天胤本皆作“附”。［12］三人：据章钰校，十二行本、乙十一行本皆作“二人”。［13］冥：原作“宜”。胡三省注云：“按《北史》，‘宜’当作‘冥’。”当是，今据以校正。［14］卿罪：据章钰校，十二行本、乙十一行本、孔天胤本皆无“罪”字。［15］世祖：原作“太祖”。胡三省注云：“‘太祖’当作‘世祖’。”今据改。

【语译】

冬季，十月丁酉日，齐国朝廷宣布解除戒严。

齐国朝廷任命宣城公萧鸾为太傅、兼任大将军、扬州牧、都督中外诸军事，享受一切特殊礼遇，晋爵为宣城王。

宣城王萧鸾图谋篡位自己做皇帝，他拉拢朝廷中的很多有名人士一道参与筹划。担任侍中的谢朏不愿意参与此事，就请求离开朝廷去担任吴兴郡的太守。谢朏到达吴兴郡之后，就准备了数斛酒，送给自己在朝中担任吏部尚书的弟弟谢瀹，他写信给谢瀹说：“你只管尽力喝酒，不要参与别人的事情！”

司马光说：“我听说‘穿别人衣服的人就要为给你提供衣服的人分担忧愁，吃别人饭的人就应该为给你提供饭食的人效死力’。谢朏、谢瀹兄弟，他们同时

二谢兄弟，比肩贵近[699]，安享荣禄，危不预知[700]。为臣如此，可谓忠乎[701]？"

宣城王虽专国政，人情犹未服。王胛上有赤志[702]，骠骑谘议参军考城江祏[703]劝王出以示人。王以示晋寿太守[704]王洪范曰："人言此是日月相[705]，卿幸勿泄[706]！"洪范曰："公日月在躯，如何可隐？当转言之[707]！"王母，祏之姑也。

戊戌[708]，杀桂阳王铄、衡阳王钧[709]、江夏王锋[710]、建安王子真[711]、巴陵王子伦[712]。

铄与鄱阳王锵齐名，锵好文章[713]，铄好名理[714]，时人称为"鄱桂"。锵死，铄不自安，至东府见宣城王，还，谓左右曰："向[715]录公见接殷勤[716]，流连不能已[717]，而面有惭色，此必欲杀我。"是夕，遇害。

宣城王每杀诸王，常夜遣兵围其第，斩关逾垣[718]，呼噪而入，家赀[719]皆封籍[720]之。江夏王锋，有才行[721]，宣城王尝与之言："遥光才力可委[722]。"锋曰："遥光之于殿下，犹殿下之于高皇[723]，卫宗庙，安社稷，实有攸寄[724]。"宣城王失色[725]。及杀诸王，锋遗宣城王书[726]，诮责[727]之。宣城王深惮之，不敢于第收锋，使兼祠官于太庙[728]。夜，遣兵庙中收之。锋出登车，兵人[729]欲上车，锋有力，手击数人皆仆地，然后死。

宣城王遣典签柯令孙杀建安王子真，子真走[730]入床下，令孙手牵出之[731]，叩头乞为奴，不许而死。

又遣中书舍人茹法亮[732]杀巴陵王子伦[733]。子伦性英果，时为南兰陵太守[734]，镇琅邪[735]，城有守兵。宣城王恐不肯就死，以问典签华伯茂[736]，伯茂曰："公若以兵取之，恐不可即办[737]。若委伯茂，一夫力耳[738]。"乃手自执鸩[739][16]逼之，子伦正衣冠[740]，出受诏，谓法亮曰："先朝[741]昔灭

都是齐高帝萧道成、齐武帝萧赜王朝时期的贵臣，受到皇帝的宠幸，安享荣华俸禄，当他们的君主遇到危难的时候居然毫不关心、毫不过问。做臣子的这样做，能够说他们是忠臣吗?”

宣城王萧鸾虽然专擅国政，而人心还是不服。宣城王肩膀后边有一颗红痣，担任骠骑谘议参军的考城县人江祏劝说宣城王让别人看到他的红痣。宣城王便让担任晋寿太守的王洪范看自己肩胛后面长的那颗红痣，并说:“人们说这是日月，是大富大贵、做皇帝之相，你可不要向外泄露啊!”王洪范说:“您有日月在身，怎么可以隐瞒？我一定要转告别人!”宣城王的母亲，是江祏的姑母。

戊戌日，宣城王萧鸾诛杀了桂阳王萧铄、衡阳王萧钧、江夏王萧锋、建安王萧子真、巴陵王萧子伦。

桂阳王萧铄与鄱阳王萧锵齐名，萧锵爱好文学和写文章，萧铄喜好钻研逻辑、思辨方面的问题，当时的人并称他们为“鄱桂”。萧锵被萧鸾杀死之后，萧铄感到自己很不安全，就亲自到东府求见宣城王萧鸾，他从萧鸾那里回来之后，对左右的人说:“刚才录尚书事萧鸾对我接待得殷勤备至，很有些恋恋不舍的意思，然而面带惭愧的表情，这一定是准备杀死我。”当天夜里，萧铄就遇害身亡了。

宣城王萧鸾每次杀害诸王的时候，经常是在夜间派遣士兵包围诸王的府第，砸开大门，翻越围墙，大声呼喊着冲入，诸王的家产全部被查封登记，没收入库。江夏王萧锋，有才干和很好的品行，宣城王曾经对萧锋说:“凭借萧遥光的才能，完全可以委他以重任。”萧锋回答说:“萧遥光日后对待殿下，会像殿下对待太祖高皇帝萧道成一样，保卫宗庙，安定社稷，实在是寄托在你们的身上了。”宣城王听了这番话脸色马上变了。等到萧鸾开始诛杀诸王的时候，萧锋写信给宣城王，对萧鸾的残忍无道进行了嘲讽和谴责。宣城王非常忌惮萧锋，所以不敢在萧锋的府第逮捕他，就让萧锋兼任主管太庙祭祀之事的官职。夜间，萧鸾派兵到太庙去抓捕萧锋。萧锋走出太庙，登上车子，手拿武器的士兵想上车抓捕萧锋，萧锋很有力气，他用手打倒了好几个人，但终因寡不敌众，最后还是被杀害了。

宣城王派遣担任典签的柯令孙去杀建安王萧子真，萧子真逃走躲入床下，柯令孙亲手把萧子真从床下拉出来，萧子真给柯令孙磕头，祈求愿做一个奴仆，柯令孙不答应，萧子真被杀而死。

宣城王又派遣担任中书舍人的茹法亮去杀巴陵王萧子伦。萧子伦性情英武果敢，当时正在担任南兰陵太守，镇守琅邪，琅邪城中有守卫的士兵。宣城王担心巴陵王萧子伦不肯俯首就死，就向担任典签的华伯茂询问办法，华伯茂说:“殿下如果派军队前去逮捕他，恐怕不能一下子办好。如果委托我去办理这件事情，一个人的力量就足够了。”于是华伯茂亲手端着毒酒逼迫萧子伦，萧子伦将衣帽穿戴整齐，出来接受诏书，他对茹法亮说:“我的祖父萧道成之前篡夺皇位灭掉了刘氏，今天发生这样

刘氏[742]，今日之事，理数固然[743]。君是身家旧人[744]，今衔此使[745]，当由事不获已，此酒非劝酬之爵[746]。”因仰之[747]而死，时年十六。法亮及左右皆流涕。

初，诸王出镇[748]，皆置典签，主帅[749]一方之事，悉以委之[750]。时入奏事[751]，一岁数返，时主[752]辄与之间语[753]，访以州事[754]，刺史美恶专系其口[755]。自刺史以下莫不折节奉之[756]，恒虑弗及[757]。于是威行州部[758]，大为奸利[759]。武陵王晔[760]为江州[761]，性烈直，不可干[762]，典签赵渥之谓人曰：“今出都易刺史[763]！”及见世祖[764]，盛毁[765]之，晔遂免还[766]。

南海王子罕[767]戍琅邪，欲暂游东堂[768]，典签姜秀不许。子罕还[769]，泣谓母曰：“儿欲移五步亦不得，与囚何异！”邵陵王子贞[770]尝求熊白[771]，厨人答典签不在，不敢与。

永明[772]中，巴东王子响[773]杀刘寅等[774]，世祖闻之，谓群臣曰：“子响遂反[775]！”戴僧静[776]大言[777]曰：“诸王都自应反，岂唯巴东！”上问其故，对曰：“天王[778]无罪，而一时被囚[779]，取一挺藕、一杯浆，皆谘签帅[780]；签帅不在，则竟日[781]忍渴。诸州唯闻有签帅，不闻有刺史。何得不反？”

竟陵王子良尝问众曰：“士大夫何意诣签帅[782]？”参军范云[783]曰：“诣长史[784]以下皆无益，诣签帅立有倍本之价[785]。不诣谓何[786]！”子良有愧色[787]。

及宣城王诛诸王，皆令典签杀之，竟无一人能抗拒者。孔珪[788]闻之，流涕曰：“齐之衡阳、江夏最有意[789]，而复害之。若不立签帅，故当不至于此[790]。”宣城王亦深知典签之弊，乃诏：“自今诸州有急事，当密以奏闻，勿复遣典签入都。”自是典签之任浸轻[791]矣。

的事情，也是理当如此。你是我们萧氏朝廷的旧臣，现在你奉命前来杀我，应当是事不由己，我知道你端的这酒是一杯毒酒，而不是为了友好而向我敬酒。”于是将毒酒一仰而尽，立即身亡。萧子伦当时只有十六岁。茹法亮以及巴陵王身边的侍从人员全都泪流满面，不胜悲伤。

当初，齐国诸王离开京师到地方出任刺史与太守之职的时候，朝廷都给他们配置了典签，身为刺史、太守的萧氏诸王所应管辖的事务，全都交由典签负责掌管。这些典签们经常回到朝廷汇报工作，一年当中多次往返，当时的皇帝总是屏退众人单独召见典签进行个别谈话，向他们询问州里的事情，那些担任刺史的诸王是好是坏，全凭典签的一张嘴。所以从刺史以下无不降低身份去奉承典签，总担心会有哪点奉承得不周到。于是在本州的辖区之内，典签们可以任意作威作福，大肆地为非作歹，谋取私利。武陵王萧晔担任江州刺史，他性情刚烈耿直，不可触犯，在他身边担任典签的赵渥之对人说：“现在我到京师去换个刺史！”等到赵渥之回到京师见到齐世祖萧赜的时候，便对萧晔大加诽谤，武陵王萧晔果然被罢免了江州刺史的职务召回京师。

南海王萧子罕戍守琅邪，他想到东堂去游玩，担任典签的姜秀不允许。萧子罕便从琅邪回到京城，哭着对自己的母亲说：“我想挪动五步都不能，与囚犯有什么区别呢！”邵陵王萧子贞曾经想吃熊脂，厨师回答说典签不在，所以不敢做主给你吃熊脂。

齐武帝萧赜永明年间，巴东王萧子响杀死了刘寅等人，齐世祖萧赜听说以后，对群臣说：“萧子响竟然敢造反！”征虏将军戴僧静大声地说：“诸王都应该起来造反，岂止是巴东王一个！”齐武帝萧赜问他为什么，戴僧静回答说：“诸王并没有犯罪，却一时之间全都被囚禁起来，他们想要拿一节藕、取一杯饮料，都得要向典签请示，求得典签的允许；如果典签不在，他们就得整天忍受饥渴。各州只听说有典签，不知道还有刺史。他们怎能不造反？”

竟陵王萧子良曾经询问众人说：“士大夫为什么有事情都去找典签？”担任参军的范云回答说：“找长史以下的官员没有什么用，只有找典签才能获得超过本钱成倍的价值。怎么会不去找典签！”萧子良听了之后面带愧色。

等到宣城王萧鸾诛杀诸王的时候，都是命令典签去杀，诸王当中竟然没有一个人能够抗拒。孔珪听到这个消息之后，痛哭流涕地说：“齐国的衡阳王萧钧、江夏王萧锋最忠于朝廷，最想翼辅帝室，却又惨遭杀害。如果不设置典签，本来是不会弄成这个样子的。”宣城王萧鸾也深知设置典签的弊端，于是下诏说：“从今以后各州有了紧急事务，应当秘密奏报朝廷，不用再派典签回朝廷汇报。”从此以后典签的权力逐渐削弱。

萧子显[792]论曰："帝王之子，生长富厚，朝出闺闱[793]，暮司方岳[794]，防骄翦逸[795]，积代常典[796]。故辅以上佐[797]，简自帝心[798]；劳旧左右[799]，用为主帅[800]；饮食起[17]居，动应闻启[801]；处地虽重，行己莫由[802]；威不在身，恩未下及[803]。一朝艰难总至[804]，望其释位扶危[805]，何可得矣？斯宋氏[806]之余风，至齐室而尤弊也。"

癸卯[807]，以宁朔将军萧遥欣为豫州刺史，黄门郎萧遥昌[808]为郢州刺史，辅国将军萧诞[809]为司州刺史。遥昌，遥欣之弟；诞，谌之兄也。

甲辰[810]，魏以太尉东阳王丕为太傅、录尚书事，留守平城。

戊申[811]，魏主亲告太庙，使高阳王雍、于烈奉迁神主[812]于洛阳。辛亥[813]，发平城[814]。

海陵王在位，起居饮食，皆谘宣城王而后行。尝思食蒸鱼菜，太官令[815]答无录公命，竟不与。辛亥，皇太后令曰："嗣主冲幼[816]，庶政多昧[817]；且早婴尪疾[818]，弗克负荷[819]。太傅宣城王，胤体宣皇[820]，钟慈太祖[821]，宜入承宝命[822]。帝可降封海陵王，吾当归老别馆[823]。"且以宣城王为太祖第三子[824]。癸亥[825]，高宗即皇帝位，大赦，改元[826]。以太尉王敬则为大司马[827]，司空陈显达[828]为太尉，尚书令王晏加骠骑大将军，左仆射徐孝嗣加中军大将军，中领军萧谌为领军将军[829]。

度支尚书[830]虞悰称疾不陪位[831]。帝以悰旧人，欲引参佐命[832]，使王晏赍废立事示悰[833]。悰曰："主上圣明，公卿戮力[834]，宁假朽老以赞惟

萧子显评论说："帝王的儿子，生长在富贵当中，早晨走出深宫内院，晚上就成了主管一方的封疆大吏，为了防止他们的骄奢淫逸，消除他们的专横不轨，历代都制定了许多管理的办法。所以帝王给他们配备优秀的僚属辅佐他们，这些僚属都是当朝帝王按照自己的心意选拔出来的；他把自己身边的功臣、旧臣、左右亲信，派到这些出任刺史的亲王身边掌握军政大权；亲王的饮食起居，一举一动都要向典签请示汇报；亲王所处的地位虽然很重要，但是要想按照自己的心意办点事那是不可能的；权力不在自己手上，要想给僚属们施些恩惠也办不到。一旦大祸临头，希望他们离开自己的位置去帮助处于危难中的国君，怎么可能呢？这是宋朝遗留下来的风俗，到齐国统治时期，尤其成了弊端。"

十月初二日癸卯，齐国朝廷任命担任宁朔将军的萧遥欣为豫州刺史，任命担任黄门郎的萧遥昌为郢州刺史，任命担任辅国将军的萧诞为司州刺史。萧遥昌，是萧遥欣的弟弟；萧诞，是萧谌的哥哥。

初三日甲辰，魏孝文帝拓跋宏任命担任太尉的东阳王拓跋丕为太傅、录尚书事，留守平城。

初七日戊申，孝文帝拓跋宏亲自到太庙将迁都之事祭告列祖列宗，他让高阳王拓跋雍、镇南将军于烈护送列祖列宗的牌位到洛阳的太庙里安放。初十日辛亥，拓跋宏从平城出发，正式迁都洛阳。

齐国的小皇帝海陵王萧昭文虽然在皇帝的位子上，但一切行动，包括起居饮食，都要先咨询宣城王萧鸾，在获得同意之后才能行动。萧昭文曾经想吃蒸鱼，负责为皇帝掌管膳食的太官令回答说没有录尚书事萧鸾的命令，竟然不给萧昭文吃蒸鱼。十月初十日辛亥，皇太后下令说："小皇帝的年纪还很幼小，对各项政务大多还不太清楚明白；而且从小就病魔缠身、体弱多病，没有能力担当君主的重任。担任太傅的宣城王萧鸾，是宣皇帝萧承之的后代，曾经受到齐太祖萧道成的钟爱，应该进宫继承皇位。现在在位的小皇帝萧昭文可以降为海陵王，我自己也要搬出皇宫到别处居住养老。"还让宣城王萧鸾做太祖萧道成的第三个儿子，排在齐武帝萧赜、豫章王萧嶷之后。二十二日癸亥，高宗萧鸾即皇帝位，大赦天下，改年号为建武元年。高宗皇帝萧鸾任命担任太尉的王敬则为大司马，任命担任司空的陈显达为太尉，给担任尚书令的王晏加授骠骑大将军，给担任左仆射的徐孝嗣加授中军大将军，任命担任中领军的萧谌为领军将军。

齐国担任度支尚书的虞悰称说自己有病，不愿意居官任职。高宗皇帝萧鸾因为虞悰是自己的旧臣，就想吸收他作为辅佐自己称帝的大臣，便让王晏带着要废立小皇帝萧昭文的计划给虞悰看。虞悰说："主上圣明，公卿合力辅佐，哪里还用得着我

新[835]乎？不敢闻命！”因恸哭。朝议欲纠之[836]，徐孝嗣曰：“此亦古之遗直[837]。”乃止。

帝与群臣宴会，诏功臣上酒[838]。王晏等兴席[839]，谢瀹独不起，曰：“陛下受命，应天顺人；王晏妄叨天功以为己力[840]！”帝大笑，解之。座罢，晏呼瀹共载还令省[841]，欲相抚悦[18]，瀹正色曰：“卿[19]巢窟在何处？”晏甚惮之。

丁卯[842]，诏：“藩牧守宰[843]，或有荐献[844]，事非任土[845]，悉加禁断。”

己巳[846]，魏主如信都[847]。庚午[848]，诏曰：“比闻[849]缘边之蛮[850]，多窃掠南土，使父子乖离，室家分绝。朕方荡壹区宇[851]，子育万姓[852]，若苟如此，南人岂知朝德[853]哉？可诏荆、郢、东荆[854]三州，禁勒[855]蛮民，勿有侵暴。”

十一月癸酉[856]，以始安王遥光为扬州刺史。

丁丑[857]，魏主如邺[858]。

庚辰[859]，立皇子宝义[860]为晋安王，宝玄[861]为江夏王，宝源[862]为庐陵王，宝寅[863]为建安王，宝融[864]为随郡王，宝攸[865]为南平王。

甲申[866]，诏曰：“邑宰[867]禄薄，虽任土恒贡[868]，自今悉断。”

乙酉[869]，追尊始安贞王[870]为景皇，妃为懿后[871]。

丙戌[872]，以闻喜公遥欣为荆州刺史，丰城公遥昌为豫州刺史。时上长子晋安王宝义有废疾[873]，诸子皆弱小，故以遥光居中[874]，遥欣镇抚上流[875]。

戊子[876]，立皇子宝卷[877]为太子。

魏主至洛阳，欲澄清流品[878]，以尚书崔亮[879]兼吏部郎[880]。亮，道固[881]之兄孙也。

魏主敕后军将军宇文福[882]行牧地[883]，福表[884]石济[885]以西，河内[886]以东，距河[887]凡十里。魏主自代徙杂畜置其地，使福掌之，畜无耗失，以为司卫监[888]。

这个老朽来帮助你们改立新君呢？我不敢接受这个命令！”于是痛哭不已。朝廷大臣议论要弹劾、惩办他，徐孝嗣说：“这人直道而行，有古贤的遗风。”想要弹劾、惩治虞悰的声浪这才停止。

齐明帝萧鸾与群臣一起宴饮，他下诏令功臣向自己举杯祝贺。尚书令、骠骑大将军王晏等人全都从座席上站起来，只有担任吏部尚书的谢瀹仍旧坐着不动，他说：“陛下接受天命，上应天意，下顺民心；王晏妄图贪天之功据为己有！”齐明帝听了大笑，才算缓和了局面。宴会结束后，王晏招呼谢瀹与自己同乘一辆车子回尚书省，打算对他进行安抚，谢瀹神情严肃地说：“你的老窝在什么地方？”王晏非常畏忌谢瀹。

十月二十六日丁卯，齐明帝下诏说：“在地方上任职的藩王、州刺史、郡太守、县令，有的向朝廷进献物品，如果不是本地区按照规定要交的东西，今后一律禁止进献。”

二十八日己巳，魏国的孝文帝拓跋宏前往信都。二十九日庚午，孝文帝下诏说：“近来连续听说南部边境上的汉族人，有好多人到齐国境内进行偷盗掳掠，致使父子分离，家庭破碎。我正准备统一天下，像抚育自己的儿女一样抚育天下的黎民百姓，如果还允许边境上的汉族人进入南朝进行劫掠的话，南朝人还怎么能知道我们魏国的恩德呢？可以下令给荆州、郢州、东荆州三州的官员，严格禁止、约束那些汉族人，不要让他们再去侵扰南朝的边境。”

十一月初三日癸酉，齐明帝任命始安王萧遥光为扬州刺史。

初七日丁丑，魏孝文帝前往邺城。

初十日庚辰，齐明帝封皇子萧宝义为晋安王，封萧宝玄为江夏王，封萧宝源为庐陵王，封萧宝寅为建安王，封萧宝融为随郡王，封萧宝攸为南平王。

十四日甲申，齐明帝下诏说：“县令的俸禄十分微薄，虽然是所在地区的常规贡品，从今以后也一律不用再向朝廷进贡了。”

十五日乙酉，齐明帝追尊自己的父亲始安贞王萧道生为景皇帝，追尊自己的母亲江氏为懿后。

十六日丙戌，齐明帝任命闻喜公萧遥欣为荆州刺史，任命丰城公萧遥昌为豫州刺史。当时齐明帝的长子晋安王萧宝义患有瘫痪症，其他几个儿子都还年纪弱小，所以才让始安王萧遥光为扬州刺史，在朝廷内部掌权，控制首都建康的局势，让闻喜公萧遥欣为荆州刺史，控制长江上游地区。

十八日戊子，齐明帝立皇子萧宝卷为皇太子。

魏孝文帝到达洛阳，他想摸清楚各姓氏家族的门第高低，于是任命担任尚书的崔亮兼任吏部郎。崔亮，是崔道固哥哥的孙子。

魏孝文帝命令担任后军将军的宇文福勘察、建立新的牧场，宇文福从石济津以西，河内郡以东，距离黄河大约十里的地方划出一块土地作为新牧场。孝文帝从代地迁来各种牲畜放养在这片新牧场上，让后军将军宇文福负责管理，宇文福管理得很好，放养的这些牲畜没有一点损耗，于是任命宇文福为司卫监。

初，世祖[889]平统万[890]及秦、凉[891]，以河西[892]水草丰美，用为牧地，畜甚蕃息[893]。马至二百余万匹，橐驼[894]半之，牛羊无数。及高祖[895]置牧场于河阳[896]，常畜戎马[897]十万匹，每岁自河西徙牧并州[898]，稍复南徙[899]，欲其渐习水土，不至死伤，而河西之牧愈更蕃滋[900]。及正光[901]以后，皆为寇盗所掠，无孑遗[902]矣。

永明中[903]，御史中丞[904]沈渊表[905]，百官年七十，皆令致仕[906]，并穷困私门[907]。庚子[908]，诏依旧铨叙[909]。上辅政所诛诸王[910]，皆复属籍[911]，封其子为侯。

上诈称海陵恭王有疾，数遣御师[912]瞻视，因而殒[913]之，葬礼并依汉东海恭王[914]故事。

魏郢州刺史韦珍[915]，在州有声绩[916]，魏主赐以骏马、谷帛。珍集境内孤贫者，悉散与之，谓之曰："天子以我能绥抚[917]卿等，故赐以谷帛，吾何敢独有之！"

魏主以上废海陵王自立，谋大举入寇。会边将言，雍州刺史下邳曹虎[918]遣使请降于魏，十二月[20]辛丑朔[919]，魏遣行征南将军薛真度[920]督四将向襄阳[921]；大将军刘昶、平南将军王肃[922]向义阳[923]；徐州刺史拓跋衍[924]向钟离[925]；平南将军广平刘藻[926]向南郑[927]。真度，安都从祖弟[928]也。以尚书卢渊[21]为安南将军，督襄阳前锋诸军，渊辞以不习军旅，不许。渊曰："但恐曹虎为周鲂[929]耳。"

魏主欲变易旧风[930]，壬寅[931]，诏禁士民胡服。国人[932]多不悦。

通直散骑常侍刘芳[933]，缵[934]之族弟也，与给事黄门侍郎太原郭祚[935]，皆以文学[936]为帝所亲礼，多引与讲论[937]及密议政事，大臣贵戚皆以为疏己，怏怏有不平之色。帝使给事黄门侍郎陆凯[938]私谕之曰："至

当初，魏国的世祖拓跋焘平定统万以及秦州、凉州的时候，因为河西地区的水草丰美，所以就把这里作为了牧场，牲畜大量繁殖，生长得很好。马匹多至二百多万匹，骆驼一百多万头，牛羊多得无法统计。等到孝文帝拓跋宏在河阳开辟新牧场之后，经常畜养十万匹军马，每年都把河西地区培养的军马迁徙到并州地区进行放牧，然后再让这些军马逐步地向南移动，以使其逐渐适应中原地区的水土气候，不至于因为水土不服而死伤，而河西地区牧场上的牲畜则越发繁衍得更多更好。等到魏孝明帝拓跋诩执政的正光年间之后，牧场上的牲畜全都被寇盗所抢掠，一匹牲畜也没有剩下。

齐国在齐武帝萧赜在位的永明年间，担任御史中丞的沈渊曾经给齐武帝上表提议，文武百官年满七十岁，一律让他们退休，于是，这些七十岁以上的官员全都回到家中过穷苦的日子去了。十一月三十日庚子，齐明帝萧鸾下诏，对于那些退休在家的官员，可以照常选拔任用。齐明帝在辅政期间所诛杀的各位亲王，现在都恢复他们在皇族谱系中原有的资格地位，并封他们的儿子为侯爵。

齐明帝诈称海陵王萧昭文身患疾病，多次派遣御用的医生前去给海陵王萧昭文看病，这些御医遂害死了萧昭文，齐明帝依照汉明帝刘庄以天子的礼仪埋葬东海恭王刘强的故例为海陵王办理了丧事。

魏国担任郢州刺史的韦珍，在郢州有很好的声名和实绩，魏孝文帝拓跋宏为了褒奖他，赏赐给他骏马、粮食和布帛。韦珍把郢州境内孤独贫困的百姓召集起来，把皇帝赏赐给自己的这些东西全部散发给他们，并对他们说："皇帝认为我能安抚你们、管理你们，所以赏赐给我这些粮食和布帛，我怎么敢独自占有呢！"

魏国的孝文帝拓跋宏以齐明帝萧鸾废掉海陵王萧昭文自立为皇帝为借口，谋划对齐国发动大规模的进攻。碰巧此时守卫边防的将领报告说，齐国担任雍州刺史的下邳人曹虎派遣使者来向魏国请求投降，十二月初一日辛丑，孝文帝便派遣代理征南将军的薛真度统领四位将领进攻齐国的襄阳；派担任大将军的刘昶、担任平南将军的王肃率军进攻齐国的义阳郡；派担任徐州刺史的拓跋衍率军进攻齐国的钟离；派担任平南将军的广平郡人刘藻率军进攻齐国的南郑。薛真度，是薛安都的堂弟。孝文帝任命担任尚书的卢渊为安南将军，统领襄阳前锋各路人马，卢渊以自己不懂军事为由进行推辞，孝文帝没有答应。卢渊说："我只怕曹虎像三国时期的吴国鄱阳守将周鲂那样搞的是假投降。"

魏国孝文帝想要改变旧有的风俗，十二月初二日壬寅，下诏禁止读书人和百姓穿胡服。与孝文帝同起于北方并随之南迁的那些人大多都不愿意。

魏国担任通直散骑常侍的刘芳，是齐国刘缵的同族兄弟，他与担任给事黄门侍郎的太原郡人郭祚，都因为擅写文章、钻研学术而受到孝文帝拓跋宏的亲近和礼遇，孝文帝多次召见他们，与他们共同讨论文章、学术，秘密商议政事，大臣贵戚都认为孝文帝疏远了自己，因而怏怏不乐，面露不平之色。孝文帝让担任给事黄门侍郎

尊但欲广知古事，询访前世法式⑲耳，终不亲彼而相疏也。”众意乃稍解⑳。凯，馥之子也。

魏主欲自将入寇。癸卯㉑，中外戒严。戊申㉒，诏代民迁洛者复㉓租赋三年。相州刺史高闾㉔上表称：“洛阳草创，曹虎既不遣质任㉕，必无[22]诚心，无宜轻举。”魏主不从。

久之，虎使竟㉖不再来，魏主引公卿问行留之计，公卿或以为宜止，或以为宜行。帝曰：“众人纷纭，莫知所从。必欲尽行留之势㉗，宜有客主㉘，共相起发㉙。任城、镇南㉚为留议㉛，朕为行论㉜，诸公坐听得失，长者从之㉝。”众皆曰：“诺。”镇南[23]将军李冲曰：“臣等正以迁都草创㉞，人思少安㉟；为内应者㊱未得审谛㊲，不宜轻动。”帝曰：“彼降款虚实㊳，诚未可知。若其虚也，朕巡抚淮甸㊴，访民疾苦，使彼知君德之所在㊵，有北向之心㊶；若其实也，今不以时应接㊷，则失乘时之机，孤归义之诚㊸，败朕大略矣。”任城王澄曰：“虎无质任，又使不再来㊹，其诈可知也。今代都新迁之民，皆有恋本㊺之心。扶老携幼，始就洛邑，居无一椽之室㊻，食无甔石之储㊼。又冬月垂尽㊽，东作将起㊾，乃‘百堵皆兴㊿’‘俶载南亩(971)’之时。而驱之使擐甲执兵(972)，泣当白刃(973)，殆非歌舞之师(974)也。且诸军已进，非无应接。若降款有实，待既平樊沔(975)，然后銮舆顺动(976)，亦何晚之有！今率然(977)轻举，上下疲劳，若空行空返，恐挫损天威(978)，更成贼气(979)，非策之得者也。”司空穆亮(980)以为宜行，公卿皆同之。澄谓亮曰：“公辈在外之时，见张旗授甲，皆有忧色，平居(981)论议，不愿南征，何得对上(982)即为此语？面

的陆凯私下里向他们解释说："皇帝只是想更多地了解一些古代的事情，向刘芳、郭祚询问一些前朝的规矩、法度而已，肯定不会亲近他们而疏远你们。"众人心里的不平之气才渐渐平息下来。陆凯，是陆馛的儿子。

魏孝文帝准备亲自统率大军讨伐齐国。十二月初三日癸卯，魏国宣布朝廷内外进入紧急军事状态。初八日戊申，孝文帝下诏，给从代地迁到洛阳的居民免除三年赋税。担任相州刺史的高闾上表给孝文帝说："洛阳新都刚刚建立起来，曹虎既然说要投降，却不派人质到洛阳来，必定不是真心投降，我们不应该听信他的话而轻举妄动。"孝文帝没有听从高闾的劝告。

过了很久，曹虎竟然始终没有再派使者到魏国来，孝文帝召集公卿大臣，向他们询问是继续采取行动出兵攻打齐国，还是停止发动这场战争，有的大臣认为应当停止发动战争，有的大臣认为军队已经发动，就应该继续前进。孝文帝说："众说纷纭，我不知道到底应该听谁的。一定要把或行或留的道理分析透彻，要让坚持不同意见的双方，互相辩论、互相启发。任城王拓跋澄、镇南将军李冲代表取消这次行动的一方，我代表主张采取行动的一方，诸位坐在一旁静听我们辩论去留的得失，哪一方的意见好就按照哪一方的意见办。"众臣齐声回答："遵命。"镇南将军李冲说："我们因为刚刚迁都不久，诸事尚未就绪，人们都想稍稍安顿一下；目前还没有摸清为我们做内应的曹虎的真实情况，所以不应该轻易采取行动。"孝文帝说："曹虎投降是真是假，确实还不清楚。如果他的投降是假的，我到淮河流域巡视一回，了解一些民间疾苦，让齐国的百姓好好地看一看真正有德的帝王究竟在哪里，使他们产生一种向往北方的心理；假如曹虎的投降是真的，如果我们不按时前去接应他，我们就失去了这次乘机进攻齐国的大好机会，辜负了曹虎归顺我们的一片诚意，而使我的战略方针受挫。"任城王拓跋澄说："曹虎既没有派人质前来，又没有再派使者继续联络，他的假投降是可想而知的。如今从代都新迁到洛阳的人，都有留恋旧都平城之心。他们扶老携幼，经过千辛万苦，刚刚到达洛阳，连一间可以居住的房子也没有，可吃的粮食也没有储存几石几斗。而且冬季就要过去，春耕生产即将开始，正是'千百间房子等待兴建''各家各户到农田里参加生产'的时候。在这种时候驱赶着他们，让他们穿上铠甲，手执兵器，流着眼泪冲向敌人，这恐怕不是前歌后舞的仁义之师。而且各路军队已经出动，对曹虎来说并不是没有接应。如果曹虎真心想要归顺我们，那就等待他们攻占了樊城与汉水流域一带地区，然后皇帝的车驾再顺时南下，怎么能算为时已晚呢！如果我们贸然采取行动，上上下下都感到很疲劳，如果再徒劳往返，恐怕有损于皇上的声望，反而增加了贼人的气焰，这不是正确的决策。"担任司空的穆亮认为应当采取行动，公卿大臣都同意穆亮的意见。拓跋澄对穆亮说："你们这些人在地方任职的时候，看见军营竖起旗帜，向士兵发放铠甲，就都面带忧愁之色，平时在下面议论的时候，也表示不愿意南征，为什么当着皇帝陛下的面就说出这种赞成南征的话来？你们当面一套背后一套，恐怕有欺诈、谄媚

背不同，事涉欺佞，岂大臣之义[983]，国士之体[984]乎！万一倾危，皆公辈所为也。”冲曰：“任城王可谓忠于社稷。”帝曰：“任城以从朕者为佞，不从朕者岂必皆忠？夫小忠者大忠之贼[985]，无乃似诸[986]？”澄曰：“臣愚暗[987]，虽涉小忠，要[988]是竭诚谋国，不知大忠者竟何所据？”帝不从。

辛亥[989]，发洛阳，以北海王详[990]为尚书仆射，统留台事[991]；李冲兼仆射，同守洛阳。给事黄门侍郎崔休[992]为左丞[993]，赵郡王幹[994]都督中外诸军事，始平王勰[995]将宗子军[996]宿卫左右。休，逞[997]之玄孙也。戊辰[998]，魏主至悬瓠[999]。己巳[1000]，诏寿阳、钟离、马头之师[1001]所掠[24]男女皆放还南。曹虎果不降。

魏主命卢渊攻南阳[1002]，渊以军中乏粮，请先攻赭阳[1003]以取叶仓[1004]，魏主许之。乃与征南大将军城阳王鸾[1005]、安南将军李佐[1006]、荆州刺史韦珍共攻赭阳。鸾，长寿之子；佐，宝之子也。北襄城太守成公期[1007]闭城拒守。薛真度军于沙堨[1008]，南阳太守房伯玉、新野太守刘思忌拒之。

先是，魏主遣中书监高闾[1009]治古乐[1010]，会闾出为相州刺史，是岁，表荐著作郎[1011]韩显宗、太乐[25]祭酒[1012]公孙崇参知钟律[1013]，帝从之。

【段旨】

以上为第三段，写齐明帝萧鸾建武元年（公元四九四年）十月至十二月三个月里的大事。主要写了萧鸾晋爵为王后，大肆诛杀高、武诸王，杀了萧道成的儿子萧铄、萧钧、萧锋；杀了萧赜的儿子萧子真、萧子伦；最后又杀了小皇帝萧昭文，自己即位称帝。写了萧鸾给高、武老臣王敬则、陈显达等加官晋爵；任命自己的近属萧遥欣为荆州刺史，以居上流，萧遥昌为扬州刺史，以控制朝廷；立自己的次子萧宝卷为太子。写了朝廷的显贵谢朏既不愿趋附新贵，又不愿强直取祸，于是万事不问，只求出为地方官，离开朝廷，同时又致酒数斛于其弟吏部尚书谢瀹，让他日饮醇醪，“勿豫人事”；而略略表现出一些义形于色的只有度支

之嫌，这难道是作为一个大臣所应有的态度，作为一个知名人士所应表现的行为准则吗！万一南征失败给国家带来危险，那就是你们这些人造成的。”李冲说：“任城王可以说是忠于国家。”孝文帝说：“任城王认为顺从我意见的人是奸佞，不顺从我意见的难道就一定都是忠臣吗？小忠是对大忠的一种严重危害，岂不就是这种样子吗？”拓跋澄赶紧解释说：“我笨拙愚昧，虽然只是一种小忠，关键是想竭尽忠诚谋虑国事，却不知道大忠的根据究竟是什么？”孝文帝没有采纳任城王拓跋澄的意见。

十二月十一日辛亥，孝文帝拓跋宏统领大军从洛阳出发，他任命北海王拓跋详为尚书仆射，统管洛阳留守朝廷的一切事务；任命镇南将军李冲兼任仆射，与拓跋详共同留守洛阳。任命担任给事黄门侍郎的崔休为左丞，令赵郡王拓跋幹都督中外诸军事，令始平王拓跋勰统领皇族子弟组成的军队护卫在皇帝身边。崔休，是崔逞的玄孙。二十八日戊辰，孝文帝到达悬瓠。二十九日己巳，下诏令进攻寿阳、钟离、马头的魏国军队将所掳掠的齐国男女全部释放，令他们返回南方的齐国。齐国雍州刺史曹虎果然不向魏国投降。

魏孝文帝命令安南将军卢渊率军进攻齐国的南阳，卢渊因为军中缺乏粮食，便请求先进攻赭阳城以便夺取叶县粮仓的粮食，孝文帝批准了卢渊的请求。于是卢渊就与征南大将军城阳王拓跋鸾、安南将军李佐、荆州刺史韦珍共同指挥军队攻打赭阳城。拓跋鸾，是拓跋长寿的儿子；李佐，是李宝的儿子。齐国担任北襄城太守的成公期关闭城门率领齐国的守军进行防守。魏国代理征南将军薛真度率领魏军驻扎在沙堨，齐国担任南阳太守的房伯玉、担任新野太守的刘思忌率军进行抵抗。

先前，魏孝文帝派遣担任中书监的高闾研究整理古代帝王祭祀与朝会时演奏的雅乐，恰逢高闾出京去担任相州刺史，这一年，高闾上表给孝文帝，推荐担任著作郎的韩显宗、担任太乐祭酒的公孙崇参与主持乐器的制造与调试，以及相关的作曲与演奏等事务，孝文帝采纳了高闾的意见。

尚书虞悰称疾不陪位，不愿居于赞助维新之列；谢瀹则不听其兄之劝，不肯向萧鸾祝贺，并斥责卖主求荣的王晏等人。写了魏主率众离开平城，正式迁都洛阳；魏主乘萧鸾弑君篡位，又有雍州刺史曹虎声言降魏之机，于是数道大举攻齐；魏主欲统兵亲征，陆凯强力劝止，魏主令群臣辩论，李冲、拓跋澄等亦皆坚持反对亲征，魏主不从。写了魏军与齐军相持于赭阳、南阳一带的情景。此外还写了魏国原在宁夏、甘肃之河西地区养马，现又在河南之河阳地区驯养军马，使军马逐步南移，逐渐习惯中原地区的水土气候，以见孝文帝拓跋宏时代魏国的国势之强盛。写了宋、齐时代所特有的典签权势之恶性膨胀，高武诸王萧晔、萧子罕等深受其害的惨相，戴僧静、孔稚珪、萧子显皆痛斥之。

【注释】

㊅㊇十月丁酉：本月朔壬寅，无丁酉日，记事疑有误。⑥87解严：解除戒严。胡三省曰：“寻阳已定，诸藩王已死，故解严。”⑥88太傅：古代的三公之一，此时为加官名，以表示其地位的崇高。⑥89领大将军：兼任大将军之职。领，兼任。大将军，全国最高的武官，实权在丞相之上。萧鸾此时已把持一切国家大权。⑥90加殊礼：享受一切特殊礼遇。《南齐书·明帝纪》有所谓“增班剑为四十人，给幢三望车，前后部羽葆鼓吹，剑履上殿，入朝不趋，赞拜不名”等。⑥91谋继大统：意即图谋篡位做皇帝。大统，帝位。⑥92与参筹策：一道参与筹划。与参，参与。⑥93求出：请求离开朝廷，到地方上任职。⑥94吴兴太守：吴兴郡的郡治即今浙江湖州。⑥95数斛：若干石。斛是古代的容量单位，一斛等于一石。⑥96可力饮此：你就只管尽力地喝酒。力，努力、尽力。⑥97勿豫人事：不要管别人的事情。豫，参与、过问。人事，别人的事情。⑥98衣人之衣者怀人之忧二句：出自《史记·淮阴侯列传》，意思是既为人臣就得忠于其主，为自己的主子而效力。死人之事，为供养你的人而效死力。⑥99比肩贵近：彼此都是萧道成、萧赜王朝的贵臣。比肩，并肩而立。贵近，既显贵又受宠。⑦00危不预知：当其君主遇到危难时居然毫不过问。预知，关心、过问。⑦01可谓忠乎：能够算是忠臣吗。〖按〗司马光批判谢氏二子，谢氏二子自然是无言可对。但类似谢朏这号人，自东晋以来“滔沮者，天下尽是也”，二十年前的褚渊、王俭是为新主子大打出手，对旧主子极力落井下石者；谢氏则是袖手旁观，丝毫无动于衷者，五十步与百步之差而已。胡三省曰：“世多有如此而得名者！”胡氏看惯了赵宋末年的世态炎凉，故愤然慨叹如此。⑦02胛上有赤志：肩膀后头有一颗红痣。胛，肩背之间的部位。志，通“痣”。⑦03考城江祏：考城县人姓江名祏。其姑是萧鸾之母，江祏是萧鸾的姑表兄弟，当时任骠骑将军萧鸾部下的参谋人员。传见《南齐书》卷四十二。考城县在今河南民权东北。⑦04晋寿太守：晋寿郡的郡治在今四川剑阁东南方。⑦05日月相：大富大贵，也就是做皇帝的长相。⑦06卿幸勿泄：希望你不要对别人讲。幸，希望，谦辞。⑦07当转言之：我一定要转告他们。⑦08戊戌：本月朔壬寅，无戊戌日。⑦09衡阳王钧：太祖萧道成的第八子，过继给萧道成之兄。传见《南齐书》卷三十五。⑦10江夏王锋：太祖萧道成的第十二子。传见《南齐书》卷三十五。⑦11子真：萧子真，世祖萧赜的第九子。传见《南齐书》卷四十。⑦12子伦：萧子伦，世祖萧赜的第十三子。传见《南齐书》卷四十。⑦13好文章：爱好文学与文章写作，指诗、赋、文史等。⑦14好名理：爱好逻辑、思辨方面的问题，指形名之学与魏晋以来清谈等。魏晋清谈的内容大多为老庄、佛经、《周易》等。⑦15向：刚才。⑦16录公见接殷勤：萧鸾对我接待得很热情。录公，敬称萧鸾，时萧鸾任录尚书事。见接，接待我。见，被、承蒙。⑦17流连不能已：有些恋恋不舍的意思。流连，感情依依的样子。不能已，不能自止。⑦18斩关逾垣：砸开大门，翻墙而入。⑦19家赀：家产；财产。⑦20封籍：查封登记，指全部没收入库。⑦21有才行：有才干、有很好的

品行。㉒可委：意即可委以重任。㉓遥光之于殿下二句：萧遥光日后对待你，会和你对待高祖萧道成的样子一模一样。高皇，指太祖高皇帝萧道成。胡三省曰："东昏侯之世，遥光卒如锋言。"㉔实有攸寄：实在是寄托在你们的身上。攸，所。㉕失色：脸变色。因为萧锋的话既戳在了萧鸾的心头，又像是一盆冷水浇在头上。㉖遗宣城王书：写信给萧鸾。遗，致书给……。㉗诮责：嘲讽、谴责。㉘兼祠官于太庙：兼任主管祭祀事的官员，在太庙里任职。太庙，皇帝的祖庙。㉙兵人：手拿武器的人。㉚走：逃跑。㉛手牵出之：亲手把他从床下拉出来。㉜茹法亮：刘宋时期为小吏，入齐后，深受萧赜之赏识；萧鸾把持政权后，任之为中书舍人。传见《南齐书》卷五十六。㉝巴陵王子伦：世祖萧赜的第十三子。传见《南齐书》卷四十。㉞南兰陵太守：南兰陵郡是当时的侨置郡名，郡治在今江苏常州市武进区西北。㉟镇琅邪：驻兵在琅邪，实即将南兰陵与琅邪二郡合并为一，郡治白下，在今江苏南京城北，北临长江。㊱典签华伯茂：萧鸾手下的典签华伯茂，萧鸾的亲信党羽。㊲不可即办：不能一下子办好。㊳一夫力耳：一个人就足够了。㊴执鸩：端着毒酒。㊵正衣冠：将衣帽穿戴整齐。㊶先朝：指自己的祖辈萧道成。㊷昔灭刘氏：杀宋明帝刘彧的儿子刘昱与刘準，以篡取其皇帝位的情景，见本书卷一百三十五。㊸理数固然：是理当如此的。古人迷信因果报应，当年萧道成残酷地杀光了刘裕的后代，今日萧鸾又来杀萧道成的子孙，是一报还一报。㊹身家旧人：是我们萧氏朝廷的旧臣。身，我，古人用以自指。㊺衔此使：你奉命来干这种差事。衔，奉、接受。㊻非劝酬之爵：意即我知道你端的是一杯毒酒，不是来友好相敬的。劝酬，宴会上的敬酒与回敬。㊼仰之：将毒酒一仰而尽。㊽出镇：指出任刺史、太守之职。因当时的刺史与太守都有大小不等的兵权，故曰"出镇"。㊾主帅：指身任刺史与太守的萧氏诸王。㊿悉以委之：全部交由典签掌管。(751)时入奏事：这些典签们经常到朝廷汇报工作。(752)时主：当时的皇帝。(753)辄与之间语：经常找这些典签们个别谈话。间语，屏人而语，意即个别交谈。(754)访以州事：向他们问询州里的事情。(755)刺史美恶专系其口：其主官的任职好坏，全凭这些典签一面之词。(756)折节奉之：降低身份地供着他们。折节，屈尊、放下架子。(757)恒虑弗及：总担心有什么纰漏。(758)威行州部：指本州的辖区之内威福由己。(759)大为奸利：大肆地为非作歹。(760)武陵王晔：萧晔，萧道成的第五子。传见《南齐书》卷三十五。(761)为江州：任江州刺史。江州的州治寻阳，即今江西九江。(762)不可干：不可触犯。(763)出都易刺史：我到京城去换个刺史。出都，离开江州到都城。易，更换。(764)世祖：齐武帝萧赜，武陵王萧晔之兄。(765)盛毁：大加诽谤。(766)免还：被罢免调回京城。(767)南海王子罕：齐武帝萧赜的第十一子。传见《南齐书》卷四十。南海王的封地南海郡，郡治即今广东广州。(768)暂游东堂：到东堂去游玩。东堂，堂名，在皇宫的东部。(769)子罕还：萧子罕自琅邪回到京城。(770)子贞：萧子贞，齐武帝萧赜的第十四子。传见《南齐书》卷四十。(771)求熊白：想吃熊脂。胡三省引陆佃《埤雅》曰："熊当心有白脂如玉，味甚美，俗呼熊白。"(772)永明：齐武帝萧赜的年号（公元四八三至四九三年）。(773)巴东王子响：齐武帝萧赜的第四子。传见《南齐书》卷四十。巴东王的封地巴东郡，郡治即今之重庆市奉节。⑭杀刘寅等：萧子响因在荆州刺史任上私造武器，被典签刘寅等向朝廷密报，萧子响遂杀刘寅事，见本书卷一百三十八。⑮遂反：竟然敢造反。遂，竟、竟然。⑯戴僧静：宋齐时代的名将，初为萧道成的部下，佐萧道成建齐大有战功。后在武帝萧赜时期任刺史、太守等职，为征虏将军。传见《南齐书》卷三十。⑰大言：高声地当众说。⑱天王：即皇帝的儿子被封为王者。⑲一时被囚：都突然成了囚犯。一时，一下子、突然。⑳皆谘签帅：都得向典签请示。签帅，因典签操纵刺史的一切大权，故人们畏惧地称之为“签帅”。㉑竟日：整天。㉒何意诣签帅：为什么有事都去找典签。诣，往求、巴结。㉓范云：当时著名的诗人，曾在萧子良部下任参军。传见《南史》卷五十七。㉔长史：丞相、将军以及刺史属下的诸史之长，历来是掌实权的人物，宋、齐时期受压抑于典签是当时特有的现象。㉕倍本之价：成倍超过本钱的价值。㉖不诣谓何：为什么不去找他。谓，此处用法同“为”。㉗有愧色：萧子良当时为无与伦比的权贵，在自己的执政时期竟有这等怪现象而自己无法纠正，故有愧色。㉘孔珪：即文学史所讲的孔稚珪，作有《北山移文》。传见《南史》卷四十九。㉙最有意：最忠于朝廷；最想翼辅帝室。㉚故当不至于此：本来就不会弄成这个样子。故，通“固”，本来。㉛浸轻：权力渐小。㉜萧子显：萧道成之孙，豫章王萧嶷的第八子，入梁后曾为国子祭酒，是《南齐书》的作者。传见《梁书》卷三十五。㉝闺阃：指深宫内院。闺，小门。阃，门槛。㉞司方岳：主管一方的封疆大吏。方岳，本指一方的诸侯霸主，晋、南朝宋时代即指州刺史。㉟防骄翦逸：为了防止他们的骄奢淫逸，消除他们的专横不轨。翦，去除。㊱积代常典：历代都制定了许多管理办法。常典，常用的规章。㊲辅以上佐：配备上优秀的僚属。佐，属官。㊳简自帝心：都是当朝帝王按着自己的心意选拔出来的。㊴劳旧左右：把他身边的亲信故旧。㊵用为主帅：派到这些出任刺史的亲王身边掌握军政大权。宋、齐以来的皇帝之子，历来都封为郡王，出任刺史，并都督一州或数州军事。这些受封的子弟，小者五六岁，大者七八岁不等，不可能主持军政大事，此其一；另外就是当朝的皇帝心怀疑忌，总怕兄弟叔侄中有人造反，夺他的政权，于是派出自己的亲信，去监督、控制这些地方上的当权派。所谓典签的级别，原本很低，但他们都是皇帝派来的特殊人物，因而长史、治中等大吏都无法与之相比，弊病与唐代的监军大致相同。㊶动应闻启：一举一动都要向典签请示报告。㊷行己莫由：要想按着自己的心意办点事那是不可能的。㊸恩未下及：要想给僚属们施些恩惠也办不到。“恩”字与上句“威”字相对而言。㊹艰难总至：大祸临头，指皇帝被废、被杀时。㊺释位扶危：离开自己的位置去帮助处于危难中的国君。《左传》昭公二十六年有所谓“诸侯释位，以间王室”。杜预注：“间，犹与也。去其位与治王之政事。”㊻宋氏：指刘宋王朝。自刘裕建国后，开始普遍地任命自己的儿子出任州刺史，有的年仅数岁，于是当朝皇帝给出任刺史的诸王置典签，随时向朝廷报告情况。㊼癸卯：十月初二。㊽黄门郎萧遥昌：黄门郎是皇帝的侍从官员，掌文书，备顾问，正好帮着萧鸾监视小皇帝。萧遥昌是萧遥欣之弟，萧鸾之侄。传见《南齐书》卷四十五。⑻⑼萧诞：萧谌之弟，萧鸾的堂侄，此时任司州刺史。传见《南齐书》卷四十二。司州的州治平阳，即今河南信阳。⑻⑽甲辰：十月初三。⑻⑾戊申：十月初七。⑻⑿神主：历代祖先的牌位。⑻⒀辛亥：十月初十。⑻⒁发平城：自平城出发，正式迁都洛阳。⑻⒂太官令：官名，给皇帝掌管膳食。⑻⒃冲幼：幼小。⑻⒄庶政多昧：对各项政务多不明白。⑻⒅早婴尪疾：从小就瘦弱多病。婴，被……所缠身。尪疾，瘦弱多病。⑻⒆弗克负荷：没有能力担当君主的重任。负荷，负担、承受。⑻⒇胤体宣皇：意即宣皇帝的后代。胤，后代。体，承续。宣皇，萧承之，齐太祖萧道成之父，萧鸾的祖父。⑻㉑钟慈太祖：曾受到太祖萧道成的钟爱。⑻㉒入承宝命：进宫继承皇位。宝命，上天的任命。⑻㉓归老别馆：搬出皇宫到别处居住。⑻㉔以宣城王为太祖第三子：让萧鸾做太祖萧道成的第三个儿子，排在齐武帝萧赜、豫章王萧嶷的后面。⑻㉕癸亥：十月二十二日。⑻㉖改元：改年号曰建武元年。⑻㉗大司马：加官名，只提高名位，而不代表任何实权。⑻㉘陈显达：陈显达与王敬则都是萧道成的亲信，为拥戴萧道成的篡取刘氏皇位效尽犬马之劳。⑻㉙领军将军：与中领军的职务相同，皆为禁军统领，唯只有资历深厚者始能任领军将军。⑻㉚度支尚书：官名，掌管全国的财赋与收支。⑻㉛不陪位：不愿任职居位。⑻㉜引参佐命：吸收他作为辅佐自己称帝的大臣。佐命，意即佐助称帝。⑻㉝赍废立事示悰：带着要废掉萧昭文的计划给虞悰看。⑻㉞戮力：合力；努力。⑻㉟宁假朽老以赞惟新：哪里用得着我一个老头子来给你们帮忙呢。赞，帮助。惟新，改立新君。《诗经·文王》有所谓："周虽旧邦，其命维新。"后世习惯称改朝换代曰"维新"。⑻㊱欲纠之：想要弹劾他、惩办他。⑻㊲古之遗直：直道而行，有古贤遗风。孔子曾称赞晋国的叔向是"古之遗直"，见《左传》昭公十四年。⑻㊳上酒：向萧鸾举杯祝贺。⑻㊴兴席：从座席上立起。⑻㊵妄叨天功以为己力：胆敢把老天爷的功劳据为己有。叨，贪、占。⑻㊶共载还令省：同乘一辆车子回尚书省。胡三省曰："令省，谓尚书令所舍也。"⑻㊷丁卯：十月二十六。⑻㊸藩牧守宰：指藩王、刺史、太守、县令，即各级的地方长官。⑻㊹荐献：向朝廷进贡的物品。⑻㊺事非任土：如果不是本地区按规定要交的东西。《周礼·地官》有所谓"掌任土之法"。注："任土者，任其力势所能生育，且以制贡赋也。"意即按某地所生产的物品，来规定它进贡赋的品种和数量。⑻㊻己巳：十月二十八。⑻㊼信都：当时冀州的州治所在地，即今河北衡水市冀州区。⑻㊽庚午：十月二十九。⑻㊾比闻：近来连续听说。⑻㊿缘边之蛮：南部边境上的汉族人，指从南朝逃到魏国，居住在魏国南部边境一带的人。其实这种人应该以刘昶等人为代表，可惜魏主不是指他们，而且还想依靠他们进攻南朝。⑻51荡壹区宇：统一天下。⑻52子育万姓：像抚育儿女一样抚育普天下的苍生黎民。⑻53南人岂知朝德：南朝人还怎么能知道我们魏国帝王的恩德呢。⑻54荆、郢、东荆：魏国的三州名，荆州的州治山北，即今河南鲁山县；郢州的州治真阳，在今河南正阳北，东荆州的州治沘阳，即今河南泌阳。⑻55禁勒：制止、约束。⑻56十一月癸酉：十一月初三。㉛857丁丑：十一月初七。858邺：古城名，在今河北临漳西南。859庚辰：十一月初十。860宝义：字智通，明帝萧鸾的长子，有废疾。861宝玄：字智深，明帝萧鸾的第三子。862宝源：字智泉，明帝萧鸾的第五子。863宝寅：字智亮，明帝萧鸾的第六子。以上四子之传皆见《南齐书》卷五十。864宝融：字智昭，明帝萧鸾的第八子，后继位为和帝。传见《南齐书》卷八。865宝攸：字智宣，明帝萧鸾的第九子。传见《南齐书》卷五十。866甲申：十一月十四。867邑宰：县令。868任土恒贡：本地所出的常规贡品。869乙酉：十一月十五。870始安贞王：萧鸾之父萧道生，追封曰始安王，谥号曰贞。传见《南齐书》卷四十五。871懿后：姓江，谥曰懿。事见《南齐书》卷四十五。872丙戌：十一月十六。873废疾：瘫痪之症。874居中：在朝廷内部掌权，指为扬州刺史，控制首都建康的局势。875镇抚上流：指任荆州刺史。荆州的州大兵强，自东晋以来为朝廷安危之关键。876戊子：十一月十八。877宝卷：字智藏，明帝萧鸾的第二子，即后来的废帝东昏侯。公元四九八至五〇一年在位。传见《南齐书》卷七。878澄清流品：甄别各姓氏家族的地位高低，即确定各人物出身家族的门第高下。879崔亮：出身于名门但生活贫困，自幼受权臣李冲的赏识，被拓跋宏任为尚书仆射兼吏部郎。传见《魏书》卷六十六。880吏部郎：此处即指吏部郎中。881道固：崔道固，原为刘宋将领，与薛安都等共同拥立刘子勋为帝，兵败后降魏。传见《魏书》卷二十四。882宇文福：孝文帝时代的魏国名将。传见《魏书》卷四十四。883行牧地：勘察、建立新的牧场。884表：标明；做记号。885石济：石济津，黄河渡口名，在今河南卫辉东。886河内：魏郡名，郡治野王，即今河南沁阳。887距河：南离黄河。888司卫监：为皇帝主管警卫工作的官员。889世祖：即太武帝拓跋焘，公元四二三至四五二年在位。传见《魏书》卷四。890平统万：统万是五胡时代夏主赫连勃勃的都城，在今陕西榆林市横山区西。拓跋焘攻克夏国都城统万在公元四二七年，时当拓跋焘始光四年，亦即宋文帝元嘉四年。见本书卷一百二十。891秦、凉：都是五胡时代的国名，此“秦”指西秦，匈奴人乞伏氏建立的政权，都城在今甘肃兰州东北的苑川附近。此“凉”指北凉，是段业、沮渠蒙逊建立的政权，都城即今甘肃武威。西秦于公元四三一年被失去都城的夏主赫连定所灭，不久赫连定又被吐谷浑人所杀，故西秦的地盘亦旋即归入魏国。北凉被魏所灭在公元四三九年，时当拓跋焘太延五年、宋文帝元嘉十六年。892河西：地区名，指今宁夏与甘肃河西走廊一带地区。893蕃息：繁殖、生长得很好。894橐驼：骆驼。895高祖：即现任的魏国皇帝孝文帝拓跋宏。高祖是其庙号，孝文是其谥。896河阳：即上述宇文福圈定的牧场，以其在黄河以北，故称河阳。897戎马：军马。898徙牧并州：第一步将河西培育的军马挪到今之山西地区驯养，以使其逐渐适应中原地区的水土气候。并州，古州名，州治晋阳，在今山西太原西南。899稍复南徙：让这些军马逐步地向南移动。稍，逐渐。900愈更蕃滋：越发繁殖得更多更好。901正光：孝文帝拓跋宏之孙魏孝明帝拓跋诩（也称元诩）的年号（公元五二〇至五二五年）。902无孑遗：一匹也没有剩下。自拓跋宏太和十八年（公元四九四年），至拓跋诩正光年间，前后共历三十年，由其马政之变化，可见魏国政治之兴衰。⑨⓪③永明中：在齐武帝萧赜在位的十一年间。永明是齐武帝萧赜的年号（公元四八三至四九三年）。⑨⓪④御史中丞：朝官名，掌管弹劾不法。⑨⓪⑤沈渊表：沈渊上表提议。⑨⓪⑥皆令致仕：都一律退休。致仕，让出职位。⑨⓪⑦并穷困私门：都回到家中过穷苦日子。私门，家门。⑨⓪⑧庚子：十一月三十。⑨⓪⑨依旧铨叙：照旧参加评定。意即凡是身体好、有品德、有能力的人可以照常录用。铨叙，选拔任用。⑨①⓪上辅政所诛诸王：齐明帝在辅政时期所诛杀的各位亲王。上，指齐明帝。⑨①①复属籍：恢复其在皇族谱系中原有的资格地位。⑨①②御师：御用的医师。⑨①③殒：死亡。意即被医生所害死。⑨①④汉东海恭王：名强，汉光武帝刘秀的长子。初被立为太子，后因其母郭皇后被废，因自请降为东海王。死后其弟明帝刘庄以天子的仪礼葬之。传见《后汉书》卷四十二。⑨①⑤韦珍：拓跋宏时代的名将，在与南齐的边境摩擦中曾打败过南朝的名将崔慧景与陈显达。传见《魏书》卷四十五。此时任郢州刺史。⑨①⑥声绩：声名与实绩。⑨①⑦绥抚：安抚，人性化的管理。⑨①⑧下邳曹虎：下邳是魏郡名，郡治在今江苏邳州西南。曹虎是南齐的重要将领，在萧道成、萧赜两代都立有战功，后转为萧鸾效力，亦颇有功效。传见《南齐书》卷三十。⑨①⑨十二月辛丑朔：十二月初一是辛丑日。⑨②⓪行征南将军薛真度：行，试用、代理。薛真度，刘宋名将薛安都的堂弟，因与薛安都拥戴刘子勋为帝，失败后一道投向魏国。传见《魏书》卷六十一。⑨②①襄阳：南朝的北部重镇，即今湖北襄阳，当时为雍州的州治所在地。⑨②②王肃：晋代名臣王导的后代，宋、齐之间的名臣王奂之子，后王奂被齐武帝萧赜所杀，王肃遂逃到魏国，甚受孝文帝拓跋宏的宠用，任平南将军。传见《魏书》卷六十三。⑨②③义阳：齐郡名，郡治平阳，即今河南信阳，当时为北部边界上的重镇，屡次相互争夺。⑨②④拓跋衍：字安乐，景穆帝拓跋晃之孙。传见《魏书》卷十九上。⑨②⑤钟离：齐郡名，郡治燕县，在今安徽凤阳东北，是南朝北部边界的重镇。⑨②⑥广平刘藻：广平是郡名，郡治曲梁，在今河北邯郸东北。刘藻原是刘宋人，归魏后曾任岐州刺史、秦州刺史，都有突出的治绩。传见《魏书》卷七十。⑨②⑦南郑：即今陕西汉中，当时为汉中郡的郡治所在地。⑨②⑧安都从祖弟：薛真度的祖父与薛安都的祖父是亲兄弟。从祖，父亲的叔、伯。⑨②⑨恐曹虎为周鲂：担心曹虎是像当年的周鲂一样假装投降，骗我军深入而伏击之。周鲂是三国时吴国的鄱阳太守，假装请降于魏，魏派大将曹休往迎，结果被吴人伏击，曹休惨败而回。事见本书前文卷七十一魏明帝太和二年。⑨③⓪变易旧风：改变旧有的风俗。⑨③①壬寅：十二月初二。⑨③②国人：与魏主同起于北方而随之南迁来的北方少数民族。⑨③③刘芳：西汉时楚元王刘交的后代，是魏国朝廷上著名的儒生，因熟悉《礼经》，被称为"刘石经"，此时任通直散骑常侍。传见《魏书》卷五十五。通直散骑常侍是皇帝的侍从官员，以备参谋顾问。⑨③④缵：刘缵，刘芳的同族之兄，仕于南齐，曾多次出使魏国。⑨③⑤郭祚：魏国的文学之士，曾任中书侍郎、尚书左丞。传见《魏书》卷六十四。⑨③⑥文学：文章、学术。⑨③⑦与讲论：与之共同讨论。⑨③⑧陆凯：魏国名臣陆俟之孙，陆馛之子。传见《魏书》卷四十。㊴前世法式：前朝的规矩、法度。㊵稍解：渐渐缓解、平息。㊶癸卯：十二月初三。㊷戊申：十二月初八。㊸复：免除。㊹高闾：魏国的文学之臣，当时皇帝的诏令与朝廷发布的文告许多出自他的手笔。此时任相州刺史。传见《魏书》卷五十四。相州的州治邺县，在今河北临漳西南。㊺质任：人质，古时派人质通常以自己的儿子或兄弟充之。㊻竟：一直；最终。㊼尽行留之势：把或行或留的道理讲透。㊽客主：争论问题的双方。㊾共相起发：相互辩论，相互启发。起发，通"启发"。㊿任城、镇南：任城王拓跋澄与镇南将军李冲。任城王澄已见前注；李冲既是冯太后的宠臣，又是魏国的干练名臣，此时任尚书左仆射，加镇南将军。传见《魏书》卷五十三。㉛为留议：代表主张取消这次行动的观点。㉜朕为行论：我代表主张采取行动的观点。㉝长者从之：哪一方的意见好就按他的意见办。长，相对优越。㉞迁都草创：刚刚迁都洛阳不久，诸事尚未就绪。㉟人思少安：谁都想稍稍安顿一下。少，意思同"稍"。安，休息。㊱为内应者：指曹虎。㊲未得审谛：尚未摸准他的实情。审，准确、精确。谛，也是"审"的意思。㊳降款虚实：归顺心思的真假。㊴巡抚淮甸：到淮河流域巡视一回。㊵使彼知君德之所在：让那些边境之民好好地看一看真正有德的帝王究竟在哪里。㊶有北向之心：让他们产生一种向往北方的想法。㊷以时应接：及时地予以响应、援助。以时，按时、及时。㊸孤归义之诚：辜负了归顺者的一番诚意。孤，辜负。㊹使不再来：没有再派使者继续联络。㊺恋本：留恋平城。㊻居无一椽之室：连一间可住的房子也还没有。一椽之室，极言可住的房子之小。椽，放在檩上以架住屋顶的木条。㊼食无甔石之储：可吃的粮食也没有几石几斗。甔，瓦器，可盛粮食二石。石，容量单位。一石为十斗。㊽冬月垂尽：冬天将要过去。垂，即将。㊾东作将起：春耕生产即将开始。古人认为东方代表春季，故称春耕曰"东作"。㊿百堵皆兴：各家各户都站了出来。堵，墙，这里即指居民。语出《诗经·绵》。㉛俶载南亩：都到农田上参加劳作。语出《诗经·载芟》。俶，开始。南亩，农田。㉜擐甲执兵：身穿铠甲，手执兵器。擐，穿、套。㉝泣当白刃：流着眼泪冲向敌人。当，迎、对着。㉞非歌舞之师：指仁义之师。相传武王伐纣的大军，前歌后舞。㉟待既平樊沔：那就等着他们攻占樊城与汉水流域的一带地区之后。樊，樊城，在襄阳城北，与襄阳隔汉水相对，今已合并为襄阳市，当时为南齐雍州刺史曹虎的驻守之地。沔，沔水，即今之汉水，自汉中以西流来，经襄阳城下东南流入长江。㊱銮舆顺动：皇帝的车驾再顺时南下。㊲率然：不慎重的样子。㊳挫损天威：有损于皇帝您的声望。㊴更成贼气：反而增加了敌人的气焰。㊵穆亮：魏国的开国元勋穆崇之后，穆寿之孙，穆罴之弟。传见《魏书》卷二十七。㊶平居：平时；在下面。㊷对上：当着皇帝的面。㊸岂大臣之义：这难道是作为一个大臣所应有的态度吗。义，宜、应持有的态度。㊹国士之体：一个知名人士所应表现的行为准则。体，行为准则。㊺夫小忠者大忠之贼：小忠是对大忠的一种严重危害。贼，危害。㊻无乃似诸：岂不就是这种样子吗。㊼愚暗：笨拙昏昧。㊽要：关键；关键的是。㊾辛亥：十二月十一。㊿详：拓跋详，献文帝拓跋弘的第六子，孝文帝之弟。传见《魏书》卷二十一上。(991)统留台事：统管洛阳留守朝廷的一切事宜。(992)崔休：孝文帝的赏信之臣，与宋弁、郭祚等齐名，历任各部尚书。传见《魏书》卷六十九。(993)左丞：尚书左丞。(994)赵郡王幹：拓跋幹，献文帝拓跋弘之子，孝文帝之弟。传见《魏书》卷二十一上。(995)始平王勰：拓跋勰，献文帝拓跋弘的第五子。传见《魏书》卷二十一下。(996)将宗子军：统领皇族子弟组成的军队。(997)逞：崔逞，原在五胡时代的燕国任职，燕灭后归附于魏，官至御史中丞。因桀骜不驯被拓跋珪所杀。传见《魏书》卷三十二。(998)戊辰：十二月二十八。(999)悬瓠：古城名，即今河南汝南县，因城北汝水屈曲如瓠而得名，南齐时是北部边境的战略要地。(1000)己巳：十二月二十九。(1001)寿阳、钟离、马头之师：进攻寿阳、钟离、马头的魏国军队，即前文所叙为徐州刺史拓跋衍所统之军。寿阳即今安徽寿县，钟离在今安徽凤阳城东，马头在今安徽淮南东北，三城相距不远，都在淮河沿岸，离今之蚌埠不远，是当时南齐北部边境的军事要地。(1002)南阳：即今河南南阳，南齐北部边境的军事重地。(1003)赭阳：古城名，南齐北襄城郡的郡治所在地，在今河南方城东北。(1004)叶仓：叶县的粮仓，今河南叶县南。(1005)城阳王鸾：拓跋鸾，拓跋晃之孙，拓跋长寿之子，继其父位为王。传见《魏书》卷十九下。(1006)李佐：西凉王李皓的曾孙，李宝之子。李宝以不失时机地归降于拓跋焘，被拓跋焘任为沙州牧、敦煌公。李佐在孝文帝时任安东将军、相州刺史。传见《魏书》卷三十九。(1007)成公期：姓成公，名期。(1008)沙堨：古地名，在今之南阳与新野之间。(1009)高闾：魏国的著名儒学之臣。传见《魏书》卷五十四。(1010)治古乐：研究并使用古代帝王祭祀与朝会时演奏的音乐，亦称雅乐。(1011)著作郎：官名，掌编国史。(1012)太乐祭酒：官名，掌管乐府与伶人的官员。太乐，为朝廷、宫廷管理音乐的机关。(1013)参知钟律：主管乐器的制造与调试，以及相关的作曲与演奏等。

【校记】

［16］鸩：据章钰校，十二行本、乙十一行本、孔天胤本皆作“酖”。［17］起：据章钰校，十二行本、乙十一行本皆作“游”。［18］欲相抚悦：原无此四字。据章钰校，十二行本、乙十一行本、孔天胤本皆有此四字，张瑛《通鉴校勘记》同，今据补。［19］卿：据章钰校，十二行本、乙十一行本、孔天胤本皆作“君”。［20］十二月：原作“十一月”。据章钰校，十二行本作“十二月”，张敦仁《通鉴刊本识误》同，今据改。［21］尚书卢渊：原作“尚书仆射卢渊”。据章钰校，十二行本、乙十一行本、孔天胤本皆无“仆射”二字，今据删。〖按〗《魏书·卢玄传附孙渊传》载：“降渊以王师守常侍、尚书……会萧昭业雍州刺史曹虎遣使请降，乃以渊为使持节、安南将军，督前锋诸军径赴樊邓。”则渊仅为尚书，非仆射也。［22］无：据章钰校，十二行本、乙十一行本、孔天胤本皆作“非”。［23］镇南：原作“镇军”。据章钰校，十二行本、乙十一行本、孔天胤本皆作“镇南”，今据改。［24］掠：据章钰校，十二行本、乙十一行本、孔天胤本皆作

“获”。[25]太乐：原作“大乐”。据章钰校，十二行本、乙十一行本皆作“太乐”，熊罗宿《胡刻资治通鉴校字记》同，今据改。

【研析】

本卷写齐明帝萧鸾建武元年（公元四九四年）一年间南齐、北魏两国的大事。所谓“建武元年”实际包括了齐武帝萧赜死后，其子萧昭业继位的“隆昌元年”，与萧昭业被萧鸾所废杀之后，又立了第二个小傀儡皇帝萧昭文的“延兴元年”，以及到本年十月萧鸾又废了萧昭文而自己篡位，改年号所称的“建武元年”。故而此年名为“建武”，实际上颁行于天下使用的只有最后的两个月。本卷所写的事情主要有四点。

第一，萧鸾在其叔祖萧道成、其堂叔萧赜在位的时候，极尽谦恭讨好之能事，加上萧鸾办事也的确有其相当的能力，故而当齐武帝萧赜一死，萧赜的孙子萧昭业继位时，萧鸾的权力实际已经很大了。再加上小皇帝的叔叔萧子良地位崇高，血缘又近，朝廷内外都对之分外推崇，这就更加引起了小皇帝萧昭业对萧子良的疑惧，从而对之处处设防。而萧子良本人恰又“不慕荣利”，处处退让，把朝廷里一切管实权的部门都推给了萧鸾去管，于是各方面都为萧鸾的篡权打开了绿灯。萧鸾凭着他的权势与手段大肆诛除异己，把忠于小皇帝的少数勇武之士全部杀掉；把朝廷上的大臣、掌军的老将，乃至小皇帝身边的禁军统领，诸如王晏、徐孝嗣、陈显达、王敬则、萧谌等通通拉归己方，使之成为自己的耳报神、敢死队；又通过各军镇的典签把小皇帝血缘亲近的诸王、刺史通通控制起来，让他们都干着急而一筹莫展。其中最奸诈、最狡猾的莫过于萧谌。萧赜临死把“内外禁卫劳旧主帅左右，悉付萧谌优量驱使之”，萧谌统领着皇帝居处周围的禁军，小皇帝对萧谌极度仰赖，以至于“谌每请急出宿，帝通夕不寐，谌还乃安”；但萧谌恰恰又是最早投靠萧鸾，帮着萧鸾进行篡位的急先锋。而小皇帝一直被蒙在鼓里，当他听到有关萧鸾的一些传言时，他第一个就是找萧谌来帮着他裁断虚实；当他听到萧鸾要发动政变时，小皇帝还“密为手敕呼萧谌”，其结果竟是萧谌首先率兵冲入了寿昌阁。当萧谌初入殿，“宿卫将士皆操弓盾欲拒战。谌谓之曰：‘所取自有人，卿等不须动！’宿卫素隶服于谌，皆信之”；于是小皇帝就轻而易举地被他们所擒，杀之于西弄。这是一群勾结得何等巧妙、筹划得何等周密，又是何等忘恩负义、丧尽天良的利欲之徒啊！

第二，背叛其君以改投新贵者既如此矣，更有出身名门望族、名声极其显赫的高官谢朏、谢瀹兄弟，二人乃刘宋名臣谢弘微之后，当时著名的文学家谢庄之子。谢瀹当时任吏部尚书，其兄谢朏任吴兴太守。当萧谌、萧鸾等篡杀小皇帝萧昭业的时候，“吏部尚书谢瀹方与客围棋，左右闻有变，惊走报瀹。瀹每下子，辄云‘其当有意’，竟局，乃还斋卧，竟不问外事”。在事发之前，其兄谢朏为图心净而辞去朝官，出任吴兴太守。谢朏指着谢瀹的嘴说：“此中唯宜饮酒！”司马光写《通鉴》对此感慨地说："'衣人之衣者怀人之忧，食人之食者死人之事。'二谢兄弟，比肩贵近，安享荣禄，危不预知。为臣如此，可谓忠乎？"王夫之《读通鉴论》对此说："萧鸾之弑郁林也，谢瀹与客围棋，局竟，遂卧而不问；谢朏出为吴兴守，致酒数斛与其弟，曰'可力饮此，勿豫人事'。此数事者，当时传之以为高。而立人之朝，食人之禄，国亡君弑，若视黄雀之啄螳螂，付之目笑，非至不仁者，能若此乎？"

第三，相反倒是有几个沉居下僚的小人物表现了令人惊异的豪气。陆超之、董僧慧是小皇帝的叔叔晋安王萧子懋的僚属，当小皇帝的父辈、祖辈萧子隆、萧锵等一群地方大员相继被萧鸾所杀后，陆超之、董僧慧劝晋安王萧子懋起兵讨逆。当萧子懋失败被叛徒所杀后，朝廷的官吏王玄邈捉到陆超之、董僧慧，要杀他们，文中说："僧慧曰：'晋安举义兵，仆实预其谋，得为主人死，不恨矣！愿至大敛毕，退就鼎镬。'玄邈义之，具以白鸾，免死配东冶。子懋子昭基，九岁，以方二寸绢为书，参其消息，并遗钱五百，行金得达，僧慧视之曰：'郎君书也！'悲恸而卒。于琳之劝陆超之逃亡，超之曰：'人皆有死，此不足惧！吾若逃亡，非唯孤晋安之眷，亦恐田横客笑人！'"二人都从容就义。王夫之《读通鉴论》对此说："明帝之凶悖，高、武之子孙杀戮殚尽而后止，而大臣谈笑于酒弈之间自若也。乃晋安王子懋之死，其防阁陆超之、董僧慧先与子懋谋举兵者，独能不昧其初心。僧慧则请大敛子懋而就死，业已无杀之者，而视子懋幼子讯父之书，一恸而卒；超之或劝其逃，而曰：'吾若逃亡，非唯孤晋安之恩，亦恐田横客笑人！'端坐以待囚，而为门生所杀，头陨而身不僵。夫二子者，非但其慷慨以捐生也，审于义以迟回，濒死而不易其度，使当托孤寄命之任，其不谓之社稷之臣与？乃皆出自寒门，身为武吏，其视王、谢、徐、江，世胄华门，清流文苑之选，果谁清而谁浊也？"这是从东晋历宋、齐以来一百七八十年所形成的一种只追求个人安乐，而对万事不负责任的一种没落习气，越是社会上流，就表现得越是坏！

其四，萧鸾杀掉萧昭业，是为了自己做皇帝；萧鸾大肆诛杀萧昭业的父辈、祖辈诸王，是因为这些人的存在，会威胁到他的皇帝梦。但杀人前要编造一些理由，要罗列出他们的罪状，说明被杀者是该杀，而杀人者是替天行道。萧昭业的罪名据萧鸾史官的说法有四方面：一是挥霍浪费，"极意赏赐左右，动至百数十万""即位未期岁，所用垂尽"；二是行动随便，没有正形，说他"微服游走市里，好于世帝崇安陵隧中掷涂、赌跳，作诸鄙戏"；三是说他淫乱，说他"蒸于世宗幸姬霍氏"，说皇后亦淫乱，"斋阁通夜洞开，外内淆杂，无复分别"；四是说他阴谋杀害萧鸾，而萧鸾是国家的顶梁柱，你要破坏顶梁柱，还不应该被除掉吗？王夫之《读通鉴论》说："孟子曰：'尽信书则不如无书。'《尚书》删自仲尼，且不可尽信，况后世之书哉？然曰'世祖积钱及金帛不可胜计，未期岁而用尽'则诬矣。夷考期岁之中，未尝有倾宫璇室、裂缯凿莲之事也，徒以掷涂赌跳之戏，遂荡无穷之帑乎？隋炀之侈极矣，用之十三年而未竭，郁林居位几何时，而遽空其国耶？当其初立，王融先有废立之谋矣；萧鸾排抑子良，挟权辅政，即有篡夺之心矣。引萧衍与同谋，而征随王子隆，于是而其谋益亟，郁林坐卧于刀锯之上而愚不知耳。鸾已弑主自立，王晏、徐孝嗣文致郁林之恶以掩鸾滔天之罪，欲加之罪，何患无辞乎?”这与谢晦、徐羡之杀害营阳王刘义符，宋明帝刘彧诬蔑废帝刘子业，萧道成诬蔑刘宋的小皇帝刘昱等，手段、做法都是一样的。历史读多了，你就可以明白，许多事情如出一辙，只是当事人的姓字改换了而已。

本卷还写了魏主迁都洛阳，以及听说萧鸾弑主自立而数道起兵南伐，以讨其弑君之罪等，但这些都与下卷紧密相连，留待下卷一道讲。

卷第一百四十　齐纪六

起旃蒙大渊献（乙亥，公元四九五年），尽柔兆困敦（丙子，公元四九六年），凡二年。

【题解】

本卷写齐明帝萧鸾建武二年（公元四九五年）、建武三年共两年间南齐与北魏两国的大事。主要写了齐王朝派王广之、萧坦之、沈文季等统兵分道拒魏，齐军与魏军激战于钟离、义阳、南郑、南阳，彼此互有胜负。其中，齐将萧衍、崔慧景、张欣泰与魏将杨播、拓跋英等都有勇敢卓绝的表现；而进攻赭阳的魏将拓跋鸾等因互不统属，被齐军大破于赭阳、沙竭，受到了魏主孝文帝拓跋宏的惩罚。写了魏主亲临寿春城下，呼城中人对语，寿春守将萧遥昌派崔庆远入魏营以对之，因崔庆远有礼有节受到魏主称赞；魏主巡行淮河前线，抚战士以礼，待淮上百姓以德，表现了魏主的从容不迫。写魏主东巡至鲁城，亲自祭祀孔子，封孔子之后；魏主溯黄河返回洛阳，告于太庙，行饮至之礼。写了魏主孝文帝下令实行汉化，令北人一律说中原话，穿中原地区之衣，魏主给满朝文武每人赏赐一套冠服，以易其鲜卑旧服；魏国建立太学、国子学、四门学；魏国铸用五铢钱，使用中原地区的度量衡，以及命令代北地区来的人死后一律葬在洛阳；魏主筑圜丘于委粟山，举行祭天之礼；又筑方泽于河阴，行祭地之礼；魏主好读书，手不释卷，诏策皆自为

【原文】

高宗明皇帝中

建武二年（乙亥，公元四九五年）

春，正月壬申[①]，遣镇南将军王广之督司州[②]、右卫将军萧坦之督徐州[③]、尚书右仆射沈文季[④]督豫州[⑤]诸军，以拒魏。

癸酉[⑥]，魏诏："淮北之人不得侵掠[⑦]，犯者以大辟[⑧]论。"乙未[⑨]，拓跋衍攻钟离，徐州刺史萧惠休[⑩]乘城[⑪]拒守，间出[⑫]袭击魏兵，破之。

之，并亲用儒学人物，制礼作乐，使魏国有太平之风；魏主下令鲜卑人一律使用中原地区的姓氏，拓跋氏改姓元；自认为是黄帝之后，以土德为王；魏主仿效南朝大肆推行门阀制度，将魏国境内汉族的卢、崔、郑、王、李五家定为士族之最优者；又定出北来少数民族的穆、陆、贺、刘、楼、于、嵇、尉八姓勋戚之家，与汉族之五姓享受同等待遇；魏主下令，规定诸王必须娶大士族之女，并亲自为其六位兄弟重新娶妻，将原来的妻子改为妾媵；魏主顽固地专以门第取人，李冲、李彪、韩显宗等都提出反对，而魏主坚持不听；魏太子拓跋恂因不欲居洛，图谋回代北自立，并擅杀其中庶子而被魏主所废。写魏臣穆泰勾结陆叡、拓跋思誉、拓跋隆等图谋拥立阳平王拓跋颐据恒、朔二州叛乱，拓跋颐假意应承，暗中向朝廷告密，魏主派任城王拓跋澄前往相机讨灭之。写了齐明帝萧鸾的亲信萧谌因未得扬州刺史而心怀怨望，连带其兄萧诞、其弟萧诔皆被萧鸾所杀；以及萧鸾假惺惺地"志慕节俭"，以及其躬亲细务，制度烦琐，致使六署、九部的一切日常事务，无不取决诏敕的无人君之度等。

【语译】

高宗明皇帝中

建武二年（乙亥，公元四九五年）

春季，正月初二日壬申，齐明帝萧鸾派遣担任镇南将军的王广之前往司州担任总指挥、派遣担任右卫将军的萧坦之前往徐州担任总指挥、派遣担任尚书右仆射的沈文季前往豫州担任总指挥，分别统领各州军队，抵抗魏军的大举入侵。

正月初三日癸酉，魏国的孝文帝拓跋宏下诏说："不准侵犯掠夺淮北地区的黎民百姓，违反规定的人要判处死刑。"二十五日乙未，魏国担任徐州刺史的拓跋衍率领魏军进攻齐国的钟离，齐国担任徐州刺史的萧惠休亲自登城指挥守军进行抵抗，并不时地派出小股部队秘密出城袭击魏军，终于打败了魏军的进攻。萧惠休，是萧惠

惠休，惠明⑬之弟也。刘昶、王肃⑭攻义阳⑮，司州刺史萧诞⑯拒之。肃屡破诞兵，招降万余人。魏以肃为豫州⑰刺史。刘昶性褊躁⑱，御军严暴，人莫敢言。法曹行参军⑲北平阳固⑳苦谏，昶怒，欲斩之，使当攻道㉑。固志意闲雅㉒，临敌勇决㉓，昶始奇之。

丁酉㉔，中外纂严㉕。以太尉陈显达为使持节㉖、都督西北征[1]讨诸军事，往来新亭、白下㉗，以张声势㉘。

己亥㉙，魏主济淮㉚。二月，至寿阳㉛，众号三十万，铁骑弥望㉜。甲辰㉝，魏主登八公山㉞，赋诗。道遇甚雨㉟，命去盖㊱，见军士病者，亲抚慰之。

魏主遣使呼城中人，丰城公遥昌㊲使参军[2]崔庆远出应之。庆远问师故㊳，魏主曰："固当有故㊴！卿欲我斥言㊵之乎，欲我含垢依违㊶乎？"庆远曰："未承来命㊷，无所含垢㊸。"魏主曰："齐主何故废立？"庆远曰："废昏立明㊹，古今非一，未审何疑㊺？"魏主曰："武帝子孙今皆安在？"庆远曰："七王同恶㊻，已伏管、蔡之诛㊼。其余二十余王，或内列清要㊽，或外典方牧㊾。"魏主曰："卿主若不忘忠义，何以不立近亲㊿，如周公之辅成王，而自取之乎？"庆远曰："成王有亚圣(51)之德，故周公得而相之(52)。今近亲皆非成王之比，故不可立。且霍光(53)亦舍武帝近亲(54)而立宣帝(55)，唯其贤也。"魏主曰："霍光何以不自立？"庆远曰："非其类也(56)。主上(57)正可比宣帝，安得比霍光！

明的弟弟。魏国担任大将军的刘昶、担任平南将军的王肃率领魏军进攻齐国的义阳郡，齐国担任司州刺史的萧诞率领齐军进行抵抗。王肃多次率军打败萧诞的守军，并招降了一万多人。魏孝文帝任命王肃为豫州刺史。大将军刘昶气量狭小、脾气暴躁，对属下的将士严厉残暴，没有人敢发表一句不同的意见。在刘昶手下担任法曹兼参军的北平人阳固苦苦地对他进行劝谏，刘昶不仅不听，反而大怒，就想杀掉阳固，他故意把阳固安置在齐军进攻最猛烈的地方，想借敌人之手除掉阳固。而阳固依然不慌不忙、举止娴雅，面对敌人的猛烈进攻表现得很勇敢、很有决断，刘昶这才觉得阳固这个人很不简单。

正月二十七日丁酉，齐国宣布朝廷内外进入紧急军事状态。齐明帝任命担任太尉的陈显达为使持节、都督西北征讨诸军事，往来于新亭、白下之间，进行布防巡视，为齐国守军助威壮胆。

二十九日己亥，魏国的孝文帝率领魏军渡过了淮河。二月，到达寿春城下，部众号称三十万，全副披挂的骑兵一眼望不到边。初五日甲辰，孝文帝登上八公山，准备赋诗纪念。途中遇到急骤的暴雨，孝文帝便命令去掉自己车驾上的大伞，与士兵同甘共苦，冒着大雨继续向前行进；当他看到军士当中有人生病了，就亲自去安抚慰问他们。

魏孝文帝派使者向寿春城中齐国的守军喊话，丰城公萧遥昌让参军崔庆远出城来到魏国的营寨答话。崔庆远首先质问魏孝文帝为什么率领大军侵略齐国，魏孝文帝回答说："我出兵讨伐齐国当然是有理由的！你是想让我直言不讳地说出来呢，还是想让我明知其罪却含糊其词，给你们留些情面呢？"崔庆远说："我们不知道你们因何而来，你完全没有必要含糊其词，没什么不好直说的。"魏孝文帝说："你们的主子萧鸾为什么废掉齐国的小皇帝萧昭文而自立为皇帝？"崔庆远回答说："废除昏君，改立明君，从古到今并非只有这一次，我不明白这有什么可以让你感到奇怪的？"魏孝文帝说："齐武帝萧赜的子孙如今都在哪里？"崔庆远说："武帝有七个王子互相勾结，一同作恶，已经像串通作乱的管叔、蔡叔那样被诛杀了。其余的二十多位王爷，有的在朝廷上担任清闲尊贵而又重要的官职，有的在地方上担任一方的军政长官。"魏孝文帝说："你的主子如果还没有忘掉忠义，为什么不立齐武帝的子孙继承皇位，就像当年周公辅佐周成王那样，反而是自己取而代之做了皇帝呢？"崔庆远回答说："周成王的品德虽然比不上尧、舜、禹、汤、周文王、周武王，但也不是一般人所能比及的，所以周公才把他置于君主之位而辅佐他。如今齐武帝的子孙都没有周成王那样的品德才智，所以不可以让他们继承皇位。况且霍光当年在废掉了汉武帝的儿子昌邑王刘贺之后也没有立汉武帝的另一个儿子广陵王刘胥，而是立了汉武帝的曾孙刘询为皇帝，因为只有宣帝刘询贤明。"魏孝文帝又说："霍光为什么不自己做皇帝呢？"崔庆远说："霍光没法与我们当今的皇帝相比。我们的皇帝正可以比作汉宣帝刘询，岂能比作霍光！

若尔[58]，武王伐纣[59]，不立微子而辅之[60]，亦为苟贪天下乎[61]？”魏主大笑曰：“朕来问罪。如卿之言，便可释然[62]。”庆远曰：“‘见可而进，知难而退[63]’，圣人之师也。”魏主曰：“卿欲吾和亲，为不欲乎[64]？”庆远曰：“和亲则二国交欢，生民[65]蒙福。否则二国交恶，生民涂炭[66]。和亲与否，裁自圣衷[67]。”魏主赐庆远酒淆[68]、衣服而遣之。

戊申[69]，魏主循淮而东[70]，民皆安堵[71]，租运属路[72]。丙辰[73]，至钟离[74]。

上遣左卫将军崔慧景[75]、宁朔将军裴叔业[76]救钟离。刘昶、王肃众号二十万，堑栅[77]三重，并力攻义阳，城中负盾而立[78]。王广之引兵救义阳，去城百余里[79]，畏魏强，不敢进。城中益急，黄门侍郎萧衍请先进，广之分麾下精兵[80]配之。衍间道夜发[81]，与太子右率萧诔[82]等径上[83]贤首山[84]，去魏军数里。魏人出不意[85]，未测多少，不敢逼。黎明[86]，城中望见援军至，萧诞遣长史王伯瑜出攻魏栅，因风纵火，衍等众军自外击之，魏不能支，解围去。己未[87]，诞等追击，破之。诔，谌之弟也。

先是，上以义阳危急，诏都督青、冀二州诸军事张冲[88]出军攻魏，以分其兵势。冲遣军主桑系祖攻魏建陵、驿马、厚丘[89]三城，又遣军主杜僧护攻魏虎阬、冯时、即丘[90]三城，皆拔之。青、冀二州刺史王洪范遣军主崔延袭魏纪城[91]，据之。

魏主欲南临江水[92]，辛酉[93]，发钟离[94]。司徒长乐元懿公冯诞[95]病，不能从，魏主与之泣诀[96]，行五十里，闻诞卒。时崔慧景等军去魏主营

如果像你说的那样，周武王灭掉了商纣王之后，没有立纣王的哥哥微子为王，自己去辅佐微子，周武王也是贪图君主之位吗?”魏孝文帝大笑着说:“我来兴师问罪。如果像你所说的那样，这就解除了我心中的疑虑。”崔庆远说:“‘见可而进，知难而退’，是圣人的军队。”魏孝文帝说:“你认为我是与齐国和亲好呢，还是不和亲好呢?”崔庆远回答说:“与齐国和亲，则两国友好相处，双方都很高兴，黎民百姓就会蒙受福泽。否则两国关系继续恶化，黎民百姓就会遭受灾难痛苦，陷入水深火热之中。和不和亲，由您自己拿主意。”魏孝文帝赏赐给崔庆远一些美酒佳肴和衣服，然后打发崔庆远返回寿春城。

二月初九日戊申，魏孝文帝放弃攻打寿阳，沿着淮河由寿春东下，淮北的百姓都各安其业，没有受到任何惊扰，路上运送军粮的车子络绎不绝。十七日丙辰，魏孝文帝到达钟离。

齐明帝派遣担任左卫将军的崔慧景、担任宁朔将军的裴叔业率军前往增援钟离。魏国的大将军刘昶、王肃所率领的军队号称二十万，他们在营房与阵地周围修筑了三道深壕与木栅，集中全部兵力进攻义阳，义阳城中齐国的守军每人都用盾牌遮蔽着自己站立防守。王广之率领齐军赶来救援义阳，在距离义阳城有一百多里的地方，因为惧怕魏军的强大而不敢继续前进。义阳城中的形势更加紧急，担任黄门侍郎的萧衍请求允许自己率先前进，王广之便把部下所有的精兵调拨给萧衍。萧衍率领着这支由精兵组成的部队在夜间抄小路悄悄地出发了，他与担任太子右卫率的萧诔等人径直攀上贤首山，这里距离魏军的大营仅有几里之遥。这完全出乎魏军的预料，魏军不知道齐军究竟来了多少人，因此不敢逼近齐军。到了天快亮的时候，钟离城中望见自己的援军已到，担任司州刺史的萧诞立即派遣担任长史的王伯瑜率军出城进攻魏军的木栅，王伯瑜率军顺风放火，萧衍等众军从外部进攻魏军，齐军内外夹击，魏军支撑不住，遂解围而去。二十日己未，司州刺史萧诞等人率军追击，将魏军打败。萧诔，是萧谌的弟弟。

先前，齐明帝因为义阳情况危急，遂下诏给担任都督青、冀二州诸军事的张冲，命令张冲出军进攻魏国，以分散魏军的兵力。张冲派遣担任一支军队首领的桑系祖进攻魏国的建陵、驿马、厚丘三城，又派担任另一支军队首领的杜僧护进攻魏国的虎阬、冯时、即丘三城，桑系祖率军攻克了建陵、驿马、厚丘，杜僧护率军攻克了虎阬、冯时、即丘。担任青、冀二州刺史的王洪范派遣担任一支军队首领的崔延率军袭击了魏国的纪城，将纪城占领。

魏孝文帝想要向南到达长江岸边，二月二十二日辛酉，孝文帝离开钟离向长江进发。魏国担任司徒的长乐元懿公冯诞因为生病，不能跟随孝文帝前往长江岸边，孝文帝流着眼泪与冯诞告别，大军前进了五十里，就听到了冯诞去世的消息。当时齐国的左卫将军崔慧景等所率领的齐军距离魏孝文帝的军营不超过一百里，孝文帝

不过百里，魏主轻将数千人夜还钟离[97]，拊尸[98]而哭，达旦，声泪不绝。壬戌[99]，敕诸军罢临江之行，葬诞依晋齐献王故事[100]。诞与帝同年，幼同砚席[101]，尚[102]帝妹乐安长公主。虽无学术[103]，而资性淳笃，故特有宠。丁卯[104]，魏主遣使临江，数上罪恶[105]。

魏久攻钟离不克，士卒多死。三月戊寅[106]，魏主如邵阳[107]，筑城于洲上，栅断水路，夹筑二城[108]。萧坦之遣军主裴叔业攻二城，拔之。魏主欲筑城置戍于淮南，以抚新附之民，赐相州刺史高闾玺书[109]，具论其状[110]。闾上表，以为"兵法'十则围之，五则攻之[111]'。向者[112]国家止为受降之计[113]，发兵不多，东西辽阔[114]，难以成功。今又欲置戍淮南，招抚新附。昔世祖[115]以回山倒海[116]之威，步骑数十万，南临瓜步[117]，诸郡尽降，而盱眙[118]小城，攻之不克[119]。班师[120]之日，兵不戍一城[121]，土不辟一廛[122]。夫岂无人[123]？以为大镇未平[124]，不可守小[125]故也。夫壅水[126]者先塞其原[127]，伐木者先断其本[128]。本原尚在而攻其末流[129]，终无益也。寿阳、盱眙、淮阴[130]，淮南之本原也[131]。三镇不克其一，而留守孤城，其不能自全明矣。敌之大镇逼其外，长淮[132]隔其内[133]，少置兵则不足以自固，多置兵则粮运难通。大军既还，士心孤怯，夏水盛涨，救援甚难。以新击旧[134]，以劳御逸[135]，若果如此，必为敌擒，虽忠勇奋发，终何益哉？且安土恋本，人之常情。昔彭城之役[136]，既克大镇[137]，城戍已定，而不服思叛者[138]犹逾数万。角城蕞尔[139]，处在淮北，去淮阳[140]十八里。五固之役[141]，攻围历时[142]，卒不能克[143]。以今淮昔[144]，

率领几千名轻装将士连夜返回钟离，他拍着冯诞的尸体痛哭流涕，一直到天亮，哭声从来没有间断过。二十三日壬戌，孝文帝下令诸军取消南下长江的行动计划，依照晋武帝司马炎安葬自己的胞弟齐献王司马攸的规格安葬了冯诞。冯诞与魏孝文帝同岁，自幼便在一起读书、写字，冯诞还娶了孝文帝的妹妹乐安长公主为妻。冯诞虽然没有多大学问，但天性淳朴笃诚，所以格外受到孝文帝的宠信。二十八日丁卯，魏孝文帝派遣使者来到长江岸边，痛斥齐明帝萧鸾的罪行。

魏军用了好长时间攻打钟离，却始终攻打不下，士卒牺牲了很多。三月初九日戊寅，魏孝文帝前往钟离城北淮水之中的邵阳洲，在洲上筑城，并用木栅切断了水路，又在淮水南北两岸相对着修筑了两个军事据点。萧坦之派遣宁朔将军裴叔业进攻这两个军事据点，裴叔业率军很快便将这两个军事据点攻克。魏孝文帝想要在淮水南部筑城，设置军队长期驻守，想以此来安抚那些新近归附魏国的百姓，孝文帝把一封加盖了皇帝印玺的文书，赐给担任相州刺史的高闾，文书中详细地叙述了前方的实际情况，征求高闾的意见。高闾上表给孝文帝，认为"《兵法》上说'十则围之，五则攻之'。当初，国家只是从接受曹虎投降的角度考虑，所以发兵不多，而且西起南郑、东到钟离，战线拉开数千里，所以难以取得成功。现在又准备在淮河南岸筑城，派兵长期防守，以招纳、安抚新归顺的人。过去魏世祖拓跋焘以移山倒海之威，摧枯拉朽之势，统领数十万步兵、骑兵，向南到达瓜步山，各郡闻风之后全都向魏国投降，而盱眙只是一座小城，却久攻不下。回师之日，魏军将一度占领的大片地区全部放弃，一个城镇也未能占领，连一亩大的地盘也没有得到。难道就没有一位将领能够占领一座城镇、守住一块地盘吗？只是因为大的军事重镇未能攻占，光是据守一个小城，那是不可能守得住的。堵住流水首先要截断它的水源，砍伐树木先要砍断树木的根。树根、水源还在而只在树梢和流水上下功夫，终究是没有好处的。寿阳、盱眙、淮阴三镇，就如同是淮南的根本和水源。三镇之中我军没能占领一个，而留下士兵据守一座孤城，其不能自我保全是显而易见的。敌人的大军镇逼近它的外部，淮水又把它阻隔在孤立无援的淮河以南而远离魏国的本土，留下少量的军队守卫这座孤城不足以保证自身的安全，多留士兵则难以保证他们的粮食供应。南征大军班师之后，留守孤城的士兵就会感到孤独胆怯，夏天河水暴涨，很难出兵救援他们。齐国如果出动生力军攻击我们久守孤城的士兵，我们是以疲劳的守军抵御轮番进攻的齐军，劳逸之势显而易见，果真如此，我国的守军必定会被敌人全部擒获，即使我们的守军再忠勇顽强，奋力杀敌，到底有什么好处呢？况且安于本土、思恋故乡，这是人之常情。过去彭城之战，我军已经牢牢地占据了徐州这座大的军事重镇，留守徐州城的军队已经确定，而淮河以北那些不愿意接受魏国的统治而想回到南朝治下的人还是有好几万。地处淮河以北的一座小小的角城，距离淮阳城仅有十八里。徐州民桓标之、兖州民徐猛子等据守五固城反抗魏国的统治，我国出兵讨伐，围攻了好几个月，最终也没能攻克。把今天的事情和过去的事情相比较，

事兼数倍[145]。天时向[3]热[146]，雨水方降，愿陛下踵[147]世祖之成规，旋辕返旆[148]，经营[149]洛邑，蓄力观衅[150]，布德行化[151]，中国既和[152]，远人[153]自服矣。”尚书令陆叡[154]上表，以为“长江浩荡，彼之巨防。又南土昏雾[155]，暑气郁蒸[156]，师人[157]经夏，必多疾病。而迁鼎草创[158]，庶事甫尔[159]，台省[160]无论政之馆，府寺[161]靡听治[162]之所，百僚居止[163]，事等行路[164]，沈雨炎阳，自成疠疫[165]。且兵徭并举[166]，圣王所难。今介胄之士[167]，外攻寇仇；羸弱之夫，内勤土木，运给之费[168]，日损千金。驱罢弊[169]之兵，讨坚城之虏，将何以取胜乎？陛下去冬之举，正欲曜武江、汉[170]耳。今自春几夏[171]，理宜释甲[172]。愿早还洛邑，使根本深固，圣怀无内顾之忧，兆民休斤板之役[173]，然后命将出师，何忧不服！”魏主纳其言。

崔慧景以魏人城邵阳，患之。张欣泰[174]曰：“彼有去志[175]，所以筑城者，外自夸大，惧我蹑其后[176]耳。今若说之以两愿罢兵[177]，彼无不听矣。”慧景从之，使欣泰诣城下语魏人，魏主乃还。

济淮[178]，余五将未济，齐人据渚[179]邀断津路[180]。魏主募能破中渚兵[181]者以为直阁将军[182]。军主代人奚康生[183]应募，缚筏积柴，因风纵火，烧齐船舰，依烟直进，飞刀乱斫，中渚兵遂溃。魏主假[184]康生直阁将军。

魏主使前将军杨播[185]将步卒三千、骑五百为殿[186]。时春水方长，齐兵大至，战舰塞川。播结陈[187]于南岸以御之。诸军尽济，齐兵四集围播，播为圆陈以御之，身自搏战，所杀甚众。相拒再宿[188]，军中食尽，围兵愈急。魏主在北岸望之，以水盛不能救，既而水稍减，播引精骑

事情还要困难好几倍。天气就要一天天地热起来，雨水开始增多，希望陛下沿袭世祖的做法，掉转车头，撤回军队，全力建造新都洛阳，蓄积力量，等候敌人的可乘之机，实行好的政策以团聚人心，我们地处中原的魏国内部一旦团结一致，边远的蛮夷自然就会归顺了”。担任尚书令的陆叡上表给孝文帝，认为“浩浩荡荡的长江，是齐国的天然屏障。再加上南方冬天经常大雾弥漫，一片昏然，夏天更是暑气蒸腾，我军将士在南方度夏，必然会有很多士兵生病。而且我国刚刚迁都不久，各项事务都刚刚开始，朝廷的各个办事机构如中书省、尚书省、御史台等还都没有一个讨论政务的馆所，各官署衙门也还没有办公理事的地方，朝廷百官的生活条件，就像一个出行的旅客一般，冒着风雨、顶着烈日，自然就会生成各种疾病。况且进行战争和兴建洛阳同时进行，圣明的君主处理起来也感到很困难。如今披甲戴盔的将士在外对敌作战；年老体弱的民夫在洛阳大兴土木，运输粮草以供应前线的费用，每日消耗千金。驱赶着筋疲力尽的将士去讨伐占据坚固城池的齐国人，凭什么获取胜利呢？陛下去年冬天采取的军事行动，只是想向长江、汉水流域的齐国人示威而已。如今从冬天到春天，现在又快要进入夏季了，理应罢兵。但愿陛下早日班师回到洛阳，加深加固根本，使圣上没有后顾之忧，让亿万百姓早日结束砍伐树木、筑造工事的劳役，然后再命令将士出兵南下讨伐齐国，何必担忧敌人不被征服呢！”魏孝文帝接受了他们的建议。

齐国左卫将军崔慧景因为魏军在邵阳筑城，心里感到很担忧。张欣泰说：“魏军已经有主动撤军的念头，他们所以在邵阳筑城，对外夸大自己的军威，其实是怕我们趁机追击他们罢了。如果我们派人去劝说他们，使双方达成协议各自罢兵，他们肯定会听从我们的建议。”崔慧景听从了张欣泰的意见，就派张欣泰来到城下告诉魏军，魏孝文帝于是撤军而回。

魏孝文帝渡过淮河的时候，还剩下五位将领没有渡过淮河，齐军占据了邵阳洲上魏军修筑的据点，断绝了淮河以南五名魏军将领的渡河之路。魏孝文帝招募能够打败邵阳洲军事据点的人，谁能完成任务，就任命谁为直阁将军。担任一支军队头领的代郡人奚康生应募而往，他捆绑了一些筏子，在筏子上堆满柴草，然后顺风放火，烧毁了齐军的船舰，奚康生借着烟雾的掩护径直前进，挥刀乱砍，占据邵阳洲的齐军于是溃不成军。魏孝文帝遂任命奚康生为直阁将军。

魏孝文帝派担任前将军的杨播率领三千名步兵、五百名骑兵为全军断后。当时正值春季河水上涨，齐国的大部队赶来救援，战舰浩浩荡荡，塞满了河道。杨播在淮河南岸摆开阵势抗御到来的齐军。此时魏国的各军已经全部渡过了淮河，齐军遂把孤立无援的杨播四面团团围住攻打，杨播把部下摆成圆形阵式，矛头全部对外抵御齐军，自己则亲自与齐军展开肉搏战，杀死了很多齐军。杨播抵抗齐军已经坚持了两个夜晚，军中的粮食已经吃光了，围攻的齐军进攻得更加猛烈。魏孝文帝在淮河北岸焦急地注视着他们，因为淮河水太大无法渡河救援，所幸的是不久之后水势

三百历齐舰[189]，大呼曰：“我今欲渡，能战者来！”遂拥众而济[190]。播，椿[191]之兄也。

魏军既退，邵阳洲上余兵万人，求输马[192]五百匹，假道以归[193]。崔慧景欲断路攻之，张欣泰曰：“归师勿遏[194]，古人畏之，兵在死地[195]，不可轻也。今胜之不足为武[196]，不胜徒丧前功[197]，不如许之。”慧景从之。萧坦之还，言于上曰：“邵阳洲有死贼[198]万人，慧景、欣泰纵而不取。”由是皆不加赏。甲申[199]，解严。

初，上闻魏主欲饮马于江[200]，惧，敕广陵太守、行南兖州事[201]萧颖胄[202]移居民入城，民惊恐，欲席卷南渡[203]。颖胄以魏寇尚远，不即施行，魏兵竟不至[204]。颖胄，太祖之从子[205]也。

上遣尚书右[4]仆射沈文季助丰城公遥昌守寿阳。文季入城，止游兵[206]，不听出[207]，洞开城门，严加守备。魏兵寻退[208]。

魏之入寇也，卢昶等犹在建康[209]，齐人恨之，饲以蒸豆[210]。昶怖惧，食之，泪汗交横。谒者张思宁[211]辞气不屈[212]，死于馆下[213]。及还，魏主让昶曰：“人谁不死，何至自同牛马，屈身辱国？纵不远慚苏武[214]，独[215]不近愧思宁乎！”乃黜为民。

戊子[216]，魏太师京兆武公冯熙[217]卒于平城。

乙未[218]，魏主如下邳[219]。夏，四月庚子[220]，如彭城。辛丑[221]，为冯熙举哀。太傅、录尚书事平阳公丕[222]不乐南迁，与陆叡表请[223]魏主还临熙葬[224]。帝曰：“开辟[225]以来，安有天子远奔舅丧者乎？今经始洛邑[226]，

开始逐渐减弱，杨播趁势率领三百名精锐骑兵冲过齐军的舰船，他大声呼喊说:“我现在要渡河，能作战的跟我来!”于是带着自己的部下一起渡过了淮河。杨播，是杨椿的哥哥。

魏国的大军撤退之后，邵阳洲上还有一万名魏国的士兵没有来得及撤退，魏国向齐军请求献出五百匹战马，求齐军让开一条道路使这些士兵返回魏国。左卫将军崔慧景准备切断魏军的归路截击魏军，张欣泰说:“对于向回撤退的军队不要截击它，古人都惧怕逃跑的军队，因为此时他们处在无路可逃的情况下，肯定会拼命抵抗，对这样的军队千万不可轻视。即使打了胜仗也不足以显示我们的威风，要是打了败仗则前功尽弃，不如答应他们的请求。”崔慧景采纳了张欣泰的意见。萧坦之回到朝廷之后，向齐明帝汇报说:“邵阳洲有上万名必死的敌军，崔慧景、张欣泰竟然放了他们而没有将他们消灭。”因为这个原因，齐明帝谁也没有赏赐。三月十五日甲申，齐国宣布解除紧急军事状态。

当初，齐明帝听说魏国皇帝拓跋宏想要到长江边上来饮马，心中非常恐惧，于是下令给以广陵太守的身份代理南兖州刺史职务的萧颖胄，让他把居民全部迁到城内，居民得知消息之后全都惊恐不安，都想带着全部家产渡江南逃。萧颖胄认为魏军距离这里还很遥远，所以没有立刻执行齐明帝的命令，而魏军最终并没有到达长江岸边。萧颖胄，是齐太祖萧道成的侄子。

齐明帝派遣担任尚书右仆射的沈文季协助丰城公萧遥昌守卫寿阳。沈文季进入寿春城之后，便阻止轮番出城骚扰魏国的士兵，不准他们出城，他大开城门，严密防守。魏军不久就撤走了。

魏国大军大举南下入侵齐国的时候，魏国的卢昶等人奉命出使齐国还留在建康没有返回，齐国人非常痛恨他们，就把喂牛马的饲料豆拿给他们吃。卢昶心里非常害怕，为了能活命便忍着耻辱吃下了这些饲料豆，他在吃下这些饲料豆的时候泪汗横流。另一名担任谒者的副使张思宁却与卢昶完全不同，他毫不畏惧，言谈话语与行为态度都表明他绝不向齐国人屈服，因此在宾馆里被齐国人迫害致死。等到卢昶回到魏国之后，魏孝文帝严厉地责备卢昶说:“人谁能不死，你怎么能够把自己等同于牛马，屈服于齐国的压力而给自己的国家带来耻辱?纵然你不能与古代杰出的使臣苏武相比，难道你也不愧对身边的张思宁吗!”遂将卢昶罢官为民。

三月十九日戊子，魏国担任太师的京兆武公冯熙在魏国的旧都平城去世。

三日二十六乙未，魏教帝前往下邳郡。夏日，四月初日庚子，魏主教帝前往彭城。四月初三日辛丑，拓跋宏为冯熙举行哀悼仪式。担任太傅、录尚书事的平阳公拓跋丕不愿意向南迁往洛阳，遂与担任尚书令的陆叡一同上表请求孝文帝回到平城参加冯熙的葬礼。孝文帝说:“自从开天辟地以来，哪有天子远道奔波去参加舅舅丧礼之事?现在刚刚开始营建洛阳都城，岂能随意编造一些理由来引诱君主，让君主

岂宜妄相诱引㉗，陷君不义㉘？令、仆以下㉙，可付法官贬之㉚。”仍㉛诏迎熙及博陵长公主㉜之柩，南葬洛阳，礼如晋安平献王故事㉝。

魏主之在钟离也[5]，仇池㉞镇都大将、梁州刺史拓跋英㉟请以州兵会刘藻㊱击汉中，魏主许之。梁州刺史萧懿㊲遣部将尹绍祖、梁季群等将兵二万，据险㊳立五栅㊴以拒之。英曰：“彼帅贱㊵，莫相统壹㊶。我选精卒并攻一营，彼必不相救；若克一营，四营皆走㊷矣。”乃引兵急攻一营，拔之，四营俱溃，生擒梁季群，斩三千余级，俘七百余人，乘胜长驱㊸，进逼南郑。懿又遣其将姜脩击英，英掩击㊹，尽获之。将还，懿别军㊺继至，将士皆已疲，不意其至，大惧，欲走。英故缓辔徐行㊻，神色自若㊼，登高望敌，东西指麾㊽，状若处分㊾，然后整列而前㊿。懿军疑有伏兵，迁延引退(251)，英追击，破之，遂围南郑。禁将士毋得侵暴(252)，远近悦附，争供租运。懿婴城自守(253)，军主范絜先将三千余人在外，还救南郑，英掩击，尽获之。围城数十日，城中恟惧(254)。录事参军新野庾域(255)封题空仓(256)数十，指示(257)将士曰：“此中粟皆满，足支二年，但努力固[6]守(258)！”众心乃安。会魏主召兵[7]还，英使老弱先行，自将精兵为后拒(259)，遣使与懿告别。懿以为诈，英去一日，犹不开门，二日，乃遣将追之。英与士卒下马交战，懿兵不敢逼，行(260)四日四夜，懿兵乃返。英入斜谷(261)，会天大雨，士卒截竹贮米(262)，

去做一些不该做的事情呢？对留守平城的尚书令、尚书仆射及其以下的官员，可以由主管司法的御史提出弹劾，加以贬斥。”孝文帝遂下诏，将京兆武公冯熙和冯熙的妻子博陵长公主的灵柩接来南方，安葬在洛阳，葬礼完全依照晋武帝司马炎为自己的叔祖父安平献王司马孚办理丧事的规格。

魏孝文帝在钟离的时候，魏国担任仇池镇都大将、梁州刺史的拓跋英请求出动州里的军队会同奉命进攻齐国南郑的征南将军刘藻共同攻取齐国的汉中，孝文帝批准了他的请求。齐国担任梁州刺史的萧懿派遣属下的部将尹绍祖、梁季群等人率领二万军队，占据险要地形建立起五座营寨来抵御魏军的进攻。拓跋英说：“齐国守军的将帅职位低下，几处的守将谁也指挥不了谁。我只要选择精兵锐卒合力去进攻他们的一个营寨，他们彼此之间一定不会互相救援；如果攻克了敌人的一个营寨，其余四个营寨的敌军就都溃散逃跑了。”于是率领一支由精锐士兵组成的部队猛烈进攻齐军的一个营寨，将这个营寨攻克，齐军的其他四个营寨果然全部溃散，魏军活捉了齐将梁季群，杀死了三千多人，俘虏了七百多人，并乘胜长驱直入，进逼南郑城下。齐国的梁州刺史萧懿又派自己的部将姜脩进攻拓跋英，拓跋英在姜脩毫无戒备的情况下突然对其发动袭击，把姜脩和他所率领的士卒全部俘虏。拓跋英正准备回军的时候，萧懿属下配合姜脩作战的其他部队相继赶到，拓跋英的将士此时已经疲惫不堪，更没有料到会有其他齐军前来增援，因此非常恐惧，就要逃跑。拓跋英故意放松马缰绳，让战马缓缓而行，自己也是泰然自若，他登上高处眺望敌情，挥动双手东西指挥，就像在部署军队准备作战的样子，然后排着整齐的队列继续前进。萧懿的军队怀疑魏军一定设有伏兵，犹豫再三，还是退走了，拓跋英指挥军队追击已经退却的齐军，再次把齐军打败，并趁势围困了南郑城。拓跋英禁止将士对百姓欺凌、施暴，远近的百姓都非常高兴地归顺了魏军，并争先恐后地给魏军提供粮草，帮助魏军运送物资。梁州刺史萧懿在南郑城内环城自守，担任一支军队头领的范絜先率领三千多人驻扎在外，他回军来救援南郑，拓跋英出其不意袭击了范絜先，把范絜先和他所率领三千多人全部擒获。拓跋英所率领的魏军把南郑城围困了几十天，城中军民恐惧不安。担任录事参军的新野人庾域在几十个空仓的大门上贴上封条，并在封条上署上姓名，然后用手指着仓库对将士们说：“这些仓库中的粮食都是满满的，我们完全可以坚持二年，你们只管勇敢地坚持守城就行了！”众人这才安下心来。恰好此时魏孝文帝命令拓跋英撤军，拓跋英让老弱军士先走，自己则率领精兵走在最后以防齐军的追击，他还派遣使者与萧懿告别。萧懿却以为其中有诈，所以拓跋英离开南郑已经一天了，萧懿还不敢打开城门，直到二天以后，萧懿才派军队去追击魏军。拓跋英与士兵下马与追赶上来的齐军交战，萧懿所派的军队却不敢逼近魏军，他们尾随着魏军走了四天四夜，这才返回南郑。拓跋英率领魏军进入斜谷，遇上天降大雨，士兵们便砍伐竹子，把竹子截成竹筒盛上米，手持火把在马背上炊

执炬火[263]于马上炊之。先是，懿遣人诱说仇池诸氐[264]，使起兵断英运道及归路。英勒兵奋击，且战且前，矢中英颊，卒[265]全军还仇池。讨叛氐，平之。英，桢[266]之子。懿，衍之兄也。

英之攻南郑也，魏主诏雍、泾、岐[267]三州发兵六千人戍南郑[268]，俟克城则遣之。侍中兼左仆射李冲表谏曰："秦川险厄[269]，地接羌夷[270]。自西师[271]出后，饷援[272]连续，加氐胡叛逆，所在奔命[273]，运粮擐甲[274]，迄兹未已[275]。今复豫差戍卒[276]，悬拟山外[277]，虽加优复[278]，恐犹惊骇。脱终攻不克[279]，徒动民情[280]，连胡结夷[281]，事或难测。辄依旨[282]密下刺史，待军克郑城[283]，然后差遣[284]。如臣愚见，犹谓未足[285]。何者？西道[286]险厄，单径[287]千里，今欲深戍[288]绝界[289]之外，孤据群贼之中[290]，敌攻不可猝援[291]，食尽不可运粮。古人有言，'虽鞭之长，不及马腹[292]'。南郑于国[293]，实为马腹也。且魏境所掩[294]，九州过八[295]，民人所臣[296]，十分而九。所未民[297]者，唯漠北之与江外[298]耳。羁之在近[299]，岂汲汲于今日[300]也？宜待疆宇既广，粮食既足，然后置邦[301]树将[302]，为吞并之举。今寿阳、钟离[8]，密迩未拔[303]；赭城、新野，跬步弗降[304]。东道[305]既未可以近力守[306]，西藩[307]宁可以远兵固[308]？若果欲置[309]者，臣恐终以资敌[310]也。又，建都土中[311]，地接寇壤[312]，方须大收死士[313]，平荡江会[314]。若轻遣单寡[315]，

米做饭。先前，萧懿曾经派人去劝说居住在仇池地区的氐族人，让他们起兵截断拓跋英运送粮食以及回归的道路。拓跋英部署军队奋勇反击前来阻截的氐族人，他指挥军队一边作战一边前进，流矢射中了拓跋英的面颊，拓跋英忍着伤痛将军队完整地带回了仇池。然后出兵讨伐叛变的氐族人，把氐族人的叛变平息了下去。拓跋英，是拓跋桢的儿子。萧懿，是萧衍的哥哥。

就在拓跋英率军围攻齐国南郑的时候，魏国的孝文帝下诏给雍州、泾州、岐州三个州的官员，命令他们发兵六千人做好戍守南郑的准备，一旦拓跋英攻克南郑，立即前往戍守。魏国担任侍中兼尚书左仆射的李冲上表给魏孝文帝进行劝阻，李冲说："秦川一带的地形复杂险要，靠近氐族人、羌人等各少数民族居住的地区。自从拓跋英统领进攻南郑的西路军出发之后，为其运送粮草与补充兵员便接连不断，再加上氐族等少数民族的叛逆，到处都得紧急派兵奔去救援，到处都在运送粮食、披甲准备上前线，直到现在都没有停止。现在又要预先准备一支派去驻守南郑的部队，把他们远远地派往大山以南去驻守，虽然给他们各种优厚的待遇、免除他们的各种赋税和劳役，恐怕他们还是会感到惊惶害怕。假如我军最终攻不下南郑，等于白白地让百姓惊扰了一场，如果百姓与那些少数民族勾结起来叛乱，事态的发展恐怕很难预测。我们已经依照陛下的旨意秘密通知雍州、泾州、岐州三个州的刺史做好准备，等我军攻克南郑之后，到那时再组织派遣。如果按照我的愚蠢想法，我觉得光改变这一点还不够。为什么这样说呢？因为西部从秦川进入汉中的道路地形险恶，一条窄路长达千里，现在我们想派军队去远戍隔着高山峻岭的边界地区，在周围都是敌人的情况下防守一个孤立无援的南郑，敌人一旦对其发动进攻，我们增援的部队肯定不能及时赶到，守军的粮食吃完了我们肯定不能马上给他们运去粮食。古人曾经说过这样的话，'虽然鞭子很长，却够不到马的腹部'。南郑对于我们魏国来说，实际上就是马的腹部。况且我们魏国所占据的地盘，九州之中我们已经有了八州，魏国所统治的黎民百姓，已经达到了十分之九。还没有归附我们的，只有大漠以北的柔然与长江以南的齐国而已。把他们的首领捉拿过来的日子已经为期不远，何必非要急着在今天就要把此事办成呢？应当等待疆域扩大，粮食充足以后，再预为设置该地的封国封君、委任专征一方的将领，开始吞并他们的行动。如今寿阳、钟离，紧靠我们的边境地区尚且没有将其攻克；赭城、新野，距离我们仅有半步之遥，居然也不肯向我们投降。淮河一带的东路军所攻取的某些土地，我们已然不能用现有的力量去固守，对于西部战线上的南郑，岂能靠远远派出的一支军队就坚守得住呢？如果一定要派出这支远去固守南郑的军队，我担心最终还是把他们白白送给敌人作为结局。再有，把都城建在天下之中心的洛阳，洛阳挨近敌方的边境，就应当大量地招募那些勇敢作战的人，首先荡平敌人的都城建康。如果随便地派遣一支势力单

弃令陷没[316]，恐后举[317]之日，众以留守致惧[318]，求其死效[319]，未易可获。推此而论，不成[320]为上。”魏主从之。

癸丑[321]，魏主如小沛[322]。己未[323]，如瑕丘[324]。庚申[325]，如鲁城[326]，亲祠[327]孔子。辛酉[328]，拜[329]孔氏四人[330]、颜氏[331]二人官，仍选诸孔宗子[332]一人封崇圣侯，奉孔子祀[333]。命兖州修孔子墓，更建碑铭。戊辰[334]，魏主如碻磝[335]，命谒者仆射成淹[336]具舟楫[337]，欲自泗入河[338]，溯流[339]还洛。淹谏，以为“河流悍猛，非万乘[340]所宜乘”。帝曰：“我以平城无漕运[341]之路，故京邑民贫。今迁都洛阳，欲通四方之运，而民犹惮河流之险[342]。故朕有此行，所以开百姓之心[343]也。”

魏城阳王鸾[344]等攻赭阳[345]，诸将不相统壹，围守百余日，诸将欲按甲不战以疲之。李佐[346]独昼夜攻击，士卒死者甚众，帝[347]遣太子右卫率垣历生[348]救之。诸将[349]以众寡不敌，欲退，佐独帅骑二千逆战而败。卢渊[350]等引去，历生追击，大破之。历生，荣祖之从弟也。南阳太守房伯玉等又败薛真度于沙堨[351]。

鸾等见魏主于瑕丘。魏主责之曰：“卿等沮辱威灵[352]，罪当大辟。朕以新迁洛邑，特从宽典[353]。”五月己巳[354]，降封鸾为定襄县王[355]，削户五百；卢渊、李佐、韦珍皆削官爵为民，佐仍徙瀛州[356]。以薛真度与其从兄安都有开徐方之功[357]，听存其爵及荆州刺史[358]，余皆削夺。曰：“进[359]足明功，退[360]足彰罪矣。”

魏广川刚王谐[361]卒。谐，略之子也。魏主曰：“古者，大臣之丧有三临之礼[362]，魏、晋以来，王公之丧，哭于东堂[363]。自今诸王之丧，期

薄的军队，导致他们最终被敌人所消灭，恐怕日后再攻取建康的时候，众人谁也不愿意留下来坚守城池，因为担心国家会将他们抛弃，到那时再要求他们拼死效力进行坚守，恐怕就不那么容易了。由此而论，还是不在淮河以南留兵固守为好。”孝文帝采纳了李冲的意见。

四月十五日癸丑，魏孝文帝前往沛县。二十一日己未，从沛县前往瑕丘城。二十二日庚申，从瑕丘前往鲁县县城，在鲁县亲自祭祀了孔子。二十三日辛酉，任命四名孔子的后人、两名颜回的后人为官，还从孔子家族大宗的嫡长子中选择了一人封为崇圣侯，负责主持对孔庙、孔林的祭祀。命令兖州的官员修缮孔子墓，重新树立石碑。三十日戊辰，孝文帝从鲁县前往碻磝城，他命令担任谒者仆射的成淹准备好船只，准备经由泗水进入黄河，然后逆流而上返回洛阳。成淹劝阻孝文帝，以为“黄河水流湍急迅猛，坐船渡河太危险，渡船不是万乘之尊所应乘坐的”。孝文帝说：“我因为看到旧都平城没有水道运输，致使旧京地区的人民生活贫困。如今已经迁都洛阳，正要畅通四方的运输，而百姓正在对黄河水流湍急、易出事故感到恐惧。所以我才要坐船逆流而上返回洛阳，就是为了解除百姓在黄河中行船的顾虑，为百姓做出榜样。”

魏国担任征南大将军的城阳王拓跋鸾等人共同率军攻打齐国的赭阳城，因为各位将领的意见不能统一，所以围困赭阳一百多天也没有攻克赭阳城，诸将都想按兵不战以疲惫赭阳城内的守军。只有安南将军李佐率领自己的部下昼夜攻打赭阳城，部下的士卒死伤很多，齐明帝派遣担任太子右卫率的垣历生率军前往赭阳救援。魏军各将都认为自己寡不敌众，于是就想撤退，安南将军李佐独自率领二千名骑兵迎战齐国的援军，却以失败告终。卢渊等人率军退走，垣历生率领齐军随后追击，把卢渊等打得大败。垣历生，是垣荣祖的堂弟。齐国担任南阳太守的房伯玉等又在沙堨打败了薛真度。

城阳王拓跋鸾等人在瑕丘拜见了魏孝文帝。孝文帝责备他们说：“你们这些人败坏了魏国的威灵，使国家蒙受耻辱，罪当处死。我因为刚刚迁都洛阳，所以对你们从宽处理。”五月初一日己巳，将城阳郡王拓跋鸾降为定襄县王，削减了拓跋鸾的五百户食邑；卢渊、李佐、韦珍全都被削除官爵成为普通百姓，李佐还被流放到瀛州。因为薛真度与他的堂兄薛安都以前有带着徐州投降魏国、并在徐州打败刘宋军队的功劳，特准许薛真度保留爵位和荆州刺史的职位，其他的兼职则全部解除。孝文帝说：“对于晋升的人一定要明确他的功劳，对于贬斥的人一定要彰显他的罪过。”

魏国广川刚王拓跋谐去世。拓跋谐，是拓跋略的儿子。魏孝文帝说：“古时候，对于大臣的丧事，君主有三次亲临吊唁的礼节，曹魏、晋朝以来，对王公的丧礼，君主都是在正寝东侧的堂屋里举行哭吊之礼。从今往后，凡是诸王的丧礼，对于服

亲三临[364]；大功再临[365]；小功、缌麻[366]一临；罢东堂之哭。广川王于朕，大功也。”将大敛[367]，素服深衣[368]往哭之。

甲戌[369]，魏主如滑台[370]。丙子[371]，舍于石济[372]。庚辰[373][9]，太子[374]出迎于平桃城[375]。

赵郡王幹[376]在洛阳，贪淫不法，御史中尉李彪[377]私戒之，且曰：“殿下不悛[378]，不敢不以闻[379]。”幹悠然[380]不以为意，彪表弹[381]之。魏主诏幹与北海王详[382]俱从太子诣行在[383]。既至，见详而不见幹，阴使[384]左右察其意色，知无忧悔[385]，乃亲数其罪，杖之一百，免官还第。

癸未[386]，魏主还洛阳，告于太庙[387]。甲申[388]，减冗官[389]之禄，以助军国之用。乙酉[390]，行饮至之礼[391]。班赏有差[392]。

甲午[393]，魏太子冠于庙[394]。魏主欲变北俗，引见[395]群臣，谓曰：“卿等欲朕远追商、周，为欲不及汉、晋邪[396]？”咸阳王禧[397]对曰：“群臣愿陛下度越前王[398]耳。”帝曰：“然则当变风易俗，当因循守故邪？”对曰：“愿圣政日新[399]。”帝曰：“为止于一身，为欲传之子孙邪？”对曰：“愿传之百世。”帝曰：“然则必当改作[400]，卿等不得违也。”对曰：“上令下从，其谁敢违？”帝曰：“夫‘名不正，言不顺，则礼乐不可兴[401]’。今欲断诸北语[402]，一从正音[403]。其年三[10]十已上，习性已久，容不可猝革[404]。三十已下，见[405]在朝廷之人，语音不听仍旧[406]，若有故为[407]，当加降黜。各宜深戒！王公卿士[408]以为然不[409]？”对曰：“实如圣旨。”帝曰：“朕尝与李冲论此，冲曰：‘四方之语，竟知谁是[410]；帝者言之，即

丧一年的近亲，皇帝要亲自前往吊唁三次；对于服丧九个月的亲属，皇帝要亲临吊丧二次；对于服丧五个月与三个月的亲属，皇帝要亲临吊丧一次；取消皇帝在正寝东侧的堂屋里哭吊王公的规定。广川王拓跋谐和我，是服丧九个月的亲属关系。”当拓跋谐的遗体被装入棺材的时候，孝文帝拓跋宏外穿白色冠服、内穿上衣与下裙相连的便服前往拓跋谐的家中进行哭吊。

五月初六日甲戌，魏孝文帝前往滑台城。初八日丙子，住宿在石济津。十二日庚辰，魏国的皇太子拓跋恂离开京师洛阳前往平桃城迎接孝文帝。

魏国的赵郡王拓跋幹在京师洛阳，贪赃淫乱，不守法纪，担任御史中丞的李彪私下里曾经告诫过他，并且对他说：“殿下如果不肯悔改，我将不得不报告皇帝。”拓跋幹悠然自得，对李彪的劝告毫不在意，李彪于是上表对赵郡王拓跋幹进行弹劾。魏孝文帝下诏给拓跋幹与北海王拓跋详，让他们跟着太子一起前往皇帝的行宫。他们三人到了行宫之后，孝文帝只接见了拓跋详而没有接见拓跋幹，还暗中派自己身边的人去观察拓跋幹的表现，当得知拓跋幹既无恐惧之色，又无悔改之意的时候，孝文帝便亲自列数拓跋幹的罪过，让人责打了拓跋幹一百棍，然后罢免了拓跋幹的官职让他回家赋闲。

十五日癸未，魏孝文帝回到都城洛阳，他来到太庙祭祀祖先，向列祖列宗报告自己已经从前方返回。十六日甲申，孝文帝开始削减那些多余的官员的俸禄，用以增加军队和国家的费用。十七日乙酉，孝文帝在宗庙与群臣共饮，庆祝平安归来。他按照群臣功劳的大小，分别给予了不同等级的赏赐。

二十六日甲午，魏国的皇太子拓跋恂在太庙里举行加冠典礼。魏孝文帝拓跋宏决心改变北方的风俗习惯，于是召见群臣，他对群臣说：“你们是希望我远远地效法古代商、周的圣王呢，还是想让我连个汉、晋的帝王也比不上呢？”咸阳王拓跋禧回答说：“群臣都希望陛下能够超越前代一切的帝王。”孝文帝说：“这样说来，我是应当移风易俗呢，还是应当因循守旧呢？”拓跋禧回答说：“希望陛下的政教每天都能更新。”孝文帝又说：“是希望我一个人这样呢，还是希望传给子孙后代呢？”拓跋禧回答说：“希望传给子孙万代。”孝文帝说：“这样的话就必须改变旧有的一切章程、做法，你们可不能违背啊。”拓跋禧回答说：“上令下从，谁敢违背呢？”孝文帝说：“‘名不正，言不顺，则礼乐就没法发扬光大。’现在我想要禁止人们再说北方的各种土话，一律改说华夏的正音。那些年龄在三十岁以上的人，由于习惯已久，也许不能马上改变过来。三十岁以下，现在在朝廷担任官职的人，不允许还照原来的样子说话，如果有故意地要说北方土话，我就要将他降职、罢官。各位应当牢牢记住这一点！你们这些朝中的王公大臣认为是不是这样？”群臣一齐回答说：“就按陛下说的办。”孝文帝说：“我曾经与担任侍中兼尚书左仆射的李冲讨论过这件事情，李冲说：‘四面八方的各种语言，没有人能说清楚究竟哪一种是正确的；皇帝喜欢说哪一种语

为正矣[411]。’冲之此言，其罪当死！”因顾冲曰：“卿负社稷[412]，当令御史牵下[413]！”冲免冠顿首谢[414]。又责留守之官[415]曰：“昨望见妇女犹服夹领小袖[416]，卿等何为不遵前诏！”皆谢罪。帝曰：“朕言非是[417]，卿等当庭争[418]。如何[419]入则顺旨，退则不从乎！”

【段旨】

以上为第一段，写齐明帝萧鸾建武二年（公元四九五年）正月至五月共五个月间的大事。主要写了齐王朝派王广之、萧坦之、沈文季等统兵分道拒魏，齐军与魏军激战于钟离、义阳，建康内外戒严，朝廷派陈显达往来于新亭、白下以张声势。写了魏主亲临寿春城下，呼城中人对语，寿春守将萧遥昌派崔庆远入魏营以对之，因崔庆远有礼有节受到魏主称赞；魏主巡行淮河前线，抚战士以礼，待淮上百姓以德，表现了魏国从容不迫；王广之、萧衍大破魏军于义阳，表现精彩；齐将崔慧景、张欣泰与魏军大战于钟离城北之淮上，魏将杨播、齐将张欣泰都表现得极为出色；魏将拓跋英与齐将萧懿战于南郑，拓跋英勇敢卓绝，萧懿的部将庾域也有很好的表现；进攻赭阳的魏将拓跋鸾等因互不统属，被齐军大破于赭阳、沙堨，拓跋鸾等分别受到魏主的惩罚；魏主原欲南临江水，以其表弟冯诞死于军而遂罢临江之举，决意退兵；魏主原欲在淮南与南郑留军戍守，高闾、陆叡、李冲皆上书极言其孤立无援，难以救助，宜全军撤回，魏主从之。写魏主东巡至鲁城，亲自祭祀孔子，封孔子之后；魏主溯黄河返回洛阳，告于太庙，行饮至之礼；魏主下令实行汉化，令北人一律说中原人之话，穿中原地区之衣等。

【注释】

①正月壬申：正月初二。②督司州：为司州地区驻军的总指挥。南齐的司州州治在今河南信阳。③徐州：指北徐州，南齐的北徐州州治钟离，在今安徽凤阳东北。④沈文季：刘宋名将沈庆之之子，入齐后颇受武帝萧赜的信任，后又佐萧鸾篡取帝位，此时任尚书右仆射。传见《南齐书》卷四十四。⑤豫州：南齐的豫州州治即今安徽寿县。⑥癸酉：正月初三。⑦淮北之人不得侵掠：意即不准侵犯掠夺淮北的黎民百姓。〖按〗魏此时已占领淮北，因此不准魏军掠夺淮北居民。⑧大辟：极刑，意即处死。⑨乙未：正月二十五。⑩萧惠休：刘宋时代的中书令萧思话之子，官至尚书右仆射。传见《南齐书》卷四十六。⑪乘城：登城。⑫间出：不时地派小部队秘密出击。间，间断、不时地。⑬惠明：萧惠明，萧惠休之兄，在宋官至司徒左长史。传见《宋书》卷七十八。⑭刘昶、王

言，哪一种语言就是正确的。’李冲说出这种话，其罪应当判处死刑！”孝文帝说完看了李冲一眼说：“你辜负了朝廷对你的信任，应当让御史把你拉出去斩首！”李冲赶紧摘下头上的帽子磕头请罪。孝文帝又责备留守洛阳朝廷的官员说：“我昨天看见妇女还在穿着北方代郡地区流行的夹领窄袖的服饰，你们这些人为什么不遵守我以前颁布的诏书加以禁止呢！”留守洛阳朝廷的官员全都向皇帝请罪。孝文帝说：“我说的话如果有不对的地方，你们就应当当面提出来，在朝廷上把话说清楚。为什么在朝廷上你们顺从我的旨意，退出朝廷之后就不遵照执行呢！”

肃：都是南朝投归魏国的贵族。刘昶是宋文帝刘义隆之子，刘子业在位时，刘昶为避迫害逃归魏国，此时为魏统兵驻于徐州。传见《魏书》卷五十九。王肃是南齐的官僚王奂之子，因其父被齐武帝所杀而逃归魏国，此时任平南将军。传见《魏书》卷六十三。⑮义阳：即今河南信阳。⑯萧诞：萧鸾的骨干亲信萧谌之兄。传见《南齐书》卷四十二。⑰豫州：魏国的豫州州治在今河南汝南。⑱褊躁：狭隘、暴躁。⑲法曹行参军：以刺史属下司法官员的身份为刘昶充当参军。行，试用、代理。⑳北平阳固：北平郡人姓阳名固。魏国的北平郡治在今河北遵化东侧。阳固是魏国国子祭酒阳尼的后代，是北平郡的无终县（今天津市蓟州区）人。传见《魏书》卷六十。㉑当攻道：把守敌军猛烈进攻之所在。当，对、迎着。胡三省曰：“攻道，攻城之道，矢石之所集也。”㉒志意闲雅：不慌不忙，举重若轻。㉓勇决：勇敢、能决断。㉔丁酉：正月二十七。㉕纂严：戒严；进入紧急状态。纂，集结、掌控。㉖使持节：皇帝命将出征的三种特殊待遇之一，最高者曰使持节，其次曰持节，再次曰假节，都有不同等级的生杀之权。节，皇帝使者所持的信物。以竹为之，以旄牛尾为之饰，三重。㉗新亭白下：都在当时的建康城外，是当时守卫京城的军事要点。新亭在当时建康城的西南方，西临长江，在今江苏南京西南部。白下是建康城西北侧的军事据点，是当时南琅邪郡的郡治所在地，在今南京北部长江东侧的金川门外。㉘以张声势：以为西北方淮河流域的寿阳、钟离、马头等地的南齐守军助威壮胆。㉙己亥：正月二十九。㉚济淮：渡过淮河。㉛至寿阳：来到寿春城下。㉜铁骑弥望：全副披挂的骑兵，一眼望不到边。弥望，犹言极望。孔颖达曰：“人目所望三十里，而天地合于三十里外，不复见之，是为极望。”㉝甲辰：二月初五。㉞八公山：安徽境内的名山，在当时的寿春城北，今安徽淮南西。西汉时淮南王刘安曾在此地召集了许多文人编纂《淮南子》；淝水之战时前秦主苻坚登寿阳城望八公山草木皆兵，即此。㉟甚雨：大雨；急骤的暴雨。㊱去盖：去掉车驾上的大伞，以与士兵同甘苦。㊲丰城公遥昌：萧遥昌，萧鸾之侄，萧鸾之兄萧凤的儿子，被封为丰城公。传见

《南齐书》卷四十五。㊳师故：出兵来伐的理由。《左传》有所谓“齐桓公以诸侯之师伐楚，楚子使与师言曰：‘不虞君之涉吾地也，何故？’”㊴固当有故：当然是有理由的。故，原因、理由。㊵斥言：直言；直言说出，不留情面。斥，指也。㊶含垢依违：明知其罪，而含混忍耐不说。《左传》宣公十五年：“川泽纳污，山薮藏疾，瑾瑜匿瑕，国君含垢，天之道也。”意为国君应有包容的器量。这里指掩盖萧鸾篡位的事。㊷未承来命：不知你们因何而来。未承，未接到、不明白。㊸无所含垢：你没有什么不好说的。㊹废昏立明：废掉昏君，改立明君。㊺未审何疑：不知道这有什么可奇怪的。未审，不明白。㊻七王同恶：七王指武帝萧赜之子萧子隆、萧子懋、萧子敬、萧子真、萧子伦，及被贬为王的小皇帝萧昭业、萧昭文，前者被贬为郁林王，后者被贬为海陵王。同恶，共同作恶、相互勾结作恶。㊼已伏管蔡之诛：已像串通作乱的管叔、蔡叔一样，被周公杀掉了。管、蔡，指管叔鲜、蔡叔度，周武王的两个弟弟。武王去世后，周公辅佐年幼的成王在位，管叔、蔡叔编造谣言，串通殷纣王的儿子武庚共同叛乱，被周公出兵讨平，杀武庚、管叔，流放蔡叔。后人通常将管、蔡视为叛乱之臣的代表。㊽内列清要：在朝廷上任清闲华贵而又重要的官职，如光禄大夫、散骑侍郎等。㊾外典方牧：在地方上任一方的军政长官，即指刺史、督军。㊿近亲：这里指齐武帝萧赜的子孙。(51)亚圣：儒家称尧、舜、禹、汤、周文王、周武王、周公、孔子为圣人，说他们的品德才智是无人能及的。而成王虽比圣人略次，但其品德才智也不是一般人所能及的。(52)得而相之：所以周公才把他置于君位而辅佐他。(53)霍光：西汉名臣。武帝死，霍光受遗诏辅佐昭帝。昭帝死，先迎立武帝子昌邑王刘贺，后因其淫乱而废之，改立了宣帝刘询。传见《前汉书》卷六十八。霍光被后人看作是能受遗命、辅佐幼主的名臣。(54)舍武帝近亲：指废掉了武帝的儿子昌邑王刘贺，亦不立另一个儿子广陵王刘胥。(55)宣帝：名询，武帝原来的太子刘据之孙。公元前七四至前四九年在位。传见《前汉书》卷八。〖按〗昌邑王、广陵王都是武帝之子，宣帝是武帝的曾孙。相比之下，儿子总比曾孙要近得多。(56)非其类也：意即霍光没法与我们的主子萧鸾相比。(57)主上：指明帝萧鸾。(58)若尔：如果照你所说。(59)武王伐纣：意即武王灭纣后自己即位称王。武王灭纣建立周王朝事，见《史记》卷四。纣是殷代的末代之君，事见《史记》卷三。(60)不立微子而辅之：微子名启，纣王的庶兄，是古代著名的贤者，武王灭殷后封微子于宋，为宋国的开国之君。事见《史记》卷三十八。(61)亦为苟贪天下乎：周武王没有立微子为帝，你能说他是自己贪图帝位吗。(62)便可释然：这就解除了我内心的疑虑。(63)见可而进二句：见《左传》宣公十二年中的士会语。原文作：“见可而进，知难而退，军之善政也。”(64)卿欲吾和亲二句：语略不顺，大意是你认为我是与齐王朝和亲好呢，还是不和亲好呢。(65)生民：黎民百姓。(66)涂炭：犹言水深火热，以喻灾难痛苦。(67)裁自圣衷：您自己拿主意。衷，内心、心中。(68)肴：鱼肉之类的荤菜。(69)戊申：二月初九。(70)循淮而东：沿着淮河由寿春东下。(71)安堵：安居；各安其位，不受任何惊扰。(72)租运属路：运送军粮的车子络绎不绝。属，连接、跟随。胡三省曰，“此谓淮北之民耳”。⑦③ 丙辰：二月十七。⑦④ 至钟离：胡三省曰：“自寿阳至钟离三百三十余里。” ⑦⑤ 崔慧景：萧道成早年的部下将领，入齐后，先后受萧道成、萧赜的宠信，后来又倾心拥戴萧鸾，此时为左卫将军。传见《南齐书》卷五十一。⑦⑥ 裴叔业：原为萧道成的部下，萧赜在位时任中军将军。后又成为萧鸾的心腹，此时任宁朔将军。传见《南齐书》卷五十一。⑦⑦ 堑栅：深壕与木栅，在营房、阵地修筑的防御工事。⑦⑧ 负盾而立：胡三省曰，“攻城甚急，矢石交至，故负盾而立以自蔽”。⑦⑨ 去城百余里：距离义阳城还有百余里。去，距离。⑧⓪ 麾下精兵：部下所有的精兵。麾下，部下。麾，大将的指挥旗。⑧① 间道夜发：从小路半夜出发。⑧② 太子右率萧诔：萧诔是萧谌之弟。传见《南齐书》卷四十二。时任太子右卫率，统领皇太子的卫队。右率即右卫率的简称。⑧③ 径上：直接攀上。径，直、不顾其他。⑧④ 贤首山：山名，在当时的义阳城（今河南信阳）的西南方。⑧⑤ 出不意：出乎意料。⑧⑥ 黎明：到天将亮。黎，至、到……时。⑧⑦ 己未：二月二十。⑧⑧ 张冲：齐国北部地区的名将，曾任青、冀二州刺史，此时任都督青、冀二州军事，驻兵于今江苏连云港市海州区。传见《南齐书》卷四十九。⑧⑨ 建陵、驿马、厚丘：魏县名，建陵即今山东郯城，驿马方位不详，厚丘在今江苏沭阳北。⑨⓪ 虎阬、冯时、即丘：魏县名，虎阬在今江苏连云港市赣榆区西，冯时方位不详，即丘在今山东临沂东南。⑨① 纪城：魏县名，在今江苏连云港市赣榆区东北。⑨② 江水：即今长江。⑨③ 辛酉：二月二十二。⑨④ 发钟离：由钟离出发向长江进军。⑨⑤ 冯诞：孝文帝母冯太后之侄，太后兄冯熙之子。传见《魏书》卷八十三上。⑨⑥ 泣诀：流着眼泪告别。⑨⑦ 还钟离：返回到钟离城下的魏军大营。⑨⑧ 拊尸：拍着冯诞的遗体。拊，拍。⑨⑨ 壬戌：二月二十三。⑩⓪ 依晋齐献王故事：按照司马炎安葬其胞弟司马攸的规格，即加赐九锡、鸾车、龙旗以及甲士、卫队等。事见本书卷八十一太康四年。晋齐献王，即司马炎之弟司马攸，被封为齐王，献字是谥。因被司马炎猜忌，忧愤而死。传见《晋书》卷三十八。⑩① 同砚席：指一同读书、写字。砚席，砚台与座席。⑩② 尚：娶……为妻。⑩③ 学术：学问；学者的修养。⑩④ 丁卯：二月二十八。⑩⑤ 数上罪恶：痛斥萧鸾的罪行。数，数说、列其罪行而斥之。上，写史者称本国之君。⑩⑥ 三月戊寅：三月初九。⑩⑦ 邵阳：指邵阳洲，在钟离城北的淮水之中。⑩⑧ 栅断水路二句：立栅切断水路，又在淮水南北两岸夹筑两城。⑩⑨ 玺书：盖着皇帝印玺的文书，以示其庄严郑重。⑪⓪ 具论其状：一一地叙述了前方实地的情况，向后方留守的高闾征求意见。⑪① 十则围之二句：语出《孙子兵法·谋攻》。十，指兵力十倍于敌。⑪② 向者：当初，此前决定这次南伐的时候。⑪③ 止为受降之计：只做了接受曹虎投降的准备。⑪④ 东西辽阔：指西起南郑，东至钟离，战线东西数千里。⑪⑤ 世祖：指太武帝拓跋焘，于其太平真君十一年（公元四五〇年）曾率大兵南下临江。⑪⑥ 回山倒海：意即移山倒海。回，移动、转动。⑪⑦ 瓜步：小山名，在今南京六合区东南的长江北岸。⑪⑧ 盱眙：宋郡名，郡治在今江苏盱眙的东北侧，西距钟离不远。⑪⑨ 攻之不克：当时宋将臧质、沈璞据守盱眙，战斗艰苦卓绝，始终未被攻下，给魏军以严重打击。事见本书卷一百二十五元嘉二十七年。⑳ 班师：回师；军队出征回国。㉑ 兵不戍一城：意即将一度占领的大片地区全部放弃，连一个城镇也未能占领。㉒ 土不辟一廛：连一亩大的地盘也未获得。胡三省引《说文》曰："廛，一亩半，一家之居地。"㉓ 夫岂无人：难道就没有一位将领能占据一城、守住一块地盘吗。㉔ 大镇未平：大的军事重镇未攻下。大镇，指刺史、督军的驻兵之地。㉕ 不可守小：光据守一个小县、一个郡城，那是不可能守得住的。㉖ 壅水：堵住流水。㉗ 先塞其原：要截断它的水源。原，这里同"源"。㉘ 本：树根。㉙ 末流：树梢与流水。㉚ 寿阳、盱眙、淮阴：淮河以南的三个大军镇。淮阴，古县名，即今江苏淮安市淮阴区。㉛ 淮南之本原也：胡三省曰，"寿阳、盱眙、淮阴皆淮津之要地，齐皆以重兵守之，故云本原"。㉜ 长淮：即指淮水。㉝ 隔其内：魏主原想"筑城置戍于淮南，以抚新附之民"，这样魏国的"所置之戍"就被孤立无援地隔在淮河以南而远离魏国的本土了。㉞ 以新击旧：胡三省曰，"久于屯戍，魏师已老，齐以生兵攻之，是之谓以新击旧"。㉟ 以劳御逸：胡三省曰，"魏以孤军守孤城，劳于备御；齐师迭出而攻之，士有余力，是之谓以劳御逸"。㊱ 彭城之役：指魏献文帝时因宋徐州刺史薛安都降魏所引发的两国冲突之事，见本书卷一百三十三。㊲ 既克大镇：指魏军已牢牢地占据徐州。㊳ 不服思叛者：不愿受魏国统治而想回到南朝治下的淮河以北的居民。㊴ 角城蕞尔：一座小小的角城。角城在今江苏宿迁东南，南临淮水。蕞尔，极言其小的样子。㊵ 去淮阳：距离淮阳城。淮阳是魏郡名，即今河南周口市淮阳区，在角城的西方。㊶ 五固之役：指徐州民桓标之、兖州民徐猛子等据五固城反抗魏国统治，魏国派兵讨伐事，见本书卷一百三十五。五固，城邑名，在今山东滕州东北。㊷ 攻围历时：围攻了几个月也没有攻下。时，一个季度，即三个月。㊸ 卒不能克：最终也没有攻下。㊹ 以今准昔：把今天的事情与过去的事情相比较。㊺ 事兼数倍：事情还要困难好多倍。㊻ 天时向热：天气就要一天天地热起来。㊼ 踵：遵循；沿袭。㊽ 旋辕返斾：掉转车头，撤回军队。返斾，班师。㊾ 经营：建设。㊿ 蓄力观衅：积蓄力量，等候时机。衅，破绽、机会。151 布德行化：实行好的政策，以团聚人心。152 中国既和：魏国的内部一旦团结一致。中国，魏人自称其国家政权，以其建都洛阳，故以正统自居。和，和谐、和睦。153 远人：边远的蛮夷，魏国把南齐看作南方蛮夷。154 陆叡：魏国名臣陆俟之孙，陆丽之子，此时任尚书令。传见《魏书》卷四十。155 昏雾：冬天常大雾迷天，一片昏然。156 暑气郁蒸：夏天更蒸腾着一种湿热之气，古代北方人一向认为是能致病的毒气。157 师人：指魏军将士。158 迁鼎草创：指刚刚迁都不久。鼎是国家的传世重器，相传周武王灭商后，曾将九鼎迁到洛邑，后世遂以"迁鼎"指迁都。159 庶事甫尔：各项事务都刚刚开始。庶，众。甫，开始。160 台省：朝廷的各办事机构，如中书省、尚书省、御史台等。161 府寺：各官署的衙门。寺，官舍。162 听治：犹今所谓"办公""理事"。163 百僚居止：朝廷百官的生活条件。164 事等行路：就像一个出差的旅客差不多。行路，过往的行路人。165 自成疠疫：很自然地就会形成各种疾病。166 兵徭并举：战争与徭役同时举行。兵役指对齐作战，徭役指兴建洛阳。⑯⑦介胄之士：指出征的将士。介胄，甲胄、披甲戴盔。介，铠甲。⑯⑧运给之费：运送粮草以供应前线的花销。⑯⑨罢弊：同“疲敝”。筋疲力尽、人心瓦解。⑰⓪正欲曜武江汉：只是想向南朝示威而已。江汉，以二水代指南朝。⑰①自春几夏：从冬到春，现在又快进入夏季了。几，近、接近。⑰②释甲：解甲，指罢兵。⑰③斤板之役：指战场上的筑墙挖沟等劳役。斤，斧、伐木的工具。板，筑墙用的夹板。有说指修建洛阳城。⑰④张欣泰：刘宋名将张兴世之子，入齐后官位不显，此时任领军将军长史。传见《南齐书》卷五十一。⑰⑤有去志：有自动撤兵的念头。⑰⑥惧我蹑其后：怕我们趁机追击他。蹑，追击。⑰⑦说之以两愿罢兵：劝说他双方协议各自罢兵。⑰⑧济淮：指魏主渡过淮河。⑰⑨据渚：占据了邵阳洲上魏人修筑的据点。⑱⓪邀断津路：断绝了淮河以南五将的渡河之路。邀，拦截。津，渡口。⑱①中渚兵：占据邵阳洲的齐兵。⑱②直阁将军：为皇帝统领起居与办公场所之警卫部队的武官。直，通“值”，值勤。⑱③军主代人奚康生：奚康生此时只是一个小的部队长，后来成为魏国名将。传见《魏书》卷七十三。〖按〗据《隋书·百官志中》，北齐时军主已入品，为从七品。北魏太和二十三年后职员令无有此官。北魏时不是正式的官名，只是一支小部队的头领，管的可能是一个营，也可能是一个团，犹如今之所谓“部队长”。⑱④假：加；授予。⑱⑤杨播：魏国孝文帝时代的名将，此时任前将军。传见《魏书》卷五十八。⑱⑥为殿：为全军断后，以对付敌兵的追击骚扰。⑱⑦结陈：集结军队，列成阵式。陈，通“阵”。⑱⑧再宿：两夜。⑱⑨历齐舰：经过齐军的战船旁边。⑲⓪拥众而济：带着自己的部下一起渡过淮河。拥，聚拢、保护。⑲①椿：杨椿，杨播之弟，魏主的亲信之臣，曾为雍州刺史、梁州刺史。传见《魏书》卷五十八。⑲②输马：献出马匹。输，送、交出。⑲③假道以归：求齐军让出一条道，让他们返回魏国。⑲④归师勿遏：对于向回撤退的军队不要截击它。遏，阻止。语出《孙子兵法》，原文作“归师勿遏，穷寇勿追”。⑲⑤死地：无处可逃，只有拼死一搏的地形。⑲⑥胜之不足为武：打赢了也显不出威风。武，战斗力、威风。⑲⑦徒丧前功：白白地将已经取得的战功也给赔进去。⑲⑧死贼：必死之敌；处于穷途末路之敌。⑲⑨甲申：三月十五。⑳⓪饮马于江：到长江边上饮马，即打到长江边上。⑳①广陵太守行南兖州事：以广陵太守的身份代理南兖州刺史。南兖州的州治就在广陵，今江苏扬州。〖按〗当时的南兖州刺史是萧鸾的儿子广陵王萧宝源，因年纪尚幼，所以让萧颖胄代理州事。行，代理。⑳②萧颖胄：齐太祖萧道成的远房兄弟萧赤斧的儿子，深受萧道成、萧赜两代的宠信。此时又为萧鸾任南兖州刺史。传见《南齐书》卷三十八。⑳③席卷南渡：带着全部家私渡江南逃。⑳④竟不至：最终也没有来。⑳⑤从子：侄子，实为远房的侄子。⑳⑥游兵：轮番出城骚扰敌军的士兵。⑳⑦不听出：不准他们出城。⑳⑧寻退：不久就撤走了。寻，不久、很快地。⑳⑨卢昶等犹在建康：魏国的使臣卢昶从去年六月出使南齐，随后爆发战争，卢昶等遂被扣押至今。㉑⓪饲以蒸豆：拿喂牛马的饲料让他们吃。蒸豆，蒸熟的黑豆，以喂牛马。㉑①谒者张思宁：另一使者张思宁，在魏任谒者之职，为魏主掌管收发传达，宴享时充当傧相。㉑②辞气不屈：说话的音调与行为态度丝毫不变。㉑③死于馆下：被迫害死在客馆中。㉑④远惭苏武：远愧于前代的苏武。苏武是西汉武帝时人，因出使匈奴被匈奴人所扣押，苏武坚守汉节不降，是古代杰出使臣的代表。事见《汉书·苏武传》。㉑⑤独：难道。㉑⑥戊子：三月十九。㉑⑦冯熙：孝文帝母冯太后之兄，孝文帝之舅，被封为京兆公，武字是谥。传见《魏书》卷八十三上。㉑⑧乙未：三月二十六。㉑⑨下邳：魏郡名，郡治在今江苏邳州西南。㉒⓪庚子：四月初二。㉒①辛丑：四月初三。㉒②平阳公丕：拓跋丕，拓跋翳槐之孙，曾被封为东阳王，后依例降为平阳郡公。传见《魏书》卷十四。㉒③表请：上表请求。㉒④还临熙葬：回平城参加冯熙的葬礼。〖按〗丕、叡当时皆留守平城。㉒⑤开辟：开天辟地，自有人类以来。㉒⑥经始洛邑：建筑洛阳都城。经始，语出《诗经·灵台》，意即开始经营创建。㉒⑦妄相诱引：随意编说一些理由哄骗不明事理的人。㉒⑧陷君不义：误导君主去做不该做的事情。不义，不相宜。㉒⑨令仆以下：留守平城的尚书令、尚书仆射与其以下的官员。㉓⓪付法官贬之：由御史提出弹劾，加以贬斥。胡三省曰："法官，谓御史。"㉓①仍：通"乃"，于是。㉓②博陵长公主：孝文帝的姐妹，冯熙之妻，前已死，葬于平城。凡皇帝之女称公主；皇帝的姐妹称长公主。㉓③礼如晋安平献王故事：依照当年司马炎为其叔祖司马孚办丧事的规格。司马孚是司马懿之弟，被封为安平王，谥曰献。死时赐銮辂、前后鼓吹，以及相应的卫队、武士等。事见本书卷七十九泰始八年。㉓④仇池：魏国西南部地区的军镇名，在今甘肃西南，成县西北。㉓⑤拓跋英：拓跋晃之孙，拓跋桢之子。传见《魏书》卷十九下。此时任梁州刺史、仇池镇的都大将。都大将是魏官名，为一方的军事长官，位同刺史。魏国的梁州州治就在仇池。㉓⑥刘藻：原是刘宋人，归魏后曾任岐州刺史、秦州刺史，都有突出的治绩。传见《魏书》卷七十。此时正受命以征南将军率魏军进攻齐国之南郑。南郑即今陕西汉中，当时为齐国的梁州州治所在地。㉓⑦萧懿：萧衍之兄。传见《梁书》卷二十三。㉓⑧据险:《魏书·拓跋英传》作"傲山立栅"，意即在半山腰建立防御工事，堵塞交通要道。㉓⑨五栅：五座堵塞山路的防御营寨。㉔⓪彼帅贱：对方守将的地位低。㉔①莫相统壹：几处的守将谁也指挥不了谁。㉔②走：逃跑。㉔③长驱：大规模、长距离地追击不停。㉔④掩击：乘其不备地突然袭击。㉔⑤别军：与主力配合作战的其他部队。㉔⑥故缓辔徐行：故意地放松马缰绳，让马缓缓而行。辔，勒马的嚼子与缰绳。㉔⑦自若：保持原样。㉔⑧指麾：同"指挥"。㉔⑨状若处分：像是有所布置、有所安排的样子。㉕⓪整列而前：排着整齐的队列继续前进。㉕①迁延引退：踌躇再三，引兵而退。迁延，犹豫不决的样子。㉕②侵暴：对百姓欺陵、施暴。㉕③婴城自守：环城自守。婴，环绕。㉕④恟惧：恐惧。㉕⑤新野庾域：新野郡人姓庾名域。新野郡的郡治即今河南新野。庾域是萧懿的部下，此时任录事参军。传见《梁书》卷十一。㉕⑥封题空仓：给空仓的大门贴上封条，在封条上写明是谁所封。题，做署名。㉕⑦指示：指着仓库对人说。㉕⑧但努力固守：你们只管勇敢守城就行了。但，只管、不必操心别的事。㉕⑨后拒：后卫，大军撤退时走在最后以抵抗敌兵追击的部队。㉖⓪行：过了；坚持了。㉖①斜谷：山谷名，也是山路名，是褒斜道的斜谷部分，在今陕西眉县西南。褒斜道是由关中地区翻越秦岭通向汉中地区的山路。㉖②截竹贮米：砍竹做筒以装米烧饭。㉖③执炬火：手持火把。㉖④仇池诸氐：居住在仇池地区的氐族人。仇池自魏晋以来一直是氐族聚居的地区，其首领杨氏家族世代在这一片地区握有统治权，长期依违于南朝与北朝之间，《魏书》《晋书》《宋书》《南齐书》等皆有传。㉖⑤卒：终于；最后。㉖⑥桢：拓跋桢，恭宗拓跋晃之子，孝文帝之叔。传见《魏书》卷十九下。㉖⑦雍、泾、岐：魏之三州名，雍州的州治在今陕西西安，泾州的州治在今甘肃泾川县北，岐州的州治在今陕西宝鸡市凤翔区南。㉖⑧戍南郑:《魏书·李冲传》作“拟戍南郑”，事先做好日后攻下南郑、驻守南郑的准备。㉖⑨秦川险厄：秦川一带的地形复杂险要，易守难攻。秦川，地区名，指今陕西、甘肃两省交界而又临近四川的一带地区，仇池就在其范围之内。㉗⓪地接羌夷：靠近少数民族居住的地区。秦川一带的主要民族是氐族、羌族，其他族类的人数不多，但名目繁杂。㉗①西师：指拓跋英统领的进攻南郑的军队，在魏国数道南伐的大军中这是最靠西方的一路。㉗②饷援：运送粮草与补充兵员。饷，粮饷。㉗③奔命：到处告急，到处都得派兵奔救。奔命，按着救急的命令而奔走之。㉗④运粮擐甲：到处都在运粮、到处都在披甲。㉗⑤迄兹未已：到今天也未结束。㉗⑥豫差戍卒：又要预先准备好一支派去驻守南郑的部队。㉗⑦悬拟山外：要把他们远远地派驻到大山以南。悬拟，远派。因远离后方、隔着大山故曰“悬”。所谓大山即秦岭，唐代大诗人李白《蜀道难》之所吟咏者。㉗⑧优复：各种优厚待遇。复，免除各种赋税、劳役。㉗⑨脱终攻不克：假如我们一旦攻不下南郑。㉘⓪徒动民情：白白地把百姓们惊扰一番。㉘①连胡结夷：如果百姓们一旦与少数民族勾结起来。胡，泛指北方的少数民族。夷，泛指少数民族。㉘②辄依旨：我们已经按照您的旨意。实际上李冲等已经稍加改变了魏主的旨意，只是说得委婉而已。㉘③军克郑城：等我军攻下南郑城。㉘④然后差遣：到那里再组织派遣。㉘⑤犹谓未足：光改变这一项还不够。㉘⑥西道：经秦川进入汉中的道路，即褒斜道。㉘⑦单径：一条窄路。径，小路。㉘⑧深戍：远守，指攻下南郑而守之。㉘⑨绝界：隔着高山峻岭的边界。㉙⓪孤据群贼之中：在周围都是敌人的情况下防守一个孤立无援的据点。㉙①不可猝援：我们的援军不能及时赶到。猝，立即。㉙②虽鞭之长二句：以比喻力所不及。语出《左传》宣公十五年，乃伯宗劝晋侯不要恃强与楚战之语。㉙③南郑于国：南郑对于我们魏国来说。㉙④所掩：所覆盖、所占据的地盘。㉙⑤九州过八：九州已经占领了八个，即《尚书·禹贡》所说的冀、兖、青、徐、荆、豫、梁、雍，只剩一个扬州在南朝的统治下。㉙⑥民人所臣：魏国所统治的黎民百姓。臣，臣服、归附。㉙⑦所未民：还没有归附于我们的黎民。㉙⑧唯漠北之与江外：只剩下大沙漠以北的柔然与长江以南的齐国。㉙⑨羁之在近：把他们的头目捉拿过来的日子已经不远了。羁，束缚、捆绑。㊱⓪岂汲汲于今日：何必非要着急地在今天就要办成呢。汲汲，着急、匆忙的样子。㊱①置邦：预建该地的封国封君，如某国、某王，某州、某刺史。㊱②树将：委任专征一方的大将。㊱③密迩未拔：紧靠我们的边境而尚未攻取。密迩，极言其所挨之近。㉚④跬步弗降：仅距我们半步之远，居然也不投降。跬步，半步，极言其近。㉚⑤东道：指在淮河一带的东方前线所取得的某些胜利，如在淮河以南所取得的某些土地。㉚⑥未可以近力守：不可能用现有的力量固守住。㉚⑦西藩：指南郑的西部战线。㉚⑧宁可以远兵固：又怎么能靠远远派出的一支军队坚守得住呢。㉚⑨果欲置：如果一定要派出这支远远固守的军队。㉛⓪恐终以资敌：我担心最后还是以白白地送给敌人为结局。㉛①建都土中：建都城于天下之中心的洛阳。洛阳自古被称为"中州"，称为地处天下之中。㉛②地接寇壤：挨近敌方边境。㉛③大收死士：大力地募集能勇敢作战之士。㉛④平荡江会：意即攻取建康。胡三省曰："建康为江南都会之地，故曰江会。"㉛⑤轻遣单寡：随便地派出一支势力单薄的兵力。轻，不慎重、轻易地。㉛⑥弃令陷没：让这支军队被敌人所消灭。㉛⑦后举：日后再攻取建康。㉛⑧众以留守致惧：谁也不愿意留下来坚守城池，担心国家将其抛弃。㉛⑨死效：效死力坚守。㉜⓪不戍：不在淮河以南留兵固守。㉜①癸丑：四月十五。㉜②小沛：沛县的别称，即今江苏沛县。因当时的沛郡郡治有时在相县，有时在萧县，故称沛县曰"小沛"以示区别。㉜③己未：四月二十一。㉜④瑕丘：古城名，在今山东济宁市兖州区东北侧，当时为兖州的州治所在地。㉜⑤庚申：四月二十二。㉜⑥鲁城：鲁县县城，即今山东曲阜，城里有孔子庙、城北有孔子墓。㉜⑦亲祠：魏主亲自祭祀。㉜⑧辛酉：四月二十三。㉜⑨拜：任命。用"拜"字极言其严肃、郑重。㉝⓪孔氏四人：孔子的后代子孙四个人。㉝①颜氏：颜回的后代子孙。颜回是孔子的弟子，名渊，被后世称为"复圣"。传见《史记·仲尼弟子列传》。㉝②诸孔宗子：孔子家族大宗的嫡长子。宗子，嫡传的后代。㉝③奉孔子祀：主持对孔庙、孔林的祭祀。㉝④戊辰：四月三十。㉝⑤碻磝：古城名，在今山东聊城市茌平区西南，当时为济州的州治所在地，为黄河渡口，古代的军事重地。㉝⑥谒者仆射成淹：谒者仆射是皇帝的侍从官员，掌收发传达以及赞礼等。成淹是魏国的儒学之士，原在刘宋为官，拓跋弘时代降魏，深受孝文帝与李冲等人的赏识，此时任谒者仆射。传见《魏书》卷七十九。㉝⑦具舟楫：准备船只。楫，划船的桨。㉝⑧自泗入河：经由泗水进入黄河。泗水经由曲阜，南历徐州，再向南流入淮水。据《魏书·成淹传》，孝文帝乃自徐州坐船逆泗水北上鲁城，又准备从碻磝逆黄河西上至洛阳。㉝⑨溯流：逆流而上。㉞⓪万乘：古代以敬称皇帝。㉞①漕运：水道运输。㉞②河流之险：黄河的流水湍急，易出事故。㉞③开百姓之心：解除百姓在黄河中行船的顾虑。㉞④城阳王鸾：拓跋鸾，拓跋晃之孙，拓跋长寿之子，继其父位为王。传见《魏书》卷十九下。㉞⑤赭阳：古城名，南齐北襄城郡的郡治所在地，在今河南方城东北。㉞⑥李佐：魏将名，时为安南将军。㉞⑦帝：指齐明帝萧鸾。㉞⑧垣历生：刘宋名将垣护之的侄孙，南齐名将垣荣祖的堂弟，此时任太子右卫率。传见《南齐书》卷二十八。㉞⑨诸将：魏之诸将。㉟⓪卢渊：魏将名，著名儒生卢玄之孙，卢昶之兄。传见《魏书》卷四十七。此时为进攻赭阳的主将。㉟①败薛真度于沙堨：薛真度是刘宋名将薛安都的堂弟，因与薛安都拥戴刘子勋为帝，失败后一道以彭城投向魏国。传见《魏书》卷六十一。此时为进攻襄阳的魏军主将。沙堨，古地名，在今之南阳与新野之间，当时魏将薛真度驻军于此。㉜ 沮辱威灵：败坏魏国的威灵，使魏国蒙受耻辱。沮，败坏。㉝ 从宽典：从宽处置。典，刑法。㉞ 五月己巳：五月初一。㉟ 降封禀为定襄县王：当时亲王受封，封地通常皆为一个郡，今乃降为一个县。定襄，县名，县治在今内蒙古的和林格尔西北。㊱ 徙瀛州：发配到瀛州。瀛州的州治即今河北河间。㊲ 开徐方之功：指带着徐州投降魏国，并在徐州打败了刘宋的军队，过程详见本书卷一百三十一泰始二年。㊳ 荆州刺史：魏国的荆州州治即今河南鲁山县。㊴ 进：封赏。㊵ 退：贬斥。㊶ 广川刚王谐：拓跋谐，拓跋濬之孙，拓跋略之子，继其父位为广川王，刚字是谥。传见《魏书》卷二十。㊷ 三临之礼：古代君主亲临臣丧的礼节。胡三省引贾山曰："死则往吊哭之，临其小敛、大敛；已棺，除而为之服，锡衰、麻绖而三临其丧。"㊸ 东堂：正寝东侧之堂。㊹ 期亲三临：对服丧一年的近亲，皇帝亲自往吊三次。㊺ 大功再临：对服丧九个月的亲属，皇帝亲自往吊两次。㊻ 小功缌麻：对服丧五个月与服丧三个月的亲属。㊼ 将大敛：当其遗体装入棺木的时候。㊽ 素服深衣：素服，白色的冠服，居丧时穿。深衣，上衣与下裙相连的便服，奔丧时套在素服里。㊾ 甲戌：五月初六。㊿ 滑台：古城名，在今河南滑县东南。㊿㉑ 丙子：五月初八。㊿㉒ 石济：石济津，黄河上的渡口名，在当时的滑台西南，古枋头的正南方。㊿㉓ 庚辰：五月十二。㊿㉔ 太子：魏主拓跋宏的太子，名恂。传见《魏书》卷二十二。㊿㉕ 平桃城：即今河南荥阳东北之古荥镇。胡三省引《水经注》曰："荥阳县有虢亭，俗谓之平眺城。"㊿㉖ 赵郡王幹：拓跋幹，孝文帝拓跋宏之弟。传见《魏书》卷二十一上。㊿㉗ 御史中尉李彪：御史中尉是朝官名，三品上，掌纠察百官。李彪是孝文帝时代的名臣。传见《魏书》卷六十二。㊿㉘ 不悛：不思悔改。㊿㉙ 不敢不以闻：我将不得不报告皇帝。㊿㉚ 悠然：毫不在意的样子。㊿㉛ 表弹：上表弹劾。㊿㉜ 北海王详：拓跋详，拓跋幹之弟。传见《魏书》卷二十一上。㊿㉝ 从太子诣行在：跟着皇太子一道到皇帝外出所驻跸的地方。行在，出行所临时居住之处。㊿㉞ 阴使：暗中派遣。㊿㉟ 知无忧悔：知道他既不恐惧又无悔过之意。㊿㊱ 癸未：五月十五。㊿㊲ 告于太庙：祭祀太庙，向列祖列宗报告自己从前方返回。㊿㊳ 甲申：五月十六。㊿㊴ 冗官：多余的官吏。㊿㊵ 乙酉：五月十七。㊿㊶ 饮至之礼：天子出征返回国都，在宗庙与群臣共饮，庆祝平安归来的一种礼仪活动。胡三省引臧僖伯曰："三年而治兵，入而振旅，归而饮至，以数军实。"又曰："反行，饮至，舍爵策勋焉。"事见《左传》。㊿㊷ 班赏有差：按照功劳大小分别给予不同程度的赏赐。班，通"颁"，发放。有差，有多少高低之不同。㊿㊸ 甲午：五月二十六。㊿㊹ 冠于庙：在太庙里举行加冠礼。古代男子到二十岁时举行加冠礼，从此进入成年人。太子行加冠礼则在太庙。㊿㊺ 引见：召见。㊿㊻ 卿等欲朕远追商周二句：你们是想让我远远地效法商、周的圣王呢，还是想让我连个汉、晋的帝王也比不上呢。㊿㊼ 咸阳王禧：拓跋禧，孝文帝的亲兄弟。传见《魏书》卷二十一上。㊿㊽ 度越前王：超越一切前代的帝王。㊿㊾ 愿圣政日新：希望您的政教每天都能更新。圣，对帝王的颂称。㊿㊿ 改作：改变旧的一切章程、做法。㊿㊿① 名不正三句：语出《论语·子路》，原文作："名不正，则言不顺；言不顺，则事不成；事不成，则礼乐不兴。”⑩断诸北语：禁止再说北方话，即鲜卑人所说的鲜卑语。⑩一从正音：一律改说华夏的正音，即中原地区的通行语音。⑭容不可猝革：也许不能马上就变过来。容，或许。猝，突然、一下子。⑮见：通“现”，现时。⑯不听仍旧：不允许还照原来的样子说话。⑰若有故为：或者是故意地说北方话。若，或。⑱王公卿士：四个等级的爵名，实则包括了整个朝廷上的人士。⑲然不：同“然否”。⑩竟知谁是：谁能说清哪一种是对的。胡三省曰：“四方之人，言语不同，不知当以谁为是。”⑪帝者言之二句：皇帝喜欢说哪一种，哪一种就是正确的。正，正确、标准。⑫负社稷：辜负朝廷对你的信任。社稷，代指国家、朝廷，也指皇帝。⑬牵下：意即牵出问斩。⑭免冠顿首谢：摘去帽子磕头请罪。谢，请罪。⑮留守之官：留守洛阳朝廷的官吏，与跟在皇帝身边的“行台”相对而言。⑯夹领小袖：代郡地区服装式样。小袖，窄袖。⑰朕言非是：我的话如有不对的。⑱庭争：当面提出意见，在朝廷上把话说清楚。⑲如何：怎么能。

【原文】

六月己亥⑳，下诏：“不得为北俗之语于朝廷，违者免所居官。”

癸卯㉑，魏主使太子如平城赴太师熙之丧。

癸丑㉒，魏诏求遗书㉓，秘阁㉔所无，有益时用㉕者，加以优赏㉖。

魏有司奏：“广川王妃㉗葬于代都，未审㉘以新尊从旧卑㉙，以旧卑就新尊？”魏主曰：“代人迁洛者，宜悉葬邙山㉚。其先有夫死于代者，听妻还葬；夫死于洛者，不得还代就妻。其余州之人，自听从便。”丙辰㉛，诏：“迁洛之民死，葬河南㉜，不得还北。”于是代人迁洛[11]者悉为河南洛阳人。

戊午㉝，魏改用长尺、大斗㉞，其法依《汉志》为之㉟。

【校记】

［1］北征：原无“征”字。据张瑛《通鉴校勘记》，“北”下脱“征”字，当是，今据补。〖按〗《南齐书·明帝纪》载“丙申，加太尉陈显达使持节、都督西北征讨诸军事”。［2］参军：原无此二字。据章钰校，十二行本、乙十一行本、孔天胤本皆有此二字，今据补。［3］向：原作“尚”。据章钰校，十二行本、孔天胤本皆作“向”，张敦仁《通鉴刊本识误》同，今据改。［4］右：原作“左”。据章钰校，十二行本、乙十一行本皆作“右”，今据改。〖按〗《南齐书·沈文季传》载“永元元年，转侍中、左仆射”。则文季任左仆射在永元元年。［5］也：原无此字。据章钰校，十二行本、乙十一行本、孔天胤本皆有此字，张瑛《通鉴校勘记》同，今据补。［6］固：据章钰校，十二行本、乙十一行本、孔天胤本皆作“坚”。［7］兵：据章钰校，十二行本、乙十一行本、孔天胤本皆作“英”。［8］寿阳、钟离：据章钰校，十二行本、乙十一行本、孔天胤本皆作“钟离、寿阳”。［9］庚辰：原作“庚申”。据章钰校，十二行本、乙十一行本、孔天胤本皆作“庚辰”，张敦仁《通鉴刊本识误》同，今据改。［10］三：据章钰校，十二行本作“二”。

【语译】

六月初二日己亥，孝文帝下诏说：“群臣在朝廷之上不允许再说北方的土话，违反这一规定的将被免去其所担任的一切官职。”

初六日癸卯，魏孝文帝让皇太子拓跋恂前往旧都平城参加太师京兆武公冯熙的丧礼。

十六日癸丑，魏孝文帝下诏征集散失在民间的古代书籍，凡是国家图书馆中所没有的、对现实政治有用处的书籍，对献出此书的人给以优厚的奖赏。

魏国有关部门的官员上奏给孝文帝说：“广川王拓跋谐的王妃早已去世，安葬在代都平城，我等不清楚应该如何处置：是让新去世的广川王拓跋谐俯就他的妻子归葬于平城，还是将其前死之妻的坟墓迁到洛阳来与她新死的丈夫合葬呢？”孝文帝回答说：“凡是从代地迁到洛阳的人，去世之后都应当埋葬在邙山。此前有丈夫死在代地的，允许他的妻子死后运回代地合葬；如果是丈夫死在洛阳的，不允许运回代地俯就妻子合葬。其他州的人，听其自便。”六月十九日丙辰，孝文帝下诏说：“凡是迁到洛阳的人，死后一律安葬在黄河以南，不允许归葬北方。”于是从代地迁到洛阳的人全部都成了河南洛阳人。

六月二十一日戊午，魏国开始废除在平城时期使用的长尺、大斗，不再用它作为计量工具，而改用《汉书·律历志》中所规定的标准尺与标准斗作为计量工具。

上之废郁林王也，许萧谌以扬州[436]，既而除领军将军[437]、南徐州刺史[438]。谌恚[439]曰："见炊饭[440]，推以与人[441]。"谌恃功，颇干预朝政，所欲选用，辄命尚书使为申论[442]。上闻而忌之，以萧诞、萧诔方将兵拒魏，隐忍不发[443]。壬戌[444]，上游华林园[445]，与谌及尚书令王晏[446]等数人宴，尽欢。坐罢，留谌晚出，至华林阁，仗身[447]执还入省[448][12]。上遣左右莫智明数谌[449]曰："隆昌之际[450]，非卿无有今日。今一门二州[451]，兄弟三封[452]，朝廷相报，止[13]可极此[453]。卿恒怀怨望[454]，乃云'炊饭已熟，合甑与人[455]'邪！今赐卿死！"遂杀之，并其弟诔。以黄门郎萧衍为司州别驾[456]，往执诞，杀之[457]。谌好术数[458]，吴兴[459]沈文猷常语之[460]曰："君相不减高帝[461]。"谌死，文猷亦伏诛。谌死之日，上又杀西阳王子明[462]、南海王子罕[463]、邵陵王子贞[464]。

乙丑[465]，以右卫将军萧坦之为领军将军[466]。

魏高闾上言[467]："邺城密皇后庙[468]颓圮[469]，请更葺治[470]；若谓已配飨太庙[471]，即宜罢毁[472]。"诏罢之。

魏拓跋英之寇汉中也，沮水氐[473]杨馥之[474]为齐击武兴氐杨集始[475]，破之。秋，七月辛卯[476]，以馥之为北秦州刺史[477]、仇池公。

八月乙巳[478]，魏选武勇之士十五万人为羽林、虎贲[479]以充宿卫[480]。

魏金墉宫[481]成，立国子、太学[482]、四门小学[483]于洛阳。

魏高祖游华林园[484]，观故景阳山[485]，黄门侍郎郭祚[486]曰："山水者，仁智之所乐[487]，宜复修之。"帝曰："魏明帝[488]以奢失之于前，朕岂可袭

齐明帝萧鸾在废掉郁林王萧昭业的时候，曾经许诺事成之后便任命萧谌为扬州刺史，后来却任命萧谌为领军将军、南徐州刺史。萧谌恼怒地说：“已经做好了的现成饭，自己不吃，却推给了别人。”萧谌依仗自己的功劳，经常干预朝政，对自己想要选拔任用的人，就命令尚书替自己申述理由，一定要达到目的方肯罢休。齐明帝听说以后便对萧谌有了憎恶之心，因为当时萧诞、萧诔正率军在前线抵抗魏军的入侵，所以他暂时隐忍下来，没有发作。六月二十五日壬戌，齐明帝前往位于建康城内的华林园游玩，与萧谌以及尚书令王晏等几个人一同饮宴，极尽欢乐。饮宴结束之后，齐明帝便留下萧谌晚走一会儿，萧谌来到华林阁，一些手执兵器的武士立即逮捕了萧谌，把他押回尚书省。齐明帝令身边的侍从人员莫智明一条一条地列举萧谌的罪行，并谴责他说：“当初废杀郁林王萧昭业的时候，如果没有你的帮助就没有我的今天。如今你们一家已经有两个人担任州刺史，兄弟之中有三个人受封，朝廷对你的报答，至此已经达到极点，不可能再高了。而你经常心怀不满，竟然说出‘已经烧熟的现成饭，却连饭带甑一起送给了别人’这样的话！现在我要你死！”于是杀死了萧谌，并杀了他的弟弟萧诔。齐明帝任命担任黄门侍郎的萧衍为司州别驾，前往司州袭捕司州刺史萧诞，把萧诞杀死。萧谌喜好用占卜、算命那一套封建迷信来推测命运，吴兴郡人沈文猷曾经对他说：“您的面相不比高皇帝萧道成差。”萧谌被杀死之后，沈文猷也被杀死。萧谌被杀的那天，齐明帝还杀死了齐武帝萧赜的三个儿子西阳王萧子明、南海王萧子罕、邵陵王萧子贞。

二十八日乙丑，齐明帝任命担任右卫将军的萧坦之为领军将军。

魏国担任相州刺史的高闾上书给孝文帝拓跋宏说：“在邺城修建的密皇后庙已经坍塌了，请将其重新修葺整治；如果认为密皇后的牌位已经在太庙跟随其丈夫拓跋嗣享受了祭祀，就应当取消对邺城密皇后庙的祭祀，将其拆毁。”孝文帝于是下诏，停止对邺城密皇后庙的祭祀，将庙拆毁。

魏国的拓跋英在进犯齐国汉中的时候，居住在沮水一带的氐族人首领杨馥之出兵为齐国袭击了归附于魏国的武兴郡氐族人首领杨集始，把杨集始打败。秋季，七月二十四日辛卯，齐国朝廷任命杨馥之为北秦州刺史、仇池公。

八月初九日乙巳，魏国朝廷从全国各地挑选了十五万名勇敢之士组成了皇家的禁卫军羽林军和虎贲军，负责宫廷中的夜间值勤等保卫工作。

魏国修建的金墉宫竣工，魏国在洛阳开办了为国家培养各级官吏的国子学、太学，还在洛阳的四门开办了供贵族子弟接受教育的初等学校。

魏高祖拓跋宏游览了魏明帝曹叡时期所修建的皇家园林华林园，观看了华林园内的景阳山遗址，担任黄门侍郎的郭祚对孝文帝说：“山水是仁者、智者最喜欢游览的地方，应该把这里的山水景致重新修建整治起来。”孝文帝拓跋宏说：“先前的魏明帝曹叡已经犯了奢侈的过失，我岂能在后边沿袭他的道路，重蹈他的覆辙呢？”孝文

之[489]于后乎?”帝好读书，手不释卷，在舆据鞍[490]，不忘讲道[491]。善属文[492]，多于马上口占[493]，既成，不更一字[494]。自太和十年[495]以后，诏策皆自为之。好贤乐善，情如饥渴，所与游接[496]，常寄以布素之意[497]。如李冲、李彪、高闾、王肃、郭祚、宋弁[498]、刘芳[499]、崔光[500]、邢峦[501]之徒，皆以文雅见亲，贵显用事[502]，制礼作乐，郁然[503]可观，有太平之风焉。

治书侍御史薛聪[504]，辩[505]之曾孙也。弹劾不避强御[506]，帝或欲宽贷[507]者，聪辄争之[508]。帝每曰:“朕见薛聪，不能不惮，何况诸人也!”自是贵戚敛手[509]。累迁直阁将军，兼给事黄门侍郎、散骑常侍。帝外以德器遇之[510]，内以心膂为寄[511]，亲卫禁兵，悉聪管领，故终太和之世，恒带直阁将军[512]。群臣罢朝之后，聪恒陪侍帷幄[513]，言兼昼夜，时政得失，动辄匡谏，事多听允。而重厚沈密[514]，外莫窥其际[515]。帝欲进以名位[516]，辄苦让不受。帝亦雅相体悉[517]，谓之曰:“卿天爵[518]自高，固非人爵[14]所能荣[519]也。”

九月庚午[520]，魏六宫[521]、文武悉迁于洛阳。

丙戌[522]，魏主如邺，屡至相州刺史高闾之馆[523]，美其治效[524]，赏赐甚厚。闾数请本州[525]，诏曰:“闾以悬车之年[526]，方求衣锦[527]，知进忘退，有尘谦德[528]，可降号平北将军[529]。朝之老成[530]，宜遂情愿[531]，徙授幽州刺史[532]，令存劝两修[533]，恩法并举[534]。”以高阳王雍[535]为相州刺史，戒之曰:“作牧[536]亦易亦难:‘其身正，不令而行[537]’，所以易;‘其身不正，虽令不从[538]’，所以难。”

己丑[539]，徙南平王宝攸[540]为邵陵王，蜀郡王子文[541]为西阳王，广汉王子峻[542]为衡阳王，临海王昭秀[543]为巴陵王，永嘉王昭粲[544]为桂阳王。

帝喜欢读书，手不释卷，不论是坐在车子里还是骑在马上，总是不停地讲论儒家学问。孝文帝擅长于写文章，多次在马上口述，令侍从写下来，写完之后竟然用不着再改动一个字。自从太和十年孝文帝开始亲政之后，所有皇帝发布的诏令、文书都是孝文帝亲自撰写。孝文帝喜好结交贤士，乐于和善人来往，对待他们的情分如饥似渴，对那些打过交道、有过接触的人，孝文帝都是以一个普通人的身份与他们相互往来。像李冲、李彪、高闾、王肃、郭祚、宋弁、刘芳、崔光、邢峦这些人，都是因为精通艺文礼乐而被孝文帝所亲近，进而成为手握实权的达官显贵，制礼作乐，蔚然可观，大有太平盛世的气象。

魏国担任治书侍御史的薛聪，是薛辩的曾孙。弹劾的时候从来不避讳那些强悍、有权势的人，即使是孝文帝想要放过的人，薛聪也要坚持自己的意见。孝文帝经常说："我见了薛聪，都感到有些敬畏，何况是其他人呢！"从此以后，那些皇亲贵戚都对自己的行为有所收敛，不敢再胡作非为。薛聪一步一步地被擢升为直阁将军，同时还兼任着给事黄门侍郎、散骑常侍的职务。孝文帝表面上是以薛聪的品德、才器对他另眼相看，而内心是把他看作自己的心腹，而把重任委托给他，将贴身侍卫以及宫廷的禁卫军全部交给薛聪统领，所以整个太和年间，薛聪一直兼任着直阁将军的职务。群臣退朝之后，薛聪经常在孝文帝的内室陪护值勤，与孝文帝不分昼夜地商讨国家大事，议论时政的得失，动不动就进行匡正和劝阻，在好多方面孝文帝都听从、批准了薛聪的意见和请求。而且薛聪为人寡言少语、性情稳重，从不泄露消息，外面的人谁也没有办法窥测皇帝身边的事情。孝文帝想要提高他的官职和爵位，薛聪总是苦苦辞让不肯接受。孝文帝也能很好地理解他、体谅他，他对薛聪说："你的性情品格天生就高，而不是世俗的官职和爵位能你带来了荣耀的。"

九月初四日庚午，魏国留在平城的六宫皇后、嫔妃以及文武群臣全部迁到了洛阳。

二十日丙戌，魏孝文帝前往邺城，他多次到相州刺史高闾的官舍，很赞赏高闾治理地方的政绩，给高闾的赏赐非常丰厚。高闾多次向孝文帝请求回自己的故乡担任刺史，孝文帝下诏说："高闾以年近退休的高龄，一再请求衣锦还乡，到自己的故乡去担任刺史的职务，他只知道一味地进取而忘记了谦退，有损于谦逊的美德，现在将他由镇南将军降号为平北将军。但他毕竟是朝廷上一位阅历丰富而练达世事的老臣，应该满足他的心愿，将他改任为幽州刺史。所以这样做，既要维护法度的尊严，也要讲点人情味，既要施恩又要严格执法。"孝文帝任命高阳王拓跋雍为相州刺史，告诫他说："担任一个州的刺史，说容易也容易，说困难也困难：'只要你自己表现得好，不用给人家下命令，人家自然就按照你的样子去做了'，这是它容易的地方；'如果你自己表现得不好，你即使给人家下命令，人家还是不听你的'，这是它困难的地方。"

二十三日己丑，齐明帝改封南平王萧宝攸为邵陵王，改封蜀郡王萧子文为西阳王，改封广汉王萧子峻为衡阳王，改封临海王萧昭秀为巴陵王，改封永嘉王萧昭粲为桂阳王。

乙未[545]，魏主自邺还。冬，十月丙辰[546]，至洛阳。

壬戌[547]，魏诏："诸州牧[15]精品属官[548]，考其得失为三等[549]以闻。"又诏："徐、兖、光、南青、荆、洛[550]六州，严纂戎备[551]，应须赴集[552]。"

十一月丁卯[553]，诏罢[554]世宗[555]东田[556]，毁兴光楼[557]。

己卯[558]，纳太子妃褚氏[559]，大赦。妃，澄[560]之女也。

庚午[561]，魏主如委粟山[562]，定圜丘[563]。己卯[564]，帝引诸儒议圜丘礼[565]，秘书令李彪建言[566]："鲁人[567]将有事于上帝[568]，必先有事于泮宫[569]。请前一日告庙[570]。"从之。甲申[571]，魏主祀圜丘。丙戌[572][16]，大赦。

十二月乙未朔[573]，魏主见群臣于光极堂，宣下品令[574]，为大选[575]之始。光禄勋于烈[576]子登，引例求迁官[577]，烈上表曰："方今圣明之朝，理应廉让[17]，而臣子登引人求进[578]，是臣素无教训，乞行黜落[579]！"魏主曰："此乃有识之言，不谓烈能办此[580]！"乃引见登，谓曰："朕将流化天下[581]，以卿父有谦逊之美、直士之风，故进卿为太子翊军校尉[582]。"又加[583]烈散骑常侍，封聊城县子[584]。

魏主谓群臣曰："国家从来有一事可叹[585]，臣下莫肯公言得失[586]是也。夫人君患不能纳谏，人臣患不能尽忠。自今朕举一人，如有不可，卿等直言其失；若有才能而朕所不识[587]，卿等亦当举之[588]。如是，得人者有赏，不言者有罪，卿等当知之[589]。"

丁酉[590]，诏修晋帝诸陵[591]，增置守卫。

甲子[592]，魏主引见群臣于光极堂，颁赐冠服[593]。

先是魏人未尝用钱，魏主始命铸太和五铢[594]。是岁，鼓铸粗备[595]，诏公私用之。

九月二十九日乙未，魏孝文帝从邺城出发踏上返回洛阳的行程。冬季，十月二十一日丙辰，回到都城洛阳。

二十七日壬戌，魏孝文帝下诏："各州牧守都要精心考察自己的下属官员，考核他们的得失，把他们评为上、中、下三等上报朝廷知道。"又下诏说："徐州、兖州、光州、南青州、荆州、洛州六州都要经常处于高度的战备状态，随时准备应付突发事变。"

十一月初二日丁卯，齐明帝下诏，废除齐世宗文惠太子萧长懋生前修建的东田离宫，拆毁文惠太子修建的兴光楼。

十四日己卯，齐明帝给皇太子萧宝卷聘娶了褚氏为太子妃，大赦天下。太子妃褚氏，是褚澄的女儿。

初五日庚午，魏孝文帝前往委粟山，决定将祭天的圜丘修建于委粟山。十四日己卯，孝文帝召集各位儒学之士商议在天坛祭天的礼仪，担任秘书令的李彪建议说："西周以及春秋时期鲁国的国君在准备祭祀上天之前，都先要在泮宫里进行祭天演练。并要求在祭祀的前一天祭祀宗庙，将自己准备祭天这件大事报告给祖先知道。"孝文帝采纳了他的意见。十九日甲申，孝文帝在委粟山的圜丘举行祭天仪式。二十一日丙戌，实行大赦。

十二月初一日乙未，魏孝文帝在光极堂召见群臣，宣布评定人才的九品之令，作为对满朝文武官员按照九品进行评定的开始。担任光禄勋的于烈的儿子于登，援引他人获取升迁的先例请求自己也能得到提升，于烈上表给孝文帝说："如今圣明的君主执掌朝政，按理说应该讲究廉洁谦让，而我的儿子于登却援引他人升迁的例子以求自己得到升迁，这是我一向没有教训好自己的儿子，请求罢免我的官职！"孝文帝说："这样的话只有有识之士才能说得出来，没想到于烈竟然能说出这样的话来！"于是召见于登，对于登说："我将教育全社会，因为你的父亲具有谦逊的美德、正直之士的作风，所以提拔你为太子翊军校尉。"又加授予烈为散骑常侍，封于烈为子爵，封地为聊城。

魏孝文帝对群臣说："国家有一件事情一直令人感到惋惜，就是做臣子的从来不敢公开批评朝政的得失。国君担忧不能纳谏，人臣担忧不能尽忠。自今以后，我每举荐一个人，如果有什么不合适，你们这些人要直言指出我的过失；如果某人确实很有才能而我对他没有正确的认识，你们这些人也应当提出来。如果能做到这样，举荐贤能的人有赏，不直言指出我的过失的就要惩罚，你们应当记住这一点。"

十二月初三日丁酉，齐明帝下诏修葺西晋诸帝的陵墓，并为其增设守卫人员。

三十日甲子，魏孝文帝在光极堂召见群臣，给他们颁发汉族士大夫的衣帽。

在此之前，魏国人从来没有使用过钱币，魏孝文帝开始命人铸造太和五铢钱。这一年，熔铸的钱币大致已经够用，孝文帝于是下诏，令官府和私人全部使用太和五铢钱。

魏以光城蛮帅田益宗⑤⑨⑥[18]为南司州⑤⑨⑦刺史，所统守宰⑤⑨⑧，听其铨置⑤⑨⑨。后更于新蔡立东豫州⑥⓪⓪，以益宗为刺史。

氐王杨炅⑥⓪①卒。

【段旨】

以上为第二段，写齐明帝萧鸾建武二年（公元四九五年）六月至十二月的大事。主要写了魏国建立太学、国子学、四门学；写了魏国铸用五铢钱，使用中原地区的度量衡，以及命令代北地区来的人死后一律葬在洛阳。写了魏主宣布九品令并以此评定朝廷百官，以及筑圜丘于委粟山，举行祭天之礼。写了魏主不修园林，而好读书，手不释卷，诏策皆自为之，亲用儒学人物，制礼作乐，使魏国有太平之风。写了魏国的治书侍御史薛聪以其正直敢言深受魏主倚任，使之始终身为直阁将军之职，以及任其弟拓跋雍为相州刺史，责以“其身正，不令而行；其身不正，虽令不从”之理。写了齐明帝萧鸾的亲信萧谌因未得扬州刺史而心怀怨望，遂连带其兄萧诞、其弟萧诔一齐被萧鸾所杀；以萧坦之为领军将军等。

【注释】

④②⓪六月己亥：六月初二。④②①癸卯：六月初六。④②②癸丑：六月十六。④②③遗书：散失在民间的古代典籍。④②④秘阁：国家图书馆。胡三省曰：“汉时书府，在外则有太常、太史、博士掌之，内则有延阁、广内、石渠之藏。后汉则藏之东观，晋有三阁经书。陆机《谢表》云‘身登三阁’，谓为秘书郎掌中外三阁秘书也。”④②⑤有益时用：对现时政治有用处的书籍。④②⑥加以优赏：应对交出此书的人予以奖赏。④②⑦广川王妃：广川王拓跋谐的王妃，前已死葬于平城。④②⑧未审：不清楚；不知如何处置。④②⑨以新尊从旧卑：让新死的丈夫就其妻归葬于平城。古礼夫尊妻卑，故称新死的拓跋谐叫“新尊”，称其先死之妻曰“旧卑”。④③⓪邙山：也叫北邙山，在当时的洛阳城北，东汉及北魏的王侯公卿大多葬在此地。④③①丙辰：六月十九。④③②河南：黄河以南，即洛阳一带地区。④③③戊午：六月二十一。④③④改用长尺、大斗：意思是不再使用在平城时所用的长尺、大斗。④③⑤依《汉志》为之：即改用《汉书·律历志》中所规定的标准尺与标准斗。④③⑥许萧谌以扬州：答应事成之后任萧谌为扬州刺史。④③⑦除领军将军：任命为领军将军。领军将军是掌管京城以内军队的最高长官。④③⑧南徐州刺史：南徐州的州治即今江苏镇江市。④③⑨恚：恼怒。④④⓪见炊饭：已经做好了的现成饭。④④①推以与人：自己不吃，推给了别人。《南齐书·萧谌传》作：“见炊饭熟，推以与

魏孝文帝任命光城郡的少数民族首领田益宗为南司州刺史，在他统辖区域内的郡守和县令，他有权自行选任。后来魏国又在新蔡设立了东豫州，任命田益宗为东豫州刺史。

氐王杨炅去世。

人。”言外之意是那时还不如我自己做皇帝了。㊹使为申论：让他替自己铺述理由。申论，申说，意即一定要达到目的才罢休。㊸隐忍不发：勉强容忍，没有发作。㊹壬戌：六月二十五。㊺华林园：当时建康城里的皇家园林，刘宋时代已存在。㊻王晏：萧鸾的亲信，也是协助萧鸾篡位的急先锋，此时任尚书令。传见《南齐书》卷四十二。㊼仗身：手执兵器的武士。仗，兵器。㊽执还入省：拘捕押回了尚书省。㊾数谌：谴责萧谌。数，一条条地列举其罪行而谴责之。㊿隆昌之际：当初作乱杀萧昭业的时候。隆昌，萧昭业的年号。451一门二州：你们一家之中就有两个州刺史。萧谌是南徐州刺史，其兄萧诞是司州刺史。452兄弟三封：兄弟之中三人受封。萧谌被封衡阳郡公，萧诔被封西昌侯，萧诞被封安德侯。453止可极此：如此已到极点。454恒怀怨望：总是心怀不满。怨望，不满。望，也是“怨”的意思。455合甑与人：连饭带甑一起给了别人。甑，古代蒸饭用的瓦罐。456司州别驾：司州刺史的高级僚属。因其随刺史出行时能独自另乘一辆车，故称“别驾”。司州的州治义阳，即今河南信阳。457往执诞二句：前往信阳袭捕萧诞，将其杀死。458好术数：这里指迷信骗子们所搞的占卜、算命那一套。术数，古代的所谓“术数”大多属于迷信骗人的一套，但其中也有科学的部分，如中医、冶炼等。459吴兴：古郡名，郡治即今浙江湖州。460常语之：曾经对他说。常，通“尝”，曾经。461君相不减高帝：您的面相不比萧道成差。462西阳王子明：萧子明，齐武帝萧赜的第十子，被封西阳郡王。传见《南齐书》卷四十。西阳郡的郡治在今湖北黄冈东。463南海王子罕：萧子罕，齐武帝萧赜的第十一子，被封南海郡王。传见《南齐书》卷四十。南海郡的郡治即今广州。464邵陵王子贞：萧子贞，齐武帝萧赜的第十四子，被封邵陵郡王。传见《南齐书》卷四十。邵陵郡的郡治即今湖南邵阳。465乙丑：六月二十八。466为领军将军：以代替萧谌。467上言：上书说。胡三省曰：“高闾为相州刺史，相州治邺，故上言之。”468邺城密皇后庙：修建在邺城的密皇后庙。密皇后是魏明元帝拓跋嗣的皇后，世祖拓跋焘的生母。姓杜，谥曰密。因她是邺城人，故在邺城有庙。传见《魏书》卷十三。邺城在今河北临漳西南。469颓圮：坍塌。470葺治：修葺整治。471配飨太庙：在太庙随其夫拓跋嗣享受祭祀。472罢毁：取消对这座庙宇的祭祀，将其拆毁。473沮水氐：沮水流域的氐族人。沮水是沔水的源头之一，流经今陕西留坝、沔县一带。474杨馥之：氐族的世代头领杨氏家族的后代。传见《南齐书》卷五十九。475武兴氐杨集始：武兴郡的氐族头领名叫杨集始。武兴郡的郡治即今陕西略

阳。杨集始也是氐族杨氏的后代，此时归附于魏国。传见《南齐书》卷五十九。⑷⑺⑹七月辛卯：七月二十四。⑷⑺⑺北秦州刺史：亦徒有其名而已，所谓“北秦州”与“仇池郡”其实都在魏国人的统治之下。⑷⑺⑻八月乙巳：八月初九。⑷⑺⑼羽林、虎贲：都是皇家禁卫军的名号，言其行动如飞鸟之快，勇猛如虎。⑷⑻⑽宿卫：夜间警卫，这里即指保卫。⑷⑻⑴金墉宫：在洛阳城的西北部修建的宫殿名。金墉原是洛阳城西北部的小城名，今在其地建宫，名曰金墉宫。⑷⑻⑵国子、太学：都是朝廷举办的国立大学，以培养各级官僚为宗旨。西汉武帝时期开始建立太学，令全国各地的行政长官选拔当地的生员向太学输送。晋又设立国子学，主要以招收与培养贵族子弟为宗旨。⑷⑻⑶四门小学：贵族子弟的初等学校，因设在洛都的四门，故称四门小学。⑷⑻⑷华林园：原是洛阳城内的皇家园林，魏明帝曹叡所修筑，后经五胡乱华，今魏主所游者当是满目疮痍，破旧不堪。⑷⑻⑸故景阳山：自曹魏时代遗留下来的华林园内的土山。⑷⑻⑹郭祚：魏国的文学之臣，甚受魏主亲近。传见《魏书》卷六十四。⑷⑻⑺山水者二句：语出《论语·雍也》，“孔子曰：‘仁者乐山，智者乐水’”。⑷⑻⑻魏明帝：曹叡，曹丕之子，公元二二六至二三九年在位。景阳山的修造者，被时人讥为奢侈。⑷⑻⑼袭之：沿袭他的道路走，意即重蹈覆辙。⑷⑼⑽在舆据鞍：不论是乘车还是骑在马上。⑷⑼⑴不忘讲道：总是不停地谈论儒家学问。⑷⑼⑵善属文：擅长于写文章。属文，连缀文字。⑷⑼⑶口占：口中念出，令侍从写下。⑷⑼⑷不更一字：极言其思维之敏捷、成熟。⑷⑼⑸太和十年：公元四八六年。冯太后从此年让出权力，魏主开始亲自主持政事。⑷⑼⑹所与游接：对那些打过交道、有过接触的人。⑷⑼⑺寄以布素之意：都以一个平民百姓的身份与之相互往来。⑷⑼⑻宋弁：魏国的儒家代表人物，官至右卫将军兼祠部尚书。传见《魏书》卷六十三。⑷⑼⑼刘芳：魏国的儒学代表人物，汉楚元王刘交之后，被人称为“刘石经”。传见《魏书》卷五十五。⑸⑽⑽崔光：魏国的儒家代表人物，父祖原在刘宋为官，其后崔光随其父归降于魏。深受魏主赏识，曾任中书侍郎、黄门侍郎。传见《魏书》卷六十七。⑸⑽⑴邢峦：魏国的文学之士，以文才干略被魏主所赏识。传见《魏书》卷六十五。⑸⑽⑵用事：当权。⑸⑽⑶郁然：美盛的样子。⑸⑽⑷治书侍御史薛聪：治书侍御史，掌管弹劾的朝官名，上属于御史中丞。薛聪是魏国的直臣，此时任治书侍御史。传见《魏书》卷四十二。⑸⑽⑸辩：薛聪的曾祖，曾为刘裕的部下，刘裕弃关中，薛辩遂以平阳郡降魏，被封为汾阴侯，任雍州刺史。传见《魏书》卷四十二。⑸⑽⑹强御：强悍、有权势的人。⑸⑽⑺宽贷：宽饶、放过。⑸⑽⑻争之：坚持固有的意见。⑸⑽⑼敛手：缩手；约束自己。⑸⑴⑽以德器遇之：以其品德、才器受到另眼相看。遇，对待、接待。⑸⑴⑴以心膂为寄：把心腹重任委托给他。心膂，心腹与脊梁。⑸⑴⑵恒带直阁将军：一直兼任着直阁将军的职务。直阁将军是在皇帝的住处与办公场所值勤的军事长官。⑸⑴⑶陪侍帷幄：在内室陪护值勤。⑸⑴⑷重厚沈密：寡言少语，性情沉稳，从不泄露消息。⑸⑴⑸外莫窥其际：外头的人谁也没法窥测皇帝身边的事情。际，边缘、缝隙。⑸⑴⑹进以名位：提高其官职爵位。⑸⑴⑺雅相体悉：也能很好地理解他、体谅他。⑸⑴⑻天爵：天生的性情质量。⑸⑴⑼非人爵所能荣：不是世俗的官职爵位能够给你带来荣耀的。人爵，帝王所封的官职爵位。《孟子·告子上》有所谓“孟子曰：‘仁义忠信，乐善不倦，此天爵也；公卿大夫，此人爵也’”。⑳ 九月庚午：九月初四。㉑ 六宫：指皇后及其各嫔妃。㉒ 丙戌：九月二十。㉓ 馆：此指相州刺史的官舍。㉔ 美其治效：称赞他的治绩。㉕ 数请本州：多次请求到他的故乡任刺史。㉖ 悬车之年：指七十岁。悬车，挂起官车不用，意即退休。古人七十岁辞官居家，废去官车不用，所以称七十岁为悬车之年。㉗ 衣锦：指回到故乡任刺史。古称回故乡任职叫“衣锦还乡”。㉘ 有尘谦德：缺少谦逊的美德。有尘，有损、玷污。㉙ 降号平北将军：高闾原任镇南将军，今乃降号为平北将军。㉚ 朝之老成：但他毕竟是朝廷上的一位阅历多而练达世事的老臣。㉛ 宜遂情愿：应该满足他的愿望。㉜ 徙授幽州刺史：改任之为幽州刺史。高闾的故乡是幽州治下的渔阳郡的雍奴县。古代的雍奴县在今河北廊坊东、天津市武清区西北。幽州的州治即今北京市。㉝ 存劝两修：既要保存法度的尊严，指削降其镇南将军之号；也要照顾点人情味，指答应他去任幽州刺史。存，保全。劝，恤、体谅。两修，两方面兼顾。㉞ 恩法并举：既有恩惠，指满足其衣锦还乡的愿望；又严格执法，降低其将军的名号。㉟ 高阳王雍：拓跋雍，拓跋弘之子，孝文帝的亲兄弟。传见《魏书》卷二十一上。㊱ 作牧：即为州刺史。古代的刺史亦称“州牧”，以牧马放牛以喻治民。㊲ 其身正二句：只要你自己表现得好，不用给人下命令，人家就自然地按着你的样子做。㊳ 其身不正二句：如果你自己表现得不好，你即使给人下命令，人家也还是不听。以上两段话见《论语·子路》。㊴ 己丑：九月二十三。㊵ 宝攸：萧宝攸，萧鸾的第九子，先被封为南平郡王，今乃移封为邵陵郡王。传见《南齐书》卷五十。㊶ 子文：武帝萧赜之子，先被封为蜀郡王，今移封为西阳郡王。传见《南齐书》卷四十。㊷ 子峻：武帝萧赜之子，先被封为广汉郡王，今移封为衡阳郡王。传见《南齐书》卷四十。㊸ 昭秀：文惠太子之子，前小皇帝萧昭业之弟，先被封为临海郡王，今移封为巴陵郡王。传见《南齐书》卷五十。㊹ 昭粲：文惠太子之子，前小皇帝萧昭业之弟，先被封为永嘉郡王，今移封为桂阳郡王。传见《南齐书》卷五十。㊺ 乙未：九月二十九。㊻ 十月丙辰：十月二十一。㊼ 壬戌：十月二十七。㊽ 诸州牧精品属官：各州牧守都要认真地考查自己的下属官员。精品，细心考查。㊾ 为三等：都分成上、中、下三等。㊿ 徐、兖、光、南青、荆、洛：魏之六州名，大多在与南齐相邻的边界线上。徐州的州治彭城，即江苏徐州，兖州的州治瑕丘，即今山东济宁市兖州区，光州的州治即今山东莱州，南青州的州治即今山东莒县，荆州的州治即今河南鲁山，洛州的州治上洛，即今陕西商洛市商州区。551 严纂戎备：都要经常处于高度的备战状态。严纂，同“纂严”，戒严。戎备，军备、战斗准备。552 应须赴集：要准备好应付突然事变。553 十一月丁卯：十一月初二。554 罢：停止建造。555 世宗：文惠太子的庙号。556 东田：文惠太子萧长懋生前所修建的离宫，旧址在今南京的东方。胡三省曰：“时太子作东田于东宫之东，绵亘华远，壮丽极目。”《资治通鉴·齐纪》又有所谓“太子立楼馆于钟山下，号曰东田”。557 兴光楼：胡三省曰，“盖亦文惠太子所建”。558 己卯：十一月十四。559 纳太子妃褚氏：词语不顺，应曰“太子纳妃褚氏”，不然直似萧鸾纳其子之妃为嫔妾矣。此褚氏者名令璋。东昏即位后，被立为皇后。传见《南齐书》卷二十。⑯澄：褚澄，刘宋的司徒褚渊之弟。传见《南齐书》卷二十三。⑯庚午：十一月初五。⑯委粟山：在今河南范县东南。⑯定圜丘：确定将圜丘修筑于此地。所谓圜丘，即后世之所谓“天坛”，皇帝祭天的高坛。今北京市的天坛即明、清皇帝的祭天之处。⑯己卯：十一月十四。⑯议圜丘礼：讨论祭祀天坛的礼仪。⑯建言：提议。⑯鲁人：指西周与春秋时代的鲁国诸侯，文王的儿子周公姬旦之后，以讲究礼乐著称。⑯将有事于上帝：在准备祭祀上天之前。有事，即指祭祀。中国人口中的“上帝”即指天，也称“苍天”“皇天”。⑯先有事于泮宫：先在泮宫里祭天。泮宫是周代国学的名称。〖按〗这两句话出自《礼记·礼器》。郑玄曰：“泮宫，郊学也。”⑰告庙：祭祀宗庙以报告先祖自己要祭天这件大事。⑰甲申：十一月十九。⑰丙戌：十一月二十一。⑰十二月乙未朔：十二月初一是乙未日。⑰宣下品令：宣布评定人才的九品之令。宣下，宣布、下达。胡三省曰：“品令，九品之令也。”⑰大选：胡三省曰：“谓将大选群臣也。”即将满朝文武按九品进行评定。⑰光禄勋于烈：光禄勋是掌宫殿门户官员，在西汉时称郎中令，为九卿之一。于烈，拓跋珪时代的名将于栗磾之孙，拓跋焘时代的名臣于洛拔之子，此时任光禄勋。传见《魏书》卷三十一。⑰引例求迁官：援引别人获升的先例请求自己也应提升。迁，此处指提升。⑰引人求进：引他人之例以求自己提升。⑰黜落：贬官、落职。⑱不谓烈能办此：没想到于烈能做到这一点。⑱流化天下：教育社会。⑱太子翊军校尉：太子警卫部队的统领官。⑱加：加任。⑱聊城县子：封地为今山东聊城，爵位是子爵。⑱可叹：可悲；令人感到惋惜。⑱莫肯公言得失：没人敢于公开进行批评。⑱不识：没有看到；没有正确的认识。⑱亦当举之：也应该提出来。⑱卿等当知之：胡三省曰，“以魏孝文之求谏、求才如此，而一时之臣犹未能称上意，岂非朝廷之议，帝务骋辞

【原文】

三年（丙子，公元四九六年）

春，正月丁卯[602]，以杨炅子崇祖为沙州刺史[603]，封阴平王[604]。

魏主下诏，以为“北人谓土为拓，后[605]为跋。魏之先出于黄帝[606]，以土德王[607]，故为拓跋氏。夫土者，黄中之色[608]，万物之元[609]也，宜改姓元氏[610]。诸功臣旧族自代来者，姓或重复[611]，皆改之。”于是始改拔拔氏为长孙氏，达奚氏为奚氏，乙旃氏为叔孙氏，丘穆陵氏为穆氏，步六孤氏为陆氏，贺赖氏为贺氏，独孤氏为刘氏，贺楼氏为楼氏，勿忸于氏为于氏，尉迟氏为尉氏，其余所改，不可胜纪[612]。

气以加之，故有有怀而不敢尽者”。㊿⑩ 丁酉：十二月初三。㊿⑪ 晋帝诸陵：在洛阳的西晋诸帝之陵墓。㊿⑫ 甲子：十二月三十。㊿⑬ 冠服：汉族士大夫的衣帽。〖按〗赐冠服以替换其鲜卑旧服。㊿⑭ 五铢：每枚铜钱的重量为五铢，钱上文字亦标明“五铢”。当年西汉武帝就铸过这种钱，使用的时间很长。铢，重量单位名，一两为二十四铢。㊿⑮ 鼓铸粗备：熔铸的钱币大致够用。鼓铸，鼓风熔铸金属。㊿⑯ 光城蛮帅田益宗：光城郡的少数民族头领名叫田益宗。光城郡的郡治在今河南光山县。㊿⑰ 南司州：魏州名，州治即今湖北安陆。㊿⑱ 所统守宰：在他辖区内的各郡县官吏。守，指郡太守。宰，指县令。㊿⑲ 听其铨置：一律由他自己选任。⑥⓪⓪ 东豫州：魏州名，州治即今河南新蔡。有说新蔡当为“新息”，即今河南息县。⑥⓪① 杨炅：氐王杨难当的族弟杨广香之子。传见《南齐书》卷五十九。

【校记】

［11］迁洛：据章钰校，十二行本、乙十一行本、孔天胤本皆作“南迁”。［12］还入省：原作“还省”。据章钰校，十二行本、乙十一行本、孔天胤本皆有“入”字，今据补。［13］止：据章钰校，十二行本、乙十一行本皆作“正”。［14］人爵：据章钰校，十二行本、乙十一行本、孔天胤本皆作“人之爵”。［15］牧：原无此字。据章钰校，十二行本、乙十一行本、孔天胤本皆有此字，张敦仁《通鉴刊本识误》、张瑛《通鉴校勘记》同，与《魏书·高祖纪下》《北史·魏本纪》亦符，今据补。［16］丙戌：原无此二字。据章钰校，十二行本、乙十一行本、孔天胤本皆有此二字，张敦仁《通鉴刊本识误》同，今据补。［17］廉让：严衍《通鉴补》改作“谦让”。［18］田益宗：原作“田益光”。胡三省注云：“据《北史》，‘益光’当作‘益宗’。”严衍《通鉴补》改作“田益宗”，当是，今据改。下同。

【语译】

三年（丙子，公元四九六年）

春季，正月初三日丁卯，齐国朝廷任命氐王杨炅的儿子杨崇祖为沙州刺史，同时封其为阴平王。

魏孝文帝拓跋宏下诏说“北方人称土地为拓，称帝王为跋。魏国的祖先是黄帝轩辕氏的后代，是以土德称王，所以称为拓跋氏。土，是黄色的，又居于东西南北四方之中，世界上的一切之物都是从土地上生长出来的，所以拓跋氏应当改姓元氏。从代地迁到洛阳来的功臣旧族，有的姓氏字数太多，今后都要改变。”于是开始把拔拔氏改为长孙氏，把达奚氏改为奚氏，把乙旃氏改为叔孙氏，把丘穆陵氏改为穆氏，把步六孤氏改为陆氏，把贺赖氏改为贺氏，把独孤氏改为刘氏，把贺楼氏改为楼氏，把勿忸于氏改为于氏，把尉迟氏改为尉氏，其余被改的姓氏，多得无法统计。

魏主雅重门族[613]，以范阳卢敏[614]、清河崔宗伯[615]、荥阳郑羲[616]、太原王琼[617]四姓，衣冠所推[618]，咸纳其女以充后宫[619]。陇西李冲以才识见任，当朝贵重[620]，所结姻娅[621]，莫非清望[622]，帝亦以其女为夫人[623]。诏黄门郎、司徒左长史宋弁定诸州士族[624]，多所升降[625]。又诏以“代人先无姓族[626]，虽功贤之胤[627]，无异寒贱[628]，故宦达者位极公卿，其功、衰之亲[629]仍居猥任[630]。其穆、陆、贺、刘、楼、于、嵇、尉[631]八姓，自太祖已降[632]，勋著当世[633]，位尽王公，灼然可知[634]者，且下司州、吏部[635]，勿充猥官[636]，一同四姓[637]。自此以外，应班士流[638]者，寻续别敕[639]。其旧为部落大人[640]，而皇始[641]已来三世官在给事[642]已上及品登王公者为姓[643]；若本非大人，而皇始已来三世官在尚书[644]已上及品登王公者亦为姓。其大人之后，而官不显者为族[645]；若本非大人，而官显者亦为族。凡此姓族，皆应审核[646]，勿容伪冒。令司空穆亮[647]、尚书陆琇[648]等详定，务令平允”。琇，馛之子也。

魏旧制：王国舍人[649]皆应娶八族[650]及清修之门[651]。咸阳王禧[652]娶隶户[653]为之，帝深责之，因下诏为六弟聘室[654]。“前者所纳，可为妾媵[655]。咸阳王禧，可聘故颍川太守陇西李辅[656]女；河南王幹[657]，可聘故中散大夫[19]代郡穆明乐女；广陵王羽[658]，可聘骠骑谘议参军荥阳郑平城女；颍川王雍[659]，可聘故中书博士范阳卢神宝女；始平王勰[660]，可聘廷尉卿陇西李冲女；北海王详[661]，可聘吏部郎中荥阳郑懿女。”懿，羲之子也。

时赵郡诸李[662]人物尤多[663]，各盛家风[664]，故世之言高华[665]者，以五姓为首[666]。

魏孝文帝元宏一向重视门第出身，因为范阳郡人卢敏、清河郡人崔宗伯、荥阳郡人郑羲、太原郡人王琼四姓家族，都是深受士大夫所推崇的族姓，于是孝文帝都把他们的女儿纳入后宫做嫔妃。陇西郡人李冲因为才能和远见卓识受到任用，在当朝位尊任重，所有与他结为婚姻关系的，无不门第清白，受人敬重，魏孝文帝也把李冲的女儿纳入后宫，封为夫人。孝文帝下诏给担任黄门侍郎、司徒左长史的宋弁，让他确定各州著名的家族哪些算士族，哪些不算士族，并列出他们的品级高低，经过宋弁的评定，有些原来被视为士族的，现在被黜落了；有些原来没有被视为士族的，现在被筛选上去了。孝文帝又下诏说“代地的人先前没有像汉族这样的大姓氏、大家族，即使是大功臣、大贤臣的后代，也都和门第卑微的人家没有什么两样。所以即使他们飞黄腾达，位极公卿大臣，而与他们血缘关系很近的亲属仍然只充任一些卑微的职务。诸如穆、陆、贺、刘、楼、于、嵇、尉这八个姓氏，自从太祖拓跋珪时代以来，功勋昭著于一时，爵位达到王爵、公爵，非常显著地为世人所知的，要把他们的名册送交司州、吏部注册，不要让他们的后代再去充任那些卑微的职务，要让这八个族姓的人与卢、崔、郑、王四姓享受同样的待遇。这些姓氏以外，应该列入士族门第的人士，不久之后我会下达其他的指示。原来曾经是部落首领的家族，并且从道武帝拓跋珪皇始年间以来有三代人担任过给事黄门侍郎以上的官职以及爵位是王爵、公爵的家族确定为大姓；如果不曾担任过部落首领，而从皇始年间以来有三代人做官做到尚书以上以及爵位是王爵、公爵的也确定为大姓。那些曾经担任过部落首领的后人，而官位并不曾显赫的则确定为大族；如果没有担任过部落首领，而官位显赫的也同样确定为大族。凡是被确定为大姓、大族的，都应该进行审查核实，不允许假冒。责成担任司空的穆亮、担任尚书的陆琇等进行翔实的审核，务必做到公平公允”。陆琇，是陆馛的儿子。

魏国旧有的制度：诸王的嫔妃都应该娶自穆、陆、贺、刘、楼、于、嵇、尉这八大族姓以及清白良善的人家。而咸阳王元禧却娶了隶户人家的女儿为妻，孝文帝严厉地责备了元禧，并趁机下诏为自己的六个弟弟重新聘娶妻室。孝文帝在诏书中说：“将你们原来聘娶的妻子全都降为一般的姬妾。咸阳王元禧，可以聘娶原颍川太守陇西郡人李辅的女儿为妻；河南王元幹，可以聘娶原任中散大夫的代郡人穆明乐的女儿为妻；广陵王元羽，可以聘娶担任骠骑谘议参军的荥阳人郑平城的女儿为妻；颍川王元雍，可以聘娶原任中书博士的范阳人卢神宝的女儿为妻；始平王元勰，可以聘娶担任廷尉卿的陇西人李冲的女儿为妻；北海王元详，可以聘娶担任吏部郎中的荥阳人郑懿的女儿为妻。”郑懿，是郑羲的儿子。

当时赵郡李姓诸族出现的人才最多，每个人都把自己的家族治理得风华峻茂，所以世人一说起魏国有哪些高尚而又华贵的家族，首先要提到的五大家族就是卢、崔、郑、王、李。

众议以薛氏为河东茂族[667]，帝曰："薛氏，蜀也[668]，岂可入郡姓[669]？"直阁薛宗起执戟在殿下，出次[670]对曰："臣之先人，汉末仕蜀[671]，二世复归河东，今六世相袭[672]，非蜀人也。伏以[673]陛下黄帝之胤，受封北土，岂可亦谓之胡邪[674]？今不预郡姓[675]，何以生为[676]！"乃碎戟于地。帝徐曰："然则朕甲卿乙[677]乎？"乃入郡姓[678]。仍曰："卿非'宗起'，乃'起宗'也[679]！"

帝与群臣论选调[680]曰："近世高卑出身，各有常分[681]，此果如何[682]？"李冲对曰："未审上古以来，张官列位[683]，为膏粱子弟[684]乎？为致治[685]乎？"帝曰："欲为治耳。"冲曰："然则陛下今日[20]何为专取门品[686]，不拔才能乎？"帝曰："苟有过人之才，不患不知。然君子之门，借使无当世之用[687]，要自德行纯笃[688]，朕故用之。"冲曰："傅说[689]、吕望[690]岂可以门地[691]得之？"帝曰："非常之人[692]，旷世[693]乃有一二耳。"秘书令李彪[694]曰："陛下若专取门地，不审鲁之三卿[695]，孰若四科[696]？"著作佐郎韩显宗[697]曰："陛下岂可以贵袭贵、以贱袭贱[698]？"帝曰："必有高明卓然[699]、出类拔萃者，朕亦不拘此制。"顷之，刘昶入朝[700]。帝谓昶曰："或言唯能是寄[701]，不必拘门[702]，朕以为不尔[703]。何者？清浊同流[704]，混齐一等，君子小人[705]，名品[21]无别[706]，此殊为不可。我今八族以上士人[707]，品第有九[708]，九品之外，小人之官复有七等。若有其人[709]，可起家为三公[710]。正恐贤才难得，不可止为一人浑我典制[711]也。"

众人都议论认为薛氏应该算作河东郡的望族，孝文帝说:“薛氏，是由巴蜀地区迁来的人，怎么能算作河东郡里的大姓?”当时担任直阁将军的薛宗起正在殿下执戟站岗，他离开自己的岗位抗议说:“我的祖先，汉代末期入蜀为官，第二代人就重新返回河东郡，如今在河东郡又传承了六世，不能算作是蜀地人。我认为陛下是黄帝的后裔，黄帝把北方的代地封赏给陛下的祖先，难道可以因此就说陛下是胡人吗?如果我们薛氏成不了河东郡中的大姓，那我还活着做什么!”说完便把手中的戟摔碎在地上。孝文帝慢慢地说:“如此说来我是第一你就是第二了?”遂把薛氏列入了河东郡中的大姓。孝文帝接着说:“你不应该叫‘宗起’，而应该叫‘起宗’，你的宗族地位是因为你而得到提高的!”

魏孝文帝与群臣一起商讨选拔任用官员的问题，孝文帝说:“近代以来根据门第出身的高低，都有固定的待遇，这样的做法究竟是好还是不好呢?”李冲回答说:“不知道自从上古以来，朝廷设置官位，是为了让富贵人家的子弟当官而设呢，还是为了把政治搞好，使国家得到太平而设?”孝文帝说:“当然是为了把国家治理好。”李冲说:“然而陛下现在为什么只看门第高低而不按才能选拔官员呢?”孝文帝说:“如果确实有超过别人的才能，就不用担心别人不知道他。而出身于高贵门第的人，即使没有管理好国家政事的能力，至少可以保证他们的道德品行良好，我所以才任用他们。”李冲说:“商朝武丁时代的贤臣傅说、辅佐周武王灭商的元勋吕望难道出身于高贵门第吗?”孝文帝说:“不寻常的杰出人才，历时长久才能有一两个人出现。”秘书令李彪说:“陛下如果专门按照门第高低选拔人才，不知道春秋后期掌握鲁国政权的三家贵族孟孙氏、叔孙氏、季孙氏，有哪一个能与孔子所开设的德行、言语、政事、文学四个学科中的高才弟子相比?”担任著作佐郎的韩显宗说:“陛下难道是让出身门第高贵的人袭任高官，让出身门第低下的人袭任卑微的职位吗?”孝文帝说:“如果有高于一般人的特殊才能、确实属于出类拔萃的人物，我也不会受门第观念的限制，也会对他们予以破格的提拔和任用。”过了一阵子，大将军刘昶由徐州刺史任所来到洛阳朝见孝文帝。孝文帝对刘昶说:“有人主张选拔官吏只能看他有没有实际的才能，而不必看他的出身门第如何，而我却不这样认为。为什么呢?如果把出身门第高贵的人与出身门第卑贱的人混杂在一起，同等看待，使那些士族出身的君子和庶族出身的小人在家门门第与官品等级上都没有什么区别，这实在是不可以的。我即将把鲜卑族的穆、陆、贺、刘、楼、于、嵇、尉八个大姓和与之相等的汉族的卢氏、崔氏、郑氏、王氏、李氏等几个大姓出身的士人，划分为九个等级，九个等级以外，再把出身门第卑贱的人所担任的官职划分为七等。如果真的发现了有特殊才能、有特殊贡献的人，我就直接把他从平民之家中破格提拔出来，让他出任三公之职。正是因为担心贤才难得，所以才不能为了这千年不遇的个别人物而搞乱了整个国家的大法。”

臣光曰："选举之法[712]，先门地而后贤才，此魏、晋之深弊[713]，而历代相因[714]，莫之能改也。夫君子、小人，不在于世禄[715]与侧微[716]，以今日视之，愚智所同知也。当是之时，虽魏孝文之贤，犹不免斯蔽[717]，故夫明辩是非而不惑于世俗者诚鲜[718]矣。"

壬辰[719]，魏徙始平王勰为彭城王，复定襄县王鸾为城阳王[720]。

二月壬寅[721]，魏诏"群臣自非金革[722]，听终三年丧[723]"。

丙午[724]，魏诏"畿内[725]七十已上[726]，暮春赴京师行养老之礼[727]"。

三月丙寅[728]，宴群臣及国老[729]、庶老[730]于华林园，诏"国老黄耇已上[731]，假中散大夫[732]；郡守耆年[733]已上，假给事中[734]；县令、庶老，直假郡县[735]。各赐鸠杖、衣裳[736]"。

丁丑[737]，魏诏"诸州中正[738]各举其乡之民望[739]，年五十以上守素衡门[740]者，授以令、长[741]"。

壬午[742]，诏[743]"乘舆有金银饰校[744]者，皆剔除之"。

上志慕节俭[745]，太官尝进裹蒸[746]，上曰："我食此不尽，可四破之[747]，余充晚食。"又尝用皂荚[748]，以余泺[749]授左右曰："此可更用。"太官[750]元日上寿[751]，有银酒鎗[752]，上欲坏之[753]。王晏等咸称盛德[754]，卫尉萧颖胄[755]曰："朝廷盛礼，莫若三元[756]。此一器既是旧物，不足为侈。"上不悦。后预曲宴[757]，银器满席。颖胄曰："陛下前欲坏酒鎗，恐宜移在此器[758]。"上甚惭。

司马光说：“选拔官吏的办法，先看出身门第而后才看是不是贤才，这是魏、晋时代严重的弊病，而历代互相沿袭，没有人能够改变它。是君子还是小人，并不取决于他们是世代享有爵禄还是出身卑微门第，以现在人的眼光来看，不论是愚笨的人还是聪明的人都清楚地知道这一点。然而在当时，即使是魏国孝文帝那样贤明的君主，仍然不能改变这种弊病，所以说能够明辨是非而不受世俗影响的人实在是太少了。”

正月二十八日壬辰，魏孝文帝改封始平王元勰为彭城王，恢复定襄县王元鸾城阳郡王之位。

二月初九日壬寅，魏孝文帝下诏说“群臣如果不是因为赶上军情紧急，一律允许他们为自己的父母守完三年孝”。

十三日丙午，魏孝文帝下诏说“京畿地区年龄在七十岁以上的老人，等到春末之时都要到京城来参加皇帝举办的尊老敬老活动”。

三月初三日丙寅，魏孝文帝在华林园宴请群臣，以及告老辞官的卿大夫和一般的高龄士人，诏告说“告老辞官的卿大夫中年龄在七十岁以上的，都被授予中散大夫的虚衔；六十岁以上的郡守，被授予给事中的虚衔；县令和一般的高龄士人，都分别被授予一个郡里或县里的虚衔。授予每个老人一个刻着鸠鸟形的拐杖和一套衣裳”。

十四日丁丑，魏孝文帝下诏说“各州的中正官向朝廷所举荐的其辖区内在群众中有威望，年龄在五十岁以上，而且有操守、能耐守清贫的人士，我将授予他们县令、县长之职”。

三月十九日壬午，齐明帝萧鸾下诏说“皇帝的车驾凡是用金银装饰的部位，要把金银全部剔除”。

齐明帝一心追求俭朴的生活，主管膳食的太官曾经给齐明帝进献了一份裹蒸，齐明帝说：“这个裹蒸太大了，我一次吃不了这么多，可以把它分为四份，剩下的就作为我的晚饭吧。”又曾经使用皂荚水洗浴，他把自己用过的皂荚水授予左右的侍从人员说：“这些皂荚水还可以再用。”主管膳食的太官大年正月初一向齐明帝敬酒祝贺，酒席宴上有一个用银子打造的酒鎗，齐明帝就要把这个银质酒鎗销毁。担任尚书令的王晏等人对齐明帝的俭朴美德大加歌颂，担任卫尉的萧颖胄说：“朝廷举行的盛大典礼，都比不上大年初一这一次盛大。这个银质酒器既然是旧有的东西，所以也说不上是奢侈。”齐明帝听了做出一副很不高兴的样子。后来，萧颖胄参加齐明帝在后宫举办的一次非礼节性宴会，宴会上所用的全都是银质器皿。萧颖胄说：“陛下在大年初一的宴会上就想把银质的酒鎗销毁，恐怕陛下的那道销毁令应该应用到这些器物上面吧。”萧鸾听了非常惭愧。

上躬亲细务[759]，纲目亦密[760]，于是郡县及六署[761]、九府[762]常行职事，莫不启闻取决诏敕[763]。文武勋旧[764]，皆不归选部[765]，亲戚凭借[766][22]，互相通进[767]，人君之务过繁密。南康王侍郎颍川锺嵘[768]上书言："古者，明君揆才颁政[769]，量能授职，三公坐而论道，九卿作而成务[770]，天子唯恭己南面[771]而已。"书奏，上不怿[772]，谓太中大夫[773]顾暠曰："锺嵘何人，欲断朕机务[774]！卿识之不?"对曰："嵘虽位末名卑，而所言或有可采。且繁碎职事，各有司存[775]。今人主总而亲之，是人主愈劳而人臣愈逸，所谓'代庖人宰[776]而为大匠斫[777]'也。"上不顾而言他[778]。

夏，四月甲辰[779]，魏广州刺史薛法护求降[780][23]。

魏寇司州[781]，栎城戍主魏僧珉[782]拒破之。

五月丙戌[783]，魏营方泽于河阴[784]。又诏汉、魏、晋诸帝陵[785]，百步内[786]禁樵苏[787]。

丁亥[788]，魏主有事于方泽[789]。

秋，七月，魏废皇后冯氏[790]。初，文明太后[791]欲其家贵重，简[792]冯熙二女入掖庭[793]。其一早卒，其一得幸于魏主，未几[794]，有疾，还家为尼。及太后殂[795]，帝立熙少女为皇后。既而其姊疾愈，帝思之，复迎入宫，拜左昭仪[796]，后宠浸衰[797]。昭仪自以年长，且先入宫，不率妾礼[798]，后颇愧恨[799]，昭仪因谮而废之[800]。后素有德操，遂居瑶光寺[801]为练行尼[802]。

魏主以久旱，自癸未[803]不食至于乙酉[804]，群臣皆诣中书省[805]请见。帝在崇虚楼[806]，遣舍人辞焉[807]，且问来故[808]。豫州刺史王肃对曰："今四郊雨已沾洽[809]，独京城微少。细民[810][24]未乏一餐而陛下辍膳三日，臣

齐明帝亲自过问一些琐碎的事务，规定的一些条条框框也非常细密烦琐，于是各郡各县和尚书省下的六个办事机构以及九卿府的日常事务，无不一一向齐明帝请示汇报，听取齐明帝亲自做出的决定之后再去遵照执行。一切文武元勋老臣的任命，都不归吏部管理，都是凭着亲戚关系走后门，直接找齐明帝关说，所以皇帝的政务过于繁杂琐碎。担任南康王侍郎的颍川郡人锺嵘上书给齐明帝说："古时候，圣明的君主根据臣下之才下达任务，根据臣下之能授予官职，所以三公负责主持制定治理国家的总体原则，不管具体事务，九卿则分工明确，负责具体执行，天子只管庄严端正地南面临朝而已。"齐明帝看了锺嵘的奏疏之后很不高兴，就对担任太中大夫的顾暠说："锺嵘是什么人，竟然想阻止我处理国家的重要事务！你了解不了解他？"顾暠回答说："锺嵘虽然官阶卑微名声不大，然而他说的那些话也许有值得采纳的地方。况且那些繁杂琐碎的事务，都有具体负责办理的机构在。现在皇帝把所有的事务都管起来亲自处理，将导致皇帝越来越辛劳而群臣越来越安逸，正如人们常说的那样'代替厨师去屠宰牲畜、代替能工巧匠去动手制作'。"齐明帝深知自己没理却又不肯承认，于是便说些其他的事情，将话题岔开。

夏季，四月十一日甲辰，魏国担任广州刺史的薛法护向齐国请求投降。

魏国的军队进犯齐国的司州，齐国驻守栎城的将领魏僧珉率军打退了魏军的入侵。

五月二十四日丙戌，魏国在河阴建造祭祀地神的方泽。魏孝文帝又下诏，禁止人们在东汉、曹魏、西晋诸皇帝的陵墓周围一百步之内打柴割草。

二十五日丁亥，魏孝文帝在河阴的方泽举行祭祀地神的活动。

秋季，七月，魏孝文帝废掉了冯皇后。当初，孝文帝的母亲文明太后想使自己的娘家地位尊贵、权势显赫，就挑选了冯熙的两个女儿进入后宫。其中的一个很早就去世了，剩下的这个女孩受到孝文帝的宠幸，谁知没过多久，这个女孩生了病，就回到娘家出家为尼。等到文明太后去世之后，孝文帝便立冯熙的小女儿为皇后。后来冯皇后出家为尼的那个姐姐疾病痊愈，孝文帝很思念她，就又把她接入宫中，封为左昭仪，于是冯皇后越来越不受孝文帝的宠爱。左昭仪冯氏因为自己年长，是皇后的姐姐，而且比皇后早入宫，所以就不肯遵守姬妾的规矩给皇后行礼，皇后自己深感愧怨，左昭仪又在孝文帝面前说皇后的坏话，于是孝文帝元宏便废掉了皇后。冯皇后一向有品德操守，便居住在瑶光寺当了修炼戒行的尼姑。

魏孝文帝因为魏国境内久旱不雨，便从五月二十一日癸未开始不吃东西，一直到五月二十三日乙酉，以此祈求上天降雨，群臣都前往中书省请求拜见皇帝。孝文帝当时住在崇虚楼，他派中书舍人传话给群臣叫他们回去，而且询问群臣为什么聚集在中书省。担任豫州刺史的王肃回答说："如今四郊已经普遍下透雨，只有京城的雨稍微小一些。平民百姓没有少吃一顿饭而陛下已经连续三天没有进食，朝廷的文

下惶惶，无复情地[811]。”帝使舍人应之曰：“朕不食数日，犹无所感[812]。比来中外贵贱，皆言四郊有雨，朕疑其欲相宽勉[813]，未必有实。方将遣使视之，果如所言，即当进膳；如其不然，朕何以生为？当以身为万民塞咎[814]耳！”是夕，大雨。

魏太子恂不好学，体素肥大，苦河南地热，常思北归。魏主赐之衣冠，恂常私著胡服。中庶子[815]辽东高道悦[816]数切谏，恂恶之。八月戊戌[817]，帝如嵩高[818]，恂与左右密谋，召牧马[819]，轻骑奔平城[820]，手刃道悦[821]于禁中。领军[25]元俨[822]勒门防遏[823]，入夜乃定[824]。诘旦[825]，尚书陆琇[826]驰以启帝。帝大骇，秘其事，仍至汴口[827]而还。甲寅[828]，入宫，引见恂，数其罪，亲与咸阳王禧等[26]更代[829]杖之百余下，扶曳[830]出外，囚于城西。月余，乃能起。

丁巳[831]，魏相州刺史南安惠王桢[832]卒。

九月戊辰[833]，魏主讲武[834]于小平津[835]。癸酉[836]，还宫。

冬，十月戊戌[837]，魏诏“军士自代来者，皆以为羽林、虎贲。司州民[838]十二夫调一吏[839]，以供公私力役[840]”。

魏吐京胡[841]反，诏朔州刺史元彬[842]行汾州事[843]，帅并、肆之众[844]以讨之。彬，桢[845]之子也。彬遣统军奚康生[846]击叛胡，破之；追至车突谷[847]，又破之，俘杂畜以万数。诏以彬为汾州刺史。胡去居[848]等六百余人保险[849]不服，彬请兵二万以讨之，有司奏许之。魏主大怒曰：“小寇何有发兵之理？可随宜讨治[850]，若不能克，必须大兵者，则先斩刺史，然后发兵！”彬大惧，督帅州兵，身先将士讨去居，平之。

魏主引见群臣于清徽堂，议废太子恂。太子太傅穆亮、少保李冲免冠顿首谢[851]。帝曰：“卿所谢者私也，我所议者国也。‘大义灭亲[852]’，

武百官为此心中惶恐不安，感到无地自容。”孝文帝让中书舍人答复说：“我几天没有吃饭，却没有感到什么不适。近来宫廷内外不论尊卑贵贱，都说四郊已经普降雨水，我怀疑这是他们想来安慰我罢了，未必是真的。我正准备派人到四郊去察看，如果真像你们所说的那样，我就立即进餐；如果不是，我还活着做什么？我要用我的生命为万民补救过失！”当天晚上，天降大雨。

魏国的皇太子元恂不爱学习，身体又一向肥胖，对河南洛阳的炎热天气感到非常不适，他经常想回到北方的平城居住。孝文帝虽然赏赐给他汉族的衣帽，而元恂私下里却经常身穿胡服。担任太子中庶子的辽东郡人高道悦多次诚恳地进行劝谏，元恂反而对高道悦心生厌恶。八月初七日戊戌，孝文帝前往嵩山巡视，元恂趁机与自己的左右进行密谋，准备调用河内驯马场里的军马，轻骑奔回平城谋求自立，他在宫禁之中亲手杀死了中庶子高道悦。担任领军将军的元俨严守宫门，防止变乱，一直到天黑才安定下来。第二天一大早，担任尚书的陆琇飞马前往嵩山向孝文帝报告。孝文帝虽然非常震惊，却没有向外泄露此事，仍然按照原定行程到达汴口之后才返回都城洛阳。二十三日甲寅，孝文帝回到皇宫，他召见太子元恂，列数了他的罪过之后，亲自与咸阳王元禧等人轮番责打了太子一百多棍，然后命人连扶带拉地把他带出宫外，囚禁在洛阳城西。元恂一个多月之后，才能下床走路。

二十六日丁巳，魏国担任相州刺史的南安惠王元桢去世。

九月初八日戊辰，魏孝文帝元宏在小平津演练武事。十三日癸酉，回到皇宫。

冬季，十月初八日戊戌，魏孝文帝下诏说“凡是从代地迁移到洛阳来的军士，全都充作羽林军、虎贲军。司州治下的成年男子，每十二个人中抽调出一人为役夫，为国家政府部门和贵族私家服徭役”。

魏国居住在吐京郡境内的少数民族起来造反，孝文帝命令担任朔州刺史的元彬代理汾州刺史的职务，率领并州、肆州的现有军力去平息叛乱。元彬，是元桢的儿子。元彬派遣一支军队的统领奚康生出兵攻打叛变的少数民族，奚康生很快打败了叛军；一直追到车突谷，再度打败叛军，俘获了数以万计的各种牲畜。魏孝文帝于是下诏任命元彬为汾州刺史。以去居为首的六百多名胡人凭借险要之地不肯向官军投降，元彬遂向朝廷请求派二万军队去讨伐去居，有关部门的官员奏请孝文帝批准元彬的请求。孝文帝勃然大怒说：“对付一股小小的贼寇，哪有朝廷发兵讨伐的道理呢？刺史可以根据具体情况灵活地进行讨伐，如果刺史不能战胜贼寇，必须由朝廷派大军去讨伐的话，那就先杀了刺史，然后朝廷再发兵！”元彬非常恐惧，赶紧统领汾州的士兵，身先士卒去讨伐去居，终于将去居等消灭。

魏孝文帝在清徽堂召见群臣，商议废掉太子元恂的事情。担任太子太傅的穆亮、担任太子少保的李冲摘掉帽子给孝文帝磕头请罪。孝文帝说：“你们向我磕头请罪是为了私情，而我所商议的是关系到国家兴亡的大事。‘大义灭亲’，是古人所推崇的。

古人所贵。今恂欲违父逃叛，跨据恒、朔[853]，天下之恶孰大焉[854]？若不去之，乃社稷之忧也。”闰月丙寅[855]，废恂为庶人，置于河阳无鼻城[856]，以兵守之。服食所供，粗免饥寒[857]而已。

戊辰[858]，魏置常平仓[859]。

戊寅[860]，太子宝卷冠[861]。

初，魏文明太后欲废魏主[862]，穆泰[863]切谏而止，由是有宠。及帝南迁洛阳，所亲任者多中州儒士[864]，宗室及代人往往不乐。泰自尚书右仆射出为定州[865]刺史，自陈久病，土湿[27]则甚[866]，乞为恒州[867]；帝为之徙恒州刺史陆叡[868]为定州，以泰代之。泰至，叡未发[869]，遂相与谋作乱，阴结镇北大将军乐陵王思誉[870]、安乐侯隆[871]、抚冥镇将鲁郡侯业[872]、骁骑将军超[873]等，共推朔州刺史阳平王颐[874]为主。思誉，天赐之子；业，丕之弟；隆、超，皆丕之子也。叡以为洛阳休明[875]，劝泰缓之，泰由是未发。

颐伪许泰等，以安其意，而密以状闻。行吏部尚书任城王澄[876]有疾，帝召见于凝闲堂，谓之曰：“穆泰谋为不轨，扇诱宗室[877]，脱或必然[878]。今迁都甫尔[879]，北人恋旧，南北纷扰[880]，朕洛阳不立[881]也。此国家大事，非卿不能办。卿虽疾，强为我北行[882]，审观其势[883]。傥其微弱，直往擒之；若已强盛，可承制[884]发并、肆兵击之。”对曰：“泰等愚惑，正由恋旧，为此计耳，非有深谋远虑。臣虽驽怯[885]，足以制之，愿陛下勿忧。虽有犬马之疾[886]，何敢辞也！”帝笑曰：“任城肯行，朕复何忧！”遂授澄节[887]，铜虎、竹使符[888]，御仗左右[889]，仍行恒州事[890]。

行至雁门[891]，雁门太守夜告云“泰已引兵西就阳平[892]”。澄遽令进

现在太子元恂竟然违背父命准备叛逃，想要占据恒州、朔州，与朝廷分庭抗礼，天下的罪恶还有比这更严重的吗？如果不把元恂的太子废掉，将来就会给国家造成祸患。”闰十二月初八日丙寅，孝文帝将太子元恂废为平民，把他安置在河阳的无鼻城，派军队看守着他。提供给他的衣食，大体上不至于受冻挨饿而已。

初十日戊辰，魏国设立了平抑物价的常平仓。

二十日戊寅，齐国为皇太子萧宝卷举行了加冠礼。

当初，魏国的文明太后冯氏想要废掉孝文帝的时候，当时担任尚书右仆射的穆泰诚恳地进行劝阻，才使文明太后打消了废立孝文帝的念头，穆泰因此特别受到孝文帝的宠信。等到孝文帝将都城从平城南迁到洛阳之后，所亲近、信任的人大部分都是中原地区的儒生，宗室成员以及从代地过来的人往往感到很不满意。穆泰也从尚书右仆射的位子上被调离朝廷派往定州担任刺史，穆泰不愿意去定州，遂上书给孝文帝陈述自己久病不愈，而定州气候潮湿，会使自己的病情加重，请求改任为恒州刺史；孝文帝为了满足穆泰的要求，便将担任恒州刺史的陆叡改任为定州刺史，让穆泰替代陆叡为恒州刺史。穆泰到达恒州刺史任所的时候，陆叡还没有离开恒州前往定州赴任，穆泰遂与陆叡一同密谋作乱，他们暗中联络担任镇北大将军的乐陵王元思誉、安乐侯元隆、担任抚冥镇将的鲁郡侯元业、担任骁骑将军的元超等人，共同推举担任朔州刺史的阳平王元颐为主。元思誉，是元天赐的儿子；元业，是元丕的弟弟；元隆、元超都是元丕的儿子。陆叡认为洛阳的孝文帝品行很好、政治英明，劝说穆泰缓一缓再采取行动，穆泰因此没有立即发动政变。

阳平王元颐为了稳住他们，便假装答应了穆泰等人的请求，暗中却派人把他们的情况秘密地报告给孝文帝。代理吏部尚书的任城王元澄正在患病，孝文帝在凝闲堂召见了任城王，他对元澄说：“穆泰阴谋叛乱，煽动引诱了很多宗室成员，宗室极有可能响应穆泰。现在刚刚迁都不久，迁到洛阳的北方人都留恋旧都平城，南方的洛阳与北方的恒州、朔州如果同时乱起来，我在洛阳就有危险了。这是关系国家前途的大事，除了你谁也办不成这件事。你虽然正在生病，也要勉为其难地为我到北方走一趟，仔细地分析一下那里的形势。假设他们的势力微弱，你就直接把他们擒获；如果他们的势力已经很强大，你可以用我的名义征调并州、肆州的军队击败他们。”元澄回答说：“穆泰等人所以会愚昧、糊涂到这种地步，就是由于舍不得离开旧都，才准备阴谋叛乱，而不是经过了深谋远虑。我虽然无能而又怯懦，也足以制服他们，希望陛下不要担忧。我虽然身体有病，又怎么敢推辞呢！”孝文帝笑着说：“任城王肯替我到北方走一趟，我还有什么可担忧的呢！”于是把代表受皇帝委任的符节、可以调兵调粮与发号施令的铜虎符、竹使符，以及皇帝身边的带刀护卫授予任城王元澄，令任城王元澄代行恒州刺史的职务。

任城王元澄到达雁门郡，雁门郡太守连夜向他报告说“穆泰已经率领军队西进

发[893]。右丞[894]孟斌曰：“事未可量[895]，宜依敕召并、肆兵[896]，然后徐进。”澄曰：“泰既谋乱，应据坚城，而更迎阳平[897]，度其所为，当似势弱。泰既不相拒，无故发兵，非宜也。但速往镇之[898]，民心自定。”遂倍道兼行。先遣治书侍御史[899]李焕单骑入代[900]，出其不意，晓谕泰党[901]，示以祸福，皆莫为之用[902]。泰计无所出，帅麾下数百人攻焕，不克。走出城西，追擒之[903]。澄亦寻至[904]，穷治[905]党与，收陆叡等百余人，皆系狱，民间帖然[906]。澄具状表闻，帝喜，召公卿，以表示之曰：“任城可谓社稷臣[907]也！观其狱辞[908]，正复皋陶[909]何以过之？”顾谓[910]咸阳王禧等曰：“汝曹当此[911]，不能办也。”

魏主谋入寇[912]，引见公卿于清徽堂，曰：“朕卜宅土中[913]，纲条粗举[914]，唯南寇未平[915]，安能效近世天子[916]下帷于深宫之中[917]乎？朕今南征决矣[918]，但未知早晚之期。比来术者皆云[919]‘今往必克’。此国之大事，宜君臣各尽所见，勿以朕先言而依违于前，同异于后也[920]。”李冲对曰：“凡用兵之法，宜先论人事[921]，后察天道[922]。今卜筮虽吉而人事未备，迁都尚新，秋谷不稔[923]，未可以兴师旅[924]。如臣所见，宜俟来秋[925]。”帝曰：“去十七年[926]，朕拥兵二十万[927]，此人事之盛也，而天时不利。今天时既从，复云‘人事未备’。如仆射之言[928]，是终无征伐之期也。寇戎咫尺[929]，异日将为社稷之忧[930]，朕何敢自安？若秋行不捷[931]，诸君当尽付司寇[932]，不可不尽怀[933]也。”

魏主以有罪徙边[934]者多逋亡[935]，乃制一人逋亡，阖门充役[936]。光州[937]刺史博陵崔挺[938]上书谏曰：“天下善人少，恶人多。若一人有罪，

与阳平王元颐会合去了”。元澄立即命令属下全速前进。担任右丞的孟斌建议说：“对方的情况我们还不清楚，难以估量，应该按照皇上的旨意调集并州、肆州的军队，然后再慢慢前去讨伐。”元澄说：“穆泰既然已经起兵作乱，就应该据守坚固的城池，而现在他却西进投奔阳平王元颐，根据他的所作所为，我估计他是因为势力太弱。穆泰既然没有出兵抵抗，我们无缘无故发兵，恐怕不合适。只要我们迅速地进入恒州镇守，民心自然就会安定下来。”于是倍道兼程加速前进。任城王先派担任治书侍御史的李焕单人独骑进入平城，出其不意，向穆泰的党羽说明情况，为他们分析福祸，于是没有人再愿意为穆泰卖命。穆泰此时已经是黔驴技穷，只得率领手下的几百人进攻李焕，却又没有成功。遂从平城西面逃出城去，被李焕的追兵擒获。不久任城王元澄也到达平城，他彻底追查穆泰的党羽，逮捕了陆叡等一百多人，全部投入监狱，民间的百姓都很拥护，没有引发骚动。任城王元澄把情况详细地奏报给孝文帝，孝文帝非常高兴，他把公卿召集起来，将任城王的奏章拿给他们看，孝文帝说：“任城王可说是关系国家安危的大臣啊！看他审理叛党的问答之词，即使让古代的皋陶来办理此事，又怎么能超过他呢？”说完又回过头来对咸阳王元禧等人说：“你们这些人要是遇到这种情况，恐怕做不到这样。”

魏孝文帝谋划出兵讨伐齐国，他在清徽堂召见公卿说：“我把都城建在华夏的中央地带，目前各项工作大体都有了眉目，只有南方的齐国还没有被讨平，我岂能效法近现代的那些皇帝只会在深宫之中放下帐子睡大觉呢？现在我已经决定要出兵南征齐国了，只是还不知道早晚出征的日期。近来观测天文气象的术士们都说‘现在出兵一定能大获全胜’。这是关系国家前途命运的大事，应该君臣各抒己见，你们不要因为我已经先表明了自己的态度而当着我的面不敢明确表态，而在背后却大唱反调。”担任尚书左仆射的李冲回答说：“大凡用兵，都应该首先考察敌我双方的人事动态，其次才是通过观测天文气象、占卜结果等了解天意如何。如今卜筮的结果虽然吉祥而人事方面却未齐备，我们刚刚迁都不久，今年秋季的收成又不好，这种情况下不可以出兵作战。按照我的意见，应该等到来年秋天。”孝文帝说：“过去的太和十七年，我率领二十万大军，可以说是人事特别齐备，然而天时不利，所以没有取胜。如今天时已顺，你们又说‘人事未备’。如果按照尚书左仆射所说的，是始终没有适合出兵征伐的日期了。敌军近在咫尺，留着这些敌人，将来必定给我们的国家造成危害，我怎么敢自己贪图安逸？如果明年秋后出兵还不能获得大胜，我就把你们诸位送交司法部门进行惩处，我不得不先给你们讲清楚。”

魏孝文帝因为被发配到边疆的许多罪犯逃跑，于是就制定了一条一个罪犯逃亡，全家人都将被罚去服劳役的连坐法令。担任光州刺史的博陵人崔挺上书劝谏说：“天下原本就好人少，恶人多。如果因为一人有罪，而牵连到全家，那么品德高尚的司

延及阖门，则司马牛受桓魋之罚[939]，柳下惠婴盗跖之诛[940]，岂不哀哉！”帝善之，遂除其制[941]。

【段旨】

以上为第三段，写齐明帝萧鸾建武三年（公元四九六年）一年中的大事。主要写了魏主下令鲜卑人一律使用中原地区的姓氏，将拓跋氏改姓元，自认为是黄帝之后，以土德为王；魏主仿效南朝大肆推行门阀制度，将魏国境内的汉族人卢、崔、郑、王、李五家定为士族之最优者，又定出北来少数民族的穆、陆、贺、刘、楼、于、嵇、尉八姓勋戚之家，与汉族之五姓享受同等待遇；魏主下令，规定诸王必须娶大士族之女，并亲自为其六位兄弟重新娶妻，将原来的妻子改为妾媵；魏主顽固地专以门第取人，李冲、李彪、韩显宗等都提出反对，而魏主坚持不听；魏太子拓跋恂因不欲居洛，图谋回代北自立，并擅杀其中庶子而被魏主所废。写魏臣穆泰勾结陆叡、元思誉、元隆等图谋拥立阳平王元颐据恒、朔二州叛乱，元颐假意应承，暗中向朝廷告密，魏主派任城王元澄前往相机讨灭之。写魏主尊贤养老，给各阶层的老人以不同的生活与级别的优待。写魏将元彬讨平吐京郡叛胡；魏主立意兴兵南伐，李冲等以人事未备而劝阻之，建议等待来秋。此外还写了齐明帝萧鸾志慕节俭，假惺惺地不用金银器具及生活亦力行俭省的一些表现，以及萧鸾躬亲细务，纲目亦密，致使六署、九部的事情，无不取决诏敕的无人君之度等。

【注释】

⑥⑩② 正月丁卯：正月初三。⑥⓪③ 沙州刺史：南齐所说的沙州约当今之甘肃成县、武都等一带地区，其地经常处于南北朝的相互争夺之下，杨氏诸人也一贯依违于南北朝之间，谁来了就归附于谁。⑥⓪④ 阴平王：阴平是魏郡名，郡治在今成县的西北侧。⑥⓪⑤ 后：古称帝王曰“后”，如“后羿”是也。⑥⓪⑥ 魏之先出于黄帝：魏国的祖先是黄帝的后代。拓跋宏明确承认自己是黄帝的子孙，这套说法起自《史记》，此后入主中原的少数民族都无不继承这种说法，可见《史记》的影响之大。⑥⓪⑦ 以土德王：是因为土德称王。土是五行之一，战国时期的邹衍鼓吹“五德终始”说，他们说历代建立的王朝是沿着金、水、木、火、土五行相生相克的道理来不断循环的，凡不在这一循环之中的就不算一个王朝。⑥⓪⑧ 黄中之色：土是黄色，又居于东西南北四方之中。⑥⓪⑨ 万物之元：世界上的一切之物都是从土地上产生出来的。元，原始、根本。⑥①⓪ 宜改姓元氏：即应该改姓元。姓、氏原是两个概

马牛就会受自己曾经差点杀掉孔子的弟弟桓魋的株连而遭受惩罚了，素有贤名的柳下惠也会受自己弟弟盗跖的牵连而被诛杀，岂不是很可惜吗！”魏孝文帝赞成崔挺的意见，于是取消了这条法令。

念，一个祖先的后代子孙都属于一个“姓”，后来繁衍越来越多，就又根据出生的地方、从事的职业等分成若干支系，称作“氏”。从司马迁的《史记》开始，将此概念搞乱，遂使“姓”“氏”混而为一。⑾ 姓或重复：一个姓的字数过多，如“破陆韩拔陵”五个字。⑿ 不可胜纪：多得没法细数。纪，通“记”，记载。⒀ 雅重门族：一向重视门第出身。门族，门第与家族出身。⒁ 范阳卢敏：范阳郡的卢敏家。范阳郡的郡治即今河北涿州。⒂ 清河崔宗伯：清河郡的崔宗伯家。清河郡的郡治在今山东临清东北。⒃ 荥阳郑羲：荥阳郡的郡治即今河南荥阳东北的古荥镇。郑羲传见《魏书》卷五十六。⒄ 太原王琼：太原郡的王琼家。太原郡的郡治在今太原的西南侧。⒅ 衣冠所推：为士大夫所推崇。衣冠，士大夫的服饰，这里借指士大夫。⒆ 充后宫：作嫔妃。⒇ 贵重：位尊任重。㉑ 姻娅：有婚姻关系的亲属。娅，姻亲。㉒ 清望：门第清白，被人敬重。㉓ 夫人：嫔妃的通称。皇后之下有昭仪，昭仪之下即通称夫人。㉔ 定诸州士族：确定魏国各州的著名家族哪家算士族，哪家不算，并列出他们的品级高下。㉕ 多所升降：有些原来被视为士族的，现在被黜落了；有些原来不被视为士族的，现在被筛选上去了。㉖ 无姓族：没有像汉族人这样的大姓氏、大家族。㉗ 功贤之胤：大功臣、大贤臣的后代。胤，后代。㉘ 无异寒贱：也都和门第卑微的人家没有区别。寒贱，指社会地位低下，而不是指经济状况不好。㉙ 功衰之亲：血缘关系很近的亲属。衰，通“缞”。功、缞都是近亲应穿的丧服。斩衰是服三年丧，如死者的子女；齐衰是服一年丧，如死者的兄弟、孙子、侄子；大功是服丧九个月，如死者的外甥、堂侄、孙媳；小功是服丧五个月，如死者的侄孙、外孙等等。㉚ 仍居猥任：充任一些卑微的职务。猥，卑微。㉛ 穆、陆、贺、刘、楼、于、嵇、尉：都是魏国百多年来的元勋重臣之家，其中穆崇家族见《魏书》卷二十七、陆俟家族见《魏书》卷四十、于栗磾家族见《魏书》卷三十一、尉古真家族见《魏书》卷二十六。㉜ 自太祖已降：从太祖拓跋珪时代（公元三八六至四〇九年在位）以来。㉝ 勋著当世：功勋昭著于一时。㉞ 灼然可知：非常显著地为世人所知。㉟ 且下司州、吏部：通知司州刺史与吏部尚书。㊱ 勿充猥官：不能让他们充任卑微的职务。㊲ 一同四姓：要让这八族的人与卢、崔、郑、王四姓享受同样的待遇。㊳ 应班士流：应该列入士族门第的人士。㊴ 寻续别敕：我会很快地下达其他的指示。㊵ 部落大人：少数民族的部落头领。㊶ 皇始：道武帝拓跋珪的年号（公元三九六至三九八年）。㊷ 给事：给事黄门侍郎，皇帝的侍从官员，位在三品中。㊸ 为姓：称作大姓，意同望族。㊹ 尚书：指各部尚

书。⑥④⑤族：大族；望族。〖按〗“族”与“姓”的意思原本相同，这里则强为规定“族”比“姓”的品级略低。⑥④⑥审核：核实。⑥④⑦穆亮：穆崇的后代，此时任录尚书事。传见《魏书》卷二十七。⑥④⑧陆琇：陆俟之孙，陆馛之子，此时任相州刺史。传见《魏书》卷四十。⑥④⑨王国舍人：各位亲王的家里人，即各位郡王的嫔妃。胡三省曰：“舍，谓诸王妃嫔之舍，其人即妃嫔也。”⑥⑤⓪八族：即前面提到的穆、陆、贺、刘等八姓。⑥⑤①清修之门：清白良善的人家。⑥⑤②咸阳王禧：拓跋禧，孝文帝的亲兄弟。传见《魏书》卷二十一上。⑥⑤③隶户：又叫“僮隶户”，被没入为奴的人家，皇帝常用来赏赐臣下。⑥⑤④为六弟聘室：为他的六位兄弟重新聘娶妻室。⑥⑤⑤前者所纳二句：将原先娶的妻子降为一般的姬妾。媵，陪嫁女。胡三省曰：“魏定氏族，固亦未能尽允清议；至令诏诸王改纳室，则大悖于人伦。夫妻者齐也，一与之齐，终身不改。富而易妻，人士犹或羞之，况天子之弟乎？此诏一出，天下何观？”⑥⑤⑥李辅：镇西大将军李宝之子，魏国权臣李冲的亲兄弟。传见《魏书》卷三十九。⑥⑤⑦河南王幹：拓跋幹，孝文帝的亲兄弟，原封为河南王，魏都迁洛后，改封为赵郡王。传见《魏书》卷二十一上。⑥⑤⑧广陵王羽：拓跋羽，孝文帝的亲兄弟，被封为广陵王。传见《魏书》卷二十一上。⑥⑤⑨颍川王雍：拓跋雍，孝文帝的亲兄弟，先被封为颍川王，魏都迁洛后，改封为高阳王。传见《魏书》卷二十一上。⑥⑥⓪始平王勰：拓跋勰，孝文帝的亲兄弟，先被封为始平王，魏都迁洛后，改封为彭城阳王。传见《魏书》卷二十一下。⑥⑥①北海王详：拓跋详，孝文帝的亲兄弟，被封为北海王。传见《魏书》卷二十一上。⑥⑥②赵郡诸李：赵郡的李氏诸族。赵郡的郡治即今河北赵县。⑥⑥③人物尤多：出现的人才数量最多。胡三省曰：“赵郡诸李，北人称之‘赵李’，李灵、李顺、李孝伯群从子侄，皆赵李也。”⑥⑥④各盛家风：每个人都把自己的家族整治得风华峻茂。⑥⑥⑤世之言高华：人们一说魏国有哪些高尚而又华贵的家族。⑥⑥⑥以五姓为首：首先要提到的五大家族是：卢氏、崔氏、郑氏、王氏、李氏。⑥⑥⑦为河东茂族：作为河东郡的望族。河东郡的郡治即今山西永济。⑥⑥⑧蜀也：由巴蜀地区迁来的人。⑥⑥⑨岂可入郡姓：怎能成为河东郡里的大姓。⑥⑦⓪出次：出列；离开自己原来的站立之地。⑥⑦①汉末仕蜀：指薛宗起的九世祖薛永，随刘备入蜀，遂为蜀臣。⑥⑦②六世相袭：在河东地区又传承了六世。⑥⑦③伏以：我认为。伏，谦辞。⑥⑦④岂可亦谓之胡邪：意谓我的祖先曾在蜀地生活过，如果因此就成了蜀人，那么陛下您的先人也曾长期居住在代北，是不是也就成了胡人呢。⑥⑦⑤今不预郡姓：今天我们要是成不了河东郡的大姓。⑥⑦⑥何以生为：还活着做什么。⑥⑦⑦朕甲卿乙：犹言“我是老大，你是老二”，咱们的情况差不多。孝文帝的戏言。⑥⑦⑧乃入郡姓：将薛氏列入了河东郡的大姓。⑥⑦⑨卿非宗起二句：你的发迹不是由于你的宗族，而你的宗族是因有你而获得提高。⑥⑧⓪选调：选拔任用官吏。⑥⑧①各有常分：都有固定的待遇，南朝有所谓“上品无寒门，下品无士族”，出身低的不可能被任命为高官。⑥⑧②此果如何：这样的做法究竟怎么样。⑥⑧③张官列位：设置官位。张、列义同，都是陈列、设置的意思。⑥⑧④膏粱子弟：即富贵人家的子弟。膏粱，指精美的饭食。⑥⑧⑤致治：把国家政事管理好，使国家得到太平。㊹专取门品：只看门第高低。㊺借使无当世之用：即使没有管理好国家政事的能力。借使，即使。㊻要自德行纯笃：至少可以保证他们的道德质量良好。要自，至少可以保证。㊼傅说：商朝武丁时代的良臣，相传原为版筑的奴隶，武丁从劳改犯人中将其拔出，任以为相。事见《史记·殷本纪》。㊽吕望：即姜太公，名尚，是辅佐周武王灭商的元勋，相传原为屠钓者，周文王在渭水边上遇见他，即用以为大臣。事见《史记·周本纪》与《史记·齐太公世家》。㊾门地：同"门第"，门庭、地位。㊿非常之人：不寻常的杰出人才。693旷世：历时长久。694秘书令李彪：秘书令是秘书省的长官，负责撰写国史与管理图书文籍等事。李彪是魏国的文史人才。传见《魏书》卷六十二。695鲁之三卿：春秋后期掌握鲁国政权的三家贵族，即孟孙氏（也作仲孙氏）、叔孙氏、季孙氏。696四科：指孔门的高才弟子。据《论语》，孔子的高才弟子分为德行、言语、政事、文学四科。德行类的有颜渊、仲弓；言语类的有子贡、宰我；政事类的有子路、冉有；文学类的有子游、子夏等。697韩显宗：韩麒麟之子，魏国的文史人才，时任著作佐郎。传见《魏书》卷六十。著作佐郎主管撰修国史。698以贵袭贵句：让门第高的袭任高官，让门第低的袭任贱职。699高明卓然：高超特异。卓然，特异的样子。700刘昶入朝：刘昶由徐州刺史任所来到洛阳。701或言唯能是寄：有人主张选拔官吏只能看他有没有为官任职的才干。或，有人。702不必拘门：用不着看他的出身门第如何。703不尔：不是这样。704清浊同流：门第高的与门第低的混杂在一起。当时称士族出身的人为"清流"。705君子小人：当时称士族出身的人为"君子"，称庶族出身的人为"小人"。706名品无别：家门名望与官品都没有区别。名，指家门、门第。品，指官品，担任官职的等级限制。707八族以上士人：指鲜卑族的穆氏、陆氏等八大家族，和与之相等的汉族的卢氏、崔氏等五大家族，共十三大族出身的人。708品第有九：先将他们分为九等。709若有其人：假如真的发现了有特殊的才能、贡献的人。710起家为三公：从平民之家中直接出任国家的三公。三公指太尉、司徒、司空三职。711不可止为一人浑我典制：不能为了这种千年不遇的个别人物而搞乱了整个国家的大法。意即九品制的士族制度是铁定不能变的。712选举之法：选拔官吏的办法。713深弊：严重的弊病。714相因：相互因循不变。715世禄：世代享有爵禄。716侧微：门第卑微。717不免斯蔽：仍不能改变这种弊病。蔽，通"弊"。718诚鲜：实在是稀少。鲜，少。719壬辰：正月二十八日。720复定襄县王鸾为城阳王：拓跋鸾前因赭阳之败，被降为定襄县王，今则恢复其城阳郡王之位。721二月壬寅：二月初九。722自非金革：除了赶上军情紧急。自非，除……而外。金革，兵器与铠甲，这里即指战争。723听终三年丧：都让他们在家为父母守完三年孝。724丙午：二月十三。725畿内：京城所管辖的郊区以内。726七十已上：七十岁以上的老人。已，通"以"。727赴京师行养老之礼：到京城参加皇帝所举办的尊老敬老活动。728三月丙寅：三月初三。729国老：告老辞官的卿大夫。730庶老：一般士人之老者。731黄耇已上：古者七十而致仕（退休），在退休的人群中再说"黄耇已上"，则应为八十以上矣。黄，指老人的头发变黄。耇，指老人面部的瘢痕。㉜假中散大夫：都授予中散大夫的虚衔。假，加、授予。中散大夫是皇帝的侍从官员，以备参谋顾问。㉝耆年：指六十以上。㉞假给事中：都授予给事中的虚衔。给事中是在宫廷内服务的官员，也是参谋顾问、拾遗补阙之类。㉟直假郡县：都分别授予一个郡里或县里职务的虚衔。㊱各赐鸠杖衣裳：每位老人都授予一个刻有鸠形的手杖和一套衣服。㊲丁丑：三月十四。㊳诸州中正：各个州里的中正官。中正是给本地区的士人评定九品等级的官员。㊴其乡之民望：其管区内的在群众中有威望的人。㊵守素衡门：有操行而能耐守清贫的人士。守素，以寒素自守。衡门，以横木为门，极言其居处条件之简陋。㊶授以令长：任以为县令、县长之职。大县的长官称县令，小县的长官称县长。㊷壬午：三月十九。㊸诏：下诏，此句的主语是齐明帝萧鸾。㊹乘舆有金银饰校：皇帝的车驾有用金银装饰的部位。胡三省曰："校，栏格也。饰其校，饰其栏格也。"㊺志慕节俭：追求俭朴生活。㊻裹蒸：古代食品，类似现在的粽子，个头儿比较大。㊼可四破之：可一个分成四份。㊽皂荚：皂荚树的果实，古代的洁身用品，有如现时的肥皂。㊾余泺：泺，通"沥"。洗头洗澡用过的水。㊿太官：管理膳食的官员。751元日上寿：大年初一向皇帝敬酒祝贺。上寿，敬酒祝人长寿。752酒鎗：温酒的用具。鎗，通"铛"。753欲坏之：想把它销毁。754咸称盛德：都歌颂萧鸾的俭朴美德。755萧颖胄：萧道成的远房侄子，武帝萧赜在位时亦颇受信任，萧鸾篡位后，任卫尉之职。传见《南齐书》卷三十八。卫尉是守卫皇宫门户的官员，位在九卿一级。756三元：指正月初一。正月初一是年、月、日三者的开始，故称"三元"。这一天的早晨称作"三朝"。元，开头。757预曲宴：参加后宫的非礼节性宴会。预，参与、参加。曲宴，意同"燕饮"，安乐的宴会。758恐宜移在此器：意即你的那道命令应针对这些东西而下。759躬亲细务：亲自过问一些琐碎的事情。细，繁细、琐碎。760纲目亦密：规定的条条框框也非常烦琐。761六署：尚书省下的六个办事衙门，指尚书左右仆射及度支、左民、都官、五兵六个部门。署，衙门、官吏办事的场所。762九府：胡三省曰，"指太常、光禄勋、卫尉、廷尉、大司农、少府、将作大匠、太仆、大鸿胪九卿府也"。763取决诏敕：听取萧鸾做出的决定。764文武勋旧：一切元勋老臣的任命罢免事宜。765不归选部：不由吏部管理。选部，即吏部，因其主管选拔官吏，故又称选部。766亲戚凭借：都是凭着亲戚走后门。767互相通进：直接找萧鸾关说。768南康王侍郎颍川锺嵘：南康王萧子琳的僚属姓锺名嵘。锺嵘是颍川郡长社县人，当时著名的文学家，著有文学批评名著《诗品》。传见《梁书》卷四十九。当时在齐武帝的儿子南康王萧子琳属下任侍郎之职。侍郎为帝王的侍从官员，备参谋顾问之用。769揆才颁政：义同"量能授职"。揆，打量。770三公坐而论道二句：《周礼·考工记》，"坐而论道，谓之王公；作而行之，谓之士大夫"。《尚书·周官》："立太师、太傅、太保，兹惟三公，论道经邦，燮理阴阳。""六卿分职，各率其属。"意思是三公主持总体原则，不管具体事务；九卿则分工明确，都要切实执行。771恭己南面：庄严端正地南面临朝，只管大局，不管具体细务的样子。语出《论语·卫灵公》。一说，恭己，同“拱己”，清闲无事的样子。〖按〗锺嵘的话与《周礼》《尚书》《论语》原文不完全一样，意思一致，就是公卿各有职分，皇帝只要善于用人就行了，不必把自己搞得焦头烂额。⑺㊾不怿：不高兴。⑺㊿太中大夫：太中大夫是皇帝的侍从官员，掌议论。⑺74欲断朕机务：想要阻止我处理国家的重要事务。⑺75各有司存：有具体的办事机构在，应让他们去负责处理。⑺76代庖人宰：替厨师宰杀牲畜。语出《庄子·逍遥游》，原文作：“庖人虽不治庖，尸祝不越樽俎而代之矣。”意为各有各的专职，不能超越自己的职责范围去管别人的职务。庖，厨师。尸，装扮受祭神鬼的人。祝，主管念祷词的人。⑺77为大匠斫：替能工巧匠去动手进行制作。语出《老子》，原文作：“夫代大匠斫者，希有不伤手矣。”意即不能代替别人做自己不应做或做不了的事。大匠，手艺高强的匠人。⑺78不顾而言他：感到自己无理而又不肯承认错误。语出《孟子》。⑺79四月甲辰：四月十一。⑺80魏广州刺史薛法护求降：广州本是南朝境内的州名，但魏国为虚张自己的声势，也在魏国境内设置广州，就像南朝境内设有冀州相同。魏国广州的州治在今河南鲁山县，今其刺史薛法护逃降于南齐。⑺81魏寇司州：魏军进攻南齐的司州，南齐的司州州治义阳，即今河南信阳。⑺82栎城戍主魏僧珉：栎城守军的南齐将领名叫魏僧珉。栎城在今河南信阳北。⑺83五月丙戌：五月二十四。⑺84营方泽于河阴：在河阴建造祭祀地神的坛台。方泽，方形水泽内的方形土台。古代人有天圆地方之说，故祭天的神坛都讲究圆形，祭地的神坛都讲究方形。⑺85汉魏晋诸帝陵：东汉、曹魏、西晋诸帝在洛阳周围的陵墓。⑺86百步内：在陵墓周围的百步之内。南朝时的一步相当于六尺。⑺87禁樵苏：禁止砍柴割草。樵，砍柴。苏，割草。⑺88丁亥：五月二十五。⑺89有事于方泽：指在方泽祭祀地神。⑺90皇后冯氏：太师冯熙之女，史称废皇后。太和十七年（公元四九三年）被立为皇后。传见《魏书》卷十三。⑺91文明太后：即孝文帝之母冯太后，谥曰文明。传见《魏书》卷十三。⑺92简：选拔；挑选。⑺93入掖庭：进入皇宫。⑺94未几：不久；没多时。⑺95殂：死亡。⑺96左昭仪：嫔妃的名号，地位仅次于皇后。⑺97后宠浸衰：皇后的受宠程度越来越不行。浸，渐。⑺98不率妾礼：不遵守作为一个姬妾的规矩。率，遵循、遵守。⑺99后颇愧恨：皇后自己深觉愧怨。⑻00谮而废之：进谗言将皇后废掉。谮，进谗言。⑻01瑶光寺：在洛阳皇宫的附近。⑻02练行尼：修炼戒行的尼姑。⑻03癸未：五月二十一。⑻04乙酉：五月二十三。⑻05中书省：为皇帝起草诏令的机关，因其离皇帝住的地方最近，故群臣汇集于此，目的是请求皇帝进食。⑻06崇虚楼：以虚静命名，盖崇尚老庄之旨也。魏主在平城时曾建崇虚寺于桑乾之阴。此崇虚楼者，盖迁洛后建于宫中，斋戒则居之。⑻07遣舍人辞焉：打发中书舍人传话叫他们回去。中书舍人是中书令的下属官员，掌管传达诏命。⑻08问来故：问他们是缘何而来。⑻09雨已沾洽：雨水普遍下透。洽，润透。⑻10细民：小民；平民百姓。⑻11无复情地：犹言无地自容。⑻12无所感：没有感到不适。⑻13欲相宽勉：不过是想来安慰我。⑻14为万民塞咎：为百姓们补救过失。咎，罪过、过失。⑻15中庶子：全称太子中庶子，皇太子的侍从官员。⑻16高道悦：魏国的正直官员，先为治书侍御史，后为中庶子。

传见《魏书》卷六十二。⑰戊戌：八月七日。⑱嵩高：即今河南的中岳嵩山。⑲召牧马：调用河内驯马场内的军马。⑳轻骑奔平城：逃回平城谋求自立。㉑手刃道悦：亲手杀了高道悦。㉒领军元俨：领军将军拓跋俨。领军将军是统领京城所有军队的最高长官。㉓勒门防遏：严守宫门，防止变乱。㉔入夜乃定：一直到天黑乱子才平定下来。㉕诘旦：第二天一早。㉖尚书陆琇：陆琇是魏国元勋陆俟之孙，陆馛之子，曾任祠部尚书。传见《魏书》卷四十。㉗汴口：地名，汴水由黄河分出之口，在当时的荥阳，今河南荥阳东北古荥镇北。此处之所谓汴水即楚汉时代的鸿沟，也称大沟、浪宕渠。㉘甲寅：八月二十三日。㉙更代：轮流交替。㉚扶曳：连扶带拉。㉛丁巳：八月二十六。㉜南安惠王桢：拓跋桢，惠字是谥，拓跋晃之子，孝文帝的叔祖。传见《魏书》卷十九下。㉝九月戊辰：九月初八。㉞讲武：习武；演练武事。㉟小平津：黄河渡口名，在今河南洛阳市孟津区东北。㊱癸酉：九月十三。㊲十月戊戌：十月初八。㊳司州民：魏都洛阳地区的成年男子。魏国以洛阳一带地区为司州，州治即今洛阳。㊴十二夫调一吏：每十二个成年男子从中调一人为役夫。吏，役夫、服役之人。㊵供公私力役：作为贵族私家与国家政府部门服徭役。㊶吐京胡：吐京郡的少数民族。指汉人与鲜卑族以外的其他民族人。吐京郡的郡治即今山西石楼。㊷朔州刺史元彬：拓跋彬，景穆帝拓跋晃之孙，汉化后改姓元。传见《魏书》卷十九下。朔州的州治盛乐，今内蒙古和林格尔北侧。㊸行汾州事：代理汾州刺史。汾州的州治蒲子城，即今山西隰县。㊹并肆之众：并州与肆州的现有武装军事力量。并州的州治晋阳，在今山西太原南侧，肆州的州治即今山西忻州。㊺桢：元桢，即前文所说的南安惠王。㊻统军奚康生：统军，一支部队的统领，不是具体的官名。犹言"军主""戍主"等。奚康生，魏国的猛将，前与南齐作战中，以解魏主之急为直阁将军。传见《魏书》卷七十三。㊼车突谷：地名，在今山西吕梁市离石区境内。㊽胡去居：叛胡，名去居。㊾保险：据险；凭借险要之地。㊿随宜讨治：根据具体情况灵活地进行讨伐。(851)太子太傅穆亮句：二人皆为太子的辅导官，所以免冠请罪者，一是自请未尽职责之罪，二是为太子求情。(852)大义灭亲：语出《左传》隐公四年（公元前七一九年）。卫国老臣石碏的儿子石厚帮着卫君的儿子州吁作乱，石碏为此亲自杀了石厚，故《左传》的作者赞扬石碏为"大义灭亲"。(853)跨据恒、朔：占据恒、朔二州。恒州的州治即今山西大同。恒、朔二州相当于今之山西北部与内蒙古南部，包括呼和浩特在内的大片地区。(854)孰大焉：还有比这个更严重的吗。(855)闰月丙寅：闰十二月初八。(856)河阳无鼻城：河阳是古邑名，在今河南洛阳市孟州区，洛阳城北，与洛阳隔黄河相望。无鼻城，也作无辟城，在河阳附近。(857)粗免饥寒：不至于受冻挨饿。粗，大概。(858)戊辰：闰十二月初十。(859)常平仓：犹如汉代所说的平准仓，其中储存大量粮食。农民获得丰收，粮价低贱时，粮库以平价收入，使农民不致吃亏；当年景不好，粮食歉收，粮价飞涨时，粮库将存粮以平价卖出，百姓不致因灾受害。因其能调节粮价平稳，故曰"常平"。(860)戊寅：闰十二月二十。(861)太子宝卷冠：萧鸾的太子萧宝卷年已二十，行加冠礼。⑻⑹ 文明太后欲废魏主：事见本书卷一百三十七永明八年。⑻⑹ 穆泰：魏国元勋老臣穆崇之孙，穆真之子，时为尚书右仆射。传见《魏书》卷二十七。⑻⑹ 中州儒士：中原地区的儒生，如宋弁、郭祚等人。中州，中原，指今河南一带地区。⑻⑹ 定州：州治即今河北定州。⑻⑹ 土湿则甚：气候潮湿就病得厉害。⑻⑹ 乞为恒州：请求改为恒州刺史。⑻⑹ 陆叡：魏国元勋老臣陆俟之孙、陆丽之子。传见《魏书》卷四十。⑻⑹ 叡未发：陆叡尚未离开平城。⑻⑺ 乐陵王思誉：拓跋思誉，景穆帝拓跋晃之孙，拓跋胡儿之子。传见《魏书》卷十九下。⑻⑺ 安乐侯隆：拓跋隆，拓跋丕之子，明元帝拓跋嗣之孙。传见《魏书》卷十七。⑻⑺ 抚冥镇将鲁郡侯业：拓跋业，拓跋丕之弟，明元帝拓跋嗣之子，时为抚冥镇的守将，被封为鲁郡侯。传见《魏书》卷十七。抚冥镇的镇址在今内蒙古四子王旗东南。⑻⑺ 骁骑将军超：拓跋隆之弟，时为骁骑将军。⑻⑺ 阳平王颐：拓跋颐，拓跋新成之子，明元帝拓跋嗣之孙。传见《魏书》卷十七。⑻⑺ 洛阳休明：洛阳政权政治开明。洛阳，以指魏孝文帝。休明，英明。休，美好。⑻⑺ 任城王澄：拓跋澄，拓跋云之子，景穆帝拓跋晃之孙。传见《魏书》卷十九上。⑻⑺ 扇诱宗室：煽动引诱拓跋氏的多位亲王。⑻⑺ 脱或必然：如果肯定是这么回事。⑻⑺ 迁都甫尔：刚迁都洛阳不久。甫尔，刚刚开始。⑻⑻ 南北纷扰：南北两方如果同时乱起来。南，指已迁到洛阳的北方边地之人。北，指穆泰等在恒州、朔州作乱的人。⑻⑻ 洛阳不立：洛阳就有危险了。⑻⑻ 强为我北行：勉为其难地替我到北方走一趟。⑻⑻ 审观其势：仔细地分析他们的形势。⑻⑻ 承制：就以皇帝的名义。制，皇帝的命令。⑻⑻ 驽怯：无能而又怯懦。这里是谦辞。⑻⑻ 犬马之疾：谦称自己的疾病。⑻⑻ 节：旌节，皇帝赐给方面大臣的信物，表示其所受信任之重与其权力之专。⑻⑻ 铜虎、竹使符：铜虎符与竹使符，调兵、调粮与发布号令的各种凭证。⑻⑻ 御仗左右：皇帝身边的带刀护卫，授予任城王拓拔澄做警卫。⑻⑼ 仍行恒州事：仍，同“乃”，于是。行恒州事，代行恒州刺史的职务。原来的恒州刺史穆泰已被免职。⑻⑼ 雁门：魏郡名，郡治在今山西代县西南。⑻⑼ 西就阳平：西进与阳平王拓跋颐相会合。当时拓跋颐任朔州刺史。⑻⑼ 遽令进发：立即下令全速进击。⑻⑼ 右丞：尚书右丞，随拓跋澄前往处理事务的朝廷官员。⑻⑼ 事未可量：对方的情况不清楚，难以估量。⑻⑼ 依敕召并肆兵：按魏主旨意调集并州、肆州的武装部队。⑻⑼ 更迎阳平：竟然往投拓跋颐。迎，往就。⑻⑼ 但速往镇之：只要我们迅速地进入恒州（即今山西大同）。镇，往就刺史之位。⑻⑼ 治书侍御史：御史中丞的下属官员，掌弹劾，亦随拓跋澄同往的朝廷官员。⑼⑽ 入代：即进入平城。⑼⑽ 晓谕泰党：向穆泰的党羽说明情况。⑼⑽ 皆莫为之用：没有人肯再为穆泰卖命。⑼⑽ 追擒之：李涣率人追擒穆泰。⑼⑽ 寻至：不久到达。⑼⑽ 穷治：彻底追查。⑼⑽ 帖然：归心拥护的样子。⑼⑽ 社稷臣：关系国家安危的大臣。⑼⑽ 狱辞：审理叛党的问答之辞。⑼⑽ 正复皋陶：即使让古代的皋陶来办理此事。皋陶，相传是虞舜时代的法官，古代司法名臣的代表。事见《史记·五帝本纪》。⑼⑽ 顾谓：回头对着……说。⑼⑾ 当此：遇到这样的事情。⑼⑿ 谋入寇：商量起兵伐齐的事情。⑼⒀ 卜宅土中：建都于普天下的中央地带，即洛阳。卜宅，旧指盖房子安家。⑭纲条粗举：各项工作大体有了眉目。⑮唯南寇未平：只剩下南方的残余之敌未被扫平。⑯安能效近世天子：怎么能像近现代的那些其他皇帝一样。⑰下帷于深宫之中：只会在深宫之中放下帐子睡大觉呢。下帷于深宫，指闭门不出，安于享乐。⑱南征决矣：起兵南征是已经确定了的。胡三省曰："魏既都洛，逼近淮、汉，故急于南伐以攘斥境土。"⑲术者皆云：观测天文气象的术士们都说。古代研究天文气象的人通常都以此讲王朝气数的盛衰。⑳依违于前二句：当着我的面不明确表态，背后却大唱反调。依违，模棱两可。㉑先论人事：先考察敌我双方的人事动态，如百姓的意愿如何、双方的实力如何、双方的决策者与统率人物的能力如何等。㉒后察天道：其次才是观测天意，即天文星象、占卜结果等。㉓秋谷不稔：秋天的收成不好。㉔兴师旅：即出兵作战。师旅，古代军队的编制名，五百人为一旅，五旅为一师。㉕来秋：明年的秋后。㉖去十七年：过去的太和十七年，即前年，公元四九三年。㉗拥兵二十万：当时声称三十万。㉘如仆射之言：照你李冲的说法。当时李冲任尚书仆射。㉙寇戎咫尺：敌军近在眼前。咫，八寸。㉚将为社稷之忧：留着这些敌人，难免给我们的国家造成危害。㉛若秋行不捷：如果明年秋后不能取得胜利。㉜尽付司寇：通通把你们送上军事法庭。司寇，周代掌刑狱的官名。㉝不可不尽怀：我不得不向你们先说清楚。㉞有罪徙边：因犯罪而被发配守边。㉟多逋亡：很多人都逃亡。㊱阖门充役：全家被罚去服劳役。㊲光州：魏州名，州治即今山东莱州。㊳博陵崔挺：崔挺是博陵郡的大士族，其女为孝文帝的嫔妃。传见《魏书》卷五十七。博陵郡的郡治即今河北安平。㊴司马牛受桓魋之罚：司马牛是春秋末期宋国人，孔子的弟子，以道德优秀知名。桓魋是司马牛之弟，在宋国任司马。孔子到宋国时，桓魋差点把孔子杀掉。若按魏主所定的法律，司马牛就要因桓魋的株连而被惩罚了。㊵柳下惠婴盗跖之诛：柳下惠是春秋末期鲁国的贤者，深受孔子敬重。盗跖相传是柳下惠之弟，是当时横行天下的大恶人。若按魏主所定的法律，柳下惠就要因盗跖的株连而被惩办了。㊶遂除其制：于是就取消了这种"一人逋亡，阖门充役"的条令。

【校记】

［19］大夫：据章钰校，十二行本、乙十一行本皆无此二字。［20］今日：原无此二字。据章钰校，十二行本、乙十一行本皆有此二字，今据补。［21］名品：原作"名器"。据章钰校，十二行本、乙十一行本皆作"名品"，张敦仁《通鉴刊本识误》同，今据改。［22］亲戚凭借：据章钰校，十二行本、乙十一行本、孔天胤本皆作"亲近凭势"，张敦仁《通鉴刊本识误》"戚"作"近"。［23］求降：据章钰校，十二行本、乙十一行本、孔天胤本皆作"来降"。［24］细民：据章钰校，十二行本、乙十一行本、孔天胤本皆作"庶民"。［25］领军：原作"中领军"。据章钰校，十二行本、乙十一行本皆无"中"字，张瑛《通鉴校勘记》同。张敦仁《通鉴刊本识误》云："无注本脱一'中'字。"熊罗宿

《胡刻资治通鉴校字记》云："《北史》无'中'字。"《魏书·废太子恂传》《北史·废太子恂传》皆无此字，今据删。[26]等：原无此字。据章钰校，十二行本、乙十一行本、孔天胤本皆有此字，与《魏书·废太子恂传》《北史·废太子恂传》同，今据补。[27]湿：原作"温"。张敦仁《通鉴刊本识误》作"湿"，其义长，今从改。

【研析】

本卷写齐明帝萧鸾建武二年（公元四九五年）、建武三年共两年间南齐与北魏的两国大事。主要写了魏孝文帝迁都洛阳后实行一系列重要的社会改革，以及孝文帝个人性格方面的一些特点，其他还写了孝文帝的南伐，以及齐明帝萧鸾诛灭萧谌一族等等。而我们要集中议论的是孝文帝社会改革的成败以及孝文帝总体评价的一些问题。

第一，我们应该注意的是，魏国的社会改革，或者也可以说是魏国实行汉化的问题，不是从孝文帝才开始，而是在道武帝拓跋珪、太武帝拓跋焘就已经开始了。所不同的是，道武帝和太武帝时期的变革不是自觉自愿，不是有目的、有计划地进行，而只是被动的、不得已的临时变通地采取措施而已。但究其实际而言，拓跋珪、拓跋焘之所以能取得如此辉煌的军功与政绩，实在又与他们任用与依赖汉族杰出人物为之出谋划策大有关系。别的不说，就以拓跋焘任用崔浩，听用崔浩之计大破柔然、灭掉夏国、灭掉北凉，从而统一黄河以北的大片国土而言，鲜卑人接受汉文化所形成的威力就足以令世人瞩目了。但这在当时还只是表现在某些方面，而且还时常有反复，时而出现反对"汉化"的逆流，甚至还出现了崔浩被杀，大批汉人的名门世族被牵连诛灭的骇世听闻之事。

第二，魏国自觉地实行汉化是从孝文帝开始，但孝文帝在位的二十八年（公元四七一至四九九年），其中的前十九年是在冯太后执政的情况下度过的。冯太后对孝文帝日后的社会改革所起的作用，曾志华等在其《北朝史解读》中说："冯氏接受高允的建议，在全国各地设立乡学，分配博士、助教等于各郡。在推行汉化教育的同时，冯太后还注意革除拓跋族的落后风习，一再下令禁绝女巫妖觋，反对'杀生鼓舞'进行祭祀活动。冯太后又进行了经济改革，下令放宽对手工匠的禁令，准许其自由择业。""冯氏足智多谋，能行大事，具有丰富的政治经验，于二次称制后，继续进行一系列改革，孝文帝拓跋宏时期颁行的重要的均田制和三长制，实际都是由她主持并定夺。"应该说正是冯太后的这些作为，给孝文帝亲政后的种种改革，开了先声，做了铺垫。冯太后重视宣传教育，而且自己有文才，她以其孙年幼，"乃作《劝戒歌》三百余章，又作《皇诰》十八篇，颁行天下"。在孝文帝以前，魏国的帝王能娴习汉族经典，能亲自写文章、发诏令的似乎没有见过。而像孝文帝后来那种熟读汉族之书，亲手撰写诏令、发布文告的帝王，在南朝皇帝中也找不出第二个，但是冯太后在北朝的皇帝中却开了头。这是我们应该注意的第二点。

第三，关于魏主的迁都洛阳。迁都洛阳本身不算是汉化的内容，但与其他诸项汉化的作为有重要联系。迁都洛阳是为了更好治理国家，平城地处雁北，偏居一隅，对抵抗柔然的入侵是起了作用的，但对于治理幅员辽阔的魏国却非常不利。洛阳地处天下之中，从政治、经济、军事诸方面衡量，都有平城所无法比拟的优越性。魏主以中国的正统自居，既然是中国的正统皇帝，别说他整天还在梦想着统一江南，即使放开江南不说，单是一个统治着黄河流域的大国，能够以偏居于雁北一隅为满足吗？刘宋末年以来，魏国又新得了淮河以北的大片地区，魏国的边将时常用兵到淮河以南；在西南方的仇池、武都一带，地形复杂，魏国的势力早已达到这一带，顺利的时候可以占领汉中，但当地的各派力量对魏国叛服不定，魏主远居平城，遇事都深感鞭长莫及。尤其在经济上，洛阳的交通发达，运输方便，对于调动全国物资，支援淮河前线、西南前线，尤其是对正南方的南阳、义阳一线发动进攻，都有无可比拟的战略优势。《魏书·任城王传》载，任城王元澄反对迁都洛阳，孝文帝恳切地对他说："国家兴自北土，徙居平城，虽富有四海，文轨未一。此间用武之地，非可文治，移风易俗，信为甚难。崤函帝宅，河洛王里，因兹大举，光宅中原。"而一旦建都洛阳之后，南伐齐国，可以"从洛入河，从河入汴，从汴入清，以至于淮，下船而战，犹出户而斗，此乃军国之大计"。(《魏书·李冲传》)一句话，要想当名副其实的大国之君，就必须迁都洛阳；屈居于雁北的冰天雪地之中，与周边的少数民族相杂处，那就只配让南朝人称作"索虏"，自己还有什么资格呼淮河以南的大片地区为"蛮夷"呢？因此，孝文帝非迁都洛阳不可。

第四，孝文帝迁都洛阳后，全面实行"汉化"，其具体内容大致有：一、服汉人之衣，说汉人之话，死后葬于洛阳，从此籍贯为洛阳人。魏主下令："今欲断诸北语，一从正音。其年三十已上，习性已久，容不可猝革。三十已下，见在朝廷之人，语言不听仍旧，若有故为，当加降黜。各宜深戒！"魏主又"引见群臣于光极堂，颁赐冠服"。又说："昨望见妇女犹服夹领小袖，卿等何为不遵前诏？"又规定："代人迁洛者，宜悉葬邙山。其先有夫死于代者，听妻还葬；夫死于洛者，不得还代就妻。"又诏："迁洛之民死，葬河南，不得还北。"于是代人迁洛者悉为河南洛阳人。二、魏国的皇室权贵必须娶汉族的大姓之女为妻，孝文帝以身作则，纳当时的汉族大姓范阳卢敏、清河崔宗伯、荥阳郑羲、太原王琼四家之女以充后宫；又以陇西李冲以才识见任，当朝贵重，亦以其女为夫人。又亲自做主为他的六个弟弟各娶一家汉族的豪门之女为妻，咸阳王元禧娶故颍川太守陇西李辅女；河南王元幹娶故中散大夫代郡穆明乐女；广陵王元羽娶骠骑谘议参军荥阳郑平城女；颍川王元雍娶故中书博士范阳卢神宝女；始平王元勰娶廷尉卿陇西李冲女；北海王元详娶吏部郎中荥阳郑懿女，原有的妻子一律降为妾。三、改变鲜卑人原来的姓氏，一律使用汉族的姓氏，如拓跋氏改为姓“元”，达奚氏改为姓“奚”，丘穆陵氏改为姓“穆”，步六孤氏改为姓“陆”，贺赖氏改为姓“贺”，独孤氏改为姓“刘”，勿忸于氏改为姓“于”，如此等等，据《魏书·官氏志》所载，总共有一百多个。这些规定一经实行，作为一个国家而言，是走向了统一、团结、各民族一家，免除了民族对立、民族歧视，形成并壮大了名为“汉族”，其实是各民族融汇一起，不分彼此的大家庭。就人类进步、国家繁荣而言，只有百利而无一害。只有那些目光短浅、心胸狭隘的人，才死死地抱着其所谓“血统”的家族而不放。就人类生活的具体情况而言，所谓“纯洁”的血统是一种既不实际，也毫无意义的东西。连秦始皇那样的独裁者都无法保持血统的“纯洁”，更何况是千古以来的芸芸众生呢？就生物学的原理而言，一个国家民族的血统越是融汇的支派众多，其后裔就会越健康越智慧。只此一项而论，孝文帝的贡献就远远不是一般帝王所能望其项背的。

至于孝文帝自称自己的民族是黄帝之后，魏国政权是以土德列于“五德终始”之中；他的广泛继承历代王朝的做法，尊孔、重儒，立国子、太学、四门小学以兴办教育；以及仿照汉族皇帝的南郊祭天、北郊祭地，这些也都是汉化的内容，但这些早从他的祖辈就已经逐步实行了，表现在孝文帝身上，只不过表演得更熟练、更热心而已，而不是他的新创造。

第五，关于孝文帝效法南朝，大肆推行士族制度的问题。孝文帝仿效南朝大肆推行门阀制度，将魏国境内汉族的卢、崔、郑、王、李五家定为士族之最优者；又定出北来少数民族的穆、陆、贺、刘、楼、于、嵇、尉八姓勋戚之家，与汉族之五姓享受同等待遇。孝文帝接过魏晋以来的九品中正制，用之为选拔任命官吏的管钥与权衡。应该说，凡是熟悉中国历史的人都知道，魏晋以至南朝的所谓“士族制度”、所谓“九品中正制”是一种赤裸裸的只为腐朽贵族服务，而摧残人才的最浑蛋、最误国的东西。当时的民谚有所谓“上品无寒门，下品无士族”；有所谓“上马不落为著作，体中何如做秘书”；又有所谓“举秀才，不知书；举孝廉，父别居，……”云云都是揭露这种制度之虚伪丑恶的；晋朝的诗人左思写过《咏史八首》，其中有所谓“郁郁涧底松，离离山上苗。以彼径寸茎，荫此百尺条”；刘宋诗人鲍照写过《拟行路难十八首》，其中有所谓“对案不能食，拔剑击柱长叹息。丈夫生世会几时，安能蹀躞垂羽翼”，都是这种罪恶制度统治下的孤直之士所发出的反抗之音。晋、宋、齐、梁的社会政治之所以如此黑暗腐朽，与“九品中正制”有着密不可分的关系。孝文帝作为一个杰出的政治家为什么竟如此醉心于学习南朝，应该说这是他统治阶级立场的大暴露。孝文帝代表何人利益？首先是代表鲜卑一小撮贵族的利益；但只依靠这一小撮是维持不住统治政权的，于是他稍加扩大，把汉族的一群世家大族也招安过来，共同构成了魏国的统治阶层。“九品中正制”既是在评定家族门第的上下，同时也是在排定统治国家的官员的上下。

在选任官职的时候，首先是看门第呢？还是看被选人物的才智能力呢？孝文帝又学习了南朝最招人痛恨的一端，即只看门第。为此在当时就遭到了国家的名臣李冲、韩显宗等人的反对，但孝文帝坚持不变。难道说孝文帝连这么明显的失误也不能觉察？不是，他是在为他所代表、他所凭依的鲜卑族贵胄们争取地位。孝文帝知道，要治好国家，必须依靠一系列的才智之臣。而这所谓才智，就是指以儒家传统为主导的思想、言论与其相应的举措与实践。实话说，孝文帝之所以要实行汉化，就是想迅速提高鲜卑贵族的这种文化水平与管理水平，但这种文化水平、思想水平以及相应的管理水平可不是短时间所能形成的。如果现在一开始就来个人伦才智为主、门第出身为次，那么满布朝野的官僚队伍还不一下子黑压压的绝大多数都成了汉族人。光是迁都洛阳，已经使相当数量的鲜卑人离心离德了；如果再冒险地出这一步，那整个的鲜卑贵族集团还会有多少人愿意跟着孝文帝走？所以说，孝文帝对此不是不明白，而是没有办法，眼前只能如此。

第六，关于孝文帝的人格魅力。《资治通鉴》称赞孝文帝的日常表现说："帝好读书，手不释卷，在舆据鞍，不忘讲道。善属文，多于马上口占，既成，不更一字。自太和十年以后，诏策皆自为之。好贤乐善，情如饥渴，所与游接，常寄以布素之意。如李冲、李彪、高闾、王肃、郭祚、宋弁、刘芳、崔光、邢峦之徒，皆以文雅见亲，贵显用事，制礼作乐，郁然可观，有太平之风焉。"这样的人格，别说晋、宋、齐、梁的孱头们无法相比，就是中国两千多年的历代帝王行列中也寥寥没有几个。宋代的南宫靖一曾说："孝文夙著令闻，及躬总大政，日不暇给，东征西伐，所向风靡。又爱友诸弟，终始无间。天地五郊、宗庙二分之礼，常必躬亲。焚图谶之书，礼比干之墓。虚心以访安民之术，责己以答上天之谴。雅好读书，手不释卷，坐舆据鞍，讲论经理。刘芳、李彪以经术进，崔光、邢峦以文史达，其余涉猎典章、闲习词翰者，莫不縻以好爵。文风烂然，江左五朝莫能及也。"（《古今人物论》）现代的曾志华等曾说："孝文帝的一系列改革，不但促进了北魏社会的发展，更积极推动了北方民族的大融合。孝文帝的改革也是历史发展的产物，西晋以来民族融合已渐成一种趋势，而孝文帝的改革更是功不可没。孝文帝能够撇下民族偏见，选择历史必由之路，主动实行汉化，在少数民族统治者中应属难能可贵。正是孝文帝的雄才大略，使他成为对我国多民族国家的发展做出积极贡献的杰出人物。"相比之下倒是王夫之的《读通鉴论》显得颇为不公，他对孝文帝几乎没说过一句好话，这应该是由于他生活在清朝初期，对于清王朝的残暴现实严重不满而引发出来的一种情绪所致，这是可以理解的。

卷第一百四十一　齐纪七

起强圉赤奋若（丁丑，公元四九七年），尽著雍摄提格（戊寅，公元四九八年），凡二年。

【题解】

本卷写齐明帝萧鸾建武四年（公元四九七年）与永泰元年（公元四九八年）共两年间南齐与北魏两国的大事。主要写了魏孝文帝处死了叛党穆泰、陆叡等，人无称冤者，但魏主原曾授予穆泰、陆叡等以遇死罪可以免死之诏，今穆泰、陆叡又因犯罪而蒙死刑，故司马光称此为“以不信之令诱之使陷于死地”，以为“刑政之失，无此为大”。写了魏御史中尉李彪原本是靠着李冲的提拔得受魏主倚任，而地位提高后则渐渐对李冲礼数日减，又变为相对争斗，李冲则负气上表弹劾其恶，极尽丑诋，必欲致李彪于死地，魏主对二人深感失望，遂将李彪除名，而李冲则盛怒中风，精神失常而死。写了魏孝文帝发兵进攻南齐之南阳、义阳两路，魏主先围南阳，责南阳太守房伯玉三罪，房伯玉遣乐稚柔回对之，温文尔雅，有古辞命之风。写了攻义阳的魏将崔僧渊破齐将王昙纷于黄郭戍；魏将傅永破齐将鲁康祚、赵公政于太仓口；傅永又破齐将裴叔业于楚王戍，深受魏主之称赏。写了魏将李佐先攻克新野，杀了齐将刘思忌，黄瑶起被俘，被王肃脔而食之；魏将又攻克南阳郡，俘获了太守房伯玉；接着魏军又南破崔慧景于邓县、闹

【原文】

高宗明皇帝下

建武四年（丁丑，公元四九七年）

春，正月，大赦。

丙申①，魏立皇子恪②为太子。魏主宴于清徽堂，语及太子恂，李冲谢曰：“臣忝师傅③，不能辅导④。”帝曰：“朕尚不能化其恶⑤，师傅何谢⑥也！”

乙巳⑦，魏主北巡。

初，尚书令王晏⑧为世祖⑨所宠任，及上谋废郁林王⑩，晏即欣

沟，魏军遂围困樊城；写了魏将王肃率众攻齐义阳，齐将裴叔业攻魏涡阳（今安徽蒙城）以分其势，魏将元羽与傅永等两次率兵救涡阳，都被裴叔业打败；魏主只好命王肃停攻义阳，往救涡阳，齐将裴叔业始南退过淮，回守涡口；后魏主闻萧鸾死，以讲究“礼不伐丧”而下令撤军北还。写了齐明帝萧鸾继杀其亲信萧谌后，又因王晏贪心不足、口无遮拦，深被萧鸾所忌，加以萧遥光等人之挑动，致王晏、萧毅、刘明达、晏弟诩、晏子德元、德和皆被杀。写了萧鸾又猜疑老将王敬则，王敬则的儿子图谋叛乱，连结王敬则的女婿谢朓，结果被谢朓告密；王敬则见景遂在会稽郡以拥立萧子恪为名起兵造反，开始锐气甚盛，其后被乌程令丘仲孚困之于长冈埭，而后被胡松、崔恭祖等破之于曲阿长冈，王敬则失败被杀。写了齐明帝萧鸾死，临终托后事于徐孝嗣、萧遥光、萧坦之、江祏等人，太子萧宝卷即位。而写史者迅即又将脏水泼向小皇帝，累叙了小皇帝的种种恶习，为日后篡杀萧宝卷开始做铺垫。此外还写了魏将李崇率众打败了氐族头领杨灵珍，重新平定了仇池一带地区；江阳王元继以讲政策平息了内附于魏国的高车人之动乱等。

【语译】

高宗明皇帝下

建武四年（丁丑，公元四九七年）

春季，正月，齐国实行大赦。

初八日丙申，魏孝文帝元宏立皇子元恪为太子。魏孝文帝在清徽堂设宴招待群臣，当谈到被废掉的太子元恂的时候，李冲向孝文帝请罪说：“我愧做太子的师傅，没有能帮助、教导好他。”魏孝文帝说：“我是他的父亲，尚且不能改变他的恶行，做师傅的有什么可愧疚的呢！”

十七日乙巳，魏孝文帝前往魏国的北方进行巡视。

当初，齐国担任尚书令的王晏深受齐世祖萧赜的宠信和重用，然而等到齐明帝萧鸾将自己阴谋废杀郁林王的萧昭业的想法告诉王晏的时候，王晏却欣然赞同，立即响

然推奉⑪。郁林王已废，上与晏宴于东府⑫，语及时事，晏抵掌⑬曰："公常言晏怯，今定何如⑭？"上即位⑮，晏自谓佐命新朝，常非薄世祖故事⑯。既居朝端⑰，事多专决，内外要职，并用所亲，每与上争用人⑱。上虽以事际须晏⑲，而心恶之。尝料简⑳世祖中诏㉑，得与晏手敕㉒三百余纸，皆论国家事。又得晏启谏世祖以上领选事㉓，以此愈猜薄㉔之。始安王遥光㉕劝上诛晏，上曰："晏于我有功，且未有罪。"遥光曰："晏尚不能为武帝㉖，安能为陛下乎？"上默然。上遣腹心[1]左右[2]陈世范等出涂巷㉗，采听异言㉘。晏轻浅无防㉙，意望开府㉚，数呼相工自视㉛，云当大贵，与宾客语，好屏人清闲㉜。上闻之，疑晏欲反，遂有诛晏之意。

奉朝请鲜于文粲㉝密探上旨㉞，告晏有异志。世范㉟[3]又启上云"晏谋因四年南郊㊱，与世祖故主帅㊲于道中窃发㊳。"会虎犯郊坛㊴，上愈惧。未郊一日㊵，有敕停行㊶。先报晏及徐孝嗣㊷，孝嗣奉旨㊸，而晏陈"郊祀事大，必宜自力㊹"。上益信世范之言。丙辰㊺，召晏于华林省㊻，诛之，并北中郎司马萧毅㊼、台队主㊽刘明达，及晏子德元、德和。下诏云："晏与毅、明达以河东王铉㊾识用微弱㊿，谋奉以为主51，使守虚器52。"晏弟诩为广州刺史，上遣南中郎司马萧季敞53袭杀之。季敞，上之从祖54弟也。萧毅奢豪，好弓马，为上所忌，故因事陷之。河东王铉先以年少才弱，故未为上所杀。铉朝见，常鞠躬俯偻55，不敢平行直视。至是，年稍长56，遂坐晏事57免官，禁不得与外人交通58。

应，对萧鸾表示拥戴。郁林王萧昭业被废杀之后，齐明帝到王晏所居住的东府与王晏一起宴饮，谈话中说到了当时在延德殿废杀郁林王萧昭业的事情，王晏得意地拍着双手说："你曾经说我为人胆小怕事，我那天的表现怎么样？"萧鸾篡位称帝以后，王晏因为自己辅佐萧鸾的新朝有功，遂经常诋毁齐世祖萧赜旧时的一些作为。等到王晏做了尚书令，位居朝臣之首以后，对朝中的许多政务便开始擅权专行，朝廷内外的重要职位，王晏全部任用自己的亲信充任，与齐明帝之间经常为了争着委任自己的亲信而发生矛盾。齐明帝虽然因为形势的需要，暂时还离不了王晏，而心里已经对王晏充满了厌恶。齐明帝曾经整理齐世祖亲自从宫中发出来的诏令，得到了齐世祖发给王晏的亲笔手令三百多张，都是谈论有关国家大事的。还得到了王晏劝阻齐世祖不要任用萧鸾为吏部尚书的奏章，因为这些原因使得齐明帝对王晏越加猜疑和鄙薄。始安王萧遥光劝说齐明帝除掉王晏，齐明帝说："王晏对我有功，况且现在他又没有犯罪。"萧遥光说："王晏尚且不能为武帝尽忠，又怎么能尽忠于陛下呢？"齐明帝沉默无语。齐明帝派遣自己的心腹左右陈世范等人出宫到街头巷尾，搜集监听对自己的统治表示不满的言语。王晏为人轻率粗心，对人没有防范之心，心中又希望能够获得一个开府仪同三司的加官，所以曾多次请相面的人来给自己看相，那些相面的都说王晏能够大富大贵，王晏与自己的宾客说话的时候，又喜欢支开别人，找一个清静避人之处秘密交谈。齐明帝得知了这些情况之后，怀疑王晏想要谋反，于是产生了诛除王晏的念头。

齐国担任奉朝请的鲜于文粲暗中揣摩到齐明帝的心思，为了迎合、讨好齐明帝，于是便向朝廷告发王晏蓄意谋反。齐明帝的心腹陈世范又向齐明帝奏报说"王晏密谋趁着陛下今年到南郊祭天的机会，与世祖当年身边的卫队头领一起在陛下前往南郊的途中暗中动手。"正赶上近来发生过一起老虎冲犯南郊祭天坛台的事情，齐明帝认为是不祥之兆，于是越加恐惧。到了该去南郊祭天的前一天，齐明帝下旨说南郊祭天之事取消。同时，首先通知了王晏和徐孝嗣，徐孝嗣遵从命令，没有提出任何异议，而王晏却认为"到南郊祭天的事情是一件大事，陛下即使强打精神，也一定要坚持前去"。齐明帝更加相信陈世范奏报的事情是真实可信的。正月二十八日丙辰，齐明帝召王晏前往华林园中的尚书省，把王晏杀死，连同被杀的还有担任北中郎司马的萧毅、担任台城守军头领的刘明达，以及王晏的儿子王德元、王德和。齐明帝下诏说："王晏与萧毅、刘明达因为河东王萧铉见识与才能都不高，便于他们控制，所以密谋拥戴河东王萧铉做个挂名的皇帝。"王晏的弟弟王诩正在广州担任刺史，齐明帝派遣担任南中郎司马的萧季敞率人袭杀了王诩。萧季敞，是齐明帝的堂弟。北中郎司马萧毅生活奢侈、性情豪放，喜欢骑马射箭，因而遭到齐明帝的忌恨，所以便趁机陷害他。河东王萧铉早先因为年纪幼小，又没有什么才能，所以才没有被齐明帝所杀。萧铉每当朝见齐明帝的时候，总是低头曲背，两眼不敢平视。到现在，年纪已经逐渐长大，齐明帝便借着铲除王晏的机会把萧铉免官，并禁止萧铉与外人来往。

郁林王之将废也，晏从弟御史中丞思远⑲谓晏曰：“兄荷世祖厚恩，今一旦赞人如此事⑳，彼或可以权计相须㉑，未知兄将来何以自立？若及此引决㉒，犹可保全门户，不失后名。”晏曰：“方啖粥㉓，未暇此事㉔。”及拜骠骑将军㉕，集会子弟㉖，谓思远兄思微[4]曰：“隆昌之末㉗，阿戎㉘劝吾自裁。若从其语，岂有今日？”思远遽应㉙曰：“如阿戎所见，今犹未晚㉚也。”思远知上外待晏厚㉛而内已疑异，乘间㉜谓晏曰：“时事稍异㉝，兄亦觉不？凡人多拙于自谋㉞而巧于谋人。”晏不应。思远退，晏方叹[5]曰：“世乃㉟有劝人死者！”旬日㊱而晏败。上闻思远言，故不之罪，仍迁侍中㊲。

晏外弟㊳尉氏阮孝绪㊴亦知晏必败，晏屡至其门，逃匿不见㊵。尝食酱美，问知得于晏家，吐而覆之㊶。及晏败，人为之惧，孝绪曰：“亲而不党㊷，何惧之有！”卒免于罪。

二月壬戌㊸，魏主至太原㊹。

甲子㊺，以左仆射徐孝嗣为尚书令，征虏将军萧季敞为广州刺史。

癸酉㊻，魏主至平城，引见穆泰、陆叡之党问之，无一人称枉㊼者，时人皆服任城王澄之明。穆泰及其亲党皆伏诛，赐陆叡死于狱㊽，宥㊾其妻、子，徙辽西㊿为民。

初，魏主迁都，变易旧俗，并州刺史新兴公丕(91)皆所不乐。帝以其宗室耆旧(92)，亦不之逼，但诱示大理(93)，令其不生同异(94)而已。及朝臣皆变衣冠，朱衣满坐，而丕独胡服于其间，晚乃稍加冠带(95)，而不能修饰容仪(96)，帝亦不强也。

太子恂自平城将迁洛阳(97)，元隆(98)与穆泰等密谋留恂，因举兵断

在齐国的小皇帝郁林王萧昭业即将被废杀的时候，王晏的堂弟担任御史中丞的王思远对王晏说："哥哥深受世祖的厚恩，如今却突然帮助他人做这等灭主篡位的事情，他人或许因为权宜之计而暂时需要你，不知道哥哥将来凭什么自立于世？如果哥哥现在自杀而死，还可以保全家人的性命，今后还能落一个好名声。"王晏说："我现在正在吃粥，暂时还没有工夫想这件事。"等到萧鸾篡位之后，任命王晏为骠骑将军的时候，王晏把子弟召集在一起，他对王思远的哥哥王思微说："隆昌末年，郁林王被废杀时，堂弟思远曾经劝我自杀。如果我当时听了他的话，我怎能有今天的荣耀？"王思远立即回答说："如果按照堂弟的看法，你今天自杀还不算晚。"王思远深知齐明帝表面上厚待王晏而内心已经对王晏产生了猜忌，所以找机会对王晏说："形势已经开始有了变化，哥哥你觉察到了没有？一般人大多都不善于分析自己的处境，为自己谋划退路，却善于算计别人。"王晏不予理睬。王思远走后，王晏才叹息着说："世上竟然还有劝说别人自杀的人！"过了十来天王晏被杀。齐明帝得知了王思远劝说王晏自杀的话，所以没有降罪于他，反而任命王思远为侍中。

王晏的妻弟尉氏县人阮孝绪也知道王晏一定会败亡，王晏多次前往阮孝绪的家中拜访，阮孝绪总是躲避起来不肯与王晏见面。阮孝绪有一次吃酱，感到酱的味道很美，一问才知道酱是王晏家的，于是立即把吃到嘴里的酱吐了出来，把剩下的酱也全部倒掉。等到王晏被杀之后，人们都替阮孝绪的命运感到担忧，阮孝绪说："我和王晏虽然是亲戚却不是他的同党，我有什么可惧怕的！"阮孝绪最终并没有因为与王晏是姻亲而受到牵连获罪。

二月初五日壬戌，魏孝文帝到达太原郡。

初七日甲子，齐明帝任命担任尚书左仆射的徐孝嗣为尚书令，任命担任征虏将军的萧季敞为广州刺史。

十六日癸酉，魏孝文帝到达魏国的旧都平城，他召见了穆泰、陆叡的党羽，一个一个地审问他们，竟然没有一个人为自己喊冤叫屈，当时的人都佩服任城王元澄的英明。穆泰和他的亲族、同党都被依法诛杀，孝文帝令陆叡在狱中自杀，但赦免了他妻子、儿女的死罪，把他的妻儿流放到辽西郡为民。

当初，魏孝文帝迁都洛阳，下诏改变旧俗的时候，担任并州刺史的新兴公元丕等人都不乐意。孝文帝因为他们都是皇族老臣，所以也不逼迫他们，只是用大道理来劝说开导他们，使他们不公开反对、闹事而已。等到满朝的文武大臣都已经改穿了汉族衣帽，满座都是身穿红色衣帽的官员，而唯独元丕身穿胡服杂坐其间，显得很不协调，后来元丕才逐渐地戴上了帽子，束上了腰带，然而仍然不能严格遵行朝廷所规定的礼仪动作，孝文帝也没有勉强他。

当初，魏国的皇太子元恂准备从平城迁往洛阳的时候，安乐侯元隆与担任尚书右仆射的穆泰等人密谋将皇太子元恂留在平城，并起兵扼守雁门关，斩断关南、关

关[99]，规据陉北[100]。丕在并州[101]，隆等以其谋告之，丕外虑不成，口虽折难[102]，心颇然之。及事觉，丕从帝至平城，帝每推问泰等[103]，常令丕坐观[104]。有司奏元业、元隆、元超[105]罪当族，丕应从坐[106]。帝以丕尝[6]受诏许以不死[107]，听免死为民，留其后妻、二子，与居于太原，杀隆、超、同产乙升[108]，余子徙敦煌[109]。

初，丕、叡与仆射李冲、领军于烈[110]俱受不死之诏。叡既诛，帝赐冲、烈诏曰："叡反逆之志，自负幽冥[111]，违誓在彼，不关朕[112]也。反逆既异[113]，余犯虽欲矜恕[114]，如何可得？然犹不忘前言，听自死别府[115]，免其孥戮[116][7]。元丕二子、一弟，首为贼端[117]，连坐应死[118]，特恕为民。朕本期始终[119]而彼自弃绝，违心乖念[120]，一何可悲！故此别示[121]，想无致怪[122]。谋反之外[123]，皎如白日[124]耳。"冲、烈皆上表谢。

臣光曰："夫爵禄废置[125]，杀生予夺，人君所以驭臣之大柄[126]也。是故先王之制[127]，虽有亲、故、贤、能、功、贵、勤、宾[128]，苟有其罪，不直赦[129]也，必议于槐棘之下[130]，可赦则赦，可宥则宥，可刑则刑，可杀则杀。轻重视情[131]，宽猛随时[132]。故君得以施恩而不失其威[133]，臣得以免罪而不敢自恃[134]。及魏则不然，勋贵之臣，往往豫许之以不死[135]，使[8]彼骄而触罪，又从而杀之。是以不信之令[136]诱之使陷于死地也。刑政之失，无此为大[137]焉！"

北的联络往来，阴谋占领陉岭以北。新兴公元丕当时在并州担任刺史，元隆等人把自己的阴谋计划告诉了元丕，元丕担心事情不能成功，口头上虽然对元隆、穆泰进行了驳斥、质问，提出一些这样那样的问题，心里其实非常赞同他们的意见。等到穆泰等起兵叛乱的事情被发觉之后，元丕跟随孝文帝来到了平城，孝文帝每次审问穆泰等人的时候，经常让元丕坐在一旁观看自己审问。有关部门的官员奏请将元业、元隆、元超判处灭族之罪，元丕也应当受到牵连而被治罪。孝文帝因为元丕曾经接受了自己赐予的免死金卷，所以赦免了元丕的死罪，将他贬官为民，留下他后娶的妻子和两个儿子，与他一同居住在太原，杀死了安乐侯元隆、骁骑将军元超以及元丕的同胞兄弟乙升，元丕的其他儿子都被流放到了敦煌郡。

当初，新兴公元丕、陆叡与担任尚书左仆射的李冲、担任领军将军的于烈都接受了魏孝文帝赐予的免死诏书。陆叡被杀之后，孝文帝下诏给尚书左仆射李冲、领军将军于烈说:“陆叡具有反叛忤逆之心，违背了对鬼神的盟誓，所以我将其处死，违背誓言的是他，而不是因为我不遵守过去的诺言。谋反叛逆既然是一种特别严重的罪状，其他一些受到波及的人即使我想宽恕他们，又怎么能够呢？然而我还是不忘以前曾经许下的诺言，允许他们在别的地方自裁，免去了他的妻子儿女一同被杀的结局。元丕的二个儿子、一个弟弟，首先带头作乱，按其罪行，元丕理应连带被处死，我特别予以宽恕，赦其不死，将其削官为民。我本来希望他们能够善始善终，而他们却放弃了当初的誓言与我决裂，完全违背了我的心愿，这是多么可悲的事情啊！所以我特别地给你们讲一讲，我想你们是不会感到奇怪的。除了谋反这种无法宽赦的大罪之外，其他事情还是照常遵行过去我给你们所下的免死之诏，太阳可以替我做证。”李冲、于烈都上书表示感谢。

司马光说:“爵位、俸禄的废止与设置，生杀予夺之大权，是君主驾驭群臣的根本手段。所以古代的圣帝明君，对待皇帝的亲属、皇帝的老部下老朋友、有德行、有道义、有功劳、身份地位高、辛苦操劳国事的，以及前朝帝王的后代这八种人，如果他们犯了罪，君主都不直接下令赦免他们，一定要召集公卿大臣坐在槐树、棘木之下对犯罪者进行讨论，可以赦免的就加以赦免，可以宽恕的就加以宽恕，应该判刑的就判刑，应该处死的就处死。罪轻罪重根据具体情节而定，执法的宽严程度随当时的社会情况决定。所以君主在实行大赦或从宽处理的时候不会丧失君主的威严，罪臣得以从宽免死而不敢有恃无恐。等到魏国的时候情况就不是这样了，对于功勋卓著的大臣，君主往往预先许诺他们如果犯了死罪可以免死，让这些勋贵之臣因为骄横而触犯法律获罪，君主却又不遵守自己的诺言而将他们杀死。是君主用不讲信用的政令诱使他们犯罪，把他们置于死地。刑政的失误，再没有比这更严重的了！”

是时，代乡旧族，多与泰等连谋，唯于烈一族[9]无所染涉⑬⑧，帝由是益重之。帝以北方酋长⑬⑨及侍子⑭⓪畏暑，听秋朝洛阳⑭①，春还部落，时人谓之“雁臣⑭②”。

三月己酉⑭③，魏主南至离石⑭④，叛胡请降，诏宥之。夏，四月庚申⑭⑤，至龙门⑭⑥，遣使祀夏禹。癸亥⑭⑦，至蒲坂⑭⑧，祀虞舜。辛未⑭⑨，至长安⑮⓪。

魏太子恂既废，颇自悔过。御史中尉李彪密表恂复与左右谋逆，魏主使中书侍郎邢峦⑮①与咸阳王禧⑮②奉诏赍椒酒⑮③诣河阳⑮④，赐恂死。敛以粗棺、常服⑮⑤，瘗⑮⑥于河阳。

癸未⑮⑦，魏大将军宋明王刘昶⑮⑧卒于彭城，追加九锡⑮⑨[10]，葬以殊礼⑯⓪。

五月己丑⑯①，魏主东还⑯②，泛渭入河⑯③。壬辰⑯④，遣使祀周文王于丰⑯⑤、武王于镐⑯⑥。六月庚申⑯⑦，还洛阳。

壬戌⑯⑧，魏发冀、定、瀛、相、济⑯⑨五州兵二十万，将入寇。

魏穆泰之反也，中书监魏郡公穆罴⑰⓪与之通谋，赦后事发，削官爵为民。罴弟司空亮⑰①以府事付司马慕容契⑰②，上表自劾⑰③，魏主优诏⑰④不许。亮固请不已，癸亥⑰⑤，听亮逊位⑰⑥。

丁卯⑰⑦，魏部[11]分六师⑰⑧以定行留。

秋，七月甲午⑰⑨[12]，魏立昭仪冯氏为皇后⑱⓪。后欲母养太子恪⑱①，恪母高氏自代如洛阳，暴卒于共县⑱②。

戊辰⑱③，魏以穆亮为征北大将军、开府仪同三司、冀州刺史。

八月丙辰⑱④，魏诏中外戒严⑱⑤。

壬戌⑱⑥，魏立皇子愉⑱⑦为京兆王、怿⑱⑧为清河王、怀⑱⑨为广平王。

当时，代地的旧族，多数人都与穆泰等人有勾结，只有于烈一个家族没有参与穆泰的阴谋，魏孝文帝因此更加敬重于烈。孝文帝因为北方少数民族的头领以及进京侍奉皇帝的酋长之子畏惧洛阳的酷暑，所以允许他们秋季天气凉爽的时候再到洛阳朝拜皇帝，春季则回到北方自己的部落中去，因为他们像大雁一样避寒而南来，又像大雁一样至暖而北去，所以当时的人称他们为“雁臣”。

三月二十二日己酉，魏孝文帝向南到达离石镇，吐京地区那些叛变的少数民族向孝文帝请求投降，孝文帝下诏宽恕了他们。夏季，四月初四日庚申，孝文帝到达龙门，他派使臣在龙门祭祀了夏禹。初七日癸亥，孝文帝到达蒲坂县，在蒲坂祭祀了虞舜。十五日辛未，孝文帝到达长安城。

魏太子元恂被废之后，对自己的过错感到非常后悔。担任御史中尉的李彪却秘密上表给孝文帝，说元恂又与自己身边的人密谋叛逆。魏孝文帝派担任中书侍郎的邢峦与咸阳王元禧一同奉命携带着毒酒前往河阳，赐元恂自杀。元恂死后，身上就穿着平时所穿的衣服被装进一口粗劣的棺材里，埋葬在了河阳。

四月二十七日癸未，魏国的大将军宋明王刘昶在彭城去世，魏孝文帝为他追加了九种礼遇，用非同一般的特殊礼仪安葬了他。

五月初三日己丑，魏孝文帝由长安东返洛阳，他乘船由渭河进入黄河，再沿着黄河东下。初六日壬辰，孝文帝派遣使者到丰城祭祀了周文王，到镐城祭祀了周武王。六月初五日庚申，孝文帝回到洛阳。

初七日壬戌，魏国发动了冀州、定州、瀛州、相州、济州五个州的二十万大军，准备进犯齐国。

魏国穆泰谋反的时候，担任中书监的魏郡公穆罴参与了穆泰的阴谋，大赦之后，穆罴参与叛变的事情才被揭发出来，魏孝文帝剥夺了穆罴的爵位，把穆罴罢职为民。穆罴的弟弟担任司空的穆亮把司空府的事务委托给属下担任司马的慕容契，便上疏给孝文帝自己弹劾自己，孝文帝下诏对他加以勉励、宽慰，没有批准穆亮辞职的请求。穆亮坚决请求辞职，六月初八日癸亥，孝文帝准许穆亮辞去了自己的所有职务。

十二日丁卯，魏孝文帝把集结的二十万大军部分成六个军，并对哪部分军队开赴前线，哪部分军队作为留守做出决定。

秋季，七月初九日甲午，魏孝文帝立左昭仪冯氏为皇后。冯皇后想要认太子元恪为自己的亲生儿子，太子元恪的生身母亲高氏在从平城前来洛阳的途中，在共县暴病身亡。

戊辰日，魏国朝廷任命穆亮为征北大将军、开府仪同三司、冀州刺史。

八月初一日丙辰，魏孝文帝下令全国进入紧急军事状态。

初七日壬戌，魏孝文帝立自己的儿子元愉为京兆王、立元怿为清河王、立元怀为广平王。

追尊景皇所生王氏[190]为恭太后。

甲戌[191]，魏讲武于华林园。庚辰[192]，军发洛阳。使吏部尚书任城王澄居守[193]，以御史中尉[13]李彪兼度支尚书[194]，与仆射李冲参治留台事[195]。假[196]彭城王勰[197]中军大将军[198]，勰辞曰："亲疏并用，古之道也。臣独何人，频烦宠授[199]。昔陈思[200]求而不允[201]，愚臣不请而得，何否泰之相远[202]也?"魏主大笑，执勰手曰："二曹[203]以才名相忌[204]，吾与汝以道德相亲。"

上[205]遣军主、直阁将军胡松助北襄城太守成公期[206]戍赭阳[207]，军主鲍举助西汝南、北义阳[208]二郡太守黄瑶起戍舞阴。

魏以氐帅杨灵珍[209]为南梁州[210]刺史。灵珍举州来降，送其母及子于南郑以为质，遣其弟婆罗阿卜珍将步骑万余袭魏武兴王杨集始[211]，杀其二弟集同、集众。集始窘急，请降。九月丁酉[212]，魏主以河南尹李崇[213]为都督陇右诸军事，将兵数万讨之。

初，魏迁洛阳，荆州刺史薛真度[214]劝魏主先取樊、邓[215]。真度引兵寇南阳，太守房伯玉击败之[216]。魏主怒，以南阳小郡，志必灭之，遂引兵向襄阳，彭城王勰等三十六军前后相继，众号百万，吹唇沸地[217]。辛丑[218]，魏主留诸将攻赭阳，自引兵南下。癸卯[219]，至宛[220]，夜袭其郛[221]，克之。房伯玉婴内城拒守[222]。魏主遣中书舍人孙延景谓伯玉曰："我今荡壹六合[223]，非如向时冬来春去[224]，不有所克，终不还北。卿此城当我六龙之首[225]，无容不先攻取[226]，远期一年，近止一月。封侯、枭首[227]，事在俯仰[228]，宜善图之！且卿有三罪，今令卿知：卿先事武帝[229]，蒙殊常之宠[230]，不能建忠致命[231]而尽节于其仇[232]，罪一也。

齐明帝萧鸾追尊景皇帝萧道生的母亲王氏为恭太后。

十九日甲戌，魏国在华林园举行阅兵仪式。二十五日庚辰，魏孝文帝亲率大军从洛阳出发南征。他令担任吏部尚书的任城王元澄留在洛阳主管后方事宜，任用担任御史中尉的李彪兼任度支尚书，与担任尚书左仆射的李冲一同辅佐任城王元澄管理留守洛阳朝廷的事务。委任彭城王元勰为中军大将军，彭城王元勰推辞说："关系亲近的人和关系疏远的人一同任用，是古人的用人原则。我是何等人，连续地蒙受陛下的宠信和提升。过去陈思王曹植向他做皇帝的哥哥曹丕请求统兵攻吴、蜀，而曹丕不允许，我没有请求反而得到提升，人的命运好坏、境遇的顺逆为什么相差这么远呢?"魏孝文帝听了不禁大笑起来，他拉着元勰的手说："曹丕因为忌恨他弟弟曹植的才华出众、名望太高，所以要处处压制他，我和你是因为道义相同而相互亲密。"

齐明帝派遣军主兼任直阁将军的胡松率军协助北襄城太守成公期防守赭阳，派另一名军主鲍举率军去协助担任西汝南、北义阳二郡太守的黄瑶起防守舞阴。

魏孝文帝任命仇池地区的氐族人首领杨灵珍为南梁州刺史。杨灵珍献出梁州投降了齐国，他把自己的母亲和儿子送到南郑作为人质，然后派自己的弟弟杨婆罗阿卜珍率领一万多名步兵、骑兵袭击投降魏国、被魏国封为武兴王的另一氐族人首领杨集始，杀死了杨集始的两个弟弟杨集同、杨集众。杨集始处境十分窘迫危急，遂向齐国请求投降。九月十三日丁酉，魏孝文帝任命担任河南尹的李崇为都督陇右诸军事，率领数万军队前往讨伐杨灵珍。

当初，魏国迁都洛阳的时候，魏国担任荆州刺史的薛真度曾经劝说魏孝文帝先攻取樊城、邓县。薛真度率领自己的部下攻打齐国的南阳郡，被齐国担任南阳郡太守的房伯玉打败。魏孝文帝得知薛真度失败的消息不禁大怒，认为南阳郡只是一个小郡，一定得把它拿下来，于是孝文帝率领魏军向襄阳进发，彭城王元勰等三十六军前后相继进发，兵众号称百万，吹口哨的声音震动大地。九月十七日辛丑，魏孝文帝留下几位将领进攻赭阳，自己则亲率大军继续南下。十九日癸卯，大军抵达齐国南阳郡的郡治所在地宛城，夜间便出兵袭击了宛城的外城，将外城占领。南阳太守房伯玉以内城为依托，环城坚守。魏孝文帝派遣担任中书舍人的孙延景对房伯玉说："我今天率领百万大军要荡平江南、统一天下，绝对不会再像去年出兵那样冬天来，春天走，这次我军如果无所攻克，我绝不率军北还。你坚守的这个宛城正挡在皇帝所率大军前进的路上，所以不得不首先将其攻克，最长一年，最短一个月，一定会攻克此城。你是选择立功封侯，还是选择城破之后被斩首悬挂示众，必须在低头与抬头这一短暂的时间内做出决定，你应该好好考虑考虑！而且你有三种罪过，今天要让你知道：你先是在齐武帝萧赜驾下为臣，曾经受过齐武帝萧赜不同寻常的恩宠，你不仅不能为维护齐武帝萧赜之子萧昭业的帝位而献身，反而为他的仇人拼死卖命，这是你的第一桩罪过。

顷年㉝薛真度来，卿伤我偏师㉞，罪二也。今鸾辂亲临㉟，不面缚麾下㊱，罪三也。”伯玉遣军副㊲乐稚柔对曰：“承欲攻围㊳，期于必克。卑微常人㊴，得抗大威㊵，真可谓获其死所！外臣㊶蒙武帝采拔㊷，岂敢忘恩？但嗣君失德，主上光绍大宗㊸，非唯副亿兆之深望㊹，抑亦㊺兼武皇之遗敕㊻。是以区区尽节㊼，不敢失坠㊽。往者北师深入，寇扰边民，辄厉将士㊾以修职业㊿。反己而言[251]，不应垂责[252]。”

宛城东南隅沟[253]上有桥，魏主引兵过之。伯玉使勇士数人，衣班衣[254]、戴虎头帽，伏于窦[255]下，突出[256]击之，魏主人马俱惊。召善射者原灵度[257]射之，应弦而毙，乃得免。

李崇槎山分道[258]，出氐不意，表里袭之[259]，群氐皆弃杨灵珍散归，灵珍之众减太半[260]，崇进据赤土[261]。灵珍遣从弟建帅五千人[14]屯龙门[262]，自帅精勇一万屯鹫硖[263][15]。龙门之北数十里中，伐树塞路；鹫硖之口积大木[16]，聚礌石[264]，临崖下之，以拒魏兵。崇命统军慕容拒帅众五千从他路入[17]，夜袭龙门，破之。崇自攻鹫硖。灵珍连战败走，俘其妻子，遂克武兴[265]。梁州刺史[266]阴广宗、参军郑猷等将兵救灵珍，崇进击，大破之，斩杨婆罗阿卜珍，生擒猷等，灵珍奔还汉中。魏主闻之，喜曰：“使朕无西顾之忧者，李崇也。”以崇为都督梁、秦二州诸军事，梁州刺史，以安集[267]其地。

丁未[268]，魏主发南阳[269]，留太尉咸阳王禧等攻之。己酉[270]，魏主至新野[271]，新野太守刘思忌拒守。冬，十月丁巳[272]，魏军攻之不克，筑长

近年荆州刺史薛真度率军前来，你在沙堨打败了薛真度，伤害了我的这支小部队，这是你的第二桩罪过。如今皇帝我已经亲率大军到达城下，你不早早向我的部下束手投降，这是你的第三桩罪过。”房伯玉派遣军中的副将乐稚柔答复说：“承蒙你要攻击被围的南阳郡城，而且志在必得。我作为一个地位卑微的无名小辈，今天有幸能和魏国的皇帝一见高低，即使我战败而死，也可以说是死得其所了！我们的太守房伯玉承蒙齐武帝萧赜的提拔重用，他怎敢忘记齐武帝的大恩？只是因为继位的小皇帝萧昭业有失君德，现在的皇帝萧鸾以齐高帝萧道成三儿子的身份接续了帝位，这不只是符合齐国亿兆百姓的愿望，而且也完全体现了齐武帝萧赜遗诏的精神。所以我才以自己的绵薄之力效忠于我们现在的皇帝，不敢出现任何差错。过去魏国的军队深入我国境内，掠夺惊扰我国边境的人民，我曾经激励我部下的将士，让他们尽到自己应尽的职责。站在我们的立场上来说，你不应该指责我们。”

宛城东南角的护城河上有一座桥，魏孝文帝率军从这座桥上过河。房伯玉让几个勇士，身穿具有保护色彩的衣服、头上戴着虎头形状的帽子，藏在桥洞之下，等到魏孝文帝骑着马过桥的时候，隐藏在桥洞下的勇士突然窜出来袭击孝文帝，孝文帝连人带马全都受了惊吓。孝文帝赶紧将善于射箭的原灵度招来，随着原灵度弓弦的响声，几名齐国的勇士应声倒地而死，孝文帝才幸免于难。

魏国李崇率军在山上砍削荆棘，开辟出一条道路，在氐族人毫无防备的情况下，出其不意地对氐族首领杨灵珍展开内外夹攻，那些氐族人全都抛下杨灵珍四散逃走，杨灵珍的部众立即减少了一大半，李崇率军迅速前进占领了赤土县。杨灵珍派遣自己的堂弟杨建率军五千人屯扎在龙门，自己则率领一万名精壮的勇士屯扎在鹫硖。屯扎在龙门的杨建在龙门之北的几十里山中，砍伐树木堵塞道路；屯扎在鹫硖的杨灵珍命令士兵在鹫硖的硖口堆积了很多的大木、大石块，准备在魏军发起进攻的时候，把这些大木、大石块从山崖上推下去，以阻挡魏军的进攻。李崇命令担任统军的慕容拒率领五千人从别的道路进入山中，在夜间出其不意地袭击了驻扎在龙门的守军，把杨建率领的齐军打败，占领了龙门军事据点。河南尹李崇则亲自率军进攻鹫硖。据守鹫硖的杨灵珍连战连败，最后狼狈逃窜，李崇遂俘虏了杨灵珍的妻儿，随即又攻克了武兴。齐国担任梁州刺史的阴广宗、担任参军的郑猷等人率军前来救援杨灵珍，李崇率军迎击，把阴广宗、郑猷所率领的齐国援军打得大败，斩杀了杨灵珍的弟弟杨婆罗阿卜珍，活捉了郑猷等人，杨灵珍逃回汉中。魏孝文帝听到李崇胜利的消息，非常高兴地说：“使我没有西顾之忧的，就是李崇。”孝文帝任命李崇为都督梁、秦二州诸军事、梁州刺史，让他安抚、召集那里的民众，稳定那里的局面。

九月二十三日丁未，魏孝文帝离开南阳城下，他留下担任太尉的咸阳王元禧等继续进攻南阳。二十五日己酉，魏孝文帝到达齐国的新野郡，担任新野太守的刘思忌据城防守。冬季，十月初三日丁巳，魏军进攻新野，没有攻克，于是就围着新野

围[273]守之，遣人谓城中曰："房伯玉已降，汝何为独取糜碎[274]！"思忌遣人对曰："城中兵食犹多，未暇从汝小虏语也！"魏右军府长史[275]韩显宗[276]将别军屯赭阳，成公期遣胡松引蛮兵攻其营，显宗力战，破之，斩其裨将[277]高法援。显宗至新野，魏主谓曰："卿破贼斩将，殊益军势[278]。朕方攻坚城[279]，何为不作露布[280]？"对曰："顷闻镇南将军王肃[281]获贼二三人，驴马数匹，皆为露布。臣在东观[282]，私常哂[283]之。近虽仰凭威灵[284]，得摧丑虏[285]，兵寡力弱，擒斩不多。脱复[286]高曳长缣[287]，虚张功烈[288]，尤而效之[289]，其罪弥大。臣所以不敢为之，解上而已[290]。"魏主益贤之。

上诏徐州刺史裴叔业[291]引兵救雍州[292]，叔业启称"北人不乐远行[293]，唯乐钞掠[294]。若侵虏境[295]，则司、雍之寇[296]自然分矣"。上从之。叔业引兵攻虹城[297]，获男女四千余人。

甲戌[298]，遣太子中庶子萧衍、右军司马张稷救雍州。

十一月甲午[299]，前军将军韩秀方等十五将降于魏。丁酉[300]，魏败齐兵于沔北[301]，将军王伏保等为魏所获。

丙辰[302]，以杨灵珍为北秦州刺史、仇池公、武都王。

新野人张睹帅万余家据栅拒魏，十二月庚申[303]，魏人攻拔之[18]。雍州刺史曹虎与房伯玉不协，故缓救之，顿军樊城[304]。

丁丑[305]，诏遣度支尚书崔慧景[306]救雍州，假慧景节[307]，帅众二万、骑千匹向襄阳，雍州众军并受节度[308]。

庚午[309]，魏主南临沔水，戊寅[310]，还新野。

将军王昙纷[311][19]以万余人攻魏南青州黄郭戍[312]，魏戍主崔僧渊[313]破之，举军[314]皆没。将军鲁康祚、赵公政将兵万人侵魏太仓口[315]，魏豫州刺史王肃使长史清河傅永[316]将甲士三千击之。康祚等军于淮南，永军

城修筑起一个包围圈，将新野团团围困起来，孝文帝派人对新野城中的刘思忌说：“南阳太守房伯玉已经向魏军投降了，你为什么还要独自据守，自取灭亡，被粉身碎骨呢！”刘思忌派人答复说：“城中兵多粮足，我没有工夫跟你这小小的胡虏说话！”魏国担任右军府长史的韩显宗率领一支部队屯扎在赭阳，齐国担任北襄城太守的成公期派遣直阁将军胡松率领一支由少数民族组成的军队进攻韩显宗的军营，韩显宗拼力死战，打败了胡松，斩杀了他的副将高法援。韩显宗率领得胜军到达新野，魏孝文帝对韩显宗说：“你攻破贼军，斩杀贼军将领，极大地提高了我军的士气。我正在攻打齐军坚守的城池，却还没有攻下，你为什么不公开传递捷报、宣传我军的胜利呢？”韩显宗回答说：“不久前我听说镇南将军王肃活捉了二三个敌人，几匹驴马，便全都公开地传递捷报。我当时正在东观，曾经私下里讥笑过他。近来我虽然仰仗着陛下的威名和震慑力，得以打败群敌，但我兵少力弱，擒获、斩杀的敌人并不多。如果我还要把这点胜利的消息写在长长的绢帛上高高地扯着炫耀，夸大自己的功劳业绩，刚刚批评了人家而又转过来效法人家，我的罪过就更大了。所以我不敢那样做，只是把俘虏押送到皇帝的所在也就得了。”魏孝文帝更加认为他贤能。

齐明帝下诏令担任徐州刺史的裴叔业率军前往救援雍州，裴叔业上书给齐明帝说“北方的魏国人并不乐意翻山越水地远攻齐地，他们只喜欢骚扰、掠夺。如果我军侵入魏国境内，对魏国人进行骚扰、掠夺，那么进攻我们司州、雍州一带的魏军自然就离开了”。齐明帝批准了裴叔业的请求。裴叔业遂率军进攻魏国的虹城，俘虏了魏国四千多名男女。

十月二十日甲戌，齐明帝派遣担任太子中庶子的萧衍、担任右军司马的张稷率领军队前往救援雍州。

十一月十一日甲午，担任前军将军的韩秀方等十五位齐国将领投降了魏军。十四日丁酉，魏军在沔水以北打败了齐军，齐国将军王伏保等人被魏军活捉。

十二月初三日丙辰，齐国朝廷任命杨灵珍为北秦州刺史、仇池公、武都王。

齐国新野人张賭率领一万多家居民构筑围栅抵抗魏军的进攻，十二月初七日庚申，魏军攻破了张賭的围栅。齐国担任雍州刺史的曹虎与南阳太守房伯玉有矛盾，所以曹虎故意延缓救援新野与南阳，他把军队停留在了樊城。

二十四日丁丑，齐明帝下诏令担任度支尚书的崔慧景率军救援雍州，齐明帝授予崔慧景假节，令他率领二万军队、一千名骑兵赶赴襄阳，雍州地区的军队全部接受崔慧景的指挥、调度。

十七日庚午，魏孝文帝向南到达沔水，二十五日戊寅，回到新野。

齐国的将军王昙纷率领一万多人进攻魏国南青州的黄郭戍，被魏国黄郭戍的驻军首领崔僧渊打败，王昙纷全军覆没。齐国将军鲁康祚、赵公政率领一万人入侵魏国的太仓口，魏国担任豫州刺史的王肃派属下担任长史的清河人傅永率领三千名装备齐全的士兵抗击齐国军队的入侵。齐军将领鲁康祚等人率军驻扎在淮河以南，魏军将领傅永率领

于淮北，相去十余里。永曰："南人好夜斫营[317]，必于渡淮之所置火以记浅处[318][20]。"乃夜分兵为二部，伏于营外，又以瓠贮火[319]，密使人过淮南岸，于深处置之。戒[320]曰："见火起，则亦然之[321]。"是夜，康祚等果引兵斫永营，伏兵夹击之，康祚等走趣淮水[322]，火既竞起[323]，不知所从，溺死及斩首数千级，生擒公政，获康祚之尸以归[324]。

豫州刺史裴叔业[325]侵魏楚王戍[326]，肃复令永击之。永将心腹一人驰诣楚王戍，令填外堑[327]，夜伏战士千人于城外。晓而叔业等至城东部分[328]，将置长围，永伏兵击其后军，破之。叔业留将佐守营，自将精兵数千救之。永登门楼，望叔业南行数里，即开门奋击，大破之，获叔业伞扇、鼓幕，甲仗[329]万余。叔业进退失据，遂走。左右欲追之，永曰："吾弱卒不满三千，彼精甲[330]犹盛，非力屈而败，自堕吾计中耳。既不测我之虚实，足使丧胆，俘此足矣，何更追之?"魏主遣谒者就拜[331]永安远将军、汝南[332]太守，封贝丘县男[333]。永有勇力，好学能文。魏主常叹曰："上马能击贼，下马作露板[334]，唯傅脩期[335]耳!"

曲江公遥欣[336]好武事，上以诸子尚幼，内亲则仗遥欣兄弟[337]，外亲则倚后弟[338]西中郎长史彭城刘暄[339]、内弟[340]太子詹事江祏[341]，故以始安王遥光为扬州刺史，居中用事[342]；遥欣为都督荆、雍等七州诸军事，荆州刺史，镇据西面。而遥欣在江陵，多招材勇[343]，厚自封殖[344]，上甚恶之。遥欣侮南郡太守刘季连[345]，季连密表遥欣有异迹[346]，上乃以季连为益州[347]刺史，使据遥欣上流以制之。季连，思考[348]之子也。

是岁，高昌王马儒[349]遣司马王体玄入贡于魏，请兵迎接，求举国

魏军驻扎在淮河以北，两军相距十多里。傅永说：“南方的齐军喜欢在夜间偷袭对方的营寨，他们一定在水浅的地方插上火把，标出可以渡河的地方。”于是在入夜之后便把军队分成二部，分别埋伏在军营以外，准备伏击前来偷袭的齐军；又用葫芦装上火种，秘密派人渡到淮河南岸，把火种放置在河水最深的地方。傅永嘱咐他们说：“你们看见敌军在别处点燃火把，你们就赶紧把自己设置的火把点燃。”当天夜里，齐将鲁康祚等人果然率领齐军偷袭傅永的军营，傅永预先埋伏的两支军队前后夹击，把鲁康祚打得大败。鲁康祚等人赶紧逃向淮河岸边想在水浅的地方渡河逃跑，一看到处都是火把，根本无法分辨哪个地方水浅可以渡河，慌乱中齐军被河水淹死的以及被追兵斩杀的就有好几千人，魏军活捉了齐军将领赵公政，并得到了被淹死的鲁康祚的尸体，得胜而回。

齐国的豫州刺史裴叔业率领军队进攻魏国的楚王戍，魏国担任豫州刺史的王肃又派傅永率军进攻裴叔业。傅永派遣一个心腹骑着快马赶往楚王戍，令楚王戍的驻军将城外的护城河填平，夜间，傅永把上千人埋伏在城外。天明时分，裴叔业等人率领齐军到达城东，开始调度军队，准备修筑长围包围楚王戍。傅永的伏兵齐出，向裴叔业的后军发起进攻，把裴叔业的后军打败。裴叔业留下将佐守护自己的营寨，自己则率领几千名精兵救援后军。傅永登上城门楼，看着裴叔业率军向南走了几里路之后，便打开城门奋勇出击，把裴叔业围城的军队打得大败，缴获了裴叔业的伞扇、鼓乐帐幕，以及上万件铠甲与兵器。裴叔业进退都失去了凭借，只好逃走。傅永身边的人都主张出兵追击裴叔业，傅永说：“我军中连老带弱都加起来还不满三千人，而裴叔业手下的精兵还很多，他们并不是因为力竭而被我们打败，只是因为中了我们的计策而已。他们既然不清楚我军的虚实，这一仗已经足以让他们丢魂丧胆，我们缴获了这么多的东西已经足够了，何必再去追击他们呢？”魏孝文帝派谒者来到楚王戍任命傅永为安远将军、汝南太守，封傅永为贝丘县男爵。傅永既勇敢又有力气，爱好学习，能写文章。魏孝文帝曾经感慨地称赞说：“上马能够击败敌人，下马能够书写文告，只有傅脩期一个人能够做到！”

齐国的曲江公萧遥欣喜好军事，齐明帝因为自己的儿子们都还很年幼，只好在皇室中倚靠萧遥欣、萧遥光、萧遥昌三兄弟，外戚中则倚靠皇后的弟弟担任西中郎长史的彭城人刘暄、担任太子詹事的表弟江祏，所以齐明帝才任命始安王萧遥光为扬州刺史，在朝廷上掌权；任命曲江公萧遥欣为都督荆、雍等七州诸军事、荆州刺史，负责镇守建康西部地区。然而萧遥欣却在江陵招募了很多有勇力而又敢作敢为的人，把大量的财物赏赐给他们，以培植自己的势力，齐明帝对此非常憎恶。萧遥欣还侮辱了担任南郡太守的刘季连，刘季连遂秘密上书给齐明帝，奏报萧遥欣有图谋不轨的迹象，齐明帝遂改任刘季连为益州刺史，让刘季连占据长江上游以控制萧遥欣。刘季连，是刘思考的儿子。

这一年，高昌国王马儒派遣手下担任司马的王体玄到魏国进贡，同时请求魏国

内徙。魏主遣明威将军韩安保迎之，割伊吾㊿之地五百里以居儒众。儒遣左长史顾礼、右长史金城麴嘉[351]将步骑一千五百迎安保，而安保不至[352]。礼、嘉还高昌，安保亦还伊吾。安保遣其属朝兴安[21]等使高昌，儒复遣顾礼将世子[353]义舒迎安保，至白棘城[354]，去高昌[355]百六十里。高昌旧人恋土，不愿东迁，相与杀儒，立麴嘉为王，复臣于柔然。安保[22]独与顾礼、马义舒还洛阳[356]。

【段旨】

以上为第一段，写齐明帝萧鸾建武四年（公元四九七年）一年间的大事。主要写了魏孝文帝处死了叛党穆泰、陆叡等，人无称冤者，以见任城王元澄办事之明；但魏主原曾给穆泰、陆叡等人以遇死罪可以免死之诏，今穆泰、陆叡又因犯罪而蒙死刑，司马光称此为“以不信之令诱之使陷于死地”，以为“刑政之失，无此为大”；魏臣李彪进谗，魏废太子元恂亦被杀。写仇池地区氐族头领杨灵珍率部降齐，攻破魏署的武兴王杨集始，杨集始亦投归南齐，魏派名将李崇率众讨之，打败了氐族头领杨灵珍，重新平定了仇池一带地区，被任命为南梁州刺史。写魏孝文帝起兵南下，围南阳，责南阳太守房伯玉三罪，房伯玉遣乐稚柔回对之，有理有力，温文尔雅，有古辞命之风，颇似《左传》的文笔；写魏将崔僧渊破齐将王昙纷于黄郭戍，魏将傅永破齐将鲁康祚、赵公政于太仓口；傅永又破齐将裴叔业于楚王戍，深受魏主之称赏。写萧鸾的亲信王晏因贪心不足、口无遮拦，被萧鸾所忌，加以萧遥光、鲜于文粲等人之挑动，致王晏、萧毅、刘明达、晏弟诩、晏子德元、德和皆被杀；南齐之刘暄、江祏、江祀、徐孝嗣、萧坦之、萧遥光一群亲党被时人称为“六贵”，而原本亦为萧鸾之亲党的萧遥欣因在荆州“多招材勇，厚自封殖”，被萧鸾恶而防之，以刘季连为益州刺史，以居其上流。此外还写了原柔然所属之高昌王马儒请降于魏，求移国内属，魏迎之未果，高昌人杀马儒，另立麴嘉为王，仍臣于柔然等。

【注释】

① 丙申：正月初八。② 皇子恪：元恪，即后来的魏世宗、宣武帝，孝文帝的第二子。公元四九九至五一五年在位。传见《魏书》卷八。③ 忝师傅：愧做太子的老师。太子有少傅、少师、少保，统称“师傅”。李冲曾为太子少保。忝，自谦之词。④ 辅导：帮助、教导。⑤ 化其恶：改变他的恶行。⑥ 何谢：有什么可愧疚的呢。谢，认罪，表示愧疚。⑦ 乙

出兵前往迎接，请求准许他率领全国之人迁居到魏国境内。魏孝文帝派遣明威将军韩安保率军前去迎接高昌王马儒，并将魏国西部伊吾一带划出五百里地准备安置高昌国的国民。马儒派遣担任左长史的顾礼、担任右长史的金城人麹嘉率领一千五百名步兵、骑兵到国境线上迎候韩安保，韩安保没有如期到达。顾礼、麹嘉没有接到韩安保遂返回高昌，韩安保到达约定地点却不见有人迎候，便返回了魏国境内的伊吾。韩安保派自己手下的朝兴安等为使者出使高昌，高昌王马儒又派顾礼带着太子马义舒一同去迎接韩安保，他们到达了白棘城，白棘城西距高昌一百六十里。而高昌人全都留恋自己的故土，不愿意跟随国王马儒向东迁移到魏国境内的伊吾，于是他们一同杀死了马儒，拥立担任右长史的麹嘉为高昌王，再次归降了柔然。韩安保只得带着顾礼、马义舒回到了洛阳。

巳：正月十七。⑧王晏：齐武帝萧赜的亲信，在帮着萧道成、萧赜篡取刘宋政权的过程中大效犬马之力。萧赜临终前，将尚书省的大权交给了王晏与徐孝嗣，结果当萧鸾表示出要篡取萧赜的儿子萧昭业的帝位时，王晏等迅即跟了上去。传见《南齐书》卷四十二。⑨世祖：即齐武帝萧赜，公元四八二至四九三年在位。⑩谋废郁林王：阴谋废掉齐武帝的儿子小皇帝萧昭业。萧昭业被杀后追废为郁林王。⑪推奉：拥戴、供奉。⑫东府：东晋以来的丞相所居之宅，在建康城的东侧。王晏时为尚书令，职同丞相，故居于东府。⑬抵掌：击掌，得意而不拘礼节的样子。⑭今定何如：我的表现究竟怎么样。萧谌、萧鸾等闯进宫廷杀死小皇帝萧昭业的时候，王晏是跟在萧鸾身后一起闯入宫廷的。⑮上即位：萧鸾称帝以后。⑯非薄世祖故事：诋毁武帝萧赜旧时的一些作为。⑰居朝端：位居群臣之首，指王晏为尚书令。⑱争用人：争着委任自己的亲信。《史记·魏其武安侯列传》写田蚡之拉帮结派有所谓“荐人或起家至二千石，权移主上。上乃曰：‘君除吏已尽未？吾亦欲除吏’”。情形与此相同。⑲事际须晏：形势需要，暂时还离不了他。胡三省曰：“事际，举事之际；须者，倚其为用。”⑳料简：清理；挑选。㉑世祖中诏：萧赜亲自由宫中发出来的诏令。㉒与晏手敕：发给王晏的亲笔手令。㉓启谏世祖以上领选事：上书劝阻萧赜不要让萧鸾做吏部尚书的事。事见本书前文卷一百三十七。㉔猜薄：猜疑、鄙薄。㉕遥光：萧遥光，萧鸾之侄，被封为始安郡王。传见《南齐书》卷四十二。㉖不能为武帝：不能尽忠于武帝萧赜。㉗出涂巷：意即到街头巷尾。涂巷，街道与里巷。㉘采听异言：搜集监听不满于萧鸾统治的话。㉙轻浅无防：轻率粗心，对人无防备。㉚意望开府：想要获得一个开府仪同三司的加官。开府，即“开府仪同三司”，加官名，享受古代三公的待遇，在礼数上更排场一些，实际权力没有任何增加。㉛数呼相工自视：多次地请相面者来给他看相。相工，相面的人。㉜屏人清闲：支开别人，两个人秘密交谈。清闲，清静避人之处。㉝奉朝

请鲜于文粲：官为奉朝请的姓鲜于，名文粲。奉朝请是给退休官僚的一种安慰官名，没有任何任务与权力，只是在节日盛典时可以进宫参加朝会、拜见皇帝。朝请，都指进见皇帝而言，春曰朝，秋曰请。㉞密探上旨：迎合着萧鸾的心思。密探，揣摩、迎合。㉟世范：即上文提到的萧鸾的心腹陈世范。㊱因四年南郊：趁今年皇帝南郊祭天之日。㊲世祖故主帅：当年武帝萧赜身边的卫队头领。当时皇帝身边有主帅、斋帅一类的侍卫官称。㊳于道中窃发：在皇帝前往南郊的路途上暗中动手。㊴会虎犯郊坛：正赶上近来发生过一次猛虎冲犯祭天坛台的事故。㊵未郊一日：到该去南郊祭天的前一天。㊶有敕停行：萧鸾下旨说祭天之事取消。㊷先报晏及徐孝嗣：事情是首先通知王晏与徐孝嗣，因为他们都是尚书省的头面人物。㊸奉旨：遵旨而行，不表示任何意见。㊹必宜自力：一定要坚持前去。自力，强打精神，克服困难。㊺丙辰：正月二十八。㊻华林省：即尚书省。因尚书省在华林园，故名。㊼萧毅：太祖萧道成的侄子萧景先之子，此时任北中郎司马，守琅邪城。因性豪奢、喜弓马，被萧鸾所忌。传见《南齐书》卷三十八。㊽台队主：台城守军的领兵官。队主，犹言“军主”，都不是具体官名，而是大小不等的部队长、领兵官。㊾河东王铉：萧铉，萧道成的第十九子。传见《南齐书》卷三十五。㊿识用微弱：认识与才干都不高。51谋奉以为主：阴谋推戴萧铉为头领。52使守虚器：让他做挂名皇帝。53萧季敞：萧鸾的不同祖的堂兄弟，此时任南中郎将司马。54从祖：祖父的亲兄弟。55鞠躬俯偻：低头曲背。56稍长：年龄大了一些。57遂坐晏事：遂因王晏事情的牵连。58不得与外人交通：不许与外人相往来。时萧铉年十八岁，于次年被杀。59御史中丞思远：王思远，王晏的堂弟，为人恬淡。传见《南齐书》卷四十三。60赞人如此事：帮着人做这等灭主篡位的事情。赞，助。61以权计相须：因权宜之计而暂时需要你。62及此引决：在此时自杀，指殉郁林王而死。63方啖粥：眼下正在吃粥。64未暇此事：暂时还顾不上考虑这个。65及拜骠骑将军：萧鸾篡位后，拜王晏为骠骑大将军，班剑二十人侍中、尚书令如故。66集会子弟：召集全家的晚辈。子弟，对家族子、侄的统称。67隆昌之末：指小皇帝郁林王被萧鸾等所杀时。“隆昌”是郁林王萧昭业的年号（公元四九四年）。68阿戎：胡三省曰，“晋、宋间人多谓堂弟曰‘阿戎’，至唐犹然。如杜甫《于从弟杜位宅守岁》诗云‘守岁阿戎家’是也”。69遽应：立刻回答。70今犹未晚：你今天自杀还不算晚。71外待晏厚：表面上还对王晏不错。72乘间：插空；找机会。73时事稍异：形势已经开始有了变化。74多拙于自谋：不善于分析自己，为自己谋划退路。75乃：竟然。76旬日：过了十来天。77仍迁侍中：乃任以为侍中。仍，通“乃”。迁，这里指提升。侍中，官名，皇帝的侍从官员，属门下省，地位非常重要。78外弟：妻弟。79尉氏阮孝绪：尉氏是县名，即今河南尉氏。阮孝绪是齐、梁间名士，一生隐退未做官，著有目录学书《七录》。传见《梁书》卷五十一。80逃匿不见：谓阮孝绪常躲避起来不见王晏。81吐而覆之：把吃到嘴里的吐出来，把尚未吃的倒掉。82亲而不党：虽与他是亲戚但不是他的党羽。83壬戌：二月初五。84太原：魏郡名，郡治在今山西太原西南侧。85甲子：二月初七。86癸酉：二月十六。87称枉：诉说自己冤屈。枉，曲、屈。⑱赐陆叡死于狱：让陆叡在狱中自裁，因为他是世代功臣之后。⑲宥：宽饶。⑳辽西：魏郡名，郡治在今河北迁安东北。㉑新兴公丕：元丕，拓跋翳槐的后代，初封东阳王，后例降平阳公，平阳郡划归京城管辖后，丕改封新兴公。传见《魏书》卷十四。㉒宗室耆旧：皇族的老臣。㉓诱示大理：对之讲清大道理。诱示，开导。㉔不生同异：不公开反对、闹事。同异，偏义复词，此处指异，不同的言论与行动。㉕稍加冠带：渐渐地戴上了帽子、系上了腰带，即改换了装束。稍，逐渐。㉖修饰容仪：意即严格遵行朝廷规定的礼仪动作。容仪，容貌与仪表。㉗太子恂自平城将迁洛阳：魏主先率领满朝文武迁都洛阳时，留太子恂镇守平城；至洛阳秩序稳定后，故太子恂亦将迁往洛阳。㉘元隆：拓跋隆，新兴公丕前妻所生的儿子，即前文所说的安乐侯隆。事见《魏书》卷十四。㉙因举兵断关：于是起兵扼守雁门关，斩断关南、关北的联络往来，准备在关北割据。胡三省曰："关，即雁门之东陉、西陉二关也。"雁门是魏郡名，郡治在今山西代县西南。所谓东陉、西陉，即指代县西北侧的陉岭，也称句注山。又因为陉岭与雁门山相接，故也被称为雁门山。⑩⑩规据陉北：阴谋占据陉岭以北。⑩①并州：魏州名，州治晋阳，在今山西太原南侧。⑩②折难：批驳、质问，提出过一些这样那样的问题。⑩③推问泰等：审问穆泰等人。⑩④令丕坐观：让元丕坐在一边听，目的是让他受教育。⑩⑤元业、元隆、元超：三人为亲兄弟，皆元丕之弟。⑩⑥丕应从坐：元丕应受牵连治罪。从坐，即"连坐"，因亲缘关系紧密而连带受惩治。⑩⑦尝受诏许以不死：《魏书》卷十四有所谓"又特赐丕金券"云云。⑩⑧同产乙升：元丕的同胞兄弟名叫乙升。⑩⑨敦煌：魏郡名，郡治在今甘肃敦煌西。⑪⓪于烈：魏国名臣于栗磾之孙，于洛拔之子，时为领军将军。传见《魏书》卷三十一。⑪①自负幽冥：愧对鬼神，违背了对鬼神的盟誓。幽冥，看不见的一种形而上的力量，即指鬼神。⑪②不关朕：不是因为不守过去的诺言。⑪③反逆既异：谋反既然是一种特别严重的罪状。⑪④余犯虽欲矜恕：其他一些受波及的人即使我想宽恕他们。⑪⑤听自死别府：允许他们在别的地方自裁。别府，别的地方，以与正法于刑场相区别。⑪⑥免其孥戮：免去了妻子儿女一同被杀的结局。胡三省曰："免其孥戮，谓叡妻子免死徙辽西也。"⑪⑦首为贼端：首先带头作乱。⑪⑧连坐应死：意谓元丕理应连带处死。⑪⑨朕本期始终：我是希望你们都能善始善终，实践我当初的诺言。⑫⓪违心乖念：违背了我的心愿。乖，违背。⑫①故此别示：因此再特别地给你们讲一讲。⑫②想无致怪：我想你们是不会感到奇怪的。⑫③谋反之外：除了谋反这种无法宽赦的大罪外。⑫④皎如白日：意思是其他事情还是照常坚守过去我给你们所下的不死之诏。皎如白日，犹如说让太阳替我做证。这是古人发誓的一种方式。此外还有所谓"有如河水""有如大江"等。⑫⑤爵禄废置：爵位俸禄的设立与废除。⑫⑥驭臣之大柄：驾驭群臣的根本手段。驭，驾驭、管理。⑫⑦先王之制：古代圣帝明王的规定。⑫⑧亲故贤能功贵勤宾：与皇帝有特殊关系的八种人。亲，指皇帝的亲属，包括本家族之人与姻亲之家。故，故旧，皇帝的老朋友、老部下。贤，有德行。能，有道义。功，有功劳。贵，身份地位高，官大。勤，辛苦操劳国事者。宾，前朝帝王的后代。⑫⑨不直赦：

皇帝不直接下大赦令。⑬议于槐棘之下：在槐树、棘木之下对犯罪者进行讨论。据《周礼·秋官·小司寇》，古代帝王与公卿讨论重大问题时，三公坐于槐木之下，九卿坐于棘木之下。汉代称前述与皇帝有特殊关系的八种人为“八议”，意思是这八种人如果犯了罪都必须召集大臣进行讨论，皇帝无权自己处治。⑬轻重视情：罪轻罪重视其情节而定。⑬宽猛随时：执法的宽严随当时的社会情况而定，如治乱世就须用重典。⑬施恩而不失其威：在大赦、从宽时候不会丧失威严。⑬免罪而不敢自恃：在从宽免死的时候是心感蒙幸而不是有恃无恐。⑬豫许之以不死：事先答应他犯了死罪可以不死。⑬不信之令：不讲信用的政令。⑬无此为大：再没有比这个更严重的了。⑬唯于烈一族无所染涉：只有于烈一个家族没有参与此事。染涉，参与、牵连。⑬北方酋长：北方少数民族的头领。⑭侍子：进京侍奉皇帝的酋长之子。实际上是人质。⑭秋朝洛阳：到秋天气候凉爽时再到洛阳朝贺魏帝。⑭雁臣：像雁一样避寒而南来，又像雁一样至暖而北去的大臣。⑭三月己酉：三月二十二。⑭离石：魏国的军镇名，镇址即今山西离石。⑭四月庚申：四月初四。⑭龙门：也称禹门口，即今之山西河津。此地的黄河河道，据说是夏禹所疏凿，两岸峭壁对峙如门，故称“龙门”。⑭癸亥：四月初七。⑭蒲坂：魏县名，县治即今山西永济西的蒲州，相传虞舜曾在此建都。⑭辛未：四月十五。⑮长安：古城名，旧址在今陕西西安西北部。⑮邢峦：魏国的文学之士，与高允、卢玄等齐名。传见《魏书》卷六十五。⑮咸阳王禧：元禧，孝文帝之弟。传见《魏书》卷二十一上。⑮赍椒酒：携带毒酒。胡三省曰：“椒味辛，大热，其合口者尤甚。”⑮河阳：古邑名，在今河南孟州西，处黄河之北，与洛阳隔黄河相望。时太子恂被废为庶人，置于河阳无鼻城，以兵守之。⑮常服：平时所穿的衣裳。⑮瘗：埋葬。⑮癸未：四月二十七。⑮宋明王刘昶：刘昶是宋文帝刘义隆之子，刘子业在位时，刘昶为避迫害逃归魏国，深受魏主重视，封之为宋王，此时为魏统兵驻于徐州。传见《魏书》卷五十九。“明”字是谥。⑮九锡：古代帝王所授予大臣的九种礼节上的待遇。⑯殊礼：不是一般群臣所能享用的礼仪。⑯五月己丑：五月初三。⑯东还：由长安东返洛阳。⑯泛渭入河：从渭水中乘船进入黄河，再沿黄河东下。泛，泛舟、乘船行于水上。⑯壬辰：五月初六。⑯丰：周文王所建的都城，在今陕西西安市长安区的沣河之西。⑯镐：周武王灭殷后所建立的都城，在今陕西西安市长安区西北的沣河之东，今其地被称之“丰镐遗址”。⑯六月庚申：六月初五。⑯壬戌：六月初七。⑯冀、定、瀛、相、济：魏国的五个州名，冀州的州治即今河北衡水市冀州区，定州的州治即今河北定州，瀛洲的州治即今河北河间，相州的州治邺城，在今河北临漳西南，济州的州治所在今山东聊城市茌平区西南。⑰魏郡公穆罴：穆罴是穆泰的堂兄弟，都是魏国老臣穆崇的曾孙。传见《魏书》卷二十七。穆罴此时任中书监，封魏郡公。⑰司空亮：穆亮，穆罴之弟，魏国名将，此时任录尚书事。传见《魏书》卷二十七。⑰慕容契：魏国名将慕容白耀之侄，此时为穆亮的僚属，任司马官司。传见《魏书》卷五十。⑰自劾：自己弹劾自己，请求对己加罪。⑰优诏：加以勉励、宽慰的诏书。⑰癸亥：六月初八。⑰听亮逊位：准许穆亮辞去职位。⑰丁卯：六月十二。⑱分六师：将魏主的警卫部队分成六部分。六师，同“六军”，这里指皇帝的禁卫部队。⑲七月甲午：七月初九。⑳立昭仪冯氏为皇后：昭仪冯氏原是皇后的胞姐，二次进宫后谗毁其妹，致使其妹被废，昭仪进位皇后。详细过程见本书卷一百四十。⑱欲母养太子恪：认太子恪为自己所生，实际是为了自己固宠。⑱暴卒于共县：意即为新皇后冯氏所杀。共县的县治即今河南辉县，在平城到洛阳的半路上。⑱戊辰：七月无戊辰日，疑此处记事有误。⑱八月丙辰：八月初一。⑱诏中外戒严：下令全国进入紧急状态，因为马上就要起兵伐齐了。⑱壬戌：八月初七。⑱愉：元愉，被封为京兆郡王，任徐州刺史。⑱怿：元怿，被封为清河郡王。⑱怀：元怀，事迹不详。以上三人皆孝文帝之子，传皆见于《魏书》卷二十二。⑲景皇所生王氏：萧鸾之父的生母王氏，亦即萧鸾的祖母。景皇，萧鸾之父萧道生，被萧鸾追尊为景皇。胡三省曰：“称‘皇’不称‘帝’，用汉制也。”⑲甲戌：八月十九。⑲庚辰：八月二十五。⑲居守：留在洛阳主管后方事宜。⑲度支尚书：朝官名，掌财赋收支。⑲参治留台事：参与管理留守朝廷的事务，以佐助任城王元澄。⑲假：委任；授予。⑲彭城王勰：元勰，孝文帝的亲兄弟，先被封为始平王，魏都迁洛后，改封为彭城阳王。传见《魏书》卷二十一下。⑲中军大将军：将军的封号名，位在四征将军之下，位为从一品。⑲频烦宠授：连续地蒙受您的提升。频烦，连续地劳烦您。客气语。〖按〗彭城王在其父献文帝时不很受宠，太和以来孝文帝屡授侍中、中书令、监。⑳陈思：即曹植，曹操之子，曹丕之弟，被封为陈王，谥曰思。传见《三国志·魏书》。⑳求而不允：曹植曾上表给曹丕，自请统兵攻吴、蜀，曹丕皆不许。⑳否泰之相远：意即我比曹植幸运得多。否、泰，本为《易经》中的两卦名。否卦，象征闭塞不通；泰卦，象征上下交通，无所阻碍。是以人们常用来代称命运的好坏、境遇的顺逆。相远，差距。⑳二曹：指曹丕与曹植。⑳以才名相忌：意即曹丕忌恨其弟曹植的才华、名望太高，故而处处压制他。⑳上：指齐明帝萧鸾。⑳北襄城太守成公期：南齐北襄城郡的太守姓成公名期。北襄城郡的郡治在今河南襄城。⑳赭阳：古城名，即今河南方城，当时为北襄城郡的郡治所在地。⑳西汝南北义阳：南齐之二郡名，郡治即下文所说的舞阴，在今河南泌阳北。⑳杨灵珍：仇池地区氐族头领杨氏家族的后代。事见《南齐书》卷五十九。⑳南梁州：魏州名，州治即当时的武兴郡，今之陕西略阳。㉑杨集始：也是仇池地区氐族头领杨氏的后代，此时正降服于魏，被魏封为武兴王。㉑九月丁酉：九月十三。㉑李崇：魏孝文帝时代著名的将领与地方官，在平定仇池地区的叛乱贡献甚大。传见《魏书》卷六十六。㉑薛真度：刘宋名将薛安都的堂弟，因与薛安都拥戴刘子勋为帝，失败后一道投向魏国，时为魏之荆州刺史。传见《魏书》卷六十一。㉑樊、邓：皆南齐之军事要地名，樊城即今湖北襄阳市樊城区，邓是古县名，县治在今襄阳市樊城区的西北侧。薛真度之所以怂恿魏主先取樊邓，胡三省曰：“此时魏荆州犹治鲁阳，樊邓逼近洛阳，欲先取之以广封略。”㉑房伯玉击败之：胡三省曰，“此即去年沙堨之败也”。去年薛真度被房伯玉破于沙堨事，见本书上卷建武二年（公元四九五年）四月。㉑吹唇沸地：吹口哨的声音震动大地。吹唇，吹口哨。沸，喧腾、震动。㉑⑧辛丑：九月十七。㉑⑨癸卯：九月十九。㉒⓪宛：古县名，当时南齐之南阳郡的郡治所在地，即今河南南阳。㉒①郛：意思同“郭”，外城。㉒②婴内城拒守：以内城为依托，环城而守。婴，环、围绕。㉒③荡壹六合：意即统一天下。六合，天地四方之中。㉒④非如向时冬来春去：绝不会再像去年那样冬天来的，春天撤走。向时，往日、上一次。㉒⑤当我六龙之首：正好挡着我天子大军的前进之路。六龙，指皇帝的车驾。《周易·乾卦》有所谓“时乘六龙以御天”，此借用其语以自比。㉒⑥无容不先攻取：不得不把你这座城先攻下来。无容，不得放过、不可避免。㉒⑦封侯、枭首：你是选择立功封侯呢，还是选择被斩首悬挂高竿呢。㉒⑧事在俯仰：就在这短暂的时间内做出决定。俯仰，低头与抬头，以比喻时间之短暂。㉒⑨先事武帝：你先在武帝萧赜驾下为臣。㉓⓪蒙殊常之宠：曾受过不同寻常宠遇。㉓①建忠致命：指为维护萧赜之子萧昭业的帝位而舍身。致命，献出生命。㉓②尽节于其仇：反而为他的仇人萧鸾而拼死卖命。㉓③顷年：近年；前年。指建武二年。㉓④伤我偏师：指打败魏将薛真度于沙堨。偏师，主力大军以外的起策应作用的小部队。㉓⑤鸾辂亲临：犹言皇帝我已经亲临南阳城下。鸾辂，皇帝的车驾。鸾，车铃。㉓⑥面缚麾下：意即早早向我的部下束手投降。面缚，两手反绑在身后而脸朝前，表示投降。麾下，部下、属下。麾，大将的指挥旗。㉓⑦军副：军中的副将。㉓⑧承欲攻围：听说你要攻击被围的南阳城。承，谦辞，承蒙。㉓⑨卑微常人：我作为一个无名之辈。㉔⓪得抗大威：有幸今天能和你一较高低。㉔①外臣：乐稚柔在外国君主跟前谦称自己的太守房伯玉。㉔②采拔：选拔；提拔。㉔③光绍大宗：入继齐高帝，以萧道成的三儿子的身份接续了帝位。绍，继承。㉔④副亿兆之深望：符合齐国百姓的愿望。副，符合。亿兆，指全国的黎民百姓。㉔⑤抑亦：而且；也是。㉔⑥兼武皇之遗敕：而且也完全体现了先皇萧赜遗诏的精神。㉔⑦是以区区尽节：所以我才对我们现在的皇帝表现了微薄的忠诚。㉔⑧不敢失坠：不敢出现任何差错。㉔⑨辄厉将士：我曾激励我的部下。㉕⓪以修职业：做了一些我们应做的工作。㉕①反己而言：从我们的立场上说。㉕②不应垂责：您不该责备我们。垂责，赐责。垂，表示谦敬。㉕③东南隅沟：东南角的护城河。㉕④班衣：衣上画有保护色的彩饰，犹如今时士兵穿的迷彩服。班，通“斑”。㉕⑤窦：桥洞。㉕⑥突出：突然窜出。㉕⑦原灵度：善射者的姓名，姓原名灵度。〖按〗原灵度，疑当为“源灵度”。《魏书·源贺传附子怀传》：“长子规，字灵度。中书学生、羽林监，袭爵。”源灵度任羽林监，侍从于皇帝左右，自不待言。且北魏皇帝羽林护卫，多为代北强宗子弟，原氏不见于《官氏志》，故当为源氏。㉕⑧槎山分道：砍削荆棘，开出道路。槎，用刀斧砍削荆棘。㉕⑨表里袭之：里应外合地进行攻击。㉖⓪减太半：减少了一大半。太半，三分之二。㉖①赤土：古县名，据《魏书·地形志》，武阶郡有赤土县。当时的武阶郡在今甘肃陇南市武都区东南。㉖②龙门：古代的军事据点名，在当时仇池郡的东南，西汉水的北岸，今之甘肃成县西。㉖③鹫硖：在龙门的北侧。㉖④礌石：可以从山上滚下的大石块。㉖⑤武兴：当时杨灵珍的根据地，即今陕西略阳。㉖⑥梁州刺史：魏国的梁州州治即武兴。㉖⑦安集：安抚、团聚。集，招徕、招纳。㉖⑧丁未：九月二十三。㉖⑨发南阳：离开南阳城下。⑳ 己酉：九月二十五。㉑ 新野：齐郡名，郡治即今河南新野，地处于当时的南阳郡与襄阳郡之间。㉒ 十月丁巳：十月初三。㉓ 长围：绕着敌方的城池建筑一个包围圈，也筑得有墙有沟，可以长期防守，目的是断绝城内的守城者与外界的一切联系。㉔ 糜碎：粉碎。糜，烂。㉕ 右军府长史：右军将军府的长史。长史是将军的高级僚属，为诸史之长。㉖ 韩显宗：韩麒麟之子，魏国的才学之臣。传见《魏书》卷六十。㉗ 裨将：副将。㉘ 殊益军势：对提高我军的士气很有作用。㉙ 方攻坚城：意谓正在攻打敌兵坚守的城池而未能攻下。㉚ 露布：犹如今之所谓公开信、胜利海报。目的是鼓舞自己、瓦解敌人。㉛ 王肃：魏国的儒学之臣，很受魏主赏识。传见《魏书》卷六十三。㉜ 东观：秘书省管理下的一个机构，是著作郎们编写国史的所在。东汉班固曾在东观修撰《汉书》，后世遂借以泛指朝廷的藏书和著书之处。韩显宗曾任著作郎，故曰“臣在东观”。㉝ 哂：微笑，此处指讥笑、嘲笑。㉞ 仰凭威灵：仰仗皇帝您的威名与震慑力。㉟ 得摧丑虏：得以打败了齐兵。丑虏，群敌。丑，类。㊱ 脱复：如果还要。㊲ 高曳长缣：把胜利的消息写在长长的绢帛之上向人炫耀。高曳，高高地扯着炫耀。缣，细绢，古时用作书写的材质。㊳ 虚张功烈：夸大自己的功劳业绩。烈，业。㊴ 尤而效之：刚刚批评了人家而又转过来效法他。尤，责怪。㊵ 解上而已：把俘虏押送到皇帝所在也就得了。有人将“解上”说成是“向上报告”，自然可以；但理会“解”字似不贴切。〖按〗据此事，似乎韩显宗是个很平易谦逊的人，但本传记载他又炫耀己功，盛气凌人，与此颇不相类。㊶ 裴叔业：南齐的名将，武帝萧赜时即很有建树，又较早地归依了萧鸾，此时任徐州刺史。传见《南齐书》卷五十一。南齐的徐州州治钟离，在今安徽凤阳东北。㊷ 雍州：南齐的雍州州治即襄阳，此时为魏军所攻的对象。㊸ 不乐远行：不愿翻山越水地远攻齐地。㊹ 钞掠：同“抄掠”，骚扰；掠夺。㊺ 若侵虏境：如果我们也侵入魏国之境，对魏国进行抄掠。㊻ 司雍之寇：进攻我们司州、雍州一带的魏军。南齐的司州州治义阳，即今河南信阳，与上文所说的雍州相邻，是当时齐国的北部边境，且又与魏都洛阳相距较近，故而屡次发生战争。㊼ 虹城：地名，在今安徽泗县西南。㊽ 甲戌：十月二十。㊾ 十一月甲午：十一月十一。㊿ 丁酉：十一月十四。(301) 沔北：汉水以北。沔水即今之汉水。(302) 丙辰：十二月初三。(303) 十二月庚申：十二月初七。〖按〗此句中“十二月”三字应移至上注“丙辰”字上。(304) 顿军樊城：军队停留在樊城，不去救新野与南阳。胡三省曰：“曹虎之顿军樊城，不特因与房伯玉不协而然，亦由畏魏军之强而不敢进也。”(305) 丁丑：十二月二十四。(306) 崔慧景：南齐的老将，初受赏识于萧道成、萧赜，后又较早地归依了萧鸾，此时任度支尚书。传见《南齐书》卷五十一。(307) 假慧景节：授予崔慧景旌节。古代命将出征，分使持节、持节、假节，各自的权限有所区别，但都表现了朝廷的器重。假节，作战时可杀违犯军令的人。(308) 节度：受其指挥、调度。(309) 庚午：十二月十七。(310) 戊寅：十二月二十五。(311) 王昙纷：南齐的将领。(312) 南青州黄郭戍：南青州的黄郭戍，当时的军事据点名，在今江苏连云港市赣榆区西北。当时南齐的南青州州治即今山东沂水县。(313) 崔僧渊：魏将崔道固之侄。传见《魏书》卷二十四。崔道固原是刘宋名将，因拥戴刘子勋，反对明帝刘彧，与薛安都等一道归于魏国。⑭举军：全军。⑮太仓口：古地名，当在淮河北岸的广陵城（今河南息县）附近，以其地有大粮仓而得名。⑯清河傅永：傅永是清河郡人，原为崔道固的部下，后一道降魏，深受孝文帝赏识。传见《魏书》卷七十。⑰夜斫营：夜间偷袭敌人的营寨。⑱置火以记浅处：插上火把，标出可涉水之处。⑲以瓠贮火：用葫芦装着火种。瓠，葫芦。⑳戒：同“诫”，嘱咐。㉑见火起二句：见到别处有了灯火，就把你们手里的灯火也点起来。然，同“燃”。㉒走趣淮水：逃向淮河边。趣，通“趋”。㉓火既竞起：一看到处都是火把。㉔获康祚之尸以归：据《魏书·傅永传》，康祚溺死。㉕豫州刺史裴叔业：胡三省曰，“裴叔业盖自徐州迁为豫州”。当时梁国的豫州，即今安徽寿县。㉖楚王戍：胡三省引《水经注》曰，“鲖阳县有葛陵城，城东北有楚武王冢，民谓之楚王琶城。魏盖于此置戍，因谓之楚王戍”。其地在今安徽临泉附近。㉗填外堑：将城外的护城河填平。㉘部分：筹划；调度。㉙伞扇、鼓幕，甲仗：伞扇、鼓幕都是将军的仪仗。鼓幕，鼓乐和帐幕。甲仗指铠甲与兵器。㉚精甲：精兵。㉛就拜：到楚王戍去授予傅永官职。㉜汝南：魏郡名，郡治悬瓠城，即今河南汝南县。也是魏国豫州的州治所在地。㉝贝丘县男：封地贝丘县，爵级为男爵。贝丘县在今河北南宫东南。㉞露板：公开的文告，也称露布文。㉟傅脩期：傅永的字，皇帝称臣下以字，是客气、尊敬的表现。㊱曲江公遥欣：萧遥欣，萧鸾之侄，萧鸾兄萧凤之第二子，被封为曲江郡公。传见《南齐书》卷四十五。㊲遥欣兄弟：萧遥欣有兄曰遥光，弟曰遥昌。㊳后弟：萧鸾的皇后刘惠端之弟。刘惠端传见《南齐书》卷二十。㊴刘暄：曾为卫尉。传见《南齐书》卷四十二。㊵内弟：表弟。萧鸾母亲的侄子。㊶江祏：曾为右卫将军、太子詹事。传见《南齐书》卷四十二。江祏与其弟江祀、刘暄，再加上萧遥光、徐孝嗣、萧坦之，时人称之“六贵”。㊷居中用事：在朝廷上掌权。用事，执政、掌权。㊸材勇：有勇力而又敢作敢为的人。㊹厚自封殖：大量地赏赐他们以财物。㊺刘季连：彭城人，宋高祖刘裕同族的后代。传见《梁书》卷二十。㊻有异迹：有图谋不轨的迹象。㊼益州：州治即今四川成都。㊽思考：刘思考，宋高祖刘裕的同族兄弟，刘遵考之堂弟。传见《宋书》卷五十一。㊾高昌王马儒：高昌是西域国名，国都高昌，在今新疆吐鲁番东。其国王名叫马儒。传见《魏书》卷一百一。㊿伊吾：伊吾戍，魏国西部的边防军事据点名，在今新疆哈密西北，东距今之伊吾距离尚远。351金城麴嘉：麴嘉是金城郡人，魏国的金城郡治在今兰州西北侧。麴嘉此时任马儒之右长史。事见《魏书》卷一百二。352不至：未按时到达。353将世子：带领着高昌王马儒的太子。世子，意同“太子”，未来的王位继承人。354白棘城：即今新疆鄯善。355去高昌：西距高昌。356与顾礼马义舒还洛阳：留其前王之子，可为日后重夺其国之用。

【校记】

［1］腹心：据章钰校，十二行本、乙十一行本、孔天胤本皆作“心腹”。［2］左右：原无此二字。据章钰校，十二行本、乙十一行本、孔天胤本皆有此二字，张敦仁《通鉴刊本识误》同，今据补。［3］世范：据章钰校，十二行本、乙十一行本、孔天胤本“范”下皆有“等”字。［4］思徵：原作“思征”。据章钰校，十二行本、乙十一行本、孔天胤本皆作“思徵”，张敦仁《通鉴刊本识误》、张瑛《通鉴校勘记》、熊罗宿《胡刻资治通鉴校字记》同，今据改。［5］叹：据章钰校，乙十一行本作“欢”。［6］尝：据章钰校，十二行本、孔天胤本皆作“常”，乙十一行本作“当”。［7］拏戮：原作“拏戮”。据章钰校，十二行本、乙十一行本、孔天胤本皆作“孥戮”，熊罗宿《胡刻资治通鉴校字记》同，今据改。［8］使：原无此字。据章钰校，十二行本、乙十一行本、孔天胤本皆有此字，今据补。［9］一族：原无此二字。据章钰校，十二行本、乙十一行本、孔天胤本皆有此二字，张敦仁《通鉴刊本识误》同，今据补。［10］追加九锡：此四字原无。据章钰校，十二行本、乙十一行本、孔天胤本皆有此四字，张敦仁《通鉴刊本识误》、张瑛《通鉴校勘记》同，今据补。［11］部：原无此字。张敦仁《通鉴刊本识误》有此字，其义长，今据补。［12］甲午：原无此二字。据章钰校，十二行本、乙十一行本、孔天胤本皆有此二字，张瑛《通鉴校勘记》同，今据补。〖按〗陈垣《二十史朔闰表》，建武四年（公元四九七年）七月甲午为七月初九。［13］中尉：原作“中丞”。据章钰校，十二行本、孔天胤本皆作“中尉”，张敦仁《通鉴刊本识误》同，今据改。［14］帅五千人：原无此四字。据章钰校，十二行本、乙十一行本、孔天胤本皆有此四字，张敦仁《通鉴刊本识误》、张瑛《通鉴校勘记》同，今据补。［15］鹫硖：原作“鹫峡”。据章钰校，十二行本、乙十一行本、孔天胤本皆作“鹫硖”，《魏书·李崇传》《北史·李崇传》亦作“鹫硖”，今据改。下同。［16］积大木：原无此三字。据章钰校，十二行本、乙十一行本、孔天胤本皆有此三字，张敦仁《通鉴刊本识误》、张瑛《通鉴校勘记》同，今据补。［17］入：据章钰校，十二行本、乙十一行本皆无此字。［18］之：据章钰校，十二行本、乙十一行本皆无此字。［19］王昙纷：严衍《通鉴补》改作“王昙分”。［20］处：原无此字。据章钰校，十二行本、乙十一行本、孔天胤本皆有此字，张敦仁《通鉴刊本识误》同，今据补。［21］朝兴安：胡三省注云：“‘朝’，姓也。汉有晁错，《史记》作朝错。”严衍《通鉴补》改作“韩兴安”。［22］安保：据章钰校，十二行本、乙十一行本皆无此二字。

【原文】

永泰元年（戊寅，公元四九八年）

春，正月癸未朔[357]，大赦。

加中军大将军徐孝嗣开府仪同三司，孝嗣固辞。

魏统军李佐攻新野，丁亥[358]，拔之，缚刘思忌，问之曰："今欲降未?"思忌曰："宁为南鬼，不为北臣!"乃杀之。于是沔北[359]大震。戊子[360]，湖阳[361]戍主蔡道福，辛卯[362]，赭阳戍主成公期，壬辰[363]，舞阴戍主黄瑶起、南乡[364]太守席谦相继南遁[365]。瑶起为魏所获，魏主以赐王肃，肃脔而食之[366]。乙巳[367]，命太尉陈显达救雍州。

上有疾，以近亲寡弱[368]，忌高、武子孙[369]。时高、武子孙犹有十王，每朔、望[370]入朝，上还后宫，辄叹息曰："我及司徒[371]诸子皆不长[372]，高、武子孙日益长大!"上欲尽除高、武之族，以微言[373]问陈显达，对曰："此等岂足介虑!"以问扬州刺史始安王遥光，遥光以为当以次施行[374]。遥光有足疾，上常令乘舆[375]自望贤门[376]入，每与上屏人久语毕，上索香火，呜咽流涕，明日必有所诛。会上疾暴甚[377]，绝而复苏，遥光遂行其策。丁未[378]，杀河东王铉[379]、临贺王子岳、西阳王子文、永阳王子峻、南康王子琳、衡阳王子珉、湘东王子建、南郡王子夏[380]、桂阳王昭粲、巴陵王昭秀[381]，于是太祖、世祖及世宗[382]诸子皆尽矣。铉等已死，乃使公卿奏其罪状，请诛之，下诏不许，再奏，然后许之[383]。南康侍读济阳江泌[384]，哭子琳泪尽，继之以血，亲视殡葬毕，乃去。

庚戌[385]，魏主如南阳。二月癸丑[386]，诏左卫将军萧惠休等[23]救南

【语译】

永泰元年（戊寅，公元四九八年）

春季，正月初一日癸未，齐国实行大赦。

齐明帝萧鸾为担任中军大将军的徐孝嗣加授开府仪同三司，徐孝嗣坚决推辞了。

魏国担任统军的李佐率军进攻齐国的新野，正月初五日丁亥，将新野攻克，齐国新野太守刘思忌被活捉，李佐向被绑缚着的刘思忌发问说："你现在想不想投降？"刘思忌回答说："我宁可当南朝的鬼，也不愿意做北国的臣！"李佐遂杀死了刘思忌。齐国雍州汉水以北地区的民众大为震恐。初六日戊子，齐国担任湖阳军事据点守军头领的蔡道福，初九日辛卯，担任赭阳军事据点守军头领的北襄城太守成公期，初十日壬辰，齐国担任舞阴军事据点守军头领的黄瑶起、担任南乡郡太守的席谦相继弃城向南逃走。黄瑶起在逃跑的过程中被魏军抓获，魏孝文帝元宏把黄瑶起赏给了担任豫州刺史的王肃，王肃把黄瑶起剁成了小块，一块儿一块儿地吃掉了。二十三日乙巳，齐国朝廷命令担任太尉的陈显达率领齐军去救援雍州。

齐明帝生了病，因为与自己血缘关系亲近的人人少势弱，所以非常忌恨齐高帝萧道成与齐武帝萧赜的儿孙们。当时齐高帝、齐武帝的子孙当中还有十位亲王在世，每当初一、十五群臣、亲属入朝朝拜皇帝之后，齐明帝回到后宫，总会叹息着说："我和弟弟萧缅的儿子年龄都不大，而高祖和武帝的子孙却都日益长大成人！"齐明帝想把高帝、武帝的子孙全部除掉，遂秘密和太尉陈显达商议此事，陈显达回答说："这些人难道还值得陛下担忧吗！"齐明帝又去询问担任扬州刺史的始安王萧遥光，萧遥光认为应当按次序把他们全部杀掉。萧遥光患有脚病，行走不便，齐明帝经常让他坐着车从华林园的望贤门进入皇宫，萧遥光每次入宫都与齐明帝一起支开旁人长久密谈，密谈之后，齐明帝就向人索要香烛灯火，呜咽流涕，第二天一定会有人被杀。恰逢齐明帝的病情突然严重起来，昏厥之后又苏醒过来，萧遥光遂按照与齐明帝预先商定好的计划开始施行。正月二十五日丁未，杀死了高祖萧道成的第十九子河东王萧铉和齐武帝萧赜的儿子临贺王萧子岳、西阳王萧子文、永阳王萧子峻、南康王萧子琳、衡阳王萧子珉、湘东王萧子建、南郡王萧子夏，以及文惠太子萧长懋的儿子桂阳王萧昭粲、巴陵王萧昭秀，至此，齐太祖萧道成、齐世祖萧赜以及世宗萧长懋的儿子便全部被诛杀了。河东王萧铉等被杀死之后，齐明帝才示意公卿大臣奏报他们的罪状，请求诛杀他们，齐明帝却下诏故意装模作样地没有批准他们的请求，公卿再次奏请，齐明帝才批准。在南康王萧子琳手下担任侍读的济阳人江泌看到萧子琳被杀，哭得眼泪都流尽了，眼里再流出来的都是血，他亲眼看着把萧子琳殡葬之后才离去。

正月二十八日庚戌，魏孝文帝元宏前往南阳。二月初一日癸丑，齐明帝萧鸾下

阳[24]。甲子㊿387，魏人拔宛北城，房伯玉面缚出降。伯玉从父[388]弟思安为魏中统军[389]，数为伯玉泣请，魏主乃赦之。庚午[390]，魏主如新野。辛巳[391]，以彭城王勰为使持节、都督南征诸军事、中军大将军、开府仪同三司。

三月壬午朔[392]，崔慧景、萧衍大败于邓城。时慧景至襄阳，五郡[393]已陷[25]没，慧景与衍及军主刘山阳、傅法宪等帅五千余人进行[394]邓城，魏数万骑奄至[395]，诸军登城拒守。时将士蓐食轻行[396]，皆有饥惧之色。衍欲出战，慧景曰："虏不夜围人城，待日暮自当去。"既而魏众转至[397]，慧景于南门拔军去[398]，诸军不相知，相继皆遁。魏兵自北门入，刘山阳与部曲[399]数百人断后死战，且战且却行[400]。慧景过闹沟[401]，军人相蹈藉[402]，桥皆断坏。魏兵夹路射之，杀傅法宪，士卒赴沟死者相枕，山阳[26]取袄仗[403]填沟乘之[404]，得免。魏主将大兵追之，晡时至沔[405]。山阳据城[406]苦战，至暮，魏兵乃退。诸军恐惧，是夕，皆下船还襄阳。庚寅[407]，魏主将十万众，羽仪华盖[408]以围樊城，曹虎闭门自守。魏主临沔水，望襄阳岸，乃去，如湖阳[409]。辛亥[410]，如悬瓠[411]。

魏镇南将军王肃攻义阳[412]，裴叔业将兵五万围涡阳[413]以救义阳。魏南兖州刺史济北孟表[414]守涡阳，粮尽，食草木皮叶。叔业积所杀魏人高五丈以示城内，别遣军主萧璝等攻龙亢[415]，魏广陵王羽[416]救之。叔业引兵击羽，大破之，追获其节。魏主使安远将军傅永、征虏将军刘藻[417]、假辅国将军高聪[418][27]救涡阳，并受王肃节度。叔业进击，大破之，聪奔悬瓠，永收散卒徐还。叔业再战，凡斩首万级，俘三千余人，获器械、杂畜、财物以千万计。魏主命锁三将诣悬瓠，刘藻、高聪免

诏令担任左卫将军的萧惠休等人率军前往救援南阳。十二日甲子，魏军攻陷了南阳郡城宛城的北城，南阳太守房伯玉脸上涂上泥巴反绑双手，出城向魏军投降。房伯玉的堂兄弟房思安在魏国担任中统军，他多次流着眼泪为房伯玉向魏孝文帝求情，魏孝文帝这才赦免了房伯玉。十八日庚午，魏孝文帝前往新野。二十九日辛巳，孝文帝任命彭城王元勰为使持节、都督南征诸军事、中军大将军、开府仪同三司。

三月初一日壬午，齐国担任度支尚书的崔慧景、担任太子中庶子的萧衍在邓城被魏军打得大败。当崔慧景赶到襄阳的时候，南阳郡、新野郡、南乡郡、北襄城与西汝南郡、北义阳郡五个郡已经全部落入魏军之手，崔慧景与萧衍以及担任一支军队首领的刘山阳、傅法宪等人率领着五千多人前行进入邓城，魏国的几万骑兵突然而至，把邓城团团围住，齐军赶紧登上城墙进行防守。当时齐军将士还是在早上匆匆地吃了一顿饭就轻装上阵，到现在全都显出了饥饿恐惧的神色。萧衍想要出城与魏军作战，崔慧景说："贼寇如果不打算在夜间围住城池攻入城中，等天黑以后他们自然就会撤走。"不久魏军反而越来越多，崔慧景带着自己的那股军队从南城门偷偷逃去，其他各路军队谁也不管谁，一个接一个地全都逃走了。魏军从邓城的北门进入城中，刘山阳与自己的几百名部下断后，他们拼死作战，一边作战一边后退。崔慧景的军队在通过闹沟的时候，军人之间互相推挤、践踏，桥梁都被踩塌了。魏军夹道射箭，杀死了军主傅法宪，士卒跳入闹沟而死的相枕而卧，刘山阳把衣服和兵器填到闹沟里踩着过了闹沟，才幸免一死。魏孝文帝率领大军随后追击，下午四点前后追到沔水。刘山阳凭借着樊城拼死抵抗，天黑以后，魏军才撤退。齐国各军恐惧万分，当天夜里，就都坐船回到襄阳。初九日庚寅，魏孝文帝率领十万大军，以及羽仪华盖等各种仪仗，包围了樊城，齐国担任雍州刺史的曹虎坚闭城门进行防守。魏孝文帝来到沔水边，看了看襄阳岸边，然后离去，前往湖阳。三十日辛亥，魏孝文帝前往悬瓠。

魏国镇南将军王肃率领魏军进攻齐国司州州治所在地义阳，齐国徐州刺史裴叔业率领着五万齐军围困了魏国的涡阳以分散进攻义阳的魏军，达到救援义阳的目的。魏国担任南兖州刺史的济北郡人孟表正在守卫涡阳，涡阳城内的粮食已经吃光了，军民就以野草、树皮、树叶充饥。裴叔业把杀死的魏军堆成五丈高给涡阳城里的人看，又派遣担任一支军队首领的萧璝等人前往进攻魏国的龙亢县，魏国的广陵王元羽率军前往解救龙亢。裴叔业率领齐军袭击元羽，把元羽打得大败，在追击的过程中缴获了元羽的符节。魏孝文帝派安远将军傅永、征虏将军刘藻、代理辅国将军高聪三位将领率军去救援涡阳，令他们全部接受镇南将军王肃的调度、指挥。裴叔业率军进攻魏国的援军，把魏国的援军打得大败，高聪逃往悬瓠，傅永召集起逃散的士兵慢慢撤回。裴叔业两次与魏军交战，总计斩杀了一万名魏军，俘虏了三千多人，此外缴获的军用器械、各种牲畜、财物数以千万计。魏孝文帝下令把傅永、刘藻、

死，徙平州⑲，傅永夺官爵，黜王肃为平南将军⑳。肃表请更遣军救涡阳，魏主报㉑曰："观卿意，必以藻等新败，故难于更往。朕今少分兵则不足制敌，多分兵则禁旅㉒有阙，卿审图之！义阳当止则止，当下则下。若失涡阳，卿之过也！"肃乃解义阳之围，与统军杨大眼、奚康生㉓等步骑十余万救涡阳。叔业见魏兵盛，夜，引军[28]退，明日，士众奔溃，魏人追之，杀伤不可胜数。叔业还保涡口㉔。

初，魏中尉李彪，家世孤微㉕，朝无亲援。初游代都，以清渊文穆公李冲㉖好士，倾心附之㉗。冲亦重其材学，礼遇甚厚，荐于魏主，且为之延誉于朝㉘，公私汲引㉙。及为中尉，弹劾不避贵戚，魏主贤之，以比汲黯㉚。彪自以结知人主㉛，不复藉冲㉜，稍稍疏之，唯公坐㉝敛袂㉞而已，无复宗敬㉟之意，冲浸衔之㊱。

及魏主南伐，彪与冲及任城王澄共掌留务㊲。彪性刚豪㊳，意议多所乖异㊴，数与冲争辩，形于声色。自以身为法官㊵，他人莫能纠劾㊶，事多专恣㊷。冲不胜忿，乃积其前后过恶㊸，禁彪于尚书省㊹，上表劾彪"违傲高亢㊺，公行僭逸㊻，坐舆禁省㊼，私取官材㊽，辄驾乘黄㊾，无所惮慑㊿。臣辄集尚书[451]已下、令史已上于尚书都座[452]，以彪所犯罪状告彪，讯其虚实，彪皆伏罪。请以见事[453]免彪所居职，付廷尉[454]治罪"。冲又表称："臣与彪相识以来，垂[455]二十载。见其才优学博，议论刚正，愚意诚谓拔萃公清[456]之人。后稍察其为[29]人酷急[457]，犹谓益多损少[458]。自大驾南行以来，彪兼尚书[459]，日夕共事，始知其专恣无忌，

高聪三位将领捆绑起来押送到悬瓠，刘藻、高聪被免除死罪，发配到平州为民，傅永被削去了官职和爵位，将镇南将军王肃贬官为平南将军。王肃上表给孝文帝请求再发兵援救涡阳，魏孝文帝答复说："看你的意思，一定以为刘藻等人刚刚被齐军打败，所以你的军队难以再去救援涡阳。我如果派遣少量的军队去救援涡阳就不能战胜敌人，如果多派军队去，我的警卫部队就人员不足，你仔细考虑考虑！对于攻打义阳，我看应该停止的时候就停止，如果能够攻克就立即将其攻克。但是如果使涡阳落入齐军之手，就是你的罪过了！"王肃于是放弃围攻义阳，与担任统军的杨大眼、奚康生等率领着十多万步兵、骑兵赶去援救涡阳。齐国的徐州刺史裴叔业看到魏军兵力强盛，于是在夜间率军撤退，第二天，齐军士卒便四散奔逃，王肃所率领的魏军随后追击，齐军死伤者多得无法统计。裴叔业退回涡口进行防守。

当初，魏国担任御史中尉兼任度支尚书的李彪，出身于寒门，朝廷中没有任何能够帮助他、提携他的亲朋。李彪第一次来到平城寻求做官的门路，因为清渊文穆公李冲喜好结交读书人，所以李彪就千方百计地投在了李冲的门下。李冲也很看重李彪的才能学问，对李彪非常优礼相待，并把李彪推荐给了魏孝文帝，而且还在朝中进行宣扬以提高李彪的声誉，在处理公务或与人私下交往时，都不断地推荐与提携李彪。等到李彪担任了中尉以后，弹劾官员从来不避讳皇亲国戚和当朝显贵，魏孝文帝遂认为李彪确实是个很贤能的人，把他比作汉武帝时期的直臣汲黯。李彪自以为已经交结了帝王，并被帝王所赏识，不再需要靠着李冲，于是便逐渐地疏远了李冲，只是在公开场合见到李冲拱一拱手而已，不再像对待主子一样敬重李冲，李冲因此渐渐地对李彪怀恨在心。

等到魏孝文帝率领大军前往南方讨伐齐国的时候，李彪与李冲辅佐任城王元澄共同掌管留守洛阳的事务。李彪的性情刚正、强硬，他的主张、看法、意见往往与李冲不同，遂多次与李冲发生争辩，言辞激烈，脸色难看。李彪自以为是执法官，别人不能检举弹劾他，所以很多事情都任意专断。李冲控制不住自己心中的愤怒，于是就搜集李彪前前后后的所有过失，把李彪软禁在尚书省，然后上表弹劾李彪说"李彪邪恶高傲，行动越分、放纵，坐着车子出入宫门，私自取用公家的器材，有时还用皇帝的御马给自己拉车，无所顾忌、无所畏惧。我已经把各部尚书以下、令史以上级别的官员召集到尚书都座，当着众人的面把李彪所犯的罪状告诉李彪，审问他这些罪状是不是事实，李彪已经供认不讳。请求陛下根据李彪犯罪的事实罢免李彪所担任的一切官职，把李彪交付给国家的司法部门进行治罪"。李冲还上表说："我与李彪认识以来，到现在已经快二十年了。我见他才能优良，学问渊博，议论刚正，遂认为他是一个才能出众、公正清廉的人。后来我逐渐觉察到他为人残虐、性情急躁，但还是认为他好事做得多、坏事做得少。自从陛下率军南征以来，李彪以御史中尉的身份兼任度支尚书，我每天从早到晚与他在一起共事，才开始看清他的专横跋扈、

尊身忽物[460]。听其言如振古[461]忠恕之贤，校其行[462]实天下佞暴[463]之贼。臣与任城[464]卑躬曲己，若顺弟[465]之奉暴兄，其所欲者，事虽非理，无不屈从[466]。依事求实，悉有成验[467]。如臣列得实，宜殛彪于北荒[468]，以除乱政之奸；所引无证，宜投臣于四裔[469]，以息青蝇之谮[470]。”冲手自[471]作表，家人不知。

帝览表，叹怅久之，曰：“不意留台乃至于此！”既而曰：“道固可谓溢矣[472]，而仆射亦为满也[473]。”黄门侍郎宋弁[474]素怨冲，而与彪同州[475]相善，阴左右之[476]。有司处彪大辟[477]，帝宥之，除名而已。

冲雅[478]性温厚，及收彪之际，亲数彪前后过失，瞋目[479]大呼，投折几案[480]，御史[481]皆泥首面缚[482]。冲詈辱肆口[483]，遂发病荒悖[484]，言语错缪，时扼腕[485]大骂，称“李彪小人”，医药皆不能疗，或以为肝裂[486]，旬余而卒。帝哭之，悲不自胜，赠[487]司空。

冲勤敏强力[488]，久处要剧[489]，文案盈积[490]，终日视事[491]，未尝厌倦，职业修举[492]，才四十而发白。兄弟六人，凡四母，少时每[30]多忿竞[493]。及冲贵，禄赐皆与共之，更成敦睦[494]。然多援引族姻[495]，私以官爵[496]，一家岁禄，万匹[497]有余，时人以此少[498]之。

魏主以彭城王勰为宗师[499]，诏使督察宗室，有不帅教[500]者以闻。

夏，四月甲寅[501]，改元[502]。

大司马会稽太守王敬则[503]，自以高、武旧将，心不自安。上虽外礼甚厚，而内相疑备，数访问[504]敬则饮食，体干堪宜[505]。闻其衰老，且以

不知忌惮、唯我独尊、藐视他人。如果光听他说的话，会觉得他是自古以来前所未有的贤人，如果检点一下他的实际行为，才知道他原来是那种口头上伶牙俐齿，行动上残暴无比的奸贼。我与任城王元澄卑躬屈膝、委曲求全，就像是恭顺的弟弟侍奉暴虐的兄长一样，他想要做的事情，即使毫不在理，我们也无不违心地顺着他。李彪的犯罪事实，都有确凿的证据可查。如果我历数李彪的罪过是事实，就应该把李彪扔到北方寒冷的不毛之地，以铲除扰乱朝政的奸贼；如果我列举的李彪罪过查无实据，也应该把我发配到四方边远的地方去，以止息奸佞之臣的谗言。”李冲亲笔书写表章，家里的人都不知道这件事。

魏孝文帝看了李冲的表章，叹息惆怅了好久，说：“没想到留守朝廷的人竟会发生这种事情！”后来又说：“李彪这个人可算是自满得没有边了，而尚书左仆射李冲也自满得够呛。”担任黄门侍郎的宋弁一向怨恨李冲，而与李彪是同乡，关系又很好，遂暗中帮助李彪。有关部门的官员根据李彪的罪状判处李彪杀头之罪，魏孝文帝赦免了李彪的死罪，只是将他罢了官。

李冲一向性情温和、为人厚道，等到逮捕李彪的时候，李冲亲自一条一条列数李彪前前后后所有的罪状，他瞪着眼睛，大声吼叫，竟然抓起身边的几案砸人，几案都被他摔折了，李彪属下的官员被吓得不知所措，只好把泥涂抹在脸上，自缚双手向李冲请罪。李冲随口肆意辱骂，由于情绪过分激动，竟一下子得了中风病，神志不清、言语错乱，有时就用一只手抓住另一只手的手腕大骂“李彪是个小人”，请医服药都不见效，有人认为李冲是怒气损伤了肝脏，过了十多天李冲就死了。魏孝文帝得知消息后痛哭不止，悲痛得无法控制，追赠李冲为司空。

李冲勤于政事，兢兢业业，长时间处在重要而繁忙的职位，桌子上堆满了等待处理、批复的案件，李冲整天处理公务，从来没有感到厌倦过，主管的每一件事情都完成得很好，才四十岁的人头发就都花白了。李冲兄弟六人，是四位母亲所生，年少的时候兄弟之间往往互相怨恨、争执。等到李冲做了高官之后，李冲所得的俸禄和赏赐都与几个兄弟一同分享，关系反而变得亲厚和睦起来。然而李冲把自己的很多族人和亲戚拉进官场，凭借私人关系请求授予他们官职和爵位，一家人的俸禄，加起来一年就有一万多匹绢帛，当时的人也因此而贬低他、瞧不起他。

魏孝文帝任命彭城王元勰为主管皇家事务的宗师，下诏令他督查宗室，有不服从管理、教训的都要向皇帝报告。

夏季，四月初三日甲寅，齐明帝将年号建元五年改为永泰元年。

齐国担任大司马的会稽太守王敬则，因为自己曾经是齐高帝、齐武帝的旧时亲信，心里感到很不安。齐明帝虽然在表面上对王敬则很敬重，而内心却对王敬则充满怀疑和戒心，他多次询问王敬则的饮食情况，身体状况如何，适合于做什么事情。当齐明帝听说王敬则已经年老体衰，而且居住在内地的会稽郡，所以心里才稍微感

居内地[506]，故得少宽。前二岁，上遣领军将军萧坦之将斋仗[507]五百人行武进陵[508]，敬则诸子在都，忧怖无计。上知之，遣敬则世子仲雄[509]入东安慰之[510]。

仲雄善琴，上以蔡邕焦尾琴[511]借之[512]。仲雄于御前鼓琴作懊侬歌[513][31]，曰："常叹负情侬，郎今果行许[514]。"又曰："君行不净心，那得恶人题[515]！"上愈猜愧。

上疾屡危，乃以光禄大夫张瓌[516]为平东将军、吴郡太守，置兵佐以密防敬则。中外传言，当有异处分[517]。敬则闻之，窃曰："东今有谁，只是欲平我耳。东亦何易可平？吾终不受金罂[518]！"金罂，谓鸩[519]也。

敬则女为徐州行事谢朓[520]妻，敬则子太子洗马幼隆[521]遣正员将军[522]徐岳以情告朓："为计若同[523]者，当往报敬则。"朓执岳，驰启以闻[524]。敬则城局参军徐庶，家在京口，其子密以报庶，庶以告敬则五官掾[525][32]王公林。公林，敬则族子也，常所委信。公林劝敬则急送启赐儿死[526]，单舟星夜还都。敬则令司马张思祖草启[527]，既而曰："若尔[528]，诸郎在都[529]，要应有信[530]，且忍一夕。"

其夜，呼僚佐文武樗蒲[531]，谓众曰："卿诸人欲令我作何计？"莫敢先答。防阁[532]丁兴怀曰："官祇应作尔[533]！"敬则不应。明旦，召山阴令[534]王询、台传御史[535]钟离祖愿[536]，敬则横刀跂坐[537]，问询等："发丁[538]可得几人？库见有几钱物[539]？"询称"县丁猝不可集[540]"；祖愿称"库物多未输入[541]"。敬则怒，将出斩之，王公林又谏曰："凡事皆可悔，唯此事不可悔。官讵不更思[542]？"敬则唾其面曰："我作事，何关汝小子[543]！"丁卯[544][33]，敬则举兵反，招集、配衣[545]，二三日便发。

前中书令何胤[546]弃官隐居若邪山[547]，敬则欲劫以为尚书令。长史王

到放心一些。前两年，齐明帝派担任领军将军的萧坦之率领五百名宫廷卫队前往武进县巡视齐高帝、齐武帝的陵园，王敬则的几个儿子都在首都建康，怀疑这些卫队是去逮捕自己的父亲，因此都感到非常忧虑恐惧，却又无计可施。齐明帝知道这个情况以后，便派王敬则的嫡长子王仲雄到东方的会稽郡去安慰他的父亲。

王仲雄善于弹琴，齐明帝便把蔡邕的焦尾琴给王仲雄使用，让他弹奏。王仲雄在齐明帝面前弹奏着焦尾琴演唱自己依据《懊侬歌》的曲调所填写的歌曲，歌词是："我一向担心你背叛我，今天你果然这样做了。"接着又唱："你自己的内心不好，你怎么能责怪别人说你呢！"齐明帝对自己的猜忌感到更加愧疚。

齐明帝屡次病危，于是就任命担任光禄大夫的张瓌为平东将军、吴郡太守，并给张瓌配备了亲兵僚佐，让他暗中防备王敬则。当时朝廷内外都在传说，朝廷会有大变动。王敬则听说之后，便私下说："建康的东部如今还有谁，只是想平定我罢了。东部又怎么容易平定呢？我绝对不会接受皇帝赏赐令我自杀的金罂！"金罂，是指所盛毒酒的金坛子。

王敬则的女儿是代理南徐州刺史谢朓的妻子，王敬则的儿子担任太子洗马的王幼隆派遣官至正员将军的徐岳把朝中的情况以及自己准备造反的计划告诉了谢朓，并说："如果你同意我的计划，就应当去告诉我的父亲王敬则。"谢朓却把报信人徐岳抓起来，派人骑上快马携带着自己的奏章报告给齐明帝。在王敬则属下担任城局参军的徐庶，家在京口，徐庶的儿子把情况秘密地报告了徐庶，徐庶又告诉了王敬则的属官担任五官掾的王公林。王公林，是王敬则的同族侄子，一向受到王敬则的委托和信任。王公林遂劝说王敬则赶紧写奏章给齐明帝，请求处死那个图谋作乱的儿子王幼隆，然后单人乘坐小舟连夜赶回首都建康向皇帝请罪。王敬则让属下担任司马的张思祖起草给皇帝的奏章，一会儿又说："如果事情果真如此，我那些在都城的儿子，肯定也会有消息传来，暂且忍耐一晚再说吧。"

当天夜里，王敬则招呼属下的文武僚佐一起玩棋赌博，他向众人询问说："你们想让我怎么办？"没有人敢先回答他的问题。担任防阁的丁兴怀说："大人现在也只有造反一条路可走了！"王敬则沉默没有应声。第二天一早，王敬则把担任山阴县令的王询、担任台传御史的钟离祖愿招来，王敬则把刀横在膝上垂足而坐，他向王询等人发问说："如果征调郡里的所有成年男子，能得到多少人？仓库里现在还有多少钱粮？"王询回答说"县里的成年男子在短时间内无法全部征调"；钟离祖愿回答说"应该入库的钱粮还有好多没有收缴上来"。王敬则勃然大怒，就要把他们推出去斩首，王公林又劝谏说："所有的事情都可以反悔，只有造反这件事情不可以反悔。大人何不另行考虑别的出路？"王敬则把唾液唾到他的脸上，说："我做事情，关你小子什么事！"四月十六日丁卯，王敬则起兵造反，他征集士兵、发放军服，二三天之后就准备发兵。

以前曾经担任过中书令的何胤抛弃官职隐居在若邪山，王敬则想要劫持他担任

弄璋等谏曰："何令高蹈[548]，必不从；不从，便应杀之。举大事先杀名贤，事必不济[549]。"敬则乃止。胤，尚之[550]之孙也。

庚午[551]，魏发州郡兵二十万人，期[552]八月中旬集悬瓠。

魏赵郡灵王幹[553]卒。

上闻王敬则反，收王幼隆及其兄员外郎世雄[554]、记室参军季哲[555]、其弟太子舍人少安[556]等，皆杀之。长子黄门郎元迁[557]将千人在徐州击魏，敕徐州刺史[558]徐玄庆杀之。前吴郡太守南康侯子恪[559]，嶷[560]之子也，敬则起兵，以奉子恪[561]为名，子恪亡走，未知所在。始安王遥光劝上尽诛高、武子孙，于是悉召诸王侯入宫。晋安王宝义[562]、江陵公宝览[563]等处中书省，高、武诸孙处西省[564]，敕人各从左右两人[565]，过此依军法。孩幼者[566]与乳母俱入。其夜，令太医煮椒二斛[567]，都水[568]办棺材数十具，须三更[569]，当尽杀之。子恪徒跣自归[570]，二更达建阳门[571]，刺启[572]。时刻已至[573]，而上眠不起，中书舍人沈徽孚与上所亲左右单景隽共谋少留其事[574]。须臾上觉[575]，景隽启子恪已至。上惊问曰："未邪[576]？未邪？"景隽具以事对[577]。上抚床[578]曰："遥光几误人事[579]！"乃赐王侯供馔[580]。明日，悉遣还第[581]。以子恪为太子中庶子[582]。宝览，缅之子也。

敬则帅实甲[583]万人过浙江[584]。张瓌遣兵三千拒敬则于松江[585]，闻敬则军鼓声，一时散走[586]，瓌弃郡逃民间。敬则以旧将[587]举事，百姓担篙荷锸[588]，随之者十余万众。至晋陵[589]，南沙[590]人范脩化杀县令公上延孙[591]以应之[592]。敬则至武进陵口[593]，恸哭而过。乌程丘仲孚[594]为曲阿令[595]，敬则前锋奄至，仲孚谓吏民曰："贼乘胜虽锐[596]，而乌合易离[597]。今若收船舰[598]，凿长冈埭[599]，泻渎水以阻其路[600]，得留数日[601]，台军[602]必至。

尚书令。担任长史的王弄璋等人劝阻说：“何胤追求隐居的生活，一定不会听从大人的安排；如果他真的不听，就应该把他杀了。举大事先杀有名的贤人，事情一定不会成功。”王敬则这才改变主意不再劫持何胤出来担任尚书令。何胤，是何尚之的孙子。

四月十九日庚午，魏国从各州郡调集了二十万人，约定在八月中旬会师于悬瓠。

魏国的赵郡灵王元幹去世。

齐明帝听到王敬则起兵造反的消息之后，就逮捕了王幼隆和王幼隆的哥哥担任员外郎的王世雄、担任记室参军的王季哲和王幼隆的弟弟担任太子舍人的王少安等，把他们全部杀死。王敬则的长子担任黄门郎的王元迁正率领着一千人在徐州抗击魏军的入侵，齐明帝下令给担任徐州刺史的徐玄庆，让他把王元迁杀掉。以前曾经担任过吴郡太守的南康侯萧子恪，是萧嶷的儿子，王敬则起兵，以拥戴南康侯萧子恪为皇帝作为号召，萧子恪闻讯后立即逃走，没有人知道萧子恪逃到了什么地方。始安王萧遥光劝说齐明帝把齐高帝、齐武帝的子孙全部杀光，齐明帝于是把诸王侯全部召入宫中。齐明帝的儿子晋安王萧宝义、侄子江陵公萧宝览等被安置在中书省，齐高帝、齐武帝的子孙都被安置在门下省，齐明帝下令，齐高帝、齐武帝的子孙每人可以带两个侍从，超过两人的，按照军法进行处置。年纪幼小还只是个孩子的可以和乳母一同入宫。当天夜里，齐明帝命令太医熬了二斛花椒水，令担任都水的官员负责打造了几十口棺材，等到三更天，就要把他们全部杀死。南康侯萧子恪光着双脚逃回，二更时分到达建阳门，他把写有自己名字的求见报告呈递给齐明帝。约定毒死高帝、武帝子孙的三更时刻已到，而齐明帝却沉睡不起，担任中书舍人的沈徽孚与齐明帝所亲信的侍从单景隽一同商议后决定再稍微等一等。不一会儿齐明帝睡醒了，单景隽遂向齐明帝启奏说萧子恪已经到了建阳门。齐明帝吃惊地问：“已经动手了没有？已经动手了没有？”单景隽如实地回答了齐明帝的提问。齐明帝拍着床榻说：“萧遥光差一点坏了我的大事！”于是就把饭食、肴馔赏赐给各位王侯食用。第二天，把他们全部打发回自己的府第。齐明帝任命萧子恪为太子中庶子。萧宝览，是萧缅的儿子。

王敬则率领着一万名装备精良的士兵渡过钱塘江。平东将军、吴郡太守张瓌派遣三千士兵在松江抵抗王敬则的叛军，张瓌派出的这三千人听到王敬则军中的鼓声，顷刻之间就一哄而散了，张瓌抛弃郡城，逃往民间。王敬则以齐高帝、齐武帝时期老将的名义起兵，百姓们扛着竹篙、铁锹，跟随王敬则造反的有十多万人。王敬则到达晋陵郡的时候，南沙县人范脩化杀死了南沙县县令公上延孙以响应王敬则。王敬则到达武进县齐高帝、齐武帝陵园入口处时，面对着高帝、武帝的陵墓痛哭而过。乌程县人丘仲孚正在担任曲阿县令，王敬则的前锋部队突然来到曲阿县，丘仲孚对曲阿县的官吏和百姓们说：“叛贼乘胜而来，虽然来势凶猛，然而不过是一群乌合之众一哄而起，很容易离散。现在如果我们把所有的船只都收藏起来，掘开长冈埭的堤坝，把运河的水放干，使他们的船只无法前行。只要把叛军拖住几天，朝廷的军

如此，则大事济矣。”敬则军至，值渎涸[603]，果顿兵不得进。

五月壬午[604][34]，诏前军司马[605]左兴盛、后军将军崔恭祖、辅国将军刘山阳，龙骧将军、马军主胡松筑垒[606]于曲阿长冈；右仆射沈文季[607]为持节、都督，屯湖头[608]，备京口路。恭祖，慧景之族也。敬则急攻兴盛、山阳二垒，台军不能敌，欲退，而围不开，各死战。胡松引骑兵突其后[609]，白丁无器仗[610]，皆惊散。敬则军大败，索马再上，不能得，崔恭祖刺之仆地，兴盛军容[611][35]袁文旷斩之。乙酉[612]，传首建康。

是时上疾已笃[613]，敬则仓猝东起，朝廷震惧。太子宝卷使人上屋，望见征虏亭[614]失火，谓敬则至，急装[615]欲走。敬则闻之，喜曰：“檀公[616]三十六策，走为上策[617]，计汝父子唯有走耳！”盖时人讥檀道济避魏之语[618]也。敬则之来，声势甚盛，裁少日[619]而败。

台军讨贼党[620]，晋陵民以附敬则，应死者甚众。太守王瞻[621]上言：“愚民易动，不足穷法[622]。”上许之，所全活以万数。瞻，弘之从孙[623]也。

上赏谢朓之功，迁尚书吏部郎[624]。朓上表三让，上不许。中书[625]疑朓官未及让[626]，国子祭酒沈约[627]曰：“近世小官不让，遂成恒俗[628]。谢吏部今授超阶[629]，让别有意[630]。夫让出人情[631]，岂关官之大小邪！”朓妻常怀刃欲杀朓，朓不敢相见。

秋，七月，魏彭城王勰表以一岁国秩[632]、职俸[633]、亲恤[634]裨军国之用[635]。魏主诏曰：“割身存国[636]，理为远矣。职俸便停，亲、国听三分受一。”壬午[637]，又诏损皇后私府[638]之半，六宫嫔御[639]、五服男女[640]供恤亦

队一定会来到这里。如果这样，那么大事就成功了。”王敬则的军队到了曲阿县以后，正赶上运河的水已经被放干了，王敬则的叛军果然停了下来，无法继续前进。

五月初二日壬午，齐明帝下诏给担任前军司马的左兴盛、担任后军将军的崔恭祖、担任辅国将军的刘山阳、担任龙骧将军、马军头领的胡松，令他们在曲阿县的长冈地区修筑防御工事以阻击王敬则的叛军；任命担任尚书右仆射的沈文季为持节、都督，率军屯驻在玄武湖边，防备从京口方向来的叛军。崔恭祖，是崔慧景的族人。王敬则指挥手下的叛军猛攻左兴盛、刘山阳防守的两个堡垒，朝廷军抵挡不住叛军的猛攻，就想退却，然而却冲不破叛军的包围圈，只好各自拼力死战。胡松率领骑兵从王敬则军队的背后发起攻击，跟随王敬则造反的百姓手中没有武器，于是全部惊慌逃散。王敬则的军队立即全线大败，王敬则寻找马匹准备亲自上阵，竟然没有战马可供骑乘，后军将军崔恭祖把王敬则刺倒在地，左兴盛手下的武士袁文旷上前斩下了王敬则的人头。初五日乙酉，王敬则的人头便被送到了京师建康。

此时齐明帝的病情已经很严重，王敬则在建康东边突然起兵造反，使朝廷感到非常震动恐惧。皇太子萧宝卷派人登上屋顶远望敌情，恰巧看见都城正南方的征虏亭失火，就误认为是王敬则的叛军到了，萧宝卷赶紧换上士兵的衣服准备逃走。王敬则得知这个消息以后，高兴地说：“檀道济的三十六计，走为上计，我估计萧鸾父子也只有逃走这一条路可走了！”这句话是当时的人讥讽檀道济畏惧魏军而逃跑还振振有词的话。王敬则刚刚起兵杀向建康的时候，声势十分盛大，然而没有几天就败亡了。

朝廷军清查王敬则的余党，晋陵郡的百姓因为依附王敬则造反，应被判处死刑的人很多。担任晋陵太守的王瞻上书给朝廷说：“愚民百姓很容易被鼓动起来，没有必要对他们追查到底。”齐明帝同意了王瞻的意见，王瞻的奏章保全了晋陵郡数以万计人的性命。王瞻，是王弘之的堂孙子。

齐明帝为赏赐谢朓告密的功劳，提升谢朓为尚书吏部郎。谢朓三次上表推辞，齐明帝都没有同意。中书省的官员怀疑谢朓的级别低，还不够谦让的资格，担任国子祭酒的沈约说：“近代以来小官不谦让，已经成了常例。吏部郎谢朓如今被破格提升，他的谦让实际上是有别的原因。谦让是出于一种真正的情感，这与官职大小有什么关系呢！”谢朓的妻子经常怀揣利刃准备刺杀谢朓，谢朓因此不敢和他的妻子见面。

秋季，七月，魏国的彭城王元勰上表给孝文帝，请求允许自己把一年之内国家所给的郡王俸禄、所居官职的俸禄以及朝廷对皇室家族所颁发的特殊优待费全部捐献出来以补贴国家军务和政务的开支。魏孝文帝下诏答复说：“拿出自己家中的财物以解国家之急，这个意义是非常远大的。元勰一年官职的俸禄便停发，而皇族的特殊优待费、郡王的俸禄允许留下三分之一。”初三日壬午，魏孝文帝又下诏，将皇后的私房钱减少一半，后宫中皇帝的嫔妃侍妾、宫女以及皇族中五服以内的男女近亲

减半，在军者[641]三分省一，以给军赏。

癸卯[642]，以太子中庶子萧衍为雍州刺史。

己酉[643]，上殂于正福殿。遗诏："徐令[644]可重申前命[645]。沈文季可左仆射，江祏可右仆射，江祀可侍中，刘暄可卫尉。军政可[36]委陈太尉[646]。内外众事，无大小委徐孝嗣、遥光、坦之、江祏，其大事与沈文季、江祀、刘暄参怀[647]。心膂之任[648]可委刘悛[649]、萧惠休[650]、崔慧景。"

上性猜多虑，简于出入[651]，竟不郊天[652]。又深信巫觋[653]，每出先占利害，东出云西，南出云北。初有疾，甚秘之，听览不辍[654]。久之，敕台省文簿[655]中求白鱼[656]以为药，外始知之。太子即位。

八月辛亥[657]，魏太子自洛阳朝于悬瓠[658]。

壬子[659]，奉朝请邓学以齐兴郡[660]降魏。

魏主之入寇也，遣使发高车[661]兵。高车惮远役，奉袁纥树者为主[662]，相帅北叛。魏主遣征北将军宇文福讨之，大败而还，福坐黜官。更命平北将军江阳王继[663]都督北讨诸军事以讨之，自怀朔[664]以东悉禀节度[665]，仍摄镇平城[666]。继，熙[667]之曾孙也。

八月，葬明皇帝于兴安陵[668]，庙号高宗。东昏侯[669]恶灵在太极殿[670]，欲速葬，徐孝嗣固争，得逾月[671]。帝每当哭，辄云喉痛。太中大夫羊阐入临[672]，无发[673]，号恸俯仰，帻遂脱地[674]，帝辍哭大笑，谓左右曰："秃鹫啼来乎[675]？"

九月己亥[676]，魏主闻高宗殂，下诏称"礼不伐丧[677]"，引兵还。庚子[678]，诏北伐高车。

的特殊优待费也减少一半，在军中服务的五服以内近亲的优待费减少三分之一，把这些节省下来的费用赏赐给作战有功人员。

二十四日癸卯，齐明帝命担任太子中庶子的萧衍为雍州刺史。

三十日己酉，齐明帝在正福殿病逝。他留给太子的遗诏说："尚书令徐孝嗣可以按照上次的任命办，这里不再重复。沈文季可以任命为尚书左仆射，江祏可以任命为尚书右仆射，江祀可以任命为侍中，刘暄可以任命为卫尉。军队的事务可以委托给太尉陈显达。朝廷内外的各种事务不论大小，全部委托给尚书令徐孝嗣、始安王萧遥光、领军将军萧坦之、尚书右仆射江祏负责，其中重大事情则由沈文季、江祀、刘暄一同参谋商定。重要的军事问题可以委托给刘悛、左卫将军萧惠休、度支尚书崔慧景负责。"

齐明帝生性喜好猜疑，顾虑很多，很少出门，自从做了皇帝，竟然连到南郊祭天的典礼也不参加。他又深信那些巫婆神汉的胡说八道，每次出门都要预先让他们占卜吉凶，本来是要到东边去，却偏偏说是准备到西边去，本来要到南边去，却偏偏说是准备到北边去。刚生病的时候，便严格对外保密，每天照常听政、批阅奏章。过了很久，齐明帝才命令尚书省、御史台下达文书让人从文簿、书籍中寻找蠹虫做药材治病，皇宫以外的人才知道齐明帝生了病。皇太子萧宝卷继承了皇位。

八月初二日辛亥，魏太子元恪从洛阳前往悬瓠拜见自己的父亲孝文帝元宏。

初三日壬子，齐国担任奉朝请的邓学把齐兴郡献给魏国，向魏国投降。

魏孝文帝在发兵入侵齐国的时候，曾经派遣使者前去征调高车国出兵协助作战。高车人惧怕到遥远的地方服役，于是就拥戴袁纥树者为首领，袁纥树者率领高车各部落背叛了魏国，向北方逃走。魏孝文帝派遣担任征北将军的宇文福率军追击叛逃的高车人，被高车人打得大败而回，因此宇文福被免去了官职。孝文帝又命令担任平北将军的江阳王元继为都督北讨诸军事，负责讨伐高车人，从怀朔以东的各州郡一律听从江阳王元继的调遣指挥，元继同时还兼管着镇守平城的重任。元继，是元熙的曾孙。

八月，齐国将明皇帝萧鸾安葬在兴安陵，庙号高宗。东昏侯萧宝卷厌恶在太极殿设置灵堂，停放他父亲萧鸾的灵柩，所以就想快点把齐明帝安葬，尚书令徐孝嗣极力谏诤，萧鸾的灵柩才得以停放了一个多月。每当应该萧宝卷哭吊的时候，萧宝卷就说自己的咽喉疼。担任太中大夫的羊阐进入萧鸾的灵堂进行哭吊，羊阐因为谢顶，头上没有头发，他前仰后合地大声痛哭，头巾便掉在了地上，萧宝卷一下子看见了羊阐的秃脑袋，便停住哭声，忍不住大笑起来，他对身边的侍从说："是秃鹫在啼哭吗？"

九月二十一日己亥，魏孝文帝得知了齐高宗去世的消息，下诏说"按照礼的规定，不应该出兵讨伐有丧事的国家"，于是率大军返回。二十二日庚子，魏孝文帝下诏北伐高车。

魏主得疾甚笃，旬日不见侍臣，左右唯彭城王勰等数人而已。勰内侍医药，外总军国之务，远近肃然，人无异议。右军将军丹杨徐謇[679]善医，时在洛阳，急召之。既至，勰涕泣执手谓曰："君能已至尊之疾[680]，当获意外之赏；不然，有不测之诛[681]。非但荣辱，乃系存亡。"勰又密为坛于汝水之滨，依周公故事[682]，告天地及显祖[683]，乞以身代魏主[684]。魏主疾有间[685]，丙午[686]，发悬瓠，舍于汝滨[687]，集百官，坐徐謇于上席[688]，称扬其功，除鸿胪卿[689]，封金乡县伯，赐钱万缗[690]，诸王别饷赉[691]，各不减千匹。冬，十一月辛巳[692]，魏主如邺。

戊子[693]，立妃褚氏[694]为皇后。

魏江阳王继上言："高车顽昧[695]，避役遁逃，若悉追戮，恐遂扰乱。请遣使镇别推检[696]，斩魁首[697]一人，自余[698]加以慰抚。若悔悟从役者，即令赴军。"诏从之，于是叛者往往自归。继先遣人慰谕树者，树者亡入柔然，寻自悔，相帅出降[699]。魏主善之，曰："江阳可大任也。"十二月甲寅[700]，魏主自邺班师[701]。

林邑王诸农[702]入朝[703]，海中值风，溺死，以其子文款为林邑王。

【段旨】

以上为第二段，写齐明帝萧鸾永泰元年（公元四九八年）一年间的大事。主要写了魏主发兵进攻南齐之南阳、义阳两地，以扩展洛阳正南方的疆域，结果魏将李佐先攻克新野，杀齐将刘思忌，黄瑶起被俘，被王肃脔而食之，其他齐将蔡道福、成公期、席谦等相继南逃；魏将又攻克南阳郡，俘获了其太守房伯玉；接着魏军又南破崔慧景于邓县、闹沟，魏军遂围困樊城。写了魏将王肃率众攻齐义

魏孝文帝得了病，而且病情很严重，因此十来天没有召见朝中的大臣，身边只有彭城王元勰等几个人。元勰一面在行宫内侍奉孝文帝请医吃药，一面主管国家的军政、朝政，不论远近都对他肃然起敬，没有人提出异议。被孝文帝封为右军将军的丹杨人徐謇是魏国有名的良医，当时还在洛阳，元勰急忙召徐謇来给孝文帝看病。徐謇来到之后，元勰流着眼泪拉着徐謇的手说："你如果能够治好陛下的病，一定会得到使你意想不到的赏赐；如果你治不好陛下的病，你就会受到想象不到的惩罚。这不只是你个人的荣辱问题，而是关系到国家存亡的大事情。"元勰又秘密地在汝水之滨修建了一座祭坛，像当年周武王生病期间周公所做的那样，每天祷告天地神灵以及孝文帝和显祖拓跋弘，请求让自己代替孝文帝去死。魏孝文帝的病情有些好转，九月二十八日丙午，从悬瓠出发，住宿在汝水之滨，他召集文武百官，让徐謇坐在上座，称赞、表扬他治病的功劳，并提升他为赞导礼仪的鸿胪卿，还封他为金乡县伯爵，赏赐给他一万吊铜钱，其他各亲王对徐謇也都另有馈赠，每位亲王馈赠给他的都不少于一千匹绢帛。冬季，十一月初四日辛巳，魏孝文帝前往邺城。

十一月十一日戊子，齐国的小皇帝萧宝卷立太子妃褚氏为皇后。

魏国江阳王元继上书给孝文帝说："高车人顽固愚昧，为了躲避远征服役而逃遁，如果出兵征讨把他们全部杀戮，恐怕立即会引起骚扰动乱。请求陛下派使者分别到高车人的军镇中进行核查，只把带头叛变的一个斩首就行了，对其他人则用好言抚慰。如果他们已经悔悟愿意服兵役，就让他们从军。"魏孝文帝下诏批准了元继的建议，于是那些叛变而逃亡的高车人陆续自动返回。元继先派人向被高车人拥戴为首领的袁纥树者表示慰问，给他讲明利害关系，袁纥树者虽然逃到了柔然，然而不久就后悔了，于是就率领着高车人离开柔然再次投降了魏国。魏孝文帝认为元继做得很好，就称赞说："江阳王元继可以委以重任。"十二月初七日甲寅，魏孝文帝从邺城班师而归。

林邑国的国王范诸农到齐国朝廷朝拜齐国的皇帝，因为在海上遇到大风浪，被淹死了，齐国遂封范诸农的儿子范文款为林邑王。

阳，齐将裴叔业攻魏涡阳（今安徽蒙城）以分其兵，魏将元羽与傅永等两次率兵救涡阳，均被裴叔业打败；魏主只好命王肃停攻义阳，往救涡阳，齐将裴叔业始南退过淮，回守涡口；后魏主闻萧鸾死，以讲究"礼不伐丧"而下令撤军北还。写了魏国的御史中尉李彪原本是靠着李冲的提拔得受魏主倚任，而地位提高后则渐渐对李冲礼数日减，又变为相对争斗，李冲负气上表弹劾其恶，极尽丑诋，必欲致李彪于死地；魏主对二人深感失望，遂将李彪除名，而李冲则盛怒中风，精

神失常而死。写了齐明帝萧鸾猜疑老将王敬则，王敬则的儿子图谋叛乱，勾结王敬则的女婿谢朓，结果被谢朓告密；王敬则遂在会稽郡以拥立萧子恪为名起兵造反，开始锐气甚盛，一哄而起的百姓多有跟从者，其后被乌程令丘仲孚困之于长冈埭，又被胡松、崔恭祖等破于曲阿长冈，王敬则失败被杀。写了萧鸾接受萧遥光的建议，要全部杀死剩余的高、武诸孙，结果因萧子恪不从王敬则而走归京城，致使萧鸾改变了杀人之心，遂将剩余的高、武诸孙放回。写了齐明帝萧鸾死，临终托后于徐孝嗣、萧遥光、萧坦之、江祏等人，太子萧宝卷即位。而写史者迅即又将脏水泼向小皇帝，累叙了小皇帝的种种恶习，开始为日后篡杀萧宝卷做铺垫。此外还写了内附的高车族因心惮远役而发生叛乱，魏将宇文福往讨，大败；魏主又派江阳王元继督诸镇之军往讨，而元继则建议朝廷派使到高车居住的各镇查清事实，诛其首恶，余皆赦之；魏主从其议，高车人之叛乱遂告平息等。

【注释】

㉟⑦正月癸未朔：正月初一是癸未日。㉟⑧丁亥：正月初五。㉟⑨沔北：此指雍州汉水以北与魏接壤之地，在今河南新野、南阳一带。㊱⓪戊子：正月初六。㊱①湖阳：南齐的军事据点名，在今河南新野东南。㊱②辛卯：正月初九。㊱③壬辰：正月初十。㊱④南乡：齐郡名，郡治在今河南新野西北。㊱⑤南遁：向南方逃跑。㊱⑥脔而食之：王肃将黄瑶起剁成小块，一块块地吃掉。黄瑶起曾是王肃之父王奂的部下，王奂在齐武帝萧赜时任雍州刺史，齐武帝欲杀王奂，黄瑶起遂从中起，帮着萧赜杀了王奂。事见本书卷一百三十八与《南齐书》卷四十九。㊱⑦乙巳：正月二十三。㊱⑧近亲寡弱：指儿子年幼，侄子萧遥光、萧遥欣等人少势弱。㊱⑨高、武子孙：高祖萧道成与武帝萧赜的儿子们，按辈分都是萧鸾的堂兄弟与叔伯侄子。㊲⓪朔望：初一与十五。朔，每个月的初一。望，每个月的十五。都是群臣、亲属朝拜皇帝、向皇帝请安的日子。㊲①司徒：指萧鸾的亲兄弟萧缅，已早死，建武元年（公元四九三年）追赠为司徒。㊲②不长：年纪幼小。㊲③微言：含蓄的语言，此处指秘密商议。㊲④当以次施行：应当按次序把他们全部杀掉。㊲⑤乘舆：乘车，或是乘软轿。软轿也称肩舆。㊲⑥望贤门：自华林园通向皇宫的门。㊲⑦疾暴甚：病突然厉害起来。㊲⑧丁未：正月二十五。㊲⑨河东王铉：萧铉，高祖萧道成的第十九子，被封为河东郡王。传见《南齐书》卷三十五。被杀时年十九。㊳⓪临贺王子岳句：临贺郡王萧子岳、西阳郡王萧子文、永阳郡王萧子峻、南康郡王萧子琳、衡阳郡王萧子珉、湘东郡王萧子建、南郡王萧子夏，都是世祖萧赜的儿子。各传皆见于《南齐书》卷四十。以上七人最大的年十四，最小的只七岁。㊳①桂阳王昭粲、巴陵王昭秀：桂阳郡王萧昭粲、巴陵郡王萧昭秀，都是文惠太子萧长懋之子。传见《南齐书》卷五十。以上萧昭秀被杀时年十六，萧昭粲被杀时年八岁。㊳②世宗：即未即位而死的文惠太子萧长懋，其子郁林王在位时被追尊为世宗。㊳③再奏二句：胡三省曰，"'难将一人手，掩尽天下目'，齐明帝之诏类如

此”。㊳㊹济阳江泌：江泌是济阳郡人，为南康郡王萧子琳的侍读。传见《南齐书·孝义传》。济阳郡的郡治在今河南兰考东北。㊳㊺庚戌：正月二十八。㊳㊻二月癸丑：二月初一。㊳㊼甲子：二月十二。㊳㊽从父：伯父、叔父的统称。㊳㊾中统军：皇帝禁卫军的统领官。㊴⓪庚午：二月十八。㊴①辛巳：二月二十九。㊴②三月壬午朔：三月初一是壬午日。㊴③五郡：指南阳郡、新野郡、南乡郡、北襄城与西汝南郡（二郡设一太守）、北义阳郡。㊴④进行：犹今所谓“前进”。㊴⑤奄至：突然而至。奄，出其不意。㊴⑥蓐食轻行：早早吃饭，轻装而行。蓐食，在寝席上进食，以言赶早行路，匆匆进食。蓐，草席。㊴⑦转至：反而来得更多了。㊴⑧于南门拔军去：只带着他的那股军队从南门偷偷逃去。据《南齐书·崔慧景传》，当时慧景守南门，萧衍守北门。㊴⑨部曲：泛指部下。将军下统若干部，部的长官曰校尉；部下有曲，曲的长官曰军候。南北朝时期也称私家武装曰部曲。㊵⓪却行：后退。㊵①闹沟：水道名，在沙堨附近，南流入汉水。沙堨，意即枯河，在今河南新野东北，沙堨有水时即流入闹沟。㊵②相蹈藉：互相推挤、践踏。㊵③袄仗：服装、兵器。㊵④乘之：踩着渡过水沟。㊵⑤晡时至沔：下午四点前后追到汉水。晡时，下午的三时至五时。此所谓“沔”实即当时的樊城、襄阳，二城即夹汉水相对。㊵⑥据城：凭借樊城。㊵⑦庚寅：三月初九。㊵⑧羽仪华盖：用羽毛做装饰的旌旗幡伞之类的各种仪仗，是古时帝王或贵官出行时用以显示威风的东西。㊵⑨湖阳：齐县名，治所在今河南唐河县南。㊶⓪辛亥：三月三十。㊶①悬瓠：古军事重镇名，当时也称上蔡，魏国的豫州州治所在地，即今河南汝南县。㊶②义阳：齐国北部边界上的军事重镇名，齐国司州的州治所在地，即今河南信阳。㊶③涡阳：魏国南部边境上的军事重镇名，当时也叫马头镇，魏国南兖州的州治所在地，即今安徽蒙城，在今安徽涡阳的东南方。㊶④济北孟表：济北郡人孟表，先曾在南齐任马头郡太守，后以郡降魏，被任为南兖州刺史，仍兼马头太守，守涡阳。传见《魏书》卷六十一。㊶⑤龙亢：魏县名，在涡阳东南。㊶⑥广陵王羽：元羽，孝文帝之弟，被封为广陵郡王。传见《魏书》卷二十一上。㊶⑦刘藻：魏国的才学之臣，为将为吏皆有政绩。传见《魏书》卷七十。㊶⑧高聪：魏国的文学之臣，曾出使南齐，此时为假辅国将军。传见《魏书》卷六十八。㊶⑨徙平州：发配到平州为民。魏国平州的州治在今河北卢龙北。㊷⓪黜王肃为平南将军：由镇南将军降为平南将军。镇南将军为二品下，平南将军为从二品上。㊷①报：答复。㊷②禁旅：禁军；皇帝的警卫部队。㊷③杨大眼、奚康生：都是魏国的名将。杨大眼是氐王杨难当之孙；奚康生于上次魏主南伐中因解魏主之急被授为直阁将军。传见《魏书》卷七十三。㊷④涡口：涡水入淮河之口，在今安徽怀远。其南岸即当时南齐的马头郡，其东侧不远即今之蚌埠。㊷⑤家世孤微：指出身于寒门，而不是出身于豪门世族。㊷⑥清渊文穆公李冲：魏国的权臣李冲被封为清渊郡公，死后谥曰文穆。清渊郡的郡治在今河北馆陶东北。㊷⑦倾心附之：尽心投靠于其门下。㊷⑧延誉于朝：在朝廷上提高他的声誉。延，引、为之提高。㊷⑨公私汲引：在处理公务或与人私下交往时，都不断地推荐与提携李彪。汲引，引进、提拔。㊸⓪汲黯：汉武帝时代的直臣，以面折廷诤闻名。传见《史记》卷一百二十、《汉书》卷五十。㊶结知人主：交结帝王；被帝王所赏识。㊷不复藉冲：不再靠着李冲。藉，凭借、倚靠。㊸公坐：当众；公开场合。㊹敛袂：整理衣袖，意即拱手。㊺宗敬：像对待主子一样敬重。㊻浸衔之：渐渐地怀恨在心。㊼留务：留守洛阳的事务。㊽刚豪：刚正、强硬。㊾意议多所乖异：主张、看法、意见往往不同。㊿法官：指任御史中尉，位在三品上。441莫能纠劾：不能检举弹劾。442专恣：专断、任意。443过恶：过失、短处。444禁彪于尚书省：软禁在尚书省内。445违傲高亢：邪恶高傲。违，邪恶。高亢，刚硬无礼。446僭逸：行动越分、放纵。僭，越分。447坐舆禁省：坐着车子出入宫门。古时出入宫门不下车为"不敬"。448官材：公家的器材。449辄驾乘黄：有时还用皇帝的御马给自己拉车。辄，往往、有时。乘黄，御马。胡三省引杜佑曰："汉有未央厩令，魏改称乘黄厩。乘黄，古之神马，因以为名。"450无所惮慑：无所畏惧、收敛。451尚书：此指各部尚书，犹如今之国务院各部长。当时李冲为尚书仆射，是尚书省的副长官，主持留守事宜。452尚书都座：尚书省的议事堂。都，集、聚。胡三省曰："尚书都座，录、令、仆射、尚书圆坐处。"453见事：现有的罪行。见，通"现"。454付廷尉：交由司法部门。廷尉，全国最高的司法长官，古代为九卿或六部之一。455垂：将近。456拔萃公清：才能出众、公正清廉。457酷急：残虐、急躁。458益多损少：总的看来还是好事做得多、坏事做得少。459兼尚书：以中尉兼度支尚书。460尊身忽物：唯我独尊，藐视他人。身，自己。物，他人。461振古：自古以来所未有的。462校其行：检点一下他的实际行为。463佞暴：口头上伶牙俐齿，行动上残暴无比。464任城：任城王元澄，时为负责留守事务的总管。465顺弟：恭顺的小弟。466无不屈从：我们都只好违心地顺着他。467悉有成验：都有确凿的证据可查。468殛彪于北荒：把李彪放逐到北荒之边地。殛，诛、放逐。《诗经·节南山》有所谓"取彼谮人，投畀有北。"毛注曰："北方寒凉而不毛。"469四裔：四方边远的地方。裔，边荒。《左传》文公十八年有所谓"投诸四裔，以御螭魅"。470青蝇之谮：以喻奸佞之人所说的坏话。语见《诗经·青蝇》："营营青蝇，止于棘，谗人罔极，交乱四国。"把青蝇比作进谗言的佞人。471手自：亲手；亲自。472道固可谓溢矣：这李彪可算是自满得没有边啦。李彪，字道固。473仆射亦为满也：这李冲也自满得真是够呛。李冲当时以镇南将军兼尚书左仆射。474黄门侍郎宋弁：宋弁是魏国的儒学之臣，时为黄门侍郎。皇帝的侍从官员，为皇帝掌管机密文件。传见《魏书》卷六十三。475同州：二人同是相州人。相州的州治邺城，在今河北临漳西南。476阴左右之：暗中帮助他。477大辟：杀头之罪。478雅：平素；一向。479瞋目：瞪着眼睛。480投折几案：提起身边的家具砸人，摔坏了几案。几案，古人坐卧时可以凭靠的家具。481御史：李彪的下属官员。482泥首面缚：以泥涂面，自缚双手，都是表示认罪、请罪的样子。483詈辱肆口：随口肆意地辱骂。484发病荒悸：一下子得了中风病。荒悸，迷乱、糊涂。485扼腕：这只手抓着另一只手的腕子，古人动怒时经常表现的一种动作。486肝裂：中医有所谓怒气伤肝。487赠：死后追封的职位，表示一种荣誉。㊽强力：勉力；努力。㊾要剧：重要而繁忙的职位。剧，复杂、繁难。㊿文案盈积：桌子上堆满了等候处理、批复的案卷。491视事：处理事务。492职业修举：每一件工作都完成得很好。修举，完备。493忿竞：怨恨、争执。494更成敦睦：反而变得亲厚和睦起来。495援引族姻：把很多的同族、亲戚拉进官场。496私以官爵：凭私情授以官职、爵位。497万匹：万匹绢帛，当时以此计算俸禄。498少：贬低；瞧不起。499宗师：官名，约当于汉代的宗正，主管皇族事务，纠察皇族中的不法者。500不帅教：不服从管理、教训。帅，通"率"，遵循、服从。501四月甲寅：四月初三。502改元：南齐宋明帝萧鸾由建元五年中途改称永泰元年。于是写史者遂将这一年的前几个月也通通改写为永泰元年的某月某日。503王敬则：萧道成与萧赜的忠实亲信，在协助萧道成篡宋建齐与维护萧赜的皇位继承权问题上都极尽其心力。至萧赜一死，王敬则立即又转为萧鸾效力，在拥立萧鸾为帝、帮着萧鸾诛除高、武子孙等问题上大效犬马之力。传见《南齐书》卷二十六。504访问：询问。505体干堪宜：身体状况如何，适合于做什么事情。体干，身躯。506居内地：指在会稽郡（今浙江绍兴）。因会稽远离长江，地处南齐东南部，故称"内地"。507斋仗：皇帝居处周围的卫队。508行武进陵：巡视齐高帝、齐武帝的陵园。行，巡行、巡视。当时萧道成、萧赜的陵墓都在武进县，今江苏丹阳东南。509世子仲雄：王敬则的继承人王仲雄。世子，嫡长子、权位者的法定继承人。510入东安尉之：到会稽去安慰王敬则。入东，到东方，会稽在建康的东南方。安尉，同"安慰"。511蔡邕焦尾琴：古代文物，汉代蔡邕使用过的琴。蔡邕是东汉著名学者。传见《后汉书》卷九十。相传是蔡邕用一段烧剩的桐木做成了一把琴，因琴尾留有烧焦的痕迹，故名"焦尾琴"。512借之：给他使用；让他弹奏。513懊侬歌：乐府中的吴声歌曲名，内容是抒写青年男女之间的恋情。《晋书·礼乐志》有所谓"《懊侬歌》者，隆安初俗间讹谣之曲。歌云：'春草可揽结，女儿可揽撷。'"王仲雄在这里是借《懊侬歌》的曲调自己作词演唱。514常叹负情侬二句：大意说我一向担心你背叛我，今天你果然这样做了。侬，吴语，同"我"。许，如此。515君行不净心二句：大意说你自己的内心不好，你怎么能责怪别人说你呢。恶，讨厌、责怪。题，品评、指说。516张瓌：原为宋臣，在萧道成篡宋过程中成为萧的亲信；到萧鸾谋取帝位时，张瓌又成为萧鸾的亲信。传见《南齐书》卷二十四。517异处分：大变动。518金罂：金制的酒坛子。皇帝令人自杀，常以此盛酒以赐之。519鸩：毒酒。520徐州行事谢朓：徐州行事，试用徐州刺史。行，代理、试用。谢朓，字玄晖，当时的著名文学家，人称"小谢"。传见《南齐书》卷四十七。曾任宣城太守，此时代理南徐州刺史，郡治京口，即今江苏镇江市。521太子洗马幼隆：太子洗马是皇太子的属官，平时掌礼仪文书，出行时在太子的马前开道。洗，同"冼"，意思同"先"。王幼隆，王敬则的第五子，时任太子洗马之职。522正员将军：胡三省曰，"官至将军而未有军号者为正员将军；次为员外将军"。523为计若同：如果同意我的计划。524驰启以闻：飞快地写信报告了萧鸾。525五官掾：郡太守的属官，无一定职掌，可代行诸曹事。王敬则此时任会稽太守，故属下有此职。㉖送启赐儿死：写信启奏萧鸾，请求萧鸾处死那个图谋作乱的儿子王幼隆。㉗草启：起草给皇帝的上书。启，文体名，意思与“章”“表”大体相同，奏事的类别有些差异。㉘若尔：如果事情真是如此。㉙诸郎在都：其他在京的儿子。㉚要应有信：肯定也应该有讯息来。㉛樗蒲：古代赌输赢的一种棋戏，类似后代的掷骰子。盛行于魏晋南北朝。㉜防阁：负责斋阁周围警卫的武官，类似朝廷的直阁将军。㉝官祇应作尔：大人现在也只能这样做了，即指造反。官，敬称王敬则。当时通常称皇帝才曰“官”。㉞山阴令：山阴县的县令，县治即会稽郡城。㉟台传御史：官名，负责给朝廷运送粮秣的官员。㊱钟离祖愿：姓钟离，名祖愿。㊲横刀跂坐：横刀膝上，垂足而坐。胡三省曰：“跂坐，垂足而坐，跟不及地。”〖按〗解释为“脚不及地”，似乎可疑。脚不及地，究竟坐于何处？这种坐姿舒服吗？疑“跂坐”即斜身而坐。㊳发丁：征调郡里的全部成年男子。㊴见有几钱物：仓库里现有多少钱粮、多少武器。见，通“现”。㊵猝不可集：短时内不可能全部征调。㊶多未输入：大多数还没有收缴上来。㊷讵不更思：何不另考虑别的出路。讵，岂、何。㊸小子：长辈对晚辈的称呼，此处有辱骂意。㊹丁卯：四月十六日。㊺配衣：发放军服。㊻何胤：齐武帝萧赜的信任之臣，被废的郁林王萧昭业的岳父何戢的堂兄弟，当时任中书令。郁林王曾想倚靠何胤诛萧鸾，何胤不从，故使郁林王被杀。传见《南史》卷三十。㊼若邪山：在当时的会稽，今浙江绍兴的东南方。㊽高蹈：追求隐士的行径。㊾不济：不能成功。㊿尚之：何尚之，刘宋时期的无节行官僚，曾历任尚书仆射、尚书令、中书令等要职。历宋文帝、刘劭、孝武帝之漫长时期，虽政权更迭，而能永保其高高在上。传见《宋书》卷六十六。551庚午：四月十九。552期：约定。553赵郡灵王幹：元幹，孝文帝的亲兄弟，被封为赵郡王，灵字是谥。《谥法解》：“乱而不损曰灵。”554世雄：胡三省曰：“此即敬则世子仲雄也。‘仲’‘世’二字必有一误。”555季哲：王敬则之子。556少安：王敬则之子。557长子黄门郎元迁：王元迁，时任黄门郎。〖按〗由其长子元迁任黄门郎，前文曰“世子仲雄”云云，知王敬则乃以其第二子为继承人。558徐州刺史：当时真正的徐州乃在魏人之辖区，南齐的徐州州治钟离，即今安徽凤阳。559南康侯子恪：萧子恪，萧道成之孙，萧嶷之次子，被封为南康县侯。560嶷：萧嶷，萧道成之子，被封为豫章郡王。传见《南齐书》卷二十二。561奉子恪：意即拥立萧子恪为皇帝。562晋安王宝义：萧宝义，萧鸾之子，被封为晋安郡王。563江陵公宝览：萧宝览，萧鸾之弟萧缅的次子。萧缅被封为安陆王。传见《南齐书》卷四十五。564西省：指门下省，侍中诸官的办公之处。胡三省曰：“据《萧子恪传》，西省，永福省也。至唐分三省，以门下省为西省，中书省为东省。”565各从左右两人：每人可带两个侍从。566孩幼者：年纪幼小还仅是孩子的。567煮椒二斛：煮了许多花椒水。花椒水有毒，可以杀人。斛，容量单位，一斛相当十斗。568都水：官名，为宫廷主管造船以及水上运输等事，上属于将作大匠。569须三更：等待三更时分。三更即夜十一时至凌晨一时。570徒跣自归：赤足步行，到朝廷请罪。徒跣，光着双脚走路，这是古人请罪的一种姿态。㉛571建阳门：当时南齐皇宫的大门。572刺启：填写求见报告。上写求见者的姓字、官称，以及欲所陈何事等。573时刻已至：指杀人的三更时分已到。574少留其事：意即“稍等一等”。575须臾上觉：不久萧鸾睡醒了。576未邪：难道还没有动手吗。邪，语气词。577具以事对：把萧子恪不从乱党，自逃入京的事情说了一遍。578抚床：拍着床榻。579几误人事：差点坏了我的事情，指差点冤杀了许多人。580供馔：即指饭食、肴馔。581遣还第：打发他们各自回家。582太子中庶子：主管皇太子宫中的事务，实即太子的侍从官员。583实甲：披甲，指装备精良的士兵。〖按〗“实甲”，疑应作“贯甲”。584浙江：即今之钱塘江。会稽在钱塘江以南。585松江：吴淞江的古称。吴松江上游流经今江苏苏州南，下游即今上海市之苏州河。586一时散走：犹言一哄而散。一时，顷刻。587旧将：老将，高祖、武帝时代的老人。588担篙荷锸：扛着竹篙、扛着铁锹。竹篙，可以撑船。锸，可以挖地。589晋陵：郡名，郡治即今江苏常州。590南沙：县名，县治在今江苏常熟西北。591公上延孙：姓公上，名延孙，时为南沙县令。592应之：响应王敬则。因王敬则也是南沙县人，故南沙县人范脩化杀南沙县令公上延孙以应王敬则。593武进陵口：武进县高祖、武帝陵园的入口。594乌程丘仲孚：乌程县人丘仲孚。乌程县的县治即今浙江湖州。595曲阿令：曲阿县令。曲阿县治即今江苏丹阳。596虽锐：虽然来势凶猛。597乌合易离：一哄而起，容易离散。乌合，像乌鸦一样仓促聚合在一起。598收船舰：把百姓的船只都收藏起来，不为敌兵所用。599凿长冈埭：挖开长冈埭的河堤，把运河里的水放干，使敌兵无法行船。长冈埭是当时曲阿县境内的运河名，西连破冈渎，可以行船进入秦淮河，直达建康城。600以阻其路：使其不能通行。601得留数日：只要能把叛军拖住几天。602台军：官军；朝廷的军队。603渎涸：长冈埭里的水干了。604壬午：五月初二日。605前军司马：前军将军的司马官。因其将军未至，故使其司马左兴盛统兵前来。606筑垒：构筑防御工事。607沈文季：刘宋时代的名将沈庆之之子，入齐后颇受武帝萧赜赏识；萧鸾篡位后，又转为萧鸾效力，此时为尚书右仆射。传见《南齐书》卷四十四。608湖头：玄武湖边。西接玄武湖堤，地势平坦，正对京口大路。609突其后：冲击王敬则军的背后。610白丁无器仗：一哄而起的百姓手中没有武器。器仗，兵器。611军容：武士的名称，以魁梧健壮，能壮军马之容，故设此号。612乙酉：五月初五。613上疾已笃：萧鸾已经病得很厉害。笃，沉重。614征虏亭：相传是东晋末年的征虏将军谢安所建，在当时建康城的正南方，今江苏南京市江宁区东南的方山南面，是王敬则军队进京的必经之路。615急装：身穿军服。胡三省曰：“急装，谓缚裤也。戎装谓之急装。”616檀公：指刘宋时期的名将檀道济。宋文帝元嘉八年（公元四三一年）伐魏时，曾用“唱筹量沙”的故作从容以退魏兵。传见《宋书》卷四十三。617三十六策二句：世人俗语，王敬则将之安在檀道济身上，今人又多传为“三十六计”，其实都是瞎掰。618时人讥檀道济避魏之语：檀道济虚名在外，其实没有打过多少胜仗，在伐魏的过程中，表现尤差，故当时人编了这样的故事加在他的头上，以讽刺他畏魏潜逃还能振振有词。⑲裁少日：只过了几天。裁，通“才”。⑳讨贼党：清查王敬则的党羽。㉑太守王瞻：晋陵郡的太守王瞻。㉒不足穷法：没必要追查到底。不足，不必、不值得。㉓弘之从孙：王弘之的堂孙。王弘之是晋宋间人，官至司徒主簿，宋时未出仕。传见《宋书》卷九十三。从孙，兄弟的孙子。㉔吏部郎：尚书省吏部的主官，即后代的吏部尚书，主管选任官吏，其地位高于其他部。㉕中书：中书省的主官为中书令，主管为皇帝起草文件、诏令。㉖官未及让：吏部郎不够谦让的品级。㉗国子祭酒沈约：国子祭酒，官名，是管理国家太学的主要官员。沈约，当时著名的文人，历仕宋、齐、梁，此时任国子祭酒。著有《宋书》《四声韵谱》等。传见《梁书》卷十三。㉘恒俗：常俗；常例。㉙超阶：破格提拔。阶，官员的品级。谢朓原是一名普通的殿中郎，现在一下子升为吏部郎，故曰超阶。㉚让别有意：他的谦让实际是有别的意思。〖按〗谢朓以告发岳父得官，心中惭愧。㉛出人情：出于一种真正的感情。㉜国秩：国家郡王的俸禄，时元勰为彭城郡王。㉝职俸：所居官职的俸禄，时元勰任中军大将军，使持节、都督南征诸军事。㉞亲恤：朝廷对皇室家族所颁发的特殊优待之资，元勰是孝文帝的亲兄弟。㉟裨军国之用：（把自己以上的三宗钱财捐出来）以补助国家的政务与军务的开支。裨，补、补助。㊱割身存国：拿出自己家的财物以解国家之急。身，自己。㊲壬午：七月初三。㊳损皇后私府：减少皇后的私房钱。㊴六宫嫔御：皇帝的各个嫔妃与侍妾、宫女。㊵五服男女：皇族中五服以内的男女近亲。五服，指区别血缘关系远近的斩衰、齐衰、大功、小功、缌麻五种。㊶在军者：在军中服务的皇帝的五种近亲。㊷癸卯：七月二十四。㊸己酉：七月三十。㊹徐令：指尚书令徐孝嗣。㊺可重申前命：意即按照上次的任命办，这回不再重提。所谓“前命”即建武四年（公元四九七年）所说过的给徐孝嗣加“开府仪同三司”，当时徐孝嗣未接受。㊻陈太尉：即陈显达。㊼参怀：参谋商定。㊽心膂之任：重要的军事问题。㊾刘悛：刘宋后期的名将刘勔之子，入齐后很受萧道成与萧赜的信任，最后又深受萧鸾的宠信，并屡屡联姻皇室。传见《南齐书》卷三十七。㊿萧惠休：宋齐以来的名将萧思话之子，萧惠基之弟。传见《南齐书》卷四十六。(651)简于出入：很少出门。简，少。(652)竟不郊天：连南郊祭天的典礼也不亲临。(653)深信巫觋：深度地痴迷那巫婆神汉之流。旧称女巫师曰觋，男巫师曰巫。(654)听览不辍：意即过问政事不停。听览，听请示、批奏章。(655)敕台省文簿：让政府机关下文书。台省，泛指中央机关，如尚书省、御史台等。(656)白鱼：衣服、书籍中的蠹虫，体小，有银白色的细鳞，形似鱼，故名。胡三省引《本草》曰：“白鱼，味甘平，无毒，主胃气，开胃下食，去水气，令人肥健。”胡氏又曰：“《本草》谓之衣鱼，亦曰白鱼，利小便，疗偏风、口㖞。”(657)八月辛亥：八月初二。(658)朝于悬瓠：到悬瓠朝见魏主。(659)壬子：八月初三。(660)齐兴郡：南齐的郡名，郡治即今湖北十堰市郧阳区，上属于郢州。(661)高车：北方少数民族建立的小国名，也称敕勒，在柔然以北的今俄罗斯境内。这里指内附于北魏的部落，当时居住在今内蒙古中西部。㊷奉袁纥树者为主：拥戴袁纥树者为头领。㊸江阳王继：元继，道武帝拓跋珪的后代，被封为江阳郡王。传见《魏书》卷十六。㊹怀朔：魏国北部边境地区的军镇名，在今内蒙古包头正北的固阳西南侧。㊺悉禀节度：一律听从江阳王元继的调遣。㊻仍摄镇平城：而且兼管镇守平城。摄，兼任。"仍"字的意思同"乃"，与后代当"还"字讲者不同。㊼熙：拓跋熙，道武帝拓跋珪之子。传见《魏书》卷十六。㊽兴安陵：萧鸾预先为自己修造的陵墓，在当时的曲阿县，今江苏丹阳境内。㊾东昏侯：即刚继位的小皇帝萧宝卷。因日后被废为东昏侯，故此提前使用。㊿恶灵在太极殿：厌恶在太极殿设灵堂，停放其父萧鸾的灵柩。写史者立刻又开始向着小皇帝泼脏水了。671得逾月：停放过了一个月。672入临：进灵堂哭吊萧鸾。673无发：羊阐谢顶，没有头发。674帻遂脱地：头巾甩落到了地上。675秃鹫啼来乎：是秃鹫在哭吗。秃鹫，水鸟名，也称鹈鹕，状如鹤而大，头顶无毛，以鱼为食。676九月己亥：九月二十一。677礼不伐丧：《左传》有所谓"晋士匄侵齐，及穀，离丧而还，礼也"之语，见《左传》襄公十九年。《公羊传》曰："还者何？善辞也。何善尔？大其不伐丧也。"678庚子：九月二十二。679徐謇：魏国的良医，被孝文帝封为右将将军。传见《魏书》卷九十一。680已至尊之疾：治好皇帝的病。681不测之诛：想象不到的惩罚，指死刑。诛，讨、惩罚。682依周公故事：学习当年武王有病时周公的做法。据《尚书·金滕》记载，周武王灭商后有病，周公曾祝告祖先太王、王季、文王，祷告愿代替武王病死，使武王病愈管理国家。683显祖：拓跋弘，即孝文帝与彭城王勰的父亲，庙号显祖。684乞以身代魏主：请求鬼神让自己代替魏主死。685疾有闲：病情有些好转。686丙午：九月二十八。687汝滨：汝水之滨，在今河南的南部，其实悬瓠城也就在汝水边上。688坐徐謇于上席：让徐謇坐在上座。坐，使之坐。689除鸿胪卿：任以为鸿胪卿，职务为赞导礼仪。690万缗：铜钱一万吊。缗是穿铜钱的丝绳，古时一千文为一吊，即所谓一缗。691别饷赉：另外各有馈赠。692十一月辛巳：十一月初四。693戊子：十一月十一。694褚氏：褚澄之女。传见《南齐书》卷二十。褚澄是褚渊之弟，褚渊是刘宋时期的无节行官僚，世世与皇室通婚，又身居高位，却积极出卖国家政权与萧道成。传见《南齐书》卷二十三。褚澄既无节行且又贪婪，但在当时却被视为"门第高贵"，人品优雅。695顽昧：顽固、愚蠢。696请遣使镇别推检：词语生涩，大意是，朝廷应该派使者分别到有高车人居住的军镇去对那里的高车人进行勘查。胡三省注此句有所谓"六镇各遣一使，令各推检一镇"云云，似不合情理。697魁首：大头目。698自余：其余的一切人。699相帅出降：又率领众人离柔然而归降魏国。700十二月甲寅：十二月初七。701自邺班师：魏主统率的北讨大军行至邺城而遂返回。702林邑王诸农：林邑国的国王姓范名诸农，是刘宋时代的林邑王范杨迈的后代。林邑国的辖境约当在今越南的南部地区。传见《南齐书》卷五十八。703入朝：到建康城朝拜南齐皇帝。

【校记】

［23］等：据章钰校，十二行本、乙十一行本皆无此字。［24］南阳：原作“寿阳”。胡三省注云：“是时魏不攻寿阳。疑‘寿’字误。”张瑛《通鉴校勘记》作“南阳”，当是，今据以校正。［25］陷：据章钰校，十二行本、乙十一行本、孔天胤本皆无此字。［26］山阳：据章钰校，乙十一行本作“岳阳”。［27］高聪：据章钰校，十二行本、乙十一行本、孔天胤本“聪”下皆有“等”字。［28］军：据章钰校，十二行本、乙十一行本、孔天胤本皆作“兵”。［29］为：原无此字。据章钰校，十二行本、乙十一行本、孔天胤本皆有此字，张敦仁《通鉴刊本识误》同，今据补。［30］每：据章钰校，十二行本、乙十一行本、孔天胤本皆作“颇”。［31］懊侬歌：据章钰校，孔天胤本作“懊侬歌”。［32］五官掾：据章钰校，十二行本、乙十一行本、孔天胤本皆无“掾”字，熊罗宿《胡刻资治通鉴校字记》同。［33］丁卯：原无此二字。据章钰校，十二行本、乙十一行本、孔天胤本皆有此二字，今据补。〖按〗据《南齐书·明帝纪》，王敬则正于丁卯日反。［34］壬午：原无此二字。据章钰校，十二行本、乙十一行本、孔天胤本皆有此二字，张敦仁《通鉴刊本识误》、张瑛《通鉴校勘记》同，今据补。〖按〗《南齐书·明帝纪》亦记刘山阳东讨在壬午日。［35］军容：原作“军客”。胡三省注云：“‘军客’，《齐书·王敬则传》作‘军容’。《南史》有军容、马容。”当是，今据改。［36］可：据章钰校，十二行本、乙十一行本皆作“事”，孔天胤本“可”上有“事”字。

【研析】

本卷写齐明帝萧鸾建武四年（公元四九七年）与永泰元年（公元四九八年）共两年间南齐与北魏两国的大事。主要写了魏主孝文帝进攻南齐之南阳郡与义阳郡两路，以扩展其都城洛阳正南方的疆域；在南阳一路进展顺利，先后攻克了新野、南阳二郡，并乘胜南进，大破齐将崔慧景等于邓城，并进而围困了樊城；而进攻义阳的一路没有进展，齐将裴叔业攻击东方的涡阳以分其势，连破魏国的两路援救之兵，迫使魏主不得不放弃了攻取义阳的计划；在南齐方面主要写了齐明帝萧鸾继除掉其党羽萧谌之后，又除掉了大权幸王晏，接着又有老将王敬则的起兵造反，扰得患病深重的萧鸾至死也难以获得安宁，以及萧鸾临死前的一些委托后事、小皇帝萧宝卷随之即位；等等。其中可议论的有如下几点。

第一，本书上卷萧鸾建武二年、三年，已经写了魏主为讨伐萧鸾篡杀其君而兴起的南伐之师，上次的南伐声势浩大，西起仇池、武都一带的今之川、陕、甘一带，东至钟离、马头、寿春，今之苏北、皖北的淮河一线；以及在这之间的南阳、赭阳、义阳，今河南南部一线。各路都打得相当激烈，双方的杰出将领都打出过一些令人欢欣鼓舞的精彩好仗。但纵观全局，仍是双方互有胜负，谁也不可能消灭谁，这是被双方的主客观条件决定了的。上次南伐刚刚过去，魏主便又发动了本卷所写的这次主要针对南阳、义阳两路的重点进攻，结果除了在南阳、新野取得一些地盘外，其他仍是没有多大进展。孝文帝原是一位英明皇帝，他何必如此劳民伤财地连年发动战争呢？其主要原因还是想以战争来消弭国人对迁都洛阳的非议。非议以穆泰、陆叡为首，其中还牵连到东阳王元丕，以及皇太子元恂。元恂想在雁门岭北另建割据政权，以与洛阳的朝廷相对立。最后使魏主不得不把皇太子与穆泰、陆叡两位元勋重臣分别处死，这对孝文帝的精神打击实在太大了。另一方面，魏国的疆域相当辽阔，但洛阳都城距离南齐的前线又实在是太近了。当时南齐占据的南阳郡离洛阳只有三百五十多华里，义阳（今河南信阳）离洛阳也就是大约六百华里，因此孝文帝急于将其夺过来的迫切心情是可以理解的。南阳终于被魏国所得，完成了孝文帝的心愿；而义阳则终孝文帝之世也未能攻下，这应该是孝文帝死不瞑目的原因。

第二，齐高帝萧道成作为一个弑君篡位的统治者，是属于最卑鄙、最不得人心的那一种。他没法与曹操、刘裕相比，因为曹操、刘裕为国为民都立下了众多的功勋，天下是他们自己打下来的。自己打下了天下自己做皇帝，别人能有什么意见呢？萧道成就不同了，他为国为民没有做过任何好事，只是靠着上辈皇帝赋予他的巨大权力，等老皇帝一死，他就轻而易举地先是把小皇帝诬蔑一番，说他如何如何不好，而后便挥动屠刀把小皇帝连同他的叔叔、伯伯、兄弟、子侄杀得一干二净，于是自己做了皇帝，萧道成就是这样灭了刘宋、建立起南齐的。萧鸾比起萧道成，似乎还要简便，还要等而下之。萧鸾是萧道成的亲侄子，是齐武帝萧赜的堂兄弟。其伯父、其堂兄都对萧鸾宠信有加，临死把小儿子、把江山社稷都托付给他；那些活着的堂兄弟也都对他格外推戴，把自己的许多实权统统让给了他。朝廷上的异姓大臣如王晏、徐孝嗣、陈显达、王敬则等也随风转舵。于是萧鸾不费吹灰之力，一下子就把皇帝的位子夺过来了。接着，又按着历代篡位者的老办法指挥写史者狠狠地辱骂小皇帝，把一切难听难堪的词语都加到被杀的小皇帝头上。萧鸾似乎比其他一切篡位者都更加狠毒，他把他伯父萧道成的儿子，也就是他的所有堂兄弟，与他堂兄萧赜的所有儿子，也就是萧鸾的所有堂侄，通通杀光了。其中有相当一部分是在十五岁以下，最小的只有七岁。

由于萧鸾本人如此，故而他手下的亲信们也就一律没有任何道德信义可言。萧谌原是帮着萧鸾杀害小皇帝郁林王的急先锋，事后就因为萧鸾没有实现诺言让他当扬州刺史，故而对萧鸾不满，后悔自己当时没有做皇帝，而是把抢到手的东西给了别人，于是被萧鸾满门抄斩；萧鸾接着又猜疑王晏，灭了王晏；接着又猜疑王敬则，致使王敬则起兵造反，最后被朝廷军打败杀死。萧鸾怀疑异姓，怀疑并杀光了他的堂兄弟，只相信他的亲侄子萧遥欣与萧遥光。后来连萧遥欣也不相信了，只相信萧遥光。殊不知当萧鸾一死，小儿子萧宝卷即位时，首先“据东府造反”起兵夺权的就是萧遥光。

第三，写史者有时见到某段文字华丽有趣，便载之入史，其实于理无当，只不过是一段趣谈而已。如本书上卷写魏主围攻寿阳时的一段对话："魏主遣使呼城中人，丰城公遥昌使参军崔庆远出应之。庆远问师故，魏主曰：'固当有故！卿欲我斥言之乎，欲我含垢依违乎？'庆远曰：'未承来命，无所含垢。'魏主曰：'齐主何故废立？'庆远曰：'废昏立明，古今非一，未审何疑？'魏主曰：'武帝子孙今皆安在？'庆远曰：'七王同恶，已伏管、蔡之诛。其余二十余王，或内列清要，或外典方牧。'魏主曰：'卿主若不忘忠义，何以不立近亲，如周公之辅成王，而自取之乎？'庆远曰：'成王有亚圣之德，故周公得而相之。今近亲皆非成王之比，故不可立。且霍光亦舍武帝近亲而立宣帝，唯其贤也。'魏主曰：'霍光何以不自立？'庆远曰：'非其类也。主上正可比宣帝，安得比霍光？若尔，武王伐纣，不立微子而辅之，亦为苟贪天下乎？'魏主大笑曰：'朕来问罪。如卿之言，便可释然。'……魏主赐庆远酒淆、衣服而遣之。"试问，崔庆远的这种强词夺理，能使魏主心服吗？这段话只能表现出崔庆远作为一个萧鸾之使臣的善于随机应变，善于粉饰事实，为其君讳，而丝毫不能改变萧鸾弑君篡位的本质。魏主爱听南朝文人的这种花里胡哨，不必深责。他可以理解崔庆远如此说话的苦心，可以赞美他能如此流利地从容应对，但不可以说"如卿之言，便可释然"，这样就没有是非善恶了。不过，到本卷魏主围困南阳时，作品又写了一段对话："癸卯，至宛，夜袭其郛，克之。房伯玉婴内城拒守。魏主遣中书舍人孙延景谓伯玉曰：'我今荡壹六合，非如向时冬来春去，不有所克，终不还北。卿此城当我六龙之首，无容不先攻取，远期一年，近止一月。封侯、枭首，事在俯仰，宜善图之！且卿有三罪，今令卿知：卿先事武帝，蒙殊常之宠，不能建忠致命而尽节于其仇，罪一也。顷年薛真度来，卿伤我偏师，罪二也。今鸾辂亲临，不面缚麾下，罪三也。'伯玉遣军副乐稚柔对曰：'承欲攻围，期于必克。卑微常人，得抗大威，真可谓获其死所！外臣蒙武帝采拔，岂敢忘恩？但嗣君失德，主上光绍大宗，非唯副亿兆之深望，抑亦兼武皇之遗敕。是以区区尽节，不敢失坠。往者北师深入，寇扰边民，辄厉将士以修职业。反己而言，不应垂责。'"这段文字虽然也涉及为萧鸾粉饰，但非主旨所在。而回答魏主的挑战之词，确实有理有力。尤其所谓"卑微常人，得抗大威，真可谓获其死所"，与"往者北师深入，寇扰边民，辄厉将士以修职业。反己而言，不应垂责"云云，真可谓铿锵悦耳，字字珠玑。不期《左传》中的古辞命之风，能得复见于此！

第四，俗话中的"三十六策，走为上策"是什么意思？刘宋时期有一个将领名叫檀道济，也滥竽充数地被列在古代的名将之中。檀道济的著名故事不是表现在一生打了多少次胜仗，消灭了多少万敌兵，而是表现在自己处于困境的时候，如何蒙蔽敌人换得了喘息逃跑的机会，这就是"唱筹量沙"。也就是说自己的军队在战场上绝粮了，为了假充自己的粮食充足，于是在夜间“唱筹量沙”，天亮后在沙堆上撒上薄薄的一层粮食，以稳定自己的军心，以蒙蔽敌人，从而给自己赢得了从容撤退的时间。这个故事自然也不错，但可惜檀道济名扬天下的胜仗毕竟太少，尤其是眼睁睁地望着宋将毛德祖在浴血奋战地坚守洛阳，而居然不施以援手，坐视毛德祖最后城破被俘！所以南朝人嘲笑檀道济是软骨头，说他最善于逃跑，而且人们还编排故事，说他不仅善于逃跑，而且还能振振有词地说出一番道理，这就是“三十六策，走为上策”。年深日久，人们用得多了，也说不清故事的出处了，于是就乱做解释。时至今日，有些人不仅公然说有“三十六计”，而且还能给人们排列出“三十六”种名目，说这就是当年军事家孙武之所为，而且这“走为上计”就异常刺眼地名列其中。这让爱寻根究底的人们听起来真是大煞风景！为了让人们记住这件事，现将本卷中的一段故事引在下面：当王敬则起兵造萧鸾之反的时候，朝廷震惧。萧鸾的儿子萧宝卷派人爬上屋顶，眺望城外的消息。他们望见征虏亭一带有火光，误以为是王敬则的大军已到，于是他们就化装成士兵准备逃跑。王敬则听说这件事，高兴地说：“檀道济不是总爱说‘三十六策，走为上策’吗，我估计你们萧家父子也只有这‘鞋底子上抹油’一条路啦!”为了不让读者对故事中的典故产生误解，写史者特别加以解释说，这“三十六策，走为上策”，“盖时人讥檀道济避魏之语也”。

卷第一百四十二　齐纪八

屠维单阏（己卯，公元四九九年），一年。

【题解】

本卷写小皇帝萧宝卷永元元年（公元四九九年）一年间南齐与北魏两国的大事。主要写了魏主孝文帝怀念已死的重臣李冲，但亦引见李彪将欲用之，会李彪谗害太子之事又发，遂不复被用；冯皇后之罪恶行径以及冯氏家族之显赫绝伦，但随着冯熙、冯诞的相继病死，其两度为皇后的冯氏长女因罪行暴露被魏主所废，冯氏家族遂衰。写了齐将陈显达率崔慧景等攻魏所占区的雍州五郡，陈显达先是破魏将元英，夺回了马圈城、南乡县；于是魏主又率军南伐，派魏将元嘉截断均口，而魏将元嵩大破陈显达于均水西，陈显达的部将挟持陈显达南逃，魏军乘胜追击至汉水边，获军资以亿计，齐军死者三万人；写魏主因病死于军中，彭城王元勰秘不发丧，率军北归，与太子元恪会于鲁阳后始发布丧事。写了元恪继位为魏主，彭城王元勰辞去朝权，被任为定州刺史。南齐野心家萧衍占据雍州，窥测形势，断定朝廷六贵并存的局面不会长久，必将相互啮噬，他倚其心腹张弘策、吕僧珍等预做起事夺权之准备。写了南齐的六贵江祏、萧遥光、刘暄等各怀

【原文】

东昏侯上

永元元年（己卯，公元四九九年）

春，正月戊寅朔①，大赦，改元②。

太尉陈显达督平北将军崔慧景等[1]军四万击魏，欲复雍州诸郡③。癸未④，魏遣前将军元英⑤拒之。

乙酉⑥，魏主发邺⑦。

辛卯⑧，帝祀南郊⑨。

戊戌⑩，魏主至洛阳，过李冲冢⑪。时卧疾⑫，望之而泣。见留守官⑬，语及冲，辄流涕⑭。

野心，刘暄因不同意江祏改立萧遥光而被萧遥光所谋刺，刘暄向小皇帝举报江祏，江祏兄弟遂被皇帝萧宝卷所杀。写了萧遥光收聚三州之萧氏部曲，依据东府城以讨刘暄为名发动叛乱，但萧遥光又为人怯懦，不听其亲党垣历生之言，不敢出兵攻击台城，而一味徘徊瞻望，坐失良机。写了萧坦之、沈文季、左兴盛、曹虎等讨伐叛乱，围攻东府，垣历生出战投降被杀，萧遥光因东府失陷被杀，建康乱平。写了小皇帝萧宝卷的各种劣迹，好骑马，好舞长幢，专门干些损人不利己的勾当，因为萧坦之专横跋扈，遭到一些人的谗毁，遂被萧宝卷所杀，并杀其子；接着刘暄、曹虎又因近习茹法珍、徐世标等人的进言而被萧宝卷所杀；其后萧宝卷又杀了徐孝嗣、沈文季等，灭其门；老将陈显达自萧鸾在世时即深自贬损，惧不得全，最终还是因恐惧于江州起兵造反，攻至建康城下，在作战中因自己的武器折断，被朝廷军所杀。此外还写了魏国的南徐州刺史沈陵率部降齐，徐州长史卢渊因早有准备，故使魏国损失不大，以及儒臣王肃为魏人制定官品、百司，一如南朝等。

【语译】

东昏侯上

永元元年（己卯，公元四九九年）

春季，正月初一日戊寅，齐国实行大赦，改年号为永元元年。

齐国担任太尉的陈显达统领着平北将军崔慧景等四万齐军攻打魏国，想要夺回被魏军攻占的雍州所属南阳、新野等郡。正月初六日癸未，魏国派遣前将军元英率领魏军抵抗齐军的进攻。

初八日乙酉，魏孝文帝元宏从邺城出发返回都城洛阳。

十四日辛卯，齐国的小皇帝萧宝卷到南郊举行祭天典礼。

二十一日戊戌，魏孝文帝回到都城洛阳，返回途中经过尚书左仆射李冲的坟墓。当时孝文帝已经因为疾病而卧于车中，他望见李冲的坟墓竟然忍不住哭泣起来。回到洛阳之后，见到留守洛阳的群臣，谈话中只要一提到李冲的时候，孝文帝就伤心得直掉眼泪。

魏主谓任城王澄曰："朕离京以来，旧俗少变不[15]？"对曰："圣化日新[16]。"帝曰："朕入城，见车上妇人[17]犹戴帽、著小袄[18]，何谓日新？"对曰："著者少，不著者多。"帝曰："任城，此何言也！必欲使满城尽著邪[19]！"澄与留守官皆免冠谢[20]。

甲辰[21]，魏大赦。魏主之幸邺[22]也，李彪迎拜于邺南，且谢罪[23]。帝曰："朕欲用卿，思李仆射而止[24]。"慰而遣之。会御史台令史龙文观[25]告太子恂被收[26]之日，有手书自理[27]，彪不以闻[28]。尚书表收彪[29]赴洛阳。帝以为彪必不然，以牛车散载[30]诣洛阳，会赦，得免。

魏太保[31]齐郡灵王简[32]卒。

二月辛亥[33]，魏以咸阳王禧[34]为太尉。

魏主连年在外[35]，冯后私[36]于宦者高菩萨。及帝在悬瓠病笃[37]，后益肆意无所惮，中常侍双蒙[38]等为之心腹。

彭城公主[39]为宋王刘昶子妇，寡居。后为其母弟[40]北平公冯夙求婚，帝许之。公主不愿，后强之，公主密与家僮冒雨诣悬瓠，诉于帝，且具道后所为，帝疑而秘之。后闻之，始惧，阴与母常氏使女巫厌祷[41]，曰："帝疾若不起，一旦得如文明太后辅少主称制[42]者，当赏报不赀[43]。"

帝还洛，收高菩萨、双蒙等案问[44]，具伏[45]。帝在含温室，夜引后入，赐坐东楹[46]，去御榻二丈余，命菩萨等陈状[47]。既而召彭城

魏孝文帝对担任吏部尚书的任城王元澄说："自从我离开京师以来，过去的旧习惯稍微改变了一些没有？"任城王回答说："按照陛下的教导，每一天都有新的变化。"孝文帝说："我在进入洛阳城的时候，看见车上坐着的贵妇人还是代北人的妆扮，头上戴着帽子，上身穿着小袄，你怎么竟说每一天都有新的变化呢？"任城王回答说："穿代北人服饰的少，不穿代北人服饰的多。"孝文帝说："任城王，你说的这是什么话！必须想办法让全城的人都穿华服！"任城王与留守洛阳的群臣全都摘下帽子向孝文帝磕头请罪。

正月二十七日甲辰，魏国实行大赦。魏孝文帝在从南方前线返回途中经过邺城的时候，李彪到邺城城南来迎接、拜见孝文帝，并向孝文帝请罪。孝文帝说："我本来想要起用你，可是一想到尚书左仆射李冲我就打消了这个念头。"孝文帝安慰了李彪一番就把他打发走了。又遇到担任御史台令史的龙文观向孝文帝报告说废太子元恂被逮捕的那天，太子曾经亲自写信向陛下申诉自己的悔改之心，而李彪竟敢扣留了太子的信件，没有报告给陛下知道。尚书令上表给孝文帝，请求把李彪逮捕起来押赴洛阳。孝文帝认为李彪一定不会做出这样的事情，就没有像对待犯人那样把李彪捆绑起来装入囚车，而是用牛车把李彪送到了洛阳，正遇上朝廷实行大赦，李彪才得以免死。

魏国担任太保的齐郡灵王元简去世。

二月初五日辛亥，魏孝文帝任命咸阳王元禧为太尉。

魏孝文帝因为连年出兵南伐齐国而在外征战、巡视，冯皇后在后宫非常宠爱、偏袒宦官高菩萨。等到孝文帝在悬瓠病情危重的时候，冯皇后更加肆无忌惮，担任中常侍的双蒙等人都是冯皇后的心腹。

彭城王元勰的女儿是宋王刘昶的儿媳妇，在家寡居。冯皇后便为自己的胞弟北平公冯夙请求孝文帝答应这份求婚，孝文帝答应了冯皇后的请求。而彭城公主不愿意嫁给冯夙，冯皇后便以势压人，强迫彭城公主嫁给她的弟弟冯夙，彭城公主便秘密地与家童一起冒着大雨赶往孝文帝所在的悬瓠，亲自向孝文帝诉说，同时还把冯皇后的所作所为具体而详细地说了一遍，孝文帝对彭城公主所说事情的真实性虽然抱有怀疑，然而却没有说出来。冯皇后得知彭城公主在孝文帝面前告了自己的状之后，开始感到恐惧，便暗地里与自己的母亲常氏一起指使女巫祈祷鬼神降灾祸给孝文帝，她对女巫说："如果能让皇帝得病而死，使我有一天也能像当年的文明太后冯氏那样以辅佐小皇帝为名，自己行使皇帝的权力，我一定会把多得无法计算的钱财赏赐给你。"

魏孝文帝回到洛阳之后，就下令逮捕了宦官高菩萨、中常侍双蒙等人并进行审查追问，他们全部认了罪。孝文帝宿于含温室，夜里，他派人把冯皇后拉进含温室，让冯皇后坐在厅堂东侧的立柱边，距离皇帝的床榻有二丈多远，然后命令高菩萨等

王勰、北海王详入坐，曰：“昔为汝嫂，今是路人，但入勿避！”又曰：“此妪⑱欲手刃吾胁⑲！吾以文明太后家女⑳，不能废，但虚置宫中，有心庶能自死㉑，汝等勿谓吾犹有情也。”二王出，赐后辞诀㉒。后再拜，稽首涕泣。入居后宫，诸嫔御㉓奉之犹如后礼，唯命太子不复朝谒㉔而已。

初，冯熙以文明太后之兄尚恭宗女博陵长公主㉕。熙有三女，二为皇后，一为左昭仪㉖，由是冯氏贵宠冠群臣，赏赐累巨万㉗。公主生二子，诞、脩㉘。熙为太保，诞为司徒，脩为侍中、尚书，庶子聿㉙为黄门郎。黄门侍郎崔光与聿同直㉚，谓聿曰：“君家富贵太盛，终必衰败。”聿曰：“我家何所负㉛，而君无故诅我㉜！”光曰：“不然。物盛必衰，此天地之常理。若以古事推之，不可不慎。”后岁余而脩败。脩性浮竞㉝，诞屡戒之，不悛㉞，乃白于太后及帝㉟而杖之。脩由是恨诞，求药，使诞左右毒之。事觉，帝欲诛之，诞自引咎㊱，恳乞其生。帝亦以其父老，杖脩百余，黜为平城民㊲。及诞、熙继卒㊳，幽后寻废㊴，聿亦摈弃㊵，冯氏遂衰㊶。

癸亥㊷[2]，魏以彭城王勰为司徒。

陈显达与魏元英战，屡破之。攻马圈城㊸四十日，城中食尽，啖死人肉及树皮。癸酉㊹，魏人突围走，斩获千计㊺。显达入城，将士竞取城中绢㊻，遂不穷追。显达又遣军主庄丘黑进击南乡㊼，拔之。

魏主谓任城王澄曰：“显达侵扰，朕不亲行，无以制之。”

人陈述自己与皇后之间的罪状。后来又把彭城王元勰、北海王元详召来坐下，孝文帝对他们说：“过去她是你们的嫂子，如今与你们是陌路之人，你们只管进来，不用回避她！”又说：“这个女人想把白刃刺入我的胸膛！我因为她是文明太后家的女儿，不能把她废掉，只能让她占有皇后这个虚名，我心里真希望她能认罪自裁，你们不要认为我对她还有什么情分。”彭城王、北海王二人离开的时候，孝文帝令冯皇后向二王告别。冯皇后一连向二王拜了二次，一边磕头一边哭泣。然后冯皇后仍旧回到她的后宫，那些嫔妃、侍女仍然像对待皇后一样对她恭敬有礼，孝文帝只是不再让太子元恪以对待母后之礼去拜见她而已。

当初，冯熙以文明太后冯氏哥哥的身份娶了魏恭宗拓跋晃的女儿博陵长公主为妻。冯熙有三个女儿，二个女儿相继被孝文帝封为皇后，一个女儿被孝文帝封为左昭仪，从此冯家的权势、地位与所受到的恩宠，超过了朝中所有的大臣，皇帝赏赐给冯家的钱财累计起来有好几亿。博陵长公主生了两个儿子，即冯诞、冯脩。冯熙担任太保，冯诞担任司徒，冯脩担任侍中、尚书，冯熙小妾生的儿子冯聿担任黄门郎。担任黄门侍郎的崔光与冯聿一同在宫中值班，崔光对冯聿说：“你家的钱财太多，地位太高了，最终一定会衰败。”冯聿说：“我们冯家哪一点对不起你了，你今天竟然无缘无故地诅咒我们冯家！”崔光说：“我不是那个意思。事物兴盛到极点一定会走向衰落，这是天地之间的自然规律。如果你按照古代所发生的事情来推断一下，你就不能不慎重对待了。”此后过了一年多，冯脩败落。冯脩为人性情浮躁，喜欢争强好胜，他的哥哥冯诞曾经多次告诫过他，然而冯脩却不思悔改，冯诞只好把冯脩的情况向文明太后与孝文帝做了汇报，冯脩因此受到棍棒的责打。冯脩因此而怨恨自己的哥哥冯诞，于是找来毒药，指使冯诞身边的人下毒，准备毒死冯诞。事情被发觉之后，孝文帝就想杀死冯脩，冯诞却引咎自责，恳请孝文帝留下冯脩一条性命。孝文帝也因为冯脩的父亲冯熙已经年老，就责打了冯脩一百多棍，把冯脩贬为平民，发回平城居住。等到冯诞、冯熙相继去世之后，紧跟着冯皇后又被废掉，冯聿也就被孝文帝抛弃了，冯家的权势和地位从此衰落下来。

二月十七日癸亥，魏孝文帝任命彭城王元勰为司徒。

齐国太尉陈显达率领的齐军与魏国前将军元英所率领的魏军交战，陈显达多次打败元英。陈显达率领齐军把魏国的马圈城围攻了四十天，马圈城中的魏军已经把能吃的东西都吃光了，于是就把死人身上的肉和树皮拿来充饥。二十七日癸酉，魏军突破齐军的包围逃走，齐军斩杀、俘虏了上千名魏军。陈显达率军进入马圈城中，将士们都争先恐后地抢夺马圈城中的绢帛，根本顾不上去穷追魏军。陈显达又派遣自己部下的一名将领庄丘黑率领一支军队进攻南乡郡，庄丘黑率军收复了南乡郡。

魏孝文帝对任城王元澄说：“陈显达率军侵扰我国，我如果不亲自率军出征，就无法战胜他。”

三月庚辰[78]，魏主发洛阳，命于烈居守[79]，以右卫将军宋弁[80]兼祠部尚书、摄七兵事[81]以佐之。弁精勤吏治[82]，恩遇亚于李冲[83]。

癸未[84]，魏主至梁城[85]。崔慧景攻魏顺阳[86]，顺阳太守清河张烈[87]固守。甲申[88]，魏主遣振威将军慕容平城[89]将骑五千救之。

自魏主有疾，彭城王勰常居中[90]侍医药，昼夜不离左右，饮食必先尝而后进，蓬首垢面[91]，衣不解带。帝久疾多忿[92]，近侍失指[93]，动欲诛斩[94]，勰承颜伺间[95]，多所匡救。丙戌[96]，以勰为使持节、都督中外诸军事。勰辞曰："臣侍疾无暇，安能治军？愿更请一王[97]，使总军要[98]，臣得专心医药。"帝曰："侍疾、治军，皆凭于汝。吾病如此，深虑不济[99]；安六军[100]、保社稷者，舍汝而谁？何容方更请人[101]以违心寄[102]乎？"

丁酉[103]，魏主至马圈，命荆州刺史广阳王嘉[104]断均口[105]，邀[106]齐兵归路。嘉，建[107]之子也。

陈显达引兵渡水西[108]，据鹰子山筑城。人情沮恐，与魏战，屡败。魏武卫将军元嵩[109]免胄陷陈[110]，将士随之，齐兵大败。嵩，澄之弟也。戊戌夜[111][3]，军主崔恭祖、胡松[112]以乌布幔盛显达[113]，数人担之，间道自分碛山[114]出均水口南走。己亥[115]魏收显达军资亿计，班赐将士，追奔至汉水[116]而还。左军将军张千战死，士卒死者三万余人。

显达之北伐，军入汋均口[117]，广平冯道根[118]说显达曰："汋均水迅急，易进难退。魏若守隘[119]，则首尾俱急[120]。不如悉弃船于酇城[121]，陆道

三月初四日庚辰，魏孝文帝亲自统率大军从洛阳出发，他令担任领军将军的于烈留在洛阳主管留守事宜，任命担任右卫将军的宋弁兼任祠部尚书、代理兵部尚书的职务，协助于烈处理留守朝廷的事务。宋弁熟悉并擅长于处理行政事务，受孝文帝宠信的程度只比当年的李冲略差一点。

初七日癸未，魏孝文帝率军到达梁县县城。齐国平北将军崔慧景率领齐军攻打魏国的顺阳郡，魏国担任顺阳郡太守的清河郡人张烈率领守军顽强防守。初八日甲申，魏孝文帝派遣担任振威将军的慕容平城率领五千名骑兵前往顺阳救援张烈。

自从魏孝文帝生病以来，彭城王元勰经常在宫中侍奉孝文帝看病吃药，日夜从不离开孝文帝，孝文帝吃的喝的，元勰都要自己先尝一尝然后再进献给孝文帝食用，由于每天忙得顾不上梳头、洗脸，所以他经常是一副蓬首垢面的样子，身上的衣服也顾不上脱下来换洗。孝文帝生病时间一长脾气就变得比较暴躁，身边的侍从服侍得稍微不合他的心意，他动不动就要把人拉出去斩首，元勰能够根据孝文帝的情绪变化而见机行事，不仅纠正了孝文帝很多错误的做法，还挽救了很多人的性命。三月初十日丙戌，孝文帝任命元勰为使持节、都督中外诸军事。元勰推辞说："我在陛下身边侍奉医药，忙得连一点工夫都没有，哪里还能再去管理军队？希望陛下另外找一位亲王兄弟，让他总管军机要务，使我能够专心侍奉陛下请医吃药。"孝文帝说："侍奉我的疾病、治理军队，全都要依靠你。我病到如此程度，恐怕是好不了了；总管全国的军队、保卫国家政权，除了你还能有谁？怎么能去另找别人而违背我对你的信任呢？"

三月二十一日丁酉，魏孝文帝带病率军到达马圈城，他命令担任荆州刺史的广阳王元嘉率领军队截断从均水进入沔水的一切船只，拦截齐军的归路。元嘉，是元建的儿子。

齐国太尉陈显达率领齐军渡过均水西进，占据了鹰子山，并在鹰子山修筑防御工事。齐军士气低落，与魏军交战，多次失败。魏国担任武卫将军的元嵩摘下头盔脱去铠甲，奋勇冲入齐军阵地，属下的将士跟随着他奋勇杀敌，把齐军打得大败。元嵩，是任城王元澄的弟弟。三月二十二日戊戌的夜间，陈显达的部下担任后军将军兼任一支军队首领的崔恭祖、担任龙骧将军的胡松用黑色的帐幔把陈显达包裹起来，令几个士兵抬着，抄小路从分碛山出均水口向南逃走。二十三日己亥，魏军将陈显达军队所抛弃的数以亿计的各种军用物资搜集起来，赏赐给各级将士，他们追击齐军一直追到沔水才返回。齐国担任左军将军的张千战死沙场，齐军士卒死了三万多人。

齐国太尉陈显达率军北伐，军队进入汋均水口的时候，广平郡人冯道根曾经劝阻陈显达说："均水水流迅速湍急，进入容易退却难。魏国的军队如果把守关隘不战，我军就会陷入进退两难的境地。不如把我军所有的船舰全部抛弃在酂县县城，然后

步进，列营相次⑫，鼓行而前⑬，破之必矣。”显达不从。道根以私属从军⑭，及显达夜走，军人不知山路，道根每及险要，辄停马指示之⑮，众赖以全⑯。诏以道根为汋均口戍副。显达素有威名，至是大损。御史中丞范岫⑰奏免显达官，显达亦自表解职，皆不许，更以显达为江州刺史。崔慧景亦弃顺阳走还。

庚子⑱，魏主疾甚，北还，至谷塘原⑲，谓司徒勰曰：“后宫⑳久乖阴德㉛，吾死之后，可赐自尽，葬以后礼，庶免冯门之丑。”又曰：“吾病益恶，殆㉜必不起。虽摧破显达，而天下未平，嗣子幼弱㉝，社稷所倚，唯在于汝。霍子孟㉞、诸葛孔明㉟以异姓[4]受顾托㊱，况汝亲贤㊲，可不勉之㊳？”勰泣曰：“布衣之士㊴犹为知己毕命㊵，况臣托灵先帝㊶，依陛下之末光㊷乎？但臣以至亲，久参机要，宠灵辉赫㊸，海内莫及。所以敢受而不辞，正恃陛下日月之明㊹，恕臣忘退之过㊺耳。今复任以元宰㊻，总握机政㊼，震主之声㊽，取罪必矣。昔周公大圣㊾，成王至明㊿，犹不免疑[151]，而况臣乎？如此，则陛下爱臣，更为未尽始终之美[152]。”帝默然，久之曰：“详思汝言，理实难夺。”乃手诏太子曰：“汝叔父勰，清规懋赏[153]，与白云俱洁，厌荣舍绂[154]，以松竹为心。吾少与绸缪[155]，未忍暌离[156]。百年之后[157]，其听勰辞蝉舍冕[158]，遂[159]其冲挹之性[160]。”以侍中、护军将军北海王详为司空，镇南将军王肃为尚书令，镇南大将军广阳王嘉为左仆射，尚书宋弁为吏部尚书，与侍中、太尉禧，尚书右仆射澄等六人辅政。夏，四月丙午朔[161]，殂于谷塘原[162]。

从陆路步行前进，排列扎营，使各营寨紧密连接，击鼓前进，造成一种很大的声势，就一定能够打败魏军。”陈显达没有采纳冯道根的建议。冯道根是带着自己家中的一些奴仆、亲党自愿跟随着军队一道行动的，等到陈显达率领齐军趁黑夜逃走的时候，军队不知道应该走山中的哪条道路，冯道根每当遇到险要的地方，就停下马来指着山形溪路告诉士兵该怎么走，许多士兵因为靠了冯道根的指引才得以保全性命。齐国的小皇帝萧宝卷因此下诏任命冯道根为汋均口军事据点的副头领。陈显达一向享有威名，至此名声受到很大的损害。担任御史中丞的范岫上奏给小皇帝请求罢免陈显达的官职，陈显达自己也上表请求辞职，小皇帝全都没有批准，反而任命陈显达为江州刺史。平北将军崔慧景也放弃攻打顺阳逃回齐国。

三月二十四日庚子，魏孝文帝病得很厉害，于是班师北还，到达谷塘原的时候，孝文帝对担任司徒的元勰说：“冯皇后很早以来就不守妇道，缺少皇后之德，我死之后，你可以赐她自尽，然后用皇后的礼仪安葬她，或许可以免掉冯家出丑。”又说：“我的病情越来越重，恐怕再也好不了了。我军这次虽然挫败了陈显达的进攻，然而天下还没有平定，皇太子元恪年纪还小，性格懦弱，国家所能依靠的，只有你一个人。西汉的霍光、蜀汉的诸葛亮不与他们的皇帝同姓，汉武帝刘彻、蜀汉先帝刘备临终前尚且把辅佐小皇帝的重任分别托付给他们，何况你是皇帝的近亲，而且又很贤能，难道还不应该尽心尽力地辅佐嗣君吗?”元勰流着眼泪说：“平民出身的贤人尚且能为有知遇之恩的皇帝贡献一切，何况我这个与皇帝同秉一个父亲的骨血，又长期在皇帝驾下称臣的人呢？只是我以皇帝至亲的身份，长期以来一直参与朝廷的机密要务，受到陛下的恩宠过多，全国之内没有人能够比得上我。我所以敢于接受陛下的重托而不敢推辞，正是依靠着陛下像日月一样的光明，使我能在如此长的时间内掌管大权而宽恕我不知道谦退的过错。如果再任命我为众臣之首的宰相，总管朝廷的机要大权，使我享有一种能令皇帝畏惧的声威，我一定会因此而获罪了。像过去周公那样的大圣人，像周成王那样极其英明的君主，周成王尚且听信谗言，对周公的忠诚产生过怀疑，何况像我这样的人呢？如果这样的话，那么陛下爱护我，反而使我不能实现善始善终的美好愿望。”孝文帝沉默了，好久之后说：“仔细考虑你所说的话，我也很难反驳你。”于是亲笔书写诏书给太子元恪说：“你的叔父元勰，具有清高的节操和美好的人格，人品像白云一样洁白无瑕，他厌弃荣华，不愿意做官，一心羡慕松竹的节操。我从小就与他感情深厚，不忍心与他分开。等我百年之后，你可以答应他辞去显贵的职务，顺从他谦逊退让的性格。”孝文帝任命担任侍中、护军将军的北海王元详为司空，任命担任镇南将军的王肃为尚书令，任命担任镇南大将军的广阳王元嘉为尚书左仆射，任命担任尚书的宋弁为吏部尚书，与担任侍中、太尉的咸阳王元禧，担任尚书右仆射的任城王元澄等六人共同辅佐皇太子元恪。夏季，四月初一日丙午，魏孝文帝在谷塘原病逝。

高祖友爱诸弟，终始无间[163]。尝从容谓咸阳王禧等曰："我后子孙邂逅不肖[164]，汝等观望，可辅则辅之，不可辅则取之，勿为他人有也。"亲任贤能，从善如流，精勤庶务[165]，朝夕不倦。常曰："人主患不能处心公平[166]，推诚于物[167]。能是二者，则胡、越之人皆可使如兄弟矣。"用法虽严，于大臣无所容贷[168]，然人有小过，常多阔略[169]。尝于食中得虫，又左右进羹误伤帝手，皆笑而赦之。天地五郊[170]、宗庙二分[171]之祭，未尝不身亲其礼[172]。每出巡游及用兵，有司奏修道路，帝辄曰："粗修桥梁，通车马而已，勿去草划令平[173]也。"在淮南行兵[174]，如在境内。禁士卒无得践伤粟稻，或[175]伐民树以供军用，皆留绢偿之[176]。宫室非不得已不修，衣弊[177]，浣濯[178]而服之，鞍勒[179]用铁木而已。幼多力善射，能以指弹碎羊骨，射禽兽无不命中。及年十五，遂不复畋猎。常谓史官曰："时事[180]不可以不直书。人君威福在己[181]，无能制之者。若史策复不书其恶，将何所畏忌邪？"

彭城王勰与任城王澄谋，以陈显达去尚未远，恐其覆相掩逼[182]，乃秘不发丧[183]，徙御卧舆[184]，唯二王与左右数人知之。勰出入神色无异，奉膳进药，可决外奏[185]，一如平日[186]。数日，至宛城[187]，夜，进卧舆于郡听事[188]，得加棺敛[189]，还载卧舆内，外莫有知者。遣中书舍人张儒奉诏征太子[190]，密以凶问[191]告留守于烈。烈处分行留[192]，举止无变。太子至鲁阳[193]，遇梓宫[194]，乃发丧。丁巳[195]，即位，大赦。

魏高祖孝文帝元宏对自己所有的弟弟都十分友爱，与他们从始至终都没有产生任何隔阂。他曾经很随意似的对咸阳王元禧等人说："我的后代子孙一旦遇上不成材、没出息的，你们经过观察，认为他可以辅佐，你们就辅佐他，如果认为他不可以辅佐，你们就取而代之，不要让外人夺去了江山。"孝文帝亲自挑选、任用贤能的人，他从善如流，专心勤奋于各项政务，一天到晚从来不感到厌倦。他曾经对人说："作为一国的君主，最值得担忧的是不能以一颗公平之心去处理、对待一切事情，推心置腹地对待别人。如果能够做到这两点，那么即使是北方的胡人、南方的越人都可以使他们像自己的兄弟一样。"孝文帝虽然执法严格，对犯罪的大臣绝不宽容，然而对别人有点小的过失，多数情况下都是忽略不计的。曾经在吃的饭里发现了一条虫子，又有左右侍从人员送汤的时候不小心烫伤了孝文帝的手，孝文帝都一笑而过，赦免了他们。而对于南郊祭天、北郊祭地，祭祀五方之神，祭祀宗庙以及春分那天祭祀太阳、秋分那天祭祀月亮的典礼，孝文帝都是亲自主持，从未缺席过。每当准备外出巡游或是亲自统兵出征的时候，有关部门的官员奏请修整道路，孝文帝就会回答说："简单地修护一下桥梁，能够通行车马就行了，不必铲除杂草，不必平整路面。"在淮河以南敌占区的地面上行军的时候，也像在自己的国内行军一样。孝文帝禁止士卒践踏农田里的谷子和水稻，有时需要砍伐百姓的树木供给军队使用，孝文帝都让军队给树的主人留下绢帛作为赔偿。宫室除非是不得不修缮的时候才修缮，衣服脏了，洗涤之后照样穿，马鞍和马嚼子只用铁和木制作。孝文帝年幼的时候力气很大，喜好射箭，他能用指头弹碎羊骨头，射禽兽的时候无不百发百中。等到孝文帝长到十五岁的时候，就不再进行打猎了。他曾经对史官说："国家大事与皇帝的活动不可以不照实书写。作为一国之君，他的权力极大，可以擅作威福，没有人能够阻止他。如果史书再不真实写他的罪恶，还有什么可以令他感到畏忌的呢？"

彭城王元勰与任城王元澄一同商议，认为齐国的陈显达率领齐军逃跑得还不太远，恐怕他得知孝文帝去世的消息会返回来袭击魏军，于是便将孝文帝去世的消息隐瞒下来，没有对外宣布，他们把孝文帝的遗体移放到可以睡卧的车子里，只有他们二位亲王与孝文帝身边的几个人知道孝文帝已经去世。元勰照常进出，神色与往常没有什么两样，他按时进奉膳食、汤药，答复、批阅外面群臣启奏的公事，一切都和往常一样。几天以后，到达宛城，夜间，元勰等人把放有孝文帝遗体的卧车拉进南阳郡太守衙门的正堂，孝文帝的遗体这时才得以装殓入棺，然后又把棺材安放在卧车之内，外面没有人知道这一切。元勰等人派遣担任中书舍人的张儒带着诏书前往洛阳召太子元恪前来宛城，同时把孝文帝去世的噩耗悄悄地告诉了奉命留守洛阳的领军将军于烈。于烈知道皇帝已经去世的消息后，赶紧布置有关人员前往宛城以及安排在洛阳准备迎接的各项事宜，举止没有一点慌乱的迹象。太子元恪到达鲁阳的时候，遇到了皇帝的灵柩，这才对外发布皇帝驾崩的消息。四月十二日丁巳，皇太子元恪即皇帝位，大赦天下。

彭城王勰跪授遗敕数纸，东宫官属多疑勰有异志，密防之，而勰推诚尽礼[196]，卒无间隙。咸阳王禧至鲁阳，留城外以察其变。久之乃入，谓勰曰:“汝此行不唯勤劳，亦实危险。”勰曰:“兄年长识高，故知有夷险[197]，彦和[198]握蛇骑虎[199]，不觉艰难[200]。”禧曰:“汝恨吾后至[201]耳!”

勰等以高祖遗诏赐冯后死。北海王详使长秋卿[202]白整入授后药，后走呼[203]，不肯饮，曰:“官岂有此[204]，是诸王辈杀我耳!”整执持强之[205]，乃饮药而卒。丧至洛城南，咸阳王禧等知后审死[206]，相视曰:“设[207]无遗诏，我兄弟亦当决策去之[208]，岂可令失行妇人宰制天下，杀我辈也[209]!”谥曰幽[210]皇后。

五月癸亥[211]，加抚军大将军始安王遥光开府仪同三司。

丙申[212]，魏葬孝文帝于长陵，庙号高祖。

魏世宗[213]欲以彭城王勰为相，勰屡陈遗旨，请遂素怀[214]，帝对之悲恸，勰恳请不已，乃以勰为使持节，侍中，都督冀、定等七州[215]诸军事，骠骑大将军，开府仪同三司，定州刺史。勰犹固辞，帝不许，乃之官[216]。

魏任城王澄以王肃羁旅[217]，位加己上，意颇不平。会齐人降者严叔懋告肃谋逃还江南，澄辄禁止肃[218]，表称谋叛[219]，案验[220]无实。咸阳王禧等奏澄擅禁宰辅[221]，免官还第，寻[222]出为雍州刺史[223]。

六月戊辰[224]，魏追尊皇妣高氏[225]为文昭皇后，配飨高祖[226]，增脩旧冢，号终宁陵[227]。追赐后父飏爵勃海公，谥曰敬，以其嫡孙猛袭爵[228]；封后兄肇[229]为平原公，肇弟显为澄城公，三人同日受封。魏主素未识诸舅，始赐衣帻[230]引见，皆惶惧失措[231]，数日之间，富贵赫奕[232]。

彭城王元勰跪在嗣君元恪的面前，呈上孝文帝临终前亲笔书写的几页遗诏，东宫的官属有很多人怀疑元勰心存篡位夺权的野心，便秘密地防范着他，而元勰对东宫的官属以诚相待，对嗣君尽心尽力，终于消除了东宫官属的疑虑，叔侄之间始终没有发生什么隔阂。咸阳王元禧到达鲁阳，逗留在鲁阳城外以观察城内的动静。过了很久才入城，他对元勰说："你这次远行不只是艰辛劳苦，也实在是危险。"元勰回答他说："哥哥岁数大，见识高远，所以知道有平安也有危险，而我就像握着毒蛇、骑着猛虎，已经忘记了艰难。"元禧说："你是恨我对你产生怀疑，故意迟迟不肯进城吧！"

彭城王元勰等人遵从魏高祖的遗诏，赐冯皇后自杀。北海王元详派担任长秋卿的白整入宫将毒药送给冯皇后，冯皇后一边躲避一边喊叫，就是不肯喝，她说："皇帝怎么会这样做，一定是那些诸侯王要杀我！"白整捉住她，逼着她非喝不可，冯皇后这才喝下毒药而死。孝文帝的灵柩到达洛阳城南，咸阳王元禧等人知道冯皇后确实死了，于是互相看了一眼说："即使皇帝没有留下令冯皇后自杀的遗诏，我们兄弟也应当做出决策将她除掉，怎么可以让一个失去皇后之德的人来主宰天下，杀害我们兄弟呢！"给冯皇后的谥号为幽皇后。

五月癸亥日，齐国朝廷加授担任抚军大将军的始安王萧遥光开府仪同三司。

二十一日丙申，魏国把孝文帝安葬在长陵，庙号高祖。

魏世宗元恪想要任命彭城王元勰为宰相，元勰多次陈述高祖的遗诏，请求世宗满足自己一向的心愿，魏世宗对着他失声痛哭，元勰仍然不停地恳求，世宗只得顺从他，于是任命元勰为使持节，侍中，都督冀、定等七州诸军事，骠骑大将军，开府仪同三司，定州刺史。元勰还是坚决推辞，世宗不批准，元勰这才不得不到定州赴任。

魏国担任尚书右仆射的任城王元澄因为尚书令王肃是个外来人，而职位却在自己之上，心里便有些不满。碰巧遇到从齐国投降过来的严叔懋告发王肃阴谋逃回江南，元澄便趁机采取措施，将王肃拘禁起来不许他进入尚书省，同时上表给世宗说王肃阴谋叛变，朝廷派官员进行查验，却没有查出王肃有任何叛逃的迹象。咸阳王元禧等人遂上书弹劾元澄擅自拘禁宰相，于是元澄被免去官职回到自己的府第，不久又命他离开京城洛阳去雍州担任刺史。

六月二十四日戊辰，魏世宗追尊自己的生母高氏为文昭皇后，把文昭皇后高氏的灵牌安放在宗庙里孝文帝灵牌的旁边，随同丈夫一道享受祭祀，并增修扩建了文昭皇后的陵墓，称为终宁陵。追赐文昭皇后的父亲高飏为勃海公，谥号为敬，让高飏的嫡孙子高猛继承了其祖父高飏勃海公的爵位；封文昭皇后的哥哥高肇为平原公，封高肇的弟弟高显为澄城公，三人同一天受封。魏世宗向来没有见过自己的几位舅舅，这时才开始赏赐给他们衣服头巾召见他们，他们全都惊慌失措，几天之内，他们三人的地位一下子变得非常尊贵显耀。

【段旨】

以上为第一段，写小皇帝萧宝卷永元元年（公元四九九年）上半年的大事。写魏主孝文帝怀念重臣李冲，但亦引见李彪将欲用之，会其谗害太子之事又发，遂不复被用；写冯皇后之罪恶行径及冯氏家族之显赫，但随着冯熙、冯诞的相继病死，其两度为皇后之冯氏长女被魏主所废，冯氏家族遂衰；至孝文帝死后，冯皇后亦随之被赐死。写齐将陈显达率崔慧景等攻魏所占之雍州五郡，魏派元英率兵营救，陈显达破元英，夺回了马圈城、南乡县；于是魏主又率军南伐，魏将元嘉断均口，元嵩大破陈显达于均水西，陈显达的部将挟持陈显达南逃，魏军追击至汉水，获军资以亿计，齐军死者三万人，崔慧景亦引兵逃回。写魏主因病死于军中，彭城王元勰秘不发丧，率军北归，与太子会于鲁阳后始发布丧事；元恪继位为魏主，彭城王元勰辞去朝权，被任为定州刺史；此外还写了任城王元澄因与王肃不和，拘禁王肃，被出为雍州刺史等。

【注释】

①正月戊寅朔：正月初一是戊寅日。②改元：改年号曰永元元年。上一年是明帝萧鸾的永泰元年。③雍州诸郡：指上年被魏国所占去的南阳、新野等郡。④癸未：正月初六。⑤元英：即拓跋英，拓跋晃之子，孝文帝的叔祖，被封为中山王，时任前将军。传见《魏书》卷十九下。⑥乙酉：正月初八。⑦发邺：由邺城动身，返回洛阳。据本书上卷，魏主于去年“十二月甲寅，自邺班师”。⑧辛卯：正月十四。⑨帝祀南郊：南齐的小皇帝萧宝卷到南郊祭天。⑩戊戌：正月二十一。⑪李冲冢：魏国名臣李冲于上年因与李彪闹矛盾生气中风而死，孝文帝令葬于洛阳的覆舟山。⑫卧疾：因疾卧于车中。⑬留守官：留守洛阳的群臣。⑭语及冲二句：胡三省曰，“李冲与任城王元澄等同守留台，魏主还洛见留守官，而冲已死，故语及辄流涕，念之之甚也”。⑮旧俗少变不：过去的旧习惯有点变化了吗。少变不，同“稍变否”。少，通“稍”。⑯圣化日新：按照您的教导，正在一天天地变化。⑰车上妇人：乘车的贵妇人。⑱戴帽、著小袄：胡三省曰，“此代北妇人之服也”。⑲必欲使满城尽著邪：必须想办法让全城的人都穿华服。⑳免冠谢：摘掉帽子磕头请罪。㉑甲辰：正月二十七。㉒魏主之幸邺：此追叙去年事。指魏主由南方前线回到邺城。㉓谢罪：自陈李冲闹矛盾的罪过。当时李彪已被免职为民。㉔思李仆射而止：一想到李冲被你气死，于是也就只好停止了。李冲生前任尚书仆射。㉕御史台令史龙文观：御史台的下级官员姓龙，名文观。令史，主管文书的小吏。㉖被收：被逮捕。㉗有手书自理：曾亲笔写信向您申诉。㉘彪不以闻：李彪没有向您报告。〖按〗李彪不只是没有上交太子的书信，而且说过太子的坏话。事见本书上卷明帝建武三年（公元四九六年）。㉙尚书表收彪：尚书令上表请求逮捕李彪。㉚散载：与装入囚车相对而

言，用牛车装载。㉛ 太保：加官名，三公之一，授予年高有德者表示恩宠。㉜ 齐郡灵王简：拓跋简，文成帝拓跋濬之子，孝文帝的叔父，被封为齐郡王，谥曰灵。传见《魏书》卷二十。㉝ 二月辛亥：二月初五。㉞ 咸阳王禧：元禧，孝文帝之弟。传见《魏书》卷二十一上。㉟ 连年在外：连年南征与在外地巡视。〖按〗孝文帝自建武元年（公元四九四年）南征，至此已历四年。㊱ 私：特殊宠爱、偏袒。非谓男女之事。㊲ 在悬瓠病笃：事见本书上卷明帝永泰元年（公元四九八年）。㊳ 中常侍双蒙：皇帝的近侍名叫双蒙。中常侍，官名，皇帝的亲近侍从，因其口传帝命，故而有权。㊴ 彭城公主：彭城王元勰之女，孝文帝的侄女。㊵ 母弟：犹言"胞弟"，同母之弟，以见其关系之亲近。㊶ 厌祷：《魏书·皇后传》作"祷厌"，求鬼神降灾以害人，即祈祷孝文帝死。㊷ 辅少主称制：意即像当年的冯太后那样以辅佐小皇帝为名，而自己行使皇帝的权力。称制，以皇帝的口气发号施令。㊸ 赏报不赀：我将赏给你以无法计算的钱财。不赀，无法计算。㊹ 案问：审问；追问。㊺ 具伏：全都认罪。㊻ 东楹：厅堂东侧的立柱。㊼ 陈状：陈述与皇后之间的罪状。㊽ 此妪：这个女人，指冯皇后。㊾ 手刃吾胁:《魏书·皇后传》作"欲白刃插我肋上"。㊿ 文明太后家女：孝文帝冯皇后是冯熙之女，冯太后的侄女。传见《魏书》卷十三。51 有心庶能自死：我希望她或许能认罪自裁。有心，我希望、我估计。胡三省乃谓"言若有人心，必当自取尽也"，未必合适。52 赐后辞诀：让皇后向二王告别。53 诸嫔御：各位嫔妃、侍女。54 不复朝谒：不再以母后之礼拜见之。55 恭宗女博陵长公主：恭宗即拓跋晃，太武帝拓跋焘之子，做太子时即死，其子拓跋濬继其祖为帝后，追号其父拓跋晃为恭宗。传见《魏书》卷四。拓跋晃的女儿被封为博陵公主，是拓跋濬的姐妹、拓跋弘的姑姑、孝文帝的姑奶奶。凡皇帝的姐妹，众人称曰长公主；皇帝的姑姑，众人称曰太长公主。56 二为皇后二句：其长女、次女先一齐入宫，长女为皇后，次女为左昭仪。后来为皇后者因患病被遣送回家，于是又迎娶其第三女为皇后。后来其长女病愈又回宫任左昭仪，并恶毒地陷害其三妹，致三妹被废出家，长女又重新为皇后，即此邪恶不端者。57 累巨万：犹今之所谓"好几亿""若干亿"。巨万，大万，即"亿"，单位是铜钱。58 诞、脩：冯诞、冯脩。传见《魏书·外戚传》。59 庶子聿：姬妾所生的儿子冯聿。60 同直：一起在宫中值班。61 何所负：有什么地方对不起你。62 无故诅我：无缘无故地诅咒我们家。63 浮竞：浮躁、奔竞，喜欢攀龙附凤地向上爬。64 不悛：不思悔改。65 太后及帝：指文明太后与孝文帝。66 引咎：引罪归己，主动承担责任。67 黜为平城民：被削职为民，发回平城居住。68 诞、熙继卒：胡三省曰，"太和十九年冯诞卒，是年二月也；四月冯熙又卒"。69 幽后寻废：其先后二次入宫，为皇后之长女，跟着于太和二十年被废赐死，被谥为"幽"。寻，紧跟着。70 摈弃：被抛弃。摈，抛舍。71 冯氏遂衰：胡三省曰，"史言外戚罕有能全保其福禄者"。72 癸亥：二月十七。73 马圈城：魏国军事据点名，在今河南南阳西南。74 癸酉：二月二十七。75 斩获千计：指陈显达斩获魏军数千人。76 竞取城中绢：争先恐后地抢夺绢帛。绢帛，丝织品，在当时当作钱币使用。㊆南乡：郡名，原来属齐，去年被魏人所占。㊇三月庚辰：三月初四。㊈命于烈居守：于烈，魏国名将于栗磾之孙，此时任领军将军。传见《魏书》卷三十一。居守，居洛阳主管留守事宜。㊉宋弁：汉族人，魏国的儒学之臣，深受孝文帝赏识。传见《魏书》卷六十三。81摄七兵事：代理兵部尚书的职务。摄，代理、兼任。七兵，当时魏国尚书省中管理军事的部门，即后来的兵部尚书。胡三省引杜佑曰："魏始置五兵尚书，谓中兵、外兵、别兵、都兵、骑兵也。晋又分中、外兵各为左、右，后魏遂为七兵尚书。"82精勤吏治：熟悉并擅长于处理行政事务。83恩遇亚于李冲：受魏主宠信的程度只比当年的李冲略差一点。84癸未：三月初七。85梁城：梁县县城，在今河南汝州西。86顺阳：郡名，郡治南乡，在今河南内乡西南。87张烈：清河郡人。传见《魏书》卷七十六。88甲申：三月初八。89慕容平城：姓慕容，名平城。90居中：侍候在宫中。91蓬首垢面：头不梳、脸不洗的样子。92久疾多忿：因长期有病，脾气暴躁。93失指：不合心思。指，通"旨"，意图。94动欲诛斩：动不动就想杀人。95承颜伺间：随着孝文帝的感情变化见机行事。伺间，抓取时机。96丙戌：三月初十。97更请一王：另叫一位兄弟。98使总军要：让他总管军机。99深虑不济：估计是好不了啦。100安六军：总管全国军队。周制，天子置六军，后作为军队的统称。101何容方更请人：怎么能再请别人。方，将、想。102以违心寄：以违背我的信托。心寄，出自内心的寄托。103丁酉：三月二十一。104广阳王嘉：拓跋嘉，太武帝拓跋焘之孙，此时任荆州刺史。传见《魏书》卷十八。魏国的荆州州治即今河南鲁山县。105断均口：截断由均水进入沔水的一切船只。均口，即今湖北十堰市，是均水流入沔水的汇口。当时的齐国军队与其一切物资都是由汉水逆流北上，再由汉水进入均水。106邀：拦截。107建：拓跋建，太武帝拓跋焘之子。传见《魏书·太武五王传》。但《魏书》作"建闾"，疑作《通鉴》者误漏"闾"字。108渡水西：渡均水西进。109元嵩：拓跋嵩，任城王拓跋澄之弟，孝文帝的叔祖。传见《魏书》卷十九中。110免胄陷陈：不戴头盔地冲入齐阵。陈，通"阵"。111戊戌夜：三月二十二的夜间。112崔恭祖、胡松：皆陈显达部下的齐将名，各为一支军队的头领。113以乌布幔盛显达：用黑色的帐布将陈显达包裹起来，因为陈显达主张进攻，而诸将要求退却而不得，故将陈显达包裹挟持而退。114分碛山：在均口的北方。115己亥：三月二十三。116汉水：即前文所说的沔水。齐国的雍州州治襄阳就在汉水边上。117汋均口：即均口。均水，也称"汋水"。118冯道根：广平郡人，此时是当地的一名见义勇为的百姓。传见《梁书》卷十八。119守隘：坚守要地不战。120首尾俱急：指齐军进退两难，两头难以相顾。121酂城：酂县县城，即当时广平郡的郡治所在地，在今湖北十堰市东南。122列营相次：排列扎营，紧密连接。123鼓行而前：击鼓前进，造成大的声势。124以私属从军：带着家中的一些奴仆、亲党跟着军队一道活动。125指示之：指着山形溪路告诉他们。126众赖以全：许多人就因为有他才获保性命。127范岫：南齐的文学之士，曾为黄门侍郎、御史中丞。传见《梁书》卷二十六。128庚子：三月二十四。129谷塘原：地名，在马圈城之北。⑬⑩ 后宫：指皇后冯氏。⑬① 久乖阴德：很早以来就没有皇后之德。阴德，指皇后之德。古以女子为阴，皇后是全国女性的代表。⑬② 殆：估计；恐怕。⑬③ 嗣子幼弱：魏太子元恪，时年十七岁。⑬④ 霍子孟：即霍光，字子孟。汉武帝死后，受遗诏辅佐年幼的汉昭帝，被后代传为辅少主的杰出代表。事见《汉书·霍光传》。⑬⑤ 诸葛孔明：即诸葛亮，字孔明。刘备死后，辅佐刘禅治理蜀国。事见《三国志·诸葛亮传》。⑬⑥ 顾托：帝王临终前托孤于大臣。⑬⑦ 亲贤：本家族的贤才，既亲又贤。⑬⑧ 可不勉之：还不应该尽心尽力吗。⑬⑨ 布衣之士：平民出身的贤人。这里即指异姓之家的霍光、诸葛亮等人。⑭⑩ 毕命：犹言"贡献一切"。⑭① 托灵先帝：与孝文帝同秉一个父亲的骨血。⑭② 依陛下之末光：意即又长期在孝文帝驾下称臣。⑭③ 宠灵辉赫：所受的恩宠过多。⑭④ 恃陛下日月之明：依仗您像日月一样的光明、英明。⑭⑤ 恕臣忘退之过：能让我在如此之长的时间内掌管大权。⑭⑥ 元宰：首相；众臣之长。⑭⑦ 机政：国家的机要大权。⑭⑧ 震主之声：这就会形成一种让君主畏惧的声威。⑭⑨ 周公大圣：像周公那样的大圣人。周公被历代儒生称颂为大圣人。事迹见《史记·周本纪》与《鲁周公世家》。⑮⑩ 成王至明：像周成王那样极度英明的君主。⑮① 犹不免疑：成王听信谗言，怀疑周公事，见《尚书·金縢》《史记·周本纪》。⑮② 更为未尽始终之美：反而使我不能实现善始善终的美好愿望。⑮③ 清规懋赏：清高的节操，美好的人格。赏，气质、风韵。⑮④ 厌荣舍绂：厌弃荣华，不愿做官。绂，系官印的丝带。⑮⑤ 少与绸缪：从小与他感情深厚。绸缪，情意缠绵的样子。⑮⑥ 未忍暌离：不忍心与他分开。⑮⑦ 百年之后：意即等我去世之后。⑮⑧ 听勰辞蝉舍冕：可以答应他辞去显贵的职务。蝉冕，又称貂蝉冠，汉代皇帝侍从的帽子，用貂尾蝉纹做装饰。后用蝉冕作为对显贵官僚的通称。⑮⑨ 遂：顺从；满足。⑯⑩ 冲挹之性：谦逊退让的性格。⑯① 四月丙午朔：四月初一。⑯② 殂于谷塘原：殂，死、去世。〖按〗孝文帝死时年仅三十三岁。⑯③ 终始无间：从始至终都没有任何隔阂。⑯④ 邂逅不肖：一旦碰上不成材、没有出息的。不肖，不类其父。⑯⑤ 精勤庶务：专心勤奋于各项工作。⑯⑥ 处心公平：以公平之心处理、对待一切事务。⑯⑦ 推诚于物：推心置腹地对待别人。⑯⑧ 无所容贷：绝不宽容。⑯⑨ 阔略：忽略；不计较。⑰⑩ 天地五郊：祭祀天、地，与祭祀五方之神的郊外祭祀。南郊祭天、北郊祭地，历朝皆同。唯所谓"五郊"说法不同，有说谓祭五方之帝，有说谓迎五方之气。曹魏有所谓"迎气"，是迎阴阳二气，也没有听说迎"五气"。⑰① 宗庙二分：祭祀宗庙，与春分朝日、秋分朝月的祭祀。胡三省引郑康成说："古者天子春分朝日、秋分夕月，故曰二分之祭。"⑰② 身亲其礼：亲自参加这些典礼。⑰③ 勿去草划令平：不必清除杂草，不必铲平路面。⑰④ 在淮南行兵：在敌占区的地面上行军。⑰⑤ 或：有时。⑰⑥ 皆留绢偿之：都给树的主人留下绢帛，以做赔偿。⑰⑦ 弊：破旧，这里实指脏污。⑰⑧ 浣濯：洗涤。⑰⑨ 鞍勒：马鞍和马笼头。勒，笼头、嚼子。⑱⑩ 时事：国家大事与皇帝的活动。⑱① 威福在己：言其权力极大，可以令人获福，也可以令人遭罪。⑱② 覆相掩逼：又回来追击魏军。覆，回来。胡三省曰："恐凶问外露，陈显达知之，反兵追掩以相逼。"⑱③ 不发丧：不宣布魏主去世的消息。⑱ 徙御卧舆：把魏主的遗体移放在可以睡卧的车子里。御，装载。⑱ 可决外奏：答应、批准臣下启奏的公事。⑱ 一如平日：此处描写掩盖魏主去世消息的情景，与《史记》写始皇帝之死相同。《史记·始皇本纪》云："丞相斯为上崩在外，恐诸公子及天下有变，乃秘之，不发丧。棺载辒凉车中，故幸宦者参乘，所至上食。百官奏事如故，宦者辄从辒凉车中可其奏事。"⑱ 宛城：即今河南南阳。⑱ 郡听事：南阳郡太守衙门的正堂。⑱ 棺敛：装遗体入棺。敛，通"殓"，给死者穿戴入棺。⑲ 征太子：召太子来宛城。⑲ 凶问：魏主去世的消息。⑲ 处分行留：有关派人去宛城，与派人在洛阳准备迎接的各项安排。⑲ 鲁阳：魏郡名，郡治即今河南鲁山县。⑲ 遇梓宫：遇到了皇帝的灵柩。⑲ 丁巳：四月十二。⑲ 推诚尽礼：对东宫属官以诚相待，对嗣君（世宗）以礼相待。⑲ 有夷险：有平安，也有危险。夷，平、平安。⑲ 彦和：彭城王元勰，字彦和。对人说话自称名字是表示谦逊、客气。⑲ 握蛇骑虎：如握毒蛇、如骑猛虎。⑳ 不觉艰难：已经忘记了艰难。⑳ 恨吾后至：意即嫌我对你产生怀疑，故迟迟不肯进城。⑳ 长秋卿：官名，是皇后宫的诸官之长。⑳ 走呼：一边逃跑一边喊叫。⑳ 官岂有此：皇帝怎么会这样做。官，也称"官家"，对皇帝的称呼。⑳ 执持强之：捉住她，逼着她喝。⑳ 审死：确实是死了。⑳ 设：假使；即使。⑳ 去之：除掉她。⑳ 杀我辈也："也"字同"邪"，反问语词。㉑ 幽：《谥法解》，"壅遏不通曰幽"。㉑ 五月癸亥：此句疑有误，本年的五月无癸亥日。㉑ 丙申：五月二十一。㉑ 魏世宗：嗣君元恪的庙号。元恪是孝文帝第二子，公元四九九至五一五年在位。㉑ 请遂素怀：请求满足一贯的心愿。㉑ 冀、定等七州：即冀州、定州、相州、瀛州、幽州、平州、营州。㉑ 之官：到管区上任。㉑ 羁旅：外来的人。王肃本是江南人，因其父被齐武帝所杀而北投魏，故曰羁旅。〖按〗此时王肃为尚书

【原文】

秋，八月戊申㉓，魏用高祖遗诏，三夫人㉔以下皆遣还家。

帝㉕自在东宫，不好学，唯嬉戏无度，性重涩少言㉖。及即位，不与朝士㉗相接，专亲信宦官及左右御刀㉘、应敕㉙等。

是时，扬州刺史始安王遥光、尚书令徐孝嗣、右仆射江祏、右将军萧坦之㉚、侍中江祀、卫尉刘暄更直内省㉛，分日帖敕㉜。雍州刺史萧

令，任城王元澄为右仆射，所以元澄说王肃“位加己上”。㉘禁止肃：不许王肃进入尚书省。㉙表称谋叛：元澄上表魏主，说王肃阴谋叛逃。㉚案验：查验。案，考查。㉛擅禁宰辅：擅自拘禁宰相。当时的尚书令，相当于别的朝代的丞相。㉜寻：不久。㉝出为雍州刺史：放外任为雍州刺史。魏国雍州州治长安，在今西安的西北侧。胡三省曰：“史官称任城王澄之才略，魏宗室中之巨擘也。太和之间，朝廷有大议，澄每出辞，气加万乘而轶其上。孝文外虽容之，内实惮之，况咸阳王禧等乎！因王肃而斥逐之耳。主少国疑之时，澄之能全其身者，幸也。”㉞六月戊辰：六月二十四。㉟皇妣高氏：魏世宗元恪死去的生母。妣，古称死去的母亲，即前被皇后冯氏所害死者。事见本书上卷建武四年（公元四九七年）。㊱配飨高祖：把高皇后的灵牌放在宗庙里孝文帝灵牌的旁边，随丈夫一道享受祭祀。㊲终宁陵：在孝文帝长陵的东南方。㊳嫡孙猛袭爵：嫡孙高猛袭其祖高飏之爵，因其父已死故也。事见《魏书·外戚传下》。㊴后兄肇：高肇。传见《魏书·外戚传下》。㊵衣帻：衣服头巾。㊶惶惧失措：举动慌乱失常。㊷赫奕：华贵显耀的样子。奕，盛大。胡三省曰：“为高肇以擅权致祸张本。”

【校记】

［1］等：原无此字。据章钰校，十二行本、乙十一行本、孔天胤本皆有此字，今据补。［2］癸亥：原无此二字。据章钰校，十二行本、乙十一行本、孔天胤本皆有此二字，张瑛《通鉴校勘记》同，今据补。［3］夜：原无此字。据章钰校，十二行本、乙十一行本、孔天胤本皆有此字，张敦仁《通鉴刊本识误》、张瑛《通鉴校勘记》同，今据补。［4］姓：据章钰校，十二行本、乙十一行本、孔天胤本此下皆有“犹”字。

【语译】

秋季，八月初五日戊申，魏世宗元恪遵照魏高祖元宏的遗诏，把后宫三个夫人以下的嫔妃全部放出皇宫，令其回到自己的家中。

齐国的小皇帝萧宝卷在东宫当太子的时候，就不喜欢学习，每天只是毫无节制地嬉戏玩耍，天生说话费力不流畅，因而很少说话。等到即位做了皇帝，并不与朝廷上的文武百官进行接触，只亲近、信任宫中的那些宦官以及身边的那些带刀侍卫、供听使唤的侍从等。

当时，担任扬州刺史的始安王萧遥光、担任尚书令的徐孝嗣、担任尚书右仆射的江祏、担任右将军的萧坦之、担任侍中的江祀、担任卫尉的刘暄轮流在宫中值班，每天分别在群臣的奏章后面签署意见，作为皇帝的敕命发布施行。担任雍州刺史的萧衍

衍闻之，谓从舅[243]录事参军范阳张弘策[244]曰：“一国三公[245]犹不堪，况六贵同朝，势必相图[246]，乱将作矣。避祸图福，无如此州。但诸弟在都，恐罹世患[247]，当更与益州[248]图之耳。”乃密与弘策修武备[249]，他人皆不得预谋[250]。招聚骁勇以万数，多伐材竹[251]，沈之檀溪[252]，积茅如冈阜[253]，皆不之用。中兵参军东平吕僧珍[254]觉其意，亦私具橹[255]数百张。先是，僧珍为羽林监[256]，徐孝嗣欲引置其府[257]，僧珍知孝嗣不能久，固求从衍[258]。是时，衍兄懿罢益州刺史还，仍行郢州事[259]，衍使弘策说懿曰：“今六贵比肩[260]，人自画敕[261]，争权睚眦[262]，理相图[5]灭[263]。主上[264]自东宫素无令誉[265]，媟近[266]左右，慓轻忍虐[267]。安肯委政诸公[268]，虚坐主诺[269]？嫌忌[270]积久，必大行诛戮。始安[271]欲为赵王伦[272]，形迹已见，然性猜量狭[273]，徒为祸阶[274]。萧坦之忌克陵人[275]，徐孝嗣听人穿鼻[276]，江祏无断，刘暄暗弱[277]。一朝祸发，中外土崩。吾兄弟幸守外藩[278]，宜为身计[279]。及今猜防未生[280]，当悉召诸弟[281]，恐异时拔足无路矣。郢州控带荆、湘[282]，雍州士马精强，世治则竭诚本朝[283]，世乱则足以匡济[284]。与时进退[285]，此万全之策[286]也。若不早图，后悔无及。”弘策又自说懿曰：“以卿兄弟英武，天下无敌，据郢、雍二州为百姓请命[287]，废昏立明[288]，易于反掌，此桓、文之业[289]也。勿为竖子[290]所欺，取笑身后[291]。雍州[292]揣之已熟[293]，愿善图之。”懿不从。衍乃迎其弟骠骑外兵参军伟[294]及西中郎外兵参军憺[295]至襄阳。

听说以后，便对自己的堂舅担任录事参军的范阳人张弘策说：“一个国家中如果有三个权臣当道，下边的官员就都不知道该听谁的才好，何况现在的朝廷中有六个权臣轮流辅政，他们必将为了争权夺利而相互谋害，国家大乱的局面就要出现了。躲避灾祸、图谋幸福，没有比雍州再好的地方了。但是我的几个弟弟现在还在都城建康，我担心他们会被卷入灾难之中，我得与我那担任益州刺史的哥哥萧懿另行商量对策。”于是就与张弘策秘密地为发兵起事做好各方面的准备，其他人都不得参与谋划这件事。萧衍招集了数以万计的骁勇善战之人，砍伐了大量的木材和竹竿，并把这些木材和竹竿全部沉入檀溪储藏起来，储存的茅草堆积得就像小山包一样，存放在那里，全都暂不使用。在萧衍手下担任中兵参军的东平人吕僧珍明白了萧衍的意图，也私下里准备了几百张战船上使用的大盾牌。先前，吕僧珍曾经担任掌管皇帝卫队的羽林监，尚书令徐孝嗣想要把吕僧珍调到尚书省衙门内任职，吕僧珍知道徐孝嗣根本不会长久，所以坚决请求跟随雍州刺史萧衍。这时，萧衍的哥哥萧懿被免去了益州刺史的职务回到建康，随即又被朝廷任命为代理郢州刺史，萧衍派遣张弘策去游说萧懿说：“如今朝廷之中有六位辅政大臣，他们的权力不相上下，六位权臣每人批阅每人的奏章，下达各自的命令，为了争权夺利彼此怒目而视，必然会发展到互相残杀的地步。当今的皇帝在东宫当太子的时候就一直没有好名声，他以不正当的方式去亲近、宠信自己身边的那些人，又性情急躁轻浮，为人残忍暴虐。他怎么会甘心把朝政大权交给他们六个人掌管，自己坐在皇帝的位子上，像个木偶一样只管点头说是呢？猜疑、忌恨的时间一长，一定会大行杀戮。始安王萧遥光想要像西晋时期的赵王司马伦那样起兵夺权，控制朝政，他的行迹已经暴露出来，然而他生性喜好猜疑，气量狭窄，只能成为另一起祸乱产生的因由。右将军萧坦之嫉妒别人，好居人上，尚书令徐孝嗣糊里糊涂就像牛一样被人牵着鼻子走，尚书右仆射江祏优柔寡断，卫尉刘暄昏庸懦弱。一旦有灾祸发生，朝廷内外立即就会土崩瓦解。幸好我们兄弟都分别在地方上担任大州的刺史，我们应该及早为自己做好打算。趁着他们还没有对我们产生猜疑，应该让还在京城的兄弟们赶紧离开京城到我们这里来，恐怕以后想拔腿跑都没有路子了。郢州连接着荆州、湘州，控制着二州通往京师的道路，雍州兵强马壮，世道太平的时候我们对朝廷忠心耿耿，世道混乱的时候也完全可以匡扶社稷，救助百姓。我们应该随着形势的变化而变化，只有这样才能确保万无一失。如果你不早做打算，恐怕后悔就来不及了。”张弘策又向萧懿谈了自己的想法，他说：“凭借你们兄弟的英明神武，一定是天下无敌，你们兄弟二人分别占据着郢州、雍州，如果打着为百姓请命的旗号向朝廷施加压力，废掉昏君萧宝卷，改立圣明的君主，肯定易如反掌，这是齐桓公、晋文公称霸天下一样的功业。不要被朝中徐孝嗣、萧坦之等那些掌权的小人所欺骗，以至于被人所杀，被世人所耻笑。雍州刺史萧衍已经揣摩得十分成熟了，希望你好好地考虑考虑。”萧懿没有听从他们的劝告。萧衍便把自己的弟弟担任骠骑外兵参军的萧伟和担任西中郎外兵参军的萧憺接到了雍州州治所在地襄阳。

初，高宗虽顾命群公，而多寄腹心在江祏兄弟，二江更直殿内㉙，动止关之㉗。帝稍欲行意㉘，徐孝嗣不能夺㉙，萧坦之时有异同㉚，而祏执制坚确㉛，帝深忿之。帝左右会稽茹法珍、吴兴梅虫儿等，为帝所委任，祏常裁折㉜之，法珍等切齿㉝。徐孝嗣谓祏曰："主上稍有异同㉞，讵可尽相乖反㉟？"祏曰："但以见付㊱，必无所忧。"

帝失德寖彰㊲，祏议废帝，立江夏王宝玄㊳。刘暄尝为宝玄郢州行事㊴，执事过刻㊵。有人献马，宝玄欲观之，暄曰："马何用观？"妃索煮肫㊶，帐下谘暄㊷，暄曰："旦已煮鹅，不烦复此㊸。"宝玄恚曰："舅殊无渭阳情㊹。"暄由是忌宝玄，不同祏议，更欲立建安王宝寅㊺。

祏密谋于始安王遥光，遥光自以年长，欲[6]自取，以微旨动祏㊻。祏弟祀亦以少主难保，劝祏立遥光。祏意回惑㊼，以问萧坦之，坦之时居母丧㊽，起复为领军将军㊾，谓祏曰："明帝立，已非次㊿，天下至今不服。若复为此，恐四方瓦解，我期不敢言㉑耳。"遂还宅行丧㉒。

祏、祀密谓吏部郎谢朓㉓曰："江夏年少㉔，脱不堪负荷㉕，岂可复行废立？始安年长，入纂㉖不乖物望㉗。非以此要富贵㉘，政是㉙求安国家耳。"遥光又遣所亲丹阳丞南阳刘沨㉚密致意于朓，欲引以为党，朓不答。顷之，遥光以朓兼知卫尉事㉛，朓惧㉜，即以祏谋告太子右卫率㉝[7]左兴盛，兴盛不敢发㉞。朓又说刘暄曰："始安一旦南面，

当初，齐高宗萧鸾虽然托孤于六位公卿大臣，然而却把心腹大事大多都寄托在了江祏、江祀兄弟二人身上，江祏、江祀兄弟轮流在皇帝跟前值班，小皇帝的一举一动都必须禀报江祏、江祀二人。小皇帝萧宝卷稍微有一点想按照自己的想法办的时候，尚书令徐孝嗣不敢反对皇帝的意见，右将军萧坦之有时会提出一些不同意见，而尚书右仆射江祏则顽固地坚持自己的意见，小皇帝对他们深深地怀恨在心。小皇帝身边的侍从会稽郡人茹法珍、吴兴郡人梅虫儿等，都深受萧宝卷的倚重和信任，而江祏却经常批评他们、训斥他们。茹法珍等人对江祏兄弟恨得咬牙切齿。徐孝嗣曾经对江祏说："小皇帝有时稍微提出一些不同的意见，你怎么能完全违背他的心思而全部予以驳回呢？"江祏回答说："你就只管交给我去办好了，一定不用你担忧什么。"

齐国小皇帝萧宝卷的恶劣品行越来越明显地表现出来，尚书右仆射江祏遂提议废掉他，改立江夏王萧宝玄为皇帝。卫尉刘暄曾经代替江夏王萧宝玄主持过郢州刺史的事务，对江夏王萧宝玄限制得过于苛刻。曾经有人献给萧宝玄一匹马，萧宝玄想要看一看这匹马，刘暄立即阻止他说："一匹马有什么好看的？"萧宝玄的王妃向厨师索要炖猪肉，帐下的人向刘暄请示给还是不给，刘暄说："早上已经给他煮了鹅，用不着再给他煮猪肉。"萧宝玄愤怒地说："舅舅实在没有舅舅的样子，对我没有一点甥舅之情。"刘暄因此忌恨萧宝玄，所以不同意江祏的提议，他想另立建安王萧宝寅为皇帝。

江祏秘密地和始安王萧遥光商议，萧遥光认为自己年长，就想自己夺取皇位，他隐隐约约地把自己的想法透露给了江祏。江祏的弟弟担任侍中的江祀也认为年纪小的皇帝很难辅佐，于是也劝说江祏拥立萧遥光为皇帝。江祏搞不清楚到底立谁为帝才好，于是就去咨询右将军萧坦之，当时萧坦之正在为自己的母亲守孝，守孝期未满，便被朝廷以紧急需要为名让他出任领军将军，萧坦之对江祏说："明帝萧鸾继承皇位，就已经乱了次序，天下人到现在都还不服。如果再做出这种事情，恐怕国家就会土崩瓦解了，我实在是不敢发表意见。"于是回到家中继续为自己的母亲守孝。

尚书右仆射江祏、侍中江祀兄弟二人秘密地对担任吏部郎的谢朓说："江夏王萧宝玄年纪太小，假如他不能承担起社稷重任，怎么可以再来一次废黜皇帝另立新君的事呢？始安王萧遥光年岁最大，如果让他入宫继承皇位一定不会违背人们的愿望。我并不是想以此来为自己求取富贵，真正的目的就是为了求得国家的安定而已。"始安王萧遥光又派遣自己的亲信担任丹杨县丞的南阳郡人刘沨秘密地向谢朓表达自己的心意，想拉拢他作为自己的党羽，谢朓没有答复。不久，萧遥光任命谢朓兼任卫尉的职务，谢朓非常恐惧，立即就把江祏准备废掉现在的皇帝拥立始安王为帝的阴谋告诉了担任太子右卫率的左兴盛，左兴盛不敢告发其事。谢朓于是又去劝说卫尉刘暄，他对刘暄说："始安王一旦南面称帝，那么丹阳县丞刘沨、刘晏就会处于你今

则刘沨、刘晏居卿今地㉟，但以卿为反覆人㊱耳。”晏者，遥光城局参军㊲也。暄阳惊㊳，驰告遥光及祏。遥光欲出朓为东阳郡㊴，朓常轻祏㊵，祏固请[8]除之。遥光乃收朓付廷尉，与孝嗣、祏、暄等连名启朓㊶“扇动内外，妄贬乘舆㊷，窃论宫禁㊸，间谤亲贤㊹，轻议朝宰㊺”。朓遂死狱中。

暄以遥光若立，己失元舅㊻之尊，不肯同祏议，故祏迟疑，久不决。遥光大怒，遣左右黄昙庆刺暄于青溪桥㊼。昙庆见暄部伍多，不敢发。暄觉之，遂发祏谋㊽，帝命收祏兄弟。时祀直内殿，疑有异，遣信报祏曰："刘暄似有异谋，今作何计?”祏曰："政当静以镇之。”俄㊾有诏召祏入见，停中书省㊿。初，袁文旷以斩王敬则功(351)当封，祏执不与(352)。帝使文旷取祏(353)，文旷以刀环筑其心(354)曰："复能夺我封不?”并弟祀皆死。刘暄闻祏等死，眠中大惊，投出户外(355)，问左右："收至未(356)?”良久意定(357)，还坐大悲曰："不念江，行自痛也(358)!”

帝自是无所忌惮，益得自恣，日夜与近习(359)于后堂鼓叫戏马(360)。常以五更就寝，至晡乃起(361)。群臣节朔朝见(362)，晡后方前(363)，或际暗遣出(364)。台阁案奏(365)，月数十日乃报(366)，或不知所在(367)。宦者以裹鱼肉还家，并是五省黄案(368)。帝尝[9]习骑致适(369)，顾谓左右曰："江祏常禁吾乘马，小子若在，吾岂能得此!”因问："祏亲戚余谁?”对曰："江祥今在冶(370)。”帝于马上作敕(371)，赐祥死。

始安王遥光素有异志，与其弟荆州刺史遥欣密谋举兵据东府(372)，

天的位置，而把你看成一个反复无常的两面派。”刘晏，是扬州刺史萧遥光属下负责掌管修浚城池与防御外敌的城局参军。刘暄假装很吃惊的样子，他骑上快马飞速地把谢朓的话报告给萧遥光和江祏。萧遥光想把谢朓赶出京师让他到东阳郡去担任太守，谢朓曾经以门第出身轻视江祏，所以江祏坚决请求萧遥光除掉谢朓。萧遥光遂逮捕了谢朓，把谢朓交付给司法部门进行审理，并且与徐孝嗣、江祏、刘暄一起联名上书弹劾谢朓“在朝廷内外煽动是非，狂妄地贬损皇帝，私下里议论宫廷里的事情，离间、诽谤与皇帝亲密而又贤良的大臣，随便议论朝廷的宰辅”。谢朓于是便死在了监狱中。

担任卫尉的刘暄认为如果萧遥光继承皇位，他就失去了作为皇帝大舅的尊贵，不肯赞同江祏的建议，江祏因此犹豫不定，很久不能做出决定。始安王萧遥光不禁大怒，遂派遣自己身边的侍从黄昙庆埋伏在青溪桥准备刺杀刘暄。黄昙庆看见刘暄的警卫很多，前呼后拥，所以没敢动手。刘暄也觉察到了萧遥光的阴谋，于是就向小皇帝萧宝卷告发了江祏欲行废立的阴谋，小皇帝下令逮捕了江祏兄弟。当时江祀正在宫内值班，他感觉到周围的情况有些异常，就立即派人去给自己的哥哥江祏报信说：“刘暄好像另有阴谋，现在我们该怎么办？”江祏答复说：“我们应当以静来慑服他。”不一会儿有皇帝的诏书召江祏入宫朝见，江祏在中书省等候皇帝的召见。当初，袁文旷因为砍下王敬则的人头而立了大功，按理应该得到封赏，然而江祏坚持主张不封赏袁文旷。所以现在小皇帝就派袁文旷去逮捕江祏，袁文旷用刀环捣着江祏的胸口说：“你还能剥夺我的封赏不能？”江祏连同他的弟弟江祀都被杀死。刘暄听到江祏兄弟被杀死的消息后坐立不安，一次他在睡梦中忽然惊醒，便立即奔出门外，向左右的侍从询问说：“逮捕我的人来了吗？”过了好久情绪才逐渐平静下来，他回到屋中坐下非常悲痛地说：“我不是怀念江祏兄弟，我是心疼自己快要倒霉了！”

小皇帝萧宝卷自从江祏兄弟死后便无所忌惮，他越来越放纵，不分白天黑夜地与身边的亲信在后堂击鼓呼叫，以骑马作为游戏。他经常到五更天才上床睡觉，一直睡到下午才起床。每逢节日与每个月的初一，是群臣朝拜皇帝的时候，现在也都改在下午才来上朝，有时候群臣一直等到天黑，也不见小皇帝出来召见群臣，他只派人出来说一声就打发群臣回家。朝廷各部门上报的请示批复的案卷，要等上一个月或几十天之后才能见到答复，有的奏章呈递之后竟然石沉大海，都不知道被丢到哪里去了。宦官回家的时候用来包裹鱼肉的，都是尚书省各个部门上报的案卷。小皇帝有一次练习骑马，玩得特别高兴，他看着左右的人说：“江祏曾经禁止我骑马，这小子如果现在还活着，我岂能玩得如此快乐！”趁机又问：“江祏的亲戚还有谁？”左右的人回答说：“江祥现在还在东冶做苦工。”小皇帝在马上写了一道手谕，赐江祥自杀。

齐国担任扬州刺史的始安王萧遥光一向怀有篡夺皇位的政治野心，他与自己的弟弟担任荆州刺史的萧遥欣密谋起兵占领东府城，他令萧遥欣从江陵率领荆州兵沿

使遥欣自江陵引兵[10]急下，刻期[373]将发，而遥欣病卒。江祏被诛，帝召遥光入殿，告以祏罪。遥光惧，还省[374]，即阳狂号哭，遂称疾不复入台[375]。先是，遥光弟豫州刺史[376]遥昌卒，其部曲皆归遥光。及遥欣丧还，停东府前渚[377]，荆州众力送者[378]甚盛。帝既诛二江，虑遥光不自安，欲迁为司徒使还第[379]，召入谕旨。遥光恐见杀，乙卯[380]晡时，收集二州部曲[381]于东府东门，召刘沨、刘晏等谋举兵，以讨刘暄为名。夜，遣数百人破东冶，出囚，于尚方取仗[382]。又召骁骑[11]将军垣历生[383]，历生随信而至。萧坦之宅在东府城东，遥光遣人掩取[384]之。坦之露袒[385]逾墙走向台[386]，道逢游逻主[387]颜端，执之。坦之[12]告以遥光反，不信。自往诇问[388]，知实，乃以马与坦之，相随入台。遥光又掩取尚书左仆射沈文季[389]于其宅，欲以为都督，会文季已入台。垣历生说遥光帅城内兵夜攻台，辇荻[390]烧城门，曰："公但乘舆随后[391]，反掌可克[392]！"遥光狐疑不敢出。天稍晓，遥光戎服出听事[393]，命上仗[394]登城，行赏赐。历生复劝出军，遥光不肯，冀[395]台中自有变。及日出，台军稍至[396]。台中始闻乱，众情惶惑。向晓[397]，有诏召徐孝嗣，孝嗣入，人心乃安。左将军沈约[398]闻变，驰入西掖门[399]，或劝戎服，约曰："台中方扰攘[400]，见我戎服，或者谓同遥光[401]。"乃朱衣而入。

丙辰[402]，诏曲赦建康[403]，中外戒严。徐孝嗣以下屯卫宫城，萧坦之帅台军讨遥光。孝嗣内自疑惧[404]，与沈文季戎服共坐南掖门[405]上，欲与

着长江迅速东下进攻建康，本来已经约定好日期，就在即将准备发兵的时候，萧遥欣却得病而死。江祏兄弟被杀之后，小皇帝召萧遥光入殿，把江祏兄弟的犯罪事实告诉了萧遥光。萧遥光听后非常恐惧，他回到中书省以后，就佯装疯狂，大哭大叫，于是就装病不再到中书省去办公。先前的时候，萧遥光的弟弟担任豫州刺史的萧遥昌去世之后，萧遥昌的私人武装全都归附了萧遥光。等到萧遥欣的灵柩运回京师，停靠在东府所面临的秦淮河北岸，从荆州护送萧遥欣灵柩来京的萧氏奴仆非常多。小皇帝诛杀了江祏兄弟之后，也担忧萧遥光会因此而感到不安，就准备授予萧遥光司徒的虚衔让他回家养老，因此召请萧遥光入宫想要当面告诉他这件事。萧遥光却担心自己入宫之后被杀，于是就在八月十二日乙卯午后，把来自荆州、豫州的萧氏私家武装召集在东府东门，同时也把自己的亲信担任丹杨县丞的刘沨、担任城局参军的刘晏等人召来一起谋划起兵之事，最后决定以讨伐卫尉刘暄为借口起兵叛乱。当天夜里，萧遥光派遣数百人攻破了东冶，放出了在东冶做苦工的囚犯，又从皇家的兵工厂里取出武器。萧遥光又召请担任骁骑将军的垣历生，垣历生接到信后便立即赶来。右将军萧坦之的住宅就在东府城的东边，萧遥光派人去袭捕萧坦之。萧坦之惊慌之下也顾不上穿衣服，就光着头、光着脊梁翻过院墙向朝廷方向逃跑，逃跑途中遇到了巡逻部队的小头领颜端，颜端逮捕了萧坦之。萧坦之告诉颜端萧遥光举兵造反了，颜端没有听信萧坦之。颜端亲自前去侦察，知道萧遥光确实叛乱了，于是就把自己的马交给萧坦之乘坐，自己跟随着萧坦之进入朝廷。萧遥光又派人到尚书左仆射沈文季的家中袭捕沈文季，准备胁迫他为自己担任都督，碰巧沈文季此时已经去了朝廷。骁骑将军垣历生劝说萧遥光率领东府城内的军队连夜进攻皇城，用车运送芦草烧毁皇城城门，垣历生说:“你只管坐着车子跟在我的后面，攻克皇城易如反掌!”萧遥光举棋不定，没敢出动军队。天快黎明的时候，萧遥光穿着军服来到议事厅，他命令自己的卫兵列好队伍，然后登上城楼，颁发赏赐。骁骑将军垣历生再次劝说萧遥光出兵，萧遥光还是不肯，他希望朝廷内部自行发生变化。等到太阳出来的时候，朝廷的军队逐渐到达，越来越多。宫中刚得知萧遥光聚众叛变的时候，群臣心中全都惶恐不安。天将亮的时候，小皇帝下诏召尚书令徐孝嗣入宫，徐孝嗣入宫之后，众人之心才逐渐安定下来。担任左将军的沈约听到始安王萧遥光叛乱的消息，立即飞马赶到皇宫的西侧旁门，有人劝沈约穿上军服，沈约说:“宫中正在人心惶惶、秩序混乱，看见我身穿军服，说不定会认为我是萧遥光的同伙。”就穿着红色的官服进入皇宫。

八月十三日丙辰，小皇帝因为国家遭遇特殊情况而将建康城里所有的罪犯全部赦免，朝廷内外全面进入紧急状态。尚书令徐孝嗣以下的官员全都留在皇城负责保卫，右将军萧坦之率领朝廷军讨伐萧遥光。徐孝嗣内心怀疑皇帝也饶不了自己，遂与尚书左仆射沈文季身穿军服坐在皇宫南面正门旁边的侧门上，想与沈文季共同讨

之共论世事[406]，文季辄引以他辞[407]，终不得及[408]。萧坦之屯湘宫寺[409]，左兴盛屯东篱门[410]，镇军司马曹虎[411]屯青溪大桥。众军围东城[412]，三面烧司徒府[413]。遥光遣垣历生从西门出战，台军屡败，杀军主桑天爱。遥光之起兵也，问谘议参军萧畅，畅正色不从。戊午[414]，畅与抚军长史沈昭略潜自南门出，诣台自归[415]，众情大沮[416]。畅，衍之弟。昭略，文季之兄子也。己未[417]，垣历生从南门出战，因弃稍[418]降曹虎，虎命斩之。遥光大怒，于床上自踊[419]，使杀历生子。其晚，台军以火箭烧东北角楼，至夜，城溃。遥光还小斋帐中，著衣帢[420]坐，秉烛自照，令人反拒[421]，斋阁皆重关[422]，左右并逾屋[423]散出。台军主刘国宝等先入，遥光闻外兵至，灭烛扶匐床下。军人排阁[424]入，于暗中牵出，斩之。台军入城，焚烧室屋且尽。刘沨走还家，为人所杀。荆州将潘绍闻遥光作乱，谋欲应之。西中郎司马夏侯详[425]呼绍议事，因斩之，州府以安[426]。

己巳[427]，以徐孝嗣为司空；加沈文季镇军将军，侍中、仆射如故；萧坦之为尚书右仆射、丹杨尹，右将军如故；刘暄为领军将军；曹虎为散骑常侍、右卫将军，皆赏平始安之功也。

魏南徐州[428]刺史沈陵来降。陵，文季之族子也。时魏徐州刺史京兆王愉[429]年少，军[13]府事皆决于兼[14]长史卢渊[430]。渊知陵将叛，敕诸城潜为之备。屡以闻于魏朝[431]，魏朝不听。陵遂杀将佐，帅宿预[15]之众来奔，滨淮诸戍[432]以有备得全。陵在边历年[433]，阴结边州豪杰。陵既叛，郡县多捕送陵党，渊皆抚而赦之，唯归罪于陵，众心乃安。

论当前的局势，探测一下沈文季对当前事态的看法，而沈文季却故意把话题引导到别的事情上去，始终没有谈对当前事态的看法。萧坦之率领朝廷军屯扎在湘宫寺，担任太子右卫率的左兴盛率军屯扎在皇城外城的东门，担任镇军司马的曹虎率领一支军队屯扎在青溪大桥。各路军队将萧遥光的老巢东府城团团围困，并从三面用火攻烧司徒府。萧遥光派遣垣历生从东府城的西门出兵迎战朝廷军，朝廷军多次被垣历生的叛军打败，朝廷军中担任一支军队首领的桑天爱被叛军杀死。萧遥光在起兵的时候，曾经征求谘议参军萧畅的意见，萧畅态度极其严肃地坚决表示反对。十五日戊午，萧畅与担任抚军长史的沈昭略偷偷地从东府城的南门逃出，到朝廷归顺请罪，萧遥光的军心士气大受挫折。萧畅，是萧衍的弟弟。沈昭略，是沈文季的侄子。十六日己未，垣历生率领一部分叛军从东府城南门出来作战，他借着这个机会扔下手中的长矛投降了朝廷军中的镇军司马曹虎，曹虎下令杀死了垣历生。萧遥光得知垣历生向朝廷军投降的消息不禁大怒，他一下子从床上跳起来，立即派人杀死了垣历生的儿子。当天晚上，朝廷军发射带火的箭烧毁了东府城东北的角楼，到了夜间，东府城便彻底崩溃了。萧遥光回到小斋的帐中，穿好衣服，戴上便帽，然后坐下来，他手里拿着蜡烛给自己照亮，下令叛军继续抵抗朝廷军，斋阁全都层层上好门闩，然而萧遥光身边的人还是全部翻墙而四处逃散了。朝廷军中的小头领刘国宝等人率先进入萧遥光所在的斋阁，萧遥光听到外面的朝廷军已经进入斋阁，就吹灭手中的蜡烛趴伏到床下躲藏起来。朝廷军中的士兵推开房门进入斋阁，在黑暗中把萧遥光从床下拉了出来，将萧遥光斩首。朝廷军进入东府城，放火把城里所有的房屋差不多全烧光了。萧遥光的亲信刘沨逃回自己的家中，也被人杀死。荆州的将领潘绍听到萧遥光起兵作乱的消息之后，就准备谋划起兵响应萧遥光。担任西中郎司马的夏侯详招呼潘绍一起商议事情，趁机把潘绍斩首，荆州刺史府与西中郎将萧宝融的军府因此才得以平安无事。

八月二十六日己巳，齐国朝廷任命徐孝嗣为司空；加授沈文季为镇军将军，侍中、尚书左仆射的职位不变；任命萧坦之为尚书右仆射、丹杨尹，右将军的职位保留不变；任命刘暄为领军将军；任命曹虎为散骑常侍、右卫将军，这些封赏都是对他们在这次平定始安王萧遥光之乱中所建功劳的赏赐。

魏国担任南徐州刺史的沈陵来向齐国投降。沈陵，是沈文季的族侄。当时魏国担任徐州刺史的京兆王元愉年龄很小，刺史府中的事务都决定于兼任长史的卢渊。卢渊知道沈陵将要叛逃齐国，就命令各城守军暗中做好防备。卢渊多次向魏国朝廷反映沈陵的情况，而朝廷却没有做出任何反应。沈陵杀死将佐，率领宿预部众前来投奔齐国，魏国沿着淮河的各军事据点因为预先都有所防备而没有遭受什么损失。沈陵在魏国担任边将多年，暗中结交了边境州郡的很多豪杰。沈陵叛变魏国归降齐国之后，很多郡县都把沈陵的党羽逮捕起来押送到卢渊这里，卢渊对他们都进行了安抚，并且赦免了他们，把所有的罪过都归到沈陵一个人的身上，众人这才安下心来。

闰月丙子[434]，立江陵公宝览[435]为始安王，奉靖王后[436]。

以沈陵为北徐州刺史[437]。

江祏等既败，帝左右捉刀、应敕之徒皆恣横用事，时人谓之“刀敕”。萧坦之刚狠而专[438]，嬖幸畏而憎之。遥光死二十余日，帝遣延明主帅[439]黄文济将兵围坦之宅，杀之，并其子秘书郎赏[440]。坦之从兄翼宗为海陵太守[441]，未发[442]，坦之谓文济曰：“从兄海陵宅故应无他[443]。”文济曰：“海陵宅在何处？”坦之以告。文济白帝，帝仍遣收之。检[444]其家，至贫，唯有质钱帖[445]数百，还以启帝，原[446]其死，系尚方[447]。

茹法珍等谮[448]刘暄有异志，帝曰：“暄是我舅，岂应有此？”直阁新蔡徐世标曰：“明帝乃武帝同堂[449]，恩遇如此，犹灭武帝之后，舅焉可信邪！”遂杀之。

曹虎善于诱纳[450]，日食荒客[451]常数百人。晚节吝啬，罢雍州，有钱五千万，他物称是[452]。帝疑虎旧将[453]，且利其财[454]，遂杀之。坦之、暄、虎所新除官[455]，皆未及拜而死[456]。

初，高宗临[16]殂，以隆昌事[457]戒帝曰：“作事不可在人后[458]。”故帝数与近习谋诛大臣，皆发于仓猝[459]，决意无疑[460]，于是大臣人人莫能自保。

九月丁未[461]，以豫州刺史裴叔业为南兖州刺史，征虏长史张冲[462]为豫州刺史。

壬戌[463]，以频诛大臣，大赦。

丙戌[464]，魏主谒长陵，欲引白衣左右[465]吴人茹皓同车。皓奋衣[466]将

闰八月初三日丙子，齐国的小皇帝封江陵公萧宝览为始安王，令他作为始安靖王萧凤的继承人。

齐国朝廷任命从魏国归降的沈陵为北徐州刺史。

齐国把持朝权的江祏兄弟等人败亡之后，小皇帝萧宝卷身边的那些提刀卫士、供听使唤的侍从等一类的人物全都任意胡为，掌权用事，当时的人把他们叫作“刀敕”。萧坦之为人粗暴、固执而又独断专行，小皇帝所宠幸的那些人对萧坦之既畏惧又憎恨。萧遥光死后二十多天，小皇帝就派遣延明殿的卫队头领黄文济率军包围了萧坦之的住宅，将萧坦之杀死，同时被杀死的还有萧坦之的儿子担任秘书郎的萧赏。萧坦之的堂兄萧翼宗被任命为海陵郡太守，此时还没有离开京城前往海陵郡上任，萧坦之对黄文济说：“我的堂兄海陵太守萧翼宗的家里不应该受到牵连。”黄文济问萧坦之说：“海陵太守的住宅在什么地方？”萧坦之遂将萧翼宗家的住址告诉了黄文济。黄文济报告了小皇帝，小皇帝派人去逮捕萧翼宗。在查抄萧翼宗家产的时候，发现萧翼宗的家里一贫如洗，只有几百张当票，查抄萧翼宗家产的人回去把情况报告了小皇帝，小皇帝遂赦免了萧翼宗的死罪，把萧翼宗囚禁在尚方省，让他做苦工。

小皇帝身边的侍从茹法珍等人在小皇帝面前进谗言，说领军将军刘暄图谋不轨，小皇帝说：“刘暄是我的舅舅，岂能有这种事？”担任直阁的新蔡人徐世标说：“齐明帝萧鸾是齐武帝萧赜的堂兄弟，齐武帝对齐明帝有着非同一般的恩宠和礼遇，齐明帝还是灭掉了齐武帝的后代，舅舅又怎么可以信赖呢！”小皇帝遂把自己的舅舅刘暄杀死。

曹虎喜欢招降纳叛，每天在他家里吃饭的流浪者、从落后边远地区或敌占区过来的人经常有好几百人。曹虎到了晚年开始变得吝啬起来，被罢免了雍州刺史之后，家里还有五千万钱，其他的物品折合起来也差不多有这个数目。小皇帝因为曹虎是齐高帝、齐武帝时的旧将而怀疑他对自己不忠，再加上贪图他家的钱财，于是就把曹虎也杀死了。萧坦之、刘暄、曹虎所提议任命的新官职都还没有来得及正式就职就被小皇帝杀死了。

当初，齐高宗萧鸾临死的时候，以隆昌年间自己废杀郁林王萧昭业为例子，告诫小皇帝萧宝卷说：“做事要先下手，落在别人的后边就要倒霉。”所以小皇帝多次与自己的亲信密谋诛杀大臣，都是突然之间采取行动，决定要干的事情就毫不迟疑地去干，于是朝中的大臣人人自危，谁也无法保证自己不被小皇帝杀死。

九月初五日丁未，齐国朝廷任命担任豫州刺史的裴叔业为南兖州刺史，任命担任征虏长史的张冲为豫州刺史。

二十日壬戌，齐国的小皇帝因为连续地诛杀大臣而实行大赦。

丙戌日，魏世宗元恪到长陵祭拜自己的父亲孝文帝元宏，他想让还没有官职的身边亲信侍从吴郡人茹皓和自己同坐一辆车子。茹皓撩起衣襟就要上车，担任给事

登，给事黄门侍郎元匡进谏，帝推之使下，皓失色而退。匡，新城[467]之子也。

益州刺史刘季连闻帝失德，遂自骄恣，用刑严酷，蜀人怨之。是月，遣兵袭中水[468]，不克。于是蜀人赵续伯等皆起兵作乱，季连不能制。

枝江文忠公[469]徐孝嗣，以文士不显同异[470]，故名位虽重，犹得久存。虎贲中郎将[471]许准为孝嗣陈说事机[472]，劝行废立。孝嗣迟[17]疑久之[473]，谓必无用干戈之理，须[474]帝出游，闭城门，召百官[18]集议废之。虽有此怀[475]，终不能决。诸嬖幸亦稍憎之。西丰忠宪侯[476]沈文季自托老疾，不豫朝权，侍中沈昭略谓文季曰："叔父行年六十[477]，为员外仆射[478]，欲求自免，岂可得乎？"文季笑而不应。

冬，十月乙未[479]，帝召孝嗣、文季、昭略入华林省[480]。文季登车顾曰："此行恐往而不反。"帝使外监茹法珍[481]赐以药酒，昭略怒，骂孝嗣曰："废昏立明，古今令典[482]，宰相无才，致有今日！"以瓯[483]掷其面曰："使作破面鬼！"孝嗣饮药酒至斗余，乃卒。孝嗣子演尚武康公主[484]，况尚山阴公主[485]，皆坐诛。昭略弟昭光闻收至，家人劝之逃。昭光不忍舍其母，入执母手悲泣，收者杀之。昭光兄子昙亮逃，已得免，闻昭光死，叹曰："家门屠灭，何以生为！"绝吭[486]而死。

初，太尉陈显达自以高、武旧将，当高宗[487]之世，内怀危惧，深自贬损[488]，常乘朽弊车，道从卤簿[489]止用羸小[490]者十数人。尝侍宴，酒酣，启高宗借枕[491]，高宗令与之。显达抚枕曰："臣年衰老，富贵已足，唯欠枕枕死[492]，特就陛下乞之[493]。"高宗失色曰："公醉矣。"显达以年

黄门侍郎的元匡上前进行劝阻，世宗便推茹皓让他下车，茹皓脸色大变而退。元匡，是阳平王拓跋新城的儿子。

齐国担任益州刺史的刘季连听到小皇帝任意诛杀大臣、有失君德的时候，自己也就骄横放纵起来，他用刑严酷，蜀地的人都很怨恨他。当月，刘季连派遣蜀军袭击中水，没有取胜。于是蜀郡人赵续伯等全都起兵作乱，刘季连没有办法对付他们。

枝江文忠公徐孝嗣，因为自己是个文官，遇到事情总是模棱两可，不敢明确表态，所以名声虽然很大，官位虽然很高，仍然能够保持长久。担任虎贲中郎将的许准为徐孝嗣分析当前最需要做的事情，劝说徐孝嗣废掉萧宝卷，另立新君。徐孝嗣迟疑了很久，认为绝对没有动用武力废掉皇帝的道理，必须等待小皇帝萧宝卷出宫游玩的机会，先关闭城门，然后召集起文武百官一同商议废掉萧宝卷的事情。徐孝嗣心中虽然有这样的想法，然而却始终拿不定主意。小皇帝所宠信的那些刀敕也逐渐憎恨起徐孝嗣来。西丰忠宪侯沈文季自称年老多病，已经不再参与朝政，担任侍中的沈昭略对沈文季说："叔父已经将近六十岁了，只是一个编外的尚书左仆射，即使你想使自己免除灾祸，难道可能吗？"沈文季笑而不答。

冬季，十月二十三日乙未，小皇帝萧宝卷召徐孝嗣、沈文季、沈昭略前往华林省。沈文季登上车子之后回过头来对家里的人说："我这次到华林省，恐怕是有去无回了。"小皇帝让监视宫外活动的宦官茹法珍拿着药酒逼迫他们喝下去，沈昭略非常愤怒，他大骂徐孝嗣说："废掉昏君，另立明主，这是从古到今的一条良好规则，你这个当宰相的没有能力，才会有今天这样的下场！"沈昭略拿起盛放毒酒的杯子就砸向徐孝嗣的脸，一边说："让你做个破脸鬼去吧！"徐孝嗣喝下一斗多的药酒才死去。徐孝嗣的儿子徐演娶了齐武帝萧赜的女儿武康公主为妻，徐况娶了齐明帝萧鸾的女儿山阴公主为妻，他们全都因为受到牵连而被杀死。沈昭略的弟弟沈昭光听到小皇帝派来逮捕自己的人到了，家里人都劝他赶紧逃跑。沈昭光不忍心抛下自己的母亲，他进入房间拉着母亲的手悲哀地哭泣起来，逮捕他的人当场把沈昭光杀死。沈昭光的侄子沈昙亮已经逃走，摆脱了追杀，当他听到自己的叔父沈昭光已经被杀死的消息，就叹了一口气说："全家人都被屠杀了，我还活着做什么！"沈昙亮于是割断自己的咽喉而死。

当初，担任太尉的陈显达认为自己是齐高帝萧道成、齐武帝萧赜时期的旧将，在齐高宗萧鸾在位的时候，内心就感到十分的不安和恐惧，于是就深深地压抑着自己，处处谦退，他经常乘坐着一辆腐朽的破车，出行时的侍从与仪仗也只用十几个瘦小的人。陈显达曾经陪着齐高宗饮酒，酒喝多了以后，就开口向齐高宗借用枕头，齐高宗让人把枕头给他。陈显达抚摸着枕头说："我现在年老体衰，已经享受了足够的富贵，就差枕着枕头死了，所以特地向陛下请求能赏赐给我一个枕头，让我能枕着枕头死去。"齐高宗不禁变了脸色，说："你喝醉了。"陈显达按照七十岁致仕的古

礼告退⑭，高宗不许。及王敬则反，时显达将兵拒魏⑮，始安王遥光疑之，启高宗欲追军还⑯。会敬则平，乃止。及帝即位，显达弥⑰不乐在建康，得江州⑱，甚喜。尝有疾，不令治，既而自愈，意甚不悦。闻帝屡诛大臣，传云⑲当遣兵袭江州，十一月丙辰⑳，显达举兵于寻阳，令长史庾弘远等与朝贵书，数帝罪恶，云欲奉建安王㉑为主，须京尘一静㉒，西迎大驾。

乙丑㉓，以护军将军崔慧景为平南将军，督众军击显达；后军将军胡松、骁骑将军李叔献帅水军据梁山㉔；左卫将军左兴盛督前锋军屯杜姥宅㉕。

十二月癸未㉖，以前辅国将军杨集始㉗为秦州刺史㉘。

陈显达发寻阳，败胡松于采石㉙，建康震恐。甲申㉚，军于新林㉛，左兴盛帅诸军拒之。显达多置屯火㉜于岸侧，潜军夜渡，袭宫城。乙酉㉝，显达以数千人登落星冈㉞，新亭㉟诸军闻之奔还，宫城大骇，闭门设守。显达执马矟㊱从步兵数百，于西州㊲前与台军战。再合㊳，显达大胜，手杀数人，矟折。台军继至，显达不能抗，退[19]走，至西州后，骑官㊴赵潭注刺㊵显达坠马，斩之，诸子皆伏诛。长史庾弘远，炳之㊶之子也，斩于朱雀航㊷。将刑，索帽著之，曰："子路结缨㊸，吾不可以不冠而死。"谓观者曰："吾非贼，乃是义兵，为诸君[20]请命㊹耳。陈公太轻事㊺，若用吾言，天下将免涂炭㊻。"弘远子子曜，抱父乞代，命并杀之。

礼请求辞官退休，齐高宗没有批准。等到王敬则起兵造反的时候，陈显达正奉命率领齐军去抗拒魏军的入侵，始安王萧遥光怀疑陈显达，就奏请齐高宗将陈显达所率领的军队追回来。正好此时王敬则的叛乱已经被朝廷军平定，齐高宗这才没有下令追回陈显达。等到小皇帝萧宝卷继承了皇位之后，陈显达更加不愿意留在京师建康，自从被逐出朝廷出任江州刺史，他心里非常高兴。陈显达曾经生了一场病，他不让医生给自己治疗，然而没过多久，他的病却自然痊愈了，陈显达为此心里很不痛快。后来听说小皇帝多次诛杀朝中大臣，还有传言说小皇帝要派兵来袭击江州，十一月十五日丙辰，陈显达在江州州治寻阳起兵造反，他令担任长史的庾弘远等人给朝中的显贵大臣写信，一条一条地列举了小皇帝的种种罪恶，陈显达说自己想要拥戴担任郢州刺史的建安王萧宝寅为皇帝，等到京城建康的战乱平定下来之后，就到西边的郢州去迎接建安王萧宝寅的车驾回京师称帝。

十一月二十四日乙丑，齐国的小皇帝任命担任护军将军的崔慧景为平南将军，统帅各路军队平定江州刺史陈显达的叛变；派担任后军将军的胡松、担任骁骑将军的李叔献率领水军占据梁山以捍卫建康城；派担任左卫将军的左兴盛率领前锋部队屯扎在杜姥宅。

十二月十二日癸未，齐国朝廷任命曾经担任辅国将军的杨集始为秦州刺史。

陈显达率领江州军从寻阳出发，在采石山打败了朝廷派出的后军将军胡松，建康朝廷得知后军将军胡松被陈显达打败的消息之后非常震惊和恐慌。十三日甲申，陈显达将军队驻扎在新林，左卫将军左兴盛率领前锋各部队抗拒陈显达。陈显达在秦淮河岸边堆放了很多火堆以迷惑朝廷军，自己则暗中率领军队连夜渡过秦淮河北上，袭击宫城。十四日乙酉，陈显达率领几千人登上了落星冈，驻防新亭的各路军队听到这个消息全都放弃新亭逃回建康城，宫城里的人非常惊恐，赶紧关闭城门，派兵防守。陈显达骑在马上，手执长矛，有几百名步兵跟随其后，在西州城前面与朝廷军交战。两次交战，陈显达都大获全胜，他亲手杀死了好几个朝廷军，不幸的是他手中的长矛突然折断了。朝廷军相继到来，陈显达抵抗不住，败退逃走，当他逃到西州城后面的时候，朝廷军中一个骑兵小头目赵潭用尽力气向陈显达刺去，将陈显达刺落马下，接着又斩下了陈显达的首级，陈显达的几个儿子也都被朝廷军杀死。担任长史的庾弘远，是庾炳之的儿子，他在朱雀桥上被朝廷军杀死。在他即将被杀死的时候，他要求拿自己的帽子戴在头上，说："孔子的弟子子路在与叛乱分子的战斗中宁可被敌人杀死也要系好自己的帽带，我死的时候不能不戴好帽子。"然后对着围观的人说："我们不是叛贼，我们是为了正义而起兵造反，是为了给那些无辜被朝廷杀死的人讨一个说法。江州刺史陈显达做事太草率、太轻敌，所以才会失败，如果他能听取我的意见，天下人将免受水深火热之苦。"庾弘远的儿子庾子曜，抱着自己的父亲向朝廷军请求替父去死，结果一同被杀死。

帝既诛显达，益自骄恣，渐出游走，又不欲人见之。每出，先驱斥[527]所过人家，唯置空宅。尉司[528]击鼓蹋围[529]，鼓声所闻，便应奔走[530]，不暇衣履，犯禁者应手格杀[531]。一月凡二十余出，出辄不言定所，东西南北，无处不驱。常以三四更[532]中，鼓声四出，火光照天，幡戟横路[533]。士民喧走相随[534]，老小震惊，啼号塞路[21]，处处禁断，不知所过。四民废业[535]，樵苏[536]路断，吉凶失时[537]，乳母[22]寄产[538]，或舆病弃尸[539]，不得殡葬[540]。巷陌悬幔为高鄣，置仗人[541]防守，谓之"屏除"，亦谓之"长围"。尝至沈公城[542]，有一妇人临产不去[543]，因剖腹视其男女。又尝至定林寺[544]，有沙门[545]老病不能去，藏草间，命左右射之，百箭俱发。帝有膂力[546]，牵弓至三斛五斗[547]。又好担幢[548]，白虎幢[549]高七丈五尺，于齿上担之，折齿不倦[550]。自制担幢校具[551]，伎衣[552]饰以金玉，侍卫满侧，逞诸变态[553]，曾无愧色[554]。学乘马于东冶营兵[555]俞灵韵，常著织成裤褶[556]、金薄帽[557]，执七宝矟[558]，急装缚裤[559]，凌冒雨雪[560]，不避阬阱。驰骋渴乏，辄下马，解取腰边蠡器[561]，酌水饮之，复上马驰去。又选无赖小人善走者，为逐马左右[562]五百人，常以自随。或于市侧过[563]亲幸家，环回宛转，周遍城邑。或出郊射雉[564]，置射雉场二百九十六处，奔走往来，略不暇息。

王肃为魏制官品百司[565]，皆如江南之制，凡九品，品各有二[566]。侍

小皇帝萧宝卷杀死了江州刺史陈显达之后，行为更加放纵，竟然毫无节制地离开皇宫四处游走，又不愿意让人看见他。所以他每次出宫，都要让人预先把自己所经过的人家赶走，只剩下空房子。京城之中负责维持治安的尉司们便敲着鼓为他清除道路，驱赶该区域内的一切人等，鼓声传到哪里，哪里的百姓就得迅速避开，都来不及穿好衣服鞋子，对于违反了禁令没有及时避开的人，一经被清道的尉司们发现，就随手将其杀死。一个月当中，小皇帝大概要出宫二十多次，出宫的时候也不预先说好要到哪里去，所以负责清道的尉司们便不管东西南北，到处驱赶百姓。经常半夜三更的时候，击鼓之声已经响遍了四面八方，火光照亮了天空，小皇帝的仪仗队与护卫队已经布满了大街小巷。不论是士大夫还是平民百姓全都一边相互呼喊着一边相互跟随着奔跑，老人小孩更是震惊害怕，哭喊声、号叫声充满了道路，街道上到处禁止通行，也不知道跑到哪里才能找到避难所。士、农、工、商全都被搅得不得安生，不能从事各自的行业活动，路上看不见砍柴割草的人，婚丧嫁娶也不能按时进行，满月的孕妇都要躲到远处别人的家里去生孩子，有的车上拉着病人奔跑躲避，病人如果死在路上，就只好抛尸路旁，不能按照礼节为他停灵、出殡。大街小巷的两侧全都悬挂着高大的帐幔作为屏障，屏障后面安排有手持兵器的士兵进行防守，人们管这叫作“屏除”，也叫“长围”。小皇帝曾经来到沈公城闲逛，有一个孕妇因为就要生产了而未能逃离，小皇帝就叫人剖开孕妇的肚子，他要看看肚子里的婴儿是男是女。小皇帝还曾经到定林寺闲游，有一个年老的和尚因为有病不能逃避到别处去，就躲藏在柴草堆中；小皇帝命令自己身边的侍卫向老和尚射箭，一百支箭同时向老和尚射去，老和尚立即毙命。小皇帝很有力气，能拉开三斛五斗重量的硬弓。又喜好以各种方式舞弄中幢，绣有白虎图案的中幢高七丈五尺，他能用牙齿将中幢顶起来，还曾经为此弄伤了牙齿，但他仍然乐此不疲。小皇帝还自制了一些舞弄中幢的辅助用具，舞弄中幢时所穿的衣服全都用金玉做装饰，舞弄时，两侧站满了侍卫，小皇帝极力变换着各种姿态让他们观看，竟然没有一点惭愧的神色。小皇帝向守卫东冶营的士兵俞灵韵学习骑马，他经常穿着用丝织品制成的骑兵套裤，戴着一顶用黄金薄片作装饰的帽子，手里拿着一柄装饰着各种宝物的长矛，身穿一套军衣军裤，顶着雨雪，也不顾地面上的坑坑洼洼。骑在马上任意驰骋，等他感到渴了、累了的时候，就跳下马来，解下腰边携带的小瓢，舀点水喝，喝完之后就又骑上马飞快地向远处跑去。小皇帝又从那些无赖小人当中，选择了五百名善于奔跑的人充当随马奔跑的侍从，他经常让这些人跟随着自己。有时小皇帝在集市旁边闲游，忽然想到自己所亲近、宠幸的人家里探访，于是便转弯抹角，找遍京城的每一个角落。有时候到郊外去射猎野鸡，他令人圈定二百九十六处射猎野鸡的场所，他便在这二百九十六处奔走往来，一点儿也不休息。

魏国担任尚书令的王肃为魏国制定了官员的品级和各部门的建制，都和江南的

中郭祚兼吏部尚书。祚清谨，重惜官位[567]，每有铨授[568]，虽得其人，必徘徊久之，然后下笔，曰："此人便已贵[569]矣。"人以是多怨之，然所用者无不称职。

【段旨】

以上为第二段，写东昏侯萧宝卷永元元年（公元四九九年）下半年的大事。主要写了南齐野心家萧衍占据雍州，窥测形势，断定六贵并存的局面不会长久，必将相互噬啮，他倚其心腹张弘策、吕僧珍等预做起事夺权之准备。写了江祏、萧遥光、刘暄等各怀野心，各自树党，谢朓因举报江祏阴谋欲行废立而被下狱诛死；写了刘暄因不同意江祏立萧遥光之议而被萧遥光所谋刺，刘暄向小皇帝举报江祏，江祏兄弟被小皇帝萧宝卷所杀；写萧遥光收聚三州之萧氏部曲，依据东府以讨刘暄为名发动叛乱，但萧遥光为人怯懦，不听其亲党垣历生之言，不敢出兵攻击台城，而一味徘徊瞻望。写了萧坦之、沈文季、左兴盛、曹虎等讨伐叛乱，围攻东府，垣历生出战投降被杀，萧遥光因东府失陷被杀，建康乱平。写了小皇帝萧宝卷的各种劣迹，好骑马，好舞长幢，专门干些损人不利己的勾当，因为萧坦之刚狠持权，遭到一些人的谗毁，遂被萧宝卷所杀，并杀其子；接着刘暄、曹虎又因近习茹法珍、徐世标等人的进言而被杀；其后萧宝卷又杀了徐孝嗣、沈文季等，灭其门。老将陈显达自萧鸾在世时即深自贬损，惧不得全，最终还是因恐惧于江州起兵造反，攻至建康城下，在作战中因自己的武器折断，被朝廷军所杀。此外还写了魏国的南徐州刺史沈陵率部降齐，徐州长史卢渊因早有准备，故使魏国损失不大，以及儒臣王肃为魏人制定官品、百司，一如南朝等。

【注释】

㉝八月戊申：八月初五。㉞三夫人：三个夫人。夫人是魏国嫔妃的名号，位在左、右昭仪以下。夫人位同三公。㉟帝：指萧鸾之子小皇帝萧宝卷。㊱重涩少言：说话费劲不流畅，故而话少。㊲朝士：朝廷上的百官。㊳御刀：握刀者。㊴应敕：听喝、听使唤的侍从。㊵萧坦之：萧谌的同族，与萧鸾没有血缘关系。原为萧道成、萧赜的亲信，后又转为萧鸾篡位的积极拥护者。传见《南齐书》卷四十二。㊶更直内省：轮流在宫中值班。㊷分日帖敕：分别每天在群臣的奏章后面签署意见，作为皇帝的命令发布施行。帖敕，犹言"画敕"，即批阅、签署。㊸从舅：堂舅；母亲的堂兄弟。㊹张弘策：萧衍少

制度一样，所制定的官员品级共有九品，每品分为正、从二品。担任侍中的郭祚兼任吏部尚书。郭祚为人清廉、做事谨慎，不轻易授予人官职，每当任命官职，即使已经得到了合适的人选，也一定要考虑再三，然后才下笔书写委任状，他说："这个人从此就富贵起来了。"因为这个缘故，很多人都怨恨他，然而他所任用的人没有不称职的。

年时的伙伴，协助萧衍建梁的元勋，此时任录事参军，兼襄阳令。传见《梁书》卷十一。㉔⑤一国三公：一个国家里有三个权臣当道。《左传》僖公五年晋臣士蔿有所谓"一国三公，吾谁适从"之语。㉔⑥相图：为争权夺利而相互谋害。㉔⑦恐罹世患：恐怕卷进灾难之中。罹，陷入、卷进。㉔⑧益州：萧衍以称其兄萧懿，时萧懿任益州刺史。事见《梁书》卷一。㉔⑨修武备：准备发动起事作战使用的物资。㉕⓪预谋：参与谋划。㉕①材竹：木材与竹竿，都是造船使用的材料。㉕②沈之檀溪：贮藏在檀溪水下。檀溪流经襄阳城西，北流入沔水。即当年刘备跃马飞越之处。㉕③积茅如冈阜：贮存茅草，堆积得像山冈一样高。冈阜，丘陵、小山包。㉕④吕僧珍：东平郡人，在齐时为萧衍之父萧顺之的部下，后又成为萧衍的部下，此时为中兵参军。传见《梁书》卷十一。中兵参军是将军贴身的僚属，管理军府诸事。㉕⑤具橹：准备了战船上使用的大盾牌。橹，吊车。有时也指大盾牌。㉕⑥羽林监：掌管皇帝卫队的军官。㉕⑦引置其府：调他到尚书令的官衙。㉕⑧固求从衍：坚决请求到萧衍的部下。㉕⑨仍行郢州事：被任为代理郢州刺史。仍，此处用法同"乃"。行，代理、试用。南齐时的郢州州治即今武汉市汉口。㉖⓪比肩：犹言"并立"，权力大小相等。㉖①人自画敕：各人批阅各人手下的奏章，下达自己的号令。㉖②争权睚眦：为了争权夺利而彼此怒目相视。㉖③理相图灭：必然要发展到相互消灭。㉖④主上：指小皇帝萧宝卷。㉖⑤素无令誉：一向没有好名声。令，善、美好。㉖⑥媟近：亲近；宠信。媟，不正当的亲近。㉖⑦慓轻忍虐：急躁轻浮、残忍暴虐。㉖⑧委政诸公：把朝廷大权交给他们几个人。㉖⑨虚坐主诺：像个木偶一样坐在那里，只管点头说是。㉗⓪嫌忌：嫌疑、忌恨。㉗①始安：指萧遥光，萧鸾之侄，时为始安王。传见《南齐书》卷四十五。㉗②欲为赵王伦：想和西晋的赵王伦一样起兵杀人夺权，控制朝政。赵王伦是司马懿之子，西晋八王之乱的八王之一。事见本书卷八十四。㉗③性猜量狭：性情残忍，心胸狭窄。㉗④徒为祸阶：只能成为另一起祸乱产生的因由，言外之意是他自己成不了什么大气候。㉗⑤忌克陵人：嫉妒别人，好居人上。忌克，同"忌刻"，嫉妒、苛刻。陵人，欺压人。㉗⑥听人穿鼻：言其糊里糊涂，如牛之被人牵着鼻子走。㉗⑦暗弱：昏庸懦弱。㉗⑧幸守外藩：有幸在地方上掌权。指分别任大州刺史。㉗⑨宜为身计：应及早地为自己做好打算。㉘⓪及今猜防

未生：趁他们还没对我们产生怀疑。㉘悉召诸弟：让诸弟都离开京城到我们掌权的地方来。㉘控带荆、湘：连接着荆州与湘州，是二州赴京师的必经之路。荆州的州治江陵，湘州的州治长沙。㉘竭诚本朝：对朝廷忠心耿耿。㉘足以匡济：可以救国济世。匡，正、扶持。济，救助。㉘与时进退：随着形势的变化而变化。㉘万全之策：对我们自己是万无一失的。㉘为百姓请命：意即打着为百姓请命的旗号，对朝廷施加压力。㉘废昏立明：废掉昏君，改立明主。㉘桓、文之业：是齐桓公、晋文公一样的称霸天下的功业。㉙竖子：指江祏、徐孝嗣等。㉙取笑身后：以至于被人所杀，被世人所耻笑。㉙雍州：指萧衍，时任雍州刺史。㉙揣之已熟：已经揣度得十分成熟。㉙骠骑外兵参军伟：萧伟，时任骠骑将军的外兵参军，此时在京城。㉙西中郎外兵参军憺：萧憺，时任西中郎将的外兵参军，此时在京城。二人之传皆见于《梁书》卷二十二。㉙更直殿内：轮流在皇帝跟前值班。㉙动止关之：朝廷的任何一举一动都必须禀告他们两人知道。胡三省曰："江祏、江祀兄弟，高宗母景皇后之侄也，故寄以腹心。"㉙稍欲行意：稍有一点想按自己的想法办。㉙不能夺：不敢反对皇帝的心思。夺，改变。㉚时有异同：有时能提出不同的意见。异同，偏义复词，实际就指异。㉚执制坚确：能顽固坚持自己的意见，不肯改变。㉚裁折：批评；训斥。㉚切齿：对江氏兄弟极端痛恨。㉚稍有异同：意思是皇上有时提出些不同的要求（就应该任由他去）。㉚讵可尽相乖反：怎么能全部地给予驳回。讵，岂、怎能。乖反，违背他的心思。㉚但以见付：你就尽管交给我办吧。但，尽管。见付，交给我。㉚失德寖彰：缺点越来越表现得明显。失德，缺点、短处。寖，逐渐。㉚江夏王宝玄：萧宝玄，萧鸾的第三子。传见《南齐书》卷五十。㉚尝为宝玄郢州行事：曾代江夏王宝玄主持郢州刺史的事务。〖按〗当时刺史均由皇子担任，因年龄幼小，又派大臣代理州事。㉛执事过刻：对萧宝玄限制得过严。㉛煮肫：水煮的猪肉。肫，胡三省曰："豕也。"㉛帐下谘暄：手下的人向刘暄请示。㉛不烦复此：用不着再煮猪肉。㉛殊无渭阳情：实在没有个舅舅的样子，没有一点甥舅之情。《诗经·渭阳》有所谓"我送舅氏，曰至渭阳。""我"是秦康公自指，舅氏指公子重耳。这是一首秦康公送其舅重耳所作的诗。以后便常以"渭阳"表示甥舅关系的事。刘暄是明帝刘皇后之弟，萧宝玄之舅。㉛建安王宝寅：萧宝寅，萧鸾的第六子，此时任江州刺史。传见《南齐书》卷五十。㉛以微旨动祏：隐微地向江祏示意。㉛回惑：困惑；拿不定主意。㉛居母丧：正为其母守孝。㉛起复为领军将军：守丧之期未满，被朝廷以紧急需要之名让他出任了领军将军。官吏守丧未满而被朝廷任以政事叫作"起复"。领军将军主管京城以内的全部驻军，且管理诸将，地位崇重。㉜已非次：已经是乱了次序，不合资格。㉜我期不敢言：我实在是不敢发表意见。期，《南齐书·萧坦之传》作"其"，总之是表示一种说话艰难的样子。西汉的周昌有口吃的毛病，当年劝刘邦不废刘盈，有所谓"臣期期知其不可"。事见《史记·张丞相列传》。㉜还宅行丧：回家继续守孝。㉜谢朓：当时著名的文学家，对于新体诗、山水诗的发展有重要贡献，人称"小谢"。谢朓是王敬则的女婿，王敬则的儿子串联谢朓谋反萧鸾，遭谢朓告密被杀，因而得超升为吏部尚书。传见《南齐书》卷四十七。㉔江夏年少：江夏王萧宝玄年龄幼小。㉕脱不堪负荷：一旦表现出不能承担社稷重任。脱，万一、假如。不堪负荷，不能接续其父留下的重任。㉖入纂：入朝继承皇位。㉗不乖物望：不违背人们的愿望。物，人心、社会舆论。㉘要富贵：求取富贵，讨好萧遥光。㉙政是：真正的目的是。政，通“正”。㉚丹杨丞南阳刘沨：刘沨是南阳郡人，此时任丹杨县丞。丹杨县丞官位甚卑，但它是都城建康所在的县，县衙即在建康城内，因而地位不同一般，故萧遥光拉为一党。㉛兼知卫尉事：兼管卫尉的职务。卫尉是统兵防护皇宫的官员，秦汉时是九卿之一。㉜朓惧：胡三省曰，“以郎兼卿，事本无足惧。其所惧者，以为为遥光所引，将罹其难也”。㉝太子右卫率：统兵防护太子宫的官员，是深受朝廷宠信的人。㉞不敢发：不敢告发其事，因为江祏的权力太大了。㉟居卿今地：处于你今天的位置。㊱以卿为反覆人：把你看成一个两面派。㊲城局参军：州刺史的僚属，掌修浚城池与防御来敌。㊳阳惊：假装吃惊。阳，通“佯”。㊴东阳郡：郡治即今浙江金华。㊵轻祏：以门第轻视江祏。㊶启朓：弹劾谢朓。㊷妄贬乘舆：狂妄地贬损皇帝。乘舆，皇帝坐的车，也用来指称皇帝，此指萧宝卷。㊸窃论宫禁：私下议论宫廷内的事情。㊹间谤亲贤：离间、诽谤与皇帝亲密而又贤良的大臣。㊺朝宰：朝廷的宰辅。㊻元舅：皇帝的大舅。㊼青溪桥：青溪水上的桥梁。青溪是人工开凿的河水名，引玄武湖之水南通秦淮河。流经当时建康城的东侧，在今江苏南京市内。㊽遂发祏谋：遂举报了江祏欲行废立的阴谋。㊾俄：一会儿；时间不久。㊿停中书省：在中书省等候召见，江祏时任中书令。(351)斩王敬则功：袁文旷斩王敬则事，见本书上卷永泰元年（公元七六五年）。(352)祏执不与：江祏坚持不封袁文旷。胡三省曰：“时崔恭祖以刺仆敬则，与文旷争功，祏执不与，当为此也。”(353)取祏：逮捕江祏。这里即指处死江祏。(354)筑其心：捣他的胸口。筑，捣、砸。(355)投出户外：奔出门外。(356)收至未：逮捕我的人来了没有。(357)意定：情绪稳定下来。(358)不念江二句：我不是想江祏，我是心疼自己快要倒霉了。(359)近习：身边的亲信。(360)戏马：骑马为戏。(361)至晡乃起：到下午才起床。晡，相当于现在的下午三时至五时。(362)节朔朝见：每到节日与每个月的初一应该朝拜皇帝的时候。节，节日。朔，每个月的初一早晨。(363)晡后方前：都要改到下午才来上朝。(364)或际暗遣出：有时群臣等到天黑，皇帝还不出见，只派人说一声打发群臣回家。际暗，到天黑。(365)台阁案奏：朝廷各部门上报的请示批复的案卷。(366)月数十日乃报：要等上一个月或几十天才见回复。(367)或不知所在：有的竟不知扔到哪里去了。(368)并是五省黄案：都是用的各部门上报的文书档案。五省，胡三省曰：“江左有吏部、祠部、五兵、左民、度支五尚书，各为一省，谓之尚书五省。”黄案，胡三省曰：“案，文案也，藏之以为案据。尚书用黄札，故曰黄案。”(369)尝习骑致适：有一次练习骑马玩得很高兴。致适，得到了乐趣、快感。(370)江祥今在冶：江祥现在东冶做苦工。东冶是皇家的冶铁所，常用囚禁的犯人做苦工。江祥，江祏之弟。(371)作敕：写了一道手谕。(372)东府：东府城，在当时的台城东。萧遥光以任扬州刺史居于东府。㊲刻期：已经约定日期。㊴还省：回到中书省。㊵不复入台：不再进入台城；不再到中书省办公。㊶豫州刺史：南齐的豫州州治即今安徽当涂。当时称作“南豫州”，与扬州相连接。㊷东府前渚：即秦淮河的北岸，东府南临秦淮河。㊸荆州众力送者：从荆州送萧遥欣之丧来京城的萧氏的私家势力。众力，众多奴仆。㊹迁为司徒使还第：授予他司徒的虚衔，让他交出实权回家养老。㊺乙卯：八月十二。㊻二州部曲：指来自荆州与豫州的萧氏私家势力，包括私家军队与依附其家的农户、工商户等。㊼于尚方取仗：从皇家的兵工厂里取出武器。㊽垣历生：宋齐时代的名将垣荣祖的堂弟，在齐为骁骑将军。传见《南齐书》卷二十八。㊾掩取：袭捕，因萧坦之不肯依附于江祏等人故也。㊿露袒：光着头、没穿上衣，极言其惊慌匆忙的样子。㊱走向台：逃向朝廷。㊲游逻主：京城巡逻部队的小头目。㊳诇问：侦察；刺探。㊴沈文季：刘宋名将沈庆之子，入齐后亦颇受齐武帝之信任，后又为齐明帝萧鸾效力。萧鸾死后，朝廷混乱，遂退居在家。传见《南齐书》卷四十四。㊵輂荻：用车拉柴草。輂，用如动词，载运。㊶乘舆随后：坐着车子跟在我的后面。㊷反掌可克：意即攻下台城易如反掌。㊸听事：议事厅；正堂。㊹上仗：列队，排好执仗的卫兵。㊺冀：希望；盼着。㊻稍至：渐至；越来越多。㊼向晓：天将亮。㊽左将军沈约：沈约是当时著名的文人，发现了汉语的四声，提出了写诗应避免“八病”，是《宋书》的作者。传见《宋书·自序》。左将军，据《梁书·沈约传》，当增“卫”字。左卫将军是当时朝廷禁军中的一支军队的统帅。㊾西掖门：皇宫的西侧旁门。㊿扰攘：人心惶惶，秩序混乱。㊱或者谓同遥光：或许被当作是萧遥光的同伙。㊲丙辰：八月十三。㊳曲赦建康：大赦京城里的所有人，目的是孤立叛乱分子，吸引失足的人迅速返回朝廷一方。曲赦，不当赦而赦，根据当前事态发布的赦免令。㊴内自疑惧：怀疑皇帝也饶不了他。㊵南掖门：皇宫南面正门旁边的小门。㊶共论世事：一道讨论当前的时局，意思是想向沈文季摸底，探测沈文季对当前事态的看法。㊷辄引以他辞：总是把话题引到别的事情上。㊸终不得及：始终不谈对当前事变的看法。㊹湘宫寺：宋明帝刘彧所建。㊺东篱门：台城外城的东门。㊻曹虎：南齐的重要将领，始为萧道成部下，接着又事齐武帝，又转事齐明帝，此时任前将军。传见《南齐书》卷三十。㊼东城：东府城，萧遥光的老巢。㊽司徒府：在东府城的旁边，刘宋时期的彭城王刘义康为司徒时所建。可以看作是东府城的一部分。㊾戊午：八月十五。㊿诣台自归：到台城归顺请罪。㊱众情大沮：叛军队伍的士气大大受挫。㊲己未：八月十六。㊳弃矟：扔下长矛；放下武器。㊴于床上自踊：从床上跳起来。㊵著衣帢：穿好衣服，戴好帽子。帢，便帽。㊶反拒：抵抗。㊷皆重关：都重重地上好门闩。关，门闩。㊸逾屋：翻墙。㊹排阁：推开房门。阁，小门、内室之门。㊺夏侯详：曾为刘宋名将刘勔的部下，在齐时颇受萧鸾的赏识，后又成为萧衍的开国元勋。此时任西中郎将的司马。传见《梁书》卷十。㊻州府以安：荆州刺史府与西中郎将萧宝融的军府都获得平安无事。㊼己巳：八月二十六。㊽南徐州：州治宿预，在今江苏宿迁东南。㊽京兆王愉：元瑜，孝文帝元宏之子，被封为京兆王，此时任徐州刺史。传见《魏书》卷二十二。㊿卢渊：魏国的儒学之臣卢玄之孙，卢度世之子，为官甚有能名。传见《魏书》卷四十七。㉛闻于魏朝：向魏国朝廷报告。㉜滨淮诸戍：魏国沿着淮河的各军事据点。㉝在边历年：为魏国任边将多年。㉞闰月丙子：闰八月初三。㉟江陵公宝览：萧缅之子，萧鸾之侄，被封为江陵公。传见《南齐书》卷四十五。㊱奉靖王后：作为始安靖王萧凤的继承人。萧凤是萧鸾之兄，萧遥光之父。因萧遥光造反被杀，萧凤遂绝无后，故以萧缅之子过继给萧凤做继承人。㊲北徐州刺史：齐国的北徐州州治钟离，在今安徽凤阳东。㊳刚狠而专：粗暴、固执而又独断专行。狠，固执、执拗。㊴延明主帅：延明殿的卫队头领。延明殿是萧宝卷日常居处之殿堂。㊵秘书郎赏：萧赏，秘书郎是在朝廷掌管图书文籍的官。㊶海陵太守：海陵郡的郡治即今江苏泰州。㊷未发：尚未离京前往上任。㊸故应无他：犹言“没有问题”“不该受到牵连”。㊹检：查抄。㊺质钱帖：今称“当票”，因缺钱而典当东西的凭据。㊻原：赦免。㊼系尚方：囚禁在尚方省，使做苦工。〖按〗尚方省是为宫廷制造器物的场所，其地有许多因家族犯罪而没入此处做苦工的罪犯。㊽谮：进谗言；说人坏话。㊾同堂：同祖兄弟，即堂兄弟。㊿善于诱纳：喜好招降纳叛，收容各色人等。㉛荒客：流浪者；从落后边远或敌占区过来的人。㉜他物称是：其他物品也与这些钱财成比例。㉝旧将：齐高帝、齐武帝时的老将。㉞利其财：想把他的钱财都弄过来。利，贪图。㉟所新除官：所提议被任命的官员。㊱未及拜而死：还没有正式就职就被视为同党被杀了。㊲隆昌事：指隆昌年间（公元四九四年）郁林王萧昭业被废杀事。㊳作事不可在人后：意即先下手为强，不要落在人后倒霉。㊴发于仓猝：让人无法提防。㊵决意无疑：想干就干，绝不迟疑。㊶九月丁未：九月初五。㊷张冲：刘宋时名将张永的堂侄，入齐后又先后在齐武帝、齐明帝手下任职。此时任豫州刺史。传见《南齐书》卷四十九。㊸壬戌：九月二十。㊹丙戌：此句疑有误，本年的九月无“丙戌”日。㊺白衣左右：一个在皇帝左右服务，而尚无品级、官职的人。㊻奋衣：撩起衣襟。㊼新城：拓跋新城，文成帝拓跋濬之弟，封阳平王。传见《魏书》卷十九上。新城，《魏书》作“新成”。㊽中水：即资水，今称沱江，流经今四川资阳东。㊾枝江文忠公：徐孝嗣的封号名，枝江是封地，文忠是其死后的谥。㊿不显同异：遇事模棱两可，不明确表示态度。㉛虎贲中郎将：皇帝卫队的头领，上属郎中令。㉜陈说事机：分析当前最需要做的事情。机，关键。㉝迟疑久之：长时间地拿不定主意，下不了决心。㉞须：等待。㉟此怀：这种想法。㊱西丰忠宪侯：沈文季的封号名，被封为西丰侯，忠宪是谥号。㊲行年六十：将近六十岁。行，将。㊳员外仆射：是一个只挂名而不管事的仆射。仆射相当于副丞相，是有权的，但沈文季虽为仆射，却称病在家，不问朝政，故沈昭略讽刺他是“编外的仆射”。㊴十月乙未：十月二十三。㊵华林省：即尚书省。因尚书省在华林园，故名。㊶外监茹法珍：茹法珍是萧宝卷身边的宦官，主管监视宫外的动态。㊷古今令典：古往今来的一条良好规则。令，美好。㊽㊸瓯：盛毒酒的杯子。㊽㊹尚武康公主：娶武帝萧赜之女武康公主为妻。㊽㊺山阴公主：明帝萧鸾之女。㊽㊻绝吭：割断咽喉。吭，咽喉。〖按〗萧遥光作乱，沈文季、徐孝嗣皆定乱者，萧宝卷乃皆灭其门，此事殊不可解。胡三省曰："沈庆之、沈文季皆托老疾不预朝权，而终不免于死，国无道而富贵，则进退皆陷危机也。"此说仍不能令人释怀。㊽㊼高宗：齐明帝萧鸾的庙号，公元四九四至四九八年，共在位五年。㊽㊽自贬损：自我压抑、谦退。㊽㊾道从卤簿：侍从与仪仗。道从，开路者与后从者。道，通"导"，先导、开路。卤簿，仪仗队。㊾⓪羸小：瘦弱的人，与"彪形大汉"相对而言。㊾①枕：枕头。㊾②枕枕死：枕着枕头死。言以寿终。㊾③就陛下乞之：意即求陛下能给我个善始善终。㊾④以年礼告退：以年已七十岁而请求退休。古礼有所谓"大夫七十而致仕"。致仕，即退休。㊾⑤将兵拒魏：事见本书上卷永泰元年（公元七六五年）。㊾⑥追军还：把派出的陈显达军追回来。㊾⑦弥：更加。㊾⑧得江州：陈显达自马圈失败后，被出为江州刺史，州治寻阳，即今江西九江市。㊾⑨传云：听到传言说。⑤⓪⓪十一月丙辰：十一月十五。⑤⓪①建安王：萧宝卷之弟萧宝寅。萧宝寅当时是郢州刺史，州治即今武汉的汉口，在江州的上游。⑤⓪②须京尘一静：等京城建康的战乱一平定。须，等。尘，烟尘，比喻战乱。⑤⓪③乙丑：十一月二十四。⑤⓪④据梁山：以捍卫建康城。梁山，军事要地名，在今安徽和县东南，距建康近在咫尺。⑤⓪⑤杜姥宅：军事要地，在当时建康城的西侧。⑤⓪⑥十二月癸未：十二月十二。⑤⓪⑦杨集始：仇池、武都一带的氐族头领，于萧鸾建武四年（公元四九七年）率众降南齐。⑤⓪⑧为秦州刺史：当时秦州的大片领土在魏国的统治下，此语实即以他所占领的地区封之，其他魏国所辖任他自己去经营开辟。⑤⓪⑨采石：采石山，在今安徽当涂西北。山下有采石矶，是长江的最狭处，历来是兵家必争之地。其地距梁山不远。⑤①⓪甲申：十二月十三。⑤①①新林：又名新林港，在当时建康城的西南方，今江苏南京的西南部。⑤①②屯火：火堆，远望以为有军队驻此。⑤①③乙酉：十二月十四。⑤①④落星冈：山名，在当时的石头城西。⑤①⑤新亭：地名，在当时的建康城南，地处长江边，依山筑城垒，是交通、军事要地。⑤①⑥马矟：又叫马叉，骑兵使用的长矛。⑤①⑦西州：西州城，在新亭之北，当时建康城的西侧。⑤①⑧再合：两次交锋。⑤①⑨骑官：骑兵的小头目。⑤②⓪注刺：猛刺；用尽力气刺去。⑤②①炳之：庾炳之，刘宋时期的官僚，曾至吏部尚书。传见《宋书》卷五十三。⑤②②朱雀航：又作"朱雀桁"。当时建康城南侧横跨秦淮河的最大浮桥，以船舶连接而成。因在建康城正南的朱雀门外，故名。⑤②③子路结缨：子路是孔子的弟子。在与叛乱分子的战斗中发现自己的冠缨断了，子路说："君子死，冠不免。"于是在系帽带的时候被人杀害了。鲁迅为此曾说："子路先生确是勇士，……则我总觉得有点迂。掉了一顶帽子，又何妨呢，却看得这么郑重，实在是上了仲尼先生的当了。……子路先生倘若不信他的胡说，披头散发的战起来，也许不至于死的罢！"事见《史记·仲尼弟子列传》。⑤②④为诸君请命：为无辜被朝廷所杀的沈文季、徐孝嗣、曹虎等人提出抗议，请求给我们一个说法。⑤②⑤轻事：草率；轻敌。⑤②⑥将免涂炭：将免于生活在水深火热之中；将不再受此暴君的统治。527 驱斥：驱赶。528 尉司：指建康城里维持社会治安的机关。胡三省曰："晋初洛阳置六部尉。江左建康亦置六部尉。"529 击鼓蹋围：意即击鼓清道，驱赶、清除该区域的一切人等。530 便应奔走：意思是（凡是能听到鼓声的地方）那里的百姓就得迅速避开。531 应手格杀：被驱赶者随手所杀。532 三四更：三更即午夜、半夜，指十一点到一点。四更指一点到三点。533 幡戟横路：皇帝的仪仗队与护卫士兵布满街巷。幡，仪仗中的一种，用长竿直挑的长条旗。戟，可以指仪仗中的戟，也可以指卫队士兵所执的长矛。534 喧走相随：相互叫嚷着奔跑。相随，指逃跑者前后相随。535 四民废业：满城的老百姓都被搅得不得安生、不能从事各自的行业活动。四民，指士、农、工、商。废业，停业。536 樵苏：砍柴、割草，以供炊爨。537 吉凶失时：该结婚的、该出殡的都不能按时进行。吉凶，吉礼与凶礼。吉礼指冠礼与婚礼，凶礼指殡葬之事。538 乳母寄产：满月的孕妇躲到别人家去生产。539 舆病弃尸：车上拉着病人逃难，病人死了只好扔在路旁。540 不得殡葬：不能按照礼节停灵、出殡。541 置仗人：安排下几个士兵。542 尝至沈公城：主语是小皇帝萧宝卷。沈公城，应在建康之郊。543 临产不去：因为快要生产，未能逃离。544 定林寺：胡三省曰，"定林寺旧基在蒋山应潮井后"。蒋山即今之紫金山。545 沙门：和尚。546 有膂力：有力气。膂，脊背。547 牵弓至三斛五斗：可以拉开三石五斗重量的硬弓。斛，古容量单位，一斛即一石，相当于十斗。548 担幢：相当于今杂技中的舞中幡。担，指用肩扛、用头顶、用手举等。幢，古代仪仗中的一种，状如女子所穿的筒裙，更加以羽毛为饰。549 白虎幢：绣有白虎图像的幢。550 折齿不倦：曾伤了牙齿，但仍乐此不疲。551 担幢校具：舞中幡的一些辅助用具。552 伎衣：舞中幡时所穿的衣服。553 逞诸变态：极力变换出各种姿态。逞，逞能、尽一切可能。554 曾无愧色：没有任何不好意思的神态。555 东冶营兵：守卫尚方东冶营的士兵。556 织成裤褶：一种丝织物制成的骑兵套裤。557 金薄帽：用黄金薄片做装饰的帽子。金薄，也作"金箔"。558 七宝矟：装饰有各种宝物的长矛。559 急装缚裤：穿着一套军衣军裤。560 凌冒雨雪：顶着雨雪。561 蠡器：身边携带的小瓢。562 逐马左右：能随马奔跑的侍从。563 过：过访；探看。564 雉：野鸡；山鸡。565 官品百司：官员的品级与各部门的建制。566 凡九品二句：共有九品，每品各有正、从二品。〖按〗北魏不仅各品分正、从，而且从第四品以下还分上下阶，形成三十个等级的品阶制度，为隋唐所沿用。567 重惜官位：不轻易授人以职。568 铨授：任命官职。569 便已贵：从此就富贵起来了。

【校记】

［5］图：严衍《通鉴补》改作"屠"。［6］欲：据章钰校，十二行本、乙十一行本、孔天胤本"欲"上皆有"意"字。［7］右卫率：严衍《通鉴补》改作"右卫军"。［8］固请：据章钰校，乙十一行本作"尉议"。［9］尝：原作"常"。据章钰校，十二行本、孔天胤本皆作"尝"，今据改。〖按〗赐死江祥之事只可发生一次，作"尝"字义长。［10］自

江陵引兵：原作“引兵自江陵”。据章钰校，十二行本、乙十一行本、孔天胤本皆作“自江陵引兵”，张敦仁《通鉴刊本识误》同，今据改。［11］骁骑：严衍《通鉴补》改作“骁勇”。［12］坦之：原无此二字。据章钰校，十二行本、乙十一行本、孔天胤本皆有此二字，今据补。［13］军：原无此字。据章钰校，十二行本、乙十一行本、孔天胤本皆有此字，张敦仁《通鉴刊本识误》同，今据补。［14］兼：原无此字。据章钰校，十二行本、乙十一行本、孔天胤本皆有此字，今据补。［15］宿预：原作“宿豫”。据章钰校，十二行本、乙十一行本皆作“宿预”，今据改。［16］临：原无此字。据章钰校，十二行本、乙十一行本、孔天胤本皆有此字，今据补。［17］迟：原作“持”。据章钰校，十二行本、乙十一行本、孔天胤本皆作“迟”，今据改。［18］官：据章钰校，十二行本、乙十一行本、孔天胤本皆作“僚”。［19］退：原无此字。据章钰校，十二行本、乙十一行本、孔天胤本皆有此字，于义相合，今据补。［20］君：原作“军”。张敦仁《通鉴刊本识误》作“君”，其义长，今从改。［21］路：据章钰校，十二行本、乙十一行本、孔天胤本皆作“道”。［22］母：据章钰校，十二行本、乙十一行本、孔天胤本皆作“妇”。

【研析】

本卷写了东昏侯萧宝卷永元元年（公元四九九年）一年间南齐与北魏两国的大事。主要写了魏主孝文帝元宏死，其子元恪继位，以及南齐政权内的江祏、刘暄想搞废立，但因改立的对象不同而一直没动手，从而引起萧遥光谋刺刘暄，刘暄向皇帝萧宝卷告发江祏，萧宝卷诛江祏、江祀兄弟，于是萧遥光公开造反，萧坦之、沈文季、徐孝嗣、曹虎等讨平萧遥光；而萧宝卷又相继杀萧坦之和沈文季、徐孝嗣、曹虎；早已心怀恐惧的老将陈显达终于在江州起兵反朝廷，进攻台城，开始锐气甚盛，后来在战场上因武器折断，兵败被朝廷军所杀。在这种群魔乱舞的时刻，一个新的阴谋家正在雍州窥测形势、积蓄力量、伺机待发，这就是萧衍。螳螂捕蝉，黄雀在后，或者说，鹬蚌相争，渔人得利，总之一场新的皇位篡夺、改朝换代的闹剧又要开始了。但在本卷中有一些眼花缭乱、令人看不清的事件，特提出几端，议论如下。

第一，萧鸾去世，其子小皇帝萧宝卷继位，萧鸾生前任命的辅政大臣是江祏、江祀、萧遥光、萧坦之、刘暄、徐孝嗣，六人分掌朝权，时人称之曰“六贵”。从刘宋政权开始，形成的一个恶劣惯例是，从小皇帝上台的那一天开始，辅政大臣就想废掉他，或是改立自己想要的傀儡，或是干脆自己做皇帝。想当年徐羡之、谢晦等之杀刘义符，宋明帝刘彧之杀刘子业；萧道成之杀刘昱；萧鸾之杀萧昭业，情形都是如此。而相同的步骤都是，御用的史家为虎作伥，先把一盆盆脏水泼到小皇帝头上，大肆铺陈他如何如何不是东西，以表明他的该废、该死。而明眼人一看就知道这些都是“强加之罪”，因为他们说得太过分、太不合情理。而历史就是这样一报还一报，当年萧道成用于刘昱、萧鸾用于萧昭业的做法，现在又被萧衍御用的史家一一地用到萧宝卷的头上来了。萧宝卷的突出罪恶大致有三：一是特别喜欢骑马。他“日夜与近习于后堂鼓叫戏马。常以五更就寝，至晡乃起”；他“学乘马于东冶营兵俞灵韵，常着织成裤褶、金薄帽，执七宝矟，急装缚裤，凌冒雨雪，不避阬阱。驰骋渴乏，辄下马，解取腰边蠡器，酌水饮之，复上马驰去。……置射雉场二百九十六处，奔走往来，略不暇息”。二是喜欢玩杂技的耍中幡。他“好担幢，白虎幢高七丈五尺，于齿上担之，折齿不倦。自制担幢校具，伎衣饰以金玉，侍卫满侧，逞诸变态，曾无愧色”，比之老北京天桥的把式毫不逊色。三是不遵守作息时间，爱夤夜外出，搅得人鸡犬不宁。他“一月凡二十余出，出辄不言定所，东西南北，无处不驱。常以三四更中，鼓声四出，火光照天，幡戟横路。士民喧走相随，老小震惊，啼号塞路，处处禁断，不知所过。四民废业，樵苏路断，吉凶失时，乳母寄产，或舆病弃尸，不得殡葬”。此外，还说他“不与朝士相接，专亲信宦官及左右御刀、应敕”等。这好骑马、好玩杂技已经写得很过分，够令人生疑了；但一个贵族少年穷极无聊的情景还可以想象的，溥仪在《我的前半生》中不是也写过他在宫中学骑自行车的情景吗？至于说他夜间外出胡闹的情景就令人更加不可理解了，他为何要如此折腾？这对他有什么乐趣？他为什么要干这些损人不利己的事情？萧宝卷被杀的时候虚岁十九，他的行为顶多是淘气、顽皮、恶作剧！史家极力地铺陈这些故事，不觉得自己是欲盖弥彰、心劳日拙吗？王夫之《读通鉴论》说：“一帝殂，一嗣子立，则必有权臣不旋踵而思废之……谢晦一启戎心，而接迹以兴者不绝。至于东昏立，而无人不思攘臂以仍矣……君臣道亡，恬不知恤，相习以成风尚，至此极矣。”

第二，小皇帝萧宝卷一上台，六贵中的第一贵江祏就想废他，而另立萧鸾的三儿子萧宝玄；而第二贵刘暄则想立萧鸾的六儿子萧宝寅；第三贵萧遥光是萧鸾的亲侄子，他希望自己出来做皇帝，于是变乱爆发，小皇帝首先杀了江祏、江祀，又杀了造反的萧遥光，又杀了刘暄、萧坦之，这些都可以理解。因为这江祏、江祀、刘暄等人废掉萧宝卷是早晚的事，是司马昭之心，路人皆知的。再加上他们专权跋扈，丝毫不把小皇帝放在眼里的表现，也太让人难以容忍了：“二江更直殿内，动止关之。帝稍欲行意，徐孝嗣不能夺，萧坦之时有异同，而祏执制坚确，帝深忿之。……徐孝嗣谓祏曰：‘主上稍有异同，讵可尽相乖反？’祏曰：‘但以见付，必无所忧。’”诸人对小皇帝如此欺侮，小皇帝焉能甘心忍受？更何况萧鸾临死前还特别以自己当年解决萧昭业的过程向小皇帝吩咐过：“作事不可在人后。”意思是说，有些事情要及早下手，不能让别人抢了先！所以萧坦之尽管有讨平萧遥光的功劳，但由于他“刚狠而专”，又在皇帝面前“时有异同”，因此萧宝卷毫不迟疑地向他举起了屠刀。

唯有不可理解的是徐孝嗣、沈文季、曹虎等人的结局。徐孝嗣虽为六贵之一，但能“以文士不显异同”，而从来没有反对过皇帝的意旨；而沈文季与曹虎更是有功无过，是朝廷上仅存的平定乱党的有名望、有功勋之臣，萧宝卷为什么要杀死他们？又是凭着什么力量杀的他们？胡三省注《通鉴》至此而叹息曰：“沈庆之、沈文季皆托老疾不预朝权，而终不免于死，国无道而富贵，则进退皆陷危机也。”此说似乎没有说到点子上，仍不能令人释怀。

第三，是杰出文学家谢朓的死。谢朓是南齐著名的文学家，以写新体诗闻名。“余霞散成绮，澄江静如练”是脍炙人口的名句，唐代大诗人李白佩服得五体投地，但他在政治上却是一个失败者。谢朓是老将王敬则的女婿，王敬则是刘宋后期的名将，在帮着萧道成篡夺刘宋王朝皇位的过程中大效了犬马之力，后来又转到萧鸾名下，帮着萧鸾篡夺了萧道成的曾孙萧昭业的政权。萧鸾在位的第四年，王敬则时任会稽太守，担心自己要被萧鸾所杀，让他在京的儿子与谢朓串通，想一起造反。谢朓得知消息后，悄悄地报告了萧鸾，萧鸾遂及时逮捕了王敬则在京的党羽，并很快地扑灭了王敬则在会稽举行的武装叛乱。由于谢朓的这种“大义灭亲”，使萧鸾把他一下子由一个普通的殿中郎提升为吏部尚书。又过了四年，萧鸾死去，萧鸾的儿子萧宝卷继位，当时的权臣江祏阴谋废掉萧宝卷，改立萧鸾的侄子萧遥光。江祏与萧遥光都派人与谢朓联络，想拉谢朓入伙。谢朓出于对萧鸾的感恩，赶紧又把消息报告了小皇帝的禁卫军长官左兴盛。左兴盛深感问题重大，不敢声张；谢朓又向当时的另一个权臣刘暄报告，刘暄立刻报告了江祏与萧遥光。于是朝廷上的“六贵”联名上书报告小皇帝，以“扇动内外，妄贬乘舆，窃论宫禁，间谤亲贤，轻议朝宰”的罪名，遂将谢朓下狱，使之死在狱中。王夫之《读通鉴论》曰：“若朓者，非有位望之隆足为轻重，干略之长可谋成败者也；徒以词翰之美见推流辈而已。而不轨以侥幸者，必引与偕而不相释，夫朓亦岂幸有此哉？无端苦以相加，而进有叛主之逆，退有负亲戚、卖友朋之憾。……朓之诗曰：‘大江流日夜，客心悲未央’，诚哉其可悲乎！夫朓……非怀情叵测、陷人以自陷之佥人也，而卒以不令而死。”

卷第一百四十三　齐纪九

上章执徐（庚辰，公元五〇〇年），一年。

【题解】

本卷写东昏侯萧宝卷永元二年（公元五〇〇年）一年间南齐与北魏两国的大事。主要写了南齐驻军寿阳的豫州刺史裴叔业见朝臣连续被杀，心怀恐惧，遣使请降于魏，魏遣将军奚康生、杨大眼率军往迎，时值裴叔业病死，奚康生有勇有谋，迅速抚定了寿阳城。写了南齐朝廷派萧懿、李叔献等多路攻寿阳，魏将奚康生等据寿阳坚守，魏彭城王元勰等率援军大破萧懿军，擒李叔献，并取得齐之军事要地建安。写了南齐朝廷又遣崔慧景从水路往攻寿阳，崔慧景过广陵后率军渡江而回，以拥立萧鸾之子南徐、兖二州刺史萧宝玄为名进攻建康，大破朝廷军张佛护、徐元称等六将于竹里；又翻越钟山吓走了玄武湖畔的朝廷守军与台城北篱门的左兴盛军；宫城内的守卫全靠萧衍之弟萧畅随方应对，得保无事；为朝廷进攻寿阳的萧懿率兵回救建康，自采石渡江上岸；崔慧景的部将崔恭祖多次建议迅速攻下台城，崔慧景不听；崔慧景之子崔觉又事事欺压崔恭祖，使崔恭祖积愤投降台军；而萧懿的军队又皆致死进战，于是崔慧景功亏一篑，单身逃亡，被渔人所杀；萧宝玄随崔慧景至建康后，驻于东府城，士民多往归之，崔慧景失败后，萧宝玄亦被萧宝卷所杀。写了南齐将领陈伯之率兵再攻寿阳，魏彭城王元勰拒守，魏将傅永率军救寿阳，与元勰合力击破陈伯之军于肥口，斩首九千、俘获

【原文】

东昏侯下

永元二年（庚辰，公元五〇〇年）

春，正月，元会①，帝食后方出，朝贺裁竟②，即还殿西序③寝。自巳至申④，百僚陪位⑤，皆僵仆饥甚⑥。比起就会⑦，匆遽而罢⑧。

乙巳⑨，魏大赦，改元景明⑩。

一万，淮南郡遂彻底入于魏。写了萧宝卷更为近习小人所包围，先是徐世檦专权为恶，其后茹法珍、梅虫儿谗杀徐世檦，与中书舍人王咺之相为唇齿；萧宝卷又大造芳乐、玉寿诸宫殿，穷奢极欲；整个宫廷极力挥霍，诸嬖幸借征收珍奇之物而十倍地勒索百姓。写了萧衍之兄萧懿以平崔慧景之功居朝廷之右，萧衍与萧懿的部下皆劝萧懿废掉萧宝卷，萧懿不从，不久遂与其弟萧畅皆被萧宝卷所杀。写了萧衍闻萧懿被杀，即在雍州起兵反朝廷；南齐朝廷派刘山阳率兵就荆州行事萧颖胄共攻襄阳，萧衍则散布朝廷派刘山阳乃为兼取荆州之流言，致萧颖胄在其诸将的推动下与萧衍联盟，骗刘山阳到荆州的江津戍杀之；萧颖胄、萧衍共同拥立萧鸾之子荆州刺史萧宝融为帝，萧衍为前锋大都督，萧颖胄为行留大都督，他们以萧宝融的名义向建康朝廷与其所属的各州郡发布檄文，讨伐萧宝卷与其诸嬖幸的罪行；又假传“宣德太后”的命令，废掉萧宝卷，改立萧宝融；此时西北地区的州郡长官竟陵太守曹景宗、上庸太守韦叡、华山太守康绚、梁南秦二州刺史柳惔，皆率州郡以归萧衍。写了朝廷派将军张冲、薛元嗣等镇守郢州，以阻西军之东下，而西军之将领杨公则已南下取得湘州等。

【语译】

东昏侯下

永元二年（庚辰，公元五〇〇年）

春季，正月初一日早晨，按例是皇帝接受群臣朝贺的时间，齐国的小皇帝萧宝卷吃完了早饭才出来接受群臣的朝贺，群臣刚刚向他行完朝拜之礼，萧宝卷就回到大殿的西厢房睡大觉。他从上午的十点钟左右一直睡到下午的四点钟前后，文武百官都还在朝堂上站在自己应该站的位置等候着小皇帝出来议事，他们已经饿得东倒西歪。等到萧宝卷睡醒之后来到朝堂，他匆忙地说了几句话就结束了朝会。

初五日乙巳，魏国实行大赦，改年号为景明元年。

豫州刺史裴叔业⑪闻帝数诛⑫大臣，心不自安。登寿阳城⑬，北望淝水⑭，谓部下曰："卿等欲富贵乎？我能办之⑮！"及除南兖州⑯，意不乐内徙⑰。会陈显达反，叔业遣司马辽东李元护⑱将兵救建康，实持两端⑲，显达败而还。朝廷疑叔业有异志，叔业亦遣使参察⑳建康消息，众论益疑之。叔业兄子植、飏、粲㉑皆为直阁㉒，在殿中，惧，弃母奔寿阳，说叔业以朝廷必相掩袭，宜早为计。徐世檦㉓等以叔业在边，急则引魏自助㉔，力未能制㉕，白帝遣叔业宗人㉖中书舍人长穆㉗宣旨，许停本任㉘。叔业犹忧畏，而植等说之不已。

叔业遣亲人㉙马文范至襄阳，问萧衍以自安之计，曰："天下大势可知，恐无复自存之理。不若回面向北㉚，不失作河南公㉛。"衍报曰："群小用事，岂能及远㉜？计虑回惑㉝，自无所成，唯应送家还都以安慰之㉞。若意外相逼，当勒马步㉟二万直出横江㊱以断其后㊲，则天下之事㊳一举可定。若欲北向，彼必遣人相代㊴，以河北一州相处㊵，河南公宁可复得邪？如此，则南归之望㊶绝矣。"叔业沈疑㊷未决，乃遣其子芬之㊸入建康为质，亦遣信㊹诣魏豫州刺史薛真度㊺，问以入魏可不㊻之宜。真度劝其早降，曰："若事迫而来，则功微[1]赏薄矣。"数遣密信，往来相应和。建康人传叔业叛者不已，芬之惧，复奔寿阳。叔业遂遣芬之及兄女婿杜陵韦伯昕㊼奉表降魏。丁未㊽，魏遣骠骑大将军彭城王勰㊾、车骑将军王肃㊿帅步骑十万赴之(51)。以叔业为使持节，

齐国担任豫州刺史的裴叔业听到小皇帝萧宝卷已经在连续地诛杀大臣，感到自己的安全也完全没有保障。裴叔业登上寿阳城楼，向北望着滔滔奔流的淝水，对自己的部下说：“你们这些人想要得到富贵吗？我能使你们得到富贵！”等到萧宝卷改任裴叔业为南兖州刺史的时候，裴叔业心里并不愿意迁移到内地做官。恰逢担任江州刺史的陈显达起兵造反，裴叔业遂派遣自己手下担任司马的辽东人李元护率领一支军队前往京师建康，名义上是去增援，而实际上是去观望形势，准备哪方得胜就归附哪方，等到江州刺史陈显达兵败被杀之后，李元护也就率军返回寿阳。朝廷遂怀疑裴叔业图谋不轨，裴叔业也派使者到京师建康来窥视、打探朝廷方面的消息，朝廷官员议论纷纷，更加怀疑裴叔业。裴叔业哥哥的儿子裴植、裴飏、裴粲都在皇宫中担任直阁将军，负责在皇帝生活、工作的殿堂值勤，他们因为心怀恐惧，便都抛弃自己的母亲逃奔寿阳来投奔自己的叔父裴叔业，他们对裴叔业说朝廷一定会来袭击寿阳，劝说裴叔业应该早做打算。徐世檦等人认为裴叔业所在的寿阳靠近边境，一旦事态紧急就会勾结魏国出兵援助，朝廷的力量暂时还对付不了他，于是就奏请小皇帝派遣裴叔业族人中正在担任中书舍人的裴长穆前往寿阳宣布皇帝的旨意，允许裴叔业继续留在豫州刺史任上。裴叔业心里还是感到很担忧、恐惧，而裴植等仍然不停地劝说裴叔业早点做好对付朝廷的准备。

豫州刺史裴叔业派遣自己的亲信马文范来到雍州治所襄阳，向担任雍州刺史的萧衍征求如何能够保证自己安全的办法，马文范对萧衍说：“天下的大势已经很明显了，恐怕再也没有保证自己安全的办法了。倒不如转过身来投靠北方的魏国，顶不济也能得到一个河南公的爵位。”萧衍答复说：“一群小人掌握朝政，怎么会长远得了呢？如果计划考虑得不清楚，自然会一事无成，唯一的办法就是把你自己的家属全部送回京师建康，让朝廷对你感到放心。如果发生意外，朝廷确实逼迫你，你就应当率领二万骑兵、步兵到达横江渡口以截断建康朝廷与西方、南方各州郡的联系，那么控制朝廷、重新安排国家政局之事就可以一举而定。如果想要向北投降魏国，魏国一定会改派别人来代替你担任豫州刺史的职务，而把你调到黄河以北去担任魏国某州的刺史，想做一个河南公哪里还有可能呢？一旦投降了北魏，再想要回到江南就彻底没有希望了。”裴叔业沉思犹豫，实在拿不定主意，最后只好把自己的儿子裴芬之送到建康朝廷去做人质，同时也派使者到魏国担任豫州刺史的薛真度那里，向薛真度询问可不可以归顺魏国。薛真度劝说裴叔业应该及早向魏国投降，薛真度说：“如果等到事情紧迫之时再来投降魏国，那么你的功劳就小，魏国给你的赏赐就少。”裴叔业与薛真度之间多次秘密地互派使者，互相往来应答。建康城中的人们都在传说裴叔业要背叛齐国投降魏国，裴叔业的儿子裴芬之非常恐惧，就又逃回了寿阳。裴叔业于是派遣裴芬之和自己的侄女婿杜陵人韦伯昕携带着表章前往魏国投降。正月初七日丁未，魏国朝廷派遣骠骑大将军的彭城王元勰、车骑将军的王肃率领十万名步兵、骑兵奔赴寿阳。魏国朝廷任命裴叔业为使持节，

都督豫、雍等五州诸军事，征南将军，豫州刺史，封兰陵郡公[52]。

庚午[53]，下诏讨叔业。

二月丙戌[54]，以卫尉萧懿[55]为豫州刺史[56]。戊戌[57]，魏以彭城王勰为司徒，领扬州刺史[58]，镇寿阳[59]。魏人遣大将军李丑、杨大眼[60]将二千骑入寿阳，又遣奚康生[61]将羽林一千驰赴之。大眼，难当[62]之孙也。

魏兵未渡淮，己亥[63]，裴叔业病卒，僚佐多欲推司马李元护监州[64]，一二日谋不定。前建安戍主安定席法友[65]等以元护非其乡曲[66]，恐有异志，共推裴植监州，秘叔业丧问[67]，教命处分[68]，皆出于植。奚康生至，植乃开门纳魏兵，城库管籥[69]悉付康生。康生集城内耆旧[70]，宣诏抚赉[71]之。魏以植为兖州刺史[72]，李元护为齐州刺史[73]，席法友为豫州刺史，军主京兆王世弼[74]为南徐州刺史[75]。

巴西民雍道晞[76]聚众万余逼郡城，巴西太守鲁休烈婴城自守[77]。三月，刘季连[78]遣中兵参军李奉伯帅众五千救之，与郡兵合击道晞，斩之。奉伯欲进讨郡东余贼，涪令[79]李膺止之曰："卒惰将骄，乘胜履险[80]，非完策也。不如少[2]缓，更思后计。"奉伯不从，悉众[81]入山，大败而还。

乙卯[82]，遣平西将军崔慧景将水军讨寿阳，帝屏除[83]，出琅邪城[84]送之。帝戎服坐楼上，召慧景单骑进围内[85]，无一人自随者。裁交数言，拜辞而去。慧景既得出，甚喜。

豫州刺史萧懿将步军三万屯小岘[86]，交州刺史李叔献[87]屯合肥[88]。懿遣裨将胡松、李居士帅众万余屯死虎[89]。骠骑司马陈伯之将水军溯淮[90]而上，以逼寿阳，军于硖石[91]。寿阳士民多谋应齐者。

魏奚康生防御内外，闭城一月，援军乃至。丙申[92]，彭城王勰、王

都督豫、雍等五州诸军事，征南将军、豫州刺史，封裴叔业为兰陵郡公。

三十日庚午，齐国的小皇帝萧宝卷下诏出兵讨伐裴叔业。

二月十六日丙戌，任命担任卫尉的萧懿为豫州刺史。二十八日戊戌，魏国朝廷任命彭城王元勰为司徒，兼任扬州刺史，率军前往寿阳镇守，协助裴叔业共同抵抗齐国的进攻。魏国人派担任大将军的李丑、杨大眼率领二千骑兵进入寿阳城，又派遣奚康生率领一千羽林军火速赶往寿阳。杨大眼，是仇池地区氐族首领杨难当的孙子。

魏军还没有渡过淮河，二十九日己亥，裴叔业突然病逝，裴叔业的僚属大多数都想推举担任司马的李元护出来临时主持豫州刺史的事务，众人商议了一二天都没有确定下来。以前曾经担任过建安驻军头领的安定郡人席法友等人认为李元护不是裴叔业的同乡人，担心李元护会改变裴叔业投降魏国的决定，于是共同推戴裴叔业的侄子裴植临时主持豫州刺史的事务，并封锁了裴叔业病逝的消息，各项命令与各项部署，都出自裴植之手。魏国将领奚康生来到寿阳之后，裴植打开城门将魏军接入城中，还把寿阳城门和仓库的钥匙全都交给了奚康生。奚康生召集寿阳城内那些有资历的老年人，向他们宣读魏国皇帝的诏书，并给他们以安慰和赏赐。魏国任命裴植为兖州刺史，任命李元护为齐州刺史，任命席法友为豫州刺史，任命担任一支军队首领的京兆人王世弼为南徐州刺史。

齐国管辖之下的巴西郡百姓雍道晞聚集了一万多人造反，他们逼近巴西郡郡城，担任巴西郡太守的鲁休烈据城坚守。三月，担任益州刺史的刘季连派遣担任中兵参军的李奉伯率领五千人前往巴西解救鲁休烈，李奉伯与巴西郡的军队内外夹击雍道晞，将雍道晞斩首。李奉伯还想率军进一步征讨巴西郡以东的残余叛贼，担任涪县县令的李膺阻止李奉伯说：“官军士兵懒惰，将领骄傲，凭借着一场胜利而深入险境，不是确保万无一失的做法。不如暂且缓一缓，再另想别的办法。”李奉伯没有听从李膺的劝阻，就率领全部人马进入山中讨贼，结果大败而回。

三月十五日乙卯，齐国朝廷派遣担任平西将军的崔慧景率领水军前往寿阳讨伐叛国投敌的裴叔业，小皇帝萧宝卷在清道之后，亲自到琅邪城为崔慧景送行。萧宝卷身穿军服坐在城门楼上，令崔慧景单人骑马进入皇帝卫队的警戒线之内，没有让一个人跟随着崔慧景。萧宝卷只和崔慧景说了几句话，崔慧景就拜辞而去。崔慧景出城之后，心里非常高兴。

齐国担任豫州刺史的萧懿率领三万步兵屯扎在小岘山，担任交州刺史的李叔献率军屯扎在合肥。萧懿派遣属下的裨将胡松、李居士率领一万多人屯扎在死虎。在骠骑将军属下担任司马的陈伯之率领水军沿着淮河逆流而上，以逼近寿阳城，陈伯之将水军驻扎在硖石。寿阳城内有很多士民准备背叛裴氏，响应齐军。

魏军将领奚康生在寿阳城内外坚持防御，他将寿阳城门关闭了一个月，魏国的援军才到达寿阳。四月二十七日丙申，魏国担任司徒兼任扬州刺史的彭城王元勰、

肃击松、伯之等，大破之，进攻合肥，生擒叔献。统军宇文福言于勰曰：“建安，淮南重镇，彼此要冲[93]。得之，则义阳[94]可[3]图；不得，则寿阳难保。”勰然之，使福攻建安，建安戍主胡景略面缚[95]出降。

己亥[96]，魏皇弟怿[97]卒。

崔慧景之发建康也，其子觉[98]为直阁将军，密与之约[99]。慧景至广陵[100]，觉走从之[101]。慧景过广陵数十里，召会诸军主[102]曰：“吾荷三帝[103]厚恩，当顾托之重[104]。幼主昏狂，朝廷坏乱，危而不扶，责在今日[105]。欲与诸君共建大功以安社稷，何如？”众皆响应。于是还军向广陵，司马崔恭祖[106]守广陵城，开门纳之。帝闻变，壬子[107]，假右卫将军左兴盛节[108]，都督建康水陆诸军以讨之。慧景停广陵二日，即收众济江[109]。

初，南徐、兖二州[110]刺史江夏王宝玄娶徐孝嗣女为妃，孝嗣诛，诏令离婚，宝玄恨望[111]。慧景遣使奉宝玄为主，宝玄斩其使，因发将吏守城[112]，帝遣马军主戚平、外监[113]黄林夫助镇京口[114]。慧景将渡江，宝玄密与相应，杀司马孔矜、典签[115]吕承绪及平、林夫，开门纳慧景，使长史沈佚之、谘议柳憕分部[116]军众。宝玄乘八扛舆[117]，手执绛麾[118]，随慧景向建康。台[119]遣骁骑将军张佛护、直阁将军徐元称等六将据竹里[120]，为数城以拒之。宝玄遣信谓佛护曰：“身[121]自还朝，君何意苦相断遏[122]？”佛护对曰：“小人荷国重恩，使于此创立小戍。殿下还朝，但自直过，岂敢断遏！”遂射慧景军，因合战。崔觉、崔恭祖将前锋[123]，

担任车骑将军的王肃率领魏军进攻齐国率军驻扎在死虎的胡松、驻扎在硖石的陈伯之等，他们把胡松、陈伯之所率领的齐军打得大败，魏军随后又进攻合肥，活捉了齐国的交州刺史李叔献。魏国担任统军的宇文福对彭城王元勰说："建安，是淮南的军事重镇，是敌我双方必争的军事要地。如果能够攻克建安，我们就可以乘胜攻克义阳城；如果攻不下建安，那么已经到手的寿阳城我们也很难保有。"元勰认为宇文福说得很有道理，于是就派宇文福去攻取建安，建安的驻军头领胡景略脸上涂着泥巴、反绑着自己的双手出城向魏军投降。

三十日己亥，魏世宗皇帝元恪的弟弟元恌去世。

齐国平西将军崔慧景率领军队从建康出发的时候，他的儿子崔觉还在宫中担任直阁将军，崔慧景秘密与他约定见机政变。崔慧景到达广陵的时候，崔觉便从建康逃了出来，追上了自己的父亲崔慧景。崔慧景通过广陵城几十里之后，便将各支部队的头领召集起来，崔慧景对他们说："我蒙受了齐高帝萧道成、齐武帝萧赜、齐明帝萧鸾三位皇帝的厚恩，承担着老皇帝委托的重任。然而现在的小皇帝萧宝卷昏庸狂妄，导致朝纲败坏、政局混乱；我怎能眼看着国家政权有倾覆的危险而不出来拯救呢？现在就是我为国尽职尽责的时候了。我想与在座的各位共同建立大功以安定我们的国家，你们觉得怎么样？"众人全都响应他的号召。于是崔慧景率领军队回过头来向广陵城进发，担任司马的崔恭祖正在驻守广陵城，他打开城门将崔慧景和他所率领的军队放入城中。小皇帝萧宝卷得到了崔慧景政变的消息，三月十二日壬子，萧宝卷授予担任右卫将军的左兴盛旌节，令他统领建康水陆诸军前往广陵讨伐崔慧景。崔慧景在广陵城停留了二天，就集结部队渡过长江向建康进发。

当初，齐国担任南徐州、南兖州二州刺史的江夏王萧宝玄娶了尚书令徐孝嗣的女儿为妃，小皇帝萧宝卷诛杀了徐孝嗣之后，就下诏令萧宝玄与徐孝嗣的女儿离婚，萧宝玄因此非常怨恨自己的哥哥萧宝卷。崔慧景于是派使者到京口向江夏王萧宝玄表示愿意尊奉他为皇帝，萧宝玄斩杀了崔慧景派去的使者，趁机动员属下的将佐做好防守州城的各项准备，萧宝卷派遣担任马军头领的戚平、担任外监的黄林夫前往协助萧宝玄镇守京口。崔慧景即将渡过长江的时候，萧宝玄又暗中派人与崔慧景相勾结，杀死了担任司马的孔矜、担任典签的吕承绪以及马军头领戚平、外监黄林夫，打开城门迎接崔慧景入城，并让担任长史的沈佚之、担任谘议参军的柳憕分别统帅军队。萧宝玄乘坐着八人抬的大轿，手里拿着深红色的拂尘，跟随着崔慧景向建康进发。齐国朝廷派遣担任骁骑将军的张佛护、担任直阁将军的徐元称等六位将领据守竹里，他们构筑了好几个堡垒以阻挡崔慧景的进攻。萧宝玄派自己的亲信对张佛护说："我自己要回朝廷，你为什么这样苦苦阻拦？"张佛护回答说："我蒙受国家厚恩，朝廷令我在这里构筑军事据点。殿下回朝，只管径直通过，我怎么敢截断道路，阻止殿下通行呢！"遂向崔慧景的军队放箭，朝廷军与崔慧景所率的叛军战在了一起。崔慧景的儿子崔觉、担任司马的崔恭祖所率领的先头部队，全都是出身于边远

皆荒伧⑫⁴善战，又轻行不爨食⑫⁵，以数舫⑫⁶缘江载酒食⑫⁷[4]为军粮，每见台军城中⑫⁸烟火起，辄尽力攻之。台军不复得食⑫⁹，以此饥困。元称等议欲降，佛护不可。恭祖等进攻城，拔之，斩佛护；徐元称降，余四军主皆死。

乙卯⑬⁰，遣中领军王莹⑬¹都督众军，据湖头⑬²筑垒；上带蒋山西岩⑬³，实甲数万。莹，诞⑬⁴之从曾孙也。慧景至查硎⑬⁵，竹塘人万副兒说慧景曰："今平路皆为台军所断，不可议进⑬⁶，唯宜从蒋山龙尾⑬⁷上，出其不意耳。"慧景从之，分遣千余人，鱼贯⑬⁸缘山，自西岩夜下，鼓叫临城⑬⁹中。台军惊恐，即时奔散。帝又遣右卫将军左兴盛帅台内三万人拒慧景于北篱门⑭⁰，兴盛望风退走。

甲子⑭¹，慧景入乐游苑⑭²，崔恭祖帅轻骑十余突入北掖门⑭³，乃复出。宫门皆闭，慧景引众围之。于是东府、石头、白下、新亭诸城皆溃。左兴盛走，不得入宫，逃淮渚荻舫⑭⁴中，慧景擒杀之。宫中遣兵出荡⑭⁵，不克。慧景烧兰台府署⑭⁶为战场。守卫[5]尉萧畅⑭⁷屯南掖门，处分城内⑭⁸，随方应拒⑭⁹，众心稍安。慧景称宣德太后令⑮⁰，废帝为吴王⑮¹。

陈显达之反也，帝复召诸王侯⑮²[6]入宫。巴陵王昭胄⑮³惩永泰之难⑮⁴，与弟永新侯昭颖诈为沙门⑮⁵，逃于江西⑮⁶。昭胄，子良之子也。及慧景举兵，昭胄兄弟出赴之⑮⁷。慧景意更向昭胄⑮⁸，犹豫未知所立。

竹里之捷，崔觉与崔恭祖争功，慧景不能决。恭祖劝慧景以火箭烧北掖楼，慧景以大事垂定⑮⁹，后若更造，费用功多⑯⁰，不从。慧景性

荒僻多战乱的地方，一个个粗野善战，又是轻装快速行进，为了不在做饭上耽误时间，所以就用几条小船装载着酒食沿着长江供应军队食用，他们每当看见朝廷军在竹里城中修建的军事据点里炊烟升起的时候，就尽力攻城。搅得朝廷军连饭都吃不上，朝廷军因此饥饿困乏。徐元称等人经过商议，就想向崔慧景投降，而张佛护坚决不同意。崔恭祖等人组织军队向竹里城发起猛攻，终于攻克了竹里城，杀死了张佛护；徐元称向崔慧景投降，其余的四支军队头领全部被杀。

三月十五日乙卯，齐国朝廷派遣担任中领军的王莹统领众军，据守建康城东北侧的湖头，修筑堡垒；上面与东侧的蒋山西麓相连接，手下有几万名装备精良的士兵。王莹，是王诞的堂曾孙。崔慧景率领属下部队到达查硎，竹塘人万副兒向崔慧景献计说："如今平坦的道路已经全部被朝廷军所切断，不要打算从平路进军，只应从蒋山上的龙尾路上山，以取得出其不意、攻其不备的效果。"崔慧景听了万副兒的建议，于是派出了一千多人，一个接一个地沿着龙尾路攀上蒋山，夜里又从蒋山西坡下山，他们对着下面朝廷军的军事据点一面击鼓喊叫一面向朝廷军靠近。朝廷军惊慌恐惧，立刻逃跑溃散。小皇帝萧宝卷又派担任右卫将军的左兴盛率领朝廷内的三万禁卫军前往建康城北面外城的北篱门抵抗崔慧景的军队，左兴盛刚刚望见崔慧景军队的影子便立即撤退了。

三月二十四日甲子，崔慧景率军进入玄武湖南侧的乐游苑，崔恭祖率领着十多名轻骑兵突然冲入皇宫后面的北掖门，然后又冲杀出来。皇宫的所有门户全都关闭，崔慧景率领众军将宫城团团围住。此时东府城、石头城、白下城、新亭各城的守军全部溃败。左兴盛逃走，却无法入宫，他逃到秦淮河中小洲边一艘装芦苇的小船上，崔慧景把他活捉以后，将他杀死。皇宫中的萧宝卷派兵出来冲杀，没有取胜。崔慧景放火烧毁了御史中丞办公的衙门作为战场。担任代理卫尉的萧畅率军屯扎在皇宫南面正门旁边的南掖门，他安排宫城内各处的防守事宜，根据各处遭受攻击的具体情况随时采取相应的抵抗措施，众人之心这才稍微安定下来。崔慧景假称奉了宣德太后的命令，宣布将小皇帝萧宝卷废为吴王。

当年江州刺史陈显达造反的时候，小皇帝萧宝卷再次把齐高帝萧道成、齐武帝萧赜所剩余的爵位为王为侯的子孙召入皇宫。巴陵王萧昭胄受了永泰元年被召入宫差点被杀的教训，遂与自己的弟弟永新侯萧昭颖化装成和尚模样，逃到长江以西躲藏起来。萧昭胄，是竟陵王萧子良的儿子。等到平西将军崔慧景起兵造反的时候，萧昭胄兄弟二人出来加入了崔慧景的部队。崔慧景心里想着要改立萧昭胄为皇帝，因此犹豫不决，不知道到底拥立谁为皇帝才好。

在攻打竹里城获胜之后，崔觉与崔恭祖互相争功，崔慧景不能辨别到底谁的功劳大。崔恭祖劝说崔慧景用火箭烧毁皇宫北面正门旁边的北掖楼，崔慧景认为自己起兵行废立之事即将获得最后的成功，如果以后再重新建造北掖楼，就要花费很多的人力、物力，所以没有同意崔恭祖的建议。崔慧景喜欢谈论儒家经典的义理，

好谈义[161]，兼解佛理[162]，顿法轮寺[163]，对客高谈[164]，恭祖深怀怨望。

时豫州刺史萧懿将兵在小岘，帝遣密使告之。懿方食，投箸[165]而起，帅军主胡松、季居士等数千人自采石[166]济江，顿越城[167]，举火[168]，台城中[169][7]鼓叫称庆。恭祖先劝[170]慧景遣二千人断西岸兵[171]，令不得渡。慧景以城旦夕降，外救自然应散，不从。至是[172]，恭祖请击懿军，又不许，独遣崔觉将精手[173]数千人渡南岸[174]。懿军昧旦[175]进战，数合[176]，士皆致死[177]，觉大败，赴淮死者二千余人。觉单马退，开桁阻淮[178]。恭祖掠得东宫女伎[179]，觉逼夺之。恭祖积忿恨[180]，其夜，与慧景骁将[181]刘灵运诣城降[182]，众心离坏。

夏，四月癸酉[183]，慧景将腹心数人潜去，欲北渡江。城北诸军不知，犹为拒战。城中[8]出，荡杀数百人。懿军渡北岸[184]，慧景余众皆走。慧景围城凡十二日而败，从者于道稍散[185]，单骑至蟹浦[186]，为渔人所斩，以头内鳅篮[187]，担送建康。恭祖系尚方[188]，少时杀之。觉亡命[189]为道人[190]，捕获，伏诛。

宝玄初至建康，军于东城[191]，士民多往投集[192]。慧景败，收得朝野投宝玄及慧景人名，帝令烧之，曰："江夏尚尔[193]，岂可复罪余人[194]！"宝玄逃亡数日乃出。帝召入后堂，以步障[195]裹之，令左右数十人鸣鼓角[196]驰绕其外，遣人谓宝玄曰："汝近围我亦如此耳。"

初，慧景欲交处士何点[197]，点不顾[198]。及围建康，逼召点，点往赴

同时还懂得一些佛家的经典，他的临时住所就在法轮寺里，崔慧景只知道对着宾客高谈阔论，而此时的崔恭祖已经对崔慧景怀有深深的怨恨。

当时担任豫州刺史的萧懿为了讨伐裴叔业正率军驻扎在小岘山，小皇帝萧宝卷派遣密使前来向萧懿告急。当时萧懿正在吃饭，他扔下手中的筷子就站了起来，他派驻扎死虎的属下裨将胡松、李居士等数千人从采石矶渡过长江，驻扎在越城，他们举火向皇城发出信号，皇城中的人们击鼓喊叫，庆贺援军的到来。崔恭祖先前曾经劝说崔慧景派遣二千人守住长江，不要让长江西岸的萧懿军渡过长江。崔慧景则认为台城旦夕之间就会出来投降，台城投降之后，外部的援军自然就会自动散去，因此没有听从崔恭祖的劝告。等到萧懿的军队已经到达台城城外的时候，崔恭祖又向崔慧景请求派自己率军去袭击萧懿的军队，崔慧景仍然没有批准他的请求，而是单独派崔觉率领着几千名军中武艺高强的士兵渡到秦淮河南岸，然后向西进攻萧懿的侧翼。萧懿的军队在天光将亮的时候向崔觉的军队发起进攻，几次交手，萧懿军中的每个士兵都拼力死战，崔觉所率领的精兵便被打得大败而逃，跳入秦淮河被淹死的就有两千多人。崔觉独自一人骑着马退却，他拆下朱雀桁的浮桥，企图以秦淮河水为屏障阻断萧懿军队的进攻。崔恭祖从东府城中掠夺了很多的歌舞女，崔觉又逼迫着崔恭祖把抢来的歌舞女让给自己。崔恭祖多次的愤恨积累起来，于是在当天夜里，与崔慧景手下的勇将刘灵运一起前往台城投降了朝廷，崔慧景的军心开始离散、士气开始衰败。

夏季，四月初四日癸酉，崔慧景率领自己的几个心腹偷偷地离开大营，想要向北渡过长江逃走。而台城北边崔慧景的各军都不知道，还在为崔慧景效力死战。台城中的军队出城攻击，杀死了崔慧景军中的数百人。萧懿的军队渡过秦淮河来到北岸，崔慧景剩下的军队也就全部逃走了。崔慧景率军围攻台城总计十二天就失败了，跟随崔慧景一起出逃的那些亲信在道上逐渐散去，崔慧景一个人骑着马到达蟹浦的时候，被打鱼的人杀死，打鱼的人把崔慧景的人头装入盛鳅鱼的篮子里，挑着送到建康。崔恭祖被囚禁在尚方省，不久就被杀死了。崔觉改名换姓装扮成和尚的模样意图逃跑，还是被朝廷军捕获，杀死。

江夏王萧宝玄刚刚到达建康的时候，驻扎在东府城，很多士大夫和民众都聚集到东府城来投靠他。崔慧景失败之后，朝廷缴获了朝野投靠萧宝玄和崔慧景的人名单，小皇帝萧宝卷下令将其全部烧毁，他说："江夏王萧宝玄尚且如此，我还怎么能再去惩罚其他的人呢！"萧宝玄逃亡了几天之后才露面。小皇帝萧宝卷把萧宝玄叫到后堂，让人用步障把萧宝玄裹起来，然后命令身边的几十名侍从围着萧宝玄一边击鼓吹号角一边奔跑，萧宝卷派人对萧宝玄说："你近来围攻我的时候也是这个样子。"

当初，崔慧景想要与当时的隐士何点结交，何点根本不理睬他。等到崔慧景围攻建康城的时候，逼迫着何点到自己的大营来，何点迫不得已只好前往崔慧景的军

其军，终日谈义⑲[9]，不及军事。慧景败，帝欲杀点。萧畅谓茹法珍曰："点若不诱贼共讲⑳，未易可量㉑。以此言之，乃应得封！"帝乃止。点，胤㉒之兄也。

萧懿既去小岘㉓，魏[10]王肃亦还洛阳。

荒人㉔往来者妄云肃复谋归国㉕，五月乙巳㉖，诏㉗以肃为都督豫、徐、司㉘三州诸军事，豫州刺史，西丰公。

己酉㉙，江夏王宝玄伏诛。

壬子㉚，大赦。

六月丙子㉛，魏彭城王勰进位大司马，领司徒㉜，王肃加开府仪同三司。

大阳蛮㉝田育丘等二万八千户附于魏，魏置四郡十八县。

乙丑㉞，曲赦建康，南徐、兖二州㉟。先是，崔慧景既平，诏赦其党。而嬖幸用事，不依诏书，无罪而家富者，皆诬为贼党，杀而籍其赀㊱，实附贼而贫者皆不问。或谓中书舍人王咺之云："赦书无信，人情大恶㊲。"咺之曰："正当㊳复有赦耳。"由是再赦㊴。既而嬖幸诛纵㊵亦如初。

是时，帝所宠左右凡三十一人，黄门㊶十人。直阁、骁骑将军徐世檦素为帝所委任，凡有杀戮，皆在其手。及陈显达事起，加辅国将军，虽用护军崔慧景为都督，而兵权实在世檦。世檦亦知帝昏纵，密谓其党茹法珍、梅虫儿㊷曰："何世天子无要人，但侬货主恶㊸耳！"法珍等与之争权，以白帝。帝稍恶其凶强㊹，遣禁兵杀之，世檦拒战而死。自是法珍、虫儿用事，并为外监，口称诏敕㊺，王咺之专掌文

中，何点在崔慧景军中，整天和崔慧景一起谈论佛经义理，根本不谈论有关军事方面的问题。崔慧景失败以后，小皇帝萧宝卷想要杀死何点。代理卫尉的萧畅对萧宝卷的亲信茹法珍说:“如果不是何点引诱叛贼崔慧景共同谈论佛经义理，恐怕台城的安危还很难预料。以此看来，何点应该受到封赏才是!”小皇帝萧宝卷这才打消了杀死何点的念头。何点，是何胤的哥哥。

担任豫州刺史的萧懿率领齐军离开小岘山回师救援建康以后，魏国的车骑将军王肃也率领魏军返回洛阳。

往来于齐国与魏国之间的那些流浪人胡乱传说车骑将军王肃还有图谋回到南朝齐国的计划，五月初六日乙巳，齐国的小皇帝萧宝卷下诏，任命还在魏国担任车骑将军的王肃为都督豫、徐、司三州诸军事、豫州刺史、西丰公。

初十日己酉，江夏王萧宝玄被小皇帝萧宝卷杀死。

十三日壬子，齐国实行大赦。

六月初八日丙子，魏国的彭城王元勰被晋升为大司马，兼任司徒，车骑将军王肃加授开府仪同三司。

居住在大阳山一带的少数民族田育丘等二万八千户归附了魏国，魏国设置了四个郡、十八个县。

乙丑日，齐国朝廷专门针对崔慧景率军围攻台城时建康、南徐州、南兖州三地投靠、追随崔慧景的人发布了赦免令。此前，在崔慧景的政变被平息的时候，小皇帝萧宝卷曾经下诏赦免了崔慧景的余党。然而朝廷中是萧宝卷所宠幸的那些人在掌权，他们没有按照诏书的要求办事，有些人根本就没有犯罪，只是因为家庭富有，便都被诬陷为叛贼的党羽，他们被杀以后，家产被没收，而那些真正依附过贼军而家庭贫穷的人却都没有被追究。有人对担任中书舍人的王咺之说:“朝廷不讲信用，没有按照赦免的诏书办事，民心因此还没有安定下来。”王咺之说:“皇帝还会再有赦书的。”因此才有了前面所说的“曲赦建康、南徐、兖二州”之事。赦书发布不久之后，那些宠臣想杀谁或放谁，依然像先前那样。

此时，小皇帝萧宝卷所宠信的左右侍从有三十一个人，身边的宦官有十个人。担任直阁将军、骁骑将军的徐世檦一向受到萧宝卷的委托与信任，所有的杀戮，都出自徐世檦之手。等到江州刺史陈显达起兵造反的时候，萧宝卷又加授徐世檦为辅国将军，虽然任用平西将军崔慧景为都督，而实际上兵权完全掌握在徐世檦手里。徐世檦也知道萧宝卷昏庸放纵，他曾经秘密地对自己的党羽茹法珍、梅虫儿说:“哪朝哪代没有坏皇帝呢，只是我的主子太坏了!”茹法珍等人正在暗中与徐世檦争夺权力，于是就把徐世檦所说的话告诉了萧宝卷。萧宝卷也越来越讨厌徐世檦的凶恶强暴，就派遣禁卫军去杀掉徐世檦，徐世檦竭力抵抗还是被杀死了。从此以后，茹法珍、梅虫儿等人专权用事，他们都担任外监的职务，做什么事情都说是奉了小皇帝

翰㉖，与相唇齿㉗。

帝呼所幸潘贵妃父宝庆及茹法珍为阿丈㉘，梅虫儿及[11]俞灵韵为阿兄㉙。帝与法珍等俱诣宝庆家，躬自汲水㉚，助厨人作膳。宝庆恃势作奸㉛，富人悉诬以罪，田宅赀财莫不启乞㉜。一家被陷，祸及亲邻。又虑后患，尽杀其男口。

帝数往诸“刀敕”家㉝游宴，有吉凶辄往庆吊。

奄人㉞王宝孙，年十三四，号为“伥子㉟”，最有宠，参预朝政，虽王咺之、梅虫儿之徒亦下之。控制大臣，移易诏敕㊱，乃至骑马入殿，诋诃㊲天子。公卿见之，莫不慑息㊳焉。

吐谷浑王伏连筹㊴事魏尽礼㊵，而居其国，置百官，皆如天子之制，称制于其邻国㊶。魏主遣使责而宥之。

【段旨】

以上为第一段，写东昏侯萧宝卷永元二年（公元五〇〇年）上半年的大事。主要写了南齐驻军寿阳的豫州刺史裴叔业见朝臣连续被杀，心怀恐惧，经与降魏的将军薛真度等商议后，遣使请降于魏；魏遣将军奚康生、杨大眼率军往迎，时值裴叔业病死，奚康生有勇有谋，迅速抚定了寿阳城。写了南齐朝廷派萧懿、李叔献等多路攻寿阳，魏将奚康生等据寿阳坚守，魏彭城王元勰、王肃率援军大破萧懿军，擒李叔献，又取得南齐之军事要地建安；南齐朝廷又遣崔慧景从水路往攻寿阳，崔慧景过广陵后率军渡江而回，以拥立萧鸾之子南徐、兖二州刺史萧宝玄为名进攻建康，大破朝廷军张佛护、徐元称等六将于竹里；又翻越钟山吓走玄武湖畔的朝廷守军；又吓退台城北篱门的左兴盛守军；宫城内的守卫全靠萧衍之弟萧畅随方应对，得保无事。写了萧子良之子萧昭胄投入崔慧景军，因而引起崔慧景究竟应立何人为帝之迟疑；为朝廷进攻寿阳的萧衍之兄萧懿率兵回救建康，自采石渡江上岸，崔慧景的

萧宝卷的命令，中书舍人王咺之专门负责为皇帝起草诏书、命令，他与茹法珍、梅虫儿就像唇与齿一样互相依附，狼狈为奸。

小皇帝萧宝卷称呼自己所宠幸的潘贵妃的父亲潘宝庆和茹法珍为阿丈，称呼梅虫儿及俞灵韵为阿兄。萧宝卷与茹法珍等人一同到潘宝庆家里去，亲自从水井中向上提水，帮助厨师做膳食。潘宝庆依仗着自己是皇帝岳父的势力为非作歹，凡是富有的人家他就诬陷他们有罪，这些富人被诛杀之后，留下的所有田宅资产潘宝庆无不一一向萧宝卷讨要过来据为己有。一家富人被陷害，灾祸就会牵连到所有的亲戚和四邻。潘宝庆又担心这些人会出来报复，使自己后患无穷，他就把这些人家中所有的男子全部杀死。

小皇帝萧宝卷曾经多次到自己身边的带刀侍卫和侍从人员的家中去游乐宴饮，每逢这些人的家中有了婚丧嫁娶等事情，萧宝卷就亲自前去庆贺、吊丧。

宦官王宝孙，才十三四岁，由于善作张狂之态以取悦于人，所以被人称作“伥子”，他最受萧宝卷的宠信，竟然令他参与朝政，即使是中书舍人王咺之、专权用事的梅虫儿这类人也要在他面前低声下气。王宝孙控制着朝中大臣，随意改变皇帝的诏命，甚至于骑着马进入宫殿，训斥小皇帝萧宝卷。公卿大臣见了他，无不屏声敛气，战战兢兢。

吐谷浑国王伏连筹对魏国曲尽藩属之礼，而在他的吐谷浑王国之内，所设置的文武百官，都和大国皇帝的规制一样，他以皇帝的身份对周边的小国发号施令。魏世宗元恪派使者前去责备伏连筹，但还是宽恕了他的过错。

部将崔恭祖多次向崔慧景进言，崔慧景不听，坐失机宜；崔慧景之子崔觉又事事欺压崔恭祖，使崔恭祖积愤投降台军，萧懿的军队又皆致死进战，于是崔慧景功亏一篑，单身逃亡，被渔人所杀；萧宝玄随崔慧景至建康后，驻于东府城，士民多往归之，崔慧景失败后，萧宝玄亦被萧宝卷所杀。写了萧宝卷更为近习小人所包围，先是徐世檦专权为恶，其后茹法珍、梅虫儿谗杀徐世檦，与中书舍人王咺之相为唇齿。妃父潘宝庆、小阉人王宝孙等人肆意威福，群臣屏息等。

【注释】

① 元会：正月初一早晨的会见群臣。② 朝贺裁竟：群臣刚刚行完朝拜之礼。裁，通“才”。③ 殿西序：大殿的西厢房。胡三省引孔安国曰：“东西厢谓之序。”④ 自巳至申：从上午的十点前后一直等到下午的四点前后。巳时，上午的九点至十一点。申时，下午的三点至五点。⑤ 百僚陪位：百官都还在外头等着议事。陪位，在自己应该站立的地方

等候。⑥僵仆饥甚：都饿得东倒西歪。僵，向后仰倒。仆，向前扑倒。⑦比起就会：等萧宝卷睡醒后来到会场。比，及、等到。⑧匆遽而罢：匆忙地说了几句就散了。匆遽，匆忙、仓促。⑨乙巳：正月初五。⑩改元景明：上年魏主孝文帝死，小皇帝元恪继位，改用自己的新年号。即由去年的太和二十三年，改为今年的景明元年。⑪裴叔业：南齐的名将，前年曾率军进攻魏之涡阳以救南齐的义阳之急，曾大破魏将元羽以及傅永、刘藻、高聪等人。事见本书前卷永泰元年。⑫数诛：连续地诛杀。⑬寿阳城：即今安徽寿县，当时南齐豫州的州治所在地。⑭淝水：淮河支流，流经寿阳城东。前秦苻坚与晋军曾在此会战，晋将谢玄大破苻坚军。⑮我能办之：意即带着他的部下北投魏国。⑯及除南兖州：后来将其改任为南兖州刺史。事在去年，见本书上卷。南兖州的州治广陵，即今江苏扬州。⑰不乐内徙：不愿向内地迁动。〖按〗南兖州的州治广陵，离边境远，遇到变故，不利于向外逃。⑱李元护：原为萧道成的部下，后为裴叔业的部下。传见《魏书》卷七十一。⑲持两端：两面观望，哪边得胜就归附于哪边。⑳参察：窥视；伺察。㉑植、飏、粲：裴植、裴飏、裴粲，皆裴叔业之侄。传见《魏书》卷七十一。㉒直阁：在皇帝生活、工作殿堂值勤。㉓徐世檦：萧宝卷的身边亲信，时为直阁、骁骑将军。㉔引魏自助：勾引魏兵以援助自己。㉕力未能制：朝廷的势力对他没有办法。㉖宗人：同族的人，没有太近的血缘关系。㉗长穆：裴长穆，当时任中书舍人，在皇帝的身边传达文件，上属中书省。㉘许停本任：允许他还留在豫州刺史的任上。㉙亲人：亲信。㉚回面向北：转身投降魏国。㉛不失作河南公：顶不济也可以被封作“河南公”。意即在黄河以南、淮河以北的地区做魏国的贵族。㉜岂能及远：意思是时间长不了。㉝计虑回惑：计划如果想得不清楚。㉞以安慰之：以让朝廷放心。胡三省曰：“萧衍密呼诸弟，而令裴叔业送家还都，此亦华言耳。”㉟勒马步：你可以率领骑兵、步兵。㊱出横江：到达横江。横江是当时建康城西的渡口名，也是河水名，经历阳（今安徽和县）汇入长江。李白诗有《横江六首》。㊲以断其后：以截断建康与西方、南方州郡的联系。胡三省曰：“自寿阳南至历阳，出横江。”㊳天下之事：指控制朝廷、重新安排南齐政局之事。㊴遣人相代：改派别人来代替你任豫州刺史。㊵以河北一州相处：让你去做河北某州的刺史。河北，黄河以北，魏国的后方地区。㊶南归之望：再回到江南的希望。㊷沈疑：沉吟迟疑。沈，同“沉”，沉吟，心问口，口问心，拿不定主意的样子。㊸芬之：裴芬之。传见《魏书》卷七十一。㊹遣信：派使者。㊺薛真度：刘宋名将薛安都的堂弟，刘宋明帝时随薛安都投归魏国，现任魏国的豫州刺史。传见《魏书》卷七十一。㊻可不：同“可否”。㊼兄女婿杜陵韦伯昕：其兄的女婿杜陵人姓韦名伯昕。杜陵是县名，在当时长安城的正南方，今西安西南侧。㊽丁未：正月初七。㊾彭城王勰：元勰，魏孝文帝之弟，现时魏主之叔，此时任定州刺史。传见《魏书》卷二十一下。㊿王肃：魏国的儒学之臣，曾任尚书令，此时任车骑将军都督江西诸军事。传见《魏书》卷六十三。51赴之：前往接应、救援。52兰陵郡公：封地兰陵郡，兰陵郡的郡治即今山东枣庄市峄城区。53庚午：正月三十。㊾二月丙戌：二月十六。㊿萧懿：萧衍之长兄，时在朝为卫尉，是掌管守卫宫门的官员，为九卿之一。传见《南史》卷五十一。56为豫州刺史：以取代叛变降魏的裴叔业。57戊戌：二月二十八。58领扬州刺史：指南齐的疆域以任之，扬州是南齐都城建康所在的州。领，兼任。胡三省曰："寿阳自东汉以来为扬州治所，宋始为豫州治所，今复其旧。"59镇寿阳：率兵前往寿阳镇守，以协助裴叔业共同抵抗南齐的进攻。60李丑、杨大眼：皆魏之名将。杨大眼是仇池地区的氐族首领杨难当之子，降魏为魏将。传见《魏书》卷七十三。61奚康生：魏国名将，前曾扬威于钟离、义阳诸地，深为孝文帝所赏识。传见《魏书》卷七十三。62难当：杨难当，仇池地区的氐族头领，其家族世代为氐王。事见《魏书》卷一百一，《晋书》《宋书》《南齐书》亦皆有其传。63己亥：二月二十九。64监州：临时主持豫州刺史的事务。65前建安戍主安定席法友：前曾任建安驻军头领的安定郡人席法友，裴叔业的部下。传见《魏书》卷七十一。建安戍是南齐北部沿边的军事据点名，即当时的北新蔡郡治固始，今河南固始，北离淮河不远。安定郡的郡治在今甘肃泾川县北，此时属魏。66非其乡曲：不是裴叔业的同乡人。67秘叔业丧问：封锁了裴叔业去世的消息。问，意思同"闻"，消息。68教命处分：各项命令与各项部署。69城库管籥：城门与仓库的钥匙。70耆旧：有资历、资格的老年人。71宣诏抚赉：向他们宣读魏主的诏书并给他们以安慰、赏赐。赉，赏赐。72兖州刺史：魏国的兖州州治瑕丘，在今山东兖州西北侧。73齐州刺史：魏国的齐州州治即今山东济南。74王世弼：原为南齐将领，随裴叔业一同归魏。传见《魏书》卷七十一。75南徐州刺史：魏国的南徐州州治宿预，在今江苏宿迁东南。76巴西民雍道晞：巴西郡的百姓雍名道晞。巴西郡的郡治即今四川阆中。77婴城自守：即据城而守。婴城，环城、凭借四周的城墙。78刘季连：时为益州刺史，因为政酷苛遭百姓痛恨，郡人多反之。事见本书上卷。79涪令：涪县县令。涪县的县治即今四川绵阳。80履险：深入险境。〖按〗蛮人住在山中，山势险峻。81悉众：率领全部军队。82乙卯：三月十五。83屏除：清道；驱开百姓。84琅邪城：当时的侨郡名，也称临沂，即白下，在当时的建康城北，今之南京城北部的幕府山西南，滨临长江。85围内：皇帝卫队的警戒圈内。86小岘：小岘山，也称昭关，军事要地名，在今安徽含山县北。春秋末期，楚平王的逃臣伍子胥由楚入吴，曾经过此。87交州刺史李叔献：在京多年但仍挂着交州刺史的李叔献。胡三省曰："武帝永明三年（公元四八五年），李叔献自交州入朝，盖以其阻险不庭，逼以兵威而后至，废弃不用也。"交州的州治龙编，在今越南河内东北。88合肥：县名，县治在今安徽合肥。89死虎：地名，在当时的寿阳（今寿县）东南。90溯淮：自东而西逆淮水而上。91硖石：山名，在今寿县西北。淮水流过硖石山峡，两岸各筑一城。是屏障淮南的军事要地。92丙申：四月二十七。据《魏书·世宗纪》作"四月丙申"。此处数行乃后文错简于此。93彼此要冲：双方必争的军事要地。94义阳：即今河南信阳，当时属于南齐，前年魏军曾多次进攻，未能攻下。见本书前卷永泰元年。95面缚：双手缚于背后，从前只见其面。自动束手投降的样子。⑯己亥：四月三十。⑰魏皇弟悦：元悦，孝文帝之子，魏世宗元恪之弟，未受封而卒。〖按〗以上叙魏事之“丙申”魏擒叔献与魏取建安，与“己亥，魏皇弟悦卒”云云，都应移至后文之“萧懿既去小岘”句上。乃错简也。⑱其子觉：崔觉。事见《南齐书》卷五十一。⑲约：约定见机政变。⑳广陵：即今江苏扬州。㉑走从之：逃出建康，追从其父。㉒诸军主：各支部队的部队长。㉓三帝：指高帝萧道成、武帝萧赜、明帝萧鸾。㉔当顾托之重：承担着老皇帝委托的重任。㉕危而不扶二句：我焉能看到朝廷有危险而不出来拯救呢？现在就是我们来尽责任的时候了。《论语·季氏》有所谓“危而不持，颠而不扶，则将焉用彼相矣？”㉖司马崔恭祖：崔恭祖是崔慧景同族，现为崔慧景的司马官，驻守广陵。㉗壬子：三月十二。㉘假右卫将军左兴盛节：假……节，授予某某人旌节。旌节是朝廷授予专征大将或使者的一种信物，共分三级，最高者曰使持节，其次曰持节，其三曰假节，都有不同程度的生杀之权。左兴盛，时为皇帝禁卫军的统领。㉙收众济江：集合军队渡江向建康杀来。㉚南徐、兖二州：南徐州和南兖州。南徐州的州治即今江苏镇江市，南兖州的州治即今江苏扬州，两城隔江相对。㉛恨望：怨恨。怨恨其兄萧宝卷。㉜发将吏守城：守南徐州，即今镇江城。㉝外监：官名，掌监察州部刺史。㉞京口：即今镇江市，当时称作京口。㉟典签：州刺史属下的大吏，通常为代表朝廷，以伺察、监督刺史之活动为务。㊱分部：分别率领。㊲八扛舆：八人抬的轿子，无帷盖。㊳绛麾：深红色的拂尘。手执拂尘是南朝贵族的一种时尚姿态。㊴台：这里即指朝廷。㊵竹里：军事要地名，在当时建康城的东北方，距建康城约四十公里。㊶身：犹今所谓“我”，指称自己。㊷断遏：拦阻。㊸将前锋：所率领的先头部队。㊹荒伧：出生于边荒多战乱之地。㊺轻行不爨食：快速前进，不在做饭上耽误时间。轻行，轻装前进，不带辎重。爨食，生火做饭。㊻数舫：几条小船。㊼缘江载酒食：崔慧景从江陵渡江到镇江，再由镇江进攻建康，一路都是缘江边而行，故其后勤部队可以“缘江载酒食为军粮”。㊽台军城中：朝廷军在竹里修筑的军事据点中。㊾不复得食：总是吃不上饭。㊿乙卯：三月十五。(131)中领军王莹：王莹是晋、宋时期的贵族官僚王诞之堂曾孙，此时为中领军。中领军是朝廷驻京城部队的最高统领官。(132)湖头：建康城东北侧的玄武湖边。(133)上带蒋山西岩：与东侧的钟山西麓相连接。带，连接。蒋山，即今江苏南京钟山，也称紫金山。因山上有蒋子文庙，故称蒋山。(134)诞：王诞，帮着刘裕篡晋的腐朽官僚。传见《宋书》卷五十二。(135)查硎：位置不详，应离玄武湖不远。(136)不可议进：不要打算从这里过去。(137)龙尾：蒋山上的道路名，因其弯曲像龙尾，故称。(138)鱼贯：一个接一个，像鱼游头尾相连。(139)鼓叫临城：从钟山的西坡对着下面的台军据点击鼓喊叫。城，指玄武湖边的守军据点。(140)北篱门：建康城北面外城的城门。(141)甲子：三月二十四。(142)乐游苑：宫苑名，在玄武湖的南侧。(143)北掖门：皇宫后门的侧门。(144)淮渚荻舫：秦淮河中小洲的装芦苇的小船上。荻，芦苇。(145)出荡：出来冲杀。(146)兰台府署：御史中丞办公的衙门。(147)守卫尉萧畅：萧畅是萧衍的同胞弟，此时任代理卫尉之职。⑭⑧ 处分城内：安排宫城内的防守事宜。处分，安排。⑭⑨ 随方应拒：根据各处受攻的具体情况而采取相应的抵抗措施。⑮⓪ 称宣德太后令：假托宣德太后的命令。宣德太后，即文惠太子萧长懋的妃子王氏，郁林王萧昭业之母。萧昭业继位后尊之为皇太后。萧昭业、萧昭文相继被萧鸾废杀后，王氏被赶出宫廷，居于宣德宫。崔慧景想要推翻萧宝卷，并连带不承认明帝萧鸾，故重新请出萧昭业之母来发号施令。⑮① 废帝为吴王：废萧宝卷为吴王。⑮② 诸王侯：指萧道成、萧赜所剩余的子孙们。陈显达大兵围城，以声讨萧鸾的叛逆相号召，萧宝卷为斩草除根，故欲将高、武的子孙一概杀光。胡三省曰："明帝永泰元年，王敬则反，帝召诸王入宫，欲杀之而中止，事见一百四十一卷。陈显达反，帝复召之。"⑮③ 巴陵王昭胄：萧昭胄，武帝萧赜之孙，竟陵王萧子良之子，被封为巴陵王。传见《南齐书》卷四十。⑮④ 惩永泰之难：接受上次永泰元年差点被杀的教训。⑮⑤ 诈为沙门：化装成和尚。⑮⑥ 江西：胡三省以为是横江以西。横江是长江的一条小支流，流经今江苏和县汇入长江。其实此处即解释为"长江以西"亦无不可，实际区域亦无差别。⑮⑦ 出赴之：出来加入崔慧景的军队。⑮⑧ 意更向昭胄：心想改立萧昭胄为皇帝。因为从血缘上萧昭胄与萧道成、萧赜的关系比萧宝玄更近。⑮⑨ 垂定：将定。⑯⓪ 费用功多：花费的人力、物力都很多。⑯① 好谈义：好谈论儒家经典的义理，即仁义礼智信云云。⑯② 兼解佛理：兼带着还懂一点佛教的经典，即一切皆空云云。⑯③ 顿法轮寺：这时正临时住在法轮寺里。⑯④ 对客高谈：于是就和一位宾客谈佛理谈个没完了。⑯⑤ 投箸：抛下筷子。⑯⑥ 采石：采石矶，长江上的军事要地，在今安徽马鞍山市西北部的长江边上，此地的江面最狭。⑯⑦ 顿越城：驻扎在越城。越城的地址不详，应在今之马鞍山与南京之间。⑯⑧ 举火：举火向台城发出信号。⑯⑨ 台城中：指台城的宫城之中。⑰⓪ 先劝：先曾劝说。⑰① 断西岸兵：守住长江，不令西岸的萧懿军队渡江过来。⑰② 至是：到现在，萧懿的军队已到台城城外。⑰③ 精手：军中武艺高强的士兵。⑰④ 渡南岸：渡秦淮河到南岸去。由南岸西行攻击萧懿的侧翼。⑰⑤ 昧旦：黎明；天光将亮。⑰⑥ 数合：几次交手。崔慧景军看来也并非一击即溃，只是缺少良将，未能死死顶住。⑰⑦ 士皆致死：每个士兵都拼出死力。陈显达之败即因无此战，崔慧景之败又因无此战。功亏一篑，良可叹也。⑰⑧ 开桁阻淮：拆开朱雀桁浮桥，以秦淮河为屏障坚守。⑰⑨ 东宫女伎：东府城中的女伶。⑱⓪ 积忿恨：多次的愤恨积累起来。⑱① 骁将：勇猛之将。〖按〗崔觉白天战败，崔恭祖当天晚上就投降了台军。⑱② 诣城降：到台城下投降了台军。⑱③ 四月癸酉：四月初四。⑱④ 渡北岸：渡过秦淮河来到北岸，即到达台城。⑱⑤ 稍散：渐渐散去。稍，渐。⑱⑥ 蟹浦：长江上的渡口名。浦，水边。⑱⑦ 内鳅篮：装进盛鱼的筐子里。内，同"纳"，装入。鳅，当地产的一种鱼，二月时其味美。⑱⑧ 系尚方：虽是投降，仍被下狱。尚方，尚方省的关押犯人之处。尚方省是主管为皇家制造器物的机关。⑱⑨ 亡命：改名换姓地逃亡。命，名也。⑲⓪ 道人：指和尚，六朝时和尚也称"道人"。⑲① 东城：即东府城，当初萧遥光所盘踞的老巢。⑲② 投集：投靠，聚集在东府城。⑲③ 江夏尚尔：江夏王萧宝玄（是我的亲兄弟）尚且如此。⑲④岂可复罪余人：还怎么能惩罚其他的人。⑲⑤步障：用来遮蔽风尘或隔开内外的屏幕。⑲⑥鸣鼓角：击鼓吹角。鼓、角都是军队的乐器，用于行军，好用于战场。⑲⑦处士何点：处士，即隐士。何点，字子晰，刘宋时期大官僚何尚之的后代，其兄何求、其弟何胤，三人皆以退隐闻名，何点曾嘲弄过萧道成的篡宋骨干褚渊、王俭。传见《南齐书》卷五十四。⑲⑧不顾：不理睬他。⑲⑨谈义：谈佛经义理。⑳⓪共讲：共同谈论。⑳①未易可量：台城的安危将难以预料。⑳②胤：何胤，何点之弟，郁林王时曾为中书令，萧鸾时期曾为散骑常侍。传见《南齐书》卷五十四。⑳③萧懿既去小岘：萧懿既离开了小岘山，指放弃进攻寿阳，返回救朝廷之急。去，离开。〖按〗前⑨②、⑨③、⑨④、⑨⑤、⑨⑥、⑨⑦，所注正文叙魏事之"丙申"魏擒叔献与魏取建安，与"己亥，魏皇弟恌卒"云云，都应移至此句"萧懿既去小岘"句上。乃错简也。⑳④荒人：流浪者。指在边方与京城间，或在南国与北国之间往来流浪的人。南朝称之为"荒人"。⑳⑤复谋归国：还想回到南朝来。王肃是在齐武帝萧赜时期因其父王奂被杀而北投魏国。⑳⑥五月乙巳：五月初六。⑳⑦诏：下诏书。主语是南齐皇帝萧宝卷。⑳⑧豫、徐、司：南齐的三个州名，豫州的州治原在寿阳，此时已被魏人所占，徐州的州治钟离，在今安徽凤阳东，司州的州治义阳，即今河南信阳。⑳⑨己酉：五月初十。㉑⓪壬子：五月十三。㉑①六月丙子：六月初八。㉑②领司徒：兼任司徒之称号。㉑③大阳蛮：居住在大阳山的少数民族。大阳山在齐兴郡（郡治即今湖北十堰市郧阳区）东，原本属于南齐的梁州，邻近魏国边境。㉑④乙丑：本年六月无乙丑日，疑记载有误。㉑⑤曲赦建康、南徐、兖二州：因崔慧景围攻台城时，此三地有许多人投靠、追随是也。㉑⑥籍其赀：没收他们的钱财。籍，没收。赀，通"资"，钱财。㉑⑦人情大恶：人心不安；人心思变。㉑⑧正当：应该，推测语气。写史者以此暗示此次萧宝卷的曲赦是王咺之进言的结果。㉑⑨由是再赦：因此才有了前面所说的"曲赦建康、南徐、兖二州"事。㉒⓪诛纵：杀谁与放谁。纵，指放过附贼而贫者，不治罪。㉒①黄门：指皇帝身边的太监。㉒②茹法珍、梅虫儿：此二人都是太监。㉒③但侬货主恶：只不过是因为我的主子太坏了。侬，吴语，我。货主，东家、主子。指东昏侯。㉒④恶其凶强：讨厌他的凶恶强暴。㉒⑤口称诏敕：做什么事都说是奉了皇帝的命令。㉒⑥专掌文翰：皇帝

【原文】

冠军将军、骠骑司马陈伯之[242]再引兵攻寿阳[243]，魏彭城王勰拒之。援军未至，汝阴太守傅永[244]将郡兵三千救寿阳。伯之防淮口[245]甚固，永去淮口二十余里，牵船上汝水南岸，以水牛挽之[246]，直南趣淮[247]，

的诏书、命令一切都出自王晅之之手。王晅之任中书舍人，为皇帝起草诏令是其职内的工作之一。㉗与相唇齿：相互依附，狼狈为奸。㉘为阿丈：皇帝对他们以“阿丈”相称，视之为长辈。丈，长者。㉙为阿兄：以兄长待之。㉚汲水：从井中向上取水。㉛恃势作奸：靠着皇帝岳父的势力为非作歹。㉜莫不启乞：没有一样不向皇帝讨要过来。启乞，禀告、讨要。㉝刀敕家：皇帝的护卫与其身边侍从的家庭。刀，谓操刀者，带刀护卫。敕，听从呼唤者，即所谓“小答应”。㉞奄人：宦者。奄，同“阉”。㉟伥子：犹今所谓“小疯子”，故作张狂以取悦于人者。㊱移易诏敕：改变皇帝的命令。㊲诋诃：训斥；斥责。㊳慑息：屏住气不敢出。㊴吐谷浑王伏连筹：吐谷浑是古代少数民族建立的小国名，其地在今甘肃洮河西南至青海北部一带。伏连筹是老吐谷浑王拾寅之孙，继其父度易侯为吐谷浑王，其政权依违于南朝与北朝之间，有时也同时接受南北双方的封号。㊵尽礼：尽藩臣之礼。㊶称制于其邻国：以皇帝的身份对周边小国发号施令。

【校记】

[1] 微：原作“征”。于义不通，显为误刻，今校正。[2] 少：据章钰校，十二行本、乙十一行本皆作“小”。[3] 可：据章钰校，十二行本、乙十一行本、孔天胤本皆作“易”。[4] 食：据章钰校，十二行本、乙十一行本皆作“肉”。[5] 卫：原作“御”。据章钰校，十二行本、乙十一行本、孔天胤本皆作“卫”，张敦仁《通鉴刊本识误》同，今据改。[6] 侯：原无此字。据章钰校，十二行本、乙十一行本、孔天胤本皆有此字，今据补。[7] 台城中：原作“城中”。胡三省注云：“城中，台城中也。”据章钰校，十二行本、乙十一行本、孔天胤本皆作“台城中”，张敦仁《通鉴刊本识误》同，今据补。[8] 中：据章钰校，十二行本、乙十一行本、孔天胤本皆作“内”。[9] 义：据章钰校，十二行本、乙十一行本、孔天胤本“义”下皆有“佛”字。[10] 魏：原无此字。据章钰校，十二行本、乙十一行本、孔天胤本皆有此字，今据补。[11] 及：原无此字。据章钰校，十二行本、乙十一行本、孔天胤本皆有此字，今据补。

【语译】

齐国担任冠军将军、骠骑司马的陈伯之再次率领齐军进攻被魏国占领的寿阳城，魏国的彭城王元勰率领魏军抵抗齐军的进攻。在魏国的援军还没有到来的时候，担任汝阴太守的傅永便率领着三千名汝阴郡的士兵赶来援救寿阳城。陈伯之把大军布防在汝水的入淮之口，防守得非常严密，傅永所率领的汝阴郡兵在距离淮口二十多里的地方，便把所乘船只拉上汝水南岸，然后改用水牛拉着这些船只在陆地上绕过淮口，

下船即渡㉘，适上南岸，齐兵亦至。会夜㉙，永潜入[12]城，勰喜甚，曰："吾北望已久，恐洛阳难可复见，不意卿能至也。"勰令永引兵入城，永曰："永之此来，欲以却敌；若如教旨㉚，乃是与殿下同受攻围，岂救援之意？"遂军于城外。

秋，八月乙酉㉛，勰部分㉜将士，与永并势击伯之于肥口㉝，大破之，斩首九千[13]，俘获一万。伯之脱身㉞遁还，淮南㉟遂入于魏。

魏遣镇南将军元英㊱将兵救淮南，未至，伯之已败，魏主召勰还洛阳。勰累表辞大司马、领司徒，乞还中山㊲，魏主不许。以元英行扬州事㊳。寻以王肃为都督淮南诸军事、扬州刺史，持节代之。

甲辰㊴，夜，后宫火。时帝出未还，宫内人不得出，外人不敢辄开㊵；比及开，死者相枕㊶，烧三千[14]余间。

时嬖幸㊷之徒皆号为鬼。有赵鬼者，能读西京赋㊸，言于帝曰："柏梁既灾，建章是营㊹。"帝乃大起芳乐、玉寿等诸殿，以麝香涂壁，刻画装饰，穷极绮丽。役者自夜达晓，犹不副速㊺。

后宫服御㊻，极选珍奇，府库旧物，不复周用㊼。贵市民间金宝㊽，价皆数倍。建康酒租皆折使输金㊾，犹不能足。凿金为莲华㊿以帖地[271]，令潘妃行其上，曰："此步步生莲华也。"又订出[272]雉头、鹤氅、白鹭缞[273]。嬖幸因缘为奸利[274]，课一输十[275]。又各就州县求为人输[276]，

径直奔向南面的淮河，到了淮河之后，立即把船拉入淮河，乘船渡过淮河，军队刚刚登上淮河南岸，齐国的军队就到了。趁着夜色的掩护，傅永悄悄地进入寿阳城，元勰看见傅永到来非常高兴，说："我已经向北眺望了很久，我担心再也见不到洛阳城了，没想到你竟然能够来到这里。"元勰让傅永把汝阴郡兵领进寿阳城，傅永说："我这次率军前来，目的是想打退敌人的进攻；如果遵从殿下的命令将军队领进城中，就等于与殿下一同遭受敌人的围攻，岂不是违背了我前来援救殿下的本意？"傅永遂把军队驻扎在寿阳城外。

秋季，八月十八日乙酉，彭城王元勰派遣将士，与傅永的军队会合，在淝水的入淮之口向陈伯之所率领的齐军发起进攻，把陈伯之的军队打得大败，斩杀了齐军九千人，俘虏了一万人。陈伯之单身逃回齐国，于是寿阳城与其周围的一带地区全部划入魏国的版图。

魏世宗元恪派遣担任镇南将军的元英率领一支军队前往救援淮南，元英还没有到达淮南，齐国的陈伯之已经兵败逃走，魏世宗将彭城王元勰召回洛阳。元勰多次上表给魏世宗请求辞去自己所担任的大司马、兼任司徒的职务，请求回到中山郡继续担任定州刺史，魏世宗没有批准元勰的请求。魏世宗任命元英为代理扬州刺史。不久，世宗正式任命王肃为都督淮南诸军事、扬州刺史，持节前往代替元英的职务。

甲辰日，夜间，齐国小皇帝萧宝卷的后宫发生火灾。当时小皇帝出宫游玩还没有回宫，宫内的人无法出宫，外面的人也不敢马上打开宫门进入后宫；等到宫门打开的时候，宫内已经被烧死了很多人，尸体互相枕藉，惨不忍睹，烧毁了三千多间房屋。

当时深受小皇帝萧宝卷宠爱的那类人都被称为鬼。有一个被称为赵鬼的人，能够阅读东汉张衡写的《西京赋》，他引用《西京赋》里的句子对小皇帝说："柏梁殿刚刚被烧毁，建章宫就又建造起来了。"于是小皇帝便大力修建芳乐殿、玉寿殿等宫殿，他用麝香涂抹墙壁，雕刻绘画作为装饰，极尽绮丽。工匠、民夫夜以继日地工作，还是不能达到萧宝卷所要求的建造速度。

后宫中那些后妃使女们所穿戴使用的一切衣物，都要选用最珍贵最奇特的，府库中原有的物品，已经供不应求。于是就用高价到民间去收购黄金珠宝等各式各样名贵的装饰品，价格都比平时高出好几倍。建康城内征收的酒税都让纳税人直接交纳黄金，即使如此还是不能满足宫内的需要。萧宝卷命令工匠把金片雕刻成莲花的形状贴在地板上，然后令潘妃在莲花上来回行走，萧宝卷说："这就是步步生莲花。"又规定各地要向宫廷交纳野鸡头上的红色细毛、白鹤两个翅膀上的翎毛、白鹭头上下垂的羽毛。那些被萧宝卷宠幸的小人便趁着征收这三种鸟毛的机会而大发不义之财，萧宝卷每征收一支，这些经手的小人就要向下面征收十支。他们还各自到州县强行要求地方官把征收赋税的事情交给他们去办，由他们代替各州县交纳，

准取见直，不为输送[277]，守宰[278]皆不敢言，重更科敛[279]。如此相仍[280]，前后不息，百姓困尽，号泣道路。

军主吴子阳等出三关[281]侵魏，九月，与魏东豫州刺史[282]田益宗战于长风城[283]，子阳等败还。

萧懿之入援也，萧衍驰使所亲虞安福说懿曰："诛贼之后，则有不赏之功[284]，当明君贤主，尚或难立[285]；况于乱朝，何以自免？若贼灭之后，仍勒兵入宫，行伊、霍故事[286]，此万世一时[287]。若不欲尔，便放表还历阳[288]，托以外拒[289]为事，则威振内外，谁敢不从？一朝放兵[290]，受其厚爵[291]，高而无民[292]，必生后悔。"长史徐曜甫亦[15]苦劝之，懿并不从。

崔慧景死，懿为尚书令。有弟九人：敷、衍、畅、融、宏、伟、秀、憺、恢[293]。懿以元勋居朝右[294]，畅为卫尉，掌管龠[295]。时帝出入无度，或劝懿因其出门，举兵废之。懿不听。嬖臣茹法珍、王咺之等惮懿威权，说帝曰："懿将行隆昌故事[296]，陛下命在晷刻[297]。"帝然之。徐曜甫知之，密具舟江渚[298]，劝懿西奔襄阳。懿曰："自古皆有死，岂有叛走尚书令邪！"懿弟侄[299]咸为之备。

冬，十月己卯[300]，帝赐懿药于省中。懿且死，曰："家弟在雍，深为朝廷忧之。"懿弟侄皆亡匿于里巷，无人发之者[301]。唯融捕得，诛之。

丁亥[302]，魏以彭城王勰为司徒、录尚书事，勰固辞，不免。勰雅好恬素[303]，不乐势利。高祖重其事干[304]，故委以权任，虽有遗诏[305]，复为世

然而他们收够所要的现金之后，却不把征收来的钱物上交，所在郡县的太守和县令全都敢怒而不敢言，只好按照以上的方法再向百姓勒索一次。如此周而复始，前后不停地征税，百姓们钱财耗尽，苦不堪言，道路之上到处都是哭泣哀号的难民。

担任一支军队头领的吴子阳等人率领自己的部下经过平靖关、武阳关、黄岘关入侵魏国，九月，吴子阳与魏国担任东豫州刺史的田益宗在长风城交战，吴子阳等所率领的齐军被魏军打败，返回齐国。

豫州刺史萧懿从小岘山撤军回救建康的时候，萧衍派遣自己的亲信虞安福骑着快马赶到萧懿那里，劝阻萧懿说："你诛灭了叛贼崔慧景之后，就立下了令皇帝无法赏赐的大功，即使是遇到贤明的君主，尚且难以立足于世，求得平安；何况你遇到的是昏庸无道的君主，你有什么办法能使自己免除灾祸呢？如果你消灭了叛贼之后，仍然率领军队进入皇宫，像商朝的伊尹、西汉的霍光那样废掉昏君另立明主，这是万世难逢的好机会。如果不准备这样做，你就应该上表给朝廷，请求回到历阳，及早离开朝廷，假托居边抵御外寇之名以拥兵自重，那么你就可以威震内外，谁敢不听从你的命令？你一旦放弃军权，接受了皇帝赏赐给你的高官厚禄，官位虽然高而手中却没有军队，你将来一定会后悔的。"在萧懿属下担任长史的徐曜甫也苦苦地劝说萧懿，萧懿对他们的劝告全都没有听从。

崔慧景被杀死之后，豫州刺史萧懿被朝廷任命为尚书令。萧懿有九个弟弟，他们是萧敷、萧衍、萧畅、萧融、萧宏、萧伟、萧秀、萧憺、萧恢。萧懿以诛灭叛贼崔慧景之大功而位居朝臣之首，他的弟弟萧畅担任卫尉，负责掌管整个皇宫大门的锁钥。当时小皇帝萧宝卷出入宫城毫无节制，有人便劝说萧懿趁着小皇帝离开皇宫外出游逛的机会，起兵废掉他。萧懿没有听从这种劝告。小皇帝的宠臣茹法珍、王咺之等人忌惮萧懿的威权，就劝小皇帝说："萧懿即将重演隆昌年间废杀郁林王萧昭业的故事，陛下的性命恐怕危在旦夕了。"小皇帝同意他们的看法。长史徐曜甫得知这个消息之后，就秘密地在江边为萧懿准备好了一艘逃走的船只，他劝说萧懿赶快乘船向西逃奔襄阳。萧懿说："从古到今人人都免不了一死，岂有叛逃的尚书令呢！"萧懿的弟弟、侄子们都做好了逃命的准备。

冬季，十月十三日己卯，小皇帝在尚书省赐萧懿毒药令其自尽。萧懿在临死的时候说："我的弟弟萧衍还在雍州担任刺史，我为朝廷的安危深感担忧。"萧懿的弟弟、侄子全都逃到里巷里躲藏起来，没有人出来向朝廷告发他们。只有萧融一个人被朝廷捕获、杀死。

十月二十一日丁亥，魏国朝廷任命彭城王元勰为司徒、录尚书事，元勰坚决推辞，没有被批准。元勰一向喜欢过那种恬淡、朴素的生活，不贪图权势荣利。魏高祖元宏非常看重他的办事能力，所以才把掌管朝政大权的重任托付给他，虽然留下遗诏，同意随元勰自己所请，辞去一切官职，但还是被世宗元恪留在朝内担当重任。

宗所留[306]。緦每乖情愿[307]，常凄然叹息。为人美风仪[308]，端严若神[309]，折旋合度[310]，出入言笑，观者忘疲；敦尚文史[311]，物务[312]之暇，披览[313]不辍；小心谨慎，初无[314]过失，虽闲居独处，亦无惰容[315]；爱敬儒雅[316]，倾心礼待；清正俭素，门无私谒[317]。

十一月己亥[318]，魏东荆州[319]刺史桓晖[320]入寇，拔下笮戍[321]，归之者二千余户[322]。晖，诞之子也。

初，帝疑雍州刺史萧衍有异志，直后[323]荥阳郑植弟绍叔[324]为衍宁蛮长史[325]，帝使植以候绍叔[326]为名，往刺衍。绍叔知之，密以白衍，衍置酒绍叔家，戏植曰："朝廷遣卿见图[327]，今日闲宴[328]，是可取良会[329]也。"宾主大笑。又令植历观[330]城隍[331]、府库、士马[332]、器械、舟舰，植退，谓绍叔曰："雍州实力未易图也。"绍叔曰："兄还，具为天子言之：若取雍州，绍叔请以此众一战！"送植于南岘[333]，相持[334]恸哭而别。

及懿死，衍闻之，夜，召张弘策、吕僧珍、长史王茂[335]、别驾柳庆远[336]、功曹吉士瞻等入宅定议。茂，天生[337]之子。庆远，元景之弟子也。乙巳[338]，衍集僚佐，谓曰："昏主暴虐，恶逾于纣，当与卿等共除之！"是日，建牙集众[339]，得甲士万余人，马千余匹，船三千艘。出檀溪竹木[340]装舰[341]，葺之以茅[342]，事皆立办。诸将争橹，吕僧珍出先所具者，每船付二张，争者乃息[343]。

是时，南康王宝融[344]为荆州刺史，西中郎长史萧颖胄[345]行府州事，帝遣辅国将军，巴西、梓潼[346]二郡太守刘山阳将兵三千之官，就颖胄兵使袭襄阳。衍知其谋，遣参军王天虎诣江陵，遍与州府[347]书，

元勰每每因为违背自己的心愿出任官职，而经常凄凉地叹息。元勰有着漂亮潇洒的仪表，端庄整肃得有如神明，举止合宜，出入言笑，能令看见他的人忘记了疲劳；元勰好读古书，公务闲暇的时候，便手不释卷地阅读；他为人小心谨慎，从来没有什么过失，即使是在闲暇之时独自一人的时候，也从来没有表现出那种懒散的情态；元勰爱护、敬重那些温文尔雅的儒家人物，对他们推心置腹、相待以礼；元勰为官清廉、正直、俭约、朴素，从不接受任何人的请托。

十一月初三日己亥，魏国担任东荆州刺史的桓晖率军入侵齐国，他们攻克了齐国的下笮戍，有二千多户齐国人归顺了魏国。桓晖，是桓诞的儿子。

当初，齐国的小皇帝萧宝卷怀疑担任雍州刺史的萧衍有篡权夺位的野心，担任直后的荥阳人郑植的弟弟郑绍叔当时在萧衍属下担任宁蛮长史，小皇帝便派郑植以探望自己弟弟郑绍叔的名义前往襄阳行刺萧衍。郑绍叔得知消息以后，就秘密地报告了萧衍，萧衍在郑绍叔家里摆设酒宴，他对郑植开玩笑似的说："朝廷派遣你来谋杀我，今天这个轻松、消闲而没有任何戒备的宴会，正是你谋杀我的良好机会啊。"宾主全都不约而同地大笑起来。萧衍又让郑植逐一观看襄阳城的城墙与护城河、府库、兵马、器械、舟舰。郑植从宴会回来以后对自己的弟弟郑绍叔说："雍州的实力很强大，不容易被消灭。"郑绍叔说："哥哥回到朝廷以后，请详细地把雍州的情况告诉小皇帝，就说：如果朝廷想要攻取雍州，郑绍叔就率领着雍州的兵众与朝廷军决一死战！"郑绍叔一直把自己的哥哥郑植送到南岘山，兄弟二人手拉着手恸哭了一场才恋恋不舍地分别。

等到尚书令萧懿被小皇帝萧宝卷毒死之后，雍州刺史萧衍得知了消息，便连夜把自己的亲信担任录事参军的范阳人张弘策、担任中兵参军的东平人吕僧珍、担任长史的王茂、担任别驾的柳庆远、担任功曹的吉士瞻等人找来进入自己的私宅秘密地商议对策。王茂，是王天生的儿子。柳庆远，是柳元景的侄子。十一月初九日乙巳，萧衍把自己的僚佐召集起来，对他们说："小皇帝昏庸暴虐，其罪恶行径超过了殷纣王，我要与你们共同起兵把他除掉！"当天，便竖起大旗，集合兵众，立即便得到了一万多名披甲执械的武士，一千多匹战马，三千艘战船。他们把原先储藏在檀溪水中的竹竿、木材捞出来打造舰船，用茅草编葺成篷盖，起兵的各项工作很快便准备就绪。各将领全都争抢大盾牌，吕僧珍便把自己先前准备好的几百张大盾牌拿出来，每艘船上发给两张，关于大盾牌的争夺才算平息下来。

此时，担任西中郎将的南康王萧宝融正在担任荆州刺史，在他属下担任西中郎长史的萧颖胄代替南康王萧宝融管理荆州刺史府和西中郎将军府的事务，小皇帝萧宝卷派遣担任辅国将军及巴西、梓潼二郡太守的刘山阳率领三千士兵前往巴西、梓潼二郡的郡治涪县赴任，途中会合萧颖胄的荆州兵一同去袭击雍州刺史萧衍所在的襄阳。萧衍看穿了小皇帝的阴谋，就派属下担任参军的王天虎前往江陵，给荆州官属和西中郎将官属每处全都送上一封书信，他在书信中故意挑动说："刘山阳率军西

声云㊽:"山阳西上，并袭荆、雍㊾。"衍因谓诸将佐曰:"荆州素畏襄阳人㊿，加以唇亡齿寒，宁不暗同邪[351]！我合荆、雍之兵，鼓行而东，虽[16]韩、白[352]复生，不能为建康计。况以昏主役'刀敕'之徒[353]哉!"颖胄等[17]得书，疑未能决。山阳至巴陵[354]，衍复令天虎赍书与颖胄及其弟南康王友颖达[355]。天虎既行，衍谓张弘策曰:"用兵之道，攻心为上。近遣天虎往荆州，人皆有书[356]。今段[357]乘驿甚急[358]，止有两函与行事兄弟[359]，云'天虎口具[360]'。及问天虎而口无所说[361]，天虎是行事心膂[362]，彼间[363]必谓行事与天虎共隐其事[364]，则人人生疑。山阳惑于众口，判相嫌贰[365]。则行事进退无以自明，必入吾谋内[366]。是驰[18]两空函定一州矣。"

山阳至江安[367]，迟回[368]十余日不上[369]。颖胄大惧，计无所出，夜[19]，呼西中郎城局参军安定席阐文[370]、谘议参军柳忱[371]，闭斋定议[372]。阐文曰:"萧雍州畜养士马，非复一日。江陵素畏襄阳人，又众寡不敌，取之必不可制[373]；就[374]能制之，岁寒[375]复不为朝廷所容。今若杀山阳，与雍州举事，立天子以令诸侯，则霸业[376]成矣。山阳持疑不进，是不信我。今斩送天虎，则彼疑可释。至而图之[377]，罔不济矣[378]。"忱曰:"朝廷[379]狂悖日滋，京师贵人莫不重足累息[380]。今幸在远[381]，得假日自安[382]。雍州之事[383]，且籍以相毙耳[384]。独不见萧令君[385]乎？以精兵数千，破崔氏十万众，竟[386]为群邪所陷，祸酷相寻[387]。'前事之不忘，后事之师也。'且雍州士锐粮多，萧使君[388]雄姿冠世，必非山阳所能敌。若破山阳，荆州复受失律之责[389]，进退无可[390]，宜深虑之。"萧颖达亦劝颖胄

上，不光是要袭击我们雍州，也会同时袭击你们的荆州。”萧衍趁机对属下的各将领说：“荆州一向惧怕襄阳人，再加上唇亡齿寒，他们怎能不暗中帮助我们呢！我们如果能把荆州、雍州的军队联合起来，敲着战鼓向着东方的建康进军，即使是汉将韩信、秦将白起再生，也没有办法为建康出谋划策了。何况现在是一个昏庸的小皇帝驱赶着一群操刀手与小答应呢！”萧颖胄等得到萧衍的书信后，正在狐疑，左右拿不定主意。刘山阳已经到达巴陵郡，萧衍又令王天虎携带书信送交萧颖胄和萧颖胄的弟弟、南康王萧宝融之友的萧颖达。王天虎走后，萧衍对录事参军张弘策说：“用兵之道，以攻心为上。近来我派王天虎前往荆州，荆州所有的官员每个人手里都有我们送给他们的书信。这一次我派王天虎前往荆州，由于驿站出发的车子走得太急，所以只带着两封空函分别送给萧颖胄、萧颖达兄弟，信中只简单地写着‘让王天虎当面向你们陈述’。等到萧颖胄、萧颖达分别向王天虎询问我让他口头传达什么的时候，而王天虎却无法回答，王天虎是萧颖胄的心腹，荆州的其他官员一定会认为萧颖胄与王天虎瞒着众人的背后还有别的阴谋，于是人人都会对他产生怀疑。刘山阳听到众说纷纭，必然心生疑虑，就会迟疑不决。到那时行州府事的萧颖胄无论是进还是退都无法证明他自己的清白，一定会落入我的圈套。我传送两封空函就平定了一个州啊。”

刘山阳率领军队到达江安县，在江安逗留了十多天没有向江陵进发。此时萧颖胄心中非常恐惧，不知如何是好，夜里，他把担任西中郎城局参军的安定郡人席阐文、担任谘议参军的柳忱找来，关上书斋的房门秘密地商议应该何去何从。席阐文说：“雍州刺史萧衍畜养战士、马匹，已经不是一天两天的事情了。江陵人一向惧怕襄阳人，况且江陵的兵力与襄阳的兵力相比又是寡不敌众，我们出兵讨伐襄阳一定不能取胜；即使我们能够战胜襄阳，到头来也会被朝廷所不容。现在如果我们杀掉刘山阳，与雍州联合起来废掉现在的小皇帝萧宝卷，另立一位皇帝，然后以这位皇帝的名义号令全国，那么就可以成就霸业。刘山阳现在犹豫不决，不敢向江陵进发，是因为他不信任我们。如果我们把王天虎杀死之后送给刘山阳，刘山阳对我们的怀疑就会消除。等到刘山阳到了江陵之后，我们再想办法把刘山阳除掉，没有不成功的道理。”柳忱说：“小皇帝一天比一天狂妄悖谬，京城里的那些达官显贵一个个被他吓得连脚步也不敢移动，连口大气也不敢出。如今幸亏我们远离京城，还能苟延一段日子。小皇帝之所以让我们荆州出兵帮助刘山阳去攻打襄阳的萧衍，只不过是借助此举让我们与萧衍互相残杀罢了。难道我们没有看到尚书令萧懿的下场吗？萧懿率领着几千精兵打败了崔慧景的十万大军，到最后竟然遭到一帮奸佞小人的诬陷而被杀，类似的惨剧一个接着一个。俗话说：‘前事不忘，后事之师。’况且雍州兵强马壮、粮草充足，雍州刺史萧衍英雄盖世，刘山阳一定不是他的对手。如果萧衍打败了刘山阳，我们荆州必定还要承担没有严格遵照朝廷的命令协助刘山阳剿灭雍州，致使刘山阳被萧衍打败的责任而受到朝廷的惩罚，现在我们已经陷入进退两难的境地，我们应该认真而深刻地考虑如何处理这件事情。”萧颖达也劝说自己的哥哥

从阐文等计。诘旦[391]，颖胄谓天虎曰：“卿与刘辅国[392]相识，今不得不借卿头！”乃斩天虎送示山阳，发民车牛，声云起步军征襄阳，山阳大喜。甲寅[393]，山阳至江津[394]，单车白服[395]，从左右数十人诣颖胄。颖胄使前汶阳太守刘孝庆等伏兵城内，山阳入门[396]，即于车中斩之。副军主李元履收余众请降。

柳忱，世隆[397]之子也。颖胄虑西中郎司马夏侯详[398]不同，以告忱，忱曰：“易耳！近详求婚，未之许也。”乃以女嫁详子夔，而告之谋，详从之。乙卯[399]，以南康王宝融教纂严[400]，又教赦囚徒，施惠泽，颁赏格[401]。丙辰[402]，以萧衍为使持节都督前锋诸军事。丁巳[403]，以萧颖胄为都督行留诸军事[404]。颖胄有器局[405]，既举大事[406]，虚心委己[407]，众情归之。以别驾南阳宗夬[408]及同郡中兵参军刘坦[409]〔20〕、谘议参军乐蔼[410]为州人所推信，军府经略[411]，每事谘焉。颖胄、夬各献私钱、谷及换借富赀[412]以助军。长沙寺[413]僧素富，铸黄金为金〔21〕龙数千两[414]，埋土中。颖胄取之，以资〔22〕军费。

颖胄遣使送刘山阳首于萧衍，且言年月未利[415]，当须明年二月进兵。衍曰：“举事之初，所藉[416]者一时骁锐[417]之心，事事相接[418]，犹恐疑怠。若顿兵十旬[419]，必生悔吝[420]。且坐甲十万[421]，粮用自竭。若童子立异[422]，则大事不成。况处分已定，安可中息[423]哉！昔武王伐纣，行逆太岁[424]，岂复待年月乎[425]？”

戊午[426]，衍上表劝南康王宝融称尊号，不许。

萧颖胄听从席阐文等人的意见。第二天早晨，萧颖胄对王天虎说："你与辅国将军刘山阳相识，现在我们不得不借用一下你的人头！"于是就砍下王天虎的人头送给刘山阳看，又大张旗鼓地征调百姓的车、牛，宣称是为了动员步兵去征讨襄阳的萧衍，刘山阳看到荆州方面如此表现非常高兴。十一月十八日甲寅，刘山阳率领军队到达江津，他身穿便服，乘坐着一辆车子，身边只带着几十名侍从便前往造访行州府事的萧颖胄。萧颖胄让以前曾经担任过汶阳太守的刘孝庆等人埋伏在江津戍的城门内，等到刘山阳一进入江津戍的城门，还没下车，埋伏的人就把他杀死在车中了。刘山阳的副将李元履将其余的兵众召集到一起向萧颖胄请求投降。

担任谘议参军的柳忱，是柳世隆的儿子。行州府事的萧颖胄担心担任西中郎司马的夏侯详不赞成自己的做法，于是就把自己的担忧告诉了柳忱，柳忱说："这件事情好办得很！近来夏侯详曾经为他的儿子向我家求婚，我还没有答应他。"柳忱遂把自己的女儿嫁给了夏侯详的儿子夏侯夔，之后才把起兵的计划告诉夏侯详，夏侯详同意起兵。十一月十九日乙卯，萧颖胄以南康王萧宝融的名义宣布整个荆州进入紧急军事状态，又以南康王萧宝融的名义赦免了荆州境内所有的囚徒，施以恩惠，颁布立功受赏的等级标准。二十日丙辰，又以南康王萧宝融的名义任命雍州刺史萧衍为使持节都督前锋诸军事。二十一日丁巳，以南康王萧宝融的名义任命萧颖胄为主管东下之军与留守荆州之军各项事务的都督行留诸军事。萧颖胄是一个有才识、有度量的人，举兵起义之后，他虚心听取别人的意见，从不固执己见、自以为是，所以人们都很拥护他。因为担任别驾的南阳郡人宗夬以及和他同郡的担任中兵参军的刘坦、担任谘议参军的乐蔼都深受本州人的推崇与信任，所以萧颖胄督军府里一些需要商讨的重大问题，萧颖胄都向他们咨询、与他们一起商量。萧颖胄、宗夬各自献出自家的钱粮，还用交换或借贷的方式向富有人家筹措了一些钱粮以资助军需。长沙寺里的和尚一向就很富有，他们把几千两的黄金铸造成金龙埋在地下。萧颖胄把金龙要过来，用作了军费。

都督行留诸军事的萧颖胄派使者把刘山阳的人头送给了雍州刺史萧衍，同时告诉萧衍说本年最后的这两个月不利于军事行动，应当等到明年二月再举兵向建康进发。萧衍回复说："举事开始的时候，所凭借的是一时的勇猛、敢打敢冲的士气，事情样样抓紧，尚且担心犹疑懈怠。如果停滞不前三个多月，一定会有许多人心生后悔从而造成无法挽救的结果。况且十万大兵披着铠甲光吃不动，粮食资源很快就会枯竭。再有个少不更事的家伙跳出来唱上几句反调，大事就可能不成功了。更何况现在各项部署已经确定，岂可中途停止呢！过去周武王出兵讨伐殷纣王，行动的时间恰好与太岁相逆，难道周武王为此改变时间了吗？"

十一月二十二日戊午，雍州刺史萧衍上表给南康王萧宝融，劝说他称帝，萧宝融不答应。

十二月，颖胄与夏侯详移檄[427]建康百官及州郡牧守，数[428]帝及梅虫儿、茹法珍罪恶。颖胄遣冠军将军天水杨公则[429]向湘州[430]，西中郎参军南郡邓元起向夏口[431]。军主王法度坐不进军免官。乙亥[432]，荆州将佐复劝宝融称尊号，不许。夏侯详之子骁骑将军亶为殿中主帅[433]，详密召之，亶自建康亡归。壬辰[434]，至江陵，称奉宣德皇太后令[435]：南康王宜纂承皇祚[436]。方俟清宫[437]，未即大号[438]。可封十郡，为宣城王[439]、相国、荆州牧[440]，加黄钺[441]，选百官[442]，西中郎府、南康国如故[443]。须军次近路[444]，主者备法驾[445]奉迎。

竟陵太守新野曹景宗[446]遣亲人说萧衍，迎南康王都襄阳，先正尊号，然后进军，衍不从。王茂私谓张弘策曰："今以南康置人手中[447]，彼挟天子以令诸侯，节下[448]前进为人所使，此岂他日之长计乎！"弘策以告衍，衍曰："若前涂大事不捷[449]，故自兰艾同焚[450]；若其克捷，则威振四海，谁敢不从[23]，岂碌碌受人处分者邪[451]！"

初，陈显达、崔慧景之乱，人心不安。或问时事于上庸太守杜陵韦叡[452]，叡曰："陈虽旧将，非命世才[453]；崔颇更事[454]，懦而不武[455]，其赤族[456]宜矣。定天下者，殆必在吾州将[457]乎？"乃遣二子自结于萧衍。及衍起兵，叡帅郡兵二千倍道赴之。华山太守蓝田康绚[458]帅郡兵三千赴衍。冯道根时[24]居母丧，闻衍起兵[25]，帅乡人子弟胜兵者[459]悉往赴之。梁、南秦二州刺史柳惔[460]亦起兵应衍。惔，忱之兄也。

帝闻刘山阳死，发诏讨荆、雍。戊寅[461]，以冠军长史刘浍为雍州刺史，遣骁骑将军薛元嗣、制局监暨荣伯将兵，及运粮百四十余船送郢

十二月，都督行留诸军事的萧颖胄与西中郎司马夏侯详向建康城内的文武百官以及各州牧郡守发布檄文，一条一条地列数小皇帝萧宝卷以及梅虫儿、茹法珍的罪恶。萧颖胄派遣担任冠军将军的天水郡人杨公则率军攻取湘州，派担任西中郎参军的南郡人邓元起率军攻取夏口。担任一支军队头领的王法度由于不服从命令，拒绝进军而被免去官职。初十日乙亥，荆州的将佐再次劝说萧宝融称帝，萧宝融还是不同意。夏侯详的儿子担任骁骑将军的夏侯亶还在建康的皇宫中担任禁军统领，夏侯详秘密地将他召回江陵，夏侯亶遂从建康逃回。二十七日壬辰，夏侯亶回到江陵，他假托奉了宣德皇太后的命令：南康王萧宝融理应继承皇位。但现在的皇宫还有待清理，南康王萧宝融暂时还不能就称皇帝。可以先把十个郡分封给萧宝融，封萧宝融为宣城王、相国、荆州刺史，加授黄金装饰的大斧，选任文武百官组建新的朝廷班底，原任西中郎将的职权、南康王爵位依然保留。等你们的军队到达台城近前的时候，朝廷主管该项事务的官员再带着皇帝乘坐的车驾前去迎接。

齐国担任竟陵太守的新野人曹景宗派自己的亲属前往襄阳劝说萧衍，建议萧衍到江陵把南康王萧宝融接到襄阳，在襄阳建都，先称帝，然后再向建康进军，萧衍没有听从曹景宗的建议。萧衍的亲信担任长史的王茂私下里对担任录事参军的张弘策说："如果让南康王萧宝融处于萧颖胄的控制之下，他们以天子的名义向各诸侯王发号施令，使持节都督前锋诸军事的萧衍今后在前进的路上就要被别人所驱使，这难道是为今后做长远的打算吗！"张弘策把王茂的话告诉了萧衍，萧衍说："如果今后进攻建康的事情不能成功，当然是不论什么样的人都只有死路一条；如果能够取得攻克建康的大捷，我的权势将会威震四海，有谁敢不服从于我，我难道是那种碌碌无为、随随便便受别人摆布的人吗！"

当初，江州刺史陈显达、平西将军崔慧景起兵进攻建康的时候，人心不安。有人询问担任上庸太守的杜陵县人韦叡，韦叡回答说："陈显达虽然是一员老将，却不是英名一世的杰出人才；崔慧景虽然见过一些世面、经历过一些事故，但他性情懦弱而没有决断，他们被灭族是在预料之中的事情。能够安定天下的人，恐怕一定是我州的刺史萧衍将军吧？"于是韦叡就让自己的二个儿子主动去和萧衍结交。等到萧衍起兵的时候，韦叡立即率领二千名上庸郡的士兵倍道兼程赶来参加萧衍的军事行动。担任华山太守的蓝田县人康绚率领着华山郡的三千士兵赶来投奔萧衍。冯道根当时正在家中为自己的母亲守孝，他听到萧衍起兵的消息之后，立即率领家乡子弟当中所有能够拿起武器作战的人前往投奔萧衍。担任梁、南秦二州刺史的柳惔也起兵响应萧衍。柳惔是在萧颖胄手下担任谘议参军的柳忱的哥哥。

齐国的小皇帝萧宝卷听说自己派去袭击雍州刺史萧衍的刘山阳已经被杀死，于是就发布诏书出兵讨伐荆州、雍州的叛军。十二月十三日戊寅，小皇帝任命担任冠军长史的刘浍为雍州刺史，又派遣担任骁骑将军的薛元嗣、担任制局监的暨荣伯率

州刺史张冲[462]，使拒西师[463]。元嗣等惩刘山阳之死，疑冲[464]，不敢进，停夏口浦[465]。闻西师将至,乃相帅入郢城[466]。前竟陵太守房僧寄将还建康，至郢[467]，帝敕僧寄留守鲁山[468]，除骁骑将军。张冲与之结盟，遣军主孙乐祖将数千人助僧寄守鲁山。

萧颖胄与武宁[469]太守邓元起书，招之。张冲待元起素厚，众皆劝其还郢，元起大言于众[470]曰:“朝廷暴虐，诛戮宰辅，群小用事，衣冠道尽[471]。荆、雍二州同举大事，何患不克？且我老母在西，若事不成，正受戮昏朝，幸免不孝之罪。”即日治严[472]上道，至江陵，为西中郎中兵参军[473]。

湘州行事张宝积发兵自守，未知所附。杨公则克巴陵，进军白沙[474]，宝积惧，请降，公则入长沙，抚纳之。

是岁，北秦州刺史杨集始将众万余自汉中北出，规复旧地[475]。魏梁州[476]刺史杨椿将步骑五千出顿下辩[477]，遗集始书，开以利害[478]，集始遂复将其部曲千余人降魏。魏人还其爵位[479]，使归守武兴[480]。

【段旨】

以上为第二段，写东昏侯萧宝卷永元二年（公元五〇〇年）下半年的大事。主要写了南齐将领陈伯之率兵再攻寿阳，魏彭城王元勰拒守，魏将傅永率军救寿阳，与元勰合力击陈伯之军于肥口，斩首九千、俘获一万，淮南郡遂彻底入于魏。萧宝卷的嬖幸、近习怂恿萧宝卷大造芳乐、玉寿诸宫殿，穷奢极欲；整个宫廷极力挥霍，诸嬖幸借征收珍奇之物而十倍百倍地勒索百姓。写了萧衍之兄萧懿以平崔慧景之功居朝廷之右，萧衍与萧懿的部下皆劝萧懿废掉萧宝卷，萧懿不从，不久萧懿与其弟萧畅皆被萧宝卷所杀。写了萧衍闻萧懿被杀，即在雍州起兵反朝廷，甲士万余，船舰三千艘，顿时而具，萧衍的忠实将领有王茂、张弘策、吕僧珍、郑绍叔、柳庆远诸人。写了南齐朝廷派刘山阳率兵就荆州萧颖胄共攻襄阳，萧衍则既散布朝廷派刘

军前往郢州，连带运送一百四十多艘船粮食给担任郢州刺史的张冲，令他们在郢州抵挡从西部长江上游而来的荆州军、雍州军。薛元嗣等人接受了刘山阳被杀的教训，因为还不知道郢州刺史张冲是什么态度，因此不敢贸然前进，便停泊在夏口浦。当他们听到西部长江上游的雍州军、荆州军即将到来的消息，这才相继率军进入郢城。前任竟陵太守房僧寄卸任后即将返回京师建康，他将从上游的钟祥县沿江而下到达郢城，小皇帝敕令房僧寄留下来镇守鲁山的军事据点，并擢升房僧寄为骁骑将军。郢州刺史张冲与房僧寄结成联盟，他派遣自己的部将孙乐祖率领数千人协助房僧寄防守鲁山。

都督行留诸军事的萧颖胄写信给担任武宁太守的邓元起，让邓元起归顺自己。而郢州刺史张冲对邓元起一向都很厚爱，所以众人都劝说邓元起回到郢州，邓元起大声地对众人说："朝廷暴虐无道，诛杀宰相，一群小人当道，有身份、讲体面的人已经没法再活下去了。荆州、雍州一同起兵推翻小皇帝萧宝卷的统治，怎么会担心他们不能取胜呢？况且我年迈的母亲还在西边，如果起兵之事失败，就是被昏暴的朝廷所诛杀，我也会庆幸自己免去了不孝的罪名。"邓元起当天就收拾好行装上路了。当他到达江陵之后，便被授予西中郎中兵参军的职位。

代管湘州刺史职务的张宝积调动军队加强防守，他不知道自己到底应该归顺哪一方。接受萧颖胄派遣攻取湘州的冠军将军杨公则率军攻克了巴陵以后，继续向白沙戍进军，张宝积因为心怀恐惧，遂向杨公则请求投降，杨公则顺利地进入长沙，他接受了张宝积的投降，并对张宝积进行了安抚。

这一年，被齐国任命为北秦州刺史的杨集始率领一万多人从汉中出发向北挺进，谋求收复被魏国人占去的旧地盘。魏国担任梁州刺史的杨椿出动五千名步兵、骑兵驻扎在下辩，他写信给杨集始，为杨集始分析利害关系，杨集始于是又率领自己的一千多名亲兵投降了魏国。魏国仍然让杨集始担任原来南秦州刺史的职务和武兴王的爵位，令杨集始回去镇守武兴郡。

山阳兼取荆州之流言，又在荆州萧颖胄与诸将之间施行反间计，以图坐收渔人之利。写了萧颖胄在诸将的推动下与萧衍联盟，骗刘山阳到荆州的江津戍，杀之；萧颖胄、萧衍共同拥立萧宝融，萧衍为前锋大都督，萧颖胄为行留大都督，他们以萧宝融的名义向建康朝廷与其所属的各州郡发布檄文，列数萧宝卷与茹法珍、梅虫儿等人的罪行；又命部将夏侯详从京城召来他现为朝官的儿子夏侯亶，令其假传"宣德太后"的命令，废掉萧宝卷，改立萧宝融。写了西北地区的州郡长官竟陵太守曹景宗，上庸太守韦叡，华山太守康绚，梁、南秦二州刺史柳惔，皆率州郡以归萧衍，武宁太守邓元起只身往投之。写了朝廷派将军张冲、薛元嗣等镇守郢州，以阻西军之东下，而西军之将领杨公则已南下取得湘州等。

【注释】

㉔②陈伯之：南齐的勇将。传见《梁书》卷二十。㉔③再引兵攻寿阳：胡三省曰，“是年春，伯之攻寿阳败退，今再攻之”。㉔④傅永：魏国名将。传见《魏书》卷七十。㉔⑤淮口：汝水入淮之口，在当时的期思县东北，今河南淮滨东。地处当时寿阳的西边，相距一百多公里。㉔⑥以水牛挽之：用水牛拉着这些船在陆地上绕过淮口。挽，拉。㉔⑦直南趣淮：直奔南边的淮河。趣，通“趋”，奔赴。㉔⑧下船即渡：把船拉进淮河，随即乘船渡过淮河。㉔⑨会夜：趁着夜色黑暗。㉕⓪若如教旨：如果按照您的命令。教，文体名，当时诸侯王或朝廷大官所下的命令。㉕①八月乙酉：八月十八。㉕②部分：部署；派遣。㉕③肥口：淝水的入淮之口，在寿阳城的北侧。淝水自南方流来，流经寿阳城东，北流入淮水。胡三省曰：“时陈伯之盖军于肥口以逼寿阳也。”㉕④脱身：谓单身逃脱。㉕⑤淮南：指寿阳城（今安徽寿县）与其周围的一带地区。胡三省曰：“寿春自汉以来为淮南郡的治所。”㉕⑥元英：拓跋晃之子，孝文帝的叔祖，今魏主叔曾祖。传见《魏书》卷十九下。㉕⑦乞还中山：请求回到中山郡。中山郡的郡治即今河北定州。时彭城王元勰任定州刺史，这一年春来镇寿阳，乃临时之受命。㉕⑧行扬州事：代理扬州刺史。行，代理、临时担任。魏以寿阳为扬州的州治所在地。㉕⑨甲辰：本年八月无甲辰日，《南齐书·东昏侯纪》作“甲申”，当是。甲申，八月十七。㉖⓪不敢辄开：不敢及时打开宫门进入。辄，就、随即。㉖①相枕：相互枕藉，彼此压着、垫着，极言死者之多、之密。㉖②嬖幸：受宠者，指男宠、女宠等。嬖，宠爱的贬义词。㉖③西京赋：东汉张衡作，描写西京长安之豪华、壮丽的作品。班固原作有《西都赋》与《东都赋》，是分别描写西京长安与东京洛阳的豪华壮丽的作品，张衡不满意，又写了《西京赋》与《东京赋》。事见《后汉书·张衡传》。这些作品除分别见于《后汉书》的本传外，亦见于《昭明文选》。㉖④柏梁既灾二句：此八字是《西京赋》中的原文，意思是说柏梁殿刚刚烧毁，建章宫又建造起来了。即俗话所说的“旧的不去，新的不来”。现在南齐的宫殿刚刚失火，这就意味着我们要立即再建造一所更好的。柏梁殿也叫柏梁台，相传是用香柏木建成，风一吹香气四溢。建章宫在长安城的西墙外，与城里的未央宫隔城墙相对，比未央宫更加豪华壮丽得多。柏梁台与建章宫都是汉武帝时期建造。㉖⑤犹不副速：还不能达到萧宝卷所要求的建造速度。副，符合、达到。㉖⑥后宫服御：后妃使女们所穿戴使用的一切衣物。㉖⑦不复周用：已经供不应求。㉖⑧贵市民间金宝：于是高价向民间收购各种名贵的装饰品。㉖⑨酒租皆折使输金：向一些酒馆收税都让他们交纳黄金。㉗⓪凿金为莲华：把金片雕刻成莲花的形状。华，通“花”。㉗①帖地：贴在地板上。帖，通“贴”。㉗②订出：规定上交。胡三省曰：“订，平议也。齐梁之时谓赋民曰订，盖取平议而赋之之义。”㉗③雉头、鹤氅、白鹭缞：三种珍贵禽鸟的羽毛。雉头，野鸡头上的红色细毛。鹤氅，白鹤两翅上的翎毛。白鹭缞，白鹭头上的下垂之毛。㉗④因缘为奸利：借着征收这三种鸟毛而大发不义之财。㉗⑤课一输十：皇帝每征收

一支，这些经手的家伙们就向下头收取十支。输，缴纳。㉗⑥求为人输：去报名替某人交纳这种东西。㉗⑦准取见直二句：收够他们所要的现金之后，还不把他们手里这种羽毛缴上去。㉗⑧守宰：所在郡县的太守与县令。㉗⑨重更科敛：过段时间他们就又按照以上方法再来勒索一次。㉘⓪相仍：周而复始。㉘①三关：指平靖关、黄岘关、武阳关，都在当时的义阳，今河南信阳南。平靖关在义阳城南七十五里，黄岘关在义阳城南百里，武阳关在义阳东南九十里。㉘②魏东豫州刺史：魏国东豫州的州治在今河南息县，距离南齐的义阳及所谓"三关"都不足一百公里。㉘③长风城：在今河南潢川县西。㉘④不赏之功：无法赏赐的大功。㉘⑤难立：难以立足；难以求得平安。㉘⑥行伊、霍故事：指行废立的事。伊尹，商汤之臣，商汤死后，曾放逐其君太甲。事见《史记·殷本纪》。霍光，西汉大臣，曾废昌邑王刘贺改立汉宣帝。事见《汉书·霍光传》。㉘⑦万世一时：万世难逢的好时机。㉘⑧放表还历阳：上表请求回到历阳，及早离开朝廷。历阳是南齐豫州的州治所在地，在今安徽和县城北。㉘⑨托以外拒：假托居边抵御魏寇之名，以拥兵自重。㉙⓪放兵：放弃兵权。㉙①厚爵：崇高的爵位。㉙②无民：没有军队；没有亲信。㉙③敷、衍、畅、融、宏、伟、秀、憺、恢：萧懿之弟九人，除萧衍事见《梁书·武帝纪》外，其余八人皆见《梁书》卷二十二。㉙④居朝右：居于整个朝廷之首位。当时以右为尊。㉙⑤掌管龠：掌管着整个皇宫大门的钥匙。萧畅时任卫尉，卫尉的职务就是带兵以守卫宫门。龠，通"钥"，锁钥。㉙⑥隆昌故事：指隆昌元年（公元四九四年）郁林王萧昭业被废的旧事。㉙⑦命在晷刻：犹言"危在旦夕"。晷刻，短时间、片刻。㉙⑧具舟江渚：在江边为萧懿准备好了逃走的船只。江渚，这里即指江边。渚，原指江中的小洲。㉙⑨懿弟任：萧懿的诸弟、诸侄。㉚⓪十月己卯：十月十三。㉚①无人发之者：胡三省曰，"史言人心皆为萧懿兄弟覆护"。㉚②丁亥：十月二十一。㉚③恬素：恬淡、朴素，即不好荣利。㉚④事干：办事的能力。㉚⑤遗诏：指孝文帝同意随元勰自己所请，辞去一切官职。㉚⑥为世宗所留：被元恪留在朝内担当重任。㉚⑦乖情愿：违背自己的心愿。㉚⑧美风仪：风度仪表美丽潇洒。㉚⑨端严若神：端庄、整肃得有如神明。㉛⓪折旋合度：举止合宜。折旋，意即周旋，指办事、行礼等一举一动。《礼记》有所谓"周旋中规，折旋中矩"。㉛①敦尚文史：好读古书。㉛②物务：处理公务。㉛③披览：意即阅读。㉛④初无：从来没有。㉛⑤惰容：懒散的情态。㉛⑥儒雅：温文尔雅的儒家人物。㉛⑦私谒：从不接受任何人的请托。㉛⑧十一月己亥：十一月初三。㉛⑨东荆州：魏州名，州治即今河南泌阳。㉜⓪桓晖：东晋末年的叛乱分子桓玄之孙，桓诞之子。桓玄失败被杀后，桓诞逃入汉水以北的少数民族（即大阳蛮）中，时常出来抄掳、袭击南朝的边境。后来投归魏国。事见《晋书·桓玄传》。㉜①下笮戍：南齐的军事据点名，在今湖北襄阳东北。㉜②归之者二千余户：因桓氏家族对这一带地区的影响太大故也。㉜③直后：官名。在乘舆之后担任侍卫。㉜④绍叔：郑绍叔，萧衍的亲信，帮萧衍建梁的元勋。传见《梁书》卷十一。㉜⑤宁蛮长史：雍州刺史的属官，管理该州的少数民族事务。㉜⑥候绍叔：探看其弟郑绍叔。候，问候、探看。㉜⑦见图：来谋杀我。㉜⑧闲宴：轻松、消闲而没有任何戒备的宴会。㉙良会：良好时机。㉚历观：逐一观看。㉛城隍：城墙与护城河。隍，原指没有水的护城河。㉜士马：犹言“兵马”。㉝南岘：山名，在当时的襄阳城南，是当地的著名游览区，孟浩然、李白的诗中都曾多次提及。㉞相持：互相拉着手。㉟王茂：萧衍部下的杰出将领，建梁的功勋之臣。传见《梁书》卷九。㊱柳庆远：刘宋的名将柳元景之侄，萧衍的开国元勋。传见《梁书》卷九。㊲天生：王天生，萧道成的部将，曾随萧道成攻杀袁粲。事见本书卷一百三十四升明元年。㊳乙巳：十一月初九。㊴建牙集众：竖起大旗，集合兵众。牙，军营前大旗。㊵出檀溪竹木：把贮存在檀溪水中的竹木捞出来。㊶装舰：造船；组装战船。㊷葺之以茅：用茅草编葺成篷盖。㊸争者乃息：胡三省曰，“僧珍具橹事见上卷元年。然僧珍所具者数百张橹耳，安能给三千艘邪？每船付二张，盖给诸将所乘之船耳”。㊹南康王宝融：萧宝融，萧鸾之子，萧宝卷之弟，封南康王。此时任荆州刺史、西中郎将。传见《南齐书》卷八。㊺萧颖胄：萧赤斧之子，萧道成从祖家的堂侄，萧鸾篡位后，又依附了萧鸾。传见《南齐书》卷三十八。此时为萧鸾的儿子萧宝融的部下，代萧宝融管理荆州刺史与西中郎将的职务。㊻巴西、梓潼：南齐的二郡名，二郡只设一个太守。郡治涪县，在今四川绵阳东。㊼州府：胡三省曰，“州谓荆州官属，府谓西中郎府官属”。㊽声云：故意地挑动说。㊾并袭荆、雍：不光是袭击我们雍州，也同时袭取你们荆州。目的是挑起荆州的文武与雍州共同对抗朝廷。㊿荆州素畏襄阳人：胡三省曰，“襄阳被边，人皆习兵，故荆州人畏之”。(351)宁不暗同邪：他们怎么能不暗中帮着我们呢。宁，岂、难道不。(352)韩、白：汉将韩信，秦将白起，都以善于用兵著称。事见《史记》之《淮阴侯列传》《白起王翦列传》。(353)昏主役“刀敕”之徒：一个昏君驱赶着一群操刀手与小答应。(354)巴陵：郡名，郡治即今湖南岳阳。(355)南康王友颖达：萧颖达，萧颖胄之弟，此时为南康王萧宝融之友。传见《梁书》卷十。友，官名，王公的近臣。《晋书·职官志》：“王置师、友、文学各一人。”(356)人皆有书：荆州的每个官员的手里都有我们给他的书信。(357)今段：犹言“今天这一次”，指王天虎二次去荆州。(358)乘驿甚急：出发的车子走得太急。驿，驿车，古代驿站为传送官员与信件使用的马车。(359)行事兄弟：指萧颖胄、萧颖达。行事，即前文“行府州事”的简称。(360)天虎口具：让王天虎当面陈述。言外之意是为保密起见，信上就不多写了。(361)及问天虎而口无所说：等到颖胄兄弟问王天虎“萧衍让你口头转达什么”时，天虎无法回答，因为萧衍并没有让天虎再口头转达什么。这是萧衍的反间计，亦犹《三国演义》之“曹操抹书间韩遂”也。(362)天虎是行事心膂：心膂，犹言心腹。王天虎在萧衍部下任职，虽然他与萧颖胄有亲戚关系，但说他为“行事心膂”，没有事实。(363)彼间：那里，指荆州的其他官员。(364)共隐其事：意即瞒着众人背后还有别的阴谋。(365)判相嫌贰：众说纷纭，主意难定。嫌，迟疑。贰，持两端、犹豫不决。(366)入吾谋内：钻进了我的圈套之中。胡三省曰：“萧衍举事于襄阳，智计横出；及遇侯景，庸夫之不若。岂耄耶？抑天夺其鉴耶？”(367)江安：县名，即今湖北鄂州市鄂城区，当时为武昌郡的郡治所在地。㊱⑧迟回：犹豫不前。㊱⑨不上：不向江陵进发。㊲⓪席阐文：安定郡人，时为萧宝融西中郎将的城局参军。传见《梁书》卷十二。城局参军主管修城、守城等事。㊲①柳忱：萧颖胄的部下，刘宋名将柳世隆之子，劝萧颖胄坚定地跟从萧衍。传见《梁书》卷十二。㊲②定议：决定何去何从。㊲③取之必不可制：前往讨伐必不能胜。取，捉拿。不可制，无法制服他。㊲④就：即使。㊲⑤岁寒：一年的末了。此处犹言“到头来”“到最后”。㊲⑥霸业：称霸者的事业，意即成为一方诸侯。㊲⑦至而图之：等刘山阳来到荆州我们再杀掉他。㊲⑧罔不济矣：那就没有不成功的了。㊲⑨朝廷：这里即指小皇帝萧宝卷。㊳⓪重足累息：惧怕的样子。重足，并足、不敢移动脚步。累息，犹之屏息，不敢出气。㊳①今幸在远：我们幸亏离着朝廷远。㊳②得假日自安：犹言“还能苟延一段生命”。㊳③雍州之事：朝廷之所以让我们帮着刘山阳去打雍州。㊳④且籍以相毙耳：不过是借此举让我们去与萧衍互相残杀罢了。相毙，相互残杀。㊳⑤萧令君：指萧懿。萧懿曾为尚书令，所以被称为“令君”。㊳⑥竟：到最后。㊳⑦祸酷相寻：类似的惨剧一个接一个。㊳⑧萧使君：指萧衍。使君，古代对州刺史与郡太守的尊称。㊳⑨失律之责：没有严格遵照朝廷命令，协助刘山阳剿灭雍州。㊴⓪进退无可：犹言“进退两难”。胜了不行，败了也不行。㊴①诘旦：第二天早晨。㊴②刘辅国：指刘山阳，当时刘山阳任辅国将军。㊴③甲寅：十一月十八。㊴④江津：军事要塞名，故址在今湖北荆州市沙市区南长江中的沙洲上，当时的江防要地。㊴⑤单车白服：深表对萧颖胄信任不疑。单车，以言侍从极少。白服，身穿便服。㊴⑥入门：入江津戍的城门。㊴⑦世隆：柳世隆，萧道成的开国功臣，又受齐武帝萧赜的信任。传见《南齐书》卷二十四。㊴⑧夏侯详：原为刘宋名将刘勔的部下，入齐后先效忠于萧道成、萧赜，后又效忠于萧鸾，今又效忠于萧衍。传见《梁书》卷十。㊴⑨乙卯：十一月十九。㊵⓪以南康王宝融教纂严：以萧宝融的名义宣布整个荆州戒严，进行军事动员。教，文体名，诸侯王与朝廷三公的命令。㊵①颁赏格：颁布立功受赏的等级标准。㊵②丙辰：十一月二十。㊵③丁巳：十一月二十一。㊵④行留诸军事：东下之军与留守之军的各种事务。实际上萧颖胄是都督后方诸军，与继续派军支前诸事。因为第一批东征大军的总督是萧衍。㊵⑤器局：有才识、有度量。㊵⑥举大事：兴兵起义，立新君、废旧君。㊵⑦虚心委己：虚心听取众人的意见，不自以为是。虚己，放弃一己之见。㊵⑧别驾南阳宗夬：宗夬是南阳郡人，是萧颖胄的僚属，任别驾之职。传见《梁书》卷十九。别驾，州刺史的僚属，因其随刺史出行时能独自另乘一辆车，故称别驾。㊵⑨中兵参军刘坦：刘坦原为西中郎将萧宝融的中兵参军，为人有智略。传见《梁书》卷十九。中兵参军是管理州城驻军事务的官员。㊶⓪谘议参军乐蔼：乐霭是萧颖胄的高级僚属，任谘议参军之职。传见《梁书》卷十九。谘议参军在长史、司马之下，比诸曹参军的地位略高。㊶①军府经略：督军府里的一些重大问题。经略，需要议论、商讨的重大问题。㊶②换借富赀：用交换或借贷的方式向富有人家筹得一些钱。㊶③长沙寺：寺庙名，在当时的江陵城内。胡三省曰：“宋元嘉中，临川王义庆镇江陵起寺，为其本生父长沙王道怜资福，因名长沙寺。”㊶④铸黄金为金龙数千两：意即用数千两黄金铸成了一条金龙。⑮年月未利：意即本年最后的这两个月里，日子不太吉利。⑯所藉：所靠的。⑰骁锐：一种勇猛的、敢打敢冲的锐气。⑱事事相接：意即样样抓紧。⑲顿兵十旬：停滞不前三个多月。十一月底至明年二月将近一百天。⑳必生悔吝：一定会造成许多让人后悔的、无法挽救的结果。悔吝，《周易》中的词语："悔吝者，忧虞之象也。"通常即用为"后悔""悔恨"的意思。胡三省曰："兵以气势为用者也，是以巧迟不若拙速。"㉑坐甲十万：十万大兵坐吃不动。坐甲，士兵披甲，坐以待敌。㉒若童子立异：如果再有个少不更事的家伙跳出来唱上几句反调。㉓中息：中途停止。㉔行逆太岁：行动的时间与太岁相逆。太岁，即今日所说的木星。古时的阴阳五行家说当木星运行到某个地区的分野时，如果向着这个地区用兵，那就叫"行逆太岁"，必然招致失败。但周武王伐纣"行逆太岁"，不也是把殷纣王消灭了吗？㉕岂复待年月乎：周武王为此改变时间了吗。㉖戊午：十一月二十二。㉗移檄：向某地区的官员士民发布檄文。㉘数：指说，罗列其罪状。㉙杨公则：天水郡人，原为宋、齐将领，现为萧颖胄的部下。传见《梁书》卷十。㉚湘州：州治即今湖南长沙。㉛夏口：即今武汉市汉口，当时为郢州的州治所在地。㉜乙亥：十二月初十。㉝殿中主帅：萧宝卷朝廷殿堂四周的禁军统领。㉞壬辰：十二月二十七。㉟称奉宣德皇太后令：此与前文崔慧景攻至台城之下，"称宣德太后令，废帝为吴王"云云手段相同。"宣德太后"即此"宣德皇太后"，即文惠太子萧长懋的妃子王氏，郁林王萧昭业之母。其实都是崔慧景、萧颖胄等人之所为，"宣德太后"本人是否知道都是问题。令人不解的是，上次崔慧景是要推翻萧宝卷，并连带不承认明帝萧鸾，故重新请出萧昭业之母来发号施令；此次萧颖胄是想废萧宝卷，而改立萧宝融，同是萧鸾之子，按理应该请出萧鸾的皇后，萧宝卷的母亲来发号施令，不知萧颖胄、萧衍缘何仍请"宣德太后"，如此岂不蔑弃了萧鸾一代吗。㊱纂承皇祚：继承皇位。㊲方俟清宫：但现在的皇宫还有待清理，言外之意是萧宝卷现时还在帝位上。㊳未即大号：暂时还不能称"做皇帝"。㊴可封十郡二句：可以封给十个郡的封地，暂时先称宣城王。〖按〗当年萧鸾篡杀郁林王萧昭业时，第一步也是先为"宣城王"。所谓十郡是指宣城、南琅邪、南东海、东阳、临海、新安、寻阳、南郡、竟陵、宜都。㊵相国、荆州牧："相国"是新的加官；"荆州牧"是还让他继续兼任荆州刺史。㊶加黄钺：授予黄金饰的大斧，象征有极度的生杀之权。当年武王伐纣就是"秉黄钺、麾白旄"。㊷选百官：组建新的朝廷班底。㊸西中郎府、南康国如故：意即西中郎将的职权、南康王的爵位你也还都兼着。㊹须军次近路：等你们的军队到达台城跟前。次，抵达、驻扎。㊺主者备法驾：主管该项事务的官员再带着皇帝乘坐的车驾去迎接您。法驾，皇帝所乘车驾的一种，仅次于大驾。㊻曹景宗：新野郡人，此时为竟陵太守。传见《梁书》卷九。竟陵郡的郡治即今湖北钟祥。㊼置人手中：使其处于萧颖胄的控制下。㊽节下：对萧衍的敬称。萧衍此时为使持节都督前锋诸军事。㊾前涂大事不捷：指进攻建康失败。涂，通"途"。㊿故自兰艾同焚：当然是不论何人都只有死路一条。故，同"固"，当然是。兰，香草，以喻优秀的人。艾，艾蒿、臭草，喻卑劣的人。㊿①岂碌碌受人处分者邪：我还会随随便便地受人处置吗。碌碌，平庸无为、一筹莫展。㊿②上庸太守杜陵韦叡：韦叡是侨置的京兆杜陵县（今湖北襄阳西北侧）人，此时任南齐的上庸太守。传见《梁书》卷十二。上庸郡的郡治即今湖北竹山县西南。㊿③非命世才：不是英名一世的杰出人才。㊿④颇更事：见过一些世面，经历过一些事故。颇，有点。㊿⑤懦而不武：软弱拿不起事来。武，刚强能断。㊿⑥赤族：灭族；全族被杀光。㊿⑦吾州将：我们州的刺史，指萧衍。韦叡是侨置的杜陵人，杜陵上属于雍州，所以韦叡称萧衍为"吾州将"，引为自豪。㊿⑧蓝田康绚：康绚是蓝田县人，此时任南齐侨置的华山郡太守。传见《梁书》卷十八。南齐的华山郡治即今湖北宜城。㊿⑨胜兵者：能够拿起武器的人。460 梁、南秦二州刺史柳惔：梁、南秦是南齐的二州名，二州合设一个刺史，州治都在今陕西汉中。其刺史柳惔是宋、齐时期的名将柳世隆之子，柳忱之兄。传见《梁书》卷十二。461 戊寅：十二月十三。462 张冲：宋、齐时期的名将张永的堂侄。传见《南齐书》卷四十九。463 西师：来自长江上游的荆、雍军队。464 疑冲：不知张冲的态度如何。465 夏口浦：地名，在今武汉市汉口的对面。466 郢城：即今武汉市汉口。467 至郢：由上游钟祥县沿江而下至郢。468 留守鲁山：留下来镇守鲁山的军事据点，鲁山戍在郢城的对面。469 武宁：南齐郡名，郡治乐乡，在今湖北荆门北，当时竟陵郡的西北方。470 大言于众：对着众人大声说。471 衣冠道尽：有身份、讲体面的人没法再活下去了。472 治严：收拾行装。〖按〗东汉时因避明帝刘庄讳，故改"治装"曰"治严"。473 为西中郎中兵参军：授以为西中郎将的中兵参军。474 白沙：军事据点名，在今湖南湘阴北。475 规复旧地：谋求收复被魏人占去的旧地盘。胡三省曰："杨集始失国事，见一百四十一卷明帝建武四年。"476 魏梁州：魏国的梁州州治仇池，在今甘肃西和南，成县之西。477 出顿下辩：出兵驻扎在下辩。下辩是魏县名，县治在今甘肃成县西北。478 开以利害：给他讲明利害关系。开，开导、讲明白。479 还其爵位：还让他当原来的南秦州刺史、武兴王。480 武兴：郡名，郡治即今陕西略阳。

【校记】

［12］入：据章钰校，十二行本、乙十一行本、孔天胤本此下皆有"进"字。［13］千：原误作"十"。严衍《通鉴补》改作"千"，今据以校正。［14］千：原作"十"。据章钰校，十二行本、乙十一行本、孔天胤本皆作"千"，今据改。［15］亦：原无此字。据章钰校，十二行本、乙十一行本、孔天胤本皆有此字，张敦仁《通鉴刊本识误》同，今据补。［16］虽：据章钰校，十二行本、乙十一行本、孔天胤本"虽"下皆有"使"字。［17］等：原无此字。据章钰校，十二行本、乙十一行本、孔天胤本皆有此字，今据补。［18］驰：原作"持"。据章钰校，十二行本、乙十一行本、孔天胤本皆作"驰"，张瑛《通鉴校勘记》同，今据改。［19］夜：据章钰校，孔天胤本此下有"遣"字。［20］刘

垣：据章钰校，十二行本、乙十一行本、孔天胤本皆作“刘垣”。[21]金：据章钰校，十二行本、乙十一行本、孔天胤本皆无此字。[22]资：据章钰校，十二行本、乙十一行本、孔天胤本皆作“充”。[23]谁敢不从：原无此四字。据章钰校，十二行本、乙十一行本、孔天胤本皆有此四字，张敦仁《通鉴刊本识误》、张瑛《通鉴校勘记》同，今据补。[24]时：据章钰校，十二行本、乙十一行本、孔天胤本皆无此字。[25]闻衍起兵：此四字原无。据章钰校，十二行本、乙十一行本、孔天胤本皆有此四字，张敦仁《通鉴刊本识误》、张瑛《通鉴校勘记》同，今据补。

【研析】

本卷写东昏侯萧宝卷永元二年（公元五〇〇年）一年间南齐与北魏两国的大事。主要写了南齐北部边境的守将裴叔业因害怕萧宝卷的迫害，率寿阳军民投降魏国，致使淮南地区的大片土地落入魏人之手；南齐将领崔慧景以拥立萧宝玄为名，由广陵北回师进攻建康城，一路上势如破竹，只不过由于崔慧景的迟疑不决和其他内部原因，未能迅即攻下台城，以致最后被萧懿率军击败。写了小皇帝萧宝卷在如此风雨飘摇之际，仍大兴土木，纵容近习小人为非作歹，尤其莫名其妙地对击破崔慧景有大功的萧懿、萧畅兄弟心怀畏忌，找借口将其杀害，以致激起早已割据雍州的萧衍立即兴兵反抗朝廷。写了萧衍联合荆州的萧颖胄共同拥立萧宝融，萧衍率领雍、荆二州之兵下围郢城，朝廷派出的西援之军被萧衍打败，郢州周围的州郡纷纷归依萧衍等。其中可议论的有如下几点。

第一，裴叔业率领寿阳降魏，完全是南齐朝廷的错误政策所致。其原因、其后果都与宋明帝不相信薛安都，想加害薛安都，致使薛安都等率徐州投降魏国的情节相同。薛安都、裴叔业都是南朝的名将，在为保卫南朝领土与北朝的战斗中，都曾立下过重大功勋，他们在战场上的卓绝表现都给后世留下过深刻的印象。由于宋明帝的自私、愚蠢，处置错误，致使薛安都等一群将领都率领各自的州郡投降魏国，让魏国人不费吹灰之力而坐获了淮河以北的大片领土，从而使南北双方对峙的边境南移到了淮河一线。在南齐统治南方的二十多年间，北魏孝文帝迁都到了洛阳，为了进一步开拓南方领土，他曾几次发起对钟离、寿阳、义阳、南阳等地的进攻，最后攻下的只有南阳，将那里的边境推到了襄阳一线。而义阳、寿阳、钟离则依旧巍然屹立，牢不可破。尤其应该特别说清的，是当孝文帝下决心一定要拔掉义阳（今河南信阳）这座前进中的桥头堡时，南朝正是靠着裴叔业从东方进攻魏国的涡阳，从而缓解了义阳的危急。谁承想南齐又转而迫害裴叔业，最后使裴叔业投魏，于是又使魏国人不费吹灰之力而获得了淮南的大片领土，这是当初孝文帝所朝思暮想、费尽心机而未能实现的。幸亏魏主元恪懦弱无能，如果他能及时地听取元英、源怀、田益宗等人的建议，不失时机地趁着萧宝卷朝廷与萧衍内战的机会，对以上诸地发起进攻，可以想见，南朝边境退缩到长江一线的日子，大概不必等到侯景之乱就可以实现了。结论是：不是北朝的力量真的大得不可抵御，是南朝的腐败统治者自毁长城，自己把大片的领土拱手让给了对手！

第二，关于萧懿之死。萧懿是萧衍的亲哥哥，早在萧衍往任雍州刺史的时候，就劝其诸兄弟寻机往雍州移动靠拢，一来可以集聚势力，二来可以避免受到朝廷的伤害。但萧懿坚持不听。他是以南齐的臣子自居，他的信念是要做一个南齐的良臣，有始有终地坚持到底。当裴叔业携寿春降魏后，萧宝卷派当时任卫尉的萧懿为豫州刺史率军讨之。因当时的魏将奚康生、杨大眼等都已进驻寿春，南齐的进讨之军被击败。也正是在这个时候，崔慧景发动叛乱，围攻台城，朝廷唤萧懿回援台城。萧懿自采石矶渡江而回，击破崔慧景，被朝廷任为尚书令。其弟萧畅在萧懿尚未回援时，在台城内率兵坚守，事后被任为卫尉。这时在雍州伺机而动的萧衍驰书告萧懿，让他在朝廷发动政变，废掉萧宝卷。萧懿不听。"嬖臣茹法珍、王咺之等惮懿威权，说帝曰：'懿将行隆昌故事，陛下命在晷刻。'帝然之。徐曜甫知之，密具舟江渚，劝懿西奔襄阳。懿曰：'自古皆有死，岂有叛走尚书令邪！'懿弟侄咸为之备。冬，十月己卯，帝赐懿药于省中。懿且死，曰：'家弟在雍，深为朝廷忧之。'懿弟侄皆亡匿于里巷，无人发之者。唯融捕得，诛之。"萧懿的死是令人遗憾的，也给了萧衍起兵造反以更为充分的理由。但作为萧懿个人来说，他是充分自觉的，他死而无憾，相反还为朝廷日后的结局担着淡淡的一份心。王夫之对萧懿的死给予了崇高的评价，其《读通鉴论》说："自有天地以来，人道之逆，未有甚于此时者也。能挽其狂波而扶名义于已坠者，顾不伟与？于是而萧懿独秉耿耿之忠，白刃临头而不易其节，弟衍说之而不听，张弘策说之而不听，徐曜甫说之而不听。祸将及矣，曜甫知之，劝其奔襄阳，而奋然曰：'自古皆有死，岂有叛走尚书令邪？'可不谓皎皎炎炎，天日在心，而山岳孤立者乎？沈庆之不忍废子业而死，犹有低回之心焉；懿则引领受刃，以全大臣之节，尤为烈矣。……懿之为功于名教大矣哉！"

第三，史家写王天虎之死有失公道。王天虎是萧衍属下的参军，《梁书》无传，其事迹杂见于《梁书·武帝纪上》。当萧懿在建康被杀，消息传到襄阳，萧衍召集亲信谋议起兵时，参加谋议的有长史王茂、中兵吕僧珍、别驾柳庆远、功曹吉士瞻等。待至建牙起事后，朝廷派出的巴西太守刘山阳即将路过江陵前往蜀中就职。刘山阳所受的秘密使命是到达江陵时与荆州行事萧颖胄共同发兵以袭襄阳。萧衍得到这个消息后："遣参军王天虎诣江陵，遍与州府书，声云：'山阳西上，并袭荆、雍。'衍因谓诸将佐曰：'荆州素畏襄阳人，加以唇亡齿寒，宁不暗同邪！我合荆、雍之兵，鼓行而东，虽韩、白复生，不能为建康计。况以昏主役"刀敕"之徒哉！'"这是王天虎第一次露面。他不是萧衍第一圈的亲信，但也是奉命出使，第一批为萧衍前去联络、拉拢萧颖胄的部下，促使萧颖胄与萧衍结成联盟的人。《通鉴》写这段情事的文字大体与《梁书·武帝纪》相同。只是《梁书》说与王天虎一道去江陵进行活动还有庞庆国，庞庆国与王天虎的身份一样，都在萧衍部下任参军之职。萧颖胄在得到萧衍的书信后，“疑未能决”，可是逆江水而上的刘山阳这时已到达巴陵，离江陵已经很近了。于是“衍复令天虎赍书与颖胄及其弟南康王友颖达。天虎既行，衍谓张弘策曰：‘用兵之道，攻心为上。近遣天虎往荆州，人皆有书。今段乘驿甚急，止有两函与行事兄弟，云“天虎口具”。及问天虎而口无所说，天虎是行事心膂，彼间必谓行事与天虎共隐其事，则人人生疑。山阳惑于众口，判相嫌贰。则行事进退无以自明，必入吾谋内。是驰两空函定一州矣。’”王天虎二次为萧衍送书信与萧颖胄兄弟，他是忠心耿耿而去，并无与萧颖胄有任何秘密之私情。而萧衍实际上却在王天虎与萧颖胄之间演了一出《三国演义》所写的“曹操抹书间韩遂”，他在信上说王天虎还有口头的事情要禀告，但王天虎并没有得到书信以外的萧衍的其他口头吩咐。这一来萧颖胄与其僚属之间遂被搅得疑虑丛生。当萧颖胄计无所出，召集部下商量对策时，席阐文给他建议说：“萧雍州畜养士马，非复一日。江陵素畏襄阳人，又众寡不敌，取之必不可制；就能制之，岁寒复不为朝廷所容。今若杀山阳，与雍州举事，立天子以令诸侯，则霸业成矣。山阳持疑不进，是不信我。今斩送天虎，则彼疑可释。至而图之，罔不济矣。”萧颖达亦劝颖胄从阐文等计。于是萧颖胄谓天虎曰：“卿与刘辅国相识，今不得不借卿头！”于是乃斩王天虎，送其头与刘山阳；刘山阳遂放心地进入江陵，结果被萧颖胄所杀，最后达到了萧衍所预期的目的。这段文字写萧衍的谋略可以说是万无一失，但对王天虎来说却未免缺德。而且在事成之后也没有听说萧衍对王天虎的家属与后人有任何的褒奖与赏赐。究竟是萧衍本来就是这么过河拆桥地不把人当人呢？还是写史者的写法不周密、情理欠缺呢？我觉得王天虎的死应该受到重视，其价值有如“荆轲刺秦王”当中献出生命的樊於期或是田光！写史者不能青红不分地把人家写得像个该死的叛徒一样！这段文字有失公道。

卷第一百四十四　齐纪十

重光大荒落（辛巳，公元五〇一年），一年。

【题解】

本卷写齐和帝萧宝融中兴元年（公元五〇一年）一年间南齐与北魏两国的大事。写了魏主元恪罢咸阳王元禧、彭城王元勰之职，而信任于烈父子，以于烈为领军将军，长直宫禁之中，军国大事皆得参焉。写了元禧勾结氐王杨集始等阴谋叛乱，因杨集始告密，于烈父子又早有准备而妥善平息了变乱，元禧被杀，陆琇亦以"通情"死于狱中。写了魏主宠信近臣茹皓、赵脩与外戚高肇等人，魏国政权从此浸衰；南齐萧颖胄、萧衍拥立小傀儡萧宝融在江陵称帝，萧颖胄为尚书令兼荆州刺史以主管后方，萧衍为左仆射、假黄钺以管东征之事。写了萧衍率雍、荆二州之兵东下，包围郢州城，朝廷方的郢州刺史张冲与其部将房僧寄分别据守郢州与鲁山，萧衍不听萧颖胄等人的督促迅速攻城，而是必欲彻底解决之，以根除后患。写了建康朝廷新任的雍州刺史张欣泰与直阁将军鸿选、军主胡松等人谋划欲乘诸嬖幸为其所派的监军冯元嗣送行于新亭之际诛杀诸嬖幸、废萧宝卷，结果事情未成，张欣泰、胡松等皆被萧宝卷所杀。写了萧子良的儿子萧昭胄、萧昭颖与萧子良的旧部阴谋寻机以杀萧宝卷，拥立萧昭胄，结果事泄被杀。写了坚守郢城、鲁山的将领张冲、房僧寄相继病死，而朝廷所派西救郢州的军于加湖的吴

【原文】

和皇帝①

中兴元年②**（辛巳，公元五〇一年）**

春，正月丁酉③，东昏侯以晋安王宝义④为司徒，建安王宝寅⑤为车骑将军、开府仪同三司。

乙巳⑥，南康王宝融始称相国⑦，大赦。以萧颖胄为左长史⑧，萧衍为征东将军，杨公则为湘州刺史。戊申⑨，萧衍发襄阳⑩，留弟伟⑪总府州事⑫，憺⑬守垒城⑭，府司马庄丘黑⑮守樊城。衍既行，州中兵及储偫⑯皆虚。魏兴⑰太守裴师仁、齐兴⑱太守颜僧都并不受衍命，举兵

子阳军，又被萧衍派兵击破，死者万余，郢城、鲁山为之丧气，随即鲁山的守将孙乐祖、新任的郢州刺史程茂等以郢城降萧衍；萧衍平定郢州后挥师东下，沿途对江州的守将陈伯之进行攻心，陈伯之几经动摇后投降萧衍。写了萧宝卷又派王珍国、马仙琕等率军西上迎敌，而萧衍则一路破关斩将而直抵新亭。写了萧衍的部将杨公则围攻台城，沉着干练，情景动人，建康周围的朝廷守军纷纷投降萧衍。写了长江上游的巴西、巴东二郡不从萧衍，起兵下攻江陵，江陵震动，直至见建康的大势已去，始向萧衍投降；萧颖胄则以自己未能安定后方忧愤而死。写了东昏侯在宫城被围时的吝啬荒悖、欲杀大臣，致使王珍国、张稷等联合萧宝卷身边的侍卫杀了萧宝卷，送其首级于萧衍。写了萧衍置江陵的萧宝融于不顾，而以宣德太后令任己为最高执政者；萧衍入屯阅武堂，颁行各项条令，废除萧宝卷时代的一切弊政。此外还写了魏将元英、源怀皆上书请魏主趁齐国内乱出兵伐齐，魏之东豫州刺史田益宗与魏将元英又谋划进取义阳之策，魏主皆未能迅速行动；以及崔慧景之子崔偃给萧宝融上书要求给被萧宝卷所杀的萧宝玄与崔慧景平反，言辞劲直而颇显滑稽，萧衍不愿视之为同道，致崔偃被下狱死等。

【语译】

和皇帝

中兴元年（辛巳，公元五〇一年）

春季，正月初二日丁酉，东昏侯萧宝卷任命自己的哥哥晋安王萧宝义为司徒，建安王萧宝寅为车骑将军、开府仪同三司。

初十日乙巳，齐国的南康王萧宝融开始正式就任相国之职，实行大赦。萧宝融任命萧颖胄为左长史，任命萧衍为征东将军，任命杨公则为湘州刺史。十三日戊申，萧衍率领军队从襄阳出发，开始东征建康，他留下自己的弟弟萧伟总管都督府与雍州刺史府的一切事务，令自己的弟弟萧憺留守襄阳城外附近的堡寨，在征东将军府担任司马的庄丘黑率军驻守樊城。萧衍率军出发以后，雍州境内的军队以及仓库中的各种物资储备全部空虚。担任魏兴太守的裴师仁、担任齐兴太守的颜僧都都不接

欲袭襄阳，伟、憺遣兵邀击于始平⑲，大破之，雍州乃安。

魏咸阳王禧⑳为上相㉑，不亲政务，骄奢贪淫，多为不法，魏主颇恶之。禧遣奴就领军于烈㉒求[1]羽林虎贲㉓，执仗出入㉔。烈曰："天子谅暗㉕，事归宰辅㉖。领军㉗但知典掌宿卫㉘，非有诏不敢违理从私㉙。"禧奴惘然㉚而返。禧复遣谓烈曰："我，天子之子，天子[2]叔父㉛，身为元辅㉜，有所求须，与诏何异！"烈厉色曰："烈非不知王之贵也，奈何㉝使私奴索天子羽林？烈头可得，羽林不可得！"禧怒，以烈为恒州㉞刺史。烈不愿出外，固辞，不许，遂称疾不出㉟。

烈子左中郎将忠领直阁㊱，常在魏主左右。烈使忠言于魏主曰："诸王专恣，意不可测，宜早罢之，自揽权纲㊲。"北海王详㊳亦密以禧过恶㊴白帝，且言彭城王勰大得人情㊵，不宜久辅政。帝然之。

时将礿祭㊶，王公并齐于庙东坊㊷。帝夜使于忠语烈"明旦入见㊸，当有处分"。质明㊹，烈至。帝命烈将直阁㊺[3]六十余人宣旨，召禧、勰、详，卫送至帝所㊻。禧等入见于光极殿，帝曰："恪虽寡昧㊼，忝承宝历㊽。比缠尪疢㊾[4]，实凭诸父㊿，苟延视息(51)，奄涉三龄(52)。诸父归逊殷勤(53)，今便亲摄百揆(54)，且还府司(55)，当别处分(56)。"又谓勰曰："顷来南北务殷(57)，不容仰遂冲操(58)。恪是何人，而敢久违先敕(59)，今[5]遂叔父高蹈(60)之意。"勰谢曰："陛下孝恭，仰遵先诏，上成睿明之美(61)，

受萧衍的命令，他们出兵准备袭击襄阳城，萧伟、萧憺派军队前往始平郡设置埋伏截击了裴师仁、颜僧都的军队，把裴师仁、颜僧都所率领的魏兴军、齐兴军打得大败，雍州才得以安然无事。

魏国的咸阳王元禧以太尉的身份辅佐朝政，位在群臣之首，然而他却不亲自处理政务，骄傲奢侈，贪婪荒淫，干了许多违法乱纪的事情，魏世宗元恪对他便有些厌恶起来。元禧派自己的家奴到担任领军将军的于烈那里讨要若干名皇帝的禁卫军给自己充当带刀侍卫，陪护自己出入宫廷。于烈回复他说："皇帝正在居丧期间，朝廷上的一切事务全归宰相负责处理。我这个领军将军只知道自己的职责是主管守卫宫廷的事宜，如果没有皇帝的诏书，我不敢违背原则给某个私人办事。"元禧的家奴碰了一鼻子灰便恼怒地返回了咸阳王府。元禧又派人去对领军将军于烈说："我咸阳王元禧，是老皇帝的儿子，是当今小皇帝的叔父，位居大臣之首，向你提出一些要求，与皇帝所下的诏书有什么区别！"于烈神情严肃、语气严厉地说："我并不是不知道咸阳王尊贵的地位，咸阳王怎么能让自己的奴隶来向我索要皇帝的禁卫军呢？要我的头可以，要皇帝的禁卫军却不行！"元禧勃然大怒，立即把于烈调离宫廷，令他去担任恒州刺史。于烈不愿意离开朝廷到地方上去担任刺史，因此坚决推辞，元禧就是不批准，于烈便自称有病而闭门不出。

于烈的儿子、担任左中郎将的于忠兼任直阁将军之职，他经常陪侍在魏世宗元恪的身边。于烈遂让于忠对魏世宗说："各王专权放纵，他们的意图很难预测，应当早日罢免他们的官职，由皇帝自己总揽朝廷大权。"北海王元详也秘密地把元禧的过失、罪恶报告给魏世宗，而且还说彭城王元勰深得朝野人心，不应该让元勰长时间留在朝中辅政，以免大权旁落。魏世宗赞同北海王元详的意见。

到了春天祭祀宗庙的时节，魏国的王公大臣在太庙东牌坊旁边的屋子里一同进行斋戒。魏世宗在夜间让于忠对他的父亲于烈说"明天早上入朝觐见皇帝，皇帝要亲自做出处理"。天刚亮的时候，于烈来到朝堂。魏世宗命令于烈率领六十多名直阁的卫士宣布皇帝的旨意，召见咸阳王元禧、彭城王元勰、北海王元详，卫士们护送着三位王爷来到魏世宗的所在。元禧等进入光极殿拜见魏世宗，世宗对他们三人说："我虽然孤陋寡闻，愚昧无知，但毕竟是继承了大统，坐在了这个皇帝的位子上。我前一段时间因为疾病缠身，朝廷政务实际上全都依靠各位伯父、叔父帮助处理，我才得以苟延残喘，勉强维持生命，光阴荏苒，很快已经过去了三年。各位叔父多次恳切地请求交出职务，退休回家，如今我要亲自管理各项政务，你们暂且各还府第，我会对你们另外做出安排。"世宗又对元勰说："近来因为南方北方公务繁多，我没有能够使您满足自己谦退的愿望。我是何等样人，竟敢长时间地违背先帝的遗诏，如今我就满足叔父离开官场去当隐士的高尚心愿。"元勰表示感谢说："陛下孝顺谦恭，能够遵守先帝的遗诏，对上完成了英明睿智的先皇的遗愿，对下满足了微臣的心愿，

下遂微臣之志，感今惟往[62]，悲喜交深。”庚戌[63]，诏勰以王归第[64]，禧进位太保[65]，详为大将军、录尚书事[66]。尚书清河张彝、邢峦[67]闻处分非常[68]，亡走[69]出洛阳城，为御史中尉中山甄琛[70]所弹，诏书切责[71]之。复以于烈为领军，仍加车骑大将军[72]，自是长直禁中[73]，军国大事皆得参焉。

魏主时年十六，不能亲决庶务，委之左右。于是幸臣茹皓、赵郡王仲兴、上谷寇猛、赵郡赵脩、南阳赵邕[74]及外戚高肇[75]等始用事，魏政浸衰[76]。赵脩尤亲幸，旬月间，累迁至光禄卿。每迁官，帝亲至其宅设宴，王公百官皆从。

辛亥[77]，东昏侯祀南郊，大赦。

丁巳[78]，魏主引见群臣于太极前殿，告以亲政之意。壬戌[79]，以咸阳王禧领太尉[80]，广陵王羽[81]为司徒[82]。魏主引羽入内，面授之，羽固辞曰：“彦和[83]本自不愿，而陛下强与之。今新去此官而以臣代之，必招物议[84]。”乃以为司空[85]。

二月乙丑[86]，南康王以冠军长史王茂为江州刺史，竟陵太守曹景宗为郢州刺史，邵陵王宝攸[87]为荆州刺史。

甲戌[88]，魏大赦。

壬午[89]，东昏侯遣羽林兵击雍州，中外纂严。

甲申[90]，萧衍至竟陵[91]，命王茂、曹景宗为前军，以中兵参军张法安守竟陵城。茂等至汉口[92]，诸将议欲并兵围郢[93]，分兵袭西阳、武昌[94]。衍曰：“汉口不阔一里[95]，箭道交至[96]，房僧寄以重兵固守[97]，与郢城为掎角[98]。若悉众前进[99]，僧寄必绝我军后，悔无所及。不若遣王、曹诸军济江[100]，与荆州军合，以逼郢城；吾自围鲁山以通沔汉[101]，使郧

感谢当今皇帝的关怀，追念已经去世的先皇的恩德，不禁令我悲喜交加，感受颇深。”正月十五日庚戌，魏世宗下诏，免去了元勰所担任的一切职务，带着彭城王的爵禄回归府第，元禧被授予太保的虚衔，元详被提升为大将军、录尚书事。担任尚书职务的清河人张彝、邢峦听到世宗皇帝对三位诸侯王采取了不同寻常的措施，就弃官潜逃了，他们逃出洛阳城之后，便遭到担任御史中尉的中山人甄琛的弹劾，世宗下诏对张彝、邢峦进行了严厉的批评。再次任命于烈为领军将军，同时加授于烈为车骑大将军，从此以后领军将军于烈便长期在宫廷之中值勤，成为皇帝最亲信的人，凡是军国大事于烈全都能够参与决策。

魏世宗元恪当时只有十六岁，还不能亲自裁决、处理各项政务，他把政务委托给了自己身边的那些亲信。于是元恪所宠幸的臣子如茹皓、赵郡人王仲兴、上谷人寇猛、赵郡人赵脩、南阳人赵邕以及外戚高肇等人开始掌权用事，魏国政权从此开始逐渐衰落下去。其中的赵脩尤其受到世宗的亲近和宠爱，十天半月之间，赵脩的官位就升到了光禄卿的高位。而且每次赵脩升官之后，世宗都要亲自到赵脩家中摆酒设宴以示庆贺，满朝的王公大臣全都跟随着皇帝到赵脩家中祝贺赵脩升官。

正月十六日辛亥，齐国的东昏侯萧宝卷到建康城的南郊举行祭天典礼，大赦天下。

二十二日丁巳，魏国的世宗皇帝在太极前殿召见文武群臣，把自己准备亲政的想法告诉了他们。二十七日壬戌，魏世宗任命担任太保的咸阳王元禧兼任太尉之职，任命广陵王元羽为司徒。魏世宗把元羽叫到宫内，当面授予他司徒的职位，元羽坚决推辞说：“彭城王元彦和当初原本就不愿意担任司徒这一职务，是陛下强迫他担任了司徒。如今彭城王刚刚辞去这个职务，而陛下就让我来代替彭城王担任司徒，一定会招来众人的议论。”世宗于是改任元羽为司空。

二月初一日乙丑，齐国的南康王萧宝融任命担任冠军长史的王茂为江州刺史，任命担任竟陵太守的曹景宗为郢州刺史，任命自己的弟弟邵陵王萧宝攸为荆州刺史。

初十日甲戌，魏国实行大赦。

十八日壬午，齐国的东昏侯萧宝卷派遣羽林军去袭击雍州刺史萧衍，同时宣布朝廷内外进入紧急军事戒备状态。

二十日甲申，萧衍率领雍州军到达竟陵，他命令王茂、曹景宗为前军，令担任中兵参军的张法安负责留守竟陵城。王茂等率领前军到达汉水入长江口处，各位将领全都主张集中大部分兵力围困郢州城，分出一小部分兵力去袭击西阳郡、武昌郡。萧衍说：“汉水水面的宽度不超过一华里，两岸的敌人都可以把箭射到我们的船上，房僧寄率领重兵把守鲁山城，与郢州城形成了互相救援、互相策应之势。如果我军全部前往攻打郢城，房僧寄一定会切断我军的后路，到那时恐怕我军后悔都来不及了。不如派王茂、曹景宗等各路军队乘船渡江，与荆州的军队会合后，再逼近郢城；我亲自率军去围困鲁山房僧寄的守军，以保证汉水运输的畅通，使从郧城、竟陵过

城[102]、竟陵之粟方舟而下[103]，江陵、湘中之兵相继而至，兵多食足，何忧两城[104]之不拔！天下之事，可以卧取之耳。”乃使茂等帅众济江，顿[6]九里[105]。张冲遣中兵参军陈光静开门迎战，茂等击破之，光静死，冲婴城自守。景宗遂据石桥浦[106]，连军相续，下至加湖[107]。

荆州遣冠军将军邓元起、军主王世兴、田安之将数千人会雍州兵于夏首[108]。衍筑汉口城以守鲁山[109]，命水军主义阳张惠绍[110]等游遏[111]江中，绝郢、鲁二城信使[112]。杨公则举湘州之众会于夏口。萧颖胄命荆州诸军皆受公则节度[113]，虽萧颖达[114]亦隶焉。

府朝[115]议欲遣人行湘州事[116]而难其人，西中郎中兵参军刘坦谓众曰：“湘土人情，易扰难信[117]，用武士则侵渔[118]百姓，用文士则威略不振[119][7]。必欲镇静一州，军民足食，无逾老夫[120]。”乃以坦为辅国长史、长沙太守，行湘州事。坦先[8]尝在湘州[121]，多旧恩[122]，迎者属路[123]。下车，选堪事吏[124]分诣十郡[125]，发民运租米三十余万斛以助荆、雍之军，由是资粮不乏。

三月，萧衍使邓元起进据南堂西渚[126]，田安之顿城北[127]，王世兴顿曲水故城[128]。丁酉[129]，张冲病卒，骁骑将军薛元嗣与冲子孜及征虏长史江夏内史程茂[130]共守郢城。

乙巳[131]，南康王即皇帝位于江陵[132]，改元[133]，大赦；立宗庙，南北郊，州府城门悉依建康宫；置尚书五省[134]，以南郡太守为尹[135]；以萧颖胄为尚书令，萧衍为左仆射[136]，晋安王宝义为司空，庐陵王宝源为车骑将军、开府仪同三司，建安王宝寅为徐州刺史[137]，散骑常侍夏侯详为中领军[138]，冠军将军萧伟为雍州刺史。丙午[139]，诏封庶人宝卷为涪陵王[140]。

来的运粮船可以并排前进，使江陵、湘州的军队可以顺流而下，相继到来，到那时我们兵多粮足，何必担忧西阳、武昌这两座城不被攻克呢！我们夺取天下的大事，依我看可以躺在床上就能轻而易举地获得成功了。”于是萧衍派王茂等人率领众军乘船渡江，屯扎在九里的军事据点前。朝廷所任命的郢州刺史张冲派遣担任中兵参军的陈光静打开郢城城门出来迎战，王茂等把陈光静打得大败，陈光静当场战死，张冲只好据城坚守。曹景宗就顺利地占领了石桥浦，江陵和湘州的军队沿着长江相继顺流而下，一直延伸到加湖。

荆州方面派遣担任冠军将军的邓元起，部将王世兴、田安之率领数千人在夏首与雍州萧衍的军队会合。萧衍在汉水的入长江口处筑起堡寨与防守鲁山的房僧寄军相对峙，萧衍命令担任水军头领的义阳人张惠绍等率领一支船队在长江之中往来巡视，随时准备拦截，以断绝郢城中的张冲与鲁山房僧寄之间的联系。湘州刺史杨公则率军前往夏口与萧颖胄会合。萧颖胄命令荆州各军全都要接受杨公则的调动、指挥，即使自己的弟弟萧颖达也隶属于杨公则。

南康王萧宝融的小朝廷商议派人去担任代替湘州刺史，却一时又没有合适的人选，担任西中郎中兵参军的刘坦对大家说：“湘州的风土人情是容易动荡骚乱，对统治他们的人难以信服，如果派一个武士前去掌管湘州事务，则容易发生侵凌人民、掠夺百姓的事情，如果派一个文官前去掌管湘州的事务，那么在军事方面又缺乏威望和谋略。如果一定要派一个能使湘州局势安定下来，能令湘州的军民吃上饱饭的人，我想没有比我更合适的人选了。”南康王于是任命刘坦为辅国长史、长沙太守，代理湘州刺史。刘坦先前曾经在湘州做过官，他在湘州有很多老朋友、老相识，因此在刘坦赴任的路上前来迎接他的人接连不断。刘坦到达湘州之后，便选拔了一些能办事的官吏分别派往湘州所管辖的十个郡中去任职，又发动百姓给前方的荆州军、雍州军运送了三十余万斛租米，因此荆州军与雍州军的资用、粮食没有出现过匮乏。

三月，雍州刺史萧衍让冠军将军邓元起率军进驻郢州城南堂西侧的江渚，令将军田安之率领军队屯扎在郢州城城北，令王世兴率领军队屯扎在曲水故城。初三日丁酉，建康方面担任郢州刺史的张冲病逝，担任骁骑将军的薛元嗣与张冲的儿子张孜以及担任征虏长史、江夏内史的程茂共同守卫郢城。

三月十一日乙巳，南康王萧宝融在江陵即皇帝位，改年号为中兴元年，在自己的辖区内实行大赦；建立宗庙，在南北郊分别建立祭坛，州府的城门全部依照建康宫城的样式进行改建；设置尚书省、中书省、秘书省、门下省、御史台五个中央办事部门，把南郡太守改称南郡尹；任命萧颖胄为尚书令，任命萧衍为尚书左仆射，任命晋安王萧宝义为司空，任命庐陵王萧宝源为车骑将军、开府仪同三司，任命建安王萧宝寅为徐州刺史，任命担任散骑常侍的夏侯详为中领军，任命冠军将军萧伟为雍州刺史。十二日丙午，和皇帝萧宝融下诏封被贬为平民的萧宝卷为涪陵王。

乙酉[141]，以尚书令萧颖胄行荆州刺史[142]，加萧衍征东大将军、都督征讨诸军事，假黄钺[143]。时衍次杨口[144]，和帝[145]遣御史中丞宗夬劳军[146]。宁朔将军新野庾域[147]讽夬[148]曰："黄钺未加，非所以总帅侯伯[149]。"夬返西台[150]，遂有是命[151]。薛元嗣遣军主沈难当帅轻舸数千乱流[152]来战，张惠绍等击擒之。

癸丑[153]，东昏侯以豫州刺史陈伯之[154]为江州刺史、假节、都督前锋诸军事，西击荆、雍。

夏，四月，萧衍出沔，命王茂、萧颖达等进军逼郢城。薛元嗣不敢出[155]，诸将欲攻之，衍不许[156]。

魏广陵惠王羽[157]通于员外郎[158]冯俊兴妻，夜往，为俊兴所击而匿之[159]。五月壬子[160]，卒。

魏主既亲政事，嬖幸擅权，王公希得进见[161]，咸阳王禧意不自安[162][9]。斋[10]帅[163]刘小苟屡言于禧云，闻天子左右人言欲诛禧，禧益惧，乃与妃兄兼[11]给事黄门侍郎[164]李伯尚、氐王杨集始[165]、杨灵祐、乞伏马居[166]等谋反。会帝出猎北邙[167]，禧与其党会城西小宅，欲发兵袭帝，使长子通窃入河内[168]举兵相应。乞伏马居说禧还入洛城，勒兵闭门，天子必北走桑乾[169]，殿下可断河桥[170]，为河南天子[171]。众情前却不壹[172]，禧心更缓[173]，自旦至晡[174]，犹豫不决，遂约不泄而散。杨集始既出[175]，即驰至北邙告之[176]。

直寝[177]苻承祖、薛魏孙与禧通谋，是日，帝寝于浮图之阴[178]，魏孙欲弑帝，承祖曰："吾闻杀天子者身当病癞[179]。"魏孙乃止。俄而帝寤，集始亦至。帝左右皆四出逐禽[180]，直卫无几[181]，仓猝不知所出[182]。左中郎

乙酉日，萧宝融任命担任尚书令的萧颖胄兼任荆州刺史的职务，加授尚书左仆射萧衍为征东大将军、都督征讨诸军事，并授予其象征具有生杀大权的黄钺。当时萧衍还驻扎在杨口，和皇帝派遣担任御史中丞的宗夬代表皇帝到杨口前线去慰劳萧衍的军队。担任宁朔将军的新野人庾域用含蓄的话向宗夬示意说："皇帝没有授予黄钺，不像率领各路诸侯东征的样子。"宗夬返回西部和帝的小朝廷之后，便把宁朔将军庾域的意思报告给了和帝，这才有了给萧衍假黄钺的诏令。郢城内的骁骑将军薛元嗣派遣部将沈难当率领数千艘战船横渡长江飞速前来交战，水军头领张惠绍等率领水军把沈难当的军队击败，并活捉了沈难当。

十九日癸丑，建康的东昏侯萧宝卷任命担任豫州刺史的陈伯之为江州刺史、假节、都督前锋诸军事，率军西去攻击反抗朝廷的荆州军和雍州军。

夏季，四月，萧衍率军从沔水出发，他命令江州刺史王茂、萧颖达等人率军逼近郢州城。守卫郢城的骁骑将军薛元嗣不敢出城交战，诸将领全都主张出兵攻打郢城，萧衍不同意他们的主张。

魏国担任司空的广陵惠王元羽与担任员外郎的冯俊兴的妻子通奸，元羽在夜间前往冯俊兴的家中与冯俊兴的妻子约会，被冯俊兴当场捉住，遭到一顿殴打，元羽隐忍下来没敢声张。五月十九日壬子，元羽去世。

魏世宗元恪已经亲自掌管朝政，由于他所宠信的那些奸佞小人专擅朝政，朝中的王公大臣便很难进宫面见皇帝，咸阳王元禧感到自己随时都有被皇帝杀头的危险。在咸阳王居室值勤的卫队长刘小苟多次对咸阳王说，他听皇帝身边的人说皇帝想要除掉咸阳王，元禧更加感到恐惧不安，于是就与王妃的哥哥兼任给事黄门侍郎的李伯尚、氐王杨集始、杨灵祐、乞伏马居等人密谋造反。恰巧遇到世宗离开京城到北邙山打猎，元禧和他的党羽在城西的一个小宅子里集会，准备发兵袭击世宗，元禧派自己的长子元通偷偷地前往河内郡起兵响应。乞伏马居向元禧献计说还是回到洛阳城，率领军队关闭城门，皇帝一定会向北逃往旧都平城，殿下可以切断黄河上的浮桥，断绝洛阳与平城一带的联系，做黄河以南的魏国皇帝。究竟是前进还是后退，众人的意见很不一致，元禧的心里更加犹豫不定，他们从早上一直商量到傍晚，还是犹豫不决，于是约定好谁也不要走漏消息之后就各自散去了。杨集始离开元禧的城西小宅之后，就骑上快马前往北邙山把咸阳王准备谋反的事情报告了世宗皇帝。

在魏世宗的寝宫值勤的卫士苻承祖、薛魏孙与咸阳王元禧串通谋反，当天，魏世宗在北邙山寺庙的北区屋舍里睡觉休息，薛魏孙想趁机杀死皇帝，苻承祖阻止他说："我听说杀害皇帝的人会浑身长满癞疮。"薛魏孙这才没有动手。一会儿世宗睡醒了，前来报信的杨集始也刚好赶到。魏世宗的侍从人员此时已经全都到北邙山上去追赶飞禽走兽，为天亮之后皇帝打猎做准备，此时在皇帝身边值勤的警卫人员没有几个，仓促之间竟一下子不知道该怎么办才好。担任左中郎将的于忠对世宗说：

将于忠曰:“臣父领军留守京城，计防遏有备[183]，必无所虑[184]。”帝遣忠驰骑观之，于烈已分兵严备，使忠还奏曰:“臣虽老，心力犹可用。此属猖狂[185]，不足为虑，愿陛下清跸徐还[186]，以安物望[187]。”帝甚悦，自华林园还宫[188]，抚于忠之背曰:“卿差强人意[189]!”

禧不知事露，与姬妾及左右宿洪池别墅[190]，遣刘小苟奉启[191]，云“检行田收”[192]。小苟至北邙，已逢军人，怪小苟赤衣，欲杀之。小苟困迫[193]，言欲告反，乃缓之[194]。或谓禧曰:“殿下集众图事，见意而停[195]，恐必漏泄，今夕何宜自宽[196]?”禧曰:“吾有此身，应知自惜，岂待人言!”又曰:“殿下长子已济河[197]，两不相知，岂不可虑?”禧曰:“吾已遣人追之[198]，计今应还。”时通已入河内，列兵仗，放囚徒矣。

于烈遣直阁叔孙侯将虎贲三百人收禧。禧闻之，自洪池东南走，僮仆不过数人，济洛[199]，至柏谷坞[200]，追兵至，擒之，送华林都亭[201]，帝面诘其反状。壬戌[202]，赐死于私第，同谋伏诛者十余人;诸子皆绝属籍[203]，微给资产、奴婢，自余家财悉分赐高肇及赵脩之家，其余赐内外百官，逮于流外[204]，多者百余匹，下至十匹。禧诸子乏衣食，独彭城王勰屡赈给之。河内太守陆琇[205]闻禧败，斩送禧子通首[206]。魏朝以琇于禧未败之前不收捕通，责其通情[207]，征诣廷尉[208]，死狱中[209]。帝以禧无故而反，由是益疏忌宗室。

巴西太守[210]鲁休烈、巴东太守萧惠训[211]不从萧颖胄之命，惠训遣子璝将兵击颖胄，颖胄遣汶阳太守刘孝庆[212]屯峡口[213]，与巴东太守任漾之等拒之。

"我父亲领军将军现在留守京城，我想他一定有对付事变的准备，肯定会不劳陛下操心的。"世宗立即派于忠骑着快马赶回洛阳城去观察形势，领军将军于烈果然已经部署军队严加防备，于烈让于忠返回北邙山向世宗奏报说："我虽然年纪已老，而我的心智、能力还是可以为皇帝陛下效劳的。这些嚣张的鼠辈，不值得皇帝陛下担忧，希望陛下像以往一样清道戒严，从容悠闲地返回京城，以安定人心。"世宗非常高兴，他经由华林园返回皇宫之后，抚摸着于忠的背说："你的料事能力和处理突发事件的能力，让我很满意！"

咸阳王元禧还不知道自己准备谋反的事情已经泄露，他与自己的姬妾以及左右侍从当晚住宿在洪池别墅，他派遣负责在自己居室值勤的卫队长刘小苟向世宗奏报，说是要到自家的领地上"视察庄稼的长势"。刘小苟来到北邙山，立即遇到了身穿军服的人，他们看到刘小苟身穿红色衣裳感到很奇怪，就要把刘小苟杀死。刘小苟一时无计可施，情急之下张口就说是来向皇帝报告，有人要造反，军人这才暂时没有杀死他。有人对元禧说："殿下召集众人图谋起事，意图已经暴露出来又突然不想干了，恐怕消息一定会泄露出去，今天晚上怎么能自己放松下来而不加警惕？"元禧回答说："我自己的身体，我自然知道应该爱惜，岂能等着别人来提醒我！"那个人又对元禧说："殿下的长子已经渡过黄河到河内郡发兵去了，现在双方消息不通，岂不是一件让人感到担忧的事情吗？"元禧说："我已经派人去追赶他，估计今天应该就能回来。"当时元通已经进入河内郡，开始排列兵器仪仗，释放囚犯了。

于烈派遣担任直阁将军的叔孙侯率领三百名虎贲卫士去逮捕元禧。元禧听到消息之后，便从洪池别墅向东南方向逃走，跟随元禧逃跑的童仆只有几个人，元禧向南渡过洛水，到达柏谷坞的时候，追兵赶到，活捉了元禧，把他押送到华林都亭，世宗当面责问元禧为什么要造反。五月二十九日壬戌，魏世宗令元禧在自己的家中自尽，与元禧一同阴谋造反而被杀死的有十多个人；元恪把元禧的几个儿子全都开除出皇家家族的谱牒，多少给他们留下了一些资产、奴婢，把元禧剩余的家财全部拿来分别赏给了自己的宠臣高肇和赵脩两家，把元禧其他方面的财产赏赐给了朝廷内外的文武百官，甚至那些不入品级的小官也得到了赏赐，赏赐多的有一百多匹，赏赐少的也有十匹。元禧的儿子们缺衣少食，生活十分艰难，只有彭城王元勰曾经多次救济他们。担任河内郡太守的陆琇得知了元禧谋反失败被杀的消息，就把元禧的大儿子元通杀死，然后把元通的人头送到了京师洛阳。魏国朝廷因为陆琇没有在元禧失败之前逮捕元通，遂责备陆琇知情不报，一定与元禧同谋，于是勒令陆琇到廷尉衙门接受审判，陆琇遂死在狱中。世宗因为元禧无缘无故谋反，因此更加疏远、猜忌那些宗室成员。

齐国担任巴西郡太守的鲁休烈、担任巴东郡太守的萧惠训不肯听从萧颖胄的命令，萧惠训还派自己的儿子萧璝率领巴东军攻击萧颖胄，萧颖胄派遣担任汶阳太守的刘孝庆率军驻扎在西陵峡口，与担任巴东太守的任漾之等人联合抗击萧璝的进攻。

东昏侯遣军主吴子阳、陈虎牙等十三军救郢州，进屯巴口㉔。虎牙，伯之之子也。

六月，西台遣卫尉席阐文劳萧衍军，赍萧颖胄等议㉕谓衍曰："今顿兵两岸，不并军围郢，定西阳、武昌，取江州，此机已失，莫若请救于魏，与北连和，犹为上策。"衍曰："汉口路通荆、雍，控引秦、梁㉖，粮运资储，仰此气息㉗，所以兵压汉口，连结数州㉘。今若并军围郢，又分兵前进，鲁山必沮沔路㉙，扼吾咽喉㉚。若粮运不通，自然离散，何谓持久？邓元起近欲以三千兵往取寻阳，彼若欢然知机㉛，一说士足矣㉜。脱距王师㉝，固非三千兵所能下也。进退无据，未见其可。西阳、武昌，取之即得㉞；然既得之[12]，即应镇守。欲守两城，不减万人㉟，粮储称是㊱，卒无所出㊲。脱东军有上㊳者，以万人攻一[13]城，两城势不得相救。若我分军应援㊴，则首尾俱弱㊵；如其不遣，孤城必陷㊶。一城既没，诸城相次㊷土崩，天下大事去矣。若郢州既拔㊸，席卷沿流㊹，西阳、武昌自然风靡㊺。何遽㊻分兵散众，自贻忧患㊼乎？且丈夫举事欲清天步㊽，况拥数州之兵以诛群小，悬河注火㊾，奚有不灭！岂容㊿北面[241]请救戎狄，以示弱于天下[242]！彼未必能信[243]，徒取丑声[244]，此乃下计，何谓上策？卿为我辈白镇军[245]：前途攻取，但以见付[246]，事在目中[247]，无患不捷，但借镇军靖镇之[248]耳。"

吴子阳等进军武口[249]。衍命军主梁天惠等屯渔湖城[250]，唐脩期等屯

齐国的东昏侯萧宝卷派将领吴子阳、陈虎牙等十三支军队前往救援郢州，他们到达巴水流入长江的汇口处便驻扎下来。陈虎牙，是陈伯之的儿子。

六月，江陵和帝萧宝融的小朝廷派遣担任卫尉的席阐文到前方慰问萧衍的军队，席阐文携带着萧颖胄等人关于军事问题的意见对萧衍说：“如今我们把军队驻扎在长江两岸，没有及时地集中兵力去围困郢城，攻占西阳、武昌，夺取江州城，如今这个机会已经丧失了，现在我们不如向魏国请求援兵，与北方的魏国联合起来，还不失为一个上策。”萧衍说：“汉口的道路直通荆州、雍州，同时连接着汉水上游的秦州、梁州，我军的粮食以及辎重的运输补给，全都仰仗着我们能够控制汉口这一交通要道，因为我派军队牢牢地把守住了汉口这一咽喉要道，所以我们才能统帅数州、号令数州。如果我们现在把军队集中起来去围困郢城，又要分出一部分兵力继续东进，把守鲁山的房僧寄军一定会截断我们汉水的这一生命线，掐住我们的脖子。如果我军粮食运输的道路被切断，我们的军队就要离散，哪里还谈得上坚持长久呢？冠军将军邓元起最近想率领三千名士兵去攻取寻阳城，寻阳城内的守将陈伯之如果能看清形势，倒戈投降，我们只需派一位有才干的说客前去就足够了。万一陈伯之他们奋起抗拒我们的正义之师，我军的三千名士兵就不可能攻下寻阳城。到那时我军想进进不得，想退退不成，我看不出这样做有什么好处可言。关于夺取西阳、武昌二城，攻下两城也许并不难，关键是既然夺取了西阳城、武昌城，就要派兵进行镇守。如果想要守住西阳、武昌二城，至少也得要一万人的兵力，同时还得要有足够一万人所需的粮食与各种物资，这些都不是仓促之间就能准备好的。如果突然有一支东部的军队逆水西上，用一万人进攻其中的一座城，那么西阳城、武昌城肯定不能互相救应。如果我们分出一支军队前去救援，那么我军无论是进攻郢城、鲁山，还是前往增援西阳、武昌的军队都会显得人少力弱；如果我们不派遣军队去救援西阳、武昌，那么两城孤立无援，必然被攻陷。如果有一座城失陷，其他各城就会产生连锁反应而形成土崩瓦解之势，我们夺取天下的大事就算彻底失败了。如果等到我军攻克郢城之后再向东方各城发起进攻，就会形成一种顺江而下、风卷残云的局面，那么西阳、武昌二城自然就会顺风而倒。我们何必忙着分散兵力，自己给自己留下忧患呢？况且大丈夫举事，目的在于扫清国家的危难，匡扶社稷，何况目前我们是用好几个州的兵力去诛除朝廷中那一群奸佞的小人，其形势就像挽起滚滚的黄河水去浇灭那些星星点点的小火一样，岂有不灭之理！我们怎能向北面的魏国称臣，请求戎狄出兵救援，而向天下人显示我们的卑弱呢！再说魏国也未必就能相信我们，能及时地给我们以援助，白白地落一个叛国投敌、认贼作父的恶名，这本来是一个最下等的计策，你怎么还说它是一个上策呢？你替我们这些人回去禀告镇军将军萧颖胄，就说：前方作战的问题，你只管交给我负责好了，胜利就在眼前，不要担忧不能取得胜利，我就要仰仗着镇军将军的威名来办好这一切。”

吴子阳等人进军到武口。萧衍命令部将梁天惠等率军驻扎在渔湖城，派唐脩期

白阳垒，夹岸待之。子阳进军加湖[251]。去郢三十里，傍山带水，筑垒自固。子阳举烽，城内亦举火应之，而内外各自保[252]，不能相救。会房僧寄病卒，众复推助防孙乐祖[253][14]代守鲁山。

萧颖胄之初起[254]也，弟颖孚自建康出亡[255]，庐陵[256]民脩灵祐为之聚兵，得二千人，袭庐陵，克之，内史[257]谢篹奔豫章[258]。颖胄遣宁朔将军范僧简自湘州赴之[259]，僧简拔安成[260]，颖胄以僧简为安成太守，以颖孚为庐陵内史。东昏侯遣军主刘希祖将三千人击之，南康[261]太守王丹以郡应希祖。颖孚败，奔长沙，寻病卒，谢篹复还郡。希祖攻拔安成，杀范僧简，东昏侯以希祖为安成内史。修灵祐复合余众攻谢篹，篹败走。

东昏侯作芳乐苑，山石皆涂以五采；望民家有好树、美竹，则毁墙撤屋[262]而徙之。时方盛暑，随即枯萎，朝暮相继[263]。又于苑中立市[264]，使宫人、宦者共为裨贩[265]。以潘贵妃为市令[266]，东昏侯自为市录事[267]，小有得失[268]，妃则予[15]杖[269]，乃敕虎贲不得进大荆[270]、实中荻[271]。又开渠立埭[272]，身自引船[273]；或坐而屠肉[274]。又好巫觋[275]，左右朱光尚诈云见鬼；东昏入乐游苑[276]，人马忽惊，以问光尚，对曰："向见先帝[277]大嗔[278]，不许数出[279]。"东昏大怒，拔刀与光尚寻之。既不见，乃缚菰为高宗形[280]，北向斩之，县首苑门[281]。

崔慧景之败[282]也，巴陵王昭胄[283]、永新侯昭颖[284]出投台军[285]，各以王侯还第[286]，心不自安。竟陵王子良故防阁[287]桑偃为梅虫儿军副[288]，与前巴西太守萧寅谋立昭胄，昭胄许事克用寅为尚书左仆射、护军。时军主胡

等率军驻扎在白阳垒，两军夹岸等待敌军的进攻。吴子阳率军进抵加湖。加湖距离郢州城三十里，吴子阳在依山傍水的地方修筑起堡垒进行防守。吴子阳这边举起烽火，郢州城内也举起烽火回应，然而无论是郢州城内的守军还是进至加湖的吴子阳援军都各自坚守自己的营地，不能互相救援。恰好遇到防守鲁山的骁骑将军房僧寄病死，众人又推举协助房僧寄组织守城的孙乐祖接替房僧寄率军守卫鲁山。

萧颖胄在开始发动拥立南康王萧宝融以反对建康朝廷的时候，他的弟弟萧颖孚从建康城中逃了出来，庐陵郡的百姓脩灵祐为萧颖孚召集了二千人，萧颖孚遂率领这二千人袭击庐陵郡城，将庐陵郡城攻克，担任庐陵郡内史的谢篹逃往豫章郡。萧颖胄派遣担任宁朔将军的范僧简率军从湘州出发前往庐陵增援萧颖孚，范僧简攻克了安成郡，萧颖胄遂任命范僧简为安成郡太守，任命萧颖孚为庐陵郡内史。东昏侯萧宝卷派将领刘希祖率领三千人前往庐陵攻打萧颖孚，担任南康郡太守的王丹出兵响应刘希祖，他将南康郡献给了刘希祖。萧颖孚被刘希祖打败之后，便逃往长沙郡，不久萧颖孚病死，逃往豫章郡的庐陵内史谢篹又回到了庐陵郡。刘希祖率军攻克了安成郡，杀死了宁朔将军、安成太守范僧简，东昏侯任命刘希祖为安成郡内史。庐陵郡百姓脩灵祐又将被刘希祖打败的萧颖孚余部召集起来进攻谢篹，谢篹战败后再次逃走。

东昏侯萧宝卷修建芳乐苑，他把芳乐苑中的山石都涂上五彩；萧宝卷看见百姓谁家里有好树、美竹，就下令将那家的院墙捣毁，将房屋拆除，然后把好树、美竹移栽到芳乐苑中。当时正是暑热天气，移栽的树、竹很快就枯萎了，移栽花木的人只得一天到晚不停地移栽。萧宝卷又在芳乐苑中开办集贸市场，他让宫女、宦官全都充当小商贩到集贸市场去做买卖。他让潘贵妃担任管理集贸市场的长官，萧宝卷自己则亲自充当管理集市的小职员，萧宝卷稍微有一些过失，潘贵妃就用棍子责打他，萧宝卷因此命令虎贲卫士们，在潘贵妃喝令要打人时，不许递给潘贵妃粗大的荆条、实心的芦苇。萧宝卷又在芳乐苑中开凿水渠，在水渠上设立收费站，萧宝卷亲自下水去给人拉纤使船只通过水坝；有时候萧宝卷就坐在集贸市场上宰割牲畜。萧宝卷又迷信那些男男女女装神弄鬼的巫师，萧宝卷的亲信朱光尚便假称自己看见了鬼；萧宝卷进入乐游苑，人马忽然受到惊吓，便去询问朱光尚，朱光尚回答说：“刚才我看见先帝萧鸾的鬼魂非常愤怒，他不准许陛下频繁地出来游荡。”东昏侯一听大怒，立即拔出佩刀交给朱光尚，让朱光尚去搜寻、砍杀明帝萧鸾的鬼魂。朱光尚没有找到明帝的鬼魂，萧宝卷就令人用茭白的叶子捆成明帝的形状，将明帝形状的草人面向北，然后砍下脑袋，悬挂在乐游苑的门口示众。

崔慧景叛乱失败的时候，巴陵王萧昭胄、永新侯萧昭颖从崔慧景的军中跑出来投降了朝廷军的头领胡松，他们二人都是带着王侯的爵位和俸禄回到自己的府第，然而他们的心中始终感到惶恐不安。曾经为竟陵王萧子良担任过王宫卫士头领的桑偃是梅虫儿军中的副统领，桑偃与前任巴西太守萧寅密谋拥立巴陵王萧昭胄为皇帝，萧昭胄也答应事情成功之后任用萧寅为尚书左仆射、护军将军。当时将军胡松正率

松将兵屯新亭[289]，寅遣人说之曰："须昏人出[290]，寅等将兵奉昭胄入台，闭城号令[291]。昏人必还就将军[292]，但闭垒不应[293]，则三公不足得[294]也。"松许诺。会东昏新作芳乐苑，经月不出游。偃等议募健儿[295]百余人，从万春门[296]入，突取之[297]，昭胄以为不可。偃同党王山沙虑事久无成，以事告御刀[298]徐僧重。寅遣人杀山沙于路，吏于麝幐[299]中得其事。昭胄兄弟与偃等皆伏诛。

【段旨】

以上为第一段，写齐和帝萧宝融中兴元年（公元五〇一年）上半年的大事。写了魏咸阳王元禧位居首辅，专权自恣，罢领军将军于烈之职，于烈与北海王元详皆向魏主进言元禧之恶，彭城王元勰亦因大得人心而被魏主所疑；魏主遂突然罢去元禧、元勰的一切职务，任于烈为领军将军，加车骑大将军，长直宫禁之中，军国大事皆得参焉；魏主宠信近臣茹皓、王仲兴、寇猛、赵脩与外戚高肇等人，魏国政权浸衰。写了元禧勾结氐王杨集始等阴谋叛乱，因元禧迟疑不决，杨集始告密，于烈、于忠父子又早有准备而妥善平息了变乱，元禧被杀，连及陆琇亦以"通情"死于狱中。写了南齐萧颖胄、萧衍联合拥立小傀儡萧宝融在江陵称帝，萧颖胄为尚书令兼荆州刺史以管后方，萧衍为左仆射，假黄钺以管东征之事。写了萧衍率师东下，与萧颖胄所派之荆州兵会于夏口，包围郢州城；朝廷方的郢州刺史张冲与其部将房僧寄分别据守郢州与鲁山，而朝廷所派的西上之军与巴西、巴东支援朝廷的军队纷纷向汉口汇聚。萧颖胄诸人督促萧衍迅速攻城，萧衍则担心一旦攻城失败，郢城、鲁山将成为严重祸患，故必欲坐困根除之，以绝后患。写了坚守郢城、鲁山的将领张冲、房僧寄相继病死，朝廷又派吴子阳进救郢城，双方决战的时机逐渐来临。写了萧衍率军东征后，魏兴、齐兴二郡的太守欲袭雍州，萧衍之弟萧伟、萧憺邀击大破之，雍州乃安；萧宝融的将领刘坦自请往任行湘州事，以其熟悉州人，办事干练，从而使西军资粮不缺；萧宝卷修建芳乐苑之扰民、残民，以及在宫中与潘贵妃的诸种玩乐情景。写了萧宝卷好巫觋，迷信鬼神，有侍从借机假说萧鸾显灵，以劝阻萧宝卷不要频频外出游荡，萧宝卷竟"缚菰为高宗形，北向斩之，县首苑门"云云，殊不可信。此外，还写了萧子良的儿子萧昭胄、萧昭颖与萧子良的旧部阴谋寻机以杀萧宝卷，拥立萧昭胄，事泄被杀等。

军驻扎在新亭，萧寅派人去劝说胡松，对胡松说：“等哪一天那个昏庸的小皇帝再出宫游荡的时候，萧寅等人就会率领军队拥戴巴陵王萧昭胄进入皇宫，然后关闭台城，发布‘小皇帝萧宝卷已经被废，新皇帝已经登基’的命令。那个昏小子一定会回来投奔将军，将军只管关闭垒门，不接受他的指令，事成之后，你得个三公的职位并不难。”胡松答应了萧寅的条件。碰巧东昏侯新建了芳乐苑，整整一个月没有外出游玩。桑偃等人商议招募一百多名敢死队员，从万春门进入芳乐苑，突袭东昏侯，萧昭胄认为不可以这样做。桑偃的同党王山沙担心事情拖久了成功不了，于是就准备去告诉在东昏侯身边担任带刀护卫的徐僧重。萧寅派人在半路上劫杀了王山沙，有位官吏在王山沙身上装麝香的布袋里搜出了有关桑偃、萧寅准备废掉小皇帝另立萧昭胄为帝的告密信。萧昭胄、萧昭颖兄弟和桑偃等于是全部被诛杀。

【注释】

①和皇帝：名萧宝融，公元五〇一至五〇二年在位。传见《南齐书》卷八。②中兴元年：和帝中兴元年（公元五〇一年）。这年的三月改元。三月以前称萧宝卷永元三年。③正月丁酉：正月初二。④晋安王宝义：萧宝义，萧鸾的长子。传见《南齐书》卷五十。为人有残疾，故未立为帝。此时任扬州刺史，因东府被火，改居西州府。⑤建安王宝寅：萧宝寅，萧鸾的第六子。传见《南齐书》卷五十。⑥乙巳：正月初十。⑦始称相国：自去年十一月萧衍等即以宣德太后令任萧宝融为相国，今则正式就任。相国，本即宰相之职，但在秦汉之际称“相国”者位尊而权专，只一人；称“丞相”者则有左右二人。魏晋以来只授予地位最崇高的人，作为向皇帝的过渡。《通志》卷五十二《职官二》：“自魏晋以来，相国、丞相多非寻常人臣之职。”⑧左长史：时萧宝融尚未称帝，被封为宣城王，故其属下有长史。长史为诸史之长，权位最尊。⑨戊申：正月十三。⑩发襄阳：从襄阳出发，开始东征建康。⑪弟伟：萧衍之弟萧伟，后被封为南平王。传见《梁书》卷二十二。⑫总府州事：总管都督府与雍州刺史府的一切事务。⑬憺：萧憺，萧衍之弟萧憺，后被封为始兴王。传见《梁书》卷二十二。⑭守垒城：防守襄阳城外附近的堡寨。胡三省曰：“垒城者，筑垒附近大城，犹今堡寨也。”⑮府司马庄丘黑：征东将军府的司马官姓庄名丘黑。司马在军中主管司法。⑯储偫：仓库里的各种物资。偫，积蓄、储备。⑰魏兴：郡名，郡治在今陕西安康西。⑱齐兴：郡名，郡治即今湖北十堰市郧阳区。⑲邀击于始平：在始平郡设埋伏以截击之。始平郡的郡治在郧县城的东南方。⑳咸阳王禧：元禧，孝文帝元宏之弟，宣武帝元恪之叔。传见《魏书》卷二十一上。㉑上相：首相，当时咸阳王元禧以太尉辅政，位在群臣之上，故称上相。㉒领军于烈：领军将军于烈。领军将军是管理京城以内众军的最高统领。于烈是魏国功勋名将于

栗磾之孙，于洛拔之子。传见《魏书》卷三十一。㉓求羽林虎贲：讨要若干名皇帝的禁军武士。虎贲，言其勇猛如虎之奔。㉔执仗出入：去给元禧充当带刀侍卫，陪护他出入宫廷。㉕谅暗：处于居丧时期。指因守丧而不问政事。㉖事归宰辅：一切政事交由丞相处理。㉗领军：领军将军我。指称自己。㉘典掌宿卫：主管守卫宫廷事宜。宿卫，夜间防卫，这里即指防卫。㉙违理从私：违背原则地给某个私人办事。㉚惘然：失意恼怒的样子。㉛天子之子二句：老皇帝的儿子，小皇帝的叔父。㉜元辅：犹前文所谓"上相"，诸辅政大臣的领班。㉝奈何：你怎么能。㉞恒州：恒州的州治即今山西大同。㉟称疾不出：推说有病，不出家门。㊱领直阁：兼任直阁将军之职。直阁将军是在皇帝所生活与办公殿堂值勤的武官。㊲自揽权纲：自己掌握朝廷权柄。㊳北海王详：元详，拓跋弘之子，也是孝文帝与咸阳王元禧的亲兄弟。传见《魏书》卷二十一上。㊴过恶：过失；罪恶。㊵大得人情：深得朝野的人心。㊶礿祭：春天的祭祀宗庙。胡三省曰："礿，薄也。春物始生，其祭尚薄。"㊷齐于庙东坊：在太庙东牌坊旁边的房子里一同进行斋戒。齐，通"斋"，祭祀前的洗沐、吃斋、独居等等，静心以表示虔敬。㊸入见：入朝见帝。㊹质明：天刚亮。胡三省曰："质，正也。质明，天正亮也。"㊺将直阁：率领着直阁的卫士。㊻卫送至帝所：保护并押着他们来到皇帝所处的地方。㊼恪虽寡昧：元恪我虽然无知、愚昧。对人说话自称己名表示谦卑。㊽忝承宝历：但毕竟是坐在了这个皇帝的位子上。忝，辱，谦辞。宝历，皇帝的传承次序。㊾比缠尪疢：前一段时间孱弱多病。尪疢，疾病。㊿诸父：指伯父、叔父。51苟延视息：犹言"苟延残喘"，勉强维持生命。52奄涉三龄：很快地已经过了三年。此时已是元恪在位的第三年。53归逊殷勤：多次恳切地请求交出职位，退休回家。归逊，退位归家。殷勤，诚恳的样子。54亲摄百揆：亲自管理各项政务。55且还府司：你们暂且各回府第。56当别处分：我会另外做出安排。57南北务殷：胡三省曰，"谓使勰北镇中山，南取寿阳，因而守之也"。务殷，公务繁多。58不容仰遂冲操：没能让您满足谦退的愿望。仰遂，让您满足。仰，敬辞。冲操，谦虚的美德。59先敕：先人的诏令，指孝文帝答应过的让彭城王元勰辞职的遗诏。60高蹈：离开官场去当隐士的清高行动。61上成睿明之美：向上完成了老皇帝英明睿智的遗愿。62感今惟往：感谢当今的皇帝，追怀去世的皇帝。惟，思、怀念。63庚戌：正月十五。64以王归第：带着彭城王的爵禄回归府第，言外之意是其他的一切职务就没有了。65进位太保：授予元禧太保的虚衔，而免去了其他的一切实权。66详为大将军、录尚书事：元详成了魏国军权、政权一把抓的首席大臣。大将军是国家最高的军事统帅，位在丞相之上。录尚书事，是以大将军的身份兼管尚书省的事务，位在尚书令之上。67张彝、邢峦：都是尚书省的官员，各为一曹的尚书。张彝传见《魏书》卷六十四，邢峦传见《魏书》卷六十五。68处分非常：魏主采取的措施不同寻常，估计可能要大开杀戒。69亡走：改名换姓地潜逃而去。70甄琛：时为御史中尉，为御史中丞的属官。传见《魏书》卷六十八。71切责：严厉地批评。72加车骑大将军：增授以车骑大将军的职衔。车骑大将军地位崇高，在大将军之下，其他一切将军之上。⑦③ 长直禁中：长期在宫廷之中值勤，于是成为魏国皇帝最亲信的人。⑦④ 南阳赵邕：与其上文之茹皓、王仲兴、寇猛、赵脩，都是魏主元恪的亲信，其传皆见于《魏书》卷九十三。其中所提到的赵郡，郡治平棘，即今河北赵县，上谷郡的郡治即今北京市延庆区。⑦⑤ 高肇：孝文帝皇后之兄，宣武帝元恪之舅。传见《魏书》卷八十三下。⑦⑥ 浸衰：渐渐衰落下去。⑦⑦ 辛亥：正月十六。⑦⑧ 丁巳：正月二十二。⑦⑨ 壬戌：正月二十七。⑧⓪ 领太尉：兼任太尉之官。元禧初被剥夺职务时只是被“进为太保”，现在又“领太尉”。太尉是秦汉时代的三公，在魏晋南朝也只是加官名，没有实权。⑧① 广陵王羽：元羽，拓跋弘之子，孝文帝的亲兄弟。传见《魏书》卷二十一上。⑧② 司徒：周代的三公之一，位同丞相，在魏晋南朝也只是加官名，没有实权。⑧③ 彦和：彭城王元勰的字。称人不称名而称字，是表示尊重。⑧④ 招物议：招致众人的议论。⑧⑤ 司空：周代的三公之一，是主管建筑的官。在魏晋南朝也只是加官名，没有实权。⑧⑥ 二月乙丑：二月初一。⑧⑦ 邵陵王宝攸：萧宝攸，萧鸾的第九子，南康王萧宝融之弟。传见《南齐书》卷五十。⑧⑧ 甲戌：二月初十。⑧⑨ 壬午：二月十八。⑨⓪ 甲申：二月二十。⑨① 竟陵：齐郡名，郡治苌寿，即今湖北钟祥，位于汉水岸边，是从雍州顺汉水到郢州必经之所。⑨② 汉口：汉水入长江之口，也称“夏口”，在当时的郢州，即今武汉市汉口的东南角。⑨③ 并兵围郢：集中大部分的兵力围攻郢州。⑨④ 分兵袭西阳、武昌：分出一小部分兵力袭击西阳、武昌二郡。西阳郡的郡治在今湖北黄冈东，武昌郡的郡治即今湖北鄂州市鄂城区。⑨⑤ 汉口不阔一里：汉水水面的宽度不过一华里。⑨⑥ 箭道交至：两岸的敌人射箭都可以射到我们的船上。⑨⑦ 房僧寄以重兵固守：房僧寄原为竟陵太守，因任满归京，被郢州刺史张冲所留，请房僧寄为之分守鲁山，汉水的入江之口就在鲁山的防区内。⑨⑧ 为掎角：相互救援、相互策应之势。掎，拉腿。角，捉角。如两人之共制一兽，你扯它的腿，我拉它的角。当时的郢州城地处汉水之北，汉水的入江之口在郢州城之南，故驻守郢州城的张冲与驻守鲁山的房僧寄正互为掎角之势。⑨⑨ 悉众前进：指全力往攻郢城，而不迅速拔掉鲁山的这根钉子。⑩⓪ 济江：这里实指进入长江的水面。⑩① 围鲁山以通沔汉：围困住鲁山的守军以保障汉水运输的畅通。沔汉，即指汉水。汉水的上游多称沔水；沔水的下游多称汉水。⑩② 郧城：即今湖北安陆，当时为安陆郡的郡治所在地，地处汉水支流涢水的边上。⑩③ 方舟而下：犹言“滚滚而下”“络绎而下”，意即大量地运输下来。方舟，并船而进，极言河道运输之通畅。⑩④ 两城：诸将所说的西阳、武昌二郡城。⑩⑤ 顿九里：屯驻在九里的军事据点前。九里是长江边上的地名，距离郢州城九华里，其地有张冲的守军。⑩⑥ 石桥浦：郢州城外的古地名。⑩⑦ 加湖：在当时郢州城的东北方，离郢州城三十里，在长江的北岸。⑩⑧ 夏首：即夏口，也称汉口、沔口，汉水入长江之口。⑩⑨ 以守鲁山：以与鲁山之敌相对峙、相监视。⑪⓪ 张惠绍：梁初的著名将领，义阳郡人，此时任水军头领。传见《梁书》卷十八。⑪① 游遏：游弋；拦截。⑪② 绝郢、鲁二城信使：断绝两地间的相互联系。信使，传递信息的人。⑪③ 节度：节制；调动、指挥。⑪④ 萧颖达：萧颖胄之弟。传见《梁书》卷十。⑮ 府朝：南康王萧宝融的小朝廷，实即萧颖胄所领导的议事班子。萧宝融时居相国府，故称“府朝”。⑯ 行湘州事：代理湘州刺史。⑰ 易扰难信：容易引起动荡骚乱，对统治者不易信服。⑱ 侵渔：侵陵、掠夺。渔，掠夺他人财物。⑲ 威略不振：在军事方面缺乏威望。⑳ 无逾老夫：没有比我更合适了。㉑ 尝在湘州：胡三省曰，“按《刘坦传》‘先尝在湘州’，盖客游也”。《刘坦传》见《梁书》卷十九。㉒ 多旧恩：有许多老交情、老相识。旧恩，旧交。恩，情义。㉓ 属路：一路上接连不断。㉔ 堪事吏：能办事的官吏。㉕ 十郡：湘州所辖的十个郡指长沙、桂阳、零陵、衡阳、营阳、湘东、邵陵、始兴、临贺、始安。㉖ 南堂西渚：郢州城南堂西侧的江渚，在今武汉市汉口的夏口南方。所谓“南堂”乃与“北堂”相对。北堂即“射堂”，在郢州城的北部。㉗ 顿城北：驻军于郢州城北。㉘ 曲水故城：胡三省曰，“盖郢府官僚祓禊之地，在城东”。所谓“祓禊”是指古人春时在水边祭祀以驱除不祥的一种习俗性的游览活动。㉙ 丁酉：三月初三。㉚ 江夏内史程茂：程茂是郢州刺史张冲的僚属，张冲时为征虏将军，程茂为其任长史；同时程茂又是江夏郡的行政长官，因江夏郡是江夏王萧宝玄的封国，故其行政长官不称太守，而称内史。㉛ 乙巳：三月十一。㉜ 即皇帝位于江陵：司马光《通鉴考异》曰，“《东昏纪》云：‘丁未，南康王讳即皇帝位。’盖是日建康始闻之耳。今从《和帝纪》及《梁武帝纪》”。㉝ 改元：从三月十一始改元为中兴元年。在此之前是东昏侯萧宝卷的永元三年。㉞ 置尚书五省：设置尚书省等五个中央办事部门，即尚书省、中书省、秘书省、门下省、御史台。㉟ 以南郡太守为尹：为仿照建康所在的郡称“丹阳尹”而称南郡太守曰“南郡尹”。㊱ 左仆射：尚书省副长官，仅低于尚书令，而高于尚书右仆射。㊲ 建安王宝寅为徐州刺史：此处所说的宝寅与上文所说的宝义、宝源都是萧鸾之子，萧宝融的亲兄弟，故而要加官晋爵；但他们现时都还在建康，故这里只是遥授官位，做做样子而已。所谓“徐州刺史”应该是指南徐州，州治即今江苏镇江，乃侨置州名。㊳ 中领军：与领军将军的职务相同，用以委任资历较低的军事人员，主管京城之内的一切军事活动，统领所有朝廷禁军。㊴ 丙午：三月十二。㊵ 诏封庶人宝卷为涪陵王：意即先将建康城里的皇帝萧宝卷废为平民，而后再开恩封之为涪陵郡王。涪陵郡的郡治汉平，在今四川涪陵东南。㊶ 乙酉：三月乙未朔，无乙酉日。疑为“己酉”之误。己酉，三月十五。㊷ 行荆州刺史：兼任荆州刺史。由于荆州是萧宝融临时都城的江陵城所在的州，其地位非同小可，故由萧颖胄兼任。〖按〗此处似应曰“摄荆州刺史”，不应曰“行荆州刺史”，二字区别甚大。㊸ 假黄钺：授予黄钺，使其统领一切的生杀之权。㊹ 杨口：杨水入汉水的汇口，在今湖北潜江县西北。㊺ 和帝：即新在江陵称帝的小傀儡萧宝融。㊻ 劳军：到杨口前线慰劳萧衍的军队。㊼ 庾域：萧衍的亲信，为人颇多智略。传见《梁书》卷十一。㊽ 讽夬：用含蓄的话向宗夬示意。㊾ 黄钺未加二句：身无黄钺，不是统领各路的诸侯的样子。〖按〗当初武王伐纣时，曾有所谓“左执黄钺，右秉白旄”。事见《尚书·牧誓》。后世自曹操以后，凡国家的辅臣率师出征，往往都有“假黄钺”一条。⑮ 西台：西边的朝廷。与建康的萧宝卷朝廷相对而言。⑯ 遂有是命：于是这才有了给萧衍假黄钺的诏令。〖按〗让萧颖胄兼任扬州刺史，说兼就兼；而萧衍的假黄钺非等到萧衍的部下提出请求才给，亲疏何等分明？又加一条，萧颖胄非死不可。当然，小傀儡也是非死不可。⑰ 乱流：横渡江水而来，由大江的一侧飞舸杀出。胡三省曰：“横绝流而渡曰乱。”⑱ 癸丑：三月十九。⑲ 陈伯之：一个反复无常的将领，先侍奉萧鸾、萧宝卷父子，后归降萧衍，后又反衍而投降魏国。传见《梁书》卷二十。此时为朝廷将。⑳ 不敢出：不敢出战。㉑ 衍不许：胡三省曰，“衍欲持久，以全力弊郢、鲁二城”。㉒ 广陵惠王羽：即上文提到的元羽，被封为广陵王，惠字是其死后的谥。㉓ 员外郎：编外的郎官，应属于门下省，元羽当时为常侍，冯俊兴为其僚属。㉔ 匿之：自己隐忍不说。㉕ 五月壬子：五月十九。㉖ 希得进见：难得进宫面见魏主。希，通“稀”。㉗ 咸阳王禧意不自安：担心要被魏主所杀。㉘ 斋帅：在皇帝或王公居室值勤的卫士长，此指元禧身边的斋帅。㉙ 给事黄门侍郎：在宫廷内为皇帝服务的侍从官员，上属门下省。有的用太监，也有的用士人。㉚ 氐王杨集始：当时生活在今甘肃成县、武都一带的少数民族氐族的头领，杨氏家族世世代代为这一带氐族的领袖，其原来的根据地即所谓仇池。由于南、北两方的统治者都想控制这一地区，故杨氏遂依违于南、北政权之间。现在的杨集始是在去年重新投降魏国的，眼下正在魏国的都城洛阳。㉛ 杨灵祐、乞伏马居：都是杨集始的部将。乞伏马居应是十六国时西秦王乞伏乾归的后代。㉜ 出猎北邙：出京城到北邙山打猎。北邙山在当时的洛阳城北，汉魏以来许多贵族的坟墓都埋在北邙山上。㉝ 河内：魏郡名，郡治即今河南沁阳，在洛阳的东北方，与洛阳隔黄河相望，相距不到二百华里。㉞ 北走桑乾：京城失据，无处可归，只好北逃平城。桑乾，河水名，也是魏郡名，都在今山西的北部，魏国旧都平城的西南方。这里即用以代指平城一带。㉟ 断河桥：掐断黄河上的浮桥，意即断绝洛阳与平城一带的联系。黄河浮桥在当时的洛阳城北，是联结南北方的重要通道。㊱ 为河南天子：做黄河以南的魏国皇帝。㊲ 众情前却不壹：究竟是前进还是后退，众人的意见不一致。却，后退。㊳ 更缓：更加犹豫不定。㊴ 自旦至晡：从早晨起来直到日色偏西。旦，太阳刚出地面。晡，下午三时到五时。㊵ 既出：指离开元禧的城西小宅。㊶ 驰至北邙告之：快马加鞭前往北邙山向魏主报告。㊷ 直寝：魏主寝宫值勤的卫士。㊸ 浮图之阴：佛塔的北面，这里即指寺庙的北区屋舍。㊹ 病癞：浑身长癞疮。㊺ 四出逐禽：把满山的禽兽往一起赶，为天亮后的魏主打猎做准备。㊻ 直卫无几：值勤的卫士没有几个。㊼ 仓猝不知所出：魏主听到元禧谋反的消息后一下子不知如何是好。㊽ 计防遏有备：我想他一定有对付事变的准备。计，一定有、一定会。防遏，防止。㊾ 必无所虑：肯定会不劳您操心的。虑，忧、担心。㊿ 此属猖狂：这伙嚣张的鼠辈。(186) 清跸徐还：意即从容悠闲地回来，一如往常，不用任何小题大做。清跸，清道戒严，帝王出行历来要做的事情。(187) 以安物望：以安定人心，不造成动荡。(188) 自华林园还宫：经由华林园返回皇宫，没有进皇宫的正门，以免过分招摇。华林园是当时皇家的园林，在皇宫的后面。⑱⑨卿差强人意：你的料事与处理突发事件，很让人满意。〖按〗“差强人意”是旧有的成语，说得很有保留；但魏主在这里的实际意思是很满意，只不过是用成语调侃而已。⑲⓪洪池别墅：元禧家的洪池别墅在洛阳城东二十里。胡三省曰：“洪池即汉之‘鸿池’，在洛阳东二十里。田庐曰墅，今人谓之别业。晋人以来，往往治池馆，观游于其中。”⑲①奉启：假意去向魏主报告。⑲②云检行田收：说是要到自己家的领地上视察庄稼长势。⑲③困迫：犹言“无计可施”“无着可想”。⑲④乃缓之：才暂时让他活了下来。⑲⑤见意而停：意图一旦泄露又想不干了。见，通“现”。⑲⑥何宜自宽：怎么能自己放松下来。⑲⑦已济河：已经渡黄河到河内郡去了。⑲⑧追之：追他回来，意即让他停止行动。⑲⑨济洛：向南渡过洛水。洛水从西南方流来，经洛阳城南，东北流入黄河。⑳⓪柏谷坞：修有围墙的村落名，在洛阳市偃师区的城南。⑳①华林都亭：管理社会治安的基层机构，在当时的华林园门外。⑳②壬戌：五月二十九。⑳③绝属籍：将其开除出皇帝家族的谱牒。属籍，家族的名册。⑳④逮于流外：甚至那些不入品级的小官也得到了赏赐。逮，延及、达到。胡三省曰：“杂色补官不入品者谓之流外官。”⑳⑤陆琇：魏国名臣陆俟之孙，陆馛之子。传见《魏书》卷四十。⑳⑥斩送禧子通首：以其在河内郡发动叛乱故也。⑳⑦通情：知情；同谋。⑳⑧征诣廷尉：勒令他到廷尉衙门接受审判。廷尉，全国最高的司法官，相当于后来的刑部尚书。⑳⑨死狱中：胡三省曰，“陆馛以傅孝文于受内禅之初，福泽及其子。至是，败矣”。㉑⓪巴西太守：巴西郡的郡治即今四川绵阳。㉑①巴东太守萧惠训：巴东郡的郡治鱼腹，在今重庆市奉节东。萧惠训是南齐将领萧惠基的族人。㉑②汶阳太守刘孝庆：汶阳郡的郡治高安，在今湖北远安西北，在巴东郡的正东方。刘孝庆是刘宋名将刘勔之子，刘峻之兄。㉑③峡口：西陵峡口，在今湖北宜昌西。㉑④巴口：巴水流入长江的汇口，在今湖北黄冈东南。㉑⑤赍萧颖胄等议：携带着萧颖胄等人关于军事问题的意见。赍，携带。议，看法、意见。㉑⑥控引秦、梁：上连着秦州、梁州。控引，控制、连接。秦州的辖地本在甘肃的东南部，以今天水市为中心。但这一带地区当时属于魏国管辖，故南齐只设有“梁与南秦二州”，州治在今陕西汉中，两个州共设一个刺史。从汉中一带可以经由汉水过襄阳直达汉口，故萧衍说汉口的形势是“控引秦、梁”。㉑⑦仰此气息：仰仗这一口气，即仰仗我们能控制汉口这一交通要道。㉑⑧所以兵压汉口二句：意思是我们所以能统率数州、号令数州，就因为我们能控制住汉口这一交通咽喉。㉑⑨沮沔路：截断我们这一汉水的生命线。沮，通“阻”，截断。㉒⓪扼吾咽喉：掐住我们的脖子。㉒①彼若欢然知机：寻阳的守军（指陈伯之等）如果能看清形势，倒戈投降。㉒②一说士足矣：我们只消派一个有才干的说客就足够了。㉒③脱距王师：如果他们一旦要和我们打起来。脱，万一、如果。距，抵抗。王师，犹言“义军”，指以萧宝融为旗帜的荆、雍之军。㉒④取之即得：攻下两城也许不难。㉒⑤不减万人：少于一万人是绝对不行的。㉒⑥粮储称是：同时还得有够一万人所需要的粮食与各种物资。称是，与此成比例、与此相适应。㉒⑦卒无所出：这些都不是一下子就能准备好的。卒，通“猝”，仓卒、一时之间。㉘脱东军有上：如果突然有一支朝廷军逆水而来。脱，如果突然。㉙应援：接应、援救。㉚首尾俱弱：攻郢城、鲁山之军与往援西阳、武昌之军者都人少力分。㉛孤城必陷：西阳、武昌两城孤立无援，必然失陷。㉜相次：紧接着。㉝若郢州既拔：如果等着郢城攻下之后（再向东方各城发起攻击）。㉞席卷沿流：则将形成一种顺江而下、风卷残云的局面。㉟自然风靡：不费力气地顺风而倒。㊱何遽：何必忙着。㊲自贻忧患：自己给自己造成麻烦呢。贻，给、造成。㊳欲清天步：想要扫清国家的危难。天步，以喻国家的命运。《诗经》有所谓"天步艰难"。㊴悬河注火：挽起滚滚的黄河以浇那些星星点点的小火。㊵岂容：怎能。㊶北面：向北方的胡虏称臣。㊷示弱于天下：向天下人显示我们的卑弱。㊸彼未必能信：况且魏国也未必就能信任我们，能及时给我们以援助。㊹徒取丑声：白白地落一个"认贼作父"的恶名。㊺白镇军：回去告诉萧颖胄。萧颖胄此时为荆州小朝廷的尚书令，外加镇军将军。㊻前途攻取二句：前方作战的问题，你就交给我，不用多管啦。㊼事在目中：胜利就在眼前，看得清清楚楚。㊽但借镇军靖镇之：我就是仰仗着您的威名来办好这一切。靖镇，弹压、扫平。胡三省曰："萧衍此计，可谓有英雄之略矣。"〖按〗萧颖胄高高在上，指手画脚，萧衍逐层剖析，高屋建瓴，根本也没把萧颖胄放在眼里。㊾武口：胡三省曰，"武湖水出江之口，水上通安陆之延头，今谓之沙武口"。张舜民曰："武口在阳罗洑西北十余里。"㊿渔湖城：与下文之所谓"白阳垒"都是军事据点名，离武口不远。(251)加湖：在当时的滠阳城东的长江北岸，今湖北武汉市黄陂区南。(252)内外各自保：郢州城内的守军与前进至加湖的城外援军都各自坚守营地，不敢相互救援。(253)助防孙乐祖：协助房僧寄组织守城的孙乐祖。(254)初起：开始发动拥立萧宝融以反对建康朝廷。(255)出亡：逃出建康城。(256)庐陵：江州辖区的郡名，郡治在今江西吉水东北。(257)内史：庐陵郡的行政长官，职位与太守相同。因庐陵是诸侯王的封国，故其长官称作内史。(258)豫章：江州辖区的郡名，郡治即今江西南昌。(259)赴之：率兵前往援救。(260)安成：江州辖区的郡名，郡治即今江西安福。(261)南康：江州辖区的郡名，郡治在今江西赣州西。(262)撤屋：拆其屋。(263)朝暮相继：谓移植花木的人一天到晚地干个不停。(264)立市：开办集市贸易。(265)裨贩：意即商贩。胡三省曰："裨，益也。买贱卖贵以自裨益，故曰裨贩。"(266)市令：管理集市的长官。(267)市录事：管理集市的小职员，受潘妃驱使。(268)得失：过失，偏义复词。(269)妃则予杖：潘妃就用棍子打他。(270)大荆：胡三省曰，"牡荆也，俗称之黄荆，以为箠杖"。〖按〗即理解为"粗大的荆条"亦未为不可。(271)实中荻：实心的芦苇。用实心的芦苇打人，虽比大荆好受，但还是有些疼，故萧宝卷告诉太监们当潘妃喝令要打人时，他们只把空心的芦苇递到她手中。(272)开渠立埭：修渠通水，又在渠上建立收费站。古时的地方官吏为了控制渠道以收取钱财，因而故意把渠道的一些咽喉之处弄得水浅，使过往的船只不能正常通行，必须靠收费站装置的机械，或是使用他们安排的人力、畜力前来挽船。这种水上的关卡叫作埭。(273)身自引船：亲自下去给人挽船。(274)屠肉：宰割牲畜。(275)好巫觋：迷信那些男男女女装神弄鬼的骗子。女的曰巫，男的曰觋。㉗⑥乐游苑：原是长安城郊的一个旅游、娱乐之地，南迁的统治者为表达一种怀旧之情，也比照长安另在建康修建一处。就如同洛阳城有华林园，建康城也有个华林园一样。㉗⑦先帝：指齐明帝萧鸾，萧宝卷之父。㉗⑧大嗔：大怒。㉗⑨不许数出：不让你频繁地出来游荡。㉘⓪缚菰为高宗形：用茭白的叶子捆成萧鸾的形状。菰，水生植物名，俗称茭白。㉘①县首苑门：把萧鸾的人头悬挂在乐游苑的门口示众。县，通"悬"。㉘②崔慧景之败：崔慧景以拥立萧宝玄为名进攻建康、兵围台城，因其犹豫不决被萧懿打败被杀事，见本书上卷永元二年。㉘③昭胄：萧昭胄，齐武帝萧赜之孙，竟陵王萧子良之子。崔慧景起初攻入建康时，萧昭胄曾往投之，甚至使崔慧景曾心欲改立萧昭胄为帝。事见本书上卷。㉘④昭颖：萧昭颖，萧昭胄之弟，前曾与其兄一道投靠崔慧景。㉘⑤出投台军：崔慧景被萧懿打败后，萧昭胄兄弟又返回投降于朝廷军的头领胡松。㉘⑥各以王侯还第：当时朝廷没有和他们算账，还让他们保持着各自的爵位回家了。㉘⑦故防阁：曾为萧子良当过王宫卫士的头领。㉘⑧军副：军中的副统领。㉘⑨新亭：地名，在当时的建康城南，地处长江边，依山筑城垒，是交通、军事要地，也是观光、游览的胜地。㉙⓪须昏人出：等某一天那个昏小子再出宫游荡。胡三省曰："须，待也。以帝昏狂，斥指为'昏人'。"㉙①闭城号令：关闭台城，发布新君已经上台，废掉萧宝卷的命令。㉙②还就将军：回身前来投奔你。㉙③闭垒不应：不开军门，不接受他的指令。㉙④三公不足得：得个三公之位不难。当时的三公指司徒、司空、太尉，是最高的加官。其意盖谓那你就是数一数二的大功臣了。㉙⑤健儿：勇士；敢死队。㉙⑥万春门：芳乐苑的侧门。㉙⑦突取之：突然冲入以袭取之。㉙⑧御刀：萧宝卷身边的带刀护卫。㉙⑨麝幐：装麝香的布袋，王山沙所随身携带者。幐，布袋。

【原文】

雍州刺史张欣泰㉚⓪与弟前始安内史㉚①欣时，密谋结胡松及前南谯㉚②太守王灵秀、直阁将军鸿选㉚③等诛诸嬖幸，废东昏。东昏遣中书舍人冯元嗣监军救郢㉚④。

秋，七月甲午㉚⑤，茹法珍、梅虫儿及太子右率李居士、制局监杨明泰送之[16]中兴堂㉚⑥，欣泰等使人怀刀于座斫元嗣，头坠果柈㉚⑦中；又斫明泰，破其腹；虫儿伤数疮㉚⑧，手指皆堕；居士、法珍等散走还台。灵秀诣石头㉚⑨迎建康王宝寅㉛⓪，帅城中将吏见力㉛①，去车轮，载宝寅㉛②，

【校记】

［1］求：原作“求旧”。胡三省注云：“‘旧’字衍。”当是，今据删。［2］子，天子：此三字原为空格。据章钰校，十二行本、乙十一行本皆作“子，天子”，张瑛《通鉴校勘记》同，今据补。［3］阁：据章钰校，十二行本、乙十一行本“阁”下皆有“等”字。［4］疢：据章钰校，十二行本、乙十一行本皆作“疹”。［5］今：原作“令”。严衍《通鉴补》改作“今”，今据以校正。［6］顿：据章钰校，孔天胤本作“屯”。［7］振：张敦仁《通鉴刊本识误》认为应作“镇”。［8］先：原无此字。据章钰校，十二行本、乙十一行本皆有此字，张敦仁《通鉴刊本识误》同，今据补。［9］咸阳王禧意不自安：此八字原无。据章钰校，十二行本、乙十一行本皆有此八字，张瑛《通鉴校勘记》同，今据补。［10］斋：原作“齐”。据章钰校，十二行本、乙十一行本皆作“齐”，今据改。［11］兼：原无此字。据章钰校，十二行本、乙十一行本皆有此字，今据补。［12］之：据章钰校，十二行本、乙十一行本“之”下皆有“后”字。［13］一：原作“两”。据章钰校，十二行本、乙十一行本皆作“一”，张瑛《通鉴校勘记》同，今据改。［14］孙乐祖：原作“张乐祖”。胡三省注云：“乐祖即去年张冲遣助房僧寄者。”严衍《通鉴补》改作“孙乐祖”，当是，今据改。［15］予：据章钰校，十二行本、乙十一行本皆作“与”。

【语译】

齐国担任雍州刺史的张欣泰和他的弟弟前任始安郡内史张欣时，密谋勾结胡松与前任南谯太守王灵秀、直阁将军鸿选等诛除东昏侯所宠信的那些奸佞小人，废掉东昏侯另立新君。东昏侯派遣担任中书舍人的冯元嗣到张欣泰的军队做监军救援郢城。

秋季，七月初二日甲午，茹法珍、梅虫儿以及担任太子右卫率的李居士、担任制局监的杨明泰到中兴堂为冯元嗣饯行，张欣泰等事先已经让人怀揣利刃做好了刺杀冯元嗣等人的准备，遂在饯行的座席上砍杀了冯元嗣，冯元嗣的人头掉在了果盘中；又去砍杀制局监杨明泰，将杨明泰剖膛破肚；梅虫儿也多处受伤，手指头都被砍了下来；李居士、茹法珍等逃回皇宫。王灵秀前往石头城去迎接建康王萧宝寅，他率领石头城中现有的将领和兵力，把车轮去掉，制成肩舆，抬着建安王萧宝寅，

文武数百唱警跸[313]，向台城，百姓数千人皆空手随之。欣泰闻事作，驰马入宫，冀法珍等在外[314]，东昏尽以城中处分见委[315]，表里相应[316]。既而法珍得返，处分闭门上仗[317]，不配欣泰兵[318]，鸿选在殿内亦不敢发。宝寅至[17]杜姥宅[319]，日已暝，城门闭。城上人射外人[320]，外人弃宝寅溃去，宝寅亦逃。三日，乃戎服诣草市尉[321]，尉驰以启东昏。东昏召宝寅入宫问之，宝寅涕泣称："尔日[322]不知何人逼使上车，仍将去[323]，制不自由[324]。"东昏笑，复其爵位。张欣泰等事觉，与胡松皆伏诛。

萧衍使征虏将军王茂、军主曹仲宗等乘水涨以舟师袭加湖，鼓噪攻之。丁酉[325]，加湖溃，吴子阳等走免[326]，将士杀溺死者万计，俘其余众而还。于是郢、鲁二城相视夺气[327]。

乙巳[328]，柔然犯魏边。

鲁山乏粮，军人于矶头[329]捕细鱼[330]供食，密治轻船，将奔夏口，萧衍遣偏军[331]断其走路。丁巳[332]，孙乐祖窘迫，以城降。

己未[333]，东昏侯以程茂为郢州刺史，薛元嗣为雍州刺史。是日，茂、元嗣以郢城降。郢城之初围也，士民男女近十万口；闭门二百余日，疾疫流肿[334]，死者什七八[335]，积尸床下而寝其上，比屋[336]皆满。茂、元嗣等议出降，使张孜[337]为书与衍。张冲故吏青州治中[338]房长瑜谓孜曰："前使君[339]忠贯昊天[340]，郎君[341]但当坐守画一[342]，以荷析薪[343]。若天运不与[344]，当幅巾待命[345]，下从使君[346]。今从诸人之计，非唯郢州士

数百名文武官员跟随着萧宝寅，口中高喊“戒严啦”，一直奔向台城，数千名百姓空着手跟随着萧宝寅的队伍向台城前进。张欣泰听到已经发生政变的消息之后，立即骑上快马进入皇宫，希望趁着茹法珍等人当时不在东昏侯身边的机会，东昏侯会把部署守卫台城的事情全都委托给自己负责，这样自己就可以与城外的王灵秀等里应外合。然而不一会儿的工夫茹法珍便逃回了宫中，茹法珍令人关闭城门，派兵加强防守，萧宝卷没有让张欣泰统领军队，直阁将军鸿选在殿内也不敢独自采取行动。萧宝寅被人抬到台城城外的杜姥宅的时候，天色已经昏暗，城门已经关闭。城上的守军向城外的人放箭，城外的人抛下萧宝寅四处逃散，萧宝寅也只好逃走。三天以后，萧宝寅换上普通士兵的军服前往管理草市的草市尉那里，草市尉骑上马飞快地去向东昏侯报告。东昏侯召萧宝寅入宫，责问萧宝寅为什么造反，萧宝寅哭着说：“那一天也不知道是些什么人非得逼着让我上车，我上车之后他们就抬着我走了，当时我以皇帝口气说的话，是他们逼着我这样做的，并不是我心甘情愿的。”东昏侯听后便笑了起来，于是恢复了萧宝寅建安王的爵位。张欣泰等人图谋政变的事情被发觉，张欣泰与胡松全被杀死。

萧衍派遣担任征虏将军的王茂、部将曹仲宗等人趁着江水水位上涨的机会率领水军舰船去袭击加湖，王茂等擂鼓呐喊，猛攻加湖守军。七月初五日丁酉，加湖被攻破，守卫加湖的吴子阳等人逃脱，吴子阳属下的将士被杀死和淹死的数以万计，王茂、曹仲宗把其余的全部俘虏，胜利而回。郢州城、鲁山城的守军眼巴巴地看着加湖丢失却没法救援，军队士气遂一落千丈。

十三日乙巳，柔然出兵侵犯魏国的北部边境。

鲁山城内的守军已经把粮食吃光了，士兵们便在水边石滩上捕捉小鱼充饥，他们秘密地准备了一些轻快的小舟，准备逃往夏口，萧衍派遣一支小部队切断了鲁山逃往夏口的道路。二十五日丁巳，接替房僧寄守卫鲁山的孙乐祖在走投无路的情况下，只得献出鲁山城，向萧衍投降。

七月二十七日己未，建康的东昏侯任命程茂为郢州刺史，任命骁骑将军薛元嗣为雍州刺史。就在任命的当天，程茂、薛元嗣便献出郢城，向萧衍投降了。郢城刚刚被围困的时候，城中的士大夫、平民百姓等男男女女有近十万人；城门关闭了二百多天，城中因为瘟疫流行而浮肿死亡的，每十个人里头就有七八个人，因为无法出城掩埋尸体，只好把尸体堆积在床下，活人睡在床上，家家户户都堆满了死尸。程茂、薛元嗣等商议出城投降，他们让张冲的儿子张孜写信给萧衍。张冲在担任青州刺史时在他手下担任治中的房长瑜对张孜说：“你父亲张冲对朝廷忠心耿耿，上贯天日，你就应当坚持既定的方针政策不变，继承你父亲的遗志，完成你父亲的使命。如果上天不肯帮助我们而使郢城被攻陷，到那时就应当脱去官服，用布包头，等待最后被杀，以死明志，到地下去追随你的父亲。如今你听从这些人的意见投降萧衍，

女失高山之望[347]，亦恐彼所不取[348]也。”孜不能用。萧衍以韦叡为江夏太守，行郢府事，收瘗[349]死者而抚其生者，郢人遂安。

诸将欲顿军夏口，衍以为宜乘胜直指建康，车骑谘议参军张弘策[350]、宁远将军庾域[351]亦以为然。衍命众军即日上道。缘江至建康，凡矶、浦、村落，军行宿次、立顿处所[352]，弘策逆为图画[353]，如在目中。

辛酉[354]，魏大赦。

魏安国宣简侯王肃[355]卒于寿阳[356]，赠侍中、司空。初，肃以父死非命[357]，四年不除丧。高祖曰：“三年之丧，贤者不敢过[358]。”命肃以祥禫之礼除丧[359]。然肃犹素服[360]，不听乐终身。

汝南民胡文超起兵于滠阳[361]以应萧衍，求取义阳、安陆[362]等郡以自效。衍又遣军主唐脩期攻随郡[363]，皆克之。司州[364]刺史王僧景遣子贞孙[18]为质于衍，司部[365]悉平。

崔慧景之死也，其少子偃为始安内史[366]，逃潜得免。及西台建，以偃为宁朔将军。偃诣公车门[367]上书曰：“臣窃惟高宗之孝子忠臣，而昏主之乱臣贼子者，江夏王[368]与陛下，先臣[369]与镇军[370]是也。虽成败异术而所由同方[371]。陛下初登至尊，与天合符[372]。天下纤芥[19]之屈，尚望陛下申之。况先帝之子、陛下之兄[373]所行之道，即陛下所由[374]哉！此尚不恤[375]，其余何冀！今不可幸小民之无识而罔之[376]，若使晓然知其情节[377]，相帅而逃[378]，陛下将何以应之哉！”事寝不报[379]。偃又上疏曰：“近冒陈江夏之冤，非敢以父子之亲而伤至公之义，诚不晓圣朝所以然[380]之意。若以狂主[381]虽狂[20]，实是天子；江夏虽贤，实是人臣。先臣奉人臣逆人君为不可，未审今之严兵劲卒直[21]指象魏[382]者，其故何哉？臣所以不死，苟存视息[383]，非有他故，所以待皇运之开泰[384]，

不仅郢州城内的男女老少失去对你的仰慕，甚至我们的敌人也瞧不起你。”张孜没有听从房长瑜的劝阻。萧衍任命韦叡为江夏太守，兼任郢州刺史的职务，他们收拾、掩埋了郢州城内的死者，安抚了那些还活着的人，郢州城内的百姓这才安定下来。

萧衍的各位将领都主张把军队驻扎在夏口，萧衍认为应当乘胜直指建康，担任车骑谘议参军的张弘策、宁远将军庾域也都同意萧衍的意见。萧衍于是命令各军当天出发向建康进军。他们沿着长江顺流东下，一直到建康，沿途经过的山崖、渡口、村落，凡是军队前进中可以住宿、可以停留休息的地方，张弘策都预先标记得清清楚楚，如在目前。

七月二十九日辛酉，魏国实行大赦。

魏国安国宣简侯王肃在寿阳去世，朝廷追赠王肃为侍中、司空。当初，王肃因为自己的父亲王奂在齐国被齐武帝萧赜所杀，死于非命，因此四年不曾脱下丧服。魏高祖元宏说："为父母守孝三年，即使是贤明的人也不敢违背。"元宏命令王肃举行过祥禫之礼后换去丧服。王肃虽然遵命脱掉了丧服，却仍然穿着素色衣服，而且终其一生不听音乐。

齐国汝南郡的百姓胡文超在滠阳县起兵响应萧衍，他请求为萧衍夺取义阳、安陆等郡，为萧衍效劳。萧衍又派遣部将唐脩期率军攻取随郡，义阳、安陆、随郡全部被攻克。担任司州刺史的王僧景把自己的儿子王贞孙送到萧衍那里充当人质，司州所管辖的整个地区遂全部被萧衍所占领。

崔慧景被杀死的时候，他的小儿子崔偃正在始安王萧宝览的封地内担任内史，由于及早潜逃得以幸免于难。等到南康王萧宝融在江陵称帝建立了小朝廷之后，任命崔偃为宁朔将军。崔偃前往公交车门给和帝萧宝融上书说："我私下里认为江夏王与陛下，还有我的父亲崔慧景与镇军将军萧颖胄都是高宗皇帝的孝子忠臣，是小昏君萧宝卷的乱臣贼子。虽然成败的结果不同，但举义兵，讨伐昏君的行为是一样的。陛下刚刚登基做了皇帝，这与上天的意旨完全一致。天下平民百姓的冤屈，尚且盼望陛下为他们申冤昭雪。更何况先帝的儿子、陛下的哥哥江夏王所走过的道路，正是今天陛下所走的道路呢！江夏王的冤屈尚且得不到昭雪，其他的人还有什么希望呢！现在不能再心存侥幸，认为小民愚昧无知而向他们隐瞒，如果日后他们一旦明白了事实真相，他们就会纷纷离陛下而去，陛下将用什么办法来对付他们呢！”崔偃的奏章被压下来，没有了下文。崔偃又上书给和帝说："近来我贸然地为江夏王申诉冤情，绝不敢为了我的父子私情而伤害最大的公平和正义，我确实不知道圣明的朝廷所以这么做的原因。如果朝廷认为建康的小皇帝萧宝卷虽然狂妄，但他毕竟是天子；江夏王萧宝玄虽然贤能，毕竟还是萧宝卷的臣下。认为我的先父崔慧景拥戴贤良的江夏王反对狂妄的君主是不可以的，我就不明白陛下今天率领精兵锐卒直接对着建康朝廷，是什么缘故？我所以没有去死，苟且地活到今天，不是因为别的原因，就是在等待国家出现一个好皇帝，

申忠魂之枉屈。今皇运已开泰矣，而死社稷者返为贼臣[385]，臣何用此生于陛下之世矣！臣谨按镇军将军臣颖胄、中领军臣详，皆社稷之臣也，同知[386]先臣股肱江夏[387]，匡济王室，天命未遂，主亡与亡，而不为陛下瞥然一言[388]。知而不言，不忠；不知而不言，不智也。如以先臣遣使，江夏斩之[389]，则征东之驿使，何为见戮[390]？陛下斩征东之使，实诈山阳；江夏违先臣之请，实谋孔矜[391]。天命有归[392]，故事业不遂[393]耳。臣所言毕矣，乞就汤镬！然臣虽万没[394]，犹愿陛下必申先臣[395]。何则？恻怆而申之[396]，则天下伏[397]；不恻怆而申之，则天下叛。先臣之忠，有识所知，南、董之笔[398]，千载可期[399]，亦何待陛下屈申而为褒贬[400]！然小臣惓惓之愚[401]，为陛下计耳。”诏报曰：“具知卿惋切[402]之怀，今当显加赠谥。”偃寻下狱死[403]。

八月丁卯[404]，东昏侯以辅国将军申胄监豫州事[405]。辛未[406]，以光禄大夫张瓌镇石头[407]。

初，东昏侯遣陈伯之镇江州，以为吴子阳等声援。子阳等既败，萧衍谓诸将曰：“用兵未必须实力，所听威声耳。今陈虎牙狼狈奔归[408]，寻阳人情[409]理当恟惧[410]，可传檄而定[411]也。”乃命搜俘囚[412]，得伯之幢主[413]苏隆之，厚加赐与，使说伯之，许即用为安东将军、江州刺史。伯之遣隆之返命[414]，虽许归附，而云“大军未须遽下[415]”。衍曰：“伯之此言，意怀首鼠[416]。及其犹豫，急往逼之，计无所出，势不得不降。”乃命邓元起引兵先下，杨公则径掩柴桑[417]，衍与诸将以次进路。

为忠魂申冤昭雪。如今国家已经有了好皇帝，而为国家社稷牺牲了性命的人却还背着一个造反逆贼的罪名，我何必再让我的一生活在陛下之世呢！我认为担任镇军将军的大臣萧颖胄、担任中领军的大臣夏侯详，都是国家的重臣，他们都应该知道我的先父崔慧景是江夏王的骨干之臣，为了匡扶王室，壮志未酬，主子被杀死，我的先父作为江夏王的臣属也随着他死了，而萧颖胄他们竟然不向陛下言语一声。如果他们知而不言，就是对陛下不忠；如果是因为不知而不言，就是不智。如果认为我的先父派使者到江夏王那里，江夏王把使者杀掉了，从而认定我父亲的行为属于不忠，那么征东将军萧衍派往江陵进行举事联络的使者王天虎，为什么也被陛下杀死了呢？陛下杀死征东将军的使者王天虎，实际上是为了欺骗建康朝廷所派的将领刘山阳；当初江夏王拒绝我父亲的请求，并杀死我父亲所派的使者，目的是暂时稳住在他身边的朝廷势力司马孔矜等人。谁知天命是向着陛下的，所以江夏王、我父亲崔慧景他们的事业没有成功。我要说的话已经说完了，请陛下把我扔到汤锅里煮了吧！然而我即使死一万遍，还是希望陛下一定要为江夏王和我的父亲申冤平反。为什么呢？能动恻隐之心为他们申冤平反，那么天下的人就会佩服陛下、感激陛下；没有恻隐之心，不能为他们申冤平反，天下人就会背叛陛下。我父亲对国家社稷的忠诚，是有识之士所共知的，南史、董狐那样正直的历史家自然会秉笔直书，即使再过一千年，总会有人为他们平反，对他们做出公正的评价，又何必非等陛下为他们平反或不平反，对他们是褒扬或是贬抑呢！然而我这个级别低下的小臣所以要一再恳切地申述，实际上也是为陛下考虑。”和帝下诏答复说：“我已经完全了解了你哀婉、痛切的心情，我即将公开为你父亲追加谥号。”不久，崔偃被逮捕入狱，死在狱中。

八月初五日丁卯，齐国的东昏侯命担任辅国将军的申胄去监督豫州地区的军民动态。初九日辛未，又命担任光禄大夫的张瓌去加强石头城的防御。

当初，东昏侯派遣陈伯之前往镇守江州，以声援率军前往郢州救援的将领吴子阳等人。吴子阳等人被打败以后，萧衍对属下的诸将说：“用兵打仗不一定全靠军事实力，有时也要凭借威名和声势。如今陈虎牙看见吴子阳兵败便狼狈地逃往寻阳去投奔他的父亲陈伯之，寻阳城里的人此时应该是非常恐惧，我们可以不必用兵，只需发布一道通告出去，寻阳城里的人就会望风而降。”于是命人从俘虏当中搜寻可供使用的人，找到了陈伯之手下一个名叫苏隆之的小头目，萧衍赏赐给苏隆之很多钱财，让他去劝说陈伯之投降，许诺陈伯之如果投降，就任用陈伯之为安东将军、江州刺史。陈伯之派苏隆之回来复命，虽然答应向萧衍投降，却又认为“你们的军队现在还不能立即顺流东下”。萧衍说：“陈伯之说这番话，说明他心里还在犹疑不决、左右观望。我们要趁着他犹豫不定的时候赶紧进逼寻阳，陈伯之到了无计可施、走投无路的时候，就不得不向我们投降了。”萧衍于是命令冠军将军邓元起率领军队先行向寻阳进发，令杨公则率军直接袭取柴桑口，萧衍与其余各将随后依次进发。

元起将至寻阳，伯之收兵退保湖口418，留陈虎牙守湓城419。选曹郎吴兴沈瑀420说伯之迎衍。伯之泣曰："余子在都，不能不爱421。"瑀曰："不然。人情匈匈422，皆思改计，若不早图，众散难合。"丙子423，衍至寻阳，伯之束甲424请罪。

初，新蔡425太守席谦父恭穆[22]为镇西司马，为鱼复侯子响426所杀。谦从伯之镇寻阳，闻衍东下，曰："我家世忠贞，有殒不二427。"伯之杀之。乙卯428，以伯之为江州刺史，虎牙为徐州刺史。

鲁休烈、萧璝破刘孝庆等于峡口，任漾之战死。休烈等进至上明429，江陵大震。萧颖胄恐，驰告萧衍，令遣杨公则还援根本430。衍曰："公则今溯流上江陵，虽至，何能及事？休烈等乌合之众，寻自退散，正须少时持重431耳。良须兵力432，两弟在雍，指遣往征433，不为难至。"颖胄乃遣军主434[23]蔡道恭假节屯上明以拒萧璝。

辛巳435，东昏侯以太子左率李居士总督西讨诸军事，屯新亭。

九月乙未436，诏萧衍若定京邑，得以便宜从事437。衍留骁骑将军郑绍叔守寻阳，与陈伯之引兵东下，谓绍叔曰："卿，吾之萧何、寇恂438也。前涂439不捷，我当其咎；粮运不继，卿任其责。"绍叔流涕拜辞。比克建康440，绍叔督江、湘粮运，未尝乏绝。

魏司州牧广阳王嘉441请筑洛阳三百二十三坊442，各方三百步443，曰："虽有暂劳，奸盗永息。"丁酉444，诏发畿内445夫五万人筑之，四旬而罢446。

己亥447，魏立皇后于氏。后，征虏将军劲448之女；劲，烈之弟也。自祖父栗磾以来，累世贵盛，一皇后449，四赠公450，三领军451，二尚书令452，

邓元起的军队快要到达寻阳的时候，陈伯之将寻阳兵集中起来退到湖口坚守，他留下自己的儿子陈虎牙率领一部分军队守卫溢城。担任选曹郎的吴兴郡人沈瑀劝说陈伯之迎接萧衍进城。陈伯之哭着说："我的儿子还在都城建康，我不能不顾及他们的性命。"沈瑀说："您的想法不对。现在人心喧扰不安，都在思考着如何改变自己的处境，您如果不早做打算，众心离散之后就很难再聚合了。"八月十四日丙子，萧衍到达寻阳，陈伯之放下武器、脱下铠甲向萧衍请罪。

当初，担任南新蔡太守的席谦的父亲席恭穆担任镇西司马，被鱼复侯萧子响所杀。席谦跟随陈伯之镇守寻阳，他听说萧衍率军东下的消息后，说："我家世代忠贞，我至死都不会改变。"陈伯之于是把席谦杀死。乙卯日，萧衍任命陈伯之为江州刺史，任命他的儿子陈虎牙为徐州刺史。

鲁休烈、萧璝等在峡口打败了刘孝庆，巴东太守任漾之阵亡。鲁休烈等人进兵到达江陵郡西面的上明，西部小朝廷的都城江陵受到很大的威胁，人心大为惊恐。萧颖胄非常恐惧，他派人飞马告知萧衍，令萧衍立即派杨公则率军返回江陵救援。萧衍答复说："让杨公则现在率军溯流西上去救援江陵，即使杨公则到达江陵，又怎么能来得及呢？鲁休烈等不过是一群乌合之众，用不了多久就会自行退散，只需要你们那里稳住军队，稍稍坚持一下。如果江陵的确兵力不足需要援助的话，我的两个弟弟都在雍州，你可以指派他们前去征兵，他们及时赶到江陵并不难。"萧颖胄这才派遣部将蔡道恭假节，率军驻扎在上明以抵抗萧璝。

八月十九日辛巳，东昏侯令担任太子左卫率的李居士总督西讨诸军事，率军驻扎在新亭。

九月初四日乙未，和帝萧宝融下诏给萧衍，如果攻克了京城建康，可以根据具体情况独立自主地安排处理京城的一切事务。萧衍留下担任骁骑将军的郑绍叔守卫寻阳城，自己则与江州刺史陈伯之率军东下，萧衍对郑绍叔说："你，就是我的萧何和寇恂。进取京师建康如果不能获胜，由我承担责任；如果大军的粮秣供应不上，就由你承担责任。"郑绍叔流着眼泪向萧衍告辞。从说话的时候起一直到萧衍攻克建康城的这段时间里，郑绍叔督运江州、湘州的粮食源源不断地供应前方，萧衍大军的粮食供应从来没有缺乏、中断过。

魏国担任司州牧的广阳王元嘉请求在洛阳城内修建三百二十三个街区，每个街区纵横三百步见方，元嘉说："虽然百姓修筑街区会有暂时的辛劳，但可以使盗贼永远销声匿迹。"九月初六日丁酉，魏世宗下诏从京城洛阳的郊区征调五万民工到洛阳城内修建街区，只用了四十天就完成了环绕各坊之外的围墙。

初八日己亥，魏世宗立于氏为皇后。于皇后，是征虏将军于劲的女儿；于劲，是领军将军于烈的弟弟。从于烈的祖父于栗磾以来，于家一连几代人都地位尊贵，权势显赫，于家一共出了一位皇后，四个人被赠为三公，三个人曾经担任领军将军，

三开国公[453]。

甲申[454]，东昏侯以李居士为江州刺史，冠军将军王珍国为雍州刺史，建安王宝寅为荆州刺史，辅国将军申胄监郢州，龙骧将军扶风马仙琕监豫州，骁骑将军徐元称监徐州军事。珍国，广之[455]之子也。是日，萧衍前军至芜湖[456]，申胄军二万人弃姑孰[457]走，衍进军，据之。戊申[458]，东昏侯以后军参军萧璝为司州刺史，前辅国将军鲁休烈为益州刺史。

萧衍之克江、郢也，东昏游〔24〕骋[459]如旧，谓茹法珍曰："须来至白门[460]前，当一决。"衍至近道[461]，乃聚兵为固守之计。简二尚方、二冶囚徒[462]以配军，其不可活者[463]，于朱雀门[464]内日斩百余人。

衍遣曹景宗等进顿〔25〕江宁[465]。丙辰[466]，李居士自新亭选精骑一千至江宁。景宗始至，营垒未立，且师行日久，器甲穿弊[467]。居士望而轻之，鼓噪直〔26〕前薄[468]之。景宗奋击，破之，因乘胜而前，径至皂荚桥[469]。于是王茂、邓元起〔27〕、吕僧珍进据赤鼻逻[470]，新亭城主[471]江道林引兵出战，众军擒之于陈[472]。衍至新林[473]，命王茂进据越城，邓元起据道士墩，陈伯之据篱门[474]，吕僧珍据白板桥[475]。李居士觇知[476]〔28〕僧珍众少，帅锐卒万人直来薄垒[477]。僧珍曰："吾众少，不可逆战[478]，可勿遥射，须至堑里[479]，当并力破之。"俄而皆越堑拔栅，僧珍分人上城，矢石俱发，自帅马步三百人出其后，城上〔29〕复逾城而下[480]，内外奋击，居士败走，获其器甲不可胜计。居士请于东昏侯，烧南岸邑屋[481]以开战场，自大航[482]以西，新亭以北皆尽。衍诸弟皆自建康自拔[483]赴军。

冬，十月甲戌[484]，东昏侯遣征虏将军王珍国、军主胡虎牙将精兵

两个人先后担任过尚书令，三个人因为功劳被封为开国公。

甲申日，东昏侯任命李居士为江州刺史，任命担任冠军将军的王珍国为雍州刺史，任命建安王萧宝寅为荆州刺史，令担任辅国将军的申胄监督郢州地区的军民动态，令担任龙骧将军的扶风郡人马仙琕监督豫州地区的军民动态，令担任骁骑将军的徐元称监督徐州地区的军事行动。王珍国，是王广之的儿子。当天，萧衍的前锋部队已经到达芜湖，申胄的二万军队放弃姑孰县城逃走，萧衍随即赶来，占领了姑孰县城。十七日戊申，东昏侯任命担任后军参军的萧璝为司州刺史，任命前任辅国将军鲁休烈为益州刺史。

萧衍率军攻克江州、郢州之后，建康城内的东昏侯依然像往常一样任意地四处游乐、驰骋，他对自己的亲信茹法珍说："等到萧衍的军队来到建康城西门的时候，我要与他决一死战。"萧衍的大军已经前进到了离建康城不远的地方，萧宝卷才聚集兵力考虑如何坚守建康的办法。他从左右两个尚方署与东西两个冶炼场的劳役犯中挑选那些罪行较轻的去补充兵员，那些犯罪情节特别严重，不能放出去当兵的，就在朱雀门内每天斩杀一百多人。

萧衍派遣部将曹景宗等人进驻江宁县。九月二十五日丙辰，李居士率领着从新亭的守军中挑选出来的一千名精骑兵前往江宁御敌。曹景宗刚到江宁，营垒还没有建好，再加上军队长时间行军，士卒已经十分疲惫，兵器铠甲也都破烂不堪。李居士看到这支狼狈不堪的军队便产生了一种轻敌的思想，他令手下的战士擂鼓呐喊径直向曹景宗的队伍冲杀过去。曹景宗指挥自己的军队奋起还击，打败了李居士的进攻，并乘胜前进，一直杀到建康城西南近郊的皂荚桥。此时王茂、担任冠军将军的邓元起、吕僧珍等人也率军进占了赤鼻逻，建康朝廷派驻新亭要塞的军事头领江道林率军出来迎战，众军在交战中把江道林活捉。萧衍率军到达新林，他命令王茂率军去攻占越城，派邓元起去攻占道士墩，派陈伯之去攻占建康外城的西篱门，派吕僧珍去攻占白板桥。李居士探听到吕僧珍所率的军队数量很少，就率领一万名精锐士兵径直向占据白板桥的吕僧珍军发起进攻。吕僧珍分析说："我们的军队数量少，不能出城垒正面去迎战敌军，也不要远距离向敌军放箭，必须等到敌军逼近我们城垒周围堑壕的时候，我们再集中全部兵力打败敌人。"不一会儿的工夫，李居士的士兵就全部越过堑壕前来拔取寨栅。吕僧珍分出一部分兵力登上城墙，箭与石头一齐向李居士的军队射过去、砸过去，吕僧珍亲自率领三百名骑兵步兵绕到敌军的后方，城上的守军又从四面跳下城墙，内外奋力夹击敌军，李居士被打败逃走，吕僧珍的军队缴获了李居士丢弃的武器铠甲不计其数。李居士向东昏侯请示，烧毁秦淮河南岸的民房，开辟成战场，于是从大航以西、新亭以北全部化为了一片灰烬。萧衍的弟弟们全都趁机从建康城里脱身逃出投奔了萧衍的军队。

冬季，十月十三日甲戌，东昏侯派遣担任征虏将军的王珍国、将领胡虎牙率领

十万余人陈于朱雀航南，宦官王宝孙持白虎幡督战，开航背水[485]，以绝归路。衍军小却[486]，王茂下马，单刀直前，其甥韦欣庆执铁缠矟[487]以翼之[488]，冲击东军，应时而陷[489]。曹景宗纵兵乘之[490]，吕僧珍纵火焚其营，将士皆殊死战，鼓噪震天地[491]。珍国等众军不能抗，王宝孙切骂[492]诸将帅，直阁将军席豪发愤，突阵而死。豪，骁将也，既死，士卒土崩，赴淮死者无数，积尸与航等，后至者乘之而[30]济[493]。于是东昏侯诸军望之皆溃。衍军长驱至宣阳门[494]，诸将移营稍前[495]。

陈伯之屯西明门[496]，每城中有降人出，伯之辄呼与耳语。衍恐其复怀翻覆，密语伯之曰："闻城中甚忿卿举江州降，欲遣刺客中卿[497]，宜以为虑[498]。"伯之未之信。会东昏侯将郑伯伦来降，衍使伯伦过伯之[499]，谓曰："城中甚忿卿，欲遣信[500]诱卿以封赏，须卿复降[501]，当生割卿手足；卿若不降，复欲遣刺客杀卿。宜深为备。"伯之惧，自是始无异志[502]。

戊寅[503]，东昏宁朔将军徐元瑜以东府城[504]降。青、冀二州[505]刺史桓和入援，屯东宫。己卯[506]，和诈东昏云出战，因[507]以其众来降。光禄大夫张瓌弃石头还宫。李居士以新亭降于衍，琅邪城主[508]张木亦降。壬午[509]，衍镇石头[510]，命诸军攻六门[511]。东昏烧门内营署、官府，驱逼士民，悉入宫城，闭门自守。衍命诸军筑长围守之。

杨公则屯领军府垒北楼[512]，与南掖门[513]相对，尝登楼望战。城中遥

十万多名精兵在朱雀航南边布好阵势，宦官王宝孙手里拿着绣有白虎图案的旗幡在军中督战，他们拆掉了秦淮河上的浮桥，让秦淮河南岸的守军在断绝了后路的情况下背水作战。萧衍的军队见此情景便有些军心动摇，稍稍向后退却，王茂立即跳下战马，手执单刀奋勇向敌军冲杀过去，王茂的外甥韦欣庆手里拿着用细铁丝缠柄的长矛在王茂的左右两翼保护着王茂，他手下的军队也全都英勇地向建康军发起猛攻，顿时将王珍国的军阵攻破。萧衍的部将曹景宗也趁势出兵向敌军发起猛烈攻击，吕僧珍令手下的军士放火焚烧了建康军的军营，所有的将士全都拼死作战，擂鼓呐喊的声音惊天动地。王珍国等人所率领的建康军抵抗不住西军的猛烈进攻，节节败退，担任督军的宦官王宝孙严厉地责骂诸将帅无能，担任直阁将军的席豪立志要为建康朝廷尽忠，于是冲入敌阵而死。席豪，是一位骁将，席豪一死，建康军立刻土崩瓦解，跳入秦淮河被水淹死的士兵多得无法计算，尸体堆积得与朱雀航一样高，后面的人遂踩着他们的尸体渡过秦淮河。东昏侯的各路军队看到王珍国的军队已经战败，于是全部溃散。萧衍的军队遂长驱直入，一直抵达建康城南门的宣阳门，其他将领也都率军逐渐逼近建康城。

陈伯之率军屯扎在建康城的西明门，每当建康城中有人出来投降的时候，陈伯之都要把他们叫到自己的跟前与他们小声地交谈一番。萧衍担心陈伯之心怀反复，就秘密地对陈伯之说："听说建康城里的人对你献出江州投降江陵非常气愤，他们想派刺客前来刺杀你，你应该在这方面加强防范。"陈伯之没有相信萧衍的话。恰遇东昏侯属下的将领郑伯伦来向萧衍投降，萧衍遂让郑伯伦去拜访陈伯之，对陈伯之说："城中的人非常恨你，他们准备派使者到你这里来，用高官厚禄引诱你向朝廷投降，等你真的投降回到朝廷之后，他们就要活着剁下你的手脚；如果你不投降朝廷，朝廷就准备再派刺客前来刺杀你。你应该认真地做好防备。"陈伯之感到非常恐惧，从这以后陈伯之才算死心塌地归顺了萧衍。

十月十七日戊寅，在东昏侯属下担任宁朔将军的徐元瑜献出东府城向萧衍投降。担任青、冀二州刺史的桓和率领青、冀二州的军队赶到建康来救援朝廷，他把军队屯扎在东宫。十八日己卯，桓和欺骗东昏侯说要出城与叛军作战，便趁机带领自己的部队投降了萧衍。担任光禄大夫的张瓌放弃了自己所镇守的石头城回到宫廷。江州刺史李居士献出新亭投降了萧衍，镇守琅邪城的将领张木也投降了萧衍。二十一日壬午，萧衍的军事指挥部进驻石头城，下令各军向建康城的六个城门发起猛攻。东昏侯下令烧毁城门内的军营、官府，驱赶、逼迫着所有的官吏百姓，全部进入宫城，然后关闭宫城各门进行防守。萧衍命令各军修筑起长长的包围圈把宫城团团围困。

杨公则率领军队屯扎在领军将军府北楼的军事据点上，这里与宫城南门旁边的侧门遥遥相对，杨公则曾经登上城楼观望战况。宫城中的士兵远远望见领军将军府

见麾盖[514]，以神锋弩[515]射之，矢贯胡床[516]，左右失色。公则曰："几中吾脚[517]！"谈笑如初。东昏夜选勇士攻公则栅，军中惊扰，公则坚卧不起[518]，徐命击之，东昏兵乃退。公则所领皆湘州人，素号怯懦，城中轻之，每出荡[519]，辄先犯公则垒。公则奖厉[520]军士，克获[521]更多。

先是，东昏遣军主左僧庆屯京口[522]，常僧景屯广陵[523]，李叔献屯瓜步[524]。及申胄自姑孰奔归，使屯破墩[525]，以为东北声援。至是，衍遣使晓谕，皆帅其众来降。衍遣弟辅国将军秀镇京口，辅国将军恢[526]镇破墩，从弟宁朔将军景[527]镇广陵。

十一月丙申[528]，魏以骠骑大将军穆亮[529]为司空。丁酉[530]，以北海王详为太傅，领司徒。初，详欲夺彭城王勰司徒，故谮而黜之[531]。既而畏人议己，故但为大将军，至是乃居之。详贵盛翕赫[532]，将作大匠[533]王遇多随详所欲，私以官物给之。司徒长史于忠责遇于详前曰："殿下，国之周公[534]，阿衡王室[535]，所须材用，自应关旨[536]，何至阿谀附势，损公惠私[537]也！"遇既踧踖[538]，详亦惭谢。忠每以鲠直为详所忿，尝骂忠曰："我忧在前见尔死，不忧尔见我死时也[539]！"忠曰："人生于世，自有定分[540]，若应死于王手[541]，避亦不免；若其不尔，王不能杀！"忠以讨咸阳王禧功，封魏郡公，迁散骑常侍，兼武卫将军[542]。详因忠表让[543]之际，密劝魏主以忠为列卿[544]，令解左右[545]，听其让爵[546]。于是诏停其封，优进太府卿[547]。

巴东献武公[548]萧颖胄以萧瑨与蔡道恭相持不决[549]，忧愤成疾[550]，

的城楼上出现了杨公则的大将仪仗，于是就用射程远而有力的神锋弩向杨公则这边射箭，射来的箭头穿透了杨公则的座椅，杨公则身边的人全都大惊失色。杨公则说："差一点射中我的脚！"他依然像往常一样有说有笑，一点也不慌张。东昏侯选派勇士利用黑夜做掩护进攻杨公则的寨栅，军营之中立即慌乱起来，而杨公则一直躺在床上没有起来，他从容地下达出兵反击的命令，萧宝卷的军队这才被打退。杨公则所率领的都是湘州人，一向被人认为怯懦，宫城里的人因此都不把杨公则的军队放在眼里，他们每次出城挑战，首先遭到攻击的肯定是杨公则的营垒。杨公则总是奖励军士，因此杨公则的军队所取得的胜利和缴获的战利品反而更多。

此前，东昏侯派遣将领左僧庆率领一支军队屯扎在京口，常僧景率领一支军队屯扎在广陵，李叔献率领一支军队屯扎在瓜步。等到辅国将军申胄从姑孰逃回建康以后，建康朝廷又派申胄率军屯扎在破墩，作为东北方面军的声援。此时，萧衍派遣使者分别到他们那里为他们分析利害关系，于是左僧庆、常僧景、李叔献、申胄等便全都率领着他们的军队前来投降了萧衍。萧衍派遣他那担任辅国将军的弟弟萧秀镇守京口，派担任辅国将军的弟弟萧恢镇守破墩，派担任宁朔将军的堂弟萧景镇守广陵。

十一月初六日丙申，魏国朝廷任命担任骠骑大将军的穆亮为司空。初七日丁酉，任命北海王元详为太傅，兼任司徒。当初，元详想从彭城王元勰手里夺取司徒的职位，所以在魏世宗面前说元勰的坏话，致使元勰被免职。后来元详又惧怕别人议论自己，所以只担任了大将军，到现在才开始担任司徒。元详地位尊贵，权势显赫，担任将作大匠的王遇大多数情况下都极力满足元详的私人欲望，私下里把官府的财物提供给元详私人使用。担任司徒长史的于忠曾经当着元详的面责备王遇说："北海王殿下，是当今皇帝的叔父，他辅佐天子，维护皇帝家族的利益，北海王殿下需要什么物品，自然应当禀告皇帝知晓，你何至于阿谀奉承，趋炎附势，拿公家的东西做人情呢！"王遇听了于忠的一番话以后感到有些局促不安，元详也很惭愧地向于忠道歉。于忠每每因为自己的耿直而引起元详的愤恨，元详曾经诅咒于忠说："我相信你一定会死在我的前头，而不担心你会看到我死的时候！"于忠说："人活在这个世界上，能活多大岁数都是老天爷预先规定好了的，如果上天注定了我必须死在王爷的手里，我就是想躲也逃不掉；如果上天注定我不该死在王爷的手里，王爷您也不能杀死我！"于忠因为讨伐咸阳王元禧有功，被世宗封为魏郡公，提升为散骑常侍，兼武卫将军。元详趁着于忠上表谦让之际，秘密地劝说魏世宗任命于忠为卿一级的朝廷官员，免去于忠所担任的散骑常侍、武卫将军等职务，接受于忠辞让的请求。于是世宗下诏，停止对于忠的封赏，为表扬于忠的谦让精神而任命他为太府卿。

齐国的巴东献武公萧颖胄因为萧璝率军与自己的部将蔡道恭在上明相持不下，使自己刚刚建立起来的都城江陵受到很大的威胁，而自己又无计退敌，因此忧愤成疾，

壬午[551]，卒。夏侯详秘之，使似其书者[552]假为教命[553]，密报萧衍，衍亦秘之。详征兵雍州，萧伟遣萧憺将兵赴之[554]。璝等闻建康已危，众惧而溃，璝及鲁休烈皆降。乃发颖胄丧，赠侍中、丞相，于是众望尽归于衍。夏侯详请与萧憺共参军国[555]，诏以详为侍中、尚书右仆射，寻除使持节、抚军将军、荆州刺史。详固让于憺，乃以憺行荆州府州事[556][31]。

魏改筑圜丘[557]于伊水之阳[558]。乙卯[559]，始祀于其上[560]。

魏镇南将军元英[561]上书曰："萧宝卷荒[32]纵日甚，虐害无辜。其雍州刺史萧衍东伐秣陵[562]，扫土兴兵[563]，顺流而下，唯有孤城[564]，更无重卫，乃皇天授我之日，旷世一逢之秋。此而不乘[565]，将欲何待？臣乞躬帅步骑三万，直指沔阴[566]，据襄阳之城，断黑水[567]之路。昏虐君臣，自相鱼肉，我居上流，威震遐迩。长驱南出，进拔江陵，则三楚[568]之地一朝可收，岷、蜀之道[569]自成断绝。又命扬、徐二州[570]声言俱举[571]，建业穷蹙[572]，鱼游釜中，可以齐文轨[573]而大同[574]，混天地而为一[575]。伏惟[576]陛下独决圣心，无取疑议。此期脱爽[577]，并吞无日[578]。"事寝不报。

车骑大将军源怀[579]上言："萧衍内侮[580]，宝卷孤危，广陵、淮阴等戍[581]皆观望得失[582]。斯实天启之期[583]，并吞之会[584]。宜东西齐举[585]，以成席卷之势。若使萧衍克济[586]，上下同心，岂唯后图之难，亦恐扬州危逼[587]。何则？寿春之去建康才七百里，山川水陆皆彼所谙[588]。彼若内外无虞[589]，君臣分定，乘舟藉水[590]，倏忽而至[591]，未易当[592]也。今宝卷都邑

壬午日，萧颖胄去世。中领军夏侯详严密地封锁了萧颖胄去世的消息，并让笔迹很像萧颖胄的人假充萧颖胄给前方的萧衍写了一封信，秘密地把萧颖胄的死讯告诉了萧衍，萧衍也没有将萧颖胄去世的消息公之于众。夏侯详向雍州征调军队，萧伟派遣自己的弟弟萧憺率军队前往上明增援。萧璝等人听到京师建康已经危在旦夕的消息之后，众人非常恐惧，立即溃不成军，萧璝与巴西太守鲁休烈全部投降。萧衍这才为萧颖胄发丧，并追赠萧颖胄为侍中、丞相，于是众人都把希望寄托在萧衍身上。夏侯详向和帝请求与萧憺共同参掌西台的军国大事，和帝于是下诏任命夏侯详为侍中、尚书右仆射，不久又任命夏侯详为使持节、抚军将军、荆州刺史。夏侯详坚持要把这一职位让给萧憺，和帝这才任命萧憺为代理荆州刺史与荆州都督的职务。

魏国把祭天的坛台改建在伊水的北岸。十一月二十五日乙卯，魏国首次在伊水北岸的祭天坛台上举行祭天典礼。

魏国担任镇南将军的元英上书给魏国的世宗皇帝说："齐国的小皇帝萧宝卷的荒淫放纵一天比一天严重，而且他肆意地杀害无辜。齐国担任雍州刺史的萧衍为了率军东进攻取秣陵，已经征调了雍州、荆州的全部人马，顺流东下，现在的襄阳只剩下一座孤城，更没有重兵防守，这是上天有意把它交给我们的日子，是千载难逢的好机会。有这样的好机会如果不去利用，还等待什么呢？我请求亲自率领三万步兵骑兵，径直去攻取汉水以南，我们占据了襄阳城，就截断了荆襄通往梁州的道路。他们昏君虐待臣子，内部自相残杀，而我军趁机占据长江上游，声威震动远近。然后乘胜向南长驱而进攻克江陵，那么江淮地区的旧楚之地一朝就可以占领，建康通往岷、蜀一带的道路也自然被我们切断。陛下再命令扬州、徐州二州故意虚张声势，说要同时大举出兵讨伐建康，建康城内的小皇帝萧宝卷穷困紧迫而又无计可施，必然像锅中的游鱼一样没有几天可活，而我们就可以实现书同文，车同轨，天下一统的政治理想，将天地间的一切人类、一切地区全都混成一体。希望陛下独自裁决，不要被反对的意见所左右。此次的机会如果错过，就再也没有统一天下的机会了。"元英的奏章呈递上去之后竟然没有得到任何答复。

魏国担任车骑大将军的源怀上书给魏世宗说："齐国的雍州刺史萧衍出兵讨伐他的君主，建康城里的小皇帝萧宝卷孤立无援，危在旦夕，广陵、淮阴等军事要塞的守军全都按兵不动，他们都在观望成败以确定自己今后的归属。这确实是老天爷为我们提供的好机会，是我们吞并齐国、统一天下的关键时刻。我们应该采取东西两路同时出兵进攻齐国的方针，造成一种席卷天下的态势。如果让萧衍夺取了齐国的政权，他们上下同心，不只会使我们今后吞并齐国困难重重，我们的寿春一带也要受到他们的威胁。为什么呢？因为寿春距离齐国的都城建康才七百里，那里的山川水路都是萧衍等人所熟知的。如果齐国的朝廷内外已经没有了危机，君臣的名分也已经确定下来，他们就会乘着战船，凭借着水路交通的便利，很快就能到达寿春、徐州一带，我军再想抵挡他们的进攻就没有那么容易了。如今萧宝卷的都城已经面

有土崩之忧，边城无继援之望，廓清江表[593]，正在今日。”魏主乃以任城王澄[594]为都督淮南诸军事、镇南大将军、开府仪同三司、扬州刺史，使为经略[595]。既而不果[596]。怀，贺[597]之子也。

东豫州[598]刺史田益宗上表曰：“萧氏乱常，君臣交争，江外州镇，中分[33]为两[599]，东西抗峙，已淹岁时[600]。民庶穷于转输[601]，甲兵疲于战斗，事救于目前[602]，力尽于麾下[603]，无暇外维州镇[604]，纲纪庶方[605]，藩城[606]棋立，孤存而已。不乘机电扫[607]，廓彼蛮疆，恐后之经略，未易于此。且寿春虽平[608]，三面仍梗[609]，镇守之宜[610]，实须豫设[611]。义阳差近淮源[612]，利涉津要[613]，朝廷行师，必由此道。若江南一平[614]，有事淮外[615]，须乘夏水泛长[616]，列舟长淮。师赴寿春[617]，须从义阳之北，便是居我喉要[618]，在虑弥深[619]。义阳之灭，今实时矣。度彼[620]不过须精卒一万二千。然行师之法，贵张形势[621]。请使两荆[622]之众西拟随、雍[623]；扬州之卒[624]顿于建安[625]，得捍三关之援[626]；然后二豫[627]之军直据南关[628]，对抗延头[629]，遣一都督总诸军节度，季冬进师，迄于春末，不过十旬，克之必矣。”元英又奏称：“今宝卷骨肉相残，藩镇鼎立。义阳孤绝，密迩王土[630]，内无兵储之固，外无粮援之期，此乃欲焚之鸟，不可去薪[631]；授首之寇[632]，岂容缓斧！若失此不取，岂唯后举难图，亦恐更为深患。今豫州刺史司马悦已戒严垂发[633]，东豫州刺史田益宗兵守三关，请遣军司[634]为之节度[635]。”魏主乃遣直寝[636]羊灵引为军司。益宗遂入寇。建宁[637]太守黄天赐与益宗战于赤亭[638]，天赐败绩。

临着土崩瓦解的危险，边城的军队没有继续增援京城的动向，我们扫平长江以南，机会就在今天。”魏世宗于是任命任城王元澄为都督淮南诸军事、镇南大将军、开府仪同三司、扬州刺史，让他全面负责开拓、经营江南之事。后来因为萧衍很快攻占了建康、控制了局势，魏国扫平江南这一计划就没有成为事实。源怀，是源贺的儿子。

魏国担任东豫州刺史的田益宗上表给魏世宗说：“齐国萧氏纲纪混乱，君臣争权夺利，长江以南的州镇已经一分为二,一部分属于建康的小皇帝萧宝卷，一部分属于名义上的萧宝融，东西力量的抗衡，已经持续了将近一年的时间。庶民百姓由于转运粮草而陷于极端的贫困，穿着铠甲的士兵由于长期作战而疲惫不堪，他们所做的一切都只顾缓解眼前的危难，全部精力都消耗在了战场上，已经没有工夫顾及四周边境上的行政管理与军事据点，没有办法管理好各个地方，各州城就像棋子，只是孤立地存在而已。如果我们现在不趁这个机会像闪电一样迅速扫清江南，把那里的疆土纳入我国的版图，恐怕以后再想占领南方就比现在困难多了。而且寿春目前虽然是在我们的占领之下，但是寿春的东、西、南三面仍然受到齐国的威胁，加强寿春的防守事宜，确实需要预先建立。义阳比较接近淮水的源头，是个有利于军队渡河的地方，朝廷如果出兵齐国，那里是必经之路。如果江南一旦被萧衍所平定，齐国国内恢复了正常秩序，萧衍就会着手经营淮河以北地区，他们必须趁着夏季河水上涨，把舰船排列在长江、淮河沿岸。我军从洛阳出发去增援寿春，必须从义阳之北经过，齐国占据的义阳恰好就在我们的咽喉通道上，是我们特别要认真考虑的地方。我们灭掉义阳，现在正是一个好时机。估计我们攻下义阳只需一万二千名精锐士卒就足够了。然而行军打仗，重要的是制造声势。请陛下令荆州与东荆州的军队从西路起兵进攻齐国的随郡与襄阳；令寿春的军队驻扎到建安，以阻挡齐国从平靖关、武阳关、黄岘关出来增援义阳的军队；然后令豫州与东豫州的军队径直去攻取南关，以对抗驻守延头的敌军，再派遣一位都督统领各军协同作战，冬季开始向敌人发起进攻，一直持续到春末，不会超过一百天，就能彻底打败齐国。”镇南将军元英又上书说：“如今齐国小皇帝萧宝卷骨肉之间互相残杀，藩镇鼎足而立。义阳位于齐国的最北部，孤立无援，又靠近我国的边境，城内没有足够的士兵可以坚守，指望外部增援粮草又希望渺茫，这是一只就要被烧死的小鸟，我们不能给它撤掉薪柴使它存活；这是一个伸着脖子等待杀戮的敌寇，岂容我们延缓手中的刀斧！如果错过这个机会不去攻取，不只是今后很难再有机会将其占有，也恐怕义阳会成为我国的心腹之患。如今担任豫州刺史的司马悦已经在调集军队，整装待发，东豫州刺史田益宗已经派兵密切注视三关的敌军动向，请陛下派军师前去统一指挥、调度。”魏世宗于是派遣在自己身边负责寝室值勤的侍从人员羊灵引为军司。田益宗便开始出兵入侵齐国。齐国担任建宁太守的黄天赐率领齐军在赤亭迎战田益宗所率领的魏军，黄天赐被魏军打败。

崔慧景之逼建康也，东昏侯拜蒋子文[639][34]为假黄钺、使持节、相国、太宰、大将军、录尚书事、扬州牧、钟山王[35]。及衍至，又尊子文为灵帝[640]，迎神像入后堂，使巫祷祀求福。及城闭，城中军事悉委王珍国。兖州刺史张稷入卫京师，以稷为珍国之副。稷，瓌[641]之弟也。

时城中实甲[642]犹七万人，东昏素好军陈，与黄门、“刀敕”及宫人于华光殿前习战斗，诈作被创势[643]，使人以板扛去[644]，用为厌胜[645]。常于殿中戎服、骑马出入，以金银为铠胄，具装[646]饰以孔翠[647]。昼眠夜起，一如平常。闻外鼓叫声，被大红袍，登景阳楼屋上望之，弩几中[648]之。

始，东昏与左右谋，以为陈显达一战即败，崔慧景围城寻走，谓衍兵亦然，敕太官办樵、米[649]为百日调[650]而已。及大桁之败，众情凶惧。茹法珍等恐士民逃溃，故闭城不复出兵。既而长围已立，堑栅严固，然后出荡，屡战不捷。东昏尤惜金钱，不肯赏赐。法珍叩头请之，东昏曰：“贼来独取我耶？何为就我求物？”后堂储数百具榜[651]，启为城防[652]，东昏欲留作殿，竟不与。又督御府[653]作三百人精仗[654]，待围解以拟屏除[655]，金银雕镂杂物，倍急于常[656]。众皆怨怠，不为致力。外围既久，城中皆思早亡[657]，莫敢先发[658]。

茹法珍、梅虫儿说东昏曰：“大臣不留意[659]，使围不解，宜悉诛之。”王珍国、张稷惧祸，珍国密遣所亲献明镜于萧衍[660]，衍断金以报之[661]。兖州中兵参军[36]张齐，稷之腹心也，珍国因齐[662]密与稷谋，

齐国平西将军崔慧景率军进逼建康的时候，东昏侯封蒋子文为假黄钺、使持节、相国、太宰、大将军、录尚书事、扬州牧、钟山王。等到萧衍率军抵达建康的时候，东昏侯又把蒋子文尊奉为有灵验的神帝，把蒋子文的神像迎入皇宫后堂供奉，让巫婆向蒋子文的神像祷告，祈求蒋子文降福。等到宫城城门全部关闭以后，东昏侯便把建康城中的所有军事大权委托给王珍国。担任兖州刺史的张稷率领兖州军前来增援京师，东昏侯令张稷做王珍国的副手。张稷，是张瓌的弟弟。

当时建康城中还有七万能够作战的军队，东昏侯一向喜欢排兵布阵，他在宫中与那些宦官、带刀侍卫以及小答应们在华光殿前演习作战，东昏侯装作受了重伤的样子，让人用木板抬走，企图用这种迷信做法使自己今后不会受到真的类似的伤害。东昏侯经常在殿中身穿军服、骑着战马出出进进，他用金银制作铠甲头盔，整套衣服上都用孔雀的羽毛和翡翠装饰起来。他白天睡大觉夜晚起来活动，生活还像平时一样。听到外面擂鼓呐喊的声音，就披上大红袍，登上景阳楼的屋顶观望，还差一点儿被飞来的乱箭射中。

开始的时候，东昏侯曾经与自己身边的人商议，认为陈显达造反的时候，只经过一战就败亡了，崔慧景包围建康城的时候也没过多久就逃走了，因而认为萧衍的军队也会像他们一样很快就会失败，所以东昏侯命令太官只预先准备了一百天的烧柴与粮米而已。等到朱雀桥之战建康军大败之后，建康城内人心惊恐不安。茹法珍等人担心士大夫和百姓逃跑溃散，所以就紧闭城门不再出兵作战。不久萧衍的军队已经修好了长围，把建康城包围得水泄不通，堑壕栅栏也修筑得十分严密牢固，此时城内的军队才出兵扫荡，结果是屡战不捷。东昏侯特别吝惜金钱，根本舍不得拿出来赏赐给将士。茹法珍给东昏侯跪下磕头，请求他拿出金钱赏赐作战的将士，东昏侯却说："难道贼军到来之后就只砍我的脑袋？为什么只要我拿出钱财去赏赐他们？"后堂储存着几百块木板，大臣奏请将这些木板用作城上的防御工事，东昏侯想留着这些木板今后修建宫殿用，竟然不许动用。他又督促专门为皇宫制造器物的御府打造三百人的精良武器，等待建康城解围之后为自己出游时充当驱赶行人、清道戒严之用，这些武器全部用金银做装饰，上面雕刻着各种各样的动物花纹，比平常的工期加倍紧急。工匠们都因为怨恨小皇帝而消极怠工，不肯为东昏侯尽心尽力去做。建康城外，萧衍的军队已经包围了很久，建康城内的人都想早点逃出城去，只是没有人敢挑头而已。

宠臣茹法珍、梅虫儿对东昏侯说："大臣们都不上心，所以才使得叛军将建康城包围得这么久而不能解除，应该把那些大臣全部杀掉。"雍州刺史王珍国、兖州刺史张稷都惧怕大祸临头，于是王珍国就秘密地派遣自己的亲信献给萧衍一张明镜，表明自己想要投降的心迹，萧衍采用断金的方式表示了自己对王珍国的信任。担任兖州中兵参军的张齐是兖州刺史张稷的心腹，王珍国想通过张齐的关系与张稷密谋，

同弑东昏。齐夜引珍国就稷，造膝[663]定计。齐自执烛，又以计告后阁舍人[664]钱强。十二月丙寅[665]夜，强密令人开云龙门[666]，珍国、稷引兵入殿，御刀[667]丰勇之为内应。东昏在含德殿作笙歌[668]，寝未熟，闻兵入，趋出北户，欲还后宫，门已闭。宦者黄泰平刀伤其膝，仆地，张齐斩之。稷召尚书右仆射王亮[669]等列坐殿前西钟[670]下，令百僚署笺[671]，以黄油[672]裹[37]东昏首，遣国子博士范云[673]等送诣石头。右卫将军王志[674]叹曰："冠虽弊，何可加足[675]！"取庭中树叶挼服[676]之，伪闷[677]，不署名。衍览笺无志名，心嘉之。亮，莹[678]之从弟。志，僧虔之子也。衍与范云有旧[679]，即留参帷幄[680]。王亮在东昏朝，以依违取容[681]。萧衍至新林[682]，百僚皆间道送款[683]，亮独不遣。东昏败，亮出见衍，衍曰："颠而不扶，安用彼相[684]！"亮曰："若其可扶，明公岂有今日之举[685]！"城中出者，或被劫剥。杨公则亲帅麾下[686]陈于东掖门，卫送公卿、士民，故出者多由公则营[687]焉。衍使张弘策先入清宫，封府库及图籍。于时城内珍宝委积[688]，弘策禁勒部曲，秋毫无犯。收潘妃及嬖臣茹法珍、梅虫儿、王咺之等四十一人皆属吏[689]。

初，海陵王之废[690]也，王太后[691]出居鄱阳王故第，号宣德宫。己巳[692][38]，萧衍以宣德太后令追废涪陵王为东昏侯[693]，褚后及太子诵并为庶人。以衍为中书监、大司马、录尚书事、骠骑大将军、扬州刺史，封建安郡公，依晋武陵王遵承制故事[694]，百僚致敬。以王亮为长史。壬申[695]，更封建安王宝寅为鄱阳王。癸酉[696]，以司徒、扬州刺史晋安王宝义为太尉，领司徒。

一同杀死东昏侯。张齐利用黑夜做掩护，带着王珍国来到张稷那里，两个人促膝密谋，商定计策。张齐亲自为他们举着蜡烛，他们又把弑杀东昏侯的计划告诉了在东昏侯身边担任侍从、常在斋阁后庭服务的钱强。十二月初六日丙寅的深夜，钱强秘密地让人打开了宫城的云龙门，王珍国、张稷率领着士兵进入宫殿，东昏侯的带刀侍卫丰勇之为他们做内应。东昏侯当天晚上在含德殿演奏笙歌完毕之后，躺在床上还没有睡熟，他听到有士兵进来，就快速地跑出北门，想要逃回后宫，而通往后宫的门已经被人关闭。宫中的宦官黄泰平用刀砍伤了东昏侯的膝盖，东昏侯扑倒在地上，张齐冲上去把东昏侯杀死，并砍下了他的人头。张稷将担任尚书右仆射的王亮等人召集起来，让他们列坐在殿前西侧悬挂钟磬的地方，命令百官逐个在花名册上签名，然后用涂油布把东昏侯的人头包裹起来，派担任国子博士的范云等人把东昏侯的人头送往石头城，交给萧衍审视。担任右卫将军的王志叹息着说："帽子虽然破旧，也不能穿在脚上啊！"他悄悄地从庭中的树上摘下一些树叶揉搓后吞下肚里，然后假装喘不上气来，而没有签名。萧衍观看签名册上没有王志的名字，心里暗暗夸奖王志。尚书右仆射王亮，是王莹的堂弟。王志，是王僧虔的儿子。萧衍与范云早先就有交情，因而便将范云留在自己身边充当参谋顾问。王亮在东昏侯朝中任职的时候遇事总是采取模棱两可、随声附和的态度以博取东昏侯的欢心，达到保官保命、保荣华富贵的目的。萧衍到达新林的时候，建康朝廷中的文武百官都暗中派人向萧衍献忠心，唯独王亮没有派人。东昏侯被杀死之后，王亮出来面见萧衍，萧衍说："当一个人跌倒时，居然连个过来帮扶一把的人都没有，这要他身边那些服务的人有什么用！"王亮回答说："如果东昏侯是一个可以扶得起来的人，您难道还会采取今天这样的行动吗！"从建康城中逃出来的人中，有人遭到了抢劫。萧衍的部将杨公则亲自率领自己的部下在东掖门列阵，护送从城中逃出来的公卿大臣、百姓，所以出城的人大多数都是通过杨公则的防区平安出城的。萧衍派自己的亲信张弘策率先进入清理皇宫，查封府库以及图册典籍。当时宫城之内珍宝堆积得到处都是，张弘策严格约束自己的部下，秋毫无犯。张弘策逮捕了东昏侯的宠妃潘氏以及宠臣茹法珍、梅虫儿、王咺之等四十一人，全部交给主管该项事务的官吏进行看管。

当初，海陵王萧昭文被齐明帝萧鸾废掉的时候，萧昭文的母亲王太后被迫离开皇宫搬到鄱阳王的故居居住，人们遂称这里为宣德宫。十二月初九日己巳，萧衍以宣德宫中王太后的名义追废被和帝萧宝融遥封为涪陵王的萧宝卷为东昏侯，把东昏侯的皇后褚氏以及皇太子萧诵全部贬为平民。任命萧衍为中书监、大司马、录尚书事、骠骑大将军、扬州刺史，封为建安郡公，萧衍依照东晋武陵王司马遵的做法，以皇帝身份代理朝政，属下的文武百官全都来向萧衍致敬。萧衍任命王亮为长史。十二日壬申，改封建安王萧宝寅为鄱阳王。十三日癸酉，萧衍任命担任司徒、扬州刺史的晋安王萧宝义为太尉，兼任司徒。

己卯[697]，衍入屯阅武堂，下令大赦。又下令："凡昏制谬赋[698]、淫刑滥役[699]外[700]，可详检前原[701]，悉皆除荡[702]。其主守[703]散失诸所损耗[704]，精立科条，咸从原例[705]。"又下令："通检尚书众曹[706]，东昏时诸诤讼失理[707]，及主者淹停不时施行[708]者，精加讯辩[709]，依事议奏[710]。"又下令："收葬义师[711]，瘗[712]逆徒[713]之死亡者。"潘妃有国色[714]，衍欲留之，以问侍中、领军将军王茂，茂曰："亡齐者此物，留之恐贻外议[715]。"乃缢杀于狱，并诛嬖臣茹法珍等。以宫女二千分赉[716]将士。乙酉[717]，以辅国将军萧宏[718]为中护军[719]。

衍之东下也，豫州刺史马仙琕拥兵不附衍，衍使其故人姚仲宾说之，仙琕先为设酒，乃斩于军门以徇。衍又遣其族叔怀远说之，仙琕曰："大义灭亲!"又欲斩之，军中为请，乃得免。衍至新林，仙琕犹于江西[720]日抄运船[721]。衍围宫城，州郡皆遣使请降，吴兴[722]太守袁昂独拒境[723]不受命。昂，顗[724]之子也。衍使驾部郎[725]考城江革[726]为书与昂曰："根本[727]既倾，枝叶安附？今竭力昏主[728]，未足为忠；家门屠灭，非所谓孝。岂若翻然改图，自招多福？"昂复书曰："三吴[729]内地，非用兵之所[730]，况以偏隅一郡，何能为役[731]？自承麾旆届止[732]，莫不膝袒军门[733]。唯仆一人敢后至[734]者，政以[735]内揆庸素[736]，文武无施[737]。虽欲献心[738]，不增大师之勇；置其愚默[739]，宁沮众军之威[740]！幸藉将军含弘之大[741]，可得从容以礼[742]。窃以一餐微施，尚复投殒[743]，况食人之禄[744]，而顿忘一旦[745]，非唯物议不可[746]，亦恐明公[747]鄙之，所以踌躇，未遑荐璧[748]。"昂问时事[749]于武康令北地傅映[750][39]，映曰："昔元嘉之末[751]，开辟未有[752]，

十二月十九日己卯，萧衍进驻阅武堂，他下令实行大赦。萧衍又下令说："凡是东昏侯所建立的昏庸制度、所规定的荒谬赋税、所制定的繁酷刑法、所实行的没有节制的劳役制度，都要仔细地检查一下，恢复原来的样子，凡是东昏侯所增加的东西，一律废除干净。负责管理各类府库的长官由于过去条例的散失而造成了大量的损耗，现在要认真地制定条例，恢复原有的面目。"萧衍又下令说："普遍地检查一遍尚书省所属的各个部门，凡是东昏侯时期那些存有争议而未能解决的问题，以及主管官员因为办事拖拉而未能及时处理的事情，都要仔细地查对清楚，依据具体情况提出处理意见上奏朝廷。"又下令说："要安葬那些在推翻东昏侯政权过程中牺牲的战士，掩埋那些替东昏侯抗拒义师而死亡的人员的尸体。"东昏侯的宠妃潘氏有倾国倾城的容貌，萧衍想把她留下来，他向担任侍中、领军将军的王茂征求意见，王茂回答说："导致齐国灭亡的人就是她，留着她恐怕会招来外面人的议论。"于是把潘妃勒死在狱中，一同被诛杀的还有东昏侯的宠臣茹法珍等。萧衍把二千名宫女分别赏赐给了属下的将士。二十五日乙酉，萧衍任命担任辅国将军的萧宏为中护军。

萧衍率军东下征讨的时候，担任豫州刺史的马仙琕拥兵自重而不肯依附萧衍，萧衍派马仙琕的老朋友姚仲宾前往豫州劝说马仙琕归顺自己，马仙琕首先摆设酒筵款待姚仲宾，以尽朋友之谊，然后便在军门之前把姚仲宾斩首示众。萧衍又派马仙琕的堂叔父马怀远去劝说马仙琕，马仙琕说："我要大义灭亲！"又准备把马怀远斩首，军中的人为马怀远求情，马怀远才得以免于一死。萧衍到达新林的时候，马仙琕还在长江以西地区每天抄掠萧衍的运输船。萧衍围困了宫城，各州各郡都派使者向萧衍请求投降，唯独担任吴兴太守的袁昂据守边境，不肯接受萧衍的命令。袁昂，是袁颉的儿子。萧衍让担任驾部郎的考城县人江革写信给袁昂说："大树已经被连根推倒，树叶还能依附在它的身上吗？如今你虽然竭尽全力为昏庸的君主效劳，却不足以称为忠臣；因为你使全家人都被杀光，不能说是孝子。哪里比得上幡然醒悟，改变自己的立场，为自己招来多福呢？"袁昂回信答复说："三吴地区靠近京师，是不能让战争毁坏的地方，况且我偏隅一郡，又怎么能和你们的大军对抗？自从你们大军的旌旗所到之处，无不膝行肉袒，叩拜于你的军门之前。唯独我一个人胆敢不来叩见请降，正是因为我认识到自己的平庸无能，既没有文韬，也没有武略。即使我献出自己的忠心，并不能增加大军的武勇；您让我这样愚昧的人保持沉默，难道就损害了你们大军的威望吗？我希望能借着将军的宽仁大度，让我能够遵守一点小小的礼节。我私下里认为，即使是别人施舍一顿饭这样小小的恩惠，尚且还要以捐躯效命来报答，何况是吃了别人的俸禄，岂能在一天之内说忘就忘，我如果这样做了，不光是社会舆论不认可，也恐怕要遭到明公的鄙视，所以我才犹豫不决，没有立即前去给您进献玉璧请求投降。"袁昂向担任武康县令的北地郡人傅映咨询当前应该怎么做，傅映分析说："过去宋文帝刘义隆元嘉末年，发生了开天辟地以来从未有过的恶性事件，后来被宋孝武帝刘骏追赠为太尉

故太尉杀身以明节[753]。司徒[754]当寄托之重，理无苟全，所以不顾夷险[755]以徇名义[756]。今嗣主昏虐，曾无悛改；荆、雍协举[757]，乘据上流[758]，天人之意可知。愿明府[759]深虑，无取后悔。”及建康平，衍使豫州刺史李元履巡抚东土，敕元履曰：“袁昂道素[760]之门，世有忠节，天下须共容之，勿以兵威陵辱。”元履至吴兴，宣衍旨，昂亦不请降，开门撤备[761]而已。仙琕闻台城不守，号泣谓将士曰：“我受人任寄[762]，义不容降[763]。君等皆有父母，我为忠臣，君为孝子，不亦可乎！”乃悉遣城内兵出降，余壮士数十，闭门独守。俄而兵入，围之数十重。仙琕令士皆持满[764]，兵不敢近。日暮，仙琕乃投弓曰：“诸君但来见取[765]，我义不降。”乃槛[766]送石头。衍释之，使待袁昂至，俱入[767]，曰：“令天下见二义士。”衍谓仙琕曰：“射钩、斩袪[768]，昔人所美。卿勿以杀使断运自嫌[769]。”仙琕谢曰：“小人如失主犬，后主饲之，则复为用矣。”衍笑，皆厚遇之。丙戌[770]，萧衍入镇殿中[771]。

刘希祖[772]既克安成，移檄湘部[773]，始兴[774]内史王僧粲应之。僧粲自称湘州刺史，引兵袭长沙[775]，去城[776]百余里，于是湘州郡县兵皆蜂起以应僧粲，唯临湘、湘阴、浏阳、罗[777]四县尚全。长沙人皆欲泛舟走，行事刘坦[778]悉聚其舟焚之，遣军主尹法略拒僧粲，战数不利。前湘州镇军[779]锺玄绍潜结士民数百人，刻日[780]翻城应僧粲。坦闻其谋，阳[781]为不知，因理讼[782]至夜，而城门遂不闭以疑之[783]，玄绍未发。明旦，诣坦问

的袁淑当时不屈从于弑父夺权的刘劭，他宁肯丢掉自己的性命也要保持自己的节操，结果被刘劭杀死。担任司徒的袁粲肩负着共同辅佐少帝刘昱的重任，因此没有苟且保全自己的道理，所以他不顾凶险，为维护少帝刘昱而起兵剪灭权臣萧道成，为坚持正义而献出了自己的生命。如今继位的小皇帝萧宝卷昏庸暴虐，一点也不知道悔改；荆州、雍州联合出兵讨伐他，他们占据长江上游，顺流而下，天意民心已经很明确。希望太守能够深思熟虑，不要自找后悔。”等到建康被萧衍平定之后，萧衍派遣担任豫州刺史的李元履前往建康东部进行巡视、安抚，萧衍告诫李元履说：“袁昂出身于道德高尚、门第清白之家，世世代代都有忠诚节义之人，天下人必须共同包容他，不要依靠兵威去欺凌他、侮辱他。”李元履到达吴兴郡，宣布了萧衍的旨意，袁昂并没有出来请求投降，只是打开城门，撤去防卫而已。原任豫州刺史马仙琕听说建康小皇帝萧宝卷的政权已经彻底垮台的消息，便哭号着对属下的将士说：“我受小皇帝的委任，无论如何我是不会投降的。你们这些人都有父母，我做我的忠臣，你们做你们的孝子，不是也可以吗！”于是他让城中所有的士兵全都出城投降，身边只剩下几十名壮士，关闭城门进行坚守。不久萧衍的士兵进入城中，他们把马仙琕里里外外包围了数十重。马仙琕命令那数十名壮士全都拉满弓，萧衍的士兵不敢靠近他们。双方一直僵持到天色已晚，马仙琕才扔下手里的弓箭说：“你们只管前来杀我，我绝不向你们投降。”萧衍的军队把马仙琕打入囚车押送到石头城。萧衍释放了马仙琕，让他等候袁昂来到之后，再一起进见，萧衍说：“要让天下人一同看看这二位忠义之士。”萧衍对马仙琕说：“管仲为公子纠而射杀齐桓公，结果射中了齐桓公的带钩，齐桓公当了齐国诸侯之后，不念旧恶，任用管仲为相；寺人披奉命去刺杀晋文公重耳，斩下了重耳的衣袖，重耳做了晋国的诸侯之后，重用寺人披，他们都受到古人的赞美。你不要因为杀了我的使者，劫夺过我的运粮船而心存顾虑。”马仙琕谢罪说：“我就像失去了主人的一只犬，后来的主人饲养我，我就要为后来的主人效劳。”萧衍笑了起来，对袁昂、马仙琕二人全都厚礼相待。十二月二十六日丙戌，萧衍将自己的指挥部迁到了宫廷之内。

刘希祖攻克安成郡并被东昏侯任命为安成太守之后，便向湘州所统辖的各郡县、各部门发出文告，担任始兴内史的王僧粲起兵响应刘希祖。王僧粲自称湘州刺史，率军前往袭击长沙，王僧粲距离长沙还有一百多里，此时湘州所管辖的郡县士兵全都蜂拥而起响应王僧粲，唯有临湘县、湘阴县、浏阳县、罗县四个县还掌握在萧衍的手中。长沙的居民都想乘船逃走，临时代理湘州刺史职务的刘坦把所有的船只全部集中起来烧毁，然后派遣将领尹法略率领一支人马抗拒王僧粲的进攻，尹法略屡次作战不利。前任湘州镇军锺玄绍暗中串联了数百人，约定好日期准备翻越城墙出去投奔王僧粲的部队。刘坦得知了他们的阴谋之后，便假装毫不知情的样子，他在衙署中处理纠纷一直到深夜，而城门也一直没有关闭，以此让阴谋叛乱者感到莫名其妙，锺玄绍因此而没敢采取行动。第二天一早，锺玄绍来到刘坦面前询问缘故，

其故，坦久留与语，密遣亲兵收其家书[784]。玄绍在坐，而收兵已报[785]，具得其文书本末[786]。玄绍即首伏[787][40]，于坐斩之，焚其文书，余党悉无所问。众愧且服，州郡遂安。法略与僧粲相持累月，建康城平，杨公则还州[788]，僧粲等散走，王丹[789]为郡人所杀，刘希祖亦举郡降。公则克己廉慎，轻刑薄赋，顷之，湘州户口几复其旧[790]。

【段旨】

以上为第二段，写齐和帝萧宝融中兴元年（公元五〇一年）下半年的大事。主要写了建康朝廷新任的雍州刺史张欣泰与直阁将军鸿选、军主胡松等人谋划欲乘诸嬖幸为其所派的监军冯元嗣送行于新亭之际诛诸嬖幸、废萧宝卷，结果事情未成，张欣泰、胡松等皆被萧宝卷所杀。写了建康朝廷又派吴子阳率兵西上救郢州，吴子阳驻军于加湖，萧衍派兵袭破之，死者万余，吴子阳走免，郢城、鲁山为之丧气，随即鲁山的守将孙乐祖、新任的郢州刺史程茂、雍州刺史薛元嗣等以郢城降萧衍。写了萧衍平定郢州后挥师东下，对江州的守将陈伯之实行攻心之术，陈伯之几经动摇后，率江州投降萧衍。写了萧宝卷又派李居士、王珍国、马仙琕等率军西上迎敌，而萧衍则一路破关斩将而下直抵新亭；萧衍围攻建康城，陈伯之尚心怀二意，萧衍使反间计以绝其望。写了萧衍的部将杨公则围攻台城，沉着干练，情景动人，建康周围的朝廷守军纷纷投降萧衍；长江上游的巴西、巴东二郡不从萧衍，起兵下攻江陵，破江陵政权的守将刘孝庆于峡口，江陵震动，直至见建康的大势已去，始向萧衍投降；萧颖胄因以自己不能安定后方忧愤而死，于是内外众心悉归萧衍。写了东昏侯在宫城被围时的吝啬荒悖，欲杀大臣，致使王珍国、张稷等联合萧宝卷身边的侍卫发难杀了萧宝卷，送其首级于萧衍。写了杨公则于战争停息后放宫城中吏民之出归，与张弘策入宫城之封府库，秋毫无犯，皆节制之兵；萧衍置江陵的萧宝融于不顾，而以宣德太后令任己为最高的执政者，代行国家政事；萧衍入屯阅武堂，颁行各项条令，废除萧宝卷时代的一切弊政，完全以当年的刘邦自居。此外还写了萧宝卷的豫州刺史马仙琕、与吴兴太守袁昂的不肯投降，继续对抗萧衍，萧衍给他们保全了面子，终于使二人心悦诚服；魏将元英、源怀皆上书请魏主趁齐国内乱出兵伐齐，魏之东豫州刺史田益宗与魏将元英又谋划进取义阳之策，魏主皆未能迅速行动；以及崔慧景之子崔偃给萧宝融上书要求给被萧宝卷所杀的萧宝玄与崔慧景平反，言辞恳切、劲直而颇显滑稽，萧衍不愿视之为同道，致崔偃被下狱死等。

刘坦把锺玄绍留下来故意谈了很久，私下里却秘密派自己的亲兵前往锺玄绍的家里去查抄他的往来书信。锺玄绍还在与刘坦谈话，前去抄家的士兵已经回来报告，全部查清了锺玄绍与那些人相互勾结、相互串通的事实。锺玄绍立即低头认罪，刘坦在座位上将锺玄绍斩首，然后烧毁了锺玄绍的往来书信，对锺玄绍的余党一律不予追究。那些余党既惭愧又服罪，州郡于是安定下来。尹法略与王僧粲相持了数月之久，京城建康平定之后，杨公则回到湘州，王僧粲等人才四散逃走。原任南康郡太守的王丹被南康郡人杀死，安成太守刘希祖献出郡城向杨公则投降。杨公则克己奉公，廉洁谨慎，他在湘州减轻刑罚，减轻赋税，不久，湘州的人口几乎恢复到了原来的数量。

【注释】

⑶⓪⓪ 雍州刺史张欣泰：此萧宝卷闻萧衍等在雍、荆二州拥立萧宝融，起兵造反后，重新任命的雍州刺史。张欣泰是刘宋名将张兴世之子，在南齐与魏国的交战中立有军功。传见《南齐书》卷五十一。⑶⓪① 始安内史：始安是郡名，郡治即今广西桂林。因此郡是诸侯王的封国，故其行政长官称内史，不称太守。⑶⓪② 南谯：当时的侨置郡名，郡治山桑，在今安徽巢湖市东南。⑶⓪③ 鸿选：姓鸿名选，时为直阁将军。⑶⓪④ 监军救郢：为张欣泰的监军。⑶⓪⑤ 七月甲午：七月初二。⑶⓪⑥ 送之中兴堂：在中兴堂给冯元嗣送别。中兴堂即通常所说的新亭。胡三省曰："宋孝武帝刘骏即位于新亭，改新亭曰中兴堂。"⑶⓪⑦ 果柈：果盘。柈，同"盘"。⑶⓪⑧ 数疮：多处受伤。疮，此处通"创"，兵器所伤。⑶⓪⑨ 诣石头：到石头城。石头城是当时建康城的军事要地，在当时建康城的西侧，西靠长江。⑶①⓪ 建康王宝寅：萧宝寅，齐明帝萧鸾的第六子，被封为建安王。事见《南齐书·明七王传》。作"建康王"，误，应依《南齐书》改为"建安王"。⑶①① 城中将吏见力：石头城里现有的将吏与兵力。见，通"现"。⑶①② 去车轮二句：把车轮去掉，做成肩舆，抬着萧宝寅。⑶①③ 唱警跸：口中高呼"戒严啦"。⑶①④ 冀法珍等在外：希望趁着茹法珍等当时不在萧宝卷身边。⑶①⑤ 尽以城中处分见委：希望萧宝卷会把部署守卫台城的事都交给自己。处分，部署、布置。见委，委托给自己。⑶①⑥ 表里相应：从而使自己一方的城里城外的势力相互配合。⑶①⑦ 闭门上仗：关起城门，派兵把守。⑶①⑧ 不配欣泰兵：不让张欣泰带领军队。⑶①⑨ 杜姥宅：台城城外的地名。⑶②⓪ 外人：台城外人。⑶②① 戎服诣草市尉：草市尉是管理草市的长官。胡三省曰："台城六门之外，各有草市，置草市尉司察之。"萧宝寅之所以穿戎服，是因为他不敢再穿平日的建安王的服饰，故而穿起士兵的军服以表示请罪。当时南朝的士兵身份低贱，等同于奴隶。⑶②② 尔日：那一天。⑶②③ 仍将去：我上车后，他们就抬着我走了。仍，意思同"乃"。将，持、挟持。⑶②④ 制不自由：当时我以皇帝的口气说的话，都不是我心甘情愿的。制，文体名，皇帝所下的命

令。㉕丁酉：七月初五。㉖走免：逃脱。㉗相视夺气：眼巴巴地看着没法援救而为之丧气。夺气，沮丧、丧气。㉘乙巳：七月十三。㉙矶头：水边的山崖、石滩。矶，伸入水中的石崖。㉚细鱼：小鱼。㉛偏军：小部队。㉜丁巳：七月二十五。㉝己未：七月二十七。㉞流肿：因毒气流行而浮肿。㉟什七八：十分之七八。㊱比屋：这间挨着那间，意思是家家如此。比，并、紧挨着。㊲张孜：张冲之子。㊳青州治中：张冲为青州刺史时的高级僚属，掌管文书。㊴前使君：指张冲。使君，古代对州郡长官的尊称。㊵昊天：意同"苍天""高天"。昊，广大。㊶郎君：僚属对其主官儿子的敬称。㊷坐守画一：即坚持既定的方针政策不变。此以西汉的曹参继续维持萧何的方针政策为喻。《汉书·曹参传》有所谓"萧何为法，较若画一；曹参代之，守而勿失"。画一，清楚、明白的样子。这里是用其"守而勿失"之义。㊸以荷析薪：意即继承父亲的遗志，完成父亲的使命。《左传》昭公七年："其父析薪，其子不克负荷。"意思是其父砍了很多柴，其子却不能把它背回家去。析薪，砍柴。负荷，挑着、扛着。㊹天运不与：老天爷不帮着我们，指城被攻破。㊺幅巾待命：脱去官服，用布包头，等待最后被杀。幅巾，百姓的包头布。㊻下从使君：到地下去找死去的父亲。房长瑜的意思是劝张孜坚守到底，城破时应以死明节。㊼失高山之望：意即对您的行为感到失望。古时称道仰慕某人有所谓"高山仰止，景行行止"之语。㊽彼所不取：甚至连我们的敌人也瞧不起您。彼，指萧衍。㊾收瘗：收拾、掩埋。㊿张弘策：萧衍的忠实亲信，协助萧衍夺取南齐政权的关键人物之一，为萧衍之堂舅。传见《梁书》卷十一。此时名义上为车骑将军萧宝源的谘议参军。(351)庚域：原为萧衍之父萧顺之的部下，后佐萧衍夺取南齐政权。传见《梁书》卷十一。(352)军行宿次、立顿处所：军队前进中可以住宿、可以停留的地点。宿次，住宿、过夜。立顿，停留、中途休息。(353)逆为图画：预先标记得清清楚楚。(354)辛酉：七月二十九。(355)安国宣简侯王肃：王肃是齐臣王奂之子，因其父被齐武帝萧赜所杀，王肃遂北逃魏国，深受孝文帝信任，被封为安国侯。传见《魏书》卷六十三。宣简二字是其死后的谥。(356)卒于寿阳：南齐将领裴叔业率寿阳降魏后，魏派王肃镇守寿阳。(357)父死非命：指王肃之父王奂因擅自杀害宁蛮长史刘兴祖而被萧赜所讨杀。事见本书卷一百三十八。死非命，意即非正常死亡，指被人所杀。(358)三年之丧二句：《礼记·檀弓》："子夏既除丧而见，予之琴，和之而不和，弹之而不成声。作而曰：'哀未忘也，先王制礼而弗敢过也。'"(359)以祥禫之礼除丧：举行过祥禫之礼后换去丧服。古代丧礼，父母死后的第十三个月举行祭祀称作"小祥"；二十五个月后又举行祭祀称作"大祥"；大祥之后又一年举行除服的祭祀，称作"禫"。胡三省曰："期而小祥，再期而大祥；大祥之后，中月而禫。"(360)犹素服：遵命去掉了丧服，但仍穿素服，即不穿绫罗绸缎等鲜美之服。(361)滠阳：南齐县名，县治在今湖北武汉市黄陂区南，当时为侨置汝南郡的郡治所在地。(362)义阳、安陆：南齐之二郡名，义阳郡的郡治即今河南信阳，安陆郡的郡治即今湖北安陆。(363)随郡：郡治即今湖北随州。(364)司州：南齐的司州州治即今河南信阳。(365)司部：司州所管辖的整个地区。(366)始安内史：始安王萧宝览所封之地的行政长官，职位与太守相同。萧宝览是明帝萧鸾之侄，萧鸾之弟萧缅之子，过继于萧鸾之兄萧凤为后，继萧凤之位为始兴王。㊲⑦公车门：也称“司马门”，皇宫的外门，因有公车令看守此门，进宫的百官到此下车，故称为公交车门。凡向朝廷上书的臣民，即在此上书并在此候旨。㊳⑧江夏王：指曾随崔慧景一道造反的萧宝玄。㊳⑨先臣：以称其父崔慧景。㊴⓪镇军：指萧颖胄，时为镇军将军。㊴①成败异术而所由同方：成败的结局不同，但举义兵、讨伐昏主的行为是一样的。㊴②与天合符：与上天的意旨完全一致。合符，如合符契。㊴③先帝之子、陛下之兄：指江夏王萧宝玄。崔慧景兵败，萧宝玄被杀。㊴④即陛下所由：也就是陛下您今天所走的道路。㊴⑤不恤：不忧虑；不解决。㊴⑥幸小民之无识而罔之：不能因为百姓们对此看不透就欺骗他们。罔，欺骗。㊴⑦晓然知其情节：（如果现在总是隐瞒）日后他们一旦明白了事实真相。㊴⑧相帅而逃：纷纷地离你而去。㊴⑨事寝不报：上书被压下，不见下文。㊵⓪所以然：之所以这么做的原因，即坚持不给萧宝玄、崔慧景平反。㊵①狂主：指萧宝卷。㊵②直指象魏：直接对着朝廷。象魏，皇宫的大门。㊵③苟存视息：勉强活到今天。㊵④皇运之开泰：国家出现一位好皇帝。皇运，国运。开泰，畅达、昌盛。㊵⑤返为贼臣：还背着一个造反做贼的名声。返，同“反”。㊵⑥同知：大家都知道。㊵⑦股肱江夏：意即辅佐江夏王萧宝玄。股肱，胳膊大腿，以喻骨干之臣。这里用如动词。㊵⑧不为陛下瞥然一言：不为他们向陛下说一句话。瞥，短暂的意思。㊵⑨先臣遣使二句：本书卷一百四十三永元二年有所谓“慧景遣使奉宝玄为主，宝玄斩其使，因发将吏守城”之语。㊶⓪征东之驿使二句：征东之驿使指萧衍的僚属王天虎。王天虎多次为萧衍出使江陵，进行举事的联络。但由于萧衍的手段狡黠，致使王天虎被萧颖胄所杀，萧颖胄用王天虎的人头欺骗朝廷军，从而袭杀了朝廷所派的将领刘山阳。事见本书上卷。㊶①实谋孔矜：是为了暂时稳住他身边的朝廷势力司马孔矜等人。㊶②天命有归：谁知天命是向着陛下您。㊶③故事业不遂：所以萧宝玄、崔慧景他们的事业没有成功。㊶④臣虽万没：言外之意是我虽然没能说动您。㊶⑤必申先臣：一定要为我的先父崔慧景平反昭雪。㊶⑥恻怆而申之：能动恻隐之心为他们申冤平反。㊶⑦天下伏：天下人心服、感谢。伏，通“服”。㊶⑧南、董之笔：南史、董狐那样的历史家。当春秋时齐国的权臣崔杼杀了齐庄公时，齐国的南史在史书上写下了“崔杼弑其君”（见《左传》襄公二十五年）；当晋国的权臣赵盾指使人杀了晋灵公时，晋国的史官董狐在史书上写下了“赵盾弑其君”（见《左传》宣公二年）。从此古代常用“南、董”来指代正直的史官。㊶⑨千载可期：意思是早晚会有人为他们平反，对他们做出公正评价的。㊷⓪何待陛下屈申而为褒贬：意思是您今天为他们平反或不平反，是褒还是贬，其实都没有关系，都挡不住历史的公论。㊷①惓惓之愚：所以要一再这样恳切地申说。惓惓，犹“拳拳”，恳切的样子。㊷②惋切：哀婉、痛切。㊷③寻下狱死：说明萧颖胄、萧衍都不买崔慧景的账，都不愿视崔慧景为其先驱。寻，过了不久。㊷④丁卯：八月初五。㊷⑤监豫州事：监督豫州地区的军民动态。此豫州指南豫州，州治即今安徽当涂，离建康不远。㊷⑥辛未：八月初九。㊷⑦镇石头：加强石头城的防御。以上二事见萧宝卷朝廷已迫切地感到了形势的危急。㊷⑧陈虎牙狼狈奔归：当时陈虎牙率兵屯于巴口，见吴子阳兵败，随之而奔。所谓奔归，是指逃回寻阳，归于其父陈伯之。㊾人情：人心。㊿恟惧：恐惧。⑪传檄而定：意思是不烦用兵，一道通告出去，敌人就会望风而降。檄，文体名，用于晓谕或声讨的命令、文告。⑫搜俘囚：从俘虏中寻找可供使用的人。⑬幢主：一支小部队的头目，以一幢为该支小部队的标志。幢的作用在这里如同旗帜，但形状与旗帜不同。⑭返命：回来复命。⑮大军未须遽下：你们的军队还不能现在就顺流而下。未须，不能。遽，立即。⑯首鼠：首鼠两端，意即左右观望、迟疑不定。⑰径掩柴桑：直接袭取柴桑口。柴桑是当时江州的州治所在地，在今江西九江市西。⑱湖口：县名，即今江西湖口，地处于彭蠡泽（今鄱阳湖）入长江的汇口。⑲湓城：军事据点名，在柴桑城的东北。⑳选曹郎吴兴沈瑀：选曹郎，即后来的吏部尚书，是主管选拔、任命官员的长官，上属于尚书令。吴兴是郡名，郡治即今浙江湖州。㉑爱：怜惜；顾忌。㉒訩訩：喧扰不安的样子。㉓丙子：八月十四。㉔束甲：把铠甲收起来，意同放下武器。㉕新蔡：指侨置的南新蔡郡，郡治在柴桑西北。㉖鱼复侯子响：萧子响，齐武帝萧赜之子，被封为鱼复侯，曾任荆州刺史。因有些不守规矩的行为，被周围的小人所逼反，后归降朝廷，被杀。事见本书卷一百三十七永明八年。㉗有殒不二：至死不改变。殒，死亡。㉘乙卯：八月无乙卯日，似应作“己卯”，八月十七。㉙上明：地名，在今湖北松滋西北，在江陵郡的西方。㉚根本：指西台所在地。㉛少时持重：稍稍地坚持一下。持重，稳住军队、坚决顶住。㉜良须兵力：如果江陵的确兵力不足。㉝指遣往征：派遣他们前去征兵。㉞军主：一支部队的头领。㉟辛巳：八月十九。㊱九月乙未：九月初四。㊲得以便宜从事：可以根据具体情况独立自主地安排处理一切事情。即不必事事向萧宝融请示。㊳萧何、寇恂：萧何为刘邦留守关中，寇恂为刘秀留守河内，补兵源，筹粮饷，为平定天下发挥了重大作用。萧何传见《史记》卷五十三、《前汉书》卷三十九，寇恂传见《后汉书》卷十八。㊴前涂：指进取都城建康。涂，同“途”。㊵比克建康：从说话的时候起，一直到攻克建康城这一段时间。㊶广阳王嘉：元嘉，拓跋焘之孙。传见《魏书》卷十八。㊷三百二十三坊：三百二十三个街区。㊸各方三百步：纵横各三百步长。古时的一步约当现在的五市尺。㊹丁酉：九月初六。㊺畿内：京城的郊区以内。㊻四旬而罢：此处所筑的是指各坊之外所环绕的围墙。㊼己亥：九月初八。㊽征虏将军劲：于劲，于栗磾之孙，于烈之弟，时为征虏将军。传见《魏书》卷八十三下。㊾一皇后：一人为皇后，即于劲之女，为宣武顺皇后。㊿四赠公：四人被赠为三公，于栗磾赠为太尉公、于烈赠为太尉公、于祚继称公。⑤1三领军：三人曾任领军将军，即于烈、于忠，另一人不详。⑤2二尚书令：于洛拔、于忠先后为尚书令。⑤3三开国公：三人因立功被封为郡公，于烈为巨鹿开国公，于忠为魏郡开国公、常山郡开国公。⑤4甲申：九月无甲申日，疑为“甲辰”。⑤5广之：王广之，南齐的名将，曾历事萧道成、萧赜、萧鸾三代。传见《南齐书》卷二十九。⑤6芜湖：即今安徽芜湖市。⑤7姑孰：县名，县治即今安徽当涂。⑤8戊申：九月十七。⑤9游骋：游乐、驰骋。⑥0白门：建康城的西门。古人以五色配五方，西方主白，故称白门。⑥1至近

道：前进至离建康城不远的地方。㊻② 简二尚方、二冶囚徒：挑选左右两个尚方署与东西两个冶炼场的劳役犯。简，挑选、选拔。二尚方与二冶都是为朝廷、为宫廷制造器物、冶炼铜铁的手工作坊，其中有大量被发配从事苦役的犯人。㊻③ 不可活者：犯罪特别严重，不能放出当兵的。㊻④ 朱雀门：建康城的南门。㊻⑤ 江宁：县名，县治在今江苏江宁的西南方，也是在当时建康城的西南方，在长江的东岸，距建康不足一百华里。㊻⑥ 丙辰：九月二十五。㊻⑦ 穿弊：破烂。㊻⑧ 薄：逼进、冲过去。㊻⑨ 皂荚桥：在建康城的西南近郊。㊼⓪ 赤鼻逻：军事据点名，离新亭不远。㊼① 新亭城主：镇守新亭要塞的军事头领。㊼② 擒之于陈：在交战中将其擒获。陈，同"阵"。㊼③ 新林：长江边上的滩浦名，在当时台城的西南，与长江中的白鹭洲相对。㊼④ 篱门：指建康外城的西篱门。㊼⑤ 白板桥：在当时建康城的西南角。㊼⑥ 觇知：探听清楚。㊼⑦ 薄垒：向着刚刚扎下的营垒发起攻击。㊼⑧ 不可逆战：不能出城垒正面迎战。㊼⑨ 须至堑里：等他们走到我们营壁周围的壕沟。须，等待。堑，壕沟。㊽⓪ 逾城而下：从四面跳下城墙。㊽① 南岸邑屋：秦淮河南岸的民房。㊽② 大航：即朱雀航，建康城南门外的秦淮河上的大浮桥。㊽③ 自拔：脱身逃出。㊽④ 十月甲戌：十月十三。㊽⑤ 开航背水：拆掉浮桥，让南岸的守军无后路可退。㊽⑥ 小却：有些动摇；有些后退。㊽⑦ 铁缠矟：用细铁丝缠柄的长矛。胡三省曰："齐武陵王晃有银缠矟。"㊽⑧ 翼之：从两翼保护着王茂。㊽⑨ 应时而陷：顿时攻破了朝廷军的军阵。㊾⓪ 纵兵乘之：顺势发起猛烈攻击。乘，攻击、冲杀。㊾① 将士皆殊死战二句：殊死，拼死。〖按〗数句描写学习《史记》之写巨鹿之战。㊾② 切骂：严厉地责骂。㊾③ 乘之而济：踩着人的尸体渡过河去。㊾④ 宣阳门：建康城墙的南门。㊾⑤ 移营稍前：围城的军队越来越多，越来越逼近城墙。㊾⑥ 西明门：建康城的西门。㊾⑦ 中卿：刺杀你。㊾⑧ 宜以为虑：应该加以防范。㊾⑨ 过伯之：到陈伯之处拜访。500 遣信：派使者。501 须卿复降：等你回到朝廷之后。502 始无异志：从此才死心塌地地投降了萧衍。〖按〗萧衍所做的种种小狡狯，实在不见得高明，而作者似乎写得很得意。503 戊寅：十月十七。504 东府城：在建康城的东侧，是朝廷特大权臣的盘踞之处，东晋的司马道子，此前几年的权臣萧遥光都住在东府城。505 青、冀二州：南齐的青冀二州合设一个刺史，其州治侨设在今江苏海州区南边的朐山。506 己卯：十月十八。507 因：趁机。508 琅邪城主：镇守琅邪城的将领。此琅邪城是南朝侨置琅邪郡的郡治所在地，在当时建康城北的长江边。509 壬午：十月二十一。510 衍镇石头：萧衍军队的指挥部进入了石头城。511 六门：建康城的六个城门。512 领军府垒北楼：驻扎在领军将军府的北楼的军事据点上。513 南掖门：皇宫南门旁边的侧门。514 麾盖：杨公则的大将仪仗。麾，旗。盖，大伞。515 神锋弩：有机械装置的射程远而有力的大弓。516 矢贯胡床：射出的箭穿进了杨公则的座椅。胡床，坐具。517 几中吾脚：差点射中了我的脚。〖按〗此处又在学习《史记》之写刘邦，见《高祖本纪》。518 坚卧不起：一直躺在床上没有起来，极言其从容、沉着。此处又学习《史记》之写周亚夫，见《绛侯世家》。519 出荡：出城挑战。520 奖厉：同"奖励"。521 克获：所取得的胜利；所获得的战利品。522 京口：即今江苏镇江市，在当时建康城的东方，约有一百五十华里。地处长江南岸。㊴广陵：即今江苏扬州，在长江的北岸，与镇江隔江相对。㊵瓜步：长江边的小山名，在当时建康城北的长江北岸，今南京六合区的南侧。㊶破墩：也称“破冈”，在当时建康城东南方，在现在的江苏句容东南，丹阳的西南方。㊷辅国将军恢：萧恢，与上句辅国将军萧秀皆萧衍之弟。传见《梁书》卷二十二。㊸宁朔将军景：萧景，萧衍之侄。本名萧昺，李延寿作《南史》，避唐李渊之父李昺名讳，改昺为景，《通鉴》此处用的是《南史》的名字，后面也有用“萧昺”的时候。传见《梁书》卷二十四。㊹十一月丙申：十一月初六。㊺穆亮：魏国的功臣元老穆崇的后代。传见《魏书》卷二十七。㊻丁酉：十一月初七。㊼谮而黜之：在魏主跟前说元勰的坏话，致使元勰被免职。㊽翕赫：隆盛、显赫。㊾将作大匠：为朝廷、宫廷主管土木建筑的官员。㊿国之周公：意即皇帝的叔叔。西周时成王在位，其叔周公为辅政大臣。今元详也是魏主宣武帝的叔叔，故称“国之周公”。535阿衡王室：意即辅佐天子，维护天子家族的利益。阿衡，本是周代官名，是扶持朝廷，使朝廷得以稳定的意思。这里用为动词。536关旨：禀告皇帝。537损公惠私：拿公家的东西送给私人。538踧踖：因犯错误而不知如何是好的样子。539我忧在前见尔死二句：其意思是我相信你一定会死在我前头，不相信我会死在你前头。背后的话是我一定要杀了你。540定分：定数。人活多少岁都是老天爷事先规定好了的。541若应死于王手：如果我命定的是应该死在你的手里。542武卫将军：皇帝禁卫军队的统领官。543表让：上表推让，以表示客气。544列卿：各位卿一级的朝廷官员，即今国务院里的部长一级。545令解左右：指免去其散骑常侍之职。散骑常侍虽然没有多少实权，但他经常出现在皇帝身边，说话很有分量。546听其让爵：接受了于忠的推让。547优进太府卿：表扬他的推让精神，让他当了太府卿。太府卿是掌管国家仓库的官员。548巴东献武公：巴东公是萧颖胄生前的封号，献武是死后谥。549萧璝与蔡道恭相持不决：巴西太守鲁休烈与巴东太守萧惠训乘萧衍东攻建康之际，从上游起兵援助朝廷以攻江陵，江陵政权的部将刘孝庆败于峡口，任漾之战死。萧颖胄派军主蔡道恭驻守上明，鲁休烈与萧惠训之子萧璝相持于上明，不分胜负。550忧愤成疾：胡三省曰，“萧颖胄以萧衍东伐，所向战克，而己辅南康居江陵，近不能制萧璝，外无以服奸雄之心而内有肘腋之寇，此其所以忧愤成疾也”。551壬午：十二月无壬午。《南齐书·和帝纪》作“壬寅”。壬寅，十一月十二。552似其书者：写字像萧颖胄的人。书，文字。553假为教命：假充萧颖胄给萧衍写了一封信。教、命，都是文体名，指诸侯王或三公大臣所下达的命令与通告。554赴之：前往上明前线。555共参军国：共同参掌西台的军国大事。556行荆州府州事：代理荆州刺史与荆州都督的事务。胡三省曰：“岂特众望归衍哉，西台之权又归于憺矣。”557圜丘：祭天的坛台。558伊水之阳：伊水的北岸。伊水是洛水的支流，流经洛阳城南。此祭天的圜丘即在洛阳城南，伊水的北岸。阳，通常指山之南、水之北。559乙卯：十一月二十五。560始祀于其上：在此圜丘上举行祭天典礼。561元英：魏景穆帝拓跋晃之子，魏主宣武帝的叔祖父，在与南齐的战争中有过优异表现。传见《魏书》卷十九下。562秣陵：古县名，县治在当时建康的西南方。孙权在秣陵建立都城后，改称建业。晋时分秦淮河以南为秣陵县，以北为建业城。因其相距甚近，故人们也往往用“秣陵”以称建康。563 扫土兴兵：意即征调了雍州、荆州的全部人马。扫土，一个不留地征调全部百姓参战。564 唯有孤城：指襄阳如今只剩下孤城一座。565 此而不乘：有这样好的机会而不利用。566 沔阴：汉水以南，此指襄阳城，当时南齐的雍州州治所在地。567 黑水：黑水出南郑。元英的意思是攻得了襄阳，就截断了荆襄通往梁州的道路。568 三楚：秦汉时曾分战国时的楚地为三楚，即东楚、西楚、南楚。此处即泛指江淮地区的旧楚国之地。569 岷、蜀之道：指建康上通岷、蜀一带的道路。岷，指岷山，在今四川西北与甘肃交界的地方。蜀，古国名，都城成都，后一直作为今四川一带的别称沿用至今。570 扬、徐二州：当时魏国的徐州州治彭城，即今江苏徐州；当时魏国的扬州州治寿阳，即今安徽寿县。571 声言俱举：故意声张徐州、扬州要同时大举出兵南伐建康。572 穷蹙：穷困紧迫而无计可施。573 齐文轨：书同文，车同轨，指统一天下。574 大同：全国统一的太平盛世。575 混天地而为一：将天地之间的一切人类、一切地区混成一体。576 伏惟：伏，谦辞。惟，思、请。意思是希望您、请求您。577 脱爽：一旦错过。脱，如果。爽，差错、错过。578 并吞无日：就再没有统一天下的机会了。579 源怀：魏国元勋老臣源贺之子。传见《魏书》卷四十一。580 内侮：向着他的君主动兵。581 广陵、淮阴等戍：广陵、淮阴等军事要地。戍，军事据点、军事要塞。582 观望得失：观望形势变化。意即按兵不动，根据形势发展以确定自己今后的动向。583 天启之期：老天爷为我们提供了好机会。584 并吞之会：是吞并天下的关键时刻。585 东西齐举：东路进攻建康，西路进攻襄阳。586 克济：大事办成，夺取了南齐政权。587 扬州危逼：我们的寿春一带也要受到威胁。当时的寿春是魏国扬州的州治所在地。588 皆彼所谙：都是萧衍等人所熟悉的。589 内外无虞：朝廷内外都没有危机。590 藉水：凭着水路交通的便利。591 倏忽而至：很快就能达到寿春、徐州一带。592 未易当：不是容易抵抗的。当，抵挡。593 廓清江表：扫平长江以南。廓清，澄清，意即扫平。江表，江外，从中原地区说，即长江以南。胡三省曰：“使魏从二臣之计，画江为境，不待侯景之乱也。”594 任城王澄：元澄，景穆帝拓跋晃之孙，魏主元恪的叔祖，在协助孝文帝的迁都与汉化问题上多有贡献。传见《魏书》卷十九中。595 经略：经营、开拓。596 不果：没有成为事实。主要是因萧衍很快地控制了局势，统一了南朝，魏国只好作罢。597 贺：源贺，原是河西王秃发傉檀之子，拓跋焘时降魏，后对魏国有大功。传见《魏书》卷四十一。598 东豫州：魏州名，州治即今河南息县。599 中分为两：指一部分属于原朝廷的萧宝卷，一部分属于名义上的萧宝融，实际属于萧衍。而胡三省却有所谓“西阳郡以西归萧衍，历阳郡以东犹属于建康”。此说过于拘执。600 已淹岁时：已经持续一年。淹，历、经过。601 转输：运送粮草。602 事救于目前：一切都只顾缓解眼前的危难。603 力尽于麾下：全部精力都消耗在战场上。麾，将军的指挥旗。604 无暇外维州镇：没有工夫管理四周边境上的政区与军事据点。外维，四周边界。605 纲纪庶方：没有办法管好各个地区。纲纪，用如动词，意即管理。606 藩城：指南齐境内的各州城。607 电扫：像闪电一样迅速清扫。608 虽平：虽已归我占有。⑹三面仍梗：但其东、西、南三面还受着威胁。梗，塞、存有敌方的势力。⑽镇守之宜：加强寿阳的防守事宜。⑾豫设：预先建立。⑿差近淮源：接近淮水的源头，意即那里河面较窄、河水较浅。〖按〗淮水源出桐柏山，东流经过义阳（今河南信阳）。差近，比较接近。⒀利涉津要：是个有利于军队渡河的地方。津要，渡河的要道。津，渡口。⒁江南一平：江南一旦被萧衍所平定。⒂有事淮外：着手经营淮河以北。有事，古时常指祭祀和用兵。这里即指萧衍用兵。⒃夏水泛长：夏天的水势上涨。⒄师赴寿春：指魏军从洛阳出发支援寿春。⒅便是居我喉要：这时的义阳恰好在我们的咽喉通道上。当时的义阳属南齐所有，是南齐突出的北方军事重镇。⒆在虑弥深：是我们特别要考虑的地方。⒇度彼：估计攻下义阳。㉑贵张形势：重要的在于虚张声势。㉒两荆：指魏国的荆州与东荆州。魏国荆州的州治即今河南鲁山县，魏国东荆州的州治即今河南息县。㉓西拟随、雍：从西路起兵进攻随郡与襄阳。㉔扬州之卒：寿春的驻军。当时的寿春是魏国的扬州州治所在地。㉕顿于建安：驻扎在建安。建安是当时的军事要塞，即今河南固始，在寿春的西南方。㉖捍三关之援：阻挡住从三关方面出来的援救义阳之兵。三关即今信阳以南的平靖关、武阳关、黄岘关，都距离义阳百里左右。㉗二豫：魏国的豫州与东豫州。魏国豫州的州治即今河南汝南县，魏国东豫州的州治即今河南息县。㉘南关：指阴山关，在今湖北麻城东北。㉙延头：军事要地，即今湖北安陆境内。㉚密迩王土：言其位于南齐的北境，距离魏国的疆土最近。密迩，靠近。㉛欲焚之鸟二句：已是快要烧死的鸟了，你不能再抽去薪柴，让它存活。㉜授首之寇：伸出脖子等待杀戮的敌寇。㉝戒严垂发：调集军队，将要出发。㉞军司：本称“军师”，晋朝为避司马师讳，改称“军司”，即朝廷派出的监军。㉟为之节度：前去统一指挥、统一调度。㊱直寝：皇帝身边侍从人员，在皇帝的卧室值勤。直，通“值”。㊲建宁：郡名，郡治在今湖北麻城西。㊳赤亭：地名，在建宁郡治的西南方。㊴蒋子文：东汉末年曾为秣陵尉，因追逐强盗至钟山而战死。东吴初年，有人看见蒋子文显灵，于是被孙权封为钟山的山神，并将钟山改名为蒋山而为之立庙。㊵又尊子文为灵帝：此句的主语仍为东昏侯。灵帝，有灵验的神帝。㊶瓌：张瓌，此时为光禄大夫。㊷实甲：疑应作“贯甲”，即披甲，指能够战斗的士兵。㊸被创势：受了伤的样子。创，武器的伤害。㊹以板扛去：用木板抬走。㊺用为厌胜：大概是说用过这种办法的人以后便不会真的再受类似的伤害。厌胜，巫觋为人祈福所做的一些把戏。㊻具装：整套衣服上。㊼饰以孔翠：用孔雀的羽毛和翡翠装饰起来。㊽几中：差点射中。㊾办樵、米：预先准备的烧柴与米粮。㊿为百日调：够一百天的用度。调，消费、用度。651数百具榜：几百块木板。652启为城防：请求用作城上的防御工事。653御府：为皇宫制造器物的部门。654精仗：精良的武器。655以拟屏除：以为自己充当驱赶行人、清道戒严之用。拟，充当。屏除，驱赶闲人。656倍急于常：搜刮得比平时更加倍紧急。657早亡：早点逃出。658莫敢先发：只是没人敢挑头而已。659不留意：不在意；不上心。660献明镜于萧衍：意思是让萧衍明白他想要投降的心迹。胡三省曰：“镜所以照物，献镜者，欲衍照其心也。”661断金以报之：对王珍国表示信任，愿意合作。《周易·系辞》有所谓“二人同心，其利断金”。此用其意。662 因齐：通过张齐。663 造膝：促膝，极言聚坐之近。造，至。664 后阁舍人：东昏侯的侍从，常在斋阁后庭服务者。665 十二月丙寅：十二月初六。666 云龙门：宫城的城门。667 御刀：皇帝的带刀护卫。668 作笙歌：演奏笙歌完毕。669 王亮：晋臣王导的后代，刘宋时期的名臣王昙首之孙，王僧绰之子，娶公主为妻；齐明帝萧鸾时为吏部尚书，萧宝卷时与六贵也相处很好，后来又给萧衍当尚书令。传见《梁书》卷十六。670 殿前西钟：殿前西侧悬挂钟磬的地方。671 署笺：签名。672 黄油：不怕湿、不漏水的黄油布。胡三省曰：“黄绢施油可以御雨，谓之黄油。以黄油裹物，表可见里，盖欲萧衍易于审视也。”673 国子博士范云：国子博士是太学里的教官。范云是当时著名的文学家，先在南齐为臣，入梁后更受亲任。传见《梁书》卷十三。674 王志：时为萧宝卷任右卫将军之职，为其一支禁卫军的统领。入梁后曾为中书令，颇得百姓喜欢。传见《梁书》卷二十一。675 冠虽弊二句：帽子虽破，也不能穿在脚上。以喻东昏侯虽然是昏君，但也不能如此对待他。《史记·儒林列传》有所谓“冠虽敝，必加于首；履虽新，必关于足”。此用其语。676 挼服：揉搓后吞了下去。677 伪闷：假装喘不上气来。678 莹：王莹，晋臣王导的后代，先在刘宋娶公主为妻，后在齐任左仆射，入梁后官至尚书令。传见《梁书》卷十六。679 有旧：有旧交。范云曾与萧衍一道在齐武帝之子竟陵王萧子良门下为宾客。680 参帷幄：在萧衍身边充参谋顾问之用。帷幄，办公与睡觉的帐幕。出入于君主或大将的帷幄，极言其关系之亲密。681 依违取容：模棱两可，不明确表态，以求得主子的宽容，达到保官保命、保其荣华富贵的目的。682 新林：当时建康郊区的长江渡口名，比上文提到的板桥更靠近建康城，离新亭不远。683 间道送款：暗中派人向萧衍献忠心，表示好感。款，心意。684 颠而不扶二句：当一个人跌倒时，居然连个过来扶一把的人都没有，这要他身边那些服务的人有什么用。相，帮手、辅导人员。《论语·季氏》有所谓“陈力就列，不能者止。危而不持，颠而不扶，则将焉用彼相矣？”意思是说既然做人家的官，就得替人家办事。如果人家有了危险，快要摔倒时，都没有人去帮一把，那要你们这些“左膀右臂”的大臣干什么？萧衍这里是在批判王亮等做官而不管事，依违取容以保富贵的家伙们。685 若其可扶二句：王亮之对，只说出了萧衍起兵的合理性，仍未回答他们这群无耻官僚存在的合理性。686 麾下：部下。687 多由公则营：大多是通过杨公则的防区平安出去的。688 委积：堆积，极言其多。689 属吏：交给主管该事务的官吏看管。690 海陵王之废：海陵王萧昭文被萧鸾所废。事见本书卷一百三十九建武元年。691 王太后：指郁林王之母，齐武帝太子萧长懋的妃子王氏。传见《南齐书》卷二十。692 己巳：十二月初九。693 追废涪陵王为东昏侯：涪陵王，涪陵郡王。和帝萧宝融初被萧衍等拥立为帝时，将皇帝萧宝卷遥贬为涪陵王，事见本卷前文，现又将其再贬为东昏县侯。东昏县的县治不详所在。694 晋武陵王遵承制故事：武陵王遵，司马遵，晋元帝司马睿之孙，司马晞之子，继其父位为武陵王。在晋安帝元兴三年（公元四〇四年），晋安帝被叛臣桓玄所挟持，离开建康后，武陵王司马遵曾被拥戴建立行台，以皇帝的身份代理朝政。事见本书卷一百十三。胡三省曰："不待西台诏命，而以宣德太后令高自署置，萧衍之心，路人所知也，岂必待范云、沈约发其端哉?"⑮壬申：十二月十二。⑯癸酉：十二月十三。⑰己卯：十二月十九。⑱昏制谬赋：指萧宝卷所建立的昏庸制度、所规定的荒谬赋税。⑲淫刑滥役：所制定的繁酷刑法、所实行的没有节制的劳役制度。⑳外：此"外"字游离于上下文，疑为衍字。㉑详检前原：都详细地检查一下，恢复原来的样子。㉒悉皆除荡：凡是萧宝卷所增加的东西，通通废除。㉓主守：管理各种府库的长官。㉔散失诸所损耗：由于过去的条例散失，造成了大量的损耗。㉕精立科条二句：现在要认真地制定条例，恢复原有的情景。㉖通检尚书众曹：普遍地检查一遍尚书省所属的各个部门。㉗诤讼失理：一些存有争论而未能解决的问题。失理，未能解决。㉘淹停不时施行：拖拉而未能及时实施。不时，没有及时。㉙精加讯辩：仔细地查对清楚。讯，查问。辩，同"辨"，明晰。㉚依事议奏：按照具体情况提出处理意见。㉛义师：指在推翻萧宝卷政权过程中牺牲的战士。㉜瘗：埋葬。㉝逆徒：为保卫东昏侯政权而效力的人。㉞国色：倾国的容貌，指姿容极其美丽。㉟贻外议：招来外面人们的议论。贻，给、招惹。㊱分赉：分别赏赐。赉，赐、给。㊲乙酉：十二月二十五。㊳萧宏：萧衍之弟。传见《梁书》卷二十二。㊴中护军：职同护军将军，掌管京城以外的所有军队。以最高统治者的亲信但资历稍差一点的人为之。㊵江西：长江以西地区。当时马仙琕任南豫州刺史，州治当涂在长江以东，其辖境还有长江以西的大片地区。㊶日抄运船：每天都在抄掠萧衍军队的运输船。㊷吴兴：郡名，郡治即今浙江湖州。㊸拒境：拒守边境，不准萧衍的军队进入。㊹颉：袁颉，刘宋时的将领。前废帝刘子业滥杀大臣，袁颉奉刘子勋为帝起兵反朝廷；刘彧抢先夺得帝位后，袁颉等又反刘彧，事败被杀。传见《宋书》卷八十四。㊺驾部郎：尚书省里主管车马部门的长官。㊻考城江革：江革是考城县（今河南民权东北）人。传见《梁书》卷三十六。此时任驾部郎，相当于国务院里的一名部长。㊼根本：指萧宝卷的朝廷政权。㊽竭力昏主：为昏庸的君主效尽全力。㊾三吴：地区名，指吴郡、吴兴、会稽。一说指吴兴、吴郡、丹阳。是当时靠近京城、人烟密集、土地肥沃、物产丰饶的繁华地区。㊿非用兵之所：是不能让战争毁坏的地方。(731)何能为役：又怎么能和你们的大军对抗。为役，指调兵遣将。(732)麾旆届止：意即你们大军的旌旗所到之处。麾旆，军中的旗帜。届止，来临、到达。(733)膝袒军门：肉袒膝行，叩见于军门。膝，膝行。袒，袒露臂膊，表示请罪的姿态。(734)敢后至：所以胆敢不来叩见请降。(735)政以：正是因为。政，通"正"。(736)内揆庸素：认识到自己的平庸无能。揆，测、认识。(737)文武无施：既没有文韬，也没有武略。无施，一无所成。(738)献心：献出忠心，率郡归附。(739)置其愚默：您就让我保持沉默。置，听任、允许。(740)宁沮众军之威：难道就损害了你们大军的威望么。沮，败坏、损害。(741)幸藉将军含弘之大：我希望能借着您的宽仁大度。将军，敬称萧衍。当时萧衍自封为骠骑大将军。(742)可得从容以礼：能够让我遵守一点小小的礼节。从容，意即别太威逼我，别太让我为难。(743)投殒：指捐躯效命相报。投殒，献身、效死。(744)食人之禄：享受人家的俸禄，给人家做臣子。⑦45 顿忘一旦：在一天之间说变就变了。顿，登时。⑦46 非唯物议不可：不光是社会舆论不同意。⑦47 明公：对受话人的敬称，即指萧衍。⑦48 未遑荐璧：没有立即前来向您投降。遑，急遽、赶快。荐璧，古代求见人时献上的礼物，这里即指投降。荐，进、呈上。⑦49 时事：当前应该做的事。⑦50 傅映：北地郡（郡治在今陕西耀州东南）人，此时任武康县令。传见《梁书》卷二十六。当时的武康县在今浙江德清西。⑦51 元嘉之末：元嘉是宋文帝刘义隆的年号（公元四二四至四五三年）。“元嘉之末”指刘义隆被其太子刘劭所杀的恶劣事件。详见本书卷一百二十七元嘉三十年。⑦52 开辟未有：其事件之恶劣是开天辟地以来所没有过的。⑦53 太尉杀身以明节：时任太子右卫率的袁淑不屈从于刘劭，被刘劭所杀。孝武帝刘骏即位后追赠袁淑为太尉。袁淑死事见本书卷一百二十七。袁淑是袁昂的叔祖父。传见《宋书》卷七十。⑦54 司徒：指袁昂的叔父袁粲，在宋明帝刘彧朝历任中书令、尚书令。明帝死后，与褚渊、刘秉等共同辅佐少帝刘昱，被进封司徒。萧道成的权位日重，篡位的形势日渐险恶，袁粲为维护小皇帝，起兵欲剪灭萧道成，失败被杀。传见《宋书》卷八十九。⑦55 夷险：偏义复词，这里即指险、凶险。⑦56 以徇名义：为坚持正义而不惜献出生命。徇，为……而死。⑦57 协举：联合举兵。⑦58 乘据上流：占据上游，顺流而下。⑦59 明府：古代对州刺史与郡太守的敬称。此称吴兴太守袁昂。⑦60 道素：道德高尚、门第清白。⑦61 开门撤备：打开城门，撤去防卫。⑦62 任寄：委任；任用。⑦63 义不容降：无论如何是不能投降的。⑦64 持满：拉满弓。⑦65 但来见取：只管前来杀我。⑦66 槛：囚车。这里用作动词，意即将其装入囚车。⑦67 使待袁昂至二句：使马仙琕等候袁昂来到后，一起进见萧衍。⑦68 射钩、斩祛：射钩指管仲射齐桓公事。管仲一开始跟从公子纠，为使公子纠夺取齐国诸侯之位，前往伏击公子小白（即日后的齐桓公），曾射中小白胸前的带钩，赖带钩之蔽而未死。后来公子纠被打败后，桓公不记旧仇，任管仲为相。事见《左传》庄公九年。斩祛指寺人披往杀晋文公事。晋献公听信骊姬之谗，派寺人披往刺公子重耳（即日后的晋文公），重耳仓皇逃走，被寺人披斩下了一只袖子。晋文公夺得君位后，不计旧怨，重用寺人披。事见《左传》僖公五年、二十四年。祛，衣袖。⑦69 自嫌：自己心存顾虑。⑦70 丙戌：十二月二十六。⑦71 入镇殿中：将他的指挥部迁到了宫廷内。⑦72 刘希祖：萧宝卷的将领，萧颖胄的部将攻占湘州后，萧宝卷派刘希祖前往讨伐。刘希祖夺回了安成郡，被萧宝卷任为安成太守。事见本卷前文。⑦73 移檄湘部：给湘州所辖的各郡县、各部门发出文告，号召他们保卫朝廷。⑦74 始兴：郡名，郡治曲江，在现在的韶关市西南，曲江区西北。⑦75 长沙：当时也叫临湘，即今湖南长沙，当时湘州的州治所在地。⑦76 去城：距离长沙城。⑦77 临湘、湘阴、浏阳、罗：当时湘州管辖下的四个县名，都在今湖南境内。当时的临湘县即长沙所在的县名，县治在今长沙内，当时的湘阴即今天的湘阴，当时的浏阳县治在今浏阴城的东北方，当时的罗县县治在今汨罗的西北侧。⑦78 行事刘坦：临时代理湘州刺史职务的将军刘坦。当初刘坦毛遂自荐前来代理湘州刺史事，见本卷前文。刘坦传见《梁书》卷十九。⑦79 湘州镇军：当时的州刺史部下没有“镇军”的称号，本文的说法来自《梁书·刘坦传》。应是《梁书》的叙事有误。⑺⑻刻日：约定日期。⑺⑼阳：通“佯”，假装。⑺⑽理讼：处理纠纷。⑺⑾以疑之：让阴谋叛乱者莫名其妙。⑺⑿收其家书：查抄其家中的往来书信。⒀收兵已报：前去抄家的士兵已经回来报告。⒁具得其文书本末：全部查清了他们相互勾结、相互串通的详情。⒂首伏：低头认罪。⒃杨公则还州：杨公则是最先平定湘州的名将，而后随大军往攻建康城，今建康事毕回到湘州。⒄王丹：王丹原是湘州治下的南康郡太守，先已被杨公则平定；刘希祖攻下安成时，王丹又变卦投降了刘希祖。⒅几复其旧：差不多恢复了原有的人口数量。

【校记】

［16］之：据章钰校，十二行本、乙十一行本“之”下皆有“于”字。［17］至：据章钰校，十二行本、乙十一行本皆作“去”。［18］贞孙：原无此二字。据章钰校，十二行本、乙十一行本、孔天胤本皆有此二字，张敦仁《通鉴刊本识误》同，今据补。［19］芥：据章钰校，十二行本、乙十一行本皆作“介”。［20］狂：据章钰校，十二行本、乙十一行本此下皆有“而”字。［21］直：据章钰校，十二行本、乙十一行本皆作“方”。［22］恭穆：原作“恭祖”。据章钰校，十二行本、乙十一行本皆作“恭穆”，今据改。［23］军主：原无此二字。据章钰校，十二行本、乙十一行本皆有此二字，张敦仁《通鉴刊本识误》同，今据补。［24］游：据章钰校，十二行本、乙十一行本“游”上皆有“侯”字。［25］顿：据章钰校，孔天胤本作“屯”。［26］直：据章钰校，十二行本、乙十一行本皆无此字。［27］邓元起：据章钰校，十二行本、乙十一行本皆作“邓元超”。［28］知：据章钰校，十二行本、乙十一行本皆作“之”。［29］上：据章钰校，十二行本、乙十一行本“上”下皆有“人”字。［30］而：据章钰校，十二行本、乙十一行本皆作“以”。［31］事：原误作“军”。据章钰校，十二行本、乙十一行本皆作“事”，今据改。［32］荒：据章钰校，十二行本、乙十一行本皆作“骄”。［33］分：据章钰校，十二行本、乙十一行本皆作“外”。［34］文：据章钰校，十二行本、乙十一行本此下皆有“神”字。［35］钟山王：据章钰校，孔天胤本作“中山王”。［36］参军：据章钰校，十二行本、乙十一行本“军”下皆有“冯翊”二字。［37］裹：原“裹”下有空格。据章钰校，十二行本、乙十一行本、孔天胤本皆无空格，今据删。［38］己巳：原作“乙巳”。据章钰校，十二行本、乙十一行本皆作“己巳”，严衍《通鉴补》同改作“己巳”，今据改正。［39］映：原作“暎”。据章钰校，十二行本、乙十一行本皆作“映”，今据改。下同。［40］伏：原作“服”。据章钰校，十二行本、乙十一行本皆作“伏”，今据改。

【研析】

本卷写齐和帝萧宝融中兴元年（公元五〇一年）一年间南齐与北魏两国的大事。主要写了萧衍出兵东下，攻克建康，夺得朝廷大权，以及魏国政权内部矛盾众多，魏主被身边的小人所围，政治日益衰落等。其中可议论的问题主要在南朝方面。

第一，关于南齐皇帝萧宝卷应该被杀的理由，除了上卷所述的一些罪行明显系胜利者所强加外，本卷还继续写了萧宝卷的搜刮百姓、奢侈荒淫，以及好出宫游荡、迷信鬼神等。其中所说的萧宝卷好巫觋，当有人假说其父萧鸾显灵，以责怪萧宝卷的外出游荡，萧宝卷竟“缚菰为高宗形，北向斩之，县首苑门”云云，显然夸张过分，使人生厌。王夫之《读通鉴论》曰：“自宋以来，天下之灭裂甚矣。一帝殂，一嗣子立，则必有权臣不旋踵而思废之。伺其失德，则暴扬之，以为夺之之名。当扆之席未暖，今将之械已成。谢晦一启戎心，而接迹以兴者不绝。至于东昏立，而无人不思攘臂以仍矣。江祏也，刘暄也，萧遥光也，徐孝嗣也，沈文季也，陈显达也，崔慧景也，张欣泰也，死而不惩，后起而益烈，汲汲焉唯手刃其君以为得志尔。身为大臣，不定策于顾命之日，不进谏于失德之始，翘首以待其颠覆，起而杀之。呜呼，君臣道亡，恬不知恤，相习以成风尚，至此极矣。”《论语·子张》说：“纣之不善，不如是之甚也，是以君子恶居下流，天下之恶皆归焉。”一个人如果处于谁都想杀他的地位，那这个人还会有优点吗？请注意，晋、宋、齐的这些小昏君还大都是十几岁，甚至还不到十岁的孩子呀，奇怪的是他们的罪行不仅被当时人传为故事，而且还被后代人摘为笔记、列为传奇，被津津乐道地传个不停；而从没见有人摘出其编造的拙劣，痛斥其荒诞的不足信。唯有其中的好杀大臣一项，虽仍然看不清他究竟仗恃什么而能如此肆无忌惮，但一些有功之臣纷纷被他所杀显系事实。如打败崔慧景，挽救了朝廷危难的萧畅、萧懿也被他杀害，这显然是令人憎恨的，这是令当时人，以及令后世读者转而同情萧衍集团的重要原因。

第二，从上卷起本书写萧衍的能力才干就比较突出，萧衍先是不赞成崔慧景外逃魏国的主意，自己起兵后又驳斥了萧颖胄等向魏国请救的主张，有比较感人的汉民族气节，令人耳目一新；在围攻郢口的时候，不听萧颖胄等人分兵以攻他城的指令，以求使攻郢之兵必获全胜，说理高屋建瓴；萧衍攻下建康，夺取大权后，实行了一系列的破旧立新，他下令“凡昏制谬赋、淫刑滥役外，可详检前原，悉皆除荡。其主守散失诸所损耗，精立科条，咸从原例”；又下令“通检尚书众曹，东昏时诸诤讼失理，及主者淹停不时施行者，精加讯辩，依事议奏”；又下令“收葬义师，瘗逆徒之死亡者”，洋洋洒洒，一派刘邦入咸阳，废秦苛法，施行约法三章的气象；萧衍的军队攻破台城前，建康的百姓都被萧宝卷劫入台城，萧衍的军队攻破台城后，“城中出者，或被劫剥。杨公则亲率麾下陈于东掖门，卫送公卿、士民，故出者多由公则营焉。衍使张弘策先入清宫，封府库及图籍。于时城内珍宝累积，弘策禁勒部曲，秋毫无犯”。自司马睿建立东晋以来，一百八十多年了，谁见过如此气象的节制之兵？杨公则、张弘策都是萧衍部下的名将，历史家充满感情地描写杨公则围攻台城时的风度说：“杨公则屯领军府垒北楼，与南掖门相对，尝登楼望战。城中遥见麾盖，以神锋弩射之，矢贯胡床，左右失色。公则曰：‘几中吾脚！’谈笑如初。东昏夜选勇士攻公则栅，军中惊扰，公则坚卧不起，徐命击之，东昏兵乃退。公则所领皆湘州人，素号怯懦，城中轻之，每出荡，辄先犯公则垒。公则奖厉军士，克获更多。”虽然作者模仿《史记》的写法显得有些拙劣，但良将的风采还是给人留下了深刻的印象。这些无疑都让人对萧衍充满了一种敬佩之情。自司马氏篡汉魏以来，晋、宋、齐、梁、陈，如同螳螂捕蝉、黄雀在后一样，逐个被篡取，对历史不甚熟悉者，往往不加分别，一概而论；熟悉历史者，则分别言之。刘裕是篡位不假，但人们认为他做皇帝是应该的，有盖世之功，如果不做皇帝反倒让人感到遗憾。最可恶的是萧道成与萧鸾，他们对国家、对黎民百姓没有任何功劳，只靠玩阴谋骗取信任，篡得了政权后，又穷凶极恶地诛戮前个王朝的子孙，唯恐不尽。到头来换得另一个阴谋家上台，又变本加厉地重复他们对前一个王朝所采取的种种手段。相比之下，萧衍虽然没有刘裕的功劳大，但他的起而夺权却是名正言顺，他既是报家仇，又是解民愤；他不是萧宝卷的辅政之臣，而是由地方军阀起而推翻昏君的，所以后代的史家称他的军队为“义军”。而且萧衍上台后，不论是内政还是对外关系，也都有一定程度的改善，在历史上应该得到较好的评价。王夫之《读通鉴论》说：“于诸篡主，唯衍差为近正者有二：颖胄恇怯，欲请救于魏，其时元英方欲乘乱以袭襄阳，幸其主不从耳，而请援以挑之，是授国于索虏也。衍毅然曰：‘丈夫举事，欲清天步，岂容北面请救戎狄？’……衍之东下也，东昏已死于张稷之手，衍乃整勒部曲以入建康，自以宣德太后令承制受百僚之敬，而非受命于南康。……故曰视诸篡者为近正也。”丁晏曰：“晋宋南北以降，盖非论德之世也，苟以吊伐为事如衍者，此当时人心之渴望也。故《纲目》予之，不曰‘反’，曰‘起兵’，盖《春秋》予桓、文之意，其他以‘反’书者，岂知救世之权宜哉？”王夫之又评梁初政治状况说：“梁氏享国五十年，天下且小康焉。旧习祓除已尽，而贤不肖皆得自如其志意，不相谋也，不相溷也。就无道之世而言之，亦淫雨之旬乍为开霁，虽不保于崇朝之后，而草木亦蓁蓁以向荣矣。”

第三，关于王亮的答萧衍之问。王亮是东晋名臣王导的后代，是刘宋时期的名臣王昙首之孙，王僧绰之子，于刘宋末年曾娶刘宋的公主为妻；进入南齐后，先在萧道成、萧赜的驾下为臣，萧鸾篡取了萧昭业的帝位后，王亮又当了萧鸾的吏部尚书；萧宝卷继位后，主昏臣佞，时有六贵当权，王亮恰好又能与六贵都相处得很好；后来萧衍起兵，攻克建康，萧宝卷被自己的朝臣所杀，于是王亮又往见萧衍。萧衍问他：“颠而不扶，安用彼相！”意思是说：一个国家让你们搞成这种样子，一个皇帝让你们培养、辅佐成这种样子，你们这群皇帝的肱股大臣、左膀右臂们都是怎么当的！这话问得很严厉，皇帝年幼无知，亡国的责任不就在你们这一群人里吗？如果萧衍把王亮等人明正典刑，也完全是英明君主的作为，就像当年周武讨伐殷纣，杀了殷纣，同时也杀了恶来等人一样。王亮面对萧衍的责问，回答说：“若其可扶，明公岂有今日之举?”意思是说，我们的皇帝太坏，无法改好，所以只有等着您来除掉他，改朝换代了。王亮的话只表现了向萧衍讨好，而完全没有回答萧衍的责问。“颠而不扶，安用彼相”是孔子的话，出自《论语·季氏》。其全文是“陈力就列，不能者止。危而不持，颠而不扶，则将焉用彼相矣?”孔子说，要做官，就得尽责任，就得把该干的事情干好。如果你没有这种能力，你就别干。别空自占着茅坑不拉屎!你们辅佐一个主子，他有危险你不帮一把，他要摔倒你不搀扶住，那要你们这些侍候的人们干什么用?萧衍在这里是向王亮等人问责，而不是让王亮评述他们的君主。而王亮竟然丝毫不知羞愧自责，公然把责任全部推给了他的主子。照理讲，萧衍应该发怒，至少应把王亮痛斥一顿。但是，萧衍没有动怒，反而又让王亮给他当了尚书令。这到底是怎么回事?深入探究，原来是因为当时门阀制度盛行，而王亮的出身太好了，其父祖辈从东晋以来历朝历代都在朝廷当大官，在今天看来这是一个只知“保官”“保命”，不负一点责任、不出一点力量的老滑头，恰恰这种老滑头的地位、声望却又特别高，故而萧衍尽管知道他、讨厌他，但仍不能得罪他，相反还得讨好他，以能请他这样一个人来到朝廷任职为光荣、为幸事。这就是从东晋以来南朝政治最恶劣、最腐败的症结之一。